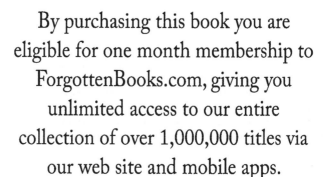

ISBN 978-0-331-13433-9
PIBN 11017788

Zeitschrift

für

Mineralogie.

---

von

Karl Cäsar von Leonhard,

der W. W. Dr., Geheimenrathe und Professor der Mineralogie an
der Universität zu Heidelberg.

Jahrgang 1827.

I. Band.

Mit 1 Tafel in Steindruck.

Frankfurt am Main, 1827.
Verlagsbuchhandlung von Ludwig Reinherz.

Geognostische Bemerkungen

über

einige Theile der nördlichen Alpenkette.

Von

Herrn Professor B. STUDER.

Die Beobachtungen, die man hier zu einem Ganzen zusammengefaßt findet, sind das Ergebniß mehrerer Alpenreisen, die ich in diesem und in früheren Jahren, theils allein, theils in Gesellschaft gemacht habe. Sie beziehen sich fast ausschließlich auf die Gegenden zwischen dem *Wallestadter*-See und *Bündten*, und auf die Gebirge zwischen dem *Genfer*-See und dem *Simmenthale*, d. h. auf das östliche und westliche Ende der nördlichen Alpenkette.

Ich genoß, zugleich mit meinem Freunde Mousson, den hohen Vorzug, die interessanteren Theile

der ersten Gegend voriges Jahr, unter der Leitu
Herrn v. Buch's, zu besuchen: von *Altorf* au
über den *Clausenpaſs*, kamen wir nach *Lintha*
folgten dann dem Thalgrunde bis *Matt*, bestiege
durchs *Krauchthal* aufwärts, die Höhen des *Spi*
meilen und *Weiſsmeilen*, und eilten, von heftige
Gewitterregen verfolgt, von da über die *Flumse*
alpen ins *Sarganserthal*. Die Gegend war mir au
von einer früherer Reise her, von *Matt* über de
Risetengrat nach *Mels*, bereits etwas bekannt g
wesen. — Auf diesen Sommer hatte ich mit meine
Freunde, Prof. Merian, eine genauere Bereisun
dieser Gebirge verabredet. Wir verlieſsen *Chur*
wo wir der Gesellschaft der Schweizerischen Natu
forscher beigewohnt hatten, und besuchten zuerst
unter der gütigen Anführung Hrn. Kühnlin's, E
genthümer und Direktor der Braunkohlenwerke vo
Uznach, die Gold-Gruben oberhalb *Feldsperg* a
Galanda, wo Belemniten und Kamm-Austern i
einem Talkschiefer sitzen, der, mit steilem südl
chen Fallen, die äuſserste Decke des Gebirges z
bilden scheint. Wir wünschten von *Vättis* a
durchs *Kalfeuserthal* auf die hintere *Foh-Alpe*, un
von da auf den *Seezboden* zu gelangen, verfehlte
aber den Paſs, und wurden gezwungen, zwische
Scheibs und *Falterf* durch, über jähe Fels-Abstür
ze ins *Weiſstannenthal* und von da erst, wied
aufwärts, nach den *Seez-Staffeln* zu steigen. D
folgende Tag führte uns über den *Seez-Kamm* un
Weiſsmeilen ins hintere *Murgthal* und abwär

nach *Hurg*. Von da zurück erstiegen wir den *Bä-
reibaden* und die *Mürtschen - Alpen*, und, zwischen
dem *Frohnalpstock* und *Schilt* durch, erreichten
wir das Hauptthal und *Glarus*. Das herrliche Wetter begünstigte unsere Reise, wie wir es nur wünschen durften, daher säumten wir nicht, sogleich
wieder ins *Niederthal* einzudringen, bis auf die
hintere *Niederalp*, und, über ausgedehnte Schie-
ferhalden und wild zerrissene Felsgräte, an der
Westseite des *Kärpfstockes* durch, umgingen wir in
der Höhe alle die anstofsenden Seitenthäler bis ins
Durnachthal und *Linthal*. Mit einem erfahrenen
Führer, und die Detailkarte Hrn. Dr. HEGETSCHWEI-
LER's in der Hand, überstiegen wir den *Kistenfirn*,
erreichten *Brigels* in *Bündten* und, Nachts erst, das
hoch liegende *Panix*, von wo wir über den *Panixer-Pafs* nach *Glarus* zurückkehrten. Der mehrfachen Reisen ungeachtet, ist uns noch Vieles in
diesen Gegenden dunkel geblieben, und müssen sehr
wünschen, entweder gemeinschaftlich, oder einzeln
das noch Fehlende in künftigen Sommern ergänzen,
und den Freunden dieser Untersuchungen dann etwas Vollständigeres und Gründlicheres, als die folgenden Notizzen sind, darbieten zu können. —
Man kennt übrigens die allgemeinen Verhältnisse
dieser Gebirge bereits aus der »Reise über die Ge-
birgzüge der Alpen zwischen *Glarus* und *Chia-
venna*« von Hrn. v. BUCH, im Magazin der natur-
forschenden Freunde von Berlin 1809. Sehr viel
Vortreffliches, sowohl über die hier auftretenden

1 *

4

Formazionen, als über ihre östliche und westlich
Fortsezzung, enthalten die Schriften Hrn. Ebel's
und zuverlässig besizzen die gelehrten Geognoste
in *Zürich* eine Reihe von Beobachtungen und Bele
gen, deren Bekanntmachung eine fernere Unters
chung dieser Gegend wahrscheinlich unnöthig m
chen würde.

So viel über die Quellen meiner Kenntnifs jen
östlichen Theiles der Alpenkette. Mit den mir n
her gelegenen Gegenden der westlichen Schweiz bi
ich auf vielen kleineren und gröfseren Reisen ve
trauter geworden, deren Zweck die Aufsuchung be
stimmter Formazionen und Lagerungs-Gesezze i
diesen äufserst verwirrten Gebirgs-Bildungen war
ein Zweck, dem es mir bis jezt noch nicht geglück
ist, mich so zu nähern, dafs die Resultate meine
Untersuchung mich selbst befriedigen könnten.

Die Formazion, die zwischen dem *Tödi* un
Galanda, und den nördlichen Kalk-Gebirgen de
Glärnisch, Mürtschenstock und den *Kuhfirsten* di
hohen Gebirgszüge bildet, denen die *Linth,* de
Sernftbach und die *Tamin* entfliefsen, erscheint, ab
gesehen von den, wie wir finden werden, abnorme
Veränderungen, die sie in einigen Theilen erlitten hat
als eine Schiefer- und Sandstein-Bildung
die sich nur höchst schwierig, wenn je, in mehrer
Formazionen zertheilen läfst. Hr. Ebel beschreib
dieselbe im Bau der Erde S. 294 u. s. w., Hr. vo

Boca in der angeführten Reise, so charakteristisch, daß es überflüssig wäre, hier eine genauere Darstellung zu versuchen. Schwarze oder graue Schiefer, matt und erdig, oder schwach glänzend sind vorherrschend, oft mit schwärzlichgrauen, schieferigen Sandsteinen oder sandigen Kalkschiefern enge verbunden, und mit dünnen Blättern, oder bandartigen dickeren Lagern derselben wechselnd. Auch wo der Sandstein mächtiger und selbstständig auftritt, wie in den, an *Bündten* stoßenden Gebirgen, zeigt er gewöhnlich starke Anlage zum Schieferigen; er unterscheidet sich ferner daselbst durch ein etwas gröberes und deutlicheres Korn; und hellere, grünlichgraue Farben. Selten fehlen weiße Glimmer-Blättchen, oft als kleine Pünktchen nur am Glanze erkennbar, oft auch, besonders in den schwarzen sandigen Schiefern, deutlich hervortretend, theils einzeln, theils vereinigt die Absonderungen überziehend. Eine nicht seltene Abänderung dieser Sandsteine ist die, unter dem Namen Tavigliana-z-Sandstein bekannte, dunkelgrüne Steinart mit hellen Flecken *. Große, zu Gebirgen anschwellende Massen von dunkelm Kalke; geschichtet, oder ohne Regel zerklüftet, sind diesen Schiefern und Sandsteinen bald aufgesetzt, bald als unregelmäßig begrenzte Zwischen-Lager oder liegende Stöcke unter-

---

* S. Brongniart, *terrains calc. trapp.* p. 43 B. Ferner meine Monogr. der Molasse. S. 45.

geordnet, häufig scheinen sie ihre Grundlage zu bi
den, und sie von den krystallinischen Formazion
zu trennen.

Man hat bisher den gröfsten Theil dieser Bi
dungen, häufig auch das Ganze, dem Uebergang
Gebirge beigezählt, die Schiefer als wahre Thol
schiefer, die Sandsteine als Grauwacken betrachte
und der mineralogische Charakter der Steinart
sowohl, als die Lagerungs-Verhältnisse haben die
Annahme vollkommen zu rechtfertigen geschiene
Bedeutende Zweifel gegen dieselbe erheben sich ab
von Seite der Petrefaktenkunde, Zweifel, die, w
fern sie sich bestätigen sollten, entweder eine sel
verschiedene Ansicht über das Alter jener Form
zion, oder wohl gar eine durchgreifende Abänd
rung des organisch-geologischen Systemes zur Folg
haben müfsten. Es ist mir nicht bekannt, dafs
ein charakteristisches Petrefakt des Uebergangs-G
birges in jenen Schiefern sey gefunden worden
keine Orthozeratiten, keine Produktus, keine K
rallen, dagegen eine ungeheure Menge von Nun
muliten, *N. laevigatus* Lam., oft von mehr a
1 Zoll Durchmesser; Turriliten, mit *T. Berge*
nahe übereinstimmend, Echiniten, der Gattung *G*
lerites angehörend, über 2 Zoll im Durchmess
haltend, kleine Chamen, die ich für die in Sower
T. 25 und 26 abgebildeten ansehe, Cardien un
Pecten von gewöhnlichen Formen, kleine Auste
u. s. w. Alles Petrefakten, die man sonst im Gree
sande oder in der Kreide zu finden gewohnt i

Es fehlen indefs die, für den Greensand charakteristischen, Ammoniten, die *Inoceramus*, die Hamiten. Die Steinart, welche diese meist noch mit ihrer Schaale erhaltenen Thierarten sehr fest umschliefst, ist zuweilen ein schwärzlichgrauer Kalk, vor den dicht gedrängten Nummuliten kaum zu erkennen, öfters mit eingesprengten grünen Körnern, deren Analyse in den *terr. calc. trapp.* p. 48. nachgesehen ist, und zuweilen durch Anhäufung dieser Körner fast schwarz, so dafs man an Basalt oder Grünstein erinnert wird; die Täuschung wird in diesem Falle durch die deutliche rhomboedrische Absonderung und die röthlichbraune Farbe der Aufsenfläche noch sehr vermehrt. In der Gegend von *Einsiedlen* und *Schwiz*, wo diese Formazion ebenfalls von grofser Bedeutung ist, erscheint der grüne Sandstein oft weifs punktirt, durch kreideähnliche Kalkkörner, auch sieht man daselbst stellenweise die Steinart in einen rothen Thon-Eisenstein übergehen, der beträchtliche Ausdehnung erlangt. * Beides ist uns in den mehr südlich gelegenen Gegenden nicht vorgekommen. — Die Lager dieses grünen Nummulitenkalkes sind theils in dem herrschenden Schiefer, theils in die denselben begleitenden grofsen Kalk-Massen eingeschlossen; zuweilen verbin-

---

* Eine ganz ähnliche Steinart scheint im Uebergangs-Gebirge bei *Blaton* in *Belgien* vorzukommen. S. *Ann. des Mines*; XIII, 37.

det sich mit ihnen ein feiner, braunlichgrauer Mergelschiefer als Dach derselben. Nicht alle, durch
grüne Körner gefärbten, Lager enthalten übrigens
Petrefakten, dagegen findet man auch einzeln zerstreute Nummuliten in Kalk-Massen von gewöhnli-
chem Aussehen, die sonst ganz leer von organischen
Körpern zu seyn scheinen. — Die grofse Verbreitung dieser Steinarten, quer durch die Alpen, von
Einsiedlen bis an den *Tödi*, kann den Gedanken
erregen, dafs mehrere Formazionen, die Nummuliten enthalten, hier zugleich vorkommen, und mit
einander verwechselt werden. Ich will auch dieser
Annahme nicht geradezu widersprechen, obschon
die Identität der so sehr ausgezeichneten Steinart,
so wie auch die der Petrefakten ihr wenig günstig
sind. Wir fanden auf *Seezboden*, in einem Lager,
das in die *Kalfeuserberge* übersezt, Galeriten, Chamen, Cardien u. s. w., die mit denen von *Einsiedlen* ganz übereinstimmen, ein schöner Turrilit, den
die öffentliche Sammlung in *Chur* besizt, wurde zu
Vättis gefunden, die Nummuliten endlich sind überall dieselben. — An einigen Stellen glaubt man
mehrere, durch Schiefer getrennte, Nummuliten-Bänke
über einander zu sehen, wo nur die, ans Unglaubliche grenzende, Verwirrung der Gebirgs-Struktur
die Täuschung verursachen dürfte. Als wir von
den *Kalfeuserbergen* über die vielleicht 3000 F.
hohe Felswand ins *Weifstannenthal* hinunterstie-
gen, waren wir mehreremale gezwungen, den senkrechten Fels-Abstürzen, von 100 bis 300 F. Höhe,

auszuweichen, durch die sich die festeren Zwischen-
Lager im Schiefer auszeichnen. In jeder dieser dik-
ken, untergeordneten Kalk-Massen fanden wir Nummuliten und grüne Körner, und, bei dem gleichförmigen südlichen Fallen, waren wir überzeugt,
durch eben so viele, durch Schiefer getrennte, For-
mazions-Glieder gekommen zu seyn; selbst am Fuſse
der Felswand zeigte sich noch Nummulitenkalk,
hier senkrecht durchbrochen durch dicke gangartige
Massen von grauem Quarzfels, der noch schwache
Spuren von Kalk enthält. Wie waren wir erstaunt,
als wir die ganze Felswand, von der andern Thalseite her, mit einem Blick übersehen konnten! Die,
das halbe Thal durch gleichförmig streichenden,
mehr als 100 F. dicken, Kalk-Massen schienen an
einen Ende sich plözlich abwärts, am andern aufwärts, oder an beiden abwärts zu biegen, mit den
unteren und oberen zu vereinigen, und Eine zusammenhängende Masse zu bilden, die in meilen-
weiten Windungen das Schiefer-Gebirge vom Thalgrunde bis an die höchsten Gräte zu durchziehen
schien. Aehnliche Verhältnisse glaubten wir an der
Westseite der *Kalfeuser*, im *Tobel* hinter *Elm*,
wahrzunehmen. Beide, nur aus der Ferne gemachten, Beobachtungen bedürfen indeſs noch sehr der
Bestätigung, durch eine Untersuchung an den Felsen selbst. — Ich muſs endlich hier noch der berühmten Fisch-Abdrücke des *Plattenberges* erwähnen, als ebenfalls dieser Formazion angehörenden
Petrefakten. Herr DE .BLAINVILLE hat die Fische für

Meeresfische, Herr Cuvier die Schildkröte von A
dreae für eine Meeres-Schildkröte erklärt, aber d
Abdrücke sind zu undeutlich, als daſs eine genaue
Alter - Bestimmung der Formazion, von dieser Se
her, zu hoffen wäre, doch darf man nicht übe
sehen, daſs die einzigen Meeres - Schildkröten, d
Herr Cuvier auſserdem beschreibt, dem *Petersber*
von *Mastricht* angehören.

Wenn man von *Matt* über den *Riseten - Pa*
nach dem *Seezboden* und *Weiſstannenthal* geht,
ist man, im Ansteigen bis auf die vordere *Krauc*
thalalp, von den schwarzen Schiefern und Sandst
nen der herrschenden Formazion umgeben, au
der steile Abfall, der zur Rechten liegenden wild
Troskigräte, besteht deutlich, bis in groſse Höh
aus dem nämlichen Gesteine. Aber am *Riesete*
Paſs selbst ändert sich allmählich der Charakt
der Steinart, und die Umwandelung scheint si
auch über die höheren Lager der *Troskigräte* au
zudehnen. Der Schiefer wird mehr und mehr gla
zend, dem älteren Thonschiefer täuschend ähnlic
die schwarze Farbe erhält zugleich einen rötlich
Anstrich, und wird violett, fleckenweise sieht m
auch lebhafte graue, grüne und rothe Farben r
ausgezeichnetem Seidenglanze; zwischen diesen Schi
fern liegen dünne Lager von körnigem Quarze, a
den Ablosungen mit aufgewachsenen Schiefer - Blä
chen, auf Klüften mit kleinen Quarz - Krystallen b

zezt. So wie nach der Tiefe, so ist auch in horizontaler Richtung keine Trennung dieser Gesteine
von den schwarzen Schiefern und Sandsteinen möglich, und vom *Seezboden* aus kann man deutlich den
Uebergang der höheren bunten Gesteine des *Rise-*
tengrates in die schwärzlichgrauen, matten der
Fohalp und der *Kalfeuserberge* verfolgen. Ganz
anders verhält es sich aber in der nordwestlichen
Fortsetzung des Gebirges. In der Tiefe des hinteren *Krauchthales*, am südwestlichen Fuße des *Spiz-*
meilen, herrschen zwar immer noch schwarze
oder violette Schiefer; so wie auch in dem nördlichen Hintergrunde des *Seezbodens*, aber in der
Höhe geht das Violette in das schönste Roth über,
und in bedeutender Mächtigkeit bedecken diese rothen Schiefer alle Rücken, die das *Krauchthal* und
Wäfstannenthal nordwestlich begrenzen. Untergeordnet diesen Schiefern, findet man, besonders
in dem obersten Kamme der Rücken, körnige Quarz-
fels-Lager von bedeutender Mächtigkeit, im Innern
braun oder grau, zuweilen durch eingedrungene
grüne und rothe, talkartige Blättchen bunt gefärbt,
und in den Stein der *Melser* Steinbrüche übergehend, die Außenfläche gewöhnlich weiß, an der
Sonne schimmernd von mikroskopischen Quarz-Krystallen. Ganz ähnliche, nur mehr sandsteinartige
Lager sind auf den Höhen der *Kalfeuserberge*
dem grauen und schwarzen Schiefer untergeordnet.
Mit jenem Quarzfels und rothem Schiefer, ebenfalls
in dem obersten Theile der Rücken, wechseln Lager

von dichtem Dolomite, blaulich oder braunlichwei
mit muscheligem Bruche, auf Klüften mit Quar
und Braunspath-Krystallen besezt, auch wohl v
Adern und Nestern dieser Substanzen durchdrunge
die Aufsenfläche mit einem matten, blafs isabellge
ben Beschlage bedeckt. Auf ähnliche Weise ko
men in der schwarzen Schiefer-Formazion dunk
Kalk-Lager vor. Ja man sieht an der Nordsei
des *Schilt*, am Wege von der *Mürtschenalp* na
der *Frohnalp*, mächtige Lager von dunkelgraue
Kalke in ihrer westlichen Fortsezzung, wo sie i
die gefärbten Schiefer übersezzen, sich in wohl ch
rakterisirten, weifsen Dolomit umändern.

Die bunten Gesteine sezzen mit dem Gebirg
rücken, der die linke Seite des *Weifstannenthal*
bildet, fort bis *Mels*, immer südöstlich fallend, w
die *Kalfeuser* und die Schiefer bei *Pfeffers*; i
ein weifses Band von weitem sich auszeichnend
durchzieht sie in der Höhe der Dolomit. Am A
gange des *Seezbodens* gegen *Weifstannen* sieht m
an der linken Thalwand noch den Nummulitenkal
die nördliche Fortsezzung der *Kalfeuser*-Lager, d
sich hier unter den rothen Schiefern verliert; tief
im Thale sind die unteren Lager durch Vegetazi
bedeckt. Fast genau trennt der *Seezbach*, von s
ner Quelle an bis an den *Wallestadter*-See, d
östlichen und nördlichen schwarzgrauen und die ö
lichen rothen Schiefer; nur oberhalb *Mels* sezz
diese auf das rechte Ufer über, bis in die Nä
von *Wangs*, und bei *Wallestadt* der schwar

Kalk auf das linke Ufer, den Schlofshügel von *Gre-plan* bildend. — Die Mühlstein-Brüche, westlich von *Mels*, liegen auf einem Hügel, welcher der äufserste Ausläufer jenes Gebirgsrückens ist. Der besonders geschäzte Stein sieht dem beschriebenen körnigen Quarzfels sehr ähnlich, nur ist dem Quarze, in stärkerem Verhältnisse, noch eine talk- oder stea-titartige, grün- und rothgefärbte Substanz beige-mengt, der Quarz selbst scheint in einzelnen Körn-chen bunt zu werden, und in andern rothen Körn-chen glaubt man Feldspath zu erkennen; alles ist so in einander verwachsen, dafs man wohl verschie-dene Farben, aber nur undeutlich die Begrenzung der einzelnen Substanzen wahrnimmt. Nesterweise wird der Stein zu einem gröberen, mit Talk ver-wachsenen Konglomerate, in dem man Quarz, ro-then Thonschiefer, farbigen Kalk, Gneifs unterschei-det. Auf Kluftflächen findet man Drusen von Quarz-und undeutlichen Feldspath-Krystallen.

Die Färbung des Gesteines gewinnt eine weit gröfsere Ausdehnung noch jenseit der Höhen, die *Krauchthal* und *Seezboden* von *Mühlethal* und *Flum-seralp* trennen, denn hier ist Alles roth bis in die Tiefe nach *Engi* und *Flums*, das ganze Gebirge Eine rothe Thonschiefer-Masse, in der nur ganz oben die Quarzfels- und Dolomit-Lager sich aus-zeichnen. Der Thonschiefer ist theils deutlich und gendschieferig, zuweilen mit scharfbegrenzten ellip-tischen Flecken von spangrüner Farbe mitten in der hochrothen Grundmasse, theils verworren und dick-

schieferig; nicht selten bemerkt man einzelne weiß
Glimmer - Blättchen auf den Absonderungen der le
teren Art. Beide Arten entsprechen, mit Ausnahm
von Farbe und Glanz, den Abänderungen der schwa
zen Schiefer. — Als hätte indeß die Umwandelu
der Steinarten auch nach oben, wo sie sonst a
stärksten und in die größte Entfernung sich geä
ßert, ihre Grenzen gefunden, so findet man auf j
nen Rücken, in einer Höhe von 6 bis 7000 F.
auch Lager, die jene Färbung nicht theilen, un
ganz mit den unveränderten Gesteinen der *Kalfe*
ser übereinstimmen, sogar noch Spuren von Petr
fakten, besonders Belemniten, enthalten. Sie si
es, die von hier bis an das *Murgthal* die obers
Decke des Gebirges bilden, eine Decke, dere
Mächtigkeit indeß nur an den höheren Spizzen b
deutend wird; auf den niedrigeren Flächen sucht ma
oft vergebens nach denselben. So erhebt sich vor A
lem ausgezeichnet, durch seine Lage und äußere Form
7700 F. über das Meer, der *Spizmeilen*, auf de
Mitte des schmalen Kammes, der die *Krauchtha*
und *Flumseralpen* scheidet, erst steil kegelförm
ansteigend, dann in einer Kuppe sich endend,
deren senkrechten, zerrissenen Felswänden ma
noch undeutliche Spuren horizontaler Schichtu
bemerkt. Die Kuppe, so wie der obere Theil d
Kegels, besteht aus schwarzem, theils feinsplitter
gem, theils körnigem Kalke, schwarzem Kalk - uu
Sandsteinschiefer, zum Theil mit Spuren von P
trefakten, an der Außenfläche meist bräunlichroth

die Basis dagegen aus Quarzfels, rothem Thonschiefer und Dolomit. Auch diese Lager sind horizontal, aber das normale Fallen ist immer südöstlich,
wie an dem westlich liegenden Rücken des *Gulden-
stocks*, und nur auf den oberen Höhen findet man
horizontale, oder regellos bald nach dieser, bald
nach jener Seite geneigte Schichten.

Am östlichen und westlichen Fuße des *Spizmeilen* wird der Dolomit mehr und mehr zellig und porös, und geht zulezt, in der Nähe des *Weifsmeilen*,
der Kuppe, die *Krauchthal*, *Mühlethal* und *Flums-
thal* scheidet, in ausgezeichnete Rauhwacke über.
Die wahrscheinliche Ursache dieser neuen Veränderung liegt nicht fern, denn der *Weifsmeilen* besteht aus Gyps, der am westlichen Abhange mitten
aus den Lagern von dichtem und zelligem Dolomite
hervorbricht, und stellenweise noch eine Menge
Trümmer von unverändertem Dolomite umschliefst,
zum Theil auch nur in dünnen, aber dicht gedrängten Adern den Dolomit durchzieht. Tiefer, wo er
vorherrscht, ist er vom schönsten Weifs, feinkörnig,
und enthält Blätter von Selenit. Es ist kein Lager,
obschon er gegen die *Flumseralpen* zu bedeutende
Ausdehnung zeigt, sondern eine isolirte, steil, dem
Spizmeilen zu, in die Tiefe gehende Masse, die
sichtbar in naher Beziehung zu der lezten Bildungs-
Geschichte dieses Gebirges steht. — Westlich, durch
einen tiefen Einschnitt des, in voriger Richtung weiter fortsezzenden, Fels-Kammes von *Weifsmeilen*
getrennt, findet man die Gesteine wieder, welche

die Kuppe des *Spizmeilen* bilden, als eine äußerst
rauhe, unersteigliche Mauer, an deren Fuß sich
steile Schutthalden nach den unten liegenden Alpen
ausdehnen, nur an dem westlichen Ende des Fels-
Kammes wieder in sanfteren Gehängen, die mit
schwarzem Thonschiefer bedeckt sind, der viele
Knauer von lydischem Steine einschließt.

Ein jäher Pfad, der nur durch viele Windungen
den schroffen Abstürzen der Felswand ausbeugt,
führt von diesen Höhen ins *Murgthal.* So tief, und
zugleich so eng, sind wenige Thäler in den Alpen
eingerissen, denn kaum mag der horizontale Abstand, zwischen den Gipfeln beider Thalwände,
viel über eine halbe Stunde betragen, und doch
hat man, nachdem einmal der Thalboden erreicht
ist, nur wenig steile Abhänge mehr bis an den,
noch zwei Stunden entfernten, *Wallestadter*-See.
Rother Thonschiefer deckt beide Felswände bis in
große Tiefe, und an der gegenüber liegenden, westlichen, erkennt man deutlich in der Höhe den
strohgelben Dolomit, der wie ein Saum allen Biegungen des oberen Umrisses folgt. In nackten, wild
zerspaltenen Kalkfelsen steigt hinter dieser Thalwand
der *Murtschenstock* empor, an dessen Fuß, im
hochliegenden *Bärenthale,* die rothe Formazion und
der Kalk an einander stoßen müssen.

In der Umgebung des *Murgthales* hat die Färbung und Veränderung der Steinarten ihren höchsten Grad erreicht, sie erstreckt sich vom *Wallestadter*-See bis auf die Höhen über den *Murg-*
Seen,

, und das Röthe des Thonschiefers, oft nahe
das Scharlachrothe grenzend, auf dem Kamme
Gebirge grell gemengt mit dem gelblichen Weifs
Dolomit-Lager, ertheilt der Gegend einen ganz
nthümlichen, den Alpen frémden, Charakter.
r ist es auch, wo das bisher konstante südöstli-
Fallen seine Grenze findet, und, nach einigem
wanken, unten am *Mürtschenstock*, in nordwest-
ᷣ übergeht. Mit gespannter Erwartung stiegen
· in das tiefe Thal hinunter, in dessen Grunde
r einigen Aufschlufs über die Ursache aller dieser
ffallenden Verhältnisse zu finden hofften.
Nur ungefähr die Hälfte des ganzen Thal-Abhan-
·besteht aus dem rothen Thonschiefer, den wir
ter, mit Einschlufs des unveränderten, schwar-
Schiefer-Gebirges, als das unterste Gestein die-
Gegenden kennen gelernt haben; tiefer wird die
verworrener, es mengen sich Geschiebe
und man sieht sich von einem Konglomerate
eben, ohne dafs man genau nachweisen kann,
beide Steinarten einander begrenzen; theils weil
Waldung keine Untersuchung gestattet, theils,
die Grenze wirklich sehr unregelmäfsig und
stimmt seyn mag. Nur der äufseren Form ver-
nd, glaubt man in den runden Buckeln, die
renig ausgezeichnete Kontreforts aus den Abhän-
heraustreten, das Konglomerat, in den gleich-
igeren, aber sehr steilen höheren Abhängen, den
aschiefer erkennen zu können. Das Konglome-
, verschieden von dem *Melser*, zeigt meistens

eine deutliche Grundmasse von dunkelrothem, wa
scheinlich sehr unreinem Thon, der identisch zu se
scheint mit der Substanz der rauhen, verworre
Thonschiefer; stellenweise sieht man auch gr
Flecken in demselben. Diese Grundmasse umhü
theils Körner und ganz kleine Geschiebe von st
glänzendem, grauem oder fast wasserhellem Qua
rothem Feldspath, Thonschiefer u. s. w., theils g
fsere, eckige und gerundete Stücke von Qua
schwarzem und rothem Thonschiefer, farbigem Hot
steine oder Jaspis, Kalk und Dolomit, kleinkör
gem, weifsem und röthlichem Granite, rothem P
phyre, auch kleinere und gröfsere, deutlich
grenzte Feldspath - Krystalle, - endlich wie
Mehrzahl der Konglomerate, Stücke der Grundma:
Oft ist diese vorherrschend und ohne alle Geschie
an andern Stellen wird sie von diesen fast verdrä
besonders die kleinen Körner häufen sich nesterw
se so sehr an, dafs ein grobkörniger Sandstein,
ohne sichtbares Bindemittel entsteht. — Wie in
ganzen Gegend, sucht man auch hier ohne Erf
nach dem Porphyre, der diesem Konglomerate z
Grunde liegen möchte.

Steiler noch, als man über die rechte Thals
hinabgekommen, steigt man an der linken, nel
dem Wasserfallo, aufwärts ins *Bärenthal*. Ein g
ebener, schön beweideter Alpboden, senkrecht
die Richtung des *Murgthales*, durchschneidet hier
Konglomerat- und Thonschiefer-Kette, fast auf
Grenze dieser beiden Formazionen, und eine zw

e niedrigere Stufe führt unmittelbar an den östlichen Fufs des *Mürtschenstockes*. Die Vermuthung, die wir schon aus der Ferne über das gegenseitige Verhältnifs des Kalkes und Thonschiefers gefafst hatten, wurde hier vollkommen bestätigt. Quarzfels, rother Thonschiefer und Dolomit, lezterer zum Theil als Rauhwacke, verschwinden, mit nordwestlichem Fallen, unter den gleichfallenden, tiefsten Kalk-Lagen des *Mürtschenstockes* und seiner Fortsezzung, so wie am Abfalle des Gebirges gegen *Glarus* unter dem *Frohnalpstocke*. Auf den Quarzfels, als dem obersten Lager der bunten Formazion, folgt erst schwarzer Thonschiefer, dann ein dünnes Lager von schwärzlichgrauem Kalke, feinkörnig ins Splitterige, mit flachen Körnern von Erbsengröfse, wahrscheinlich organischen Ursprungs, hierauf bei 5 Fufs mächtig, ein rogensteinförmiger, rother Thon-Eisenstein mit Belemniten, dann wohl 20 Fufs mächtig, schwärzlichgrauer Kalk, mit Körnern von Quarz und gelbem Thon-Eisensteine, derselbe, der auf beiden Seiten des *Weifsmeilen* die obersten Lager bildet, und endlich die grofse Masse von schwarz-grauem, dichtem Kalke, in ziemlich deutliche, dicke Lager abgesondert. Man glaubt zuerst, wenn man vorne am Berge steht, nur der untere Theil dieser Masse zeige deutliche Schichtung, und der obere, fast senkrecht ansteigende, sey nur durch Spalten abgesonderter Kalkfels, in welchem, wie so häufig in den Alpen, jede Spur von Lager-Trennung verwischt worden sey. Wenn man aber, theils

2 *

nordöstlich auf dem *Bärenboden*, theils südwestlich
auf dem Wege nach der *Frohnalp*, den Berg im
Profil sieht, so erhält man einen ganz unerwarteten
Aufschlufs über seine wahre Struktur. So wie nämlich die unteren Kalk-Schichten, jene von Quarzfels,
rothem Thonschiefer, Dolomit u. s. w. an der Oberfläche des steilen Abhanges plözlich abgebrochen
sind, so sieht man dagegen die höheren gleich über
den · Schichten - Köpfen jener sich umbiegen, und
steil nordwestlich in die Höhe steigen, wo sie sich
in den zackigen Gipfeln des *Mürtschenstock's* enden.
Fast sollte man glauben, eine, von O. aus der Tiefe
heraus wirkende, ungeheure Kraft habe die frühere
Kalkdecke aufgebrochen, die unteren Lager zerstört,
und die höheren rückwärts geworfen; ja, man kann
sich kaum enthalten, in den Dolomit - Lagern, die
am Fufse des Abhanges über einen bedeutenden
Theil der ·Alpweiden ausgebreitet sind, den lezten
Ueberrest der zerstörten unteren Lager zu suchen.
Es findet übrigens jene Umbiegung längs der ganzen,
wohl eine Stunde langen, Ostseite des *Mürtschenstockes*
Statt, sie zeigt sich im *Frohnalpstock*, man bemerkt·
sie endlich an mehreren Gipfeln der jenseit dem
Wallestadter See liegenden *Kuhfirsten*. Schon der
seelige Escher hatte die wichtige, durch Hrn. v.
Buch gütigst mir mitgetheilte, Beobachtung gemacht,
dafs das ganze, bogenförmig das Gebiet des *Spitz-
meilen* umgebende, Kalk - Gebirge der *Kuhfirsten*,
Balfrieser und des *Galanda* erst nördlich, dann
nordöstlich, östlich und südöstlich, also immer von

dem Innern des Bogens abfalle, und diese Thatsache möchte mit jener Umbiegung im nahen Zusammenhange stehen.

Die westliche Grenze der rothen Bildung wird fast genau durch eine Linie von *Tiefenwinkel* nach den *Mürtschenalpen* bezeichnet, östlich von denselben besteht nur der *Alpfirststock* über *Murg* noch aus Kalk, westlich greift das rothe Gebirge, wie wir gesehen, in den Fuſs der Kalk-Gebirge ein. Am entgegengesezten Abhange zeigen sich die rothen Schiefer und Dolomite bereits über *Enneda* bei *Glarus*, in der Höhe noch weit gegen S. zu, von mächtigen Kalk-Lagern bedeckt. Bei *Schwanden* ist, am Fuſse des Abhanges, auch der Hügel von *Sool* noch Kalk, aber am Abhange selbst hält das rothe Gebirge an bis *Engi*, meist als Konglomerat, wieder mehr durch Talk verbunden, wie bei *Mels*, auch die Kluftflächen häufig mit glänzenden, grünen Talkblättern bekleidet; die Geschiebe nesterweise angehäuft. Quarz, Hornstein, Jaspis, Talkschiefer, Thonschiefer, Stücke der Grundmasse; Kalkgeschiebe, die auch im *Murgthale* nur in der Höhe vorzukommen scheinen, findet man hier gar nicht, oder nur selten. Das Gebirge ist polyedrisch abgesondert, aber nicht geschichtet.

Es dehnt sich das Konglomerat weiter südlich gegen den *Kärpfstock* aus. Man findet es in groſsen Massen an beiden Abhängen des *Niederthales*, und hier liegt es wieder, wie früher der rothe Thonschiefer, dem schwarzen Kalk- und Schiefer-Gebir-

ge auf, das fast auf allen Seiten des *Kärpfstockes*
im Thalgrunde zu Tage geht. In der Höhe der hin-
tern *Niederalp*, am nördlichen Fuße des *Kärpf-*
stockes, wird auch hier das Konglomerat bedeckt
durch bunte Schiefer, die sich dem Talkschiefer
sehr nähern, zum Theil auch in verhärtete Schiefer-
Massen übergehen. Alle Trümmer der Kärpfstock-
Spitzen gehören dieser Klasse von Gesteinen an.
Eine große Mannichfaltigkeit derselben findet man in
den Schiefer-Halden an der Westseite des Gipfels.
Außer den bunten Thon- und Talkschiefern kommen auch vor, schieferige Talk-Gesteine mit beigemengtem Quarze und Feldspathe, oft den *Melser*
Mühlsteinen ähnlich, kleinkörnige Gemenge von
Talk, Quarz und einer röthlichen Substanz, vielleicht Granat, dichte, pistaziengrüne Gesteine mit
feinsplitterigem Bruche, vor dem Löthrohre zum
schwarzen Email schmelzend. In den feinen, wie
in den grobkörnigen Gemengen scheint die Sandstein-
Struktur mehr und mehr in eine krystallinische
überzugehen. Vor Allem auffallend waren uns aber
dunkelviolette mit braunroth nuanzirte Trümmer,
die man nach ihrer zelligwarzigen Außenfläche
leicht für wahre Laven oder vulkanische Schlacken
hätte halten können. Dem Aeußeren entsprach das
Innere, das eine gleichfarbige Grundmasse mit mandelsteinartig eingesprengten, eiförmigen oder unre-
gelmäßigen Kalkspath-Körnchen zeigte, mit paralleler Richtung der längeren Dimensionen. Der Fels,
von dem die Trümmer herrührten, ragte in nicht

grofser Entfernung aus den, sonst alles Anstehende bedeckenden, Schutt-Halden hervor, aber der Zusammenhang desselben mit der übrigen Masse des Gebirges ward uns nicht deutlich. Die Höhe, in der wir uns befanden, mochte nicht viel unter 8000 Fufs betragen. — Auch im Innern des *Kärpfstocks*, wenn man so die halbkreisförmige, gegen SW. geöffnete Einbiegung der wilden Felsstöcke des Gipfels nennen darf, zeigen sich ausschliefslich jene farbigen Gebirgsarten, die, bei jedem Schritte in neuen Abänderungen, an krystallinische Bildungen erinnern. Keine gewöhnlichen Sandsteine, kein Kalk, auch nicht auf den obersten Höhen, nur an der Nordseite, über der hinteren *Niederalphütte*, und in der Nähe des *Milchsees* sind einzelne Dolomit - Inseln aufgesezt.

Die Lagerungs-Verhältnisse zeigen sich sehr bestimmt am jähen Abfalle des Gebirges gegen das hintere *Durnachthal*: die bunten Gesteine in der Höhe des schmalen Fels-Kammes, der das *Durnachthal* vom *Diesbachthale* trennt, wie eine Mauer nackt und unersteiglich, tiefer rother Thonschiefer, dann mächtige Lager von Dolomit, und nun von einer Höhe, die wohl 6000 Fufs betragen mag, abwärts die schwarzen Schiefer und grünlichgrauen Sandsteine des *Hausstocks*, *Ruchibergs*, *Selbsanft* und der ganzen Hauptkette, die *Glarus* von *Bündten* scheidet. Die Schichten, so viel man aus der Ferne zu beurtheilen vermag, scheinen überall horizontal; sie lassen sich an den nackten Felswänden, rings um den ganzen Thalkessel, verfolgen.

Das Gebiet der farbigen Steinarten ist indefs hier bereits sehr eingeengt. Im *Kleinthale*, zwischen *Matt* und dem *Panixer-Pafs*, findet man kaum einzelne Trümmer derselben, und auf der linken, wie auf der rechten Thalseite scheinen die grauen Schiefer und Sandsteine bis auf die obersten Höhen fortzusezzen. Eben so auch im *Grofsthale*, wo nur die Bäche, die vom *Kärpfstocke* und seinen Ausläufern herkommen, bunte Schiefer und rothes Konglomerat führen. Auch so beschränkt sezt aber die bunte Formazion, vielleicht an der Ostseite des *Hausstockes* durch, oder stellenweise unterbrochen, noch beträchtlich weiter gegen S. fort. Ihr gehört wohl der weifse Kalk (Dolomit?) und der Serpentin mit Granaten an, die Hr. v. Buch auf der Höhe des *Panixer-Passes* beobachtet hat; Trümmer von bunten Schiefern und Talk-Gesteinen, mit denjenigen des *Kärpfstockes* übereinstimmend, findet man über den ganzen Pafs zerstreut. Unverkennbar, obgleich sehr unerwartet, sahen wir ferner diese Bildung auf dem *Kistenpasse*, wo der *Piz da Darjes* und mehrere noch südlichere Spizzen, in der Nähe der *Röbialp*, dieselbe Auflagerung der bunten Talk-Gesteine auf grauen Schiefer, Sandstein und Kalk zeigen, die wir schon am *Kärpfstocke* und in der Nähe des *Spizmeilen* beobachtet haben. In welchem Verhältnisse sie zu den grünen Talkschiefern stehe, die bei *Brigels*, wie bei *Tumins* und *Feldsperg*, steil südlich fallend, die linke Seite des *Bündner* Oberlandes bilden, ob beide vielleicht unmittelbar zusammenhängen und der nämlichen Formazion angehören, verdiente wohl nähere Untersuchung. Sonderbar erscheinen auch hier in der Hauptkette die schwärzlichgrünen Kalk - oder Sandsteine mit Nummuliten ganz nahe an den bunten Gesteinen. In mächtigen Lagern ist der Nummulitenkalk auf *Märrenalp*, an der Südseite des *Panixer-Passes*, dem schwarzen Kalke und Schiefer untergeordnet, denen die bunte Formazion aufsizt, und auf der Höhe des *Kistenpasses* 8650 Fuß über das Meer, gegen *Röbialp* zu, bildet er Lager in Spizzen, die noch beträchtlich über den Paß selbst erhöht sind, ebenfalls umschlossen von grauem Schiefer und grünlichgrauen Sandsteinen, unter deren Trümmer man auch den gefleckten Taviglianaz - Sandstein bemerkt. Ja selbst in der Nähe der *Pantenbrücke*, wo, wie bei *Panix*, ein schwarzer, spröder Kalk, mit südlichem Fallen, die Sandstein - und Schiefer - Formazion unterteuft, oder vielleicht in großen Massen, als eingelagerte Stöcke, nur unterbricht, fanden wir Nummuliten, sowohl im Kalke selbst, als in den unmittelbar über ihm liegenden Gesteinen.

Uebersehen wir nun noch einmal die ganze Ausdehnung der bunten Schiefer und Konglomerate, so muß es auffallen, wie die Richtung ihrer Hauptglieder, die Richtung größter Wirksamkeit, fast genau mit derjenigen des *Glarner Großthales* parallel läuft. Sehr abweichend von andern Alpinischen For-

mazionen, deren Streichungs-Linie auch die der
Alpenkette ist, durchschneidet die unserige diese
Linie unter einem nordöstlichen Winkel von ungefähr 60°, und zeigt hierdurch von neuem, dafs sie
nicht als selbstständiges Glied der Formazionsreihe,
von gleichem Range, wie der Gneifs, das Schiefer-
Gebirge, die Molasse, sondern nur als eine besondere, später erfolgte Modifikazion einer dieser Bildungen betrachtet werden müsse.

Obschon die bunten Gesteine und weifsen Dolomite, in der ganzen Schweiz, nirgends mehr so mächtig entwickelt auftreten, wie in den *Glarner* Gebirgen, so zeigen sich doch in mehreren anderen Gegenden wenigstens Spuren derselben, und zwar vorzugsweise immer in Verbindung mit der grauen
Schiefer-Formazion, die in den Lintthälern ihre
Grundlage bildet. Diese Spuren verdienen unsere
ganze Aufmerksamkeit, nicht nur um der mineralogischen Geographie jener Gesteine willen, sondern
weil nur durch Vergleichung der gröfstmöglichen
Anzahl verschiedenartiger Lagerstätten die Geognosie sich ihrem höheren Ziele zu nähern hoffen darf.

Bevor ich mich von den Gebirgen der östlichen
Schweiz entferne, mufs ich zweier Punkte erwäh-
nen, deren geognostischer Zusammenhang mit den
Formazionen jener Gebirge uns nicht ganz klar ge-

worden ist, und die einer genaueren Untersuchung
sehr werth scheinen.

Der eine ist jene Gegend oberhalb *Feldsperg*
bei *Chur*, wo in bedeutender Höhe grüne, talkartige Schiefer mit Belemniten und Austern, südlich
fallend, dem goldhaltenden Schiefer - Gebirge untergeordnet sind. Beträchtlich tiefer, als der Fundort
dieser Petrefakten und die gegenwärtig bearbeiteten
Gruben, ist, wie es heifst auf rhabdamantische Angaben hin, ein Versuch - Stollen getrieben worden,
dessen Ertrag keineswegs glänzend gewesen seyn
soll. Die Schichten fallen hier nördlich, und die
Steinart ist eben der weifse, dichte Dolomit mit
Quarz - Drusen, der die Höhen. des *Murgthales* so
sehr auszeichnet, auch hier abwechselnd mit rothem
und grünem Talkschiefer und von weifsen und grünen Talkblättern durchzogen. Das nördliche Fallen
scheint durch eine lokale S förmige Umbiegung
erklärt werden zu müssen, eine Umbiegung, die
sich mehr westlich an. der Hauptmasse des Gebirges
sehr im Grofsen beobachten läfst. Diese Hauptmasse besteht indefs aus schwärzlichgrauem Kalke,
Kalkschiefer und grauem, schuppigkörnigem Dolomite, der im Anschlagen einen starken, hepatischen Geruch verbreitet, und so weich ist, dafs er
wohl mit Gyps verwechselt werden könnte. Der
nämliche, von jenem ersteren sehr verschiedene,
damit bildet im Thalgrunde die runden, fälschlich für Schutt gehaltenen Hügel bei *Erns* und *Rei-
chenau*.

Die andere Stelle liegt am Eingange des *Kal-
feuserthales*, in der Nähe von *Vättis*. Es war
uns sehr unerwartet, nachdem wir von *Tamins*
über den Kunkelpaſs bis *Vättis* nur durch Kalk
und Rauhwacke gekommen waren, am Fuſse der
hohen Gebirge, zwischen denen die *Tamin* sich
hervor windet, Felsmassen zu erblicken, deren äu-
ſsere Gestalten in der Ferne auf Gneiſs oder eine
ähnliche Steinart rathen lieſs. So verführerisch, wie
die Ansicht im Groſsen, fanden wir den Stein selbst:
ein unvollkommen schieferiges Gemenge von talkar-
tigem, grünlichgrauem Glimmer, der sich in die
übrige Masse zu verlaufen scheint, einer schwarzgrauen Substanz, die ich für Quarz gehalten hätte,
wenn sie nicht zu weich und leicht zum grauen
Email schmelzbar wäre, und, in geringem Verhältnisse, graulichweiſsem Quarze, weiſsem Feldspathe
und etwas Kalk, der sich nur durch Säuren erkennen läſst. Alles so undeutlich begrenzt, daſs es
schwer zu bestimmen ist, ob das Gemenge krystallinisch oder mechanisch sey, doch möchte eher das
leztere anzunehmen seyn. Nachdem wir eine kleine halbe Stunde weit ins *Kalfeuserthal* eingedrungen waren, stets von jener gneiſsähnlichen Grauwacke begleitet, fanden wir an einem schönen Profil auch ihre Lagerungs - Verhältnisse aufgedeckt. In
der Höhe, am rechten Ufer, den grauen, schuppigen
Dolomit mit hepatischem Geruche; unter demselben
schwarzen, spröden Kalk, mit Anlage zum Schieferigen, beide sehr mächtig; dann, auf dem linken

ir leicht in der Nähe zu beobachten, der Dolo-
it des *Murgthales*, sehr dicht und hart, von wei-
en und grünen Talkblättern durchzogen und mit
lanen Lagern von rothem und grünem Talkschiefer
echselnd, in der Tiefe besonders so angefüllt mit
llkblättern, dafs der Stein schieferige Struktur an-
mmt; unter demselben ein wenig mächtiges Lager
iner höchst sonderbaren Steinart, feinkörniger Do-
mit, ein Aggregat deutlicher Krystalle, durch
harzsand und Eisenocker verunreinigt, nesterweise
er ganz weifs, so durchzogen von Talkblättern,
ls man zuerst ein Konglomerat mit Bindemittel
n Talk zu sehen glaubt, einzelne kleine Theile
ichten wohl Hornblende seyn; dann dieselbe kör-
ge Gebirgsart ohne Talk, dunkelgrau mit einge-
ugtem Eisenocker, in dünne Schichten abgeson-
rt; endlich ein körniger Quarz oder Sandstein,
t feinen Talkblättchen und Feldspath-Körnchen
mengt, nur sehr schwach noch mit Säuren brau-
d, ohne deutliche Trennung in das untere gneifs-
liche Gestein übergehend. Es wird dieses, so
t der körnige Quarz, von Gängen durchsezt, die
einem granitähnlichen Gemenge von grauem
rz, weifsem Feldspatho und kaum bemerkbarem
le bestehen. Die Schichten stehen senkrecht,
jenigen des Dolomites und Kalkes sind fast hori-
tal, aber in der Nähe des untersten Dolomites
zen sich die senkrechten Schichten ebenfalls ins
rizontale um, so, dafs beide Formazionen dennoch
gleichförmiger Lagerung zu einander stehen.

Wir haben hier, bis auf die problematische Unterlage, ähnliche Verhältnisse, wie am *Mürtschenstock*, einen schwarzen Kalk, der dem weifsen Dolomite und bunten Thonschiefer aufliegt; selbst in
dem körnigen Quarze des *Kalfenserthales* könnte
man den ganz ähnlichen jener Gegend wieder zu finden glauben, wenn der erstere nicht so nahe mit einer
dort nicht vorkommenden Steinart zusammenhinge.

Beinahe möchte man sich aber geneigt fühlen,
beide Punkte vermittelst eines dritten, zwar sehr
entfernten, aber den geognostischen Charakter von
beiden vereinigenden, in noch engeren Zusammenhang zu bringen.

An der Strafse nach *Morcles*, am Ausgange des
Wallisthales *, liegt unmittelbar auf dem Gneifse ein
Sandstein oder körniger Quarz, der mit dem Quarzfels der Gegend des *Murgthales* vollkommen übereinstimmt, auch wie dieser, doch seltener, von rothem Thonschiefer durchzogen wird. Der Kalk über
diesem Sandsteine ist zuweilen mit Talkblättchen
gemengt, oft weifs oder farbig, höher schwarz.
Gleich hinter *Morcles* ist dolomitische Rauhwacke
anstehend. Mehr südlich dagegen, an der *Frête de
Mont Beron*, die den Kessel der *Fullyalp* westlich
begrenzt, herrscht ein schwarzer, glimmeriger Sandsteinschiefer, derselbe, der bei *Derbignon* Abdrücke
von Farrn-Kräutern enthält, und ganz identisch

---

* S. die nähere Beschreibung von Hrn. v. Charpentier im Taschenb. für Min.; XV. 336.

mit den Sandsteinschiefern der hinteren *Kalfeuserberge.* Dieser Schiefer zeigt senkrechte Schichten,
die sich in der Höhe, zunächst am aufgelagerten
Kalke, ebenso gegen S. zu, umbiegen, und dem Parallelismus mit den Kalk-Schichten nähern, wie die
Grauwacken-Lager bei *Vättis.* Er enthält ferner
in der Höhe untergeordnete Lager von rothem und
grünem Thonschiefer, und zunächst der Ablosung
gegen den Kalk streicht ein Lager, das gröfstentheils
aus Rauhwacke, stellenweise auch aus dem dichten
Dolomite der östlichen Schweiz besteht. Unter, oder,
der vertikalen Schichtung wegen, neben dem Sandsteine liegt das Valorsine-Konglomerat, hier stellenweise roth und dem Konglomerate des *Murgthales* täuschend ähnlich. Die südliche Fortsezzung
des Profils ist aus den Reisen von Saussure §. 1067
bekannt. Nach den höchst wichtigen Beobachtungen
Hrn. Necker's *, geht das Valorsine-Konglomerat
ohne scharfe Trennung in Protogin-Granit über.

Wären die schwarzen Schiefer und Konglomerate von den rothen, nur untergeordneten, ganz ver-
drängt worden, so hätten wir demnach auf der *Ful-
firpe* eine fast vollkommene Wiederholung des Profils am *Mürtschenstocke;* wäre ferner das Gestein
von *Vättis* wirklich zu Gneifs geworden, so finden
wir dort das Profil von *Morcles* wieder. Ein stufenweises Fortschreiten scheint diese vier Punkte in

* *Bibl. univ. Sept.* 1826.

der Ordnung, wie sie eben sind angeführt w
den, zu verbinden und zu erklären.

———————

Nach dieser kurzen Abschweifung wollen 1
die bunten Gesteine der *Glarner* Gebirge nun at
auf einer andern Linie verfolgen.

Meist nur in Trümmern findet man rothe u
grüne Schiefer mit Seidenglanz, bunte, talkige San
steine und Rauhwacke über die ganze Ostseite (
Klausenpasses zerstreut. Auf der Höhe des Pass
auch anstehend, der hier durchstreichenden grau
Sandstein - und Schiefer - Formazion aufgesezt, u
von sprödem, schwarzem Kalke überlagert. An (
Westseite des Passes und im *Schächenthale* herrsch
dagegen nur die schwärzlichgrauen Schiefer u
Sandsteine, mit Taviglianaz - Sandstein verbund
In Trümmern findet man grüne Sandsteine mit g
fsen Nummuliten. Auch über die *Surenen* bis 1
gelberg sieht man nichts, das mit einiger Sicherl
jenen bunten Gesteinen beigezählt werden könn
Aber auf dem *Joche*, zwischen *Engelberg* und *M*
ringen, treten sie, immer in der nämlichen Lag
folge, sehr deutlich auf. Die Grundlage, bis fast :
die Höhe des Passes, ist schwärzlichgrauer Sch
fer und Sandstein, mit Zwischen - Lagern von k
nigem Kalke, der undeutliche Petrefakten enthä
höher rothe und grüne Thonschiefer, talkiger, b
ter Quarzfels, von dem körnigen Quarzfelse der (
lichen Schweiz nicht zu unterscheiden, und dicht
gel

gelblichweißer Dolomit, zum Theile von Talk-
lagern durchzogen, endlich spröder, schwarzer
Kalk, als Decke des Gebirges. Der Zusammenhang
dieser Gesteine, mit dem rothen Konglomerate von
Gadmen, so wie mit dem Gypse, der an der Westseite des *Titlis* anstehen soll, verdient genauer untersucht zu werden.

Die Spuren der bunten Formazion verlieren
sich wieder fast durch das ganze *Berner* Oberland,
bis in die hinteren *Saanethäler*, wo sie in merkwürdiger Beziehung zu den mächtigen Gypsstöcken
stehen, die sich von *Leißigen* über *Latholz*, die
Hahnemööser, den *Trütlisberg*, die *Chrinne* und
den *Pillon* in gerader Linie nach *Bex* und ins *Val
d'Illiers* erstrecken. Es verdient bemerkt zu werden, daß die Formazion gerade da vorzüglich entwickelt erscheint, wo im Streichen der nördlichen
Alpenkette die Folge krystallinischer Bildungen ganz
unterbrochen wird, einerseits nämlich zwischen dem
Fermont und *Gotthardt*, andererseits zwischen diesen und dem *Montblanc*. — Am *Trütlisberg* wird
der sonst matte, schwarze Schiefer der Niesen-For-
mazion nur fester, glänzender, und auf den Quer-
absonderungen mit Quarz- und Braunspath-Krystallen bekleidet, wie sich dies auch auf andern
Pässen in der nämlichen Streichungs-Linie, besonders deutlich auf der *Furgge*, zwischen *Rinnthal*
und *Lauterbrunnen*, zeigt; aber an der *Chrinne* findet man, wenn auch in sehr beschränktem Vorkommen, alle die ausgezeichneten bunten Gesteine wieder,

die rothen und grünen Thonschiefer, die *Melse*
Sandsteine, die Rauhwacken u. s. w. Bei *Gsteig*, an
Fufse des *Pillon*, erscheinen sogar die talkigen Kon
glomerate von *Engi* im *Sernftthale*, mit Geschiebe
von Gneifs, Granit, Quarz, vorzüglich aber Kalk
durch grofsblätterigen, grünen Talk verbunden, ab
wechselnd mit mächtigen Lagerfolgen von schwar
zem Dachschiefer und grauem Sandsteine, mit vieler
Glimmer. Nicht zu übersehen ist indefs, dafs hie
noch grofse Massen von Sandstein und Schiefer übe
den bunten Gesteinen liegen, und sie vom nördlich
fallenden Kalke trennen, während, in der östlichen
Schweiz, sie beinahe an der obern Grenze der Schie
fer - Formazion erscheinen.

Ich besizze nicht genug Data, um diese Analo
gieen, die in den Gebirgen von *Bex* noch sehr ver
mehrt werden dürften, weiter fortzusezzen, und
bemerke nur, dafs im Fortstreichen unseres Schie
fer - und Sandstein - Gebirges gegen S.W., zwischen
Servoz und *Cluse*, eben die Formazionen liegen, die
kürzlich a. a. O. durch Hrn. NECKER näher beschrie
ben worden sind. Das Vorkommen ausgezeichneter
Grünsand - Petrefakten, so wie des Taviglianaz
Sandsteines, gibt der Vergleichung dieser Gebirge
mit denen von *Glarus*, ein sehr hohes Interesse.
Südlicher noch, zwischen *Faverges* und *Thones* ist
mir die vollkommene Uebereinstimmung des daselbst
vorkommenden Sandsteines und Schiefers mit dem
jenigen der *Niesenkette* und der *Glarner* Gebirge
aufgefallen, als ich noch weit entfernt war, deutli-

de Begriffe über die Verbindung der Savoyschen Formazionen mit dem Schweizerischen zu besizzen. In der Nähe von *Thones*, bei *les Clefs*, tritt auch der Taviglianaz - Sandstein auf.

Es ist vielleicht das Fortschliefsen nach Aehnlichkeiten zu weit getrieben, wenn ich mit den Haupt-Phänomenen der *Glarner* Gebirge, der Färbung und der Anhäufung des Talkes in den oberen Lagern, eine Erscheinung in wenigstens entferntere Verbindung bringe, welche den Kalk-Gebirgen der westlichen Schweiz, vor denen der mittleren und östlichen, besonders eigenthümlich zu seyn scheint, obschon sich auch in diesen, und mehr noch im *Vorarlberge*, Spuren davon nachweisen lassen. Man sieht nämlich in jenen Gegenden, vom *Thunersee* bis an den *Molézon* und *Genfersee*, den Kalk, statt mit den gewöhnlichen rauchgrauen oder schwärzlichen Farben, öfters mit rothen, grünen und blaulichgrauen, ganz wie in der Gegend des *Sernftthales* und im Fortstreichen der Schiefer-Formazion den Thonschiefer; zugleich wird der Kalk sehr und mehr thonig und schieferig, so, dafs er stellenweise ganz in bunten Mergelschiefer übergeht; nicht selten endlich bedecken die schieferigen Absonderungen sich mit Talk oder Stéatit von geringem Glanze, und die grauen Abänderungen des Steines nähern sich dann auffallend den talkigen Kalkarten des *Unter-Wallis*. Diese Veränderung der

3 *

Steinart findet zum Theil fleckenweise Statt, so
dafs an ausgedehnten grauen Felswänden unregelmäfsig begrenzte, grofse, Parthieen von rother Farbe
vorkommen (Ost- und Westseite der *Gastlosen* bei
Abläntschen — Nordseite der *Gumfluh* bei *Rouge-*
mont); in der Regel bilden aber die rothen Lagen
die äufserste Decke der Kalk-Gebirge, obschon gewöhnlich, ihrer Zerstörbarkeit wegen, nicht zu
grofsen Höhen ansteigend. Man kann dieselben längs
der Südseite der *Stockhorn*-Kette, von *Wimmis* bis
an den Fufs des *Rothekasten* hier und da unterbrochen, von da an aber über *Hohmatt* bis *Mou-*
lins bei *Chateau d'Oex* unausgesezt, beobachten, in
konstanter Lagerung auf dünngeschichtetem, rauchgrauem Kalke, der viele schwarze Hornstein-Nieren
einschliefst.

Am auffallendsten vielleicht erscheinen ihre Lagerungs-Verhältnisse auf dem 6449 F. hohen *Thur-*
nen, südlich oberhalb *Därstetten* im *Siebenthale*
Wie ein *Dom* fällt der schön gewölbte Berg gleichmäfsig nach allen Seiten ab, nur gegen N. durch
einen weiten Tobel zerrissen, der bis ins Innerste
eingreift, und den Schichtenbau vollständig enthüllt
Man könnte in der *Caldera* eines Erhebungs-Kraters
zu stehen träumen, denn, so wie die Aufsenfläche,
so senken sich auch die Schichten, derselben parallel, von der eingestürzten Mitte des Berges nach
allen Seiten in die Tiefe. Die Schichtung ist zwar
nur etwa bis auf 100 F. unter der Aufsenfläche deutlich; die tieferen Massen, aus einem hell-

grauen, dichten Kalke mit einzelnen krystallinischen Schuppen bestehend, sind nur · durch senkrechte Spalten zerrissen, die sich vom Fuſse der nackten Felswände, aus den hohen Trümmer-Halden heraus, bis mitten zwischen die geschichteten Massen erstrecken. Je höher, desto deutlicher und dünner werden die Schichten, und die äuſserste Decke besteht eben aus jenem rothen und grünen, talkigen Kalkschiefer, der auch den gegenüber liegenden Abhang der nördlichen Kette bekleidet. So wenig als der untere ungeschichtete Kalk von dem oberen, so wenig läſst der bunte Kalkschiefer vom grauen sich trennen, es greift dieser stellenweise tief in jenen, jener in diesen ein, ohne die geringste Störung der Schichtenfolge. Da die kontrastirenden Farben hier weniger, als in dem Schiefer-Gebirge der östlichen Schweiz, durch Nuanzen verbunden sind, und die geringere Ausdehnung, die das Phänomen gewonnen hat, die Uebersicht erleichtert, so wird es auch viel deutlicher noch, daſs die grauen und bunten Gesteine nicht verschiedenen Formazionen angehören, sondern nur Abänderungen einer einzigen Formazion sind.

Der rothe Kalk wird anhaltender und mächtiger, so wie man sich dem Gebirgsstocke der Gastlosen und dem Thale von *Rougemont* nähert, ohne weis je so vorherrschend zu werden, wie die rothen Schiefer um den *Spizmeilen* herum, ohne ferner auf einen Mittelpunkt, von dem alle Umänderung ausgegangen, hinzuführen, wie diese auf die

Konglomerate des *Murgthales.* Ein analoges Agens
scheint hier in den Kalk-Gebirgen mehr Schwierig
keit und Beschränkung gefunden zu haben, als dort
in den Schiefer-Gebirgen. In dem moosigen Alpen
grunde, nur an der Südseite der *Hohmatt,* wo die
steil südlich fallenden Schichten der Kalkkette durch
eine Querspalte bis fast auf den Thalboden durchschnitten sind, sieht man sich fast von allen Seiten
von rothem und grünem Kalke umgeben, und könnte an analoge Gegenden des *Murgthales* erinnert
werden. An fürchterlicher Rauhheit des Aussehens
dürften die *Gastlosen,* wie schon der Name es an
deutet, den *Mürtschenstock* wohl noch übertreffen
In diesem ganzen Gebiete vermißt man indefs die
charakteristischen, weißen Dolomit-Lager. Ein
merkwürdige Erscheinung, in der Nähe von *Rou
gemont,* scheint diesen, ich gestehe gerne, sehr ge
wagten Vergleichungen einigen Grund zu leihen.

Der Thalgrund von *Erlenbach* bis *Zweisimmen*
der ganze *Hundsrücken* und der Thalgrund von *Ab
läntschen,* die *Saanenmööser,* der Thalgrund von
Rougemont und *Chateau d'Oex,* das hochliegend
Thal *des Mosses* bis *Sepey,* dieser ganze, den
Streichen der Alpen parallele, Landesstrich wir
durch eine Formazion eingenommen, die im Allge
meinen als ein schwärzlichgraues Schiefer- un
Sandstein-Gebirge erscheint, aber durch untergeordnete Kalkstöcke und Kalk-Lager, grofse Masse
von Kalk-Brekzie, Lager von schwarzem und lauch
grünem Quarze und Feuersteine u. s. w., einen sehr

zusammengesezten Charakter erhält. Die vorherrschenden, schieferigen Abänderungen heifsen im
Lande Flysch, eine Benennung, die wir füglich
auf die ganze Formazion ausdehnen können. —
Die Gebirgsarten sind denjenigen der *Niesen*-Kette,
und also auch denen von *Glarus* so ähnlich, dafs
ich, wenn die Lagerung es gestattete, diese Formazionen unbedenklich vereinigen würde; nur ist im
Flysch der Glimmer ziemlich selten; in den *Niesen*-
Sandsteinen dagegen sehr gewöhnlich. Die Kalk-Gebirge, welche von beiden Seiten die Flysch-Forma-
zion begrenzen, fallen in der Regel, gleich wie die
Abhänge, die nördlichen nach S., die südlichen
nach N., eben so der Flysch, der meist unmittelbar
den bunten Kalkschiefern aufgesezt erscheint, oder,
bei der sehr steilen Schichten-Stellung, ihnen wenigstens vorliegt, da hingegen der *Niesen*-Sandstein
die südliche Kalk-Kette des *Thurnen* unterteuft.
Ungeachtet der scheinbar evidenten Lagerungs-Verhältnisse des Flysches ist es indefs auffallend; dafs,
von den Abhängen gegen den Thalweg zu, die
Schichten-Stellung, statt sich zu verflächen, stets
steiler, und zulezt ganz vertikal, oder stark wellenförmig und verwirrt wird, dafs ferner nirgends im
Thalgrunde eine muldenförmige Auflagerung desselben auf Kalk zu beobachten ist; noch endlich, eine
anhaltende Bedeckung der Kalkrücken durch Flysch.

Nach dieser nothwendigen Vorbemerkung komme
ich auf jene Erscheinung zurück. Wenn man von
Abländschen über *Laucheren* nach *Saanen* zu geht,

an der Ostseite der Gebirgskette der *Gastlosen*, die
hier durch ziemlich hohe, gerundete Flyschvorberge
begleitet wird, so trifft man, etwa eine Stunde oberhalb *Saanen*, unerwartet auch ein Konglomerat,
das am Thalbache unter dem Sandsteine hervortritt,
wohl bei 30 F. mächtig. Es sieht gewöhnlicher Nagelflue sehr ähnlich, die Geschiebe sind gerundet,
von Faustgröfse, und bestehen aus Trümmern der
angrenzenden Kalk- und Sandstein-Gebirge, sehr
fest verkittet durch ein Bindemittel von Sandstein.
Das Fallen ist, schwach nordwestlich, den *Gastlosen*
zu. Immer tiefer steigend sieht man sich längere
Zeit von diesem Konglomerate umgeben, bis, in
der Nähe der *Sääge*, wie es scheint, im genauen
Zusammenhange mit demselben, eine neue Gebirgsart auftritt, die links an der Strafse eine Felswand
von einiger Ausdehnung bildet. Es ist Mandelstein,
dem des *Kärpfstockes* ähnlich, aber ausgezeichneter
und unmöglich verkennbar; Die Grundmasse ein
grünlichgraues inniges Gemenge, worin man hin und
wieder eine kleine Hornblende-Nadel unterscheidet,
die Zellen meist ganz rund, höchstens von Hirse-
korngröfse, und mit Braunspath angefüllt, der am
Rande der Zellen braun, im Mittelpunkte weifs ist,
auf den Kluftflächen mit einem Beschlage von Eisen-
thon, auch sonst theilweise stark eisenschüssig. In
Verbindung mit dem Trapp von *Southofen* und dem
Pseudo-Porphyre * (?) des *Kärpfstockes*, eine schö-

* S. Freiesleben Kupfersch.; S. 137.

se und lange vermifste Bestätigung des allgemeinen
Gesezzes, dafs alle selbstständigen Gebirgsketten,
längs ihrem Fufse, von einer parallelen Trapp-Linie
begleitet werden. In einer mehr speziellen Beziehung würden uns aber auch diese Verhältnisse die
Analogieen zwischen der östlichen und westlichen
Schweiz sehr verstärken, sofern man annehmen
dürfte, dafs der Flysch den Kalk nur scheinbar
überlagere; denn das Konglomerat bei *Saanen* würde dann demjenigen des *Murgthales* parallel, der
Flysch der dortigen Schiefer-Formazion, der Kalk
dem des *Mürtschenstockes* *. Zur Entscheidung
dieser Frage wäre es aber höchst wichtig, über die
wahre Natur des *Saanen*-Konglomerates mehr ins
Klare zu kommen, da der Flysch-Sandstein demselben deutlich aufliegt, und überhaupt im nämlichen
Verhältnisse dazu steht, wie die Molasse zur Nagelflue, oder andere feine Sandsteine zu angrenzenden
Konglomeraten. Sollte es sich zeigen, dafs das Konglomerat von *Saanen* genauer mit dem nahen Trapp
zusammenhänge, und als ein sekundäres Miterzeug-
nifs desselben betrachtet werden müsse, so würde
auch für den Flysch, wenn auch nicht ein ähnlicher
Ursprung, doch eine ähnliche Lagerung gegen die

---

* Sehr bemerkenswerth ist die Uebereinstimmung des
Mandelsteines von *Saanen* mit den Trapp-Geröllen aus
der Nagelflue des *Emmenthales*. S. SAUSSURE, *Voy.*
p. 1947.

nahen Kalk-Massen folgen, Leider reichen **meine**
Beobachtungen lange nicht hin, dieses Dunkel aufzuhellen, nur einige Beiträge zu einer künftigen
Bearbeitung dieses Gegenstandes mögen hier noch
eine Stelle finden.

Ein ganz ähnliches Konglomerat, wie das **von**
Saanen, erscheint im Grunde des Hauptthales, **am**
rechten Ufer der Saane bei *Chateau d'Oex*, mitten
zwischen Flysch-Sandstein und Schiefer. Die Geschiebe lassen sich deutlich für Trümmer der nächsten Formazionen, unter andern auch der rothen
und grünen Kalkschiefer, erkennen (man erinnere
sich, dafs im *Murgthal*-Konglomerate auch **Dolomit-Geschiebe** vorkommen), fast alle aber zeigen
statt des dichten Bruchs, der dem anstehenden Gesteine gewöhnlich ist, feinkörniges und schuppiges
Gefüge, und die Sandstein-Geschiebe sind wie gefrittet. Von dem Konglomerate, oberhalb *Saanen*,
wird dieses durch einen, quer das Thal durchsezzenden, Kalkrücken, die Fortsezzung der *Gastlosen*, getrennt. Die Schichtung ist theils sehr verworren, theils vertikal.

Am westlichen Ende dieses Thales, unmittelbar
vor seiner Verengung bei *Moulins*, streicht ein **dritter** Zug von Konglomerat und Flysch, und dieser
ist es, der in seiner südwestlichen Fortsezzung über
les Mosses, bei *Sepey*, grofse Blöcke und, nebst
den Trümmern der nahen Kalk- und Flysch-Gesteine, auch Gneifse und Granite enthält. Zwischen
diesem Konglomerate und dem vorigen liegt die nie-

drige Hügelreihe, aus vertikalem, buntem Kalkschiefer bestehend, auf dem die Kirche von *Chateau
d'Oex* steht.

Auch aufserhalb diesem Thale zeigen sich ähnliche, und vielleicht gleichzeitige Konglomerat - Bildungen, zum Theil in sehr merkwürdigen Verhältnissen.

So z. B. war ich sehr überrascht bei *Châtel*,
am Ausgange der *Val Sainte*, eine Konglomerat-
Masse mitten zwischen dem hellgrauen Kalke der
Alire - Kette zu erblicken, zwischen dessen Lager
sie sich gewaltsam eingedrängt zu haben scheinen,
wie sonst nur Trapp es vermag. Die Geschiebe sind
meist Trümmer von Glimmerschiefer, seltener Bruchstücke des angrenzenden Kalkes, das Bindemittel ist
derselbe Glimmerschiefer, von dem auch Geschiebe
vorkommen, wenigstens war es mir nicht möglich,
ein anderes Zäment aufzufinden.

Erwünschte Aufschlüsse, sowohl über die Natur
dieser Konglomerate, als über andere dunkle Stellen
der Alpinischen Geognosie, glaube ich mir endlich
von der näheren Untersuchung der beiden, gegen
die *Molézon* - Kette ansteigenden, Tobel hinter *Châtel St. Denys* versprechen zu dürfen. Es ist ganz
hinten in diesen Tobeln ein hellgrauer Kalk anstehend, der, in deutlichen Schichten nach SO. (mit
50° nach 110°) fallend, sehr mächtig längs der *Molézon* - Kette sich bis an den *Genfersee* fort erstreckt.
Es ist derselbe Kalk, der in der Nähe des *Hurni-
gelbades* unter dem *Hurnigel* - Sandsteine hervor-

tritt, derselbe, der bei *Ralligen* unter dem T̤
glianaz-Sandsteine liegt (Monogr. der **Molasse**;
31 und 41), derselbe endlich, der bei *Lussinge*
den *Voirons* in undeutlichen Verhältnissen zu
heren und tieferen Sandsteinen steht. Eine gr̤
.Menge von Petrefakten, Belemniten, Ammo̤it̤
Trigonellen (eine glatte und gestreifte Art, mit ̤
.*linites problem.* SCHLOTH. verwandt), alle vollk̤
.men identisch mit denjenigen der *Voirons*, erhe̤
besonders die leztere Verbindung über jeden Zw̤
fel. Verfolgt man den südlichen *Tobel* tiefer ̤
.wärts, so sieht man den Kalk erst mit schwarz̤
Schiefer abwechseln, dann den lezteren vorh̤
schend werden, und mehr und mehr Lager v̤
·hartem, dunkelgrauem Sandsteine aufnehmen,
zulezt Schiefer und Sandstein allein herrschen, ṳ
lange anhaltend, mit immer gleichem Fallen, d̤
Tobel weit abwärts fortsezzen. Diese, den K̤
·so evident unterteufende, Sandstein-Formazion m̤
,nach allen Charakteren, welche die Steinart all̤
,darbieten kann, für Flysch gehalten werden; sie
es, die aufserhalb *Latour* an der grofsen Stra̤
.von *Vivis* anstehend ist. Unterhalb der Brück̤
.die von *Châtel St. Denys* her über diesen *To̤*
.führt, wird die Schichtung plözlich grofs wellenf̤
.mig, auch verändert sich in etwas der Sandstei̤
.es ist nun ganz die Steinart, die ich früher ̤
.*Ralligen* und *Broc* (Monogr. der Mol.; S. 40 ṳ
.41) gefunden, zum Theil nähert sie sich sogar d̤
festen Molassen. Das regelmäfsige, südöstliche Fall̤

stellt sich indefs schon nach wenigen Wellen wieder
her, aber mit etwas verändertem Streichen, mehr
südlich fallend mit 70° nach 170°); die Steinart,
obgleich von derjenigen, oberhalb der Brücke, nicht
wesentlich verschieden, ist doch etwas mehr molas-
senartig. Beträchtlich tiefer erscheint nun rother Mergel, demjenigen gleich, der bei *Thun* mit Nagelflue
wechselt (Mol.; S. 126), und nun die Nagelflue
selbst, mit gleichem, an den sehr hohen Wänden
des *Tobels* deutlich zu beobachtendem, Fallen, und
demnach alle vorigen Gesteine unterteufend. Kein
Zweifel, dafs man sich hier im wahren Nagelflue-
Gebirge befinde, das so mächtig zwischen *Semsalé*
und *Vivis* auftritt, und die Braunkohlen-Lager von
St. Martin, so wie die terziären Meeres-Konchylien von *Guggisberg* bedeckt * (Mol.; S. 271 und
556). — Ich bin nun zwar weit entfernt, diese einzelne Stelle zur Grundlage von Schlufsfolgen machen zu wollen, die, obgleich mit andern Verhältnissen der Nagelflue übereinstimmend, doch den
herrschenden Ansichten über diese Bildung so sehr
entgegen sind, und den alten Streit über ihr Ver-

---

* Es ist hier überhaupt die Nagelflue gemeint, die in
grofsen Gebirgsmassen längs den Kalkalpen auf Molasse
anliegt, und meist steil südlich fällt. In welcher Beziehung dieselbe zu den Nagelflue-Lagern oder Nestern
stehe, die mitten in der Molasse liegen, ist eine schwer
zu beantwortende Frage.

hältnifs zum Kalke wieder auffrischen könnten. Es
läfst sich allerdings sagen, dafs, meinen eigenen
Beobachtungen zu Folge, bei *Rálligen* die Nagelflue eben so deutlich an der nämlichen Formazion
abbreche, die sie bei *Châtel St. Denys* zu unterteufen scheine, dafs ferner die wellenförmigen
Windungen und das veränderte Streichen auch hier
eher ein Austofsen wahrscheinlich machen, dafs der
starke Fallwinkel die Möglichkeit einer Ueberstür-
zung zulasse, u. a. m. Das mir indefs, ich gestehe
es, nicht von grofser Erheblichkeit scheint, wenn
man das Auftreten der Nagelflue längs der ganzen
Alpenkette berücksichtigt. Nur die grofse Aehnlichkeit, ich möchte sagen die Identität dieser Nagelflue
mit den Konglomeraten von *Saanen* und *Château
d'Oex*, eine Aehnlichkeit, die sowohl in der Steinart selbst, als in ihrer Lagerung unter Flysch sich
zeigt, die enge Verbindung ferner zwischen jenen
Konglomeraten und Trapp-Gesteinen, und die Nothwendigkeit auch für die Nagelflue einen aufserordentlichen, mehr dem der independenten Steinarten
analogen Ursprung zu suchen, wenn die sonderbare
Einklemmung derselben, zwischen Ammonitenkalk und
terziäre Braunkohlen-Lager, sich bestätigen sollte, diese
Gründe allein haben mich bewogen, diese gewagten
Zusammenstellungen, die wenigstens zu einer näheren Untersuchung jener interessanten und leicht zu-
gänglichen Gegenden ermuntern dürften, hier nicht
ganz zu übergehen.

Bemerkungen

über

den Anthrazit.

Von

Herrn Professor August Breithaupt.

Dafs der Anthrazit oder die Glanzkohle in Ueber-
gangs-Gebirgen vorzüglich zu Hause sey, war längst
bekannt; allein über die Art seiner Lagerstätte finden sich verschiedene Angaben. Vorkommnisse, die
ich kennen gelernt habe, sprechen nur für gangartige, nie für lagerartige Fundstätte. So fand ich
schon im Sommer 1813 zu *Wezzelstein* bei *Saalfeld*
in den dortigen Alaunschiefer-Brüchen einen Glanz-
kohlen-Gang. Späterhin beobachtete ich das oft angeführte Vorkommen von *Lischwiz* bei *Gera*, und
erkannte es für einen Gang. Der denselben einschliefsende Thonschiefer und Grauwackenschiefer
war mir noch deshalb merkwürdig, dafs er von
Kupfergrün und Kupferlasur an manchen Stellen so

durchdrungen erschien, wie man es im stärke
Maafse am bituminösen Mergelschiefer oder Kupl
schiefer zu sehen gewohnt ist. Eben so fand
am *Silberknie* bei *Ebersdorf*, und zu *Reichenb*
im Voigtlande, dafs die, den Glanz des glänzen
Alaunschiefers verursachende, Substanz Anthr
sey *. Der Alaunschiefer ist blos da ein glänz
der, wo er von vielen zarten Klüften durchzo
wird, und eigentlich nur auf diesen; denn
Glanz verliert sich im frischen Bruche. In der
gend zwischen *Saalburg* und *Schleiz* traf ich
dem, zum Wegebau verwendeten, Lydit mehrn
Glanzkohle auf schmalen Klüften. An den Stell
wo dieser Strafsenstein gebrochen wird, erschien
in vielen sich kreuzenden Richtungen zerklüftet,
Verhalten, das ihm meines Wissens aller Orten
kommt.

Im Herbste 1826 entdeckte Herr von Wa
dorf, ein Zögling der Freiberger Berg-Akaden
in den Schiefer-Brüchen von *Wurzbach* bei *Lol*
stein im Voigtlande, mehrere Quarz-Gänge, dar
ter einen, der in der oberen Teufe auf eine s
merkwürdige Art Anthrazit führte. Dieser ist
interessanteste Abänderung, welche ich bis
kenne. Sie findet sich auf dem Gange in isolir
Stängeln, welche, wie alle derartige krystal
nisc

---

* Hoffmann; Breithaupt's Handbuch der Miner
B. III, Th. 1, S. 316.

nische Gebilde, von einem Saalbande des Ganges
nemlich, oder ganz rechtwinkelig nach dem andern
laufen. Sie sind an allen Seitenflächen mit sehr
dünnstängeligem Quarze, sogenanntem Faserquarze,
umgeben; allein dessen Stängel gehen nicht, wie
man sonst bei dieser Abänderung zu sehen gewohnt
ist, von einem Saalbande zum andern, sondern
senkrecht ab von den Seitenflächen des Anthrazits,
also parallel mit der Gang-Ebene. Diefs scheint
zu beweisen, dafs der Anthrazit im Gange früher
gebildet sey, als der Quarz. Ich sagte eben krystallinische Stängel, und dafs man wenigstens dieses zu sagen berechtigt sey, geht aus folgendem Verhalten hervor. Schon die Umrisse der
Stängel zeigen eine Tendenz zur Regelmäfsigkeit,
doch will ich diese deshalb noch nicht für wirkliche
Krystallflächen ausgeben, wenn schon die Lage der
Seitenflächen einem wenig geschobenen Rhomben-
Prisma, oder einem rektangulären Prisma sehr ähnlich wird. Aber nach ihrem inneren Ansehen sind die Stängel wirklich als Krystall-Ge-
bilde zu nehmen. Sie zeigen nämlich, in der Richtung ihrer Basis, einen deutlichen halbmetallischen
und dabei etwas geringeren Glanz, in den lateralen
Richtungen hingegen ist der Glanz weniger metall-
ähnlich und viel stärker. Dort ist der Bruch versteckt blätterig, bis uneben, hier vollkommen
muschelig. Dieses verschiedene Verhalten der End-
und Seitenflächen, was noch in Bröckelchen kleiner,
als eine Erbse, die basische Richtung erkennen läfst,

und in direktem Sonnenlichte mit gröfserer Evidenz
zu sehen ist, beweist sattsam die Krystall-Natur
der Stängel. Es scheint mir also ausgemacht, dafs
der Anthrazit der Krystallisazion fähig, monoax,
basisch spaltbar, und deshalb makroax sey.
Dabei ist es sehr wahrscheinlich, dafs er dem
Rhomben-Krystallisazions-Systeme angehöre. Dann wäre es um so merkwürdiger, dafs
Kohle und Schwefel homöomorph erscheinen.

In der zweiten Auflage von *Hauy's Traité de
mineral.; T. IV, p. 441* findet man zwar schon
ein gerades geschobenes Prisma als Spaltungs-Gestalt des Anthrazits aufgeführt. Ich mufs jedoch
bemerken, dafs hierbei Herr Hauy die, zuweilen
ziemlich parallelen, Zusammensezzungsklüfte und
flachmuscheligen Bruchflächen für Spaltungsflächen
genommen hat, als worin man ihm nicht leicht bei-
stimmen wird. Allerdings bleibt es eine auffallende
Erscheinung, dafs viele Abänderungen des Anthrazits und der Blätterkohle in geschobene prismatische
Gestalten zerspringen, nur dafs sich diese Theilbar-
keit nicht fortsezzen läfst, und deshalb nicht Spaltbarkeit ist. Leztere ist mir nur bei der *Wurzba-
cher* Abänderung des Anthrazits und auch hier nicht
sehr deutlich vorgekommen.

Der Anthrazit von *Wurzbach* ist übrigens der
ausgezeichneteste, den ich kenne. Sein spezifisches
Gewicht beträgt 1,6964, so viel, als ich bis jezt
bei keiner Varietät gefunden habe. — Eigen ist sein
Verhalten vor dem Löthrohre. Die Verbrennung

die Rauch und Flamme geht sehr schwierig von
Statten; und während derselben blättert sich
das zurückbleibende Erden-Skelett, die Asche,
nach der oben bemerkten basischen Richtung
auf.

Noch verdient angeführt zu werden, daß manche weniger frische Stücke auf den Klüften gelbe
Ocher zeigen. In anderen ist der Anthrazit ganz
angewittert, so, daß einzig der Quarz in zelli-
ger Gestalt übrig ist. In einigen noch frischen
Stücken waren Flämmchen eines Minerals, was
Aehnlichkeit mit Kupferglimmer oder Uranglimmer
hat. Der Thonschiefer, durch welchen der Gang
aus, enthält, als große Seltenheit, Reste von Fischen.

Stellen wir alle die aufgezählten geognostischen
Beobachtungen zusammen, so scheint es, daß das
Vorkommen des Anthrazits im Uebergangs-Gebirge
auf Gängen und Klüften der Vermuthung, die kohlige Substanz komme von oben und außen in das
Gebirge, und rühre doch wohl von organischen
Körpern her, sehr entspreche. Hiermit in Uebereinstimmung ziehe ich des Hrn. BRARD *Minéralogie
appliquée aux arts* an *, in welchem Werke man

* »En an mot le gissement des anthracites de la vallée
de Chamouny, dont il est question, peut se compa-
res à un vaste amas de rochers épars, dont les in-
tervalles auraient été remplis par le combustible; et

4 *

52

auch über die Anwendbarkeit des Anthrazits
beachtungswerthe, mehrjährige Erfahrungen mi
theilt findet.

---

je serais d'autant moins éloigné de m'arrêter à
idée, que cet anthracite lui-même n'est qu'une ag
gation, qu'un véritable grès à gros grains, dont
lames sont dirigées dans tous les sens; et je croi
même que c'est à cette structure particulière que
combustible doit sa friabilité et sa faculté de dé
piter au feu. La présence des empreintes végéta
jointe à la quantité énorme de charbon que ren
ment les anthracites, ne permet par de douter q
ne doivent leur origine à des matières végéta
quoiqu'il ne reste pas la plus légère trace de
ligneux, et qu'on soit tenté de les considérer co
des houilles remaniées et unies à une base siliceu
(Loc. cit. Vol. I, p. 127 et 128.)

Ueber
Alluvium und *Diluvium.*

Von

Herrn Professor Sedgwick.

(*Annals of Philosophy; April,* 1825, *p.* 241.)

Das Daseyn weit erstreckten, nicht zusammenhängenden Materials, das vegetabilische Reich von dem losten Gesteine scheidend, ist eine, die Beachtung geognostischer Forscher von selbst ansprechende, Thatsache. Seit längerer Zeit hat man jenes Material in zwei Klassen geschieden; die erste enthält eine Reihenfolge von Niederschlägen, welche noch heutiges Tages wirksamen Ursachen ihr Entstehen verdanken; die zweite besteht aus regellosen Haufwerken verschiedenartiger Substanzen, die mitunter in sehr beträchtliche Entfernungen geführt worden, und deren muthmaßliche Bildung mit gewaltsamen Ue-

berschwemmungen zusammenhängt. Seit dem 1
scheinen von CUVIER's klassischem Werke, hat n
diese Unterscheidung fast allgemein angenomme
um so mehr, da zoologische Merkmale, an beid
getrennten Klassen von Niederschlägen wahrneh
bar, solche zu rechtfertigen scheinen.

BUCKLAND dürfte der erste gewesen seyn, w
cher sich der Ausdrücke *diluvium* und *alluviu*
diluvial-detritus und *post-diluvial-detritus* 1
diente, um die angedeuteten Erscheinungen beic
Klassen zu bezeichnen. Seitdem ist das Gegründe
der Trennung durch eine Reihe wohl geleite
Beobachtungen bestätigt worden, und die interess
ten Entdeckungen des zulezt genannten Geolo
haben, in der neuesten Zeit, zur Berichtigung m
cher nicht unwesentlicher Irrthümer vorzüglich n
gewirkt, so, dafs das Ganze nun einen vollkomn
sicheren Bestand gewonnen hat.

Die Worte *alluvial* und *diluvial-detritus* 1
zeichnen gewisse Klassen von Phänomenen, welcl
ein besonderer Charakter zusteht, und die g
verschiedenen Epochen angehören. Wenn *Alluv*
Formazionen ihre Stelle stets über *Diluvial-*
mazionen einnehmen, wenn beide nie in wechse
der Lagerung sich zeigen, so ist die Unterscheid
derselben sowohl begründet, als die Lagerungsfc
anderer bekannten Schichten irgend einer Art. Di
Abtheilung ist selbst unabhängig von zoologisc
Erscheinungen, und erst, wenn die Lagerungsfc
ausgemittelt ist, kommen diese Phänomene in Betra

Früher bieten die organischen Ueberbleibsel, so interessant dieselben an und für sich seyn mögen, wenig Belehrung in Betreff der Umwälzungen, welche die Oberfläche der Erde erlitten hat.

Man hat mit den Ausdrücken *diluvial - detritus* gewisse Materiale andeuten wollen, die, vermittelst gewaltsamer Ueberschwemmungen, ihre gegenwärtige Stelle eingenommen haben.

I. *Alluvial-*Ablagerungen.

Sämmtliche Hauptthäler Englands zeigen, in ihren höheren Theilen, hin und wieder wagerechte Ablagerungen von Grufs, Schlamm, Lehm und andern Substanzen, welche als Aufhäufungen, durch spätere Ueberschwemmungen veranlafst, betrachtet werden müssen. Beim Herabsteigen von Hügeln und bergigten Gegenden, beim Untersuchen des Laufes der Flüsse, da, wo dieselben in weit erstreckte Ebenen eintreten, sieht man häufig ihre Ufer aus unzusammenhängenden Stoffen bestehend, deren Character neue Bildungen andeutet. Es werden hier keine dünnen Lager zerkleinter Materien gefunden, welche als Folgen allmählicher Ueberschwemmungen gelten könnten, auch kein Schlamm oder Torf, abgesezt aus stehenden Wassern, sondern grofse regellose Massen von Sand, Lehm und grobkörnigem Grufs, mit häufigen abgerundeten Blöcken, zuweilen von ungeheurer Gröfse. Es ist augenfällig, dafs die Gewalt der Flüsse nicht zureichte, um solches

Material fortzuführen. Auch beschränken sich diese
Ablagerungen keineswegs auf die Flufsufer, sondern
sie zeigen sich vielmehr über die ganze Gegend verbreitet; nicht selten werden sie mehrere hundert
Fuſs über der Höhe gewöhnlicher Ueberschwemmungen getroffen. Auf Erscheinungen der Art ist
gegenwärtig der Ausdruck *diluvial* — andeutend
ihre Bildung durch grofse gewaltsame Ueberschwemmungen — in England fast allgemein angenommen.

Die Ströme, welche aus den westlichen Moor-
Gegenden herabkommen, und in der grofsen Zentral-Ebene von *Yorkshire* zusammentreten, lassen
eine lehrreiche Folge solcher Phänomene wahrnehmen. Auf ihrem Wege legen sie, wo die Thal-
Gegend es zuläfst, *Alluvial*-Materien nieder; in den
tieferen Gegenden, da, wo dieselben, durch Schluchten und Schlünde, die grofse Ebene, aus neuerem
rothem Sandsteine gebildet, zu erreichen suchen,
durchbrechen sie ungeheure Massen von *Diluvial*-
Trümmern, die obere Decke, welche die tiefer liegenden Fels-Schichten dem Auge entzieht. Verfolgt
man einen jener Ströme bis zum Innern der grofsen Ebene, so sieht man, mit sparsamen Unterbrechungen, den *diluvial-detritus* sich herabsenkend
mit der Oberfläche des Bodens, nicht selten das
Strombett bildend, und, wo das Niveau des Landes
kein Hindernifs ist, zuweilen überlagert von Haufwerken neuerer *Alluvial*-Materien. Durch gewöhnliche Einwirkung der Wasser hat mitunter eine
Mengung der Ablagerungen beider scharf geschiede-

ner Klassen Statt; aber nie erscheinen sie in umgekehrter Ordnung, nie wechselnd mit einander.

Die tieferen Marsch - Gegenden, nahe bei den
Mündungen gröfserer Ströme, namentlich jene des
südlichen *Lincolnshire*, bis zum Fufse der Kreide-
berge von *Norfolk*, *Suffolk* und *Cambridgeshire*,
sind besonders reich an wichtigen Thatsachen zur
Erklärung der *Alluviäl* - Phänomene; sie zeigen zugleich, auf sehr unzweideutige Weise, ihre Beziehungen zu allen übrigen vorhandenen Niederschlägen. — — Das ganze *Alluvial - delta* ist von grofser
Einförmigkeit in der Anordnung seiner Lagen. Unter der Pflanzendecke erscheint in der Regel eine
bräunlichschwarze Erde, gemengt auf verschiedene
Art aus fruchttragendem Boden, aus Torf und
Schlamm. Da, wo die Züge, in Folge der Uferbaue, die häufigen Stockungen der Wasser veranlassen, gleichsam enger begreuzt sind, besteht der
Boden fast ausschliefslich aus vegetabilischen Materien,
welche mehr oder weniger vollkommen zu Torf umgewandelt werden. An den Abhängen der *Diluvial-*
Hügel sieht man den Boden, entstanden aus den,
nach und nach eingetretenen, Ueberschwemmungen,
ungemein fruchtbar. Die Mächtigkeit desselben beträgt mitunter bei 20 F. Künstliche Durchschnitte
lassen mannichfache Modifikationen wahrnehmen und
bieten, auf solche Weise, Beiträge zur alterthümli-
chen Geschichte dieser Niederschläge. Bald findet
man die schwarze Erde unterbrochen durch dünne

Torf-Lagen, Zeugnifs gebend von, während länge
rer oder kürzerer Zeit Statt gefundenen, Wasser
Stemmungen; bald wechselt der vorherrschende Bo
den mit Sand- und Schlamm-Lagen, die Wirkun
gen ungewöhnlicher Landfluthen andeutend. Be
gröfserer Tiefe trifft man nicht selten die Reihen
folge der *Alluvial*-Niederschläge von dem unterlie
genden Thon *, durch eine dünne Schicht mergeli
gen Schlammes geschieden, welche wahrscheinlich
von hohem Alter ist.

. Die Oberfläche des Bodens, entblöfst von Erde
und von allen aufgehäuften *Detritus*, würde sich
ohne Zweifel sehr regellos darstellen. Eben so au
genfällig ist, dafs jene Aufsenfläche, in früherer
Zeit, mannichfache Produkzionen getragen haben
müsse, die gegenwärtig so tief liegen, dafs man
solche nur zuweilen bei künstlichen Ausgrabungen
erreicht. Diefs erläutert zugleich die wechselnde
Mächtigkeit des Sumpf-Landes, und die sehr ver
schiedenartigen Erscheinungen, welche dasselbe wahr
nehmen läfst. So fand man am *Cam*-Ufer, zwi
schen *Clay-Hithe* und *Ely*, unter einem, etwa 12
Fufs mächtigen, Sumpfboden, ein Lager von be
trächtlicher Stärke, fast ganz aus Haselstauden und

---

* Der Thon, zähe und blau gefärbt, enthält, in allen
mittleren Theilen der Sümpfe, in zahlloser Menge
Gryphaea dilatata, dieselbe, welche im *Oxford-Clay*
vorkommt.

deren Früchte bestehend, welche, wie zu glauben
ist, nicht aus grofser Ferne abstammen können; an
andern Orten wurden, unter einer mächtigen Decke
von Torf und *Alluvial*-Schlamm, Aeste, Stämme,
und selbst Wurzeln grofser Waldbäume getroffen,
deren geringste Menge wohl nur, als herbeige-
schwemmt, aus höheren Gegenden gelten kann.

Beinahe in allen, das Meeresufer begrenzenden,
Niederländern zeigt sich das *Alluvium* von den äl-
tern, unterliegenden Schichten durch zahlreichen
Meerschlamm geschieden, zuweilen auch durch
Lagen von Seemuscheln, die an ihrer vormaligen
Wohnstätte begraben worden seyn dürften. Die
Erstreckung solcher meerischen Ablagerungen land-
einwärts, deutet die Weite an, bis zu welcher die
Alluvial-Materialien, innerhalb der alten Meeres-
Grenzen getrieben worden. Mitunter will man auch
einen deutlichen Wechsel von Seeschlamm und Mu-
scheln mit Torf und andern Süfswasser-Ablagerun-
gen wahrgenommen haben. — —

II. *Diluvial*-Ablagerungen.

Die *Diluvial*-Formazionen Englands scheinen,
bei Gelegenheit einer Ueberschwemmung, welche
mit ungewohnter Heftigkeit wirkte, sehr schnell und
regellos aufgehäuft worden zu seyn; denn sie be-
stehn mitunter aus Bruchstücken älterer, mehr oder
minder weit entlegener, Fels-Schichten, die theilweise abgerundet und zu Grufs umgewandelt wor-

den. Nichts deutet bei ihnen, wie bei den *Alluvial*-Niederschlägen, ein lange anhaltendes und ru-
higes Einwirken der Agenzien an. Sie ruhen unmittelbar auf älteren Gesteinen, allen Unregelmä-
ßigkeiten von deren Außenfläche folgend, und machen, in häufigen Fällen, die Unterlage des ganzen
Alluvial-detritus aus. Ihre Verhältnisse sieht man
vorzugsweise deutlich entwickelt an den Abhängen
der Kreide-Berge, von denen die Südostseite der
oben erwähnten Marschländer umgürtet wird. Einzelne *Diluvial*-Massen liegen selbst auf den Gipfeln der Kreide-Dünen. Von hier sind dieselben
gegen SO. fast ununterbrochen verbreitet, erlangen
mitunter eine ungeheure Mächtigkeit, und sind den
neueren terziären Schichten dieses Theiles von England aufgelagert. — Aus allen diesen Thatsachen
geht hervor, daß *Diluvial*- und *Alluvial*-Ablage-
rungen nicht nur wesentlich in ihren Struktur-Be-
ziehungen von einander abweichen, sondern daß
sie ganz verschiedenen Zeitscheiden angehören. — —
In mehreren Gegenden von *Cornwall* sieht man die
Gehänge der großen Zentralkette mit einer mächtigen Ablagerung von *Diluvial*-Grus überdeckt, welche unmittelbar auf granitischen und auf Schiefer-
Gebilden ruhend, der Neigung derselben folgt, und
sich bis in die Tiefen der Querthäler, ja sogar unter das Meeres-Niveau hinabzieht. Nahe bei den
Ausgängen der Thäler ruht ein neuer *Detritus*, stellenweise bei 60 F. mächtig, auf dem *Diluvium*. Ungeachtet der so beträchtlichen Stärke derselben, ist

man in ihnen, um das Zinn zu gewinnen, bis zu
grofser Tiefe niedergegangen.

Als Resultat der angestellten Beobachtungen ergibt sich : 1. dafs die *Alluvial*-Ablagerungen eine
grofse Klasse von Gebilden umfassen, welche von
noch gegenwärtig wirksamen Ursachen herrühren;
2. dafs die Thätigkeit solcher umbildenden Kräfte
lange Zeit hindurch gewirkt habe; 3. dafs während
dieser Periode die Ablagerungen nicht durch irgend
eine andere Katastrophe unterbrochen werden ; 4. dafs
die *Diluvial*-Ablagerungen, wesentlich davon verschieden sich zeigen, niemals mit den *Alluvial*-
Formazionen wechseln, und, wie ihre Lage ergibt,
unbezweifelt einer früheren Epoche zugehören ; 5.
dafs während dieser Zeitfrist der *Diluvial*-Grufs
durch aufserordentliche Ueberschwemmungen hervorgebracht wurde, endlich 6. dafs die Wirksamkeit aller, bei *Alluvial*- und *Diluvial*-Niederschlä-
gen, thätigen Kräfte erst begann, als die bekannten
regelmäfsigen Fels-Schichten bereits ihren Bestand
gewonnen hatten.

III. Organische und andere Ueberreste in *Alluvial*-Formazionen.

Die folgenden Angaben beziehen sich auf Thatsachen, in verschiedenen Gegenden von *Cornwall*
beobachtet, so wie in jenen zwischen *Cambridge*
und den Höhen von *Lincolnshire*.

1. Ein menschlicher Schädel, gefunden in 3
F. Tiefe aus *Carnou-stream-work*. 2. Das Horn ei
nes Ochsen, 40 F. tief, daselbst. 3. Bruchstück
menschlicher Geripppe aus *Pentowan-stream-work*
4. Ein altes irdenes Gefäfs, nicht auf der Töpfer
scheibe geformt, mehr als 40 F. tief im *Alluvium*
und 10 bis 12 F. ungefähr oberhalb des *Diluvial*
Zinngrundes, ebendaselbst. 5. Ein Theil eines Kü
chen-Geschirrs, 24 F. tief im *Alluvium* in *Levcan*
Zinnwerke. 6. Stämme und Aeste von Bäumen
7. Süfswasser- und Landmuscheln. 8. Hörner, Kö
pfe und ganze Thier-Skelette, so unter andern jen
von Biebern bei *Chatteris* im *Alluvial*-Boden vo
Old-West-water. (Ueberbleibsel von Höhlenbä
ren, von Mammuth, Hyäne, Rhinozerofs, Hip
popotamus kommen nie darin vor, und die bi
jezt angeführten sparsamen Beispiele solcher Er
scheinungen sind ohne Ausnahme zweifelhaft, un
verdienen genauere Untersuchung.)

IV. Organische Ueberreste in *Dilu
vial*-Formazionen.

Eine grofse Einförmigkeit ist bezeichnend fü
das *Diluvium* im mittleren Theile der Sümpfe vo
Cambridgeshire, so wie für jenes, das an den
diese Gegend begrenzenden, Hügeln gelagert sich
zeigt. Es enthält zahllose Bruchstücke von Gryphi
ten, Echiniten, Muscheln, Korallen, Gebeine vo
eidechsenartigen Thieren u. s. w., alle ohne Zweife

durch Wirkung derselben zerstörenden Kräfte, welche diesen alten Grufs bildeten, ihren früheren Lagerstätten, den nachbarlichen Fels-Schichten ent-
führt. Zwischen jenen Ueberbleibseln, und zwischen den Haufwerken von Rollstücken derselben
Gesteine, trifft man Reste verschiedener Thiere, besonders Zähne und Knochen, namentlich von Pferden, Ochsen, Hirschen, Büffeln, Mammuth, Hippopotamus u. s. w. Die Gegenden um *Cambridge*,
zumal *St. Ives*, *Foulmire*, *Hinxton* u. s. w., bieten
nicht selten, hierher gehörige, denkwürdige Beispiele. — So nach unterscheiden sich die organischen
Ueberbleibsel der *Diluvial*-Formazion in mehrfacher Beziehung von den, in *Alluvial*-Ablagerungen
vorhandenen. Erstere sind namentlich dadurch ausgezeichnet, dafs in ihnen nie menschliche Reste,
oder Geräthschaften irgend einer Art vorkommen,
wie solche in den lezteren gefunden werden. —
Eine zahllose Thiermenge mufs die tieferen Gegenden Europas bevölkert haben, ehe die zerstörenden
Wirkungen eintraten, als deren Folge das Entstehen
des *Diluvial*-Grufses zu betrachten ist; und manche Gattungen dieser früheren Zeit müssen untergegangen seyn, während der stürmischen Katastrophe, denn in neueren Ablagerungen werden ihre
Spuren gänzlich vermifst. Vergebens fragen wir jedoch nach den Ursachen, wodurch die Erhaltung
anderer Gattungen und Geschlechter bedingt worden;
ähnliche Schwierigkeiten findet man bei Betrach-

tung der, in festen Fels - Bänken, begrabenen;
ganischen Wesen.

V. Ursachen der *Diluvial* - und *luvial* - Phänomenen.

Die Fragen: welche Kräfte die *Diluvial* - S
mungen zuerst in Bewegung gesezt? was für ei
Richtung sie folgten? auf welchen Theil der E
Oberfläche dieselben einwirkten? ob ihr Einf
ein beinahe gleichzeitiger, allgemein verbreite
gewesen, oder, ob sie mit mehr oder minder gro
Zwischenräumen wirkten? wie man sich die
schaffenheit der Aufsenfläche des Planeten vor (
Einwirken derselben zu denken habe? — la
sich meist nicht genügend beantworten? — Die .
nahme der Bildung der *Diluvial* - Ablagerun
durch eine Folge theilweiser und vorübergehen
Ueberschwemmungen, bedingt durch den Du
bruch von Seen und ähnlichen Ereignissen, verd
keinen Glauben. Die Umrisse und Struktur-V
hältnisse der mittleren und südlichen Gegenden E
lands thun die Unmöglichkeit dar, dafs zwisc
den Sekundär-Straten Seen vorhanden gewesen s
dürften, geräumig genug, um von ihnen die u
mefslichen, fast ohne Unterbrechung sich erstrecl
den Grufs-Ablagerungen längs der östlichen K
herleiten zu können. Katastrophen der Art er
nen sich zwar mitunter in Gebirgslanden, und V
kungen und Agenzien stehen sodann in gewis

nise; aber diefs ist hier keineswegs der Fall,
irkungen der Art durch die angenommenen
hervorzubringen, würde eine Zeit von un-
ler Dauer erfordert werden, da alle Erschei-
n, um welche es sich handelt, im Gegentheile
ne mehr beschränkte Periode hinweisen. Diese
these, nach welcher *Alluvial-* und *Diluvial-*
gerungen gleichzeitig seyn sollen, welche eine
Wechsel-Bildung derselben einräumen mufs,
zulässig; sie gibt keine Rechenschaft über das
hiedenartige organischer Ueberreste in beiden
nmend, und erklärt nicht das Beständige in
irt ihrer gegenseitigen Ueberlagerung.
lie dargelegten Thatsachen genügen zur Erklä-
les Ursprunges gewöhnlicher *Alluvial*-Formazio-
Allein an verschiedenen Stellen der Englischen
zeigen sich zwei Phänomene verschiedener
innigen Verbande mit gegenwärtiger Unter-
ig, und die nicht immer leicht zu deuten sind;
h: 1. Spuren von meerischen Ablagerungen
lem Niveau des Hochwassers, und 2. sehr be-
iche Ueberbleibsel vormaliger Waldungen in
, die gegenwärtig stets von Hochwasser über-
nmt werden.
ncheinungen der ersten Art trifft man meist
den Ufern, wo, durch Brandungen, das Mee-
er in heftiger Bewegung ist. Beim Verbun-
n hoher Springfluthen mit Orkanen, der Rich-
er Strömungen folgend, sah man, von Zeit zu
Wallfische und andere Seethiere in 20 bis 30

Fuſs ·Höhe · über· dem ·Niveau gewöhnlicher Flu
stranden. Die Ereignisse, welche, seit den le
sechs Jahrhunderten, Holland zu mehreren M
betroffen, sind bekannt; die Meereswasser sti
zu aufserordentlicher Höhe über die Küste.

Weniger leicht ist die Ursache des Vorhandens
submarinischer Waldungen zu erklären. Man
sie, und in gewissen Fällen wohl nicht ohne Gr
als Folgen von Erdbeben betrachtet, durch wel
in früherer Zeit, grofse Waldstrecken in der N
des Meeres untergegangen wären; allein auch and
Erklärungsweisen sind nicht selten annehmbar.
Ansteigen der Wasser über unsere meisten Küs
Gegenden ist gering, und unstreitig im Ganzen
ziemlich gleichbleibend; Ausnahmen werden bed
durch Schnelligkeit und Richtung der Stromflut
durch die Umrisse der Küsten, endlich durch
vielartige, durchaus örtliche Umstände. — An
östlichen Ufern Englands, namentlich in mehr
Gegenden von *Suffolk, Norfolk, Lincolnshire*
Yorkshire, hat das Meer seit 1000 Jahren sehr
störend auf die Küsten eingewirkt, so, dafs
nur die Umrisse derselben Aenderungen erlit
sondern dafs zugleich ganze Reihen, von Unti
und Sandbänken gebildet wurden, welche nothw
dig nicht ohne ändernden Einflufs auf Schnellig
und Richtung der Fluth-Strömungen bleiben k
ten. Die Wasser wurden, in Folge langer Jahrh
derte, in Vertiefungen und Schluchten des Gesta
durch mancherlei Kräfte eingetrieben, und gelang

o zu ~~verschiedenen Systemen~~ abhängiger Flächen,
mithin zu einem sehr ungleichen Höhenstande. —
Manche Waldungen mögen in niedrigen, die Seen
begrenzenden, Landstrichen vorhanden gewesen seyn,
und in der natürlichen Beschaffenheit der Küsten,
oder durch künstliche Uferbaue Schuz gefunden haben, späterhin, als diese Schuzwehr nicht mehr bestand, können solche durch einströmende Wasser
überdeckt und allmählich versenkt worden seyn.
In Sumpf-Ländern, die trocken gelegt und angebaut wurden, ist ein allmähliches Niedersinken
denkbar, so, dafs nachfolgende Ueberschwemmungen auf dieselben einzuwirken vermochten. Wenigstens war diefs die Ansicht DELUC's, begründet auf meh-
re, von ihm, in Holland angestellte, Beobachtungen.
dlich dürften weite *Alluvial*-Strecken, nachdem die
renzen, innerhalb denen sie eingeschlossen waren,
erstört worden, allmählich eine tiefere Lage ange-
ommen haben. Auf solche Weise ist das Daseyn
ntermeerischer Waldungen in häufigen Fällen er-
lärbar, ohne dafs man Erschütterungen der Erde,
der andere gewaltsame Katastrophen, als bedin-
nde Ursachen zu betrachten genöthigt ist.

(Fortsezung folgt.)

Auszüge aus Briefen.

Mainz, den 12. Oktober 1826.

Wenn Sie wissen wollen, was unter dem Rhein-
spiegel selbst liegt, so mag diefs im Rheinthale
sehr abwechselnd seyn, wie das Seiten-Gebirge
selbst. Doch ist es nicht uninteressant zu erfahren,
was der Erdbohrer an der Brücke bei *Mainz*, was
er im Thale von *Türkheim*, und nach der Höhe von
Lobsann in gewissen Tiefen gezeigt hat. Ich theile
diese drei Ergebnisse unter den Beilagen Nro. 1,
2 und 3 mit.

Die neuen Festungs-Arbeiten bei *Mainz* veranlassen neue Absenkungen um Quellen aufzufinden.
Ein solcher Durchstich ist auf der Anhöhe einge-
senkt worden, gerade dem Einflusse des Mains in
den Rhein über. Eine Tiefe von 100 F. hat nichts
gezeigt, als Kalk- und Mergel-Schichten, mit Paludinen, unter allen andern Konchylien-Gattungen
am häufigsten, angefüllt. In den *Weisenauer* Steinbrüchen findet man zwar Kalk-Lagen, nur See-

Konchylien enthaltend, und diese in solcher Menge, dafs nur ein spärliches, krystallinisches Bindemittel dieselben kaum zusammenhalten kann. Es folgen aber immer Schichten der nämlichen See-Konchylien darauf, die eine gleiche, oder überhäuftere Menge Süfswasser-Konchylien und eine sparsame, Menge von Land-Konchylien dabei untermengt aufzuweisen haben. Viele Cerithien-Arten wurden bei dem Baue der Festungswerke ausgegraben, die in den *Weisenauer* Steinbrüchen, in dem Augenblicke seltener sind. Bei *Zahlbach* wechseln wieder ganz andere Bänke, wie zu *Weisenau* und auf der Anhöhe bei der neuen Englischen Anlage. Bei *Zahlbach* liegen etwa 20 Bänke verhärteten Kalksteines über einander, rein aus Paludinen zusammengesezt. Zwischen jeder festen Bank liegen andere, bestehend aus losen Paludinen, die noch ganz unbeschädigt sind, oder aus solchen, die zu Kalkstaub und feinem Sande zermalmet worden.

Anders verhält es sich bei *Guntersblum*, wo der schönste blaue Grobkalk bricht, der sich wie Marmor schleifen läfst. Den Rhein abwärts sind die mannichfaltigen Abwechselungen von *Budenheim*, *Niederingelheim*, *Alzei* u. s. w. schon näher bekannt.

Es ergibt sich im Allgemeinen, dafs zunächst am Ufer des Rheines, die Mergel mit jezt lebenden Land-Konchylien, mehr rückwärts das terziäre Gebiet, die Lias und bunten Mergel, in der dritten Reihe der Muschelkalk, und in der vierten Reihe die Sandsteine herrschend sind.

Ob die Niederschläge gerade so viele abwe
selnde Wiederholungen der Meeres-Strömungen
ihrem Rücktritte erforderten, als manche gro
Geognosten daraus herleiten wollen, will ich ni
widersprechen, doch finde ich im Rheinthale sell
die genügenden Beweise dazu nicht.

Mir ist es nicht unwahrscheinlich, dafs St
mungen Vieles im Rheinthale unter einander gew
fen, und Vieles da und dort abgesetzt, oder hin
wälzt haben, wo es jedesmal weit von seinem
sten Bildungsorte entfernt liegt. Die grofsen Th
Niederlagen bei *Leidelheim* und *Laudenheim.*
feinen weifsen Sand-Niederlagen von *Albsheim*
Albisheim, die Kalk-Knauer-Lager über den j
geren Kalk-Schichten bei *Grünstadt, Oppenh*
u. s. w.; die Sandsteinstücke (Gerölle und eck
Stücke), welche sich über den Kalk-Bänken üb
all im Abraume finden, wo sind sie abgerissen w
den? Dafs übrigens der Sand zu *Albsheim*
Albisheim so wunderbar schön weifs ist, scheint
von der Thon-Ueberlagerung herzukommen.
hier der Sand entfärbt wurde, so werden noch
lich die weifsen Zucker mit Thondecken, die
von Zeit zu Zeit anfeuchtet, in den Zucker-Fa
ken, in die schönsten weifsen krystallinischen Z
kerhüthe umgewandelt.

v. NAU.

Beilage Nro. 1.

r hiesige Wasserbau-Direktor Hr. ARNOLD hat mir
in Durchstich des Rheinbettes bei *Mainz* folgende
ungen mitgetheilt:

	Fuls.
des Rheines	25
le und Flözkies	3
e Höhe oder Tiefe desselben ist veränderlich,	
s das Wasser überhaupt von diesem losen Ge-	
lle zuweilen mehrere oder mindere Anhäufun-	
t zusammenwälzt.	
er Letten	10
omerat	2
eses war so fest, dafs der Erdbohrer nicht	
rchging, dasselbe mufste mit grofsen Eich-	
imen, die unten mit Eisen beschlagen wur-	
n, durchstofsen werden.	
r Letten	11
hwarze, stark nach Schwefel und Erdharz	
chende, brennbare Erde	2
Diese Lage ist wahrscheinlich dicker, als 2',	
der Erdbohrer nur 28' tief eindrang *.	

te dieses die Braunkohle seyn, die vor einigen Jahren bei
chheim erschürft wurde? dieses Lager ist, am Main bis
vor *Seligenstadt*, wieder zu finden.

Beilage Nro. 2.

Resultat älterer Bohr-Versuche in der Nähe von *Türkheim.*

Nro.		Mächtigkeit der Schichten.	
		Fufs.	Zoll.
1	Lettige Dammerde	3	—
2	Blaulichschwarzer Letten . .	1	—
3	Triebsand, reich an süfsen Quellen	10	—
4	Quarz- und Kalkstein-Gerölle . .	1	—
5 — 58	Verschieden gefärbter mergeliger Thon- und Kalkmergel mit theilweise inne liegenden Knauern von einem gelblichweifsen Kalksteine	202	7
59	Schwärzlichblauer Thonmergel, stark bituminös, wie Stinkkalk riechend	5	5
60	Lichte aschgrauer, ins Perlgraue ziehender, verhärteter Mergel .	22	—
61	Eruchstücke eines lichte blaulichgrauen Kalksteines in den verhärteten Mergel eingewachsen .	unbestimmt	
62 — 64	Verschieden gefärbte, verhärtete Mergel	6	4
65	Sehr fester, lichte blaulichgrauer Kalkstein mit gelblichweifsen Kalkspath-Krystallen auf den Ablosungsflächen im Mergel als Zwi-Lager	unbestimmt	
66 — 72	Verschieden gefärbter, mergeliger Thon, und Kalk und Sand-Mergel mit inne liegenden Knauern ei-		

Nro.		Mächtig-keit der Schichten.	
		Fuſs.	Zoll.
	nes eisenschüssigen Kalksteines (nach HUMBOLDT: Eisenkalk, Zuchtwand)	12	8
73	Obiger blaulichgrauer Kalkstein mit Kalkspath-Krystallen . .	2	—
74 — 75	Sehr fester, isabellgelber Kalkstein mit Kalkspath-Drusen, und einer schmalen Schicht Kalkmergel von gleicher Farbe . . .	2	—
76 — 77	Isabellgelber, mergelichter Kalkstein minder hart mit inne liegenden Eisenbohnen	5	—
78	Dunkel blaulichgrauer, bituminös-riechender, sandiger Mergel .	7	—
79 — 81	Gelblichweiſser Kalkmergel mit inne liegenden Knauern eines isabell-gelben, eisenschüssigen Kalkstei-nes mit einer schmalen Schicht Kalkmergel, der von einem Me-talloxyde (wahrscheinlich Braun-stein) dendritisch gezeichnet ist	13	—
82	Fester, schwer zersprengbarer, schmuzig gelblichweiſser Kalk-stein	12	6
83	Blaulichgrauer bituminöser Mergel	10	¼
84	Blaulichgrauer fester Kalkstein mit Kalkspath-Schnüren . .	—	5
85 — 86	Dunkel schwärzlichblauer, körniger Muschelkalk mit Muschel-Gehäu-		

Nro.		Mächtig-keit d Schicht
		Fufs. Z
	sen und Schnecken von gleicher Farbe	4
8 87	Blaulichgrauer bituminöser Sand-Mergel mit lose eingemengten gelblichweifsen, mannichmal roth punktirten, Volutiten und Entrochiten	1
88	Blaulichgrauer verhärteter, thoniger Mergel	1
89	Lichte schwärzlich, dann ins dunkel Schwarzblaue sich verlaufender, bituminöser Mergel mit innig gemengten, zerbrochenen Muschel - Gehäusen . . .	1
90	Grünlichgrauer, mit zerbrochenen Muschel - Gehäusen innig gemengter, bituminös riechender Thon-Mergel	17

Beilage Nro. 3.

*Coupe du terrain des environs de l'exploitation de
sable bitumineux de Lobsann (Bas Rhin).*

Nro.		Pieds	pou-ces	lig-nes
1	Terre vegetale . . .	2	3	—
2	Terre glaise	3	6	—
3	Argile vert	7	8	—
4	Argile bleu	1	1	—
5	Sable	4	—	—
6	Argile bleu . . .	3	—	—
7	Lignite	—	1	—
8	Calcaire . . .	—	1	6
9	Argile bleu . . .	3	7	—
10	Calcaire . . .	1	4	3
11	Argile bleu . . .	—	6	—
12	Sable bitumineux maigre .	1	5	—
13	Calcaire . . .	—	4	—
14	Argile bleu . . .	7	—	6
15	Calcaire . . .	—	1	—
16	Lignite . . .	—	6	—
17	Argile bleu . . .	—	4	—
18	Calcaire . . .	—	1	—
19	Sable bitumineux maigre .	—	6	—
20	Calcaire . . .	—	9	—
21	Lignite . . .	—	3	—
22	Argile bleu . . .	4	3	—
23	Calcaire . . .	2	9	—
24	Lignite . . .	—	3	—
25	Calcaire . . .	—	2	—
26	Calcaire bitumineux . .	3	—	—
27	Lignite . . .	—	6	—
28	Lignite (Coupe par des bandes calcaires) . . .	3	6	—

Nro.		Pieds	pouces
29	Argile bleu	5	10
30	Argile sabloneux . . .	4	9
31	Sable bitumineux maigre .		2
32	Argile bleu sabloneux . .		7
33	Sable bitumineux . . .		—
34	Argile sabloneux . . .		4
35	Calcaire bitumineux . .	—	10
36	Argile sabloneux . . .	5	4
37	Argile bleu	—	1
38	Calcaire sabloneux . .	—	1
39	Argile bleu	1	11
40	Calcaire sabloneux . .	1	—
41	Argile bleu	1	5
42	Calcaire	—	6
43	Argile bleu	7	9
44	Lignite	—	4

Lauterbach, den 14. Okt. 18

Den Kalkstein, welchen ich Ihnen in F
zeigte, hielten sie damals gleich für ein dolom
tiges Gestein; ich säume nicht, Sie zu benachri
tigen, daſs ich nun, etwa eine Stunde von hier
Angersbach, wahren Dolomit aufgefunden habe.
Maar verfolgte ich vor mehreren Tagen bereits S
ren von ihm. Ich fand auf der Grenze des Kal
und Basaltes Bruchstücke eines Gesteines, wel
lebhaft an Dolomit erinnert. Die krystallinis
körnige Struktur desselben war durch stark verze

le unregelmäfsig geformte Blasenräume zerrissen, und die Wände der lezteren mit Kalkspath-Rhomboedern * bekleidet. Diefs ist ebenwohl der Fall in den unteren Schichten des Kalkes, welche man in einem Steinbruche, nordöstlich von *Maar* entblöfst findet. Nur fehlt dem Gesteine hier die krystallinisch-körnige Struktur. Es ist dicht, dunkelgrau von Farbe, grobsplitterig, uneben im Bruche, und mit einer Menge Blasenräume versehen. Diese Kennzeichen und die abweichenden Schichtungs-Verhältnisse unterscheiden die Felsart auffallend von dem über ihr liegenden Kalksteine, welcher dem eigentlichen Muschelkalke angehört.

Auf einer Exkursion, welche ich gestern in die Gegend von *Augersbach* und *Salzschlurf* unternahm, fand ich nun ein Gestein, dessen Verhältnisse es unbezweifelt als Dolomit charakterisiren. Südwärts, dicht bei *Augersbach*, lehnt sich eine parzielle Parthie von Muschelkalk mit bunten Mergeln an das Sandstein-Gebirge, und wird auf der westlichen Seite von Basalten begrenzt. Ihre Ausdehnung ist unbeträchtlich. Auf der linken Seite des kleinen Baches, welcher von *Rudhas* herab kommt, ist dieser Kalkstein durch eine tiefe Wasserschlucht in einer fast senkrechten 45 bis 50′ hohen Wand zu Tage gelegt, gerade auf der Grenze des Sandsteines. In den tieferen Stellen der Schlucht trifft man auf einen mergeligen Letten, welcher die Auflagerungs-

---

* Bitterspath. d. H.

fläche des Kalksteines zu bezeichnen, und dem bunten Sandsteine anzugehören scheint. Auf den Sandsteine hat das Wasser zerstörender eingewirkt als
auf den Kalk, weshalb der erstere mehr verwaschen
und nicht deutlich entblöfst erscheint. Eine Menge
von ihm losgerissener Bruchstücke liegen aber in
der Schlucht. In einer der tiefsten Stellen derselben
tritt unter dem Kalke ein Gestein hervor, welches
gleich Anfangs wegen seinem abweichenden, äufseren Charakter, von dem über ihm liegenden Kalke
die ganze Aufmerksamkeit des Beobachters fesselt.
Ohne alle Schichtung ist es durch Klüfte in unregel-
mäfsige Blöcke getheilt, und besteht in seiner ganzen Masse aus kleinen, aber deutlichen krystallinischen Körnchen, in welchen man unter dem Suchglase die Form des Kalkspath-Rhomboeders erkennt.
Unregelmäfsig geformte, theils verzerrte, theils in
die Länge gezogene Blasenräume sind darin, und ihre Wände mit Kalkspath-Rhomboedern bekleidet.
In der kurzen Erstreckung, so weit das Gestein unter dem Kalke entblöfst ist, gewahrt man keinen
Uebergang in lezteren; beide Gesteine schneiden
sich scharf ab.

Ist dieser, dem Basalte so nahe liegende, Dolomit
ein, durch vulkanische Wirkung umgebildeter Muschelkalk, oder gehört er einem älteren Kalksteine
ursprünglich an? Lezteres ist nicht wahrscheinlich.
Man wird sich weit eher geneigt finden, die unteren
Lagen des Muschelkalkes von vulkanischen Agenzien
angegriffen, und zu Dolomit umgeschaffen, anzusehen.

Dafs der Dolomit in diesen Gegenden noch öfter auftritt, ist leicht zu vermuthen. Aber die seltene Entblöfsungen des Gebirges geben zur ferneren
Auffindung desselben wenig Hoffnung.

A. KLIPSTEIN.

Miszellen.

O. Mason erstattete Bericht über verschiedene Fundorte von Mineralien in Amerika. (Silliman,
Americ. Journ.; X, 10.) Epidot, in deutlichen Krystallen, *Smithfield;* Grammatit, von *Johnston* unfern
Providence, in *magnesian limestone* (Dolomit); stinkender Quarz, sehr häufig im Thonschiefer von *Cranston;*
Strahlstein in *Cranston,* unfern der Eisen-Lager von
Leach, ausgezeichnet schön und in grofser Menge in talkigen Gesteinen.

R. Taylor gab Nachricht von den angeschwemm-
ten Lagern und von der Kreide in Norfolk und
in Suffolk. (*Transact. of the geol. Soc. sec. ser.;
Vol. I, p.* 374, und Férussac, *Bullet. de Géol.; VIII,*
321.) Die Oberfläche der Kreide, welche den nördlichen
Theil jener Grafschaften bildet, wird im O. und S. durch
ein mächtiges, angeschwemmtes Gebiet überdeckt. Die Ablagerungen von Thon, welche sich fast über das ganze
Land erstrecken, enthalten fossile Reste, welche den verschiedenartigsten Gebieten zugehören, und liefern in diesem

Gemenge den Beweis der neuen Entstehung jenes Gebil

Im Thone von *Suffolk* findet man grofse Belemniten,

puliten, Gryphiten, Ostraziten, Bruchstücke von Am

niten, Plagiostomen u. s. w. mit Zähnen von Elepha

und Wirbelbeinen von grofsen Thieren. Oft nehmen

Thon-Lager ihre Stelle in der Mitte, zwischen ziem

regelrechten und mächtigen Sand- und Grufs-Schichten

wie bei *Norwich* und im N. und W. dieser Stadt.

Kreide von *Norwich* ist ausgezeichnet durch Weifse

Weichheit. Sie enthält Lagen von Feuerstein und zahl

che Petrefakten, zumal *Echinites spatangus, Cor maxim*

Conulus depressus und *albogalerus, Galea ovata* und

stulosa, Terebratula carnea, subundata, plicatilis, o

plicata und *intermedia, Alcyonia* u. s. w.

C. LYELL schildert einen, bei *Forfar* im Sandst

anfsezzenden, Serpentin-Gang (*Edinb. Journ.*

Sc. by BREWSTER; *July*, 1825, *p.* 112), und die

scheinung verdient um so mehr Beachtung, da die Verh

nisse des Vorkommens dieser Felsart noch in mancher

ziehung zweifelhaft sind. — Der Verf. untersuchte die

sten von *Forfarshire*, in der Nähe von *Red Head*,

aller Sorgfalt, an welchen Stellen natürliche Durchschr

die Lagerungs-Verhältnisse der, unter dem Konglome

(*great conglomerate*) anstehenden, längs der südlic

Grenze der *Grampians* verbreiteten, Formazion deut

beobachten lassen. Die', den Serpentin einschliefsend

Sandstein-Schichten sind entschieden jünger, als Grauw

und Thonschiefer, und älter, als die grofse Konglome

Ma

Masse. In dem Konglomerate, welches als unterstes Glied
der Formation des *old red sandstone* gelten dürfte, finden
sich zahlreiche Massen von schieferigem Sandsteine und
Schiefer eingelagert. Von organischen Ueberbleibseln wurden bis jetzt in diesem tiefer liegenden Sandsteine in *For-*
farshire, Perthshire und *Kincardineshire* keine Spuren wahrgenommen, so, dass die Einerleiheit desselben mit dem
Trilobiten führenden *red sandstone*, und mit dem Uebergangskalke von *Glowcestershire* und *Herefordshire* nicht
dargethan werden kann; nur das läst sich behaupten, dafs
die Schichten von schieferigen rothem und granem Sand-
stine, von Schieferthon (*shale*), Konglomerat u. s. w.
unmittelbar dem Thonschiefer und der Grauwacke folgen,
und diesen aufgelagert sind. Einige Gebirgsforscher werden sie der Grauwacke beizählen, während sie von Andern
als die untersten Glieder des *old red sandstone* betrachtet
werden dürften. Kalkstein kommt, zwischen dem Thon-
schiefer- und Kohlen-Gebilde, einige örtliche und unwichtige Ausnahmen abgerechnet, im Süden der *Grampians,*
an der östlichen Seite von Schottland, nicht vor. — An
beiden Ufern des *Carity*, eines kleinen, aus dem Glim-
merschiefer-Distrikte im nördlichen *Forfarshire* herabkommenden, Flusses, treten, bald nachdem derselbe die *Gram-*
pians verlassen hat, ungeschichtete Massen von Feldstein-
porphyr auf (Feldstein-Grundmasse mit den gewöhnlichen
Einmengungen von Feldspath, Glimmer, Quarz und, jedoch sparsamer, auch von Theilchen weissen Talkes). Der
Porphyr erstreckt sich, zu beiden Flussseiten, mehrere hundert Ellen weit, und ihm folgt, auf dem linken Ufer, ein
Konglomerat; die Lagerungs-Beziehungen beider sind nicht

ganz deutlich wahrzunehmen, allein der Porphyr überdeckt
ohne Zweifel einen Theil des Konglomerats. Das leztere
Gestein enthält Rollstücke von Quarz und Glimmerschiefer
durch Sandstein gebunden, und ist mitunter stark eisenschüssig. Dem Konglomerate folgt unmittelbar ein Sandstein, welcher, nach geringer Erstreckung, durch einen
Serpentin - Kamm (*dyke of serpentine*) plözlich abgeschnitten wird. Zwischen dem Sandsteine und dem Serpentine
sieht man eine Felsart, bestehend aus ungefähr gleichen
Theilen grünen Serpentins und einer ziegelrothen Steinart,
welche den Serpentin an Härte übertrifft. Oft zeigt sich
dieselbe sehr kieselhaltig, und ähnelt rothem, thonigem
Schiefer, Erscheinungen, wie solche in der Nähe von
Trapp - Kämmen häufig vorzukommen pflegen. Magneteisen-
Theile zeigen sich zerstreut durch die ganze Masse dieses
Gesteines. An der inneren Seite desselben sieht man ge-
wundene Sandstein - und Schiefer - Lagen, welche augen-
fällig, als mit dem *dyke* verflochten, gelten müssen. —
Zunächst folgt grüner Serpentin, durchzogen von zahllosen
Asbest - Schnüren. Gegen die Mitte des Kammes wird der
Serpentin mehr dunkelgrün oder blau. Hin und wieder
sieht man Serpentin-Krystalle, von wenig regelrechter Form,
in einer weichen Serpentin - Grundmasse eingeschlossen.
Auch Diallagon - Theilchen * stellen sich in Häufigkeit ein
Gegen die östliche Seite des *dykes* ragt ein Hypersthen-
Gestein, scheinbar umschlossen von Serpentin, hervor
ähnlich dem, von Mac Culloch zu *Loch Scaroy* auf *Sky*
nachgewiesenen. Als sparsame Einmengungen führt dasselb

---

* Schillerspath oder Bronzit?

kleine Talk-Blättchen. Das Hypersthen-Gestein begrenzt zunächst einen, Magneteisen-Partikeln führenden, Serpentin, und in einer Entfernung von 4 bis 5 Ellen, treten Sandstein und Schiefer auf. — Die ganze, bis jezt geschilderte Serpentin-Masse, auf dem linken Ufer auftretend, hat ungefähr 90 Ellen Mächtigkeit. Schichtung ist nicht bemerkbar, wohl aber regellose Zerklüftungen. Das Streichen des *dykes* hat die Richtung aus O. nach W., es steht derselbe beinahe senkrecht. Wo Sandstein und Schiefer gegen O. den Serpentin begrenzen, zeigt sich dieser auf eine geringe Weite zersezt, der Sandstein ist weich und eisenschüssig, ohne, selbst in der Nähe des Serpentins, andere Abzeichen erlittener Aenderung wahrnehmen zu lassen. Weiterhin wird der Sandstein kieseliger und eisenreicher, und Braunspath-Adern durchsezzen denselben häufig. — Mitunter ist der Serpentin dolomitisch (*dolomitic Serpentine*). — In paralleler Richtung, mit dem grofsen Serpentin-Kamme, sieht man einen Trapp-*dyke*, von etwa 30 bis 40 Ellen Erstreckung, der gänzlich zersezt ist, und einen, mit thoniger Masse erfüllten, Zwischenraum hinterlassen hat; auf dem rechten Ufer des *Caryty*, wo die Felsen weniger zersezt ist, erscheint dieselbe deutlich als Grünstein, und begrenzt stellenweise den Serpentin-Kamm. — — MAC CULLOCH hat * den Grünstein-*dyke* bei *Cluni* in *Perthshire* beschrieben; er findet sich hier in Berührung mit einem Kalk-Lager und zugleich erscheint ein dünner Serpentin-Streifen. Nach MAC CULLOCH's Beobachtung

---

* *Edinb. Journ. of Sc.; I, 1.*

wird der Grünstein, wo er dem Kalke zunächst liegt, fein
körniger, und es läfst sich eine Abstufung vom Grünstein
bis zum Serpentine verfolgen. Das feinkörnige Gestein von
Clunie und jenes in der Nähe des Maierhofes *West Bal-
loch*, an den Ufern des *Caryty*, sind einander sehr ähnlich; nur braust das erstere lebhaft mit Säuren auf, welches bei lezteren nicht der Fall ist. — — —

Das Land zwischen Orenburg und Bouk-
hara ist durch PANDER beschrieben worden. (*Voyage
d'Orenbourg à Boukhara, redigé par Mr. de* MEYENHOF;
Paris, 1826.) Rother Sandstein, die Hügel am rechten
Ural-Ufer zusammensetzend, erstreckt sich bis in die *Kirg-
hisen*-Steppen. Ueber dem Sandsteine liegt ein mergeliger
Kalk, reich an Ammoniten. Die Gegend liefert viele Kupfererze (Kupferlasur, Malachit, Roth-Kupfererz), und
sehr häufig trifft man auflässige Grubenbaue. Jenseit des
Ouzoarbourte, dessen Ufer viele eisenhaltige Quellen aufzuweisen haben, wird der Sandstein durch ein, im N. der
Steppe sehr ausgedehntes, kieseliges Konglomerat vertreten.
Auf dem Nordwest-Abhange der Hügel trägt die Brekzie
Kalk-Schichten, gemengt mit Rollsteinen, und erfüllt von
ein- und zweischaaligen versteinten Muscheln, auch Hayfischzähne trifft man darin; am Abhange gegen SW. finden
sich Gyps- und Thon-Lager über dem Kalke. Von *Bos-
saga* bis *Moughodjar* weifser, feinkörniger Sandstein, der
mitunter dicht und sehr quarzähnlich wird, und ein Gebiet bestehend aus Gyps- und Steinsalz-Schichten. Die

Moughodjar-Berge, eine Fortsetzung des südlichsten Zweiges des *Urals*, haben im NW. Grünstein aufzuweisen, der
theils durch Feldspath-Krystalle porphyrartig wird, theils
Mandelstein-Struktur zeigt, und mit kohlensaurem Kalke
erfüllte Blasenräume hat. Im O. Feldstein-Porphyr, auf welchen eine Grünstein-Brekzie folgt. Der Grünstein selbst
breitet sich noch ungefähr 4 Meilen weit, jenseit der Berge,
aus, sodann erscheinen quarzige Felsarten und Syenite.
Die *Moughodjar*-Berge steigen ungefähr 50 bis 150 Toisen
über die, bis zur grofsen *Bourzouk*-Steppe sich erstreckenden, mit Sand untermengten thonigen Ebenen empor. In
allen Steppen, jenseit des *Sir*, scheint Kalktuff, die kleinen,
hin und wieder sich erhebenden, Hügel bildend, die Unterlage des Sandes auszumachen. Am Ende der *Bourzouk*-
Steppe trifft man Hügel, aus quarzigen Gesteinen und aus
Brekzien von Quarz-Bruchstücken, gebunden durch sehr
eisenschüssigen Sand bestehend. Mehrere Hügelreihen, im
NW. und NO. über den kleinen *Bourzouk*-Steppen begrenzend, sind theils aus verhärtetem Mergel, reich an
Meeres-Muscheln, theils aus eisenschüssigem, Muscheln
umschliefsendem, und von Gyps-Adern durchzogenem Sandsteine zusammengesetzt. Der Mergel dehnt sich bis zum
Aral-See aus, und bildet die Höhen, welche das vormalige
Bett desselben begrenzt haben dürften. Andere nachbarliche
Hügel, deren Hauptmasse ein zerreiblicher Mergel ist,
enthalten ein- und zweischaalige Meeres-Muscheln, Wirbel
und Zähne von Fischen u. s. w. in zahlloser Menge. In
der Nähe des *Aral*-Sees und jenseit desselben tritt, statt
des Mergels, ein quarzreicher Sandstein auf, der längs des
Sir, bis zu dessen Mündung, andauert, und ungefähr 200

Fuſs Seehöhe erreicht. Die sandige Gegend, zwischen dem
Sir und dem *Kouwan*, ruht auf schieferigem Mergel, der
sich längs des *Djanderia*, bis zur *Kisilkoum*-Steppe, ausdehnt. Jenseit des *Kisilk* erstreckt sich, aus NW. nach
SO., eine kleine Bergkette, scheinbar die Fortsezung der
Khiwa-Gebirge; man sieht darin rothen und weißen Sandstein, Gyps-Schichten, von Gyps-Adern durchzogen, und
ein grobes Trümmer-Gestein. Weiter gegen S. treten
Grünstein, Kieselschiefer, Talk-, Chlorit- und Thonschiefer auf. Hin und wieder findet man Türkise von geringem
Werthe. (FÉRUSSAC, *Bullet. de Géologie*; *Avril*, 1826:
412.)

In dem Korrespondenzblatte des Württembergischen
landwirthschaftl. Vereins IX, 67, finden sich geognostisch - geologische Ansichten über den Bau
der Erdrinde in Süd - Deutschland, verfaſst von
CH. KEFERSTEIN.

Am 24. Iunius 1826, Mittags zwischen 1 und 2 Uhr,
verspürte man an beiden Ufern des Züricher Sees an vielen
Orten, namentlich zu *Wädenschweil*, *Stäfa* u. s. w., bedeutende Erschütterungen der Erde. (Zeitungs-
Nachricht.)

Das Lager silberhaltigen Bleiglanzes zu
Tarnowiz wurde von MANÈS beschrieben. (*Ann. des
Mines*; *XII*; 101.) Die besagte Lagerstätte erstreckt sich

von *Georgenberg* bis *Lagiewnick* auf eine Länge von ungefähr 1 $\frac{1}{2}$ Meilen. Man findet dieselbe im Flözkalke, der wahrscheinlich zum Alpenkalke gehören dürfte; das Sohlen-Gestein macht ein blaulicher, undeutlich geschichteter, sehr versteinerungsreicher Kalk, das Dach besteht aus einem gelblichen, eisenschüssigen, nicht geschichteten Kalke ohne Versteinerungen, aber häufig Feuersteine umschliefsend. Mitunter geht die letztere Felsart zu Tag aus, öfter wird sie überdeckt durch Alluvial-Gebilde, Lagen von Thon, Sand u. s. w. Das Streichen des Lagers ist aus NW. nach SO.; es fällt unter wenig Graden gegen SW. Sättel und Mulden sind in der Richtung des Streichens, wie in jener des Fallens vorhanden. Die mittlere Mächtigkeit beträgt ungefähr 2'; sie wechselt übrigens sehr, bald wächst das Lager bis zu 3 und 4 F. an, bald wird es beinahe ganz verdrückt. Auch die Erzhaltigkeit des Lagers zeigt sich sehr ungleich. Zahllose, mit Thon erfüllte, Spalten durchziehen das Lager nach allen Richtungen. Seine Masse besteht vorzüglich aus braunem oder gelbem eisenschüssigem Thone, in welchem der Bleiglanz adernweise, oder in rundlichen Massen und in einzelnen, würfeligen Krystallen vorkommt. Hin und wieder, besonders in der Nähe des Ausgehenden, zeigt sich der Thon blaulich gefärbt, und sehr reich an Eisenkies. In manchen Fällen aber ist die Lagermasse ein Kalk, ähnlich dem Dach-Gesteine, welcher den Bleiglanz eingesprengt, oder auf Adern enthält. Weifs-, Grün-, auch Roth-Bleierz und Bleierde, finden sich, jedoch nur höchst sparsam, in diesem Lager.

Ueber Wieliczka und Bochnia, so wie über
diejenigen Punkte in Oberschlesien, wo Spuren
von Salz getroffen werden, schrieb TREURNAGEL.
(KARSTEN, Archiv für Bergb. und Hüttenw.; XII, 327.)
Von *Krakau* aus die Weichsel überschreitend, findet man
bei *Podgorze* denselben Kalk, welcher auf dem linken
Ufer des Stromes so weit verbreitet ist. Bei *Prohkocim*
tritt, mit verändertem äufserlichem Ansehen des Gebirges,
Gyps auf, und in der Nähe von *Wieliczka* kommt ein
zusammengekitteter Sand mit häufigen Muschel - Versteinerungen vor. *Wieliczka* liegt in der Mitte eines Gebirgs-
kessels, der, gegen W. sich öffnend, den sich sammelnden
Wassern ihren Abflufs zur Weichsel gestattet. Die gröfste
Länge des Kessels dürfte über 2500 Lachter, die Breite gegen 2000 Lachter betragen. Die Längen-Ausdehnung des
Bergbaues entspricht dem Hauptstreichen der Salz-Lagerstätte;
weder gegen O. noch gegen W. kennt man das Aufhören
der Salz-Lager, und es ist nicht unwahrscheinlich, dafs dieselben nach beiden Weltgegenden noch viel weiter fortsezzen. Das Haupteinfallen der Schichten ist gegen S.; doch
findet an einzelnen Stellen auch eine ganz entgegengesezte
Schichten - Stellung statt. In den oberen Sohlen beträgt der
Neigungs - Winkel 30 Grad und darüber, in den tiefsten
Sohlen nur 10 Grad. Aufser dem Einfallenden, mit dem
Streichenden rechtwinkelicht, wird noch ein Verflächen im
Streichenden selbst wahrgenommen. Das ganze Gebirge ist
auf der Oberfläche mit Dammerde und Letten bedeckt, aus
welchen gegen O. und gegen S. Salzthon sich hervorhebt.
Lezterer dehnt sich zumal gegen *Schworzowiz* aus, wo er,
mergelartig werdend in grofser Menge Schwefel, einge-

sprengt und mehr. und weniger mächtige Lager enthält, welche mit andern, ebenfalls Schwefel führenden, jedoch abweichend zusammengesezten Lagern wechseln. Sie haben nämlich ein porphyrartiges Ansehen; in der Salzthon - Grundmasse findet man eine Menge schwarzbrauner Punkte, die vegetabilischen Ursprungs scheinen, kleine Quarzkörner und Glimmer - Blättchen u. s. w. Der Thon mit Schwefel hat Gyps zum Liegenden. Weiter südwärts, im Hauptthon der *Wieliczkaer* Niederlage, wo das Gebirge gegen die Karpathen stärker ansteigt, hebt sich ein Gestein heraus, das in den festeren Lagern blaulichgrau, und in den milderen gelblichweiß ist; ein Sandstein, vorzüglich aus Quarzkörnern bestehend, die durch ein quarziges Bindemittel zusammengehalten werden. Außerdem führt dieser Sandstein kleine Parthieen von grauem Thon, von Glimmer, und dieselben schwarzen und braunen Punkte, deren oben gedacht wurden, die häufig größer werden, und sodann vollkommen deutlich. Steinkohlen bemerken lassen, auch Anthrazit, noch selten da, wo sie mehr zusammengedrängt sind, das Ansehen von Steinkohlen - Flözzen gewinnen, die sich jedoch, bei mehreren Untersuchungen, nur als abgerissene Flöztheile erwiesen haben sollen. Diefs ist derselbe Sandstein, welcher ununterbrochen den Salzzug durch Ungarn und Siebenbürgen begleitet, und mit Lagern von einem thonigen Gesteine wechselt *. — Vom Tage nieder wechseln bei *Wieliczka* Lagen von Lehm, von Triebsand und von Mer-

---

* BEUDANT hält diesen Sandstein für wirklichen Kohlen - Sandstein; PUSCH sieht ihn für ein, dem Kohlen - Sandsteine verwandtes, seine Stelle einnehmendes, Gebilde an, und OXYNHAUSEN für Grauwacke.

gel. Darauf nimmt der Mergel Gyps auf; es folgt G
mit Salzthon (Halde), welcher nach und nach einen S
Geschmack annimmt, und noch tiefer die ersten Salz-L
(das sogenannte Grünsalz) enthält. Das Grünsalz
streckt sich über 50 Lachter tief, im Wechsel mit S
thon und Gyps. Der Salzthon bildet meist eine gro
ungeschichtete, aber vielfältig zerklüftete Masse, in welc
gröfsere und kleinere Salz- und Gyps-Körper einzeln
gen, an deren Ablosungsflächen sich meist südwestlic
Fallen wahrnehmen, und so auf gleiche Schichten-Senk
der Hauptmasse in obere Sohlen schliefsen läfst. — I
oft mit Thon gemengte Grünsalz, so wie der Salzth
nehmen sehr häufig bituminöses Holz und Steinkohl
Stücke in sich auf; auch Muschel-Versteinerungen
man darin gefunden haben; versteinerte Früchte (Wallnü
und Tannenzapfen kommen ziemlich deutlich vor. —
das Grünsalz aufhört, legt sich, mit viel geringerem Sch
tenfalle, das reinere Spysa-Salz, und dann, durch
Schicht Salzthon getrennt, das reinste Szybiker Salz
regelmäfsiger, häufig wellenförmiger Lagerung an. An
nigen Punkten wiederholt sich die Ablagerung von Sp
und Szybiker Salz zweimal. Die Lager beider sind w
ger mächtig, als die des Grünsalzes, doch weiter in
Länge aushaltend. — — Das ganze Steinsalz-Gebirge
anverkennbare Spuren jüngerer Entstehung und das Ei
thümliche des Sandsteines, besonders das häufige Vork
men von Steinkohlen-Bruchstücken in demselben fü
zur Hypothese, das ganze Salz-Gebirge verdanke der
störung eines mächtigen Steinkohlen-Gebirges seine
stehung, aus welchem der Schieferthon die Massen zur

ung des Salzthones, der Sandstein das Material zu neuem,
verändertem Sandsteine hergab, und Salz und Schwefel; von
denen letzterer mit dem schon vorhandenen und gleichzeitig
entstandenen Kalke, theils zu Gyps zusammentrat, theils sich
für sich ausschied, durch die zerstörenden Kräfte in die
Massen gebracht wurde.

Bochnia, obgleich zu derselben Formazion gehörend,
bietet andere, nicht minder interessante, Lagerungs - Verhältnisse. Gleich hinter *Wieliczka* steigt das, aus Sandstein bestehende, Gebirge mehr und mehr an, senkt sich
der, in etwa 2 Meilen Entfernung, bis in das *Rabathal*
bei *Gwod*, wo sich das Gebirge von Neuem erhebt, und
den vorigen Charakter bis *Bochnia* behält. Der Zug der
Salz - Lager geht, wie in *Wieliczka*, aus O. in W., und ist
auf einer Länge von 1400 Lachtern aufgeschlossen. Die
größte Breite des Zuges beträgt 82 Lachter, und die größte Teufe, bis zu welcher man niedergegangen, 225 Lachter. Das Einfallen der Gebirgs-Schichten ist, wie in *Wie-*
liczka, südlich, doch die Neigung stärker, 70 bis 80°,
an einzelnen Punkten sogar ganz seiger; in nicht völlig
100 Lachtern Teufe lagern sich die Schichten flacher, und
nehmen eine Neigung von etwa 10° an. Der Zug des
Salz - Gebirges in seiner bebauten Breite besteht, in oberen
Sohlen, aus neben einander fortlaufenden Lagen von reinem Salz, von Salzthon, von Gyps und aus einem Gemenge von beiden. Zahl und Mächtigkeit dieser Lager ist
sehr verschieden. Das unmittelbare Liegende des Salzzu-
ges besteht aus grauem Salzthone, das Hangende ist braun-
licher, salziger und zugleich bituminöser Thon, der auf
allen Kluftflächen glänzt, ähnlich dem Thone, welcher vie-

le Gänge an' ihren Saalbändern führen, so wie dem Gesteine, worin die Quecksilbererze bei *Idria* brechen. Von da an, wo das Gebirge sich flacher anlegt, bemerkt man häufig eine wellenförmige Lagerung, selbst an einzelnen Punkten, zumal im Liegenden, ein Zerrissenseyn der ursprünglichen Lagerung, erkennbar durch Uebereinanderliegen der zerbrochenen Stücke. — — Die Salz‑Lagerstätte von *Bochnia* zeigt sich sonach sehr übereinstimmend mit jener von *Wieliczka.*

Die Trapp‑Massen der Connewago‑Berge, von‑New‑York bis Rappahannock, unfern Falmouth in Virginien sich erstreckend, und jene von Stony‑Ridge bei Carlisle in Pensylvanien, wurden durch J. G. Gıbson beschrieben. (*Transact. of the Americ. phil. Soc. of Phil. new Ser. I*, 156.) Die Trapp‑Massen, besonders zwischen *Elisabethtown* und *Middletown* vorhanden, überdecken alten rothen Sandstein, zeigen keine Spur von Schichtung und finden sich stets auf den Gipfeln der Berge; es sind Basalte, Mandelsteine, Wacken u. s. w., alle in sehr zersetztem Zustande, nicht säulenartig, wohl aber kugelig abgesondert. Die Lagerungs‑Beziehungen der Basalte auf den *Connewago* ‑Bergen tragen weniger die Merkmale vulkanischer Abstammung, als jene von *Stony‑Ridge.* (Férussac, *Bullet. de Gésol.; VIII*, 5.)

Eine Schilderung der neuerdings in der Provinz *Saratoga* aufgefundenen Oolith‑Formation erhielten wir durch J. H. Steele. (Silliman, *Americ. Journ.; IX*, 16.)

Das Gebiet, welches dieselbe einnimmt, ist nicht unbeträchtlich, und die Ausdehnung desselben noch nicht mit Genauigkeit erforscht. Die Körner zeigen sich von verschiedener Gröſse, alle bestehen augenfällig aus konzentrischen Lagen, das Bindemittel ist kalkig, und enthält mehr oder weniger kieseligen Sand eingemengt. Die oberen Schichten findet man dicht, ohne körnige Absonderungen, grau gefärbt und theilweise manchen Grauwacken täuschend ähnlich. Eine Lage enthält seltsame kalkige Konkrezionen, lagelförmig, auch nur halbkugelig, die gröſsten von zwei Fuſs Durchmesser; sie bestehen aus zahllosen, konzentrischen, leicht trennbaren sehr dünnen Lagen von fester Kalkmasse. Die Unterlage der Oolith-Formazion ist *Mountain-Limestone*; über derselben soll hin und wieder Muſchelkalk vorkommen.

Laumontit wird, nach CARPENTER und SPACKMAN (SILLIMAN, *Amerie. Journ.*; IX, 246), zu New Port road unfern *Wilmington*, in krystallinischen Massen, auf Adern im Hornblende-Gesteine, gefunden. Er zersetzt sich, da wo derselbe die Luft-Einwirkung erfährt, sehr leicht und zerfällt zu Pulver.

In der naturf. Gesellschaft zu Halle, theilte Berghauptmann von .VELTHEIM eine vorläufige Uebersicht von Beobachtungen, den Granit des Harzes und die damit verwandten Gebirgs-Gesteine betreffend, mit. (SCHWEIGGER, Jahrb. d. Chem.; XVI, 421.) Er

erinnerte zuerst daran, dass in neuern Zeiten von einigen
Beobachtern auch, gegen die sogenannte Uranfänglichkeit des
Harzer Granites verschiedentlich Zweifel erhoben worden
wären, während nach ihnen, von Andern die, früher dem
Granite als Kern der dortigen Gebirgs-Massen angewiesene,
Stellung wieder geltend gemacht worden sey. Der Verf.
der sich im Anfange gleichfalls zu der ersten Ansicht hin-
gezogen gefühlt habe, sey durch fortgesetzte Beobachtungen
zwar in der Vorstellung befestigt worden, die Granit-Bil-
dung des Harzes nicht als die Grundlage der übrigen ansehen zu können, und vielmehr geneigt, sie mit allen sogenannten Ur- und Uebergangs-Gesteinen jenes Gebirges, —
vielleicht mit Ausnahme einiger wenigen örtlichen Bildungen — in eine und dieselbe grofse Gebirgs-Formation zusammen zu fassen; allein demungeachtet könne er jetzt de
Annahme eines lagerförmigen Verhältnisses im Sinne de
WERNER'schen neptunischen Bildungs-Hypothese, nicht al
lein für den Harzer Granit, nicht beitreten, sondern er müs
se sich sogar in Bezug auf die neptunischen Begriffe vo
Ur- und Uebergangs-Gebirgsarten im Allgemeinen zu eine
abweichenden Vorstellung bekennen. In das Einzelne einge
hend, wurde das Lagerungs-Verhältnifs der beiden abgesonder
ten Granit-Gebiete, welche der Harz aufzuweisen hat, de
gröfseren westlichen, welches der *Brocken*, und des kle
neren östlichen, welches der *Ramberg* bezeichnet, nachge
wiesen und zugleich bemerkt, dafs auf der von BERGHA
gezeichneten Karte das leztere zuerst vollständig, und d
Begränzung beider ziemlich genau dargestellt sey. Was d
Formen-Verhältnifs des Granites zu den ihm umgebende
schieferigen Gebirgs-Massen betrifft, so findet sich für d

hiber angenommene, mantelförmige Umlagerung der lea-
ten, nirgends ein ausreichender Beleg. Da indefs der
Granit keine eigentliche Schichtung erkennen läfst, und diese
ebenfalls denjenigen Gesteinen fehlt, die auf der Mehrzahl
einer Grenzpunkte seine unmittelbaren Begleiter sind, und
hieraußt nicht übersehen werden darf, dafs (worauf
Gümbel in Leonhard's Taschenbuche 1821 zur Unterstü-
zung seiner Ansicht von höherem Alter des Granites zuerst
aufmerksam gemacht hat), die Längen-Ausdehnung beider
Grunit - Massen in meridionaler, also ziemlich rechtwinkelicht das Hauptstreichen der Schiefer scheidenden, Richtung
liegt, so gibt das Formen-Verhältnifs des Granites und der
an ihm am Harze auftretenden Bildungen allerdings nur eine sehr zweideutige Stüzze für die oben aufgestellte Behauptung ab. Seine Ansicht von der Gleichheit der Gra-
nit-Bildung mit den Schiefer-Massen des Harzes, gründete
der Verf. wesentlich auf die Erscheinungen, die in der Zusammensezzung der Gesteine, oder in der Materie dort sich
darbieten, wo die Granite, in Berührung mit ihren benachbarten Gesteinen treten, und auf die übrigen, äufserst
mannichfaltigen, Gestein-Uebergänge, die dabei Statt fin-
ken. Diese Uebergänge, die sich ohne wesentlichen Unterschied, sowohl im scheinbar Hangenden, als Liegenden
des Granites nachweisen lassen, sind überdiefs im Streichen
der, gegen den Granit gerichteten, Schichten der Nachbar-
Gesteine bemerkbar, und dieselbe merkwürdige Erscheinung,
die bereits an anderen Orten (namentlich in Grofsbrittanien
und Norwegen) beobachtet ist, dafs, während nirgends ein
scharfer Abschnitt, der auf den Granit zugekehrten Schichten wahrzunehmen ist, dieser in schmaleren Armen oder

Strahlen sich in die umgebenden anderen Gebirgsste
he verlauft, wie diese wieder in ihn eindringen, bi
tet auch der Harz dar. Es wurde dabei besonders a
den Granit, in der Gegend von *Andreasberg*, und auf d
Rofstrappe aufmerksam gemacht. Am *Rehberge* bei *A*
dreaiberg, war schon durch Lasius und Hausmann d
Vorkommen von Hornfels - Lagern im Granite bekann
Nach den Beobachtungen des Verf. sind es nun nicht alle
diese und ähnliche im benachbarten Granite, namentli
auch am Eisensteins - Berge, auftretende Hornfels - Lage
welche den Uebergang in die, westlich den Granit b
grenzenden, Massen von Grauwacke vorbereiten, sonde
er glaubt sich auch überzeugt zu haben, dafs einige dies
sogenannten Lager, und namentlich eins von ihnen, w
man am Süd-Abhange des Sonnenberges, in der Nähe d
Fischwassers, antrifft, noch innerhalb des Granites, in schi
ferige Grauwacke, ohne alle Unterbrechung ihres Forme
Verhältnisses übergehen. Der Granit im Okerthale, biet
ähnliche Erscheinungen dar, und sie finden sich, wiewo
mit mancherlei Abweichungen, auch an der *Rofstrappe* wi
der. Diese wurden durch eine Zeichnung erläutert, un
der Verf. suchte dabei das Verhältnifs des Granites zu de
ihn begleitenden Schiefern, auf eine andere Weise zu e
klären, als es von Germar geschehen ist.

Die
Phonolith-Berge der Rhön.

Ein Schreiben

an

Herrn Medizinalrath Dr. Schneider
in *Fulda*

vom

Herausgeber.

(Hierzu Tafel I.)

Vorgelesen in der Versammlung der Gesellschaft für Naturwissen-
schaften und Heilkunde zu Heidelberg, am 3. Dezember 1825.

Vorwort an Herrn Medizinalrath
Dr. Schneider.

An wen, mein lieber vieljähriger Freund, sollte
ich mir erlauben diese Zeilen, mit wohlbegründe-
tem Vertrauen auf nachsichtvolle Aufnahme, zu
richten, als an Sie? — Bei meiner Wanderung über
die heimathlichen Berge, war Ihre Schilderung

derselben mein bewährter Führer, und mehr n
als der todte Buchstabe, frommte mir die mü
che Zurechtweisung, die freundliche Belehr
welche Sie meinen Gefährten und mir zu Theil
den liefsen. Aber ich habe noch einen andern
wichtigen Grund: Sie, mit den Gebirgs-Verhäl
sen Ihres interessanten Vaterlandes so, innig vertr
werden leicht und sicher die Irrthümer nachzu
sen vermögen, die ich mir, bei flüchtiger Re
habe können zu Schulden kommen lassen; und
um bitte ich Sie mit aller Herzlichkeit, denn
um Wahrheit ist es mir zu thun.

Von der Zeit an, wo die Meinungen der
birgskundigen mehr zum vulkanischen Glauben
zu neigen begannen, mufsten alle jene Geger
ein erhöhtes Interesse erlangen, deren Felsar
Bestand, in gröfserer Häufigkeit, Gebilde aufzu
sen hat, bei welchen ein Entstehen durch Th
seyn feueriger Gewalten anzunehmen ist; denn
che Gesteine gelten als bedeutungsvolle Denk
der Umwälzungen, die unsre Erde, oder d
Festrinde, in ihrem früheren Zustande erfah
Manche Landstriche sind darum, seit dem le
Jahrzehend, ein Gegenstand wiederholter geo
stischer Forschungen geworden, und statt des
her so bräuchlichen, und nach dem Sinne der
kanischen Schule damaliger Zeit so leicht. verze
chen, Strebens überall Lavenströme aufzufin

in jeder kleinen, nicht bedeutenden, oft durch-
zufälligen, Vertiefung einen Feuerschlund zu
en, hat man sich bemüht, im Geiste der herr-
nden Hypothese unserer Tage, die gegenseitigen
erungs-Beziehungen genauer auszumitteln, in de-
die verschiedenartigen plutonischen Erzeugnisse
einander stehen; man hat getrachtet, die Verhält-
ve jener abnormen Gebilde zu den sie umschlie-
den normalen zu ergründen; endlich wurden die
wirkungen, welche vulkanische Agenzien auf
herliche Gesteine ausüben, einer sorgsamen Be-
ung gewürdigt.

Unter den Gebirgen Deutschlands, die, in der
deuteten Hinsicht, genauer gekannt zu werden
jenen, nimmt die *Rhön* — der Zug von Bergen
Süden gegen Norden sich erstreckend, in jener
weg dem Thüringer Walde verbunden, nach
ten in das Vogels-Gebirge verfließend, auffal-
durch das Bedeutsame mannichfach gruppirter
 berge und reich an mahlerischen Ansichten —
e der lezten Stellen ein *; denn DE LUC scheint

Der 641,8 Par. Fuſs über dem Niveau der Stadt *Fulda* gelegene *Rauscheberg*, der 400,5 Par. Fuſs hohe
Petersberg, ja selbst der nur 160,4 F. Höhe messende
Frauenberg bei *Fulda*, besonders der sogenannte *Für-
stenbau* auf lezterem, sind günstige Punkte, um eine
allgemeine Uebersicht des Rhön-Gebirges sich zu verschaffen. Am besten aber ist der *Heidhof* zur Aufnahme desselben geeignet.

7 *

die *Rhön*, bei seinen Untersuchungen vulkanisc
Denkmale, nicht beachtet zu haben; was der w
dige VOIGT, vor länger als vier Jahrzehenden
darüber gesagt, ist für unsere Zeit nicht mehr g
genügend, und von HELLER, dem rühmlich bek
ten Fuldaischen Physiker, erhielten wir nur, ü
einzelne Berge seiner heimathlichen Gegenden N
richten **. Nun hat zwar das Gebirge *** nei
dings an SCHNEIDER einen verständigen Schild
gefunden ****; allein die Kunde, welche dies
mit seinen vaterländischen Bergen so wohlvertrac
Forscher lieferte, ist, in geognostisch-geologisc
Beziehung, nicht umfassend genug, und sollte d
dem Zwecke des Buches gemäfs, nicht seyn, ind

---

* Leipziger Magazin; I. B., S. 1, und mineralogi
Beschreib. des Hochstiftes Fulda u. s. w. Leip
1783.

** Fränkischer Merkur; Jahrg. 1796, 7., 8., 12.,
und 32. St., und von MOLL's Annal. d. Berg -
Hüttenk.; I. B., S. 1 ff.

*** Wir gedenken anderer, mehr und minder gehal
cher, Schriften nicht, in welchen das Geognosti
der *Rhön* nur im Vorübergehen erwähnt worden,
ebensowenig der hin und wieder zerstreuten Notiz
von denen, wie es scheint, keine auf Selbst-Anu
des Gebirges begründet ist.

**** Naturhistorische Beschreibung des hohen Rhön -
birges. Frankfurt; 1816.

s Werk, die Gegenstände aus allen Reichen der
tur abhandelnd, welche auf der *Rhön* Inter-
se erwecken, ein naturhistorisches Gemälde des
zen beabsichtigt, nicht eine detaillirte Schilde-
g des Geognostischen.

Die auf den folgenden Blättern enthaltenen Be-
erkungen, Ergebnisse einer, im Herbste 1825,
ber die *Rhön* vorgenommenen Wanderung, sollen
ur als abgebrochener Beitrag zu einer künftigen
gnostisch - geologischen Geschichte jenes Gebirges
ktion; das ausführliche Gemälde des denkwürdigen
zen zu liefern, bleibe demjenigen überlassen,
lchem Zeit und Verhältnisse eine genauere Unter-
chung der *Rhön* nach allen ihren Theilen ge-
tten.

Sandstein und Muschelkalk sind die ein-
gen Felsarten neptunischer Abstammung, welchen
Fuldaischen, diesem Ausdruck im umfassenden
geographischen Sinne genommen, eine mehr allge-
ine Verbreitung zusteht, und der ganze Land-
ich würde einen höchst einfachen Charakter tra-
, wenn nicht durch Gebilde vulkanischen Ur-
ungs Abwechselung und Interesse hervorgerufen
rden. Unter dem lezteren Gesteine sind die Ba-
lte bei weitem die herrschenden *; minder be-

---

* Basalte im eigentlichen Sinne des Wortes; denn
nach dem, was ich zu beobachten Gelegenheit hatte,

deutend, was Ausdehnung und Massen angeht, :
gen sich die Phonolithe, denn sie treten nur
eine gewisse Strecke an der westlichen Gebirgss
hervor, aber sie verbinden, mit ihrem Erschein
gar manche nicht unwichtige Beziehungen, und
lezteren soll zunächst die Rede seyn. Ueberdiefs
bührt den Phonolithen — den Felsarten, in v
chen der Feldstein ziemlich das Maximum sei
Entwickelung erreicht hat *, deren enges Verb:
mit den Basalten dem Scharfblicke WERNER's ni
entgangen war, die aber zugleich den, durch
ständiges Verhältnifs zu den vulkanischen Phäno:
nen in neuerer Zeit so wichtig gewordenen, T
chyten noch öfter sehr nahe stehen ** — auch
anderer Hinsicht besondere Beachtung; denn
Vorkommen derselben im übrigen Deutschlande

---

kommen wahrhafte Dolerite nur sparsam im RI
Gebirge vor; so findet man dieselben unter anders :
gezeichnet am *Kalvarienberge* bei *Poppenhausen*,
die höchste Spizze der *Abtsröder* Kuppe besteht e
falls aus Dolerit. Aber Mittelgesteine beider genau
Felsarten dürften sich gar manche nachweisen lasse:
Das Abweichende des Gesteines von *Abtsrode*,
gewöhnlichen Basalte, hatte übrigens schon SCHW:
(S. 113) sehr richtig bemerkt.

* A. v. HUMBOLDT.

** A. BOUÉ, *Ecosse;* *p.* 133 und NAUMANN, Zeit:
für Min.; 1826, I, 231.

nicht sehr häufig; ihre Lägerungsweise hat noch
manches Räthselhafte, und ein kleiner Beitrag, zur
Erweiterung ihres mineralogischen Charakters, wird,
so hoffe ich, in jedem Falle nicht als ganz unwill-
kommen gelten.

Ein Blick auf die petrographische Karte, welche VOIGT seiner Schrift beigefügt *, gewährt eine
ziemlich treue Ansicht über die Verbreitung des
Phonoliths, des von ihm sogenannten Horn-
schiefers, in der *Rhön*, und zeigt das Auffallende
seines Vertheiltseyns. Die Berge, aus jener Felsart
bestehend, liegen unverkennbar in einem Zuge aus

---

* Im Allgemeinen kann diese Karte zwar nicht als richtig gelten, denn die Verbreitung von Sandstein und
Kalk zumal scheint mitunter ganz willkürlich angegeben. Beide Gesteine sind, durch Pflanzenwuchs und
fruchttragende Erde, fast überall dem Auge des Beobachters entzogen, und nur der Wechsel der Boden-
Farbe gewährt für die Begrenzung des Sandsteines einiges Anhalten. Auf der kleinen Karte, welche diesen
Blättern beiliegt, und deren Zeichnung ich Hrn. R.
BLUM verdanke, sieht man die Verhältnisse des Phonolith - Vorkommens ziemlich treu versinnlicht. Sie ist
auf den Raum beschränkt, den wir durchwanderten,
und bei ihrem Entwurfe diente die, an Ort und Stelle
möglichst berichtigte, Karte von VOIGT.

SW. nach NO., so, dafs man für die Massen, die
meisten derselben zusammensezzend, leicht dem Gedanken Raum geben kann, sie seyen, durch Sandsteine und Muschelkalke sich ihren Ausweg bahnend,
einer gemeinsamen grofsen Spalte, zugleich mit den,
sie zunächst begleitenden und umziehenden, Basalt-
Gebilden entstiegen, und ohne dafs sie weit verbreitet worden im Umkreise der Oeffnung, aus welcher dieselben hervortraten. — Da, wo Phonolithe
nicht in einzelnen Spizbergen aus Ebenen sich erheben, krönen sie meist die Hügel des Basaltes *.
Voigt's Worte (S. 38), bereits 1783 ausgesprochen,
indem er von den Rhön - Phonolithen redet, waren:
»so wenig die Hornschiefer für sich ein vulkanisches
Ansehen haben, so verdächtig wurden sie mir hier,
da sie in der Lava zu schwimmen scheinen.« — »Je place« schrieb A. v. Humboldt, länger als vier Jahrzehende später ** »à la fin des formations du Venezuela le terrain d'amygdaloïde py-
roxénique et de phonolithe, non comme les seules
roches que je regarde comme pyrogènes, mais comme celles, dont l'origine entièrement volcanique est
probablement postérieur au terrain tertiaire.« —
Voigt's Gleichnifs ist ungemein wahr: die Phonolithe scheinen in Basalten zu schwimmen; rings um den Zug phonolithischer Berge fin-

---

* A. v. Humboldt, Lagerung der Gebirgsarten; S.350.
** Voyage aux régions équinoxiales; Xme Vol., p. 305.

det sich basaltisches Gebiet, und ansehnliche Pho-
nolith-Kegel ragen aus Basalt hervor. Eine Erscheinung, wie gar viele andere Basalt-Gebirge sie ebenfalls aufzuweisen haben. Indessen stehen der Regel
auch Ausnahmen entgegen; so dürften der weit erstreckten basaltischen Ablagerung auf den *Hebriden*
die Phonolithe ganz fehlen, oder sie treten nur in
sehr untergeordneten Verhältnissen auf. — — Einige
Stellen der *Rhön*, namentlich am *Pferdekopfe*,
könnten vielleicht, für den ersten Blick, zur Frage
Anlafs geben: ist es nicht der Basalt, der aus dem
Phonolith-Gebiete emporsteigt? — Basalt-Gänge
durchziehen hier hin und wieder die phonolithischen, oder vielmehr trachytischen Massen; Gänge
von 2 Fufs Mächtigkeit, mit starkem Fallen, fast
auf dem Kopfe stehend; Streichen h. 1 5/8. Der,
den Gangraum füllende, Basalt kugelig abgesondert,
aber sehr fest, und nur die einzelnen Olivin-Par-
thieen zersezt, der Phonolith dagegen in der Nähe
des Basaltes, wie wir demnächst ausführlicher hören werden, auffallend umgewandelt, trachytisch. —
Nun ist zwar, so weit ich Gelegenheit gefunden,
die Beziehungen der Fuldaer Phonolithe zu untersuchen, kein so unmittelbarer Beweis, hinsichtlich
der Felsmassen, denen sie entstiegen, welche sie
durchbrachen, geboten, wie z. B. bei jenen am *Bi-*
liner Stein, wo Gneifs-Bruchstücke, von Phonolith
umschlossen, nachgewiesen worden *, oder wie bei

---

* HUMBOLDT, *voyages ect.; p.* 309.

Banow (*Banau?*) in *Mähren*, woselbst dem **Pho-**
nolith - Fels Bruchstücke verhärteten Thones **und**
Sandsteines in grofser Häufigkeit eingebacken sind *;
mir sind nirgends Felsarten-Einschlüsse, in den **Rhön-**
Phonolithen enthalten, vorgekommen, aber alle **Er-**
scheinungen reden mehr der Ansicht das Wort, **dafs**
es die Basalte sind, zwischen und mit denen **die**
Phonolithe aufgestiegen. Und wenn, wie ich **fast**
nicht zweifle, die Basalte des *Kalvarienberges* **bei**
Fulda ** Gneifs-Bruchstücke einschliefsen, so **tre-**
ten sehr wahrscheinlich Basalte, wie Phonolithe,
aus dieser Felsart auf der *Rhön* hervor, wie **sol-**
ches eben, in Betreff ihres Vorkommens in *Böhmen*,
erwähnt worden, und wie es, nach dem Zeugnisse
des Hrn. v. ESCHWEGE auch hinsichtlich der **Phono-**
lithe, in der Gegend um *Rio-Janeiro*, der **Fall**
seyn soll. Auch enthält das vulkanische **Trümmer-**
Gestein von *Schackau*, von welchem später die **Rede**
seyn wird, Bruchstücke von Felsarten, die mit **ei-**
ner solchen Annahme keineswegs im Widerspruche

---

* A. BOUÉ, *Journ. de Phys.*; 1822.
** Ich habe die Handstücke, die Erscheinung, von **wel-**
cher die Rede, zeigend, zwar fern vom genannten
Berge, auf der Chaussée, wohin solche verführt **wor-**
den, gesammelt; aber ich kenne um *Fulda* nur **den**
einzigen Steinbruch in Basalt, und glaubwürdige **Zeu-**
gen beseitigten jeden Zweifel, hinsichtlich der **ur-**
sprünglichen Fundstätte der befragten Felsart.

steben. Bei manchen Basalten nachbarlicher Gebirge, wie unter andern bei denen des *Vor-Spessarts*, ist es ganz unbezweifelt, daſs sie den Gneiſs durchbrochen haben, um am Tage zu erscheinen. Wir hörten dieſs durch Hrn. v. Nau *, und ich hatte ganz kürzlich Gelegenheit bei *Klein-Ostheim* die Thatsachen durch Selbst-Ansicht kennen zu lernen.

Die Längen-Ausdehnung mehrerer einzelner Phonolith-Berge entspricht sehr bestimmt der angedeuteten allgemeinen Vertheilungs-Richtung; dadurch wird der Zusammenhang ihrer Massen in gröſserer Teufe noch wahrscheinlicher.

Unter den vielen, mehr und minder vollkommenen, Kegel-Gestalten der *Rhön* ** machen sich, durch das Groteske ihrer Formen, die Phonolithe schon aus weiter Fernë kenntlich. Ein besonderes Interesse erregen, unter den verschiedenen phonolithischen Bergen, die *Milseburg*, die *Steinwand*, der *Teufelsstein* und der *Pferdekopf*. Die *Milseburg* imponirt durch das Gewaltige ihrer Masse, die *Steinwand* durch ihre schöne Säulenreihe, der *Teufelsstein* durch sein kühnes Emporsteigen; am belehrendsten aber ist der *Pferdekopf* mit der ihm gegenüber liegenden *Eube*, denn hier hat man unzweifelhafte Spuren plutonischer Umwälzungen klar

---

* Zeitschrift für Min.; 1826; I. Bd. S. 250.
** Ueber die verschiedenartige Ableitung dieses Gebirgs-Namens, s. Schneider a. a. O.; S. 101.

vor Augen, und dieses macht die Stelle um desto
wichtiger in einem Gebirge, das durch Bergbau nirgends aufgeschlossen ist, und wo selbst Steinbrüche,
über Lagerungs-Beziehungen einigen verlässigen Aufschluſs bietend, zu den sparsamen Erscheinungen
gehören. — Die *Milseburg*, die *Steinwand* können
übrigens so manchen berühmten phonolithischen Säu-
len-Massen des Auslandes, der *roche Sanadoire* in
Auvergne, den Phonolith-Felsen der *Lamlash*-In-
sel im Meeresbusen der *Clyde* u. s. w., gewiſs zur
Seite gestellt werden, wenn auch einige derselben
sie an Umfang übertreffen.

Die Phonolith-Berge steigen in der *Rhön* zu
bedeutender Höhe an. Die *Milseburg* miſst 2590
Par. Fuſs *, die *Steinwand* 1182,5 Par. F., der
Ebersberg 1158,8 P. F. ** über dem Meeres-Niveau; nur basaltische Massen erreichen, neben ihnen, eine solche Erhabenheit, und einige der lezteren haben selbst eine gröſsere Seehöhe.

---

* Nach der barometrischen Messung des Hrn. Majors
TROST im Jahre 1826 vorgenommen. (Briefliche Mittheilung des Hrn. Medizinalraths SCHNEIDER.) — Aelte-
ren Angaben zu Folge, wurde die Höhe der *Milseburg*
theils zu 2516 Fuſs, theils selbst zu 3290 Fuſs bestimmt.

** Beide lezteren Angaben nach Messungen des Hrn. M.
R. SCHNEIDER.

Die Phonolithe berühren stets den Dunstkreis. An keiner Stelle habe ich ein Ueberlagertseyn derselben durch andere Felsarten wahrgenommen, und auf diesem Umstande, so wie auf der Beschaffenheit jener Gesteine an und für sich, beruht das besonders Auszeichnende der Gestalt-Verhältnisse, welche, wie bereits erwähnt worden, ihren Bergen zustehen.

Ehe ich fortfahre in Schilderung der allgemeinen Beziehungen phonolithischer Berge, und insonderheit von der Natur ihres Massen-Bestandes rede, sey es mir vergönnt, einige Bemerkungen über Sandstein und Muschelkalk der *Rhön* einzuschalten.

Der bunte Sandstein, das älteste, zu Tag ausgehende, Gebilde der Flözzeit, zeigt sich in allen tieferen Stellen, in Schluchten, Hohlwegen und Wasserrissen. Oft sezt die Felsart, und häufiger noch der sie begleitende rothe, nicht selten mit unreinem grün gefleckte, oft sehr sandige, mehr und weniger glimmerreiche und schieferige Thon, die obere Decke, unmittelbar unter der fruchttragenden Erde, zusammen; der Sandstein ist sodann meist in sehr verwittertem Zustande, zerreiblich, mehr Sand. Ich habe nichts wahrgenommen, das, von dem bunten Sandstein der *Rhön* entlehnt, zur Erweiterung unserer Kenntnifs dieser Felsart im Allgemeinen diensam seyn könne; am häufigsten erscheint sie roth und fast stets einfarbig, nur hin und wieder hat ein Wechsel mehrerer Nuanzen Statt. Einmengungen silberweifser

Glimmer-Blättchen trifft man oft und stellenweis
in ziemlicher Menge. Die Schichtung ist in de
Regel sehr deutlich. Bald liegen die Schichten —
deren Mächtigkeit gegen den Tag nicht sehr beträcht
lich ist, die aber gegen die Teufe stärker werde
— vollkommen söhlig, und diefs sogar nicht fer
von basaltischen Massen, so unter andern am *Wacht
küppel* *, einem Basalt-Kegel von ungemeiner Steilheit; bald haben die Schichten ein starkes Fallen,
60° und darüber (NO. der *Milseburg*, zwischen
Schackau und *Klein-Safsen*). Senkrechte Spalten
theilen die Schichten des Sandsteines hin und wieder (u. a. im Steinbruche am *Wachtküppel*), in
ungefähr rechteckige Massen von 4 bis 8 F. Länge.
Die Spalten, von geringer Breite, sind leer, oder
erfüllt mit sandigem Thone. — Nach der Teufe
scheint das Gestein mitunter weifser von Farbe zu
werden, und zugleich an Festigkeit zuzunehmen.
Bei weitem von geringerer Ausdehnung, als das
Sandstein-Gebilde, ist der Muschelkalk. Man
sieht denselben nur hin und wieder an einzelnen
Berg-Gehängen abgesezt, oder die vulkanischen Kegel einem Kranze gleich umziehend. Stellenweise
erreicht er grofse Höhen, wie u. a. an der *Eube*,
und hier scheint die Felsart durch den Einflufs vul-

---

* Der Name dieses Berges rührt, wie HELLER erzählt, einer alten Sage zu Folge, von den Wachen her, die
zur Zeit des Faustrechtes, hier aufgestellt wurden.

lnischer Gewalten gehoben. Auch andere Verhält‌nisse machen diefs glaubhaft; es wird davon die Rede seyn. — In bedeutender Höhe, am Abhange der *Eube*, gegen *Gersfeld* zu, und unmittelbar über dem Dorfe *Schacha*, fanden wir, entblöfst durch einen kleinen Steinbruch-Bau, im Kalke, ein Nest von Thon, mit Fasergyps-Lagen und Schnüren durch‌zogen. — Die Schichtung des Kalkes zeigt sich, mit‌unter selbst in der unmittelbaren Nähe basaltischer Formazionen, deutlich und ungestört. An der *Eube* läfst eine entblöfste Wand auf eine weite Strecke die Schichtung wahrnehmen; die einzelnen Bänke, 5 bis 6 F. mächtig, aber wieder plattenförmig ab‌getheilt in Lagen von 1 bis 2" Stärke, fallen unter 8° gegen NO.; nicht fern von jener Wand hat ein beträchtlicheres Fallen Statt; und mitunter stehen die Schichten sogar auf dem Kopfe; am *Heimberge*, unfern *Fulda*, senken sich die Schichten, welche gegen den Tag von sehr geringer Mächtigkeit sind, aber nach der Teufe stärker werden, dem Berge zu, unter ungefähr 14° nordwestwärts. Dagegen be‌merkt man an andern Stellen, so namentlich im *Karhöfer* Wäldchen bei *Schackau*, auffallende Ver‌stürzungen der Kalk-Schichten. Streichen und Fal‌len sind, auf weite Strecken, höchst verschiedenar‌tig; die Lagen scheinen, durch erlittene Umwälzun‌gen, allen Zusammenhang verloren zu haben.

Ueber die Mächtigkeit des Kalk-Gebildes läfst sich im Allgemeinen wenig mit Verlässigkeit sagen. Die vorhandenen Steinbrüche, welche meist alle nur

oberflächlich betrieben werden, um Material
Kalkbrennen zu gewinnen, und die man in
Regel wieder verläfst, sobald sie einige Tiefe e
chen, zeigen sich nicht sehr belehrend.

Das Gestein ist übrigens so einfach, seine M
male sind in dem Grade übereinstimmend mit
Muschelkalke anderer Gegenden, dafs eine Cha
teristik desselben nur nuzlose Wiederholung
wohl schon zu häufig und ausführlich Geschilde
seyn würde. — An Versteinerungen zeigt sich
Gebirgsart, da, wo ich sie beobachten konnte,
Ganzen sehr arm (sie ist mehr ein muschelfr
Muschelkalk), und die wenigen vorhandenen f
len Ueberreste, wie z. B. die Ammoniten in
Nähe des *Heimberges*, die Pektiniten am *Ne*
berge u. e. a. sind sehr undeutlich, so, dafs n
eine genaue Bestimmung nicht möglich ist.

Ich wende mich nun zur Schilderung der w
tigeren, von mir besuchten Phonolith - Berge,
folge dabei ungefähr dem Wege, welchen wir
wandert, mit der *Milseburg* beginnend, und
Pferdekopf als die lezte bedeutende Stelle nehm

Die *Milseburg* — auch *Todtenlade* gena
nach dem Sarg-ähnlichen der Form, und in der
gegend, besonders im Vogels - Gebirge und in
sen, unter dem Namen des *Heufuders* bekannt,
nennungen, deren Verschiedenartiges auf dem
nichfachen der Gestalt beruht, unter welcher

D

Bergmasse, aus diesem oder jenem Standpunkte betrachtet, sich darstellt, gehört mit zu den erhabenen Gebirgspunkten der *Rhön* *. Sie hat ihre Längen-Ausdehnung aus S. nach N., folglich in der
Richtung, welcher der Zug phonolithischer Berge im
Allgemeinen folgt. Von seiner höchsten Stelle, da,
wo das Kreuz sich erhebt, stürzt der Berg mit
furchtbarer Steilheit gegen S. ab. — Am Kreuze ist
die Aussicht sehr belehrend, und unstreitig eine der
schönsten in diesen Bergen; im W. der *Oberwald*
und das ganze diesseitige *Vogels*-Gebirge; im N.
der *Stoppelsberg* und andere Hessische Berge; im
O. der *Inselsberg* und ein Theil des *Thüringer*
Waldes; im S. endlich der Blick auf die *Rhön* selbst.
—Das Kreuz und die nahe Kapelle, Ziele frommer
Wallfahrer, ruhen auf Phonolith, dessen gewaltige
Felsmassen hier sehr zerklüftet erscheinen. Die

* Heller will zwar (v. Moll's Ann. a. a. O.; S. 8
und 9) die *Milseburg* nur als einen, dicht an der *Rhön*
gelegenen, hohen Felsberg betrachtet wissen, und hegt
rücksichtlich des *Teufelssteines* u. s. w. gleiche Meinung; allein, das, was mein verdienstvoller, verewig-
ter Freund selbst (a. a. O. S. 2), in Betreff der Ausdehnung des Rhön-Gebirges, sagt, steht mit obiger Behauptung in offenbarem Widerspruche. — Nachweisun-
gen über das Geschichtliche der *Milseburg*, die in alter
Zeit eine Ritterfeste gewesen, liefert Schneider a. a.
O.; S. 42 und 43.

B

Klüfte, von starkem Fallen, ungefähr 73° gegen
NO., und in gegenseitiger Entfernung von 2 bis 6
Fuſs, spalten das Gestein hin und wieder säulenartig, auch zeigen sich Tafeln - ähnlichen Absonderungen. Schon auf beträchtliche Weite um den
Berg finden sich Phonolith - Trümmer und Bruchstücke, und je näher man dem Gipfel kommt, je
mächtiger werden Blöcke und Felsmassen, die dem
Wanderer in den Weg treten. Und alle diese Trümmer und Blöcke sind scharfkantig und frischeckig;
kein Abzeichen deutet ein Herbeiführen an, nicht eine
Geschiebform unter der zahllosen Menge; aber alle
Blöcke sind mit einer Moosdecke bekleidet, oder
mit einer Rinde von blendendweiſsen Lichenen überzogen, und aus dem wild über einander gestürzten
Trümmer - Haufwerke ragen drohend mächtige un-
zugängliche Felsen - Parthieen hervor.

Das unermeſsliche Gerölle an der *Milseburg*,
besonders an der Bergseite, welche der nachbarlichen Gemeinde, *Tanzwiesen* genannt, zuliegt, so
wie überhaupt die Menge von Trümmern und Blök-
ken, die meisten Phonolith - Berge umlagernd, erklärt sich dadurch, daſs, fast in jedem Frühling
sprengende Eiskeile die, durch Spalten und Klüft
geschiedenen, Massen der Phonolithe nach und nac
mehr aus einander treiben; die getrennten Stück
ziehen sich allmählich los, und ganze Wände hän
gen so, jeden Augenblick den Einsturz drohend
bis sie, dem Uebergewichte nachgebend, unter gewal
tigem Geräusche, der Tiefe zustürzen. Von den, di

Milseburg umlagernden einzelnen Fels-Parthieen, ist diefs vorzüglich am *Kälberhut-Weidstein* der Fall, wo man gegenwärtig Spalten von 12 bis 15 F. Breite wahrnimmt, von denen, nach Aussage glaubhafter Augenzeugen, vor 24 bis 30 Jahren nicht eine Spur zu sehen war. Neben der erwähnten Einwirkung gefrorner Wasser aber wirkt ohne Zweifel auch die Atmosphäre im Allgemeinen, mit den ihr zu Gebot stehenden Kräften, auf allmähliche Zerklüftung und Zersezzung phonolithischer Massen. Und diefs ist hier um so mehr aufser jedem Zweifel, da man an den Bergseiten, die gegen das Thätigseyn solcher Gewalten mehr geschützt, die nicht so offen, nicht so entblöfst sind, die Zerstörungs-Prozesse weit weniger vorgeschritten sieht, als da, wo Sonne, Winde und Regen kräftiger einzuwirken vermögen. – Das, was Boué * in Betreff der sehr ungleichen Steilheit der Abfälle des, fast ganz phonolithischen, Eilandes *Lamlash* bemerkt, deutet offenbar ähnliche Beziehungen an.

Der Pfad, zum Gipfel der *Milseburg* führend, zieht mitten zwischen den Trümmer-Haufwerken hin. Am beschwerlichsten ist der Berg, von dem genannten *Eselsborn* aus, oder durch das Thal und den *Grabenhof*, zu ersteigen; minder mühsam, und bei weitem schöner, führt der Pfad von *Klein-Sassen* durch die Schlucht, der *arme Graben*, am

---

* Lonne; p. 292.

Lydenküppel vorbei. Da, wo die Phonolith-?
sen hervortreten, wird das Ansteigen auffallend :
ler, und so ist auch durch diesen Umstand die
grenzung des Gesteines deutlich bezeichnet. Bi:
jener Höhe trifft man, am nördlichen Berg-Gehä
einzeln zerstreut, Muschelkalk-Stücke, theils
noch sehr frischen Kanten und scharfen Ecken;
die Rasendecke entzieht das anstehende Gest(
durch welches die vulkanischen Gebilde hier o
Zweifel sich ihren Weg bahnten, dem Auge
Geognosten. — Der *Lydenküppel*, den wir so e
genannt, ein, gegen NW. der *Milseburg* sehr n
liegender, durch seine Kegel-Gestalt ausgezeichne
Berg dürfte meist aus Kalk bestehen, denn er
mit Brüchstücken dieser Felsart bis zur Spizze ül
deckt; aber das Auffallende der Gestalt könnte
Glauben rege machen, der Berg sey gehoben du
tiefer liegende vulkanische Gesteine. — Am Abha
nach S. erscheint der rothe Thon des Sandstein-
birges.

Unfern der *Milseburg* trifft man noch mehi
Gesteine, welche Beachtung verdienen; dahin ge
ren namentlich einige vulkanische Tuffe
eine eigenthümliche Basalt-Brekzie.

In dem Hohlwege, welcher von dem D(
Klein-Safsen nach *Schackau* führt, stehen Bas:
häufige Hornblende-Theile umschliefsend, und Tra
tuff zu Tag. — Um Vieles belehrender ist das V
-kommen eines Tuffes nahe bei *Schackau*, längs

Biberbaches — der einst begünstigend, vielleicht selbst bedingend, auf die Bildung der Felsart einwirkte — an der Stelle genannt der *Städterain*, unmittelbar bei der Wohnung des Hofbauers *Auth*. Der Tuff, welcher sich hier unter keinem andern Gesteine verbirgt, und über dem nur fruchttragender Boden ist, macht eine ziemlich bedeutende Felswand aus *. Stellenweise deutliche Schichtung; die Schichten, von ungleicher Mächtigkeit, fallen unter 30 bis 40° gegen W. Die Zusammensezzung dieses Trümmer-Gesteines, das man keineswegs Trapp- oder Basalttuff zu nennen berechtigt seyn dürfte, ist denkwürdig genug.

Der bindende Teig, — bald lichte aschgrau, bald mehr zum Röthlichen sich neigend, theils erdig, und von geringem Zusammenhalte, theils fester, so, dafs die Masse zwar vom Fingernagel keine Eindrücke annimmt, aber dennoch mit dem Messer leicht rizbar ist, — erscheint vorwaltend im Vergleich zu seinen, stets scharf begrenzten, Einschlüssen, oder man sieht den Teig mit denselben in ungefähr gleichem Menge-Verhältnisse. Gar oft werden in der verkittenden Masse kleine eckige und rundliche, seltener regelrecht gestaltete Höhlungen getroffen, Folge des Auswitterns umhüllt gewesener Theile und des Ausfallens von Feldspath-

---

* Die früheste Kunde, von der interessanten Erscheinung, erhielten wir durch Schneider (a. a. O. 46).

Krystallen. Die Wände der kleinen leeren Räume
sind zum Theil von einer dünnen erdigen, unrein
gelben, mitunter schwach aufbrausenden, Rinde bedeckt, welche von der Masse des Teiges stets wohl
unterscheidbar ist.

Die mannichfache Zusammensezzung des Tuffes
— eine Eigenschaft, in welcher das Gestein von
Schackau dem vulkanischen Tuffe der Römischen
Ebene, und dem Peperin * nicht nachsteht — entwickelt sich zum Theil erst unter dem Suchglase
deutlicher, obwohl bei weitem nicht alle Einschlüsse,
ihres Zerseztseyns halber, und wegen der Aenderungen, die sie durch Einwirken vulkanischer Agenzien erlitten, mit Sicherheit bestimmbar sind. — Ich will
versuchen, eine gedrängte Uebersicht dieses Vielartigen darzulegen. Der Tuff von *Schackau* umschliefst:

Phonolith, kleine Stücke von mannichfachen,
ohne Ausnahme scharfen Umrissen. Die Masse stets
umgewandelt, aber nicht dem gewöhnlichen zersezten Phonolithe gleich, auch nicht jenem mehr tra-
chytähnlichen, auf welchen die Nähe basaltischer
Gebilde ändernd eingewirkt haben dürfte (es wird
davon beim *Pferdekopfe* die Rede seyn) — erdig,
unrein röthlich, braunlich oder aschgrau gefärbt,
und stets wohl unterscheidbar von dem allgemeinen
Bindemittel des Tuffes. Manche dieser Einschlüsse
könnte man für gebleichte Sandstein - Stückchen hal-

---

* Charakteristik der Felsarten; S. 693 und 700.

ke, wenn nicht zarte Feldspath-Leistchen, in ihnen
enthalten, vom Gegentheile zeugten. In diesen Pho-
nolith-Stücken sieht man, außer den feldspathigen
Einmengungen, fast keine andern; nur selten zeigt
sich ein Körnchen Magneteisen, eine Hornblende-
Nadel, oder ein Glimmer-Blättchen, Einschlüsse,
die, wie wir gleich sehen werden, dem Tuff-Teige
in Allgemeinen nicht fremd zu seyn pflegen. —
Auch Rollstücke und Blöcke von Phonolith, beträchtlicher im Volumen, liegen hin und wieder
dem Tuffe inne; aber diese sind mehr frisch,
übereinstimmend mit den Massen der untersuchten
Berge.

Feldspath; kleine krystallinische Massen und
Krystalle, theils leistenähnlich, nadelförmig verlängert, theils deutlicher ausgebildet, und sodann meist
Haur's *Feldspath bibinaire* zugehörig; glasig glänzend, zwar nicht in dem Grade umgeändert, wie
jene, welche den Trachyt bezeichnen, nicht eigentlich rissig und sprüngig, aber dennoch von dem, in
den Phonolithen vorkommenden, Feldspath-Theilen
abweichend, und diese zuweilen an Größe über-
treffend. Die Feldspath-Krystalle sind nach allen
Richtungen durch die Masse des Teiges vertheilt.
Stellenweise finden sie sich in großer Häufigkeit,
besonders da, wo die Grundmasse des Tuffes fester
ist, und scheinen hier gleichsam zum Wesen der
Felsart gehörend; an andern Orten dagegen sind sie
sehr sparsam, mehr den Charakter rein zufälliger
Erscheinungen tragend, und sodann sieht man die

Krystalle meist weit kleiner, minder regelrecht aus
gebildet. Uebrigens sind die Feldspath-Säulche
stets, entweder auf den Teig, oder auf dessen phc
nolithische Einschlüsse beschränkt; nie sezt de
nämliche Krystall aus jenem in diese fort, oder um
gekehrt.

Glimmer; schwarze Blättchen.

Hornblende- und Augit-Krystalle, oft s
frisch, so schön und glänzend, als wären dieselbe
an dem Orte ihres Entstehens, und nicht auf sekun
därer Lagerstätte. Im Ganzen nicht häufig, nur hi
und wieder zahlreicher sich einstellend, aber den
noch stets mehr isolirt, nie in solcher Menge zusam
mengehäuft, wie diefs bei den Feldspathen de
Fall ist.

Olivin; kleine rundliche, aus körnig abgeson
derten Theilchen zusammengesezte, Massen, abe
sehr zersezt, so, dafs die Natur der Substanz kaum
kenntlich geblieben. Man sieht diese Massen, wel
che zu den seltenen Erscheinungen im Tuffe gehö
ren, von einer, gleichfalls in Auflösung begriffenen,
Basalt-Hülle umzogen.

Magneteisen; Körnchen und oktaedrische
Krystalle, meist mit Entkantungen; stets sehr klein.

Titanit; so hochgelb, wie der, in den vulka
nisirten Fels-Blöcken des *Laacher*-Sees; nur höchst
selten.

Quarz; kleine Brocken und Körnchen.

Basalt-Stücke, oft nur von Erbsengröfse, ab
gerundet, nicht frisch, im Ganzen sparsam; aber

und rundliche, Kugeln-ähnliche, Basalt-Massen von 6 Zoll Durchmesser und darüber ragen, wie Endpfündner an Hausmauern, aus der Tuffwand hervor, der Basalt derselben ist theils der gewöhn= liche dichte, theils der körnig abgesonderte, seltener der blasige, in seinen Räumen kleine Kalkspath= Krystalle beherbergend.

Kleine wackenartige Massen; scheinbar mit Hornblende-Einschlüssen.

Sandstein-Bröckchen und platte Stückchen rothen Thones, häufig geschieden, von der sie umhüllenden Grundmasse des Tuffes, durch eine dünne erdige Lage, scheinbar von derselben Natur, wie die, die hohlen Räume überkleidende, Rinde, deren bereits oben gedacht worden.

Thonschiefer- (oder Schieferthon-?) Stückchen, mürbe, von etwas fremdartigem An= sehen.

Glimmerschiefer- und Gneifs-Trümmer und Bröckchen, mitunter auch Einschlüsse von nicht unbedeutender Gröfse.

Bruchstücke eines Chloritschiefer-artigen Gesteines.

Massen verglaster feldspathiger Sub= stanzen, ähnlich denen die Blöcke bildend, von welchen der *Laacher*-See umgeben ist, und die, durch das Vielartige ihrer Einschlüsse, so be= kannt geworden. Die Massen, zum Theil von nicht beträchtlicher Gröfse, sind sehr krystallinisch,

bald von gröberem, bald von feinerem Korne, u
enthalten, mitunter in Menge, kleine Nadeln v
Hornblende oder Augit, und hin und wieder au
Titanit-Punkte.

Bimsstein-ähnliche Massen; im Ganzen s
ten, mitunter als lockere Ausfüllung vorhanden g
wesener Räume; in der Nähe der Bimsstein-Bro
ken sieht man, wenigstens bei den vorliegend
Handstücken, kleine Parthieen eines grobkörnig
Sandsteines eingebacken, der mit dem Todt-Liege
den am meisten übereinstimmen dürfte.

Kleine rundliche Kalk-Stücke, durch ihre
Kohlensäure-Gehalt leicht sich verrathend — den
der Teig braust im Allgemeinen nie mit Säuren, un
wo die Erscheinung hin und wieder Statt hat, i
dieselbe schnell vorübergehend, mithin sichtlic
durch zufällig beigemengte Kalk-Theilchen beding
Nur selten bestehen die Stücke aus entschieden
Muschelkalke, in der Regel sind sie licht von Farbe
so, dafs sie auf dem grauen Bindemittel des Tuffe
als weifse Flecken heraustreten, dabei hat ihr Ge
füge alles Dichte verloren, es ist mehr körnig, do
lomitisch. Manche dieser Kalkstein-Körnchen sind
von dem sie umgebenden Teige, gleich den Sand
stein-Brocken, durch eine lichtere Rinde geschieden

Von vegetabilischen oder animalischen Ueber
bleibseln, wie man solche in andern vulkanische
Tuffen findet, läfst das *Schackauer* Gestein nich
eine Spur wahrnehmen.

Ich habe mir die ausführliche Schilderung dieses
ofes nicht ohne Absicht gestattet. Mit keinem der,
rch Selbst-Ansicht oder Beschreibung mir be-
nt gewordenen, Felsarten, welche man unter sol-
er Benennung zu begreifen gewohnt ist, zeigt sich
es Gestein von *Schackau* vollkommen übereinstim-
end. Diefs kann auch, bei den eigenthümlichen
edingnissen, und bei dem Wichtigen örtlicher Beziehungen, das Entstehen jener Trümmer-Gebilde
begleitend, keineswegs befremden, und ich zweifle
icht, dafs vollständigere Suiten noch interessante
eiträge zur Erweiterung der dargelegten Charakteristik bieten werden, da fast jedes Handstück Modi-
ficationen bemerken läfst. — Jede vulkanische Formation umgibt sich, wie wir, belehrt durch L. von
Buch, wissen, mit ihren Brekzien, die Resultate
des Ausbruches selbst sind *; wir haben es also
hier wohl ohne Zweifel mit einem, den Phonolithen zunächst sich anschliefsenden, Tuffe, mit einem
Phonolith-Tuffe zu thun, wenn derselbe nicht
zu den trachytischen Gebilden, von denen gleich die
Rede seyn wird, in nächster Beziehung steht. —
Vor dem Löthrohre verhält sich die Masse des Tei-
gs, in ihren verschiedenen Abänderungen durchaus,
wie die Feldstein-Grundmasse der Phonolithen.

Stellenweise ist der Zusammenhang stark genug,
um die Felsart als Material für leichte Bauten verwenden zu können.

---

* Taschenb. f. Mineralogie, XVIII, 311.

Das basaltische Konglomerat, von wel
chem bereits die Rede gewesen, — schon von Voc
als Gegenstand bezeichnet, der besondere Aufmerk
samkeit verdiene; als «einer der wildesten Ueberbleibsel des vormaligen Vulkanismus,« — mach
wahrscheinlich nur den oberen Theil einer basalti
schen Gangmasse aus, welche dieses Trümmer-Ge
stein vor sich hergeschoben, als sie aus der Tiefe
aufwärts stieg, eine Bildungsweise, für die auch die
mannichfachen Bruchstücke zeugen, welche als Ein
schlüsse getroffen werden.   Die Brekzie findet sich
unter dem *Wadberge*, beim nordöstlichen Ausgan
ge des *Thiergartens*, dem, aus dem Anfange de
XVIII. Jahrhunderts abstammenden, Schlosse *Bi
berstein* gegenüber. Das Schloß *Biberstein*, des
sen Seehöhe nach Herrn Major Taost's neuester
Messung 1438 Par. Fuß beträgt *, ist auf Basalt erbaut, welcher hier, wie Brunnengrabungen zeigten, aus Muschelkalk und Sandstein hervortritt.
Am Fuße der sogenannten *Böhmches-Küppel* sieht
man in einem Hohlwege, ohne Zweifel durch Kunst
zur Fahrstraße geschaffen, eine entblößte Wand,
etwa 70 bis 80 F. lang und 36 bis 40 F. hoch, aus
jenem Konglomerate bestehend; die gegenüber liegen-
gende Seite des Hohlweges wird von rothem Thone
gebildet. Das Ganze der Brekzie ist regellos zer-

---

* Mittheilung des Hrn. Medizinalraths Schneider.

und, wenigstens auf der Aufsenfläche, sehr
so, dafs man auf den lockeren Massen
einen sichern Stand findet. Gröfsere, oft sehr
htliche Basalt-Blöcke, und kleinere Stücke,
meist kugelförmig mit schaaligen Absonderun-
durch ein, nur höchst sparsam vorhande-
r und weniger aufgelöstes, basaltisches Zä-
ils auch durch eine bolartige Substanz ge-
Die Basalt-Stücke umschliefsen Hornblen-
le und krystallinische Parthieen, und
Massen zersezten Olivins, und zwischen
lt-Stücke trifft man Brocken von Sand-
aus mürbe und etwas gebleicht, von rö-
e und von Kalk. Leztere, mit dem ge-
en, grau gefärbten, Muschelkalke der Ge-
lichen, namentlich mit jenem des näch-
n *Wadberges*, sind in geringem Grade ge-
und zeigen Neigung zur Annahme eines kör-
Gefüges *. Kalkige Einseihungen, mitunter
spath-Krystallen ausgebildet, überkleiden

will auch Bruchstücke von Porphyr und von
schiefer in der Brekzie gefunden haben. Es ist
glich, dafs unter jenen etwas umgewandelte, an feld-
igen Einmengungen reiche, Phonolith-Trümmer zu
chen, und dafs leztere nichts sind, als kleine Mas-
des rothen schieferigen Thones, wie dies auch
on von SCHNEIDER bemerkt worden.

häufig das Aeufsere der basaltischen Kugeln, so wie die Wände der Klüfte, mit einer dünnen Rinde *.

In der Nähe von *Safsen* trifft man, nach Schneider, hin und wieder Rollstücke von Glimmerschiefer und von einer, dem Feldstein - Porphyre nicht unähnlichen Gebirgsart. Ihre Abstammung bleibt räthselhaft, da man sie fast nur aus dem *Thüringer Walde* herleiten kann, und dagegen nicht ungewichtige Einreden, entlehnt von Wasserlauf und Gebirgs - Verzweigungen, aufgestellt werden dürften. Oder sollten sie, wenigstens was die Glimmerschiefer - Trümmer betrifft, aus, in früheren Zeiten zerstörten, Lagen des *Schackauer* Phonolith - Tuffes herrühren?

----

* Leider war, mit den gewöhnlichen Geräthschaften des wandernden Geognosten, an dieser interessanten Stelle nichts ganz Frisches zu erhalten. Es wäre ein, wenigstens mehrere Fufs tiefes, Aufräumen nöthig gewesen, um über das Verhalten der Felsart genauere Kunde sich zu verschaffen. Löst Hr. Medizinalrath Schneider seine gefällige Zusage, mir eine Reihenfolge frischer Stücke der Brekzie zu senden, so bin ich gern erbötig, einen, die Charakteristik derselben ergänzenden, Nachtrag zu liefern.

Von der *Milseburg* führte der Weg über *Klein-Saſsen* dem *Stellberge* zu.

An einem Hügel, am Fuſse des zuletzt genann-ten Berges, dicht bei *Klein-Saſsen*, sieht man den Muschelkalk, durch einen unbeträchtlichen Stein-bruch-Bau, entblöſst. Die geringmächtigen Schich-ten der Felsart, meist wieder in Lagen abgeschie-den, deren Stärke oft nur 1 bis 1 $\frac{1}{2}$ Zoll beträgt, fallen unter 50° nach Norden. In einzelnen Lagen umschlieſst das Gestein sparsam Entrochiten.

Am *Stellberge*, wie an den übrigen Phonolith-Bergen der Gegend, ist die Begrenzung der Gebirgs-art durch das Konische der Formen-Verhältnisse deutlich ausgesprochen. Man trifft die Phonolith-Blöcke weiſs, gleich denen der *Milseburg*; aber häufig ist die Weiſse Folge der Verwitterung der Aufsenfläche und nicht des Lichenen-Ueberzuges. Auf ganze Strecken bekleidet eine dichte Rasendecke das Gerölle, und die einzelnen daraus hervorragen-den Blöcke sind, fast ohne Ausnahme, mit Heidel-beeren bewachsen; sie treten so noch auffallender über die niedrige Rasendecke empor.

Um Vieles interessanter, als der *Stellberg*, ist die *Stein*- oder *Teufelswand*. Von O. aus gesehen, gewährt dieser groſsartige Ueberrest eines phonoli-thischen Berges — jezt miſst die höchste Felsen-spizze, wie bereits erwähnt, noch 1182,5 Par. Füſs Meereshöhe, allein ohne Zweifel stand ihr in frühe-

rer Zeit eine weit beträchtlichere Höhe zu — den
imposanten Anblick, welcher ihm den gerechter
Ruf verschaffte. — Aus wildem Haufwerke zahlloser Fels-Trümmer erhebt sich die gewaltige Pho-
nolith-Masse; weiſs über ihre ganze Aufsenfläche,
durch Lichenen, oder durch eine Verwitterungs-
rinde, ist sie im überraschenden Gegensazze mit der
frischen Grün der Laubbäume, welche zwischen
den Blöcken kräftig gedeihen. Die Masse wird durch
Spalten in mächtige Pfeiler, in grofse säulenartige
Theile geschieden. Die Höhe dieser kolossalen Mauer
beträgt über 80 Fufs; sie mifst, aus SO. in NW.
sich erstreckend, mehrere 100 F. Länge. Nach oben
endigt dieselbe in seltsam gestalteten Zacken und
Spizzen. Ein Theil der Wand ist zusammengestürzt,
dadurch erscheint das Ganze in zwei Hälften geschieden *, und zwischen beiden erhebt sich eine Säule
von sehr beträchtlichem Durchmesser, nicht unähnlich einer kolossalen Predigt-Bühne, und darnach
mit dem Namen der Kanzel treffend bezeichnet. —
Die Spalten, das säulenartige Abgesondertseyn her-
vorrufend, ziehen meist nach zwei Richtungen; so
entstehen vierseitige Säulen, bei weitem weniger regelvoll zwar, als jene der Basalte und Dolerite,
aber von bedeutender Stärke, denn ihr Durchmesser
beträgt mitunter 3 bis 8 F. Seltener im Allgemeinen
sieht

* Die Bewohner der Gegend bezeichnen sie mit den Ausdrücken obere und untere Steinwand.

sieht man fünf und sechsseitige Säulen, durch Zerspaltungen nach mehrfachen Richtungen bedingt.
Manche gröfsere Säulen bestehen aus einer Gruppi-
rung verschiedener kleinerer; einige sind wieder in
Platten abgetheilt, und erlangen, bei der ungleichen Dicke derselben, eine Art von gegliedertem
Aussehen; noch andere endlich erscheinen gewunden. Fast alle Säulen stehen senkrecht; nur am
südwestlichen Ende der Wand neigen sie sich, Einsturz drohend, gegen SW. Den Fufs der Säulenreihe umlagert ein ungeheures Haufwerk von Phonolith - Blöcken und Bruchstücken, sehr vielartig in
Gestalt und Gröfse, mitunter von überraschendem
Volumen, aber alle scharfkantig, und zwischen diesen Trümmern erheben sich, wie an der *Milseburg*,
einzelne noch anstehende Felsen - Parthieen. Nach
W. reicht das Gerölle so hoch hinauf, dafs die Säu-
lenwand stellenweise dem Auge ganz entzogen wird.

In nordwestlicher Richtung von der *Steinwand*
steigt der *Teufelsstein* empor; klein in Absicht auf
Umfang, aber ausgezeichnet durch das auffallend
kühne und Seltsame seiner Formen. Der erhabenste Punkt des Berges ist gegen Norden. Hier trifft
man eine wunderbar gruppirte Felsmasse, aus ziemlich regelrechten, vier-, fünf - und sechsseitigen
Phonolith - Säulen, alle unter 30 bis 36° in östlicher Richtung geneigt. Diese Lage ist offenbar keine
ursprüngliche, sondern Folge späteren Umsturzes;

9

aber man könnte sich veranlafst sehen zu glau
die Senkung habe erst in neuerer Zeit Statt g
den, denn die Säulen - Gruppe, wie das dies
umlagernde Trümmer - Haufwerk, zeigen sich
nahe frei von der, bei Phonolithen sonst so
wöhnlichen, Moos- und Lichenen-Bekleidung. —
Teufelsstein hat seine Längen - Erstreckung aus
nach SO.

Zwei andere phonolithische Berge, die *M*
kuppe, zwischen der *Steinwand* und dem *Teu*
stein, und der *Bubenbader - Stein*, nicht fern
der zuletzt genannten Felsmasse, sind wenig a
zeichnet. Bei weitem interessanter, und in R
sicht des Mannichfachen der Fels - Gebilde, wie
Aufschlüsse und Andeutungen über Lagerungsw
ist der *Pferdekopf* (*Pferdekuppe*), welcher,
reits im Eingange, als eine der belehrendsten Ste
im *Rhön* - Gebirge bezeichnet wurde.

Die Phonolith - Masse dieses Berges scheint r
von Basalten umgeben. An mehreren Stellen
westlichen und südlichen Abhänge zumal,
dieses Gestein in kleinen Felsen zu Tage; tiefer
man Sandstein und sandigen Thon, oder die
schaffenheit der fruchttragenden Erde läfst auf
Vorhandenseyn schliefsen. — Das Ansteigen
Pferdekopfes ist steil, steiler als jenes aller übr

onolith-Berge der *Rhön*.[*] — Dabei zeigt sich
elbe frei von Baumwuchs.

Zwischen der *Pferdekuppe* und der südwärts, in
ihr viertelstündiger Entfernung, ihr gegenüber
enden *Eube*, glaubt man das Bild eines Kraters
erkennen, aus dessen Tiefe ein basaltischer, eine
geplattete Spizze tragender, Kegel emporsteigt.
Die auf eine Erstreckung von wenigstens einer halben Stunde, den Kegelberg kesselförmig umziehen, Wände, aus phonolithischen und basalti-
chen Massen bestehend, sind von ihm geschieden
urch eine, stellenweise beträchtliche, Vertiefung,
urch einen Einschnitt, der, nach allen Seiten ziem-
regelrecht, um den Konus zieht. Gegen N.
die Wand dem kleinen Kegelberge am nächsten;
der deutlich sind ihre Verhältnisse nach S., wo
kesselartige Umgebung, durch Einstürzungen
Zerstörungen, große Aenderungen ihrer Form
litten haben muß, und im W. öffnet sich das
nze in der Richtung von *Poppenhausen*. — Jen-
dieses Dorfes, an mehreren Stellen der, nach
Stadt *Fulda* führenden, Straße, bietet sich die
icht der kraterähnlichen Verhältnisse zwischen
Eube und dem *Pferdekopfe* vorzüglich deutlich

Das steile Ansteigen ist übrigens vielen Phonolith-Bergen eigen; so ist es bekannt, daß der *Milleschauer* Berg
ich unter Winkeln von 40 bis 50° erhebt u. s. w.

Das nördliche Ende der Kraterwand — '
wollen diesen Ausdruck zur Bezeichnung des
schildernden Abhänges. vorläufig beibehalten — n
den entblöfsten Phonolith - Felsen der *Pferdeku*
steil, mühsam zu erklimmen, stellenweise ganz
ersteiglich, ist ebenfalls aus phonolithischen Mas
zusammengesezt, aber schon in geringer Weite st
Basalt an. Die Verhältnisse, welche beide Gestei
da, wo sie einander begrenzen, wahrnehmen lass
sind, durch mächtige Ueberlagerungen völlig z
sezter Basalte und Phonolithe, dem Auge entzoge
indessen erscheinen die Phonolithe, jenen Stel
am nächsten, sowohl an den Felsen der Höhen,
an Blöcken und Trümmern am Abhange der Wai
auf eigenthümliche Weise umgeändert, durchaus
trachytisches Ansehen tragend. Sie sind mürł
selbst zerreiblich, die Feldspath - Krystalle hal
ein porzellanartiges Wesen angenommen, sie si
auffallend abweichend von den feldspathigen E
schlüssen. aller übrigen Phonolithe, und dabei z
gen sie sich mehr abgeschieden von dem Teig
schärfer begrenzt, mit einzelnen Theilen hervor
gend. Es ist diefs keineswegs die Zersezzung, v
che das Gestein, durch Einwirkung der Atmosp
rilien erleidet *. Nichts erinnert an die, je

* HELLER sagt (a. a. O. S. 15): „Der Porphyrschi
    liegt am *Viehberg*, am *Eselsborn* u. s. w. in l
    Blöcken umher; sie zerfallen, selbst bei Menschen

Felsart fast stets eigene, für sie so bezeichnende, Verwitterungs-Rinde. Die Massen, durch und durch umgewandelt, sind offenbar mehr **Trachyte**, als Phonolithe. — Darf man sich darum für berechtigt achten, in der Nähe basaltischer Gebilde eine der bedingenden Ursachen dieser Erscheinung zu ahnen? Darf man an eine Umwandelung, an eine, bis zu gewissem Grade Statt gehabte, Auflösung des Phonolithes, durch Einwirken aufgestiegener Dämpfe, glauben? Oder treten **Trachyt** und **Phonolith**, jener freilich nur in sehr unbedeutenden Massen-Verhältnissen, neben einander auf? Die Nachweisung des **Trachytes** in der *Rhön* ist neu, und verdient in jedem Falle Beachtung *. — Unter den

---

ken, zwar nicht zu Staub und Erde, sondern in kleine Stücke, die immer noch schwer zersprengbar sind."

* Die, der *Rhön* zunächst befindlichen, Stellen, wo das Vorkommen von Trachyt bis jetzt dargethan worden, sind: der *hohe Berg* im *Heusenstammer* Walde, zwischen *Diezenbach* und dem *Grafenbrucher* Hofe unfern *Frankfurt*, und die *Sporneiche* bei *Urberach*, in anderthalbstündiger Entfernung vom *hohen Berge* gegen Süden. Das erstere Vorkommen ist, bereits im Jahre 1819, durch Hrn. Dr. Buch aufgefunden worden. Der Trachyt, welcher nur sehr kleine Theilchen und Krystalle glasigen Feldspathes eingemengt enthält, und dessen Bergmasse einem stark gedrückten Dome gleich,

Trümmern des Abhanges der *Milseburg*, gegen NV
fand ich einen einzelnen Block auf gleiche Wei

---

kaum 40 F. über die nachbarliche Ebene, aus den
umlagernden Felsarten emporsteigt, ähnelt, unter al
mir bekannten, Gesteinen des Namens, am meisten
nem vom *Monte Groto* — von diesem Fundorte ist (
in meiner geognostischen Sammlung befindliches, Ex
plar angegeben — in den *Euganeen*, mit welchem
in Handstücken verwechselt werden könnte. Die V
hältnisse sind nicht günstig, um über die Lageru
Beziehungen am *hohen Berge* Etwas Genügendes zu
. mitteln, wenigstens sind sie es nicht für einen Aufe
halt von wenigen Stunden, denn der Steinbruch -)
auf Trachyt ist nur bis zu unbeträchtlicher Teufe
führt, in der nächsten Umgegend ist Alles mit Veg
zion und Dammerde bedeckt u. s. w. Aber wohl v
diente das Vorkommen genauere Untersuchung und a
führliche Schilderung, und diese ist Hr. Dr. Buch (
ner Entdeckung und der Wissenschaft schuldig; er m
mir darum gestatten, ihn hiermit dazu aufzuford
Gleicher Wunsch sey, was die *Sporneiche* betrifft, g
Hrn. KLIPPSTEIN ausgesprochen, dem ich ein Handst
des, von ihm daselbst aufgefundenen, Trachyts verda
— Bei der unbedeutenden Entfernung beider trach
schen Hügel, ist der Zusammenhang derselben in (
fserer Teufe wohl kaum zu bezweifeln. Der Trac
von der *Sporneiche* weicht übrigens, was seine M
betrifft, von dem des *hohen Berges* in Etwas ab, s

er in noch höherem Grade umgewandelt, noch
hr trachytisch. Möglich, daſs derselbe gleichfalls

Feldspath-Krystalle sind gröſser und meist etwas zersetzt, aber dieſs Verschiedenartige hindert nicht, beide
als Glieder eines Trachyt-Ganzen zu betrachten, indem ähnliche Phänomen aus andern Gegenden, namentlich aus dem *Siebengebirge* bekannt sind. — Es darf
bei dieser Gelegenheit dasjenige nicht übersehen werden,
was die Herren Fr. Schmidt (Nöggerath's Gebirge in
Rhein. Westph.; II, 177 und 178) und Steininger
(Gebirgskarte der Länder zwischen Rhein und Maas,
S. 47 ff.) über das Vorkommen von Trachyt in der
befragten Gegend bemerken. Hr. Schmidt sah zwischen
Neu-Isenburg und *Sprendlingen* einen Trapp-Porphyr,
auf welchen in den sogenannten *Maynzer Eichen*, zwischen *Messel* und *Offenthal*, Steinbruch-Bau getrieben
wird, und den er, als mit manchen gleichnamigen Gesteinen des *Siebengebirges*, sehr ähnlich fand, und Hr.
Steininger erwähnt eines Zuges von Trachyt-Hügeln,
der bei *Reiskirchen*, einige Stunden ostwärts *Gieſsen*
beginne, sich bis *Grünberg* erstrecken, und, nach einer kurzen Unterbrechung, zwischen *Laubeich* und
Freyinssen, wieder vorkommen soll. Ich kenne die
beiden lezteren Trachyt-Fundstätten nicht, auch nicht
einmal durch Handstücke, und kann mir folglich durchaus kein Urtheil erlauben: die Schilderung, welche
Hr. Schmidt gibt, erinnert an das Gestein von der
Spaneiche, vielleicht daſs eine Verwechselung des Orts-
namens Statt-gefunden.

von einer Stelle abstammt, wo Basalte ihn begrenzen; bei anstehenden Phonolith-Massen ist mir, die *Pferdekuppe* abgerechnet, nirgends eine solche Erscheinung vorgekommen.

Die Basalte der Kraterwand sind zersetzt, verwittert, aufgelöst in höherem oder geringerem Grade; wenigstens Alles zu Tag Anstehende zeigt sich so. Dabei sieht man die Massen, fast ohne Ausnahme, kugelig abgesondert, und die Kugeln wieder zu regellosen Säulen auf einander gethürmt. Oder es treten die kugeligen Absonderungen vielleicht erst durch den Verwitterungs-Prozeſs aus den säuligen Formen hervor. Manche dieser Basalte, die übrigens nicht eine Spur ausgezeichneter feldspathiger Krystalle aufzuweisen haben, zeigen sich mehr wakkenartig und zugleich voller Blasenräume, deren Wandungen theilweise mit einer Rinde von traubigem Chalzedone, auch mit kleinen Chabasie-Krystallen überkleidet sind, oder, jedoch nur sparsam, Einschlüsse von kohlensaurem Kalke enthalten. Andere werden, zumal gegen die Höhen der *Pferdekuppe* hin, blasiger, höhlenvoller, aber nicht eigentlich schlackig. Nichts erinnert an die gewundenen Gestalten, an die Tauen und Stricken ähnlichen Formen, wie sie am *Heimberge* bei *Fulda* vorkommen, wie sie aus der *Eifel* und *Auvergne*, von *Bourbon* und *Teneriffa* bekannt sind. — — Auſserdem finden sich Chabasie-Theile in reichlicher Menge, aber meist nur von sehr geringer Gröſse, oft als

blase Punkte erscheinend, durch die basaltischen
Gestein-Massen verbreitet, und dienen, vermittelst
des Glanzes, welchen sie den sie einhüllenden Blök-
ken verleihen, um solche Felsarten schon aus einiger Ferne zu erkennen.

Gewaltige Streifen rother und schwärzlichgrauer,
mehr oder weniger grobkörniger Erde, hervorgegangen aus zersezten Basalten, aus umgewandelten
wackenartigen Gesteinen, mit zahllosen, im Sonnenlichte durch das Lebhafte ihres Glanzes auffallenden
Theilen, die bald als wohl ausgebildete Hornblende-
und Augit-Krystalle erkannt werden, ziehen von
den erhabensten Stellen der Kraterwand bis zur halben Höhe herunter, und aus diesen erdigen Lagen,
wie aus dem Haufwerke halb zersezter basaltischer
Trümmer und rundlicher Blöcke, ragen einzelne
kolossale Pfeiler festeren Basaltes empor, als re-
dende Zeugen der gewaltsamen Katastrophen, die
einst hier Statt gefunden. Jene farbigen Streifen,
auf denen der Fuß vergebens nach einem festen
Standpunkte sucht, im Wechsel mit dunkleren basaltischen und lichteren phonolithischen Lagen, verleihen diesem Theile der Wand ein seltsames, auffallendes Aussehen. — Regengüsse schwemmen von
den rothen und schwarzen Massen nach und nach
ganze Parthieen herunter, und so entstanden, am
Fuße der Wand, hin und wieder roth und schwarz
gefärbte Schlammströme.

In einiger Tiefe unter den schwärzlichgrauen
und ziegelrothen erdigen Lagen trifft man Gesteine

derselben Farbe von einiger Festigkeit, und im Bruche flachmuschelig, fast eben. Die Hauptmasse ist dicht und scheinbar gleichartig, besonders bei den schwarzen Abänderungen, deren Ansehen jenem mancher Wacken entspricht; bei den rothen zeigen sich mehr und minder häufige Einschlüsse; meist grau, nur selten lichte röthlich von Farbe, und wechselnd in der Größe vom kleinsten Flecken, bis zum Durchmesser von einem Zoll und darüber; das Ganze wird dadurch brekzienartig, zu einem vulkanischen Trümmer - Gesteine, bei welchem der Teig in der Regel sehr vorwaltet. Die Masse dieser Einschlüsse, obwohl, ihres aufgelösten Zustandes wegen, nicht mit völliger Sicherheit bestimmbar, scheint theils phonolithischer, theils basaltischer oder doleritischer Natur. — Sind diefs dieselben Gebilde, aus denen der rothe, sehr fette Boden entsteht, der für basaltische Inseln so auszeichnend ist? Stimmen sie überein mit den rothen bolartigen Tuffen der Basalt - Gebirge Böhmens? — Ich kenne leztere nicht, und erlaube mir darum kein Urtheil.

Beide Felsarten, die schwarzen, wie die rothen, sind überreich an Hornblende-Krystallen, der HAUY'schen Abänderung *dodecaèdre* (entscharfrandet und entnebenseitet) zugehörig. Weniger häufig dürften, meinen Beobachtungen zu Folge, die augitischen Einschlüsse seyn; indessen habe ich einzelne Krystalle der Varietät *triunitaire* (entseiteneckt zur Schärfung der Enden und entseitet) gefunden. — Die Krystalle beider Substanzen lassen sich mit leich-

Mühe in den, durch Wasser erweichten und her-
geschwemmten, Massen sammeln. — Hin und wieder sind die Hornblende-Theile zu Eisenocker umgewandelt, der, durch das Hochgelbe seiner Färbung, vielleicht den Anlaſs gegeben, daſs diese Gegend in der Volks-Sprache mit dem Namen G o l d-
loch bezeichnet wird. Oder ist es der Umstand,
daſs der ganze Boden, aus der Verwitterung solcher
Gesteine hervorgehend, bei auffallendem Sonnenlichte für das Auge blendend wird durch die zahllose Menge glänzender Punkte, der dem Ausdrucke
zum Grunde liegt; denn nicht nur an mehreren Orten im Fuldaischen, sondern auch in dem nachbarlichen Vogels-Gebirge trifft man, für ähnliche Verhältnisse, die Namen Goldkauten, Goldlöcher, Gold-
höhlen u. s. w. *.

Eine neuere Zuschrift des Hrn. Dr. Buch zu *Frankfurt*
enthält nachstehende, hierauf Bezug habende, Bemerkung: „Goldloch, Goldhohle, Goldkaute u. s. w. sind
Benennungen, die in unsern Gegenden häufig üblich
sind; aber nicht ausschlieſslich in vulkanischen Revieren,
wo sie zunächst wohl dem Glanze der Hornblende,
oder auch vermeintlichen alchymistischen Fundgruben
der rothen Erde, aus welcher die „ächte Tinktur“
bereitet werden kann, ihren Ursprung verdanken. Aber
auch auf dem *Taunas* unweit *Homburg* ist eine Stelle,
die, so viel ich mich entsinne, Goldloch † heiſst, und

† Vielleicht Goldgrube? S. Taschenb. f. Min.; 1, 87.
d. H.

-, Der Basalt-Kegel, an seinen erhabensten St
wohl kaum ein Drittheil der höchsten Punkte
Kraterwand erreichend, läſst auf dem oberen Th
wie auf dem Abhange gegen SW., ein wildes H
werk kolossaler Basalt-Kugeln wahrnehmen.
Ganze stellt sich als Bild grausenvoller Zerstö
dar. Fast alle diese Kugeln, deren manche
vollkommen rund sind, zeigen sich frisch und
zersezt. Sie haben mitunter 5 bis 6 F. im Durchr
ser, und, die schaaligen Absonderungen, einen ü
aus festen, harten Kern umschlieſsend, sind n
selten 6 bis 8 Zoll stark. Einige dieser riesenha
Kugeln sind, wie durch gewaltsam trennende Kr
bis auf die Hälfte zerborsten, aber die unteren
den zeigen sich noch mit höchster Festigkeit ein
der verbunden. — Innerhalb des Bereiches di
Kegels, ist auch nicht eine Spur von Phonolith wa
zunehmen, selbst nach dem kleinsten Bruchstü
sucht man vergebens. — Der Basalt der Kugeln u
Blöcke ist verschieden von dem vieler andern F
daischen Gesteine gleiches Namens; die einzeln
Gemengtheile treten deutlicher aus einander,

---

eine Goldbohle gibt es ferner zwischen *Meerkolz*
Gelnhausen in dem dortigen Dolomite. Beide let
deuten auf vormaligen Gruben-Betrieb; in der D
mit-Gegend sind die alten Stollen noch zu sehen,
auf dem *Taunus* ist, an sehr vielen Orten, ehedem B
bau auf edle Erze versucht worden."

Ganze wird mehr körnig, und von Einmengungen
ist dieser Basalt, wie es scheint, ganz frei, auch
nicht ein Körnchen Olivin vermochte ich darin aufzufinden.

Von der Kraterwand herunter, wie von dem
Basalt-Kegel in der Richtung gegen die *Eube*, senken sich gewaltige Streifen basaltischen Gerölles,
Haufwerke größerer und kleinerer Kugeln und
Blöcke, jedoch ohne den Charakter geflossener Ströme zu tragen, und ohne eine bestimmte Breite
wahrnehmen zu lassen. — Ueber diese Basaltstrei-
fen und Haufwerke hinabsteigend gegen die *Eube*,
betritt man auf einmal Kalk, ohne dafs man, gehindert durch Vegetazion und Dammerde, sich von
dem Verhalten beider Gesteine, da, wo sie einander begrenzen, befriedigenden Aufschlufs verschaffen
könnte.

Wie hat man sich nun die Erscheinungen zwischen der *Pferdekuppe* und der *Eube* zu erklären?
— Alle übrigen Phonolith-Berge dürften, den trachytischen Domen und Kugeln gleich, mit geschlossenen Gipfeln sich erhoben haben. Nichts deutet,
bei ihnen, darauf, dafs eine, wenn auch nur vorübergehende, Verbindung der unteren Tiefen mit
dem Dunstkreise Statt gehabt. — Darf man am *Pferdekopfe* an eine Erupzion, an eine Katastrophe,
verbunden mit mehreren Aufwallungen, mit einem
Wechsel im Emporsteigen und Sinken der Massen,
glauben? — Ungemein interessant und wichtig bleiben die Verhältnisse, von welchen die Rede, in

jedem Falle; sollte es auch nur eine Entbl
des Berg - Innern seyn, die wir vor uns haben
Entblöfsung herbeigeführt durch Einstürzungen
bunden mit langjährigen Verwitterungs - Phäno

Bei weitem minder wichtig, als die Phoi
Berge, von welchen bis jezt die Rede gewesei
der *Ebersberg*, nicht fern von *Poppenhausen*
dessen Gipfel die Trümmer einer, aus Phonoli
bauten, Raubfeste hervorragen.

Von manchen andern phonolithischen Erh
gen soll eben so wenig die Rede seyn, da di
mir bestiegenen nichts Neues und Auffallendes
nehmen liefsen, indem die Verhältnisse sich ü
im Ganzen gleich blieben. Vielleicht dafs der
selstein und die ihn, zur rechten und linken
der von *Hünfeld* nach *Buttlar* führenden I
strafse, umlagernden Phonolith - Berge noch
interessante Beziehungen hätten wahrnehmen la
allein zum Besuchen derselben war meine Ze
beschränkt.

Absichtlich wurde bis jezt die genaue Scl
rung der Phonolithe selbst, wie solche an den
schiedenen Rhönbergen beobachtbar sind, übe
gen, um nicht zu öfteren Wiederholungen vera
zu werden; auch ist das Gestein, wie eine zai
che, und mit Sorgfalt ausgewählte Reihenfolge

so wenig mannichfach, daſs sich diese Charakteristik gar wohl zusammenfassen läſst.

Die Farben-Mannichfaltigkeit, welche den Phonolithen anderer Länder eigen ist, steht jenen der
Rhön nicht zu; eben so wenig zeigt sich die Natur
dieser Gesteine wechselnd von einem Berge zum
andern *. Ein unreines Grau, bald mehr, bald weniger zum Braunen sich neigend, ist die vorherrschende Farbe der Feldstein-Grundmasse ** aller
Phonolithe dieses Gebirges; nur an der Südspizze
der Felsmassen des *Pferdekopfes* trifft man eine
Abänderung von rein graulichschwarzer Farbe, welche von dem Splitterigen und Unebenen der übrigen Varietäten zugleich durch einen vollkommen
groſs- und flachmuscheligen Bruch ausgezeichnet ist.
Nicht einer der Rhön-Phonolithe hat eine mehrfar-
bige Grundmasse, nicht einer erscheint gefleckt ***,

---

* D'Aubuisson, *Journ. de Phys.*; *Vol. LV*, p. 14.

** Nach Breithaupt ist der Phonolith sehr wahrscheinlich als ein, durch Bildungsart im Aeuſseren modifizir-
   ter, und durch Beimischung von Säuren und Erden ver-
   unreinigter, Periklin zu betrachten. (Poggendorff's
   Ann. der Phys.; VIII, 91 ff.) Hierber auch die interessanten Zerlegungen Böhmischer Phonolithe durch
   F. A. A. Struve (a. a. O. VII, 348).

*** Denn ein einzelnes, von einem Fels-Blocke auf dem
    Kalvarienberge bei *Poppenhausen* abgeschlagenes, Hand-
    stück, wo in unrein braunlichgrauer phonolithischer

wie diefs der Fall bei den gleichnámigen Gesteinen au
dem *Mittelgebirge Böhmens*, und selbst bei dem
neuerdings durch Hrn. KLIPPSTEIN nicht weit von *Un-*
ter-Widdersheim, am Fufse des, der *Rhön* nachbar
lichen, *Vogels*-Gebirges aufgefundenen, Phonolithe.

Von Einmengungen ist das Gestein nie ganz frei
hin und wieder aber sind dieselben nur äufsers
sparsam vorhanden; so z. B. an manchen Phonoli
then der südlichen Spizze und des Fufses der *Pfer*
dekuppe, namentlich bei jenen, die schwärzlichgrau
basaltähnlich sind, werden selbst die feldspathiger
Theile ganz vermifst, und es sind blos einzelne
Magneteisen-Punkte und sehr wenige Hornblende
Nadeln wahrnehmbar. — Im Allgemeinen scheinen
übrigens ausschliefslich feldspathige Theile den Rhön
Phonolithen in Häufigkeit eigen, denn die Horn
blende-Nadeln, so wie die Blättchen und Krystalle
tombackbraunen und schwarzen Glimmers, die Mag
neteisen-Körnchen — ausgebildete Oktaeder, wie
in dem *Schackauer* Tuffe, habe ich in den Phonoli
then selbst nirgends bemerkt — und die kleiner
Titanit-Krystalle, welche das Gestein hin und wie
der enthält, jedoch stets sparsam, gehören zu der
mehr zufälligen Erscheinungen, von welchen auch
in

Grundmasse ein rauchgraues Phonolith-Stück einge
wachsen erscheint, dürfte hierher nicht gehören. Di
scharfe Begrenzung läfst eher glauben, dafs man
mit Phonolith-Einschlüssen in Phonolith zu thun habe

den früheren Rhön - Beschreibungen ·meist gar
ne Erwähnung geschieht. — Augitische Einschlüs-
wie sie die Phonolithe Böhmens hin und wieder
ten, finden sich .nicht in .denen der *Rhön*.

Die feldspathigen Einmengungen 'sind oft nur
Blättchen vorhanden, aber durch lichtere Fär-
ng, durch Blätter - Gefüge und Glanz vermag man
selben stets leicht von der phonolithischen, bei
hlen am häufigsten glanzlosen, Grundmasse zu
terscheiden. Theils erkennt man auch, durch das
gelrechte der Umrisse, die Gegenwart ausgebil-
ter Krystalle, nach den vorliegenden Handstücken
urtheilen, den Varietäten *bibinaire* und *unitaire*
n's zugehörig, und an verwitterten Phonolithen
ten dieselben nicht selten um einige Linien aus
· sie umhüllenden Grundmasse hervor. Zu den
lsten Krystallen gehören·die auf der *Milseburg*,
der Nähe des Kreuzes. — Die Feldspathe der
molithe sind nie so rissig, wie die der Trachyte.

Von den Blättchen haben manche gewisse Merk-
le des Albits. Ich vermifste jedoch Exemplare,
h welchen über diese, gar häufig nicht leicht aus-
mittelnde, Unterscheidung, durch mechanische
tilung u. s. w., mit Sicherheit abgeurtheilt wer-
n könnte; denn unter den regelrecht gestalteten
klapathigen Einschlüssen findet man keine, welche
bezeichnenden Kriterien des Albits tragen.

Zu den nicht häufigen Abänderungen des Pho-
liths gehört eine, von dem Abhange der *Milse-*

burg gegen die *Tanzwiese*, wo der Feldstein-Teig ganz durchdrungen von Feldspath-Theilchen erscheint, und dadurch ein eigenthümliches, schimmerndes und glänzendes Ansehen erhält.

Die Titanit-Krystalle kommen, meines Wissens, nur in dem Phonolithe des *Kalvarienberges* bei *Poppenhausen* vor, und zwar da, wo dieses Gestein den Dolerit zunächst begrenzt. Früher, ehe die Stelle angebaut wurde, so erzählt man, konnte die Grenze beider Felsarten deutlich verfolgt werden. Der Phonolith mit Titanit ist übrigens mehr ein Mittel-Gestein zwischen Dolerit und Phonolith, in welchem die ganze Grundmasse schon gemengter, ungleichartiger sich zeigt,

Der frische Phonolith tönt hell und stark unter dem Hammer; auch hörten wir, daß die Bewohner der Fuldaer Berge denselben schon seit undenklicher Zeit mit den Namen Klingstein bezeichnen.

Die charakteristische Verwitterungs-Rinde, Felsmassen und Blöcke überziehend, ist besonders bei den erwähnten graulichschwarzen Abänderungen des Gesteines auffallend, und hat oft einen Zoll Stärke und darüber. — Auf das Gedeihen der Vegetazion wirkt die zersezte Felsart überaus günstig ein; daher das Mannichfache und Ueppige des Pflanzen Wachsthums an den Abhängen phonolithischer Berge, daher das kräftige Gedeihen von Laubbäumen der verschiedensten Art in Klüften der Felsen und zwischen dem Haufwerke von Blöcken. Die *Milseburg* namentlich ist ausgezeichnet in dieser Hinsicht *.

Deutliche Schichtung habe ich an den Phonolithen der *Rhön* nicht gesehen. Theils sind sie ohne die geringste Spur von Schiefer - Gefüge, theils zeigen sie dasselbe mehr oder weniger vollkommen, ohne jedoch den Grad des Dünnschieferigen zu erlangen; dafs sie, wie in manchen andern Gebirgen, zum Decken der Häuser sich eigneten **. Zuweilen lassen sie sogar eine Art flaseriger Struktur erkennen (*Stellberg*, *Ebersberg*) ***. — Das Phänomen regelrechter Schichtung steht der Felsart überhaupt nur selten zu. Mitunter bemerkt man zwar, — wie diefs auch Boué, d'Aubuisson und Mossier an den Phonolithen der Insel *Lamlash*, an jenen des Milschauer Berges und der *Roche Sanadoire* sahen, — selbst auf gröfsere Erstreckung, bei den Klüften, die so häufig wahrnehmbar sind, und durch welche die säuligen Absonderungen hervorgerufen werden, eine gewisse konstante Richtung; allein ich achte mich dennoch nicht berechtigt, solche für Schichtungs-Klüfte zu halten, weil, in dieser Beziehung, der Parallelismus nicht deutlich genug scheint, und

---

* Schneider, a. a. O.; S. 51.
** So beobachtete namentlich besonders ausgezeichnet Hr. Dr. Buch den Phonolith bei *Marcenat*, zwischen dem Cantal und *Montdor*. (Briefliche Mittheilung.)
*** Heller erwähnt unter den Phonolithen der *Milseburg* solcher Abänderungen, die in dem Grade dünnschieferig wären, dafs man sie, bei flüchtiger Ansicht, für Gneifs nehmen könnte; diese habe ich nicht gefunden.

weil durch die grofse Zahl, derselben die Bes
mung schwieriger wird.   In andern Fällen, zi
die Klüfte in einer, dem Schiefer-Gefüge ge
entgegen laufenden, Richtung, und lassen mi
über ihre Natur nicht den geringsten Zweifel
Vielleicht dafs die Zerklüftung an den höchsten
sen der *Milseburg* noch am ersten als unvollk
mene Schichtung gedeutet werden kann. — Bei
len Rhön-Phonolithen wird das Schiefer-Ge
erst durch Verwitterung deutlich, und dadurch
mag man das Gestein, auch im zersezten Zustan
leicht von andern Felsarten, namentlich vom Bas
zu unterscheiden; denn so zersezt sich nie Ba
Dieser sondert sich kugelig ab, oder er wird
Erde umgewandelt; der Phonolith aber, bei
chem das Schiefer-Gefüge durch zerstörende I
zesse hervorgetreten, gleicht, schreitet man ü
seine, Schichtenköpfen ähnliche, Absonderungs-M
sen hinweg, einem, nicht mehr frischen, dünnsc
ferigen Thonschiefer mit senkrechter Schich
Stellung.

Gangartige Räume und Drusenhöhlen, mit
sen oder jenen Substanzen erfüllt, sind den Rh
Phonolithen nicht, oder sicher nur höchst sel
eigen; wenigstens habe ich keine Erscheinungen
Art bemerkt, mit Ausnahme äufserst zarter Ade
von schneeweifsem Strahl-Mesotyp, welche hin u
wieder den doleritartigen Phonolith des *Kalvari*
berges bei *Poppenhausen*, von welchem die R
gewesen, durchziehen.

Es war nicht meine Absicht, eine Schilder
der Basalte des Rhön-Gebirges zu liefern.   Ein
derselben sind indessen nicht ohne Interesse,
von diesen wird Herr REINHARD BLUM den Les
dieser Zeitschrift, in einem der nächsten Hefte,
richt erstatten.

Auszüge aus Briefen.

Bern, den 5. Dezember, 1826.

Ich theile Ihnen hier drei Analysen von Dolomit mit, deren Bekanntmachung in Bezug auf die neue Arbeit Hrn. v. Buch's, in den Aarauer Unterhaltungsblättern *, einiges Interesse haben dürfte. Ich verdanke dieselben der Gefälligkeit meines Freundes, Hrn. Professors Brunner's (Lehrer der Chemie allhier). Nro. 1. ist von *San Martino*, am Fuße des *Salvador* am *Lago di Lugano*, in geringer Entfernung von dem Konglomerate; Nro. 2. ebendaselbst, aber näher bei *Melide*, ohne Spuren von Schichtung; Nro. 3. vom Gipfel des *Salvador*.

	Nro. 1.	Nro. 2.	Nro. 3.
Kohlensaurer Kalk	57,4	56,36	57,98
Kohlensaure Talkerde	40,4	41,28	40,56
Kieselerde und Eisenoxyd	0,6	0,63	Spuren
	98,4	98,27	98,54

B. Studer.

* Das nächste Heft liefert einen Abdruck derselben.

d. H.

Freiberg, den 24. Dezember 1826.

Sie erhalten anbei die Resultate einer, von Hrn. E. Harkort mit der Glanzkohle von *Wurz-bach*, hinsichtlich ihres Verhaltens vor dem Löth-rohre, vorgenommenen Untersuchung.

1. »Für sich, in der Platinzange gehalten, vor der Oxydazions-Flamme erhizt, dekrepetirte sie anfangs etwas, glühte dann vor der Flamme ruhig fort, ohne den geringsten Dampf von sich zu ge-ben. Sie blätterte in einer und derselben Richtung. Sie kühlte ab, wenn man sie glühend von der Flam-me wegnahm, und einen Luftstrom durch das Löth-rohr darauf führte. — Das Redukzionsfeuer brachte auch weiter keine Veränderung hervor.

2. Für sich in einer, an einem Ende zuge-schmolzenen, Glasröhre in der Lichtflamme erhizt, gab sie Wasser von sich, welches das Fernambuk-Papier etwas bleichte, und das Lackmus-Papier röthete, aber erst dann, als man die Kohle in der Röhre stärker erhizte. Es wurde dann auch ein, in das offene Ende der Röhre eingestecktes, Stückchen Lackmus-Papier etwas geröthet, und ein Fernam-buk-Papier gebleicht, so, dafs also erst bei gröfse-rer Hizze die Säuren an das Wasser gingen. Da Bleichen des Fernambuk-Papieres zeigt schwefelige Säure an. Die Probe roch übrigens noch nach Holzessig, brenzlichem Oel, und sezte auf eine eiserne Unterlage auch ein flüchtiges Oel ab. Die Röthung des Lackmus-Papieres rühr wahrscheinlich von entwickeltem, kohlensaurem Gase

her, und ich konnte durch kein Reagens sonstige Säuren entdecken.

	Milli-grammes
3. Ein Stückchen derselben Kohle vom Gewichte	113,5
wog nach dem Austrocknen . . .	95,5
nach darauf erfolgtem ersten Glühen	86,0
— — — zweiten —	80,5
— — — dritten —	70,5
und so endlich bis zu	17,0

wo sie dann nichts mehr verlor.

Der Gewicht-Verlust, durch das Glühen, betrug in 100 Theilen :

15,8 an Wasser

69,2 an verflüchtigten Stoffen, wesentlich Kohle,

hierzu 15,0 unverbrennliche Theile

—————

100.

Durch kein Reagens konnte ich, in dem ausgeglühten Rückstande, einen Gehalt an Eisen oder sonst einem Metalle entdecken.«

— BREITHAUPT.

Miszellen.

Ueber säulenförmige und konzentrisch-sch
lig - zylindrische Absonderungen des T
chytes im Siebengebirge, schrieb Nöggerath. (
birge in Rheinland - Westphalen; IV, 359.) Die M
kenburg, der Drachenfels, der Stenzelberg u. s. w. ha
kolossale Säulen, 3 bis 15 Fuſs im Durchmesser, aul
weisen. Sie stehen fast ohne Ausnahme vollkommen se
recht, und sind in ihren Seitenflächen minder regelmäſ
als dieſs beim Basalte der Fall zu seyn pflegt. Selten l
den, Theilungen der Säulen durch einzelne, schräg du
dieselben hindurchlaufende, ganz· unregelmäſsige, Kl
Statt; nie kommt diese Erscheinung auf gleichförmige W
bei mehreren neben einander stehenden Säulen vor. Ne
der säulenartigen Zerspaltung der Trachytberge haben
Wolkenburg, und noch ausgezeichneter der Stenzell
schaalige Absonderungen aufzuweisen. Es löst sich näm
zuerst eine Schaale ab, welche nach Auſsen den ecki
Umriſs der Säule hat, nach Innen aber zylindrisch-kon
erscheint, und in dieser stecken um einander lauter, ·
Auſsen vollkommen zylindrisch-konvex, von Innen konk

convex gewölbte, mehrere Zoll starke Schaalen, die meist
nur einen etwas festeren Kern jderselben Trachytmasse
umschliefsen. — Wie mag es kommen, dafs stets nur wenige Trachyt-Säulen diese Absonderungs-Tendenz zeigen,
während sich, bei den meisten übrigen danebenstehenden,
nichts davon wahrnehmen läfst? Verwitterung ist dabei allerdings im Spiele und begünstigt die Erscheinung — aber
diese mufs dennoch, in der Natur der Masse, ihre Begründung haben, sonst würden alle neben einander stehende
Trachyt-Säulen auf gleiche Weise verwittern.

In den *Phil. Transact. of the royal Soc. of London,*
Jahr, 1825, *P. II*, p. 429 liest man einen Aufsaz von
Th. WEAVER über das Vorkommen der fossilen
Reste vom Riesen-Elenn in Irland. — Aus den
Resultaten seiner Untersuchungen geht mit vieler Wahrscheinlichkeit hervor, dafs das kolossale Thier in jenen Gegenden, wo seine Ueberbleibsel gefunden worden, einst ge-
lebt, und zwar in einer, im Vergleich zur Geschichte der
Erde, ziemlich neuen Zeit. Zu ähnlichen Ergebnissen führ-
ten auch W. MANNSELL's·Beobachtungen. WEAVER unter-
suchte die Gegend um *Dundrum* in der Grafschaft *Down.*
Wechselnde Lagen von Thonschiefer und feinkörniger Grauwacke kommen hier vor; Gänge von Kalkspath und Quarz
gehören zu den sehr gewöhnlichen Erscheinungen, auch
Erzgänge finden sich. ·Berge und Hügel von 150 bis 300
Fufs Höhe zeigen sich auf solche Weise zusammengesezt.
Eine Vertiefung zwischen zwei Bergen der Art wird durch
den Sumpf von *Kilmegan* erfüllt, der ungefähr 1 Meile

aus N. nach S. erstreckt ist. Der Raum, welchen ders‹
einnimmt, scheint vordem ein See gewesen zu seyn, ‹
durch Wachsthum von Sumpf-Pflanzen und Torf-Bild‹
allmählich ausgefüllt worden. Unter dem Torfe, ‹
mitunter 20 Fuß mächtig ist, steht weißer Mergel ‹
von 1 bis 5 Fuß Stärke. Beim Durchgraben des ‹
fes bis auf die Mergel-Lagen wurden die Reste ‹
Elennthieren häufig getroffen; sie nehmen ihre Stelle z‹
schen dem Torfe und dem Mergel ein. Nach und n‹
sollen wenigstens ein Dutzend Köpfe mit dem Geweihe ‹
funden worden seyn, welche indessen, aus Unkenntn‹
meist verschleudert wurden. Der Mergel zeigt sich s‹
kalkig, und enthält zerkleinte Muscheltheile, die alle ‹
Bewohnern süßer Wasser abstammen, wie dieses du‹
zahllose, wohl erhaltene Individuen erweisbar ist. Alle s‹
gebleicht, sehr zerreiblich, und haben nur wenig von ‹
rem thierischen Stoffe. Die vorkommenden Gattungen ‹
hören zur *Helix putris* (LINN.), *Turbo fontinalis* (D‹
NOVAN) und *Tellina cornea* (DON.). In dem Mergel her‹
schen stellenweise bald die einen, bald die andern M‹
scheln vor, im Allgemeinen aber sieht man dieselben, ‹
der oberen Hälfte des Mergels, in ungefähr gleicher Me‹
vertheilt, nach der Teufe zu scheinen sie minder h‹
zu seyn, oder ganz zu fehlen. Alle diese Umstände ‹
fernen jeden Zweifel, daß das Irländische Elennthier n‹
sollte sehr neuer Entstehung seyn. Die fast gleichmäß‹
Vertheilung der Ueberreste in den sumpfigen Gegenden ‹
lands, scheint dafür zu sprechen, daß die Thiere häufig ‹
Nähe von Wassern und sumpfigen Stellen suchten, ‹
hier ihren Untergang fanden. Diese Muthmaßung fin‹

auch Stützpunkte in der Thatsache durch MANNSELL in dem Torf-Sumpfe bei *Rathcannon*, 4 Meilen westwärts von *Bruff*, in der Grafschaft *Limerick* beobachtet. Dieser Sumpf bedeckt einen Raum von ungefähr 20 Morgen Landes, und ladet sich in einem engen Thale, das von *carboniferous oder mountain limestone* umgeben ist, die Richtung gegen SW. ausgenommen, wo der Sumpf in eine weit gedehnte Ebene sich erstreckt. Die Torf-Lage mifst 1 bis 2 F. Mächtigkeit, und unter demselben trifft man eine Schicht Muscheln führenden Mergels, 1 $\frac{1}{2}$ bis 2 $\frac{1}{2}$ F. stark; tiefer fand sich ein blauer Thon-Mergel von nicht erforschter Stärke, nur an einer Stelle zeigte er sich über 12 F. stark, und hier soll derselbe auf einem groben Gruf ruhen. An diesem Orte fand man Theile der Gerippe von acht Elennthieren, das eine derselben gehörte einem jungen Thiere an. Aufser diesen wurde das Becken von einem Dammhirsche und der Schädel eines Hundes getroffen. Die zuerst aufgefundenen Gebeine kamen, in 2 bis 3 F. Tiefe, unter der Oberfläche vor. Sie lagen meist in dem Muscheln führenden Mergel; einige schienen auch auf Thon-Mergel zu ruhen, und mit Muschel-Mergel nur überdeckt zu seyn, andere sah man von Torf umschlossen, leztere erschienen schwärzlich gefärbt und, in Folge eingesogener Feuchtigkeit, sehr weich. Die Gebeine zeigten sich im Allgemeinen wohl erhalten; dasselbe gilt von manchen, im weifsen Mergel eingeschlossenen, Muscheln, allein die meisten sind zerbrochen. — Auch auf dem Eilande *Man* scheinen die Reste von Riesen-Elenn auf ähnliche Art vorzukommen. — Aus Allem ergibt sich, dafs diese Ueber-

bleibsel nicht diluvianischen, sondern postdiluvianis
Ursprunges sind.

C. LYELL schrieb über die Schichten des pla
schen Thon-Gebildes zwischen Christchu
Head, Hampshire und Studland Bay. (*Ann.*
Phil.; n. Ser.; XI, 392.) Sand - und Thon - Schicl
füllen einen Raum von ungefähr 16 Meilen Ausdehn
zwischen dem London-Thon von *Highcliff*, ostwärts M
diford, und der Kreide der Insel *Purbeck*. Mit dem Sa
finden sich Lehm - Lagen, oft sehr bituminös, und K
krezionen von eisenschüssigem Sandstein und von Th
.Eisenstein enthaltend; Feuerstein - Rollstücke, Braunkohl
Theile und Abdrücke von Vegetabilien kommen damit v
Darunter: sehr Bitumen-reiche Thon - Schichten mit rotl
und braunem Sande und mit Feuerstein - Geschieben; w
fser feiner Sand und dünnblätteriger, thoniger Mergel,
und wieder mit vielen pflanzlichen Stoffen. Die ganze Fo
über 150 F. mächtig. Die Verbindung des Gebildes 1
der Kreide ist nicht deutlich.

A. SCHWARZENBERG gibt Nachricht vom Vorko
men der Grobkalk-Formazion in Hessen. (1
FERSTEIN, geognost. Deutschland; III, 597.) An vi
Punkten in *Niederhessen* findet sich ein sehr verbreit
gelber Sand, der nach oben meist sehr kieselig sich ze
und mit unzähligen, sehr lockeren Versteinerungen, wor
ter namentlich auch Hayfischzähne bemerkt worden, at
füllt ist. Unter demselben liegt meist ein grüner 1
grauer Sand mit ähnlichen Versteinerungen, und zwiscl

lezteren, zuweilen auch über und unter ihm, ein
blaulicher, oft auch grünlicher Thon - Mergel,
theils verhärtete Mergel - Nieren, zuweilen mit schö-
Schilf- und Laubholz - Blättern, theils Kalkstein - Nie-
im Innern mitunter zersprungen, und aus dichtem
bestehend, der in den mannichfachsten Farben,
weilen auch brekzienartig sich zeigt, untergeordnet sind.
den Kalkstein - Nieren finden sich häufig ausgezeichnete
yän - Versteinerungen, oft noch perlmutterglänzend,
wahrscheinlich auf die, in dem oben erwähnten Sande
rkommenden, zurückgeführt werden können. Daß diese
bilde, wozu an mehreren Stellen Thon - Lager, so wie
bisher für Trapp - Quarz angesprochenes, Gestein, das
falls ausgezeichnete, dem Grobkalke zugehörige Ver-
nerungen enthält, mitunter auch in Hornstein übergeht,
gesellen, zur Grobkalk - Formazion zu rechnen sey,
int aufser Zweifel. — In diesen Massen, namentlich im
Sande, so wie in den dazu gehörigen Thon - und
rgel - Massen, hat zuweilen Eisenoxyd, oder Eisenoxyd-
rat, sich angehäuft, und bildet in den ersten Nieren
Lagen von sandigem Eisensteine, in den Thon - und
rgel - Lagern aber, Nieren und Lagen von thonigem
rosiderite und von braunem und gelbem Thon - Eisen-
ne. Dieselben enthalten gleichfalls Versteinerungen, wie
in den oben beschriebenen Kalkstein - Nieren sich finden.
den Stellen, wo diese Eisen - Massen sich noch mehr
haben, sind bedeutende Eisen - Lager entstanden (wie
das *Langenmasser* Lager bei *Holzhausen*, und das
kein Lager bei *Hohenkirchen* im Kreise *Geismar*,
Simmershäuser Lager im Kreise *Kassel*, und das

Hopfenberger Lager unweit *Immenhausen*), die sod
auch meist von dem beschriebenen gelben und grünen San
so wie von dem gelben, grauen und grünlichen Th
und Mergel-Lager bedeckt werden, und auf Thon-
Sand-Lagen ruhen, zwischen welchen oft Braunkol
liegen.

———

Ueber das Geognostische der Gegend
Saulnot im Departement Haute-Saône
Thirria Nachricht. (*Ann. des Mines; XI*, 391.)
verschiedenen Formationen, aus der Teufe nach oben si

1. Uebergangs-Porphyr mit untergeordne
Eisenglanz-Lagerstätten. Diese Formazion sezt das s
lichste Ende der ersten *Vogesen*-Kette zusammen, welc
aus SW., nach NO. ziehend, den *Salberg* und den *Bal*
de Roppe bildet, und sich zwischen *Massevaux* und
romagny, mit einer der Hauptketten jener Gebirge verb
det *. Das herrschende Gestein ist ein Feldstein-Porphy
dessen röthliche, grauliche oder grünliche Hauptmasse Fel
spath-Krystalle und Quarz-Körner einschliefst. Jene v
fliefsen allmählich in die Hauptmasse. Nicht selten ist
ganze Teig mehr oder weniger zersezt, und zu ei
grauen kaolinartigen Masse umgewandelt. Auf Stöc
oder Gängen kommt darin Eisenglanz vor, so zumal,

———

* Die *Vogesen* scheinen der Klasse der Uebergangs-Gebiete
zugehören; denn sie bestehen aus Gruppen von Formazion
welche, an mehreren Stellen, Madreporen einschliefsen (F
mont), versteintes Holz (*Bitschwiller*) und Ablagerun
von Anthrazit mit Pflanzen-Abdrücken (*Ufholz, Burba*
Val d'Ajot.).

Gemeindewalde von *Saulnot*, an der Stelle genannt *la Clais-Jean-Sire*. Diese Lagerstätte hat ein geringes südliches Fallen; ihre mittlere Mächtigkeit beträgt 3 Meter, die Erstreckung ist nicht bekannt. Mitunter finden sich im Eisenglanze Parthieen von Manganerz, zahllose Eisenspath-Adern durchziehen denselben, auch enthält er hin und wieder Barytspath-Nester und sparsame Drusenräume mit Kalkspath- und Arragonit-Krystallen. Den Porphyr, so wie die Eisenglanz-Lagerstätten, sieht man mit einem Trümmer-Porphyre überdeckt. Sehr häufige Spaltungen durchziehen die Gesteinmassen nach den mannichfachsten Richtungen, so, dafs die Schichtung nicht erkannt werden kann.

2. Rother Sandstein. Unmittelbar auf der Uebergangs-Formazion ruht ein Sandstein, bestehend aus, mehr oder weniger abgerundeten, zuweilen noch krystallisirten Quarzkörnern, welche ein thonig-kieseliges, mit Eisenoxyd geschwängertes Bindemittel zusammenhält. Bald sind die Quarzkörner gröfser, dann erhält die Felsart das Ansehen eines Konglomerates, bald sind sie sehr klein, und in letzteren Falle tritt Schiefer-Gefüge ein, auch finden sich sodann häufige Glimmerblättchen. Mitunter tritt das Ziment fast ganz zurück; die Masse erscheint als Resultat regelloser Krystallisirungen. Die Schichten sind 10 bis 80 Centimeter mächtig, und fallen konstant unter 10 bis 12° nach SO. Dieser Sandstein steht in augenfälliger Verbindung mit der grofsen Formazion von rothem Sandsteine, welche, auf dem östlichen Abhange der *Vogesen*, in den Departements *Haute-Saône*, *Haut-Rhin* und *Bas-Rhin*, einen fast nicht unterbrochenen Zug ausmacht, und bis in

das *Saarbrück'sche* fortsezt. Stellenweise überlagert
selbe, in den drei genannten Departements (*Roucka*
Champagney, *Rouge - Goutte*, *Saint - Hippolyte*, *le H*
Erlenbach), einzelne Kohlen - Gebiete. Streifen, mit
chen er sich nicht nur durch das Gleichförmige der L
rung, sondern auch durch unläugbare Uebergänge ver
den zeigt.

3. Bunter Sandstein (im Lande unter dem
men *Grès mollasse* bekannt). Zunächst über dem ro
Sandsteine, und mit demselben in gleichförmiger Lageru
tritt ein Sandstein auf, welcher zum bunten Sandsteine
gehören scheint, sowohl seinem Bestande nach, als in I
sicht der mit ihm wechselnden Thon - Schichten. An
gen Stellen der Departements *Haute - Saône* und *des Vo*
wird der bunte Sandstein von dem rothen, durch eine
genthümliche, von VOLTZ mit dem Namen Voges
Sandstein bezeichnete, Felsart geschieden, welche g
fsere Härte, sparsames Bindemittel, und zumal die Geg
wart grofser abgerundeter Quarz - Brocken auszeichnen. ((
wissermafsen könnte dieses Gestein als Stellvertreter
Alpenkalkes gelten.) Der bunte Sandstein, in der Geg
von *Saulnot*, besteht aus feinen, durch ein thonig-kies
ges oder mergeliges Zäment verkitteten, Quarzkörn
Seine Farben gehen, durch verschiedene Nuanzen, aus
Gelben ins Graue und Rothe über, und wechseln in St
fen oder Flecken mit einander. Durch beigemengte Gl
merblättchen erhält das Gestein mitunter eine schiefe
Textnr. Zuweilen ähnelt die Felsart einigermafsen
rothen Sandsteine, aber sie weicht davon ab, durch grö
Feinheit des Kornes, durch häufigere Anwesenheit des B
demitt

demittels, durch ziemlich zahlreich vorhandene kleine Thon-pillen, und fast stets durch einen geringeren Härtegrad. Der Wechsel des bunten Sandsteines mit Thon - Lagen und mit Lagen von mergeligem Thone ist zwischen *Saulnot* und *Atkesans* beobachtbar. Der Thon zeigt sich grau, grünlich, auch etwas schwärzlich und stets sehr schieferig; oft nimmt er viel Sand und Glimmer auf, und geht alsdann in einen glimme-rigen, schieferigen Sandstein über; die Schichten haben 8 bis 16 Centimeter Mächtigkeit. Der mergelige Thon ist mehr oder weniger blätterig und graulich, gelblich oder röthlich gefärbt. Die einzigen Versteinerungen; im bunten Sandsteine der Gegend um *Saulnot*, scheinen Pektiniten; Muscheln - Abdrücke, im gleichnamigen Gesteine um *La-xeuil* und *Bruyères* sehr häufig, kommen hier nicht vor. Im Allgemeinen zeigt sich der bunte Sandstein sehr deutlich geschichtet. Die Mächtigkeit der Schichten 3 bis 25 Centi-meter, ihr Fallen unter 10° in SO.

4. Kalk mit Lagen von Thon, Gyps und Kohle. Die untere Stelle nimmt ein gelblicher, im Bruche erdiger, etwas schieferiger Kalk ein, fast stets mit Sand gemengt, und gleichsam den Uebergang aus dem bunten Sandsteine in die Muschelkalk - Formation ausmachend. Ueber dem mergeligen Kalke erscheint ein dichter, im Bruche muscheliger Kalk, graulich oder gelblich von Farbe, und durch zahllose Entrochiten und Terebrateln bezeichnet. Eine ihm durchaus ähnliche Felsart findet sich auf dem westli-chen Abhange der *Vogesen*, in der Nähe von *Luxeuil*, *Epinal* und *Bruyères* über dem bunten Sandsteine. Dem Entrochiten - Kalksteine folgt eine Ablagerung mergeliger

11

Thone, auffallend durch das Mannichfache der Färbung
welche den verschiedenen Schichten eigen ist; rothe, gelbe
grüne, violenblaue, braune, graue und unreinweisse Nuanze
wechseln mit einander. Diese Ablagerung, entsprechend derj
nigen, welche CHARBAUT bei Lons-le-Saulnier unt
dem Namen *Marnes irisées* beschrieben, besteht aus wech
selnden Schichten von mergeligem Thone und von mergeli
gem Kalke. Der Thon ist im Allgemeinen blätterig un
mehr oder weniger zerreiblich; der mergelige Kalk zeig
sich fast stets schieferig. Mitunter kommen Nieren weissli
chen, körnigen Kalkes vor, der häufig blasig ist, und i
den kleinen Räumen Kalkspath-Kryłstalle enthält. Gyp
findet sich in untergeordneten Lagern, oder in Stöcken i
dem bunten mergeligen Thone; der reinere hat ein faserig
Gefüge, der mit Thon gemengte ist von erdigem Ansehen
Die Gyps-Ablagerung hat eine beträchtliche Mächtigkei
Ein, neuerdings bei *Saulnot* bis zu 50 Meter Teufe ang
stellter, Bohr-Versuch ergab:

	Mächtigkeit.
mergeliger Kalk	10 Meter.
thoniger Mergel, graulich oder grünlich	2 —
mergeliger Kalk mit buntem Thon wechselnd	5 —
mergeliger Thon mit Adern weißen Faser-	
gypses	20 —
weißer Fasergyps mit etwas Thon gemengt	13 —

Bei *Vellechevreux*, einem Dorfe westwärts *Saulnot*, sezt d
Gyps-Stöcke im mergeligen Thone zusammen. Diese Stöcke b
stehen aus einander parallelen gewundenen Lagen, oder aus eck
gen Theilen; das Ganze ist so, dass man an Zusammenstürzu
gen, oder an Emporhebungen zu glauben veranlaßt wird. —

Unmittelbar über dem Gypse und dem bunten Thone trifft man eine Steinkohlen - Ablagerung, welche über einen Raum von ungefähr 60 Quadrat - Kilometer, in den Gebieten von *Vellechevreux*, *Saulnot*, *Corcelles*, *Gemonval*, *Champey* und *Fallon* ausgedehnt ist. Bei *Gemonval* besteht dieselbe aus folgenden Schichten:

	Mächtigkeit.
Bituminöser Thon	4 Meter 00 C.
erste Kohlen - Lage	0 — 32 —
Bituminöser Thon	1 — 62 —
zweite Kohlen - Lage	1 — 00 —
Bituminöser Thon	0 — 19 —
dritte Kohlen - Lage	0 — 15 —
Thon mit Gyps - Schnüren . .	2 — 00 —

Die Ablagerung fällt unter 45° zuerst gegen O., dann, nach einer plözlichen Wendung, südwärts. — Der Schieferthon ist, je nach dem verschiedenen Gehalte an Kohlenstoff und Bitumen, theils schwärzlich, theils graulich gefärbt, und kommen ungemein häufig sehr kleine zweischaalige Muscheln, am ähnlichsten dem Geschlechte *Mactra*, darinn vor, ferner in zahlreicher Menge Wurzeln und Zweige, offenbar vom *Fucus* abstammend, endlich hin und wieder auch Abdrücke, die vielleicht auf Farrnkräuter zurückgeführt werden können. — Das Kohlen - Gebilde wird von süsswasserphographischem Kalke bedeckt, und diesen überlagert ein mächtiger, kohlensaurer Kalk (Dolomit). — In dem Orte Saulnot selbst treten, in Schichten von 15 Meter Tiefe, in den Kalk - Schichten mit Entrochiten zwei Salzquellen hervor; wahrscheinlich gehört die Salz - Lagerstätte der Muschelkalk - Formazion an.

11 *

5. **Dritte Flöz-Sandstein-Formazion;** verbindet sich der, unter Nro. 4 begriffenen, Form, auf merkbare Weise, denn unfern *Pont - sur - l'Oi;* zeigt sich zwischen den mergeligen Kalk - Bänken, w; ihre Stelle über den bunten Thonen des Muschelkalkes nehmen, eine ungefähr 16 Centimeter mächtige Sand-l vom dritten Flöz-Sandsteine nur durch einen, w; Meter starken, mehr und minder kieseligen, Kalk ge; den. Um *Saulnot* und *Gemonval* fehlt der dritte l Sandstein (*troisième grès secondaire*) über der Mus; kalk-Formazion; aber zu *Corcelles*, *Pont*, *Vellechev;* und *Fallon* sieht man ihn unmittelbar und gleichfö; darüber gelagert. In der Mächtigkeit wechselt dieser, ; gelb oder roth gefärbte, Sandstein, welcher, seinen gnostischen Beziehungen zu Folge, dem Q u a d e r - S; s t e i n e beigezählt werden muß, von 2 bis 8 Metern. ; besteht im Allgemeinen aus feinen, durch ein, nur in ringer Menge vorhandenes, kieselig-thoniges Zäment bundenen, Quarzkörnern. Fast stets umschließt der; einige Glimmer - Blättchen, und immer zeigt er sich e; schieferig. Die Schichten, 5 bis 20 Centimeter mäch; fallen sehr regelrecht unter ungefähr 10° nach SO. *Saulnot* schließt dieser Sandstein viele Versteinerungen u. a. *Pecten*, *Modiola* und *Mactra* (?) bei *Fallon* *Pont.* Auch versteinte Holztheile sind in Menge ; vorhanden.

6. **G r y p h i t e n - K a l k.** Die unteren Lagen d Formazion bestehen aus graulichem oder gelblichem, ; tem, im Bruche ebenem Kalke. Muschel-Bsuchstücke; hält er sehr häufig. Die unteren Schichten sind aus b;

dem, blätterigem, von Kalkspath-Adern durchzogenem Kalke zusammengesezt, in welchem *Gryphaea arcuata* häufig vorhanden ist. Beide Kalk-Abänderungen wechseln mit Lagen eines schieferigen, sehr Muscheln-reichen Mergels; sie haben 8 bis 32 Centimeter Mächtigkeit, und die ihm untergeordneten mergeligen Lagen messen 4 bis 16 Centimeter. Das Ganze neigt sich unter 8° regelrecht gegen 80. — Die in dieser Formation beobachteten Versteinerungen gehören zu *Gryphaea arcuata*, und zu den Geschlechtern *Plagiostoma*, *Ammonites*, *Belemnites*, *Terebratula*, *Turbo*, *Pecten*, *Nautilus*, *Ostrea*, *Trigonia*, *Cytherea*, *Modiola*, *Donax* u. s. w.

7. **Mergeliger, bituminöser Schiefer.** Ueber der Formation des Gryphiten-Kalkes ruht, unmittelbar und in gleichförmiger Lagerung, eine sehr mächtige Masse schieferigen, graulichen oder schwärzlichen Mergels mit häufigen Kies-Nieren und mit Erdpech-Adern. Sie wechseln mit gelblichem oder graulichem Stinkkalke. In den oberen schieferigen Mergeln wird bei *Conflans* ein Lager von braunem Bohnerze getroffen, das ungefähr 1 Meter mächtig ist, und Versteinerungen in grofser Menge umschliefst. Die zahlreichen fossilen Reste, welche das Gebilde der mergeligen, bituminösen Schiefer enthält, gehören zumal folgenden Geschlechtern an: *Belemnites*, *Ammonites*, *Nautilus*, *Pecten*, *Turritella*, *Pectunculus*, *Arca*, *Turbo*, *Cardita*, *Cytherea*, *Gryphaea* (*Gr. dilatata*), *Donax*, *Mactra* und *Entrochites*. Im Allgemeinen sind die Petrefakten sehr gut erhalten, und haben mitunter ein bronzirtes Ansehen, das von einer zarten Eisenkies-Haut herrührt, womit man dieselben bekleidet sieht.

8. **Oolithischer Kalk.** Seine Formation, dritte Abtheilung des Jurakalk-Gebildes ausmachend, steht aus wechselnden Schichten von körnigem, ool schem und dichtem Kalke und von schieferigem Me Der körnige Kalk ist grau, gelblich oder röthlich, und kleinen blätterigen Körnchen zusammengesezt, welche Br stücke von Entrochiten oder Bakuliten, durch einen oder minder häufigen kalkigen Teig verbunden, schei Die Körner des Rogensteines wechseln in der Gröfse; einer und derselben Schicht zeigen sie sich jedoch zie gleichgrofs. Oft hat die Felsart ein schieferiges Gef Rogenstein und körniger Kalk wechseln mit einander.

9. **Körniger Thon-Eisenstein.** Bei C chaton findet sich ein Lager von 1^m,25 Mächtigkeit. Eisenerz-Körner sind durch ein thonig-kalkiges Bindem verkittet. Versteinerungen umschliefsen das Gestein in gr Menge: Ostraziten, Belemniten, Nautiliten, Ammoni Pektiniten, Karditen, Trochiten, Entrochiten und Pe kriniten. Eisenoxyd hat meist als Versteinerungsmittel dient; nur die Belemniten sind verkalkt.

Noeggerath gibt (Schweigger, Jahrb. der Ch XVII, 74), nach einem Briefe von W. Stein aus Mex Kunde von einem Mexikanischen Meteor-Eil Es wurde bei Iiquipilco, 10 Leguas im NO. von Tol gefunden, über die Art des Vorkommens fehlen noch nä Nachrichten. Eine polirte Fläche gab, geäzt, sehr deu die Widmannstättischen Figuren. Mitunter zeigt es Gefüge ohne Aezzung; die Oberfläche ist wie gehackt zwei, den Durchgängen entsprechenden, Richtungen.

Durchgang ist deutlicher, als der andere, was man auch schon an der geätzten Fläche sehen kann, indem die Linien nach einer Richtung weniger unterbrochen erscheinen, als nach der andern.

Ueber eine geognostische Reise von Bengalen nach Siam, und von Siam nach Cochinchina, theilte J. CRAWFORD Beobachtungen mit. (*Transact. of the geol. Soc.; 2. Ser., VIII, 406.*) Die Malaya-Kette, fast in nord-südlicher Richtung ziehend, und mit einige Meilen von dem äufsersten Punkte der Halbinsel gleiches Namens endigend, besteht aus alten Gesteinen, Granit, Glimmerschiefer u. s. w. Auf der Westküste jener Halbinsel sind die Zinnerze sehr verbreitet; Gold kommt auf der Ostküste vor. Bei *Junk Ceylan* trifft man die ergiebigsten Zinn-Bergwerke, die bedeutendsten Gold-Gruben finden sich bei *Pabang.* Die Küste des Golfes von Siam wird fast ganz durch grobkörnigen Granit gebildet. Siam liegt in der Mitte einer, mit Schuttland bedeckten, Ebene; allein in geringer Entfernung treten Kalkberge hervor. *Kap Liant,* die äufserste Spitze der Küste von Siam, besteht aus Sandstein. Die *Chantibun*-Berge auf dem östlichen Gestade des Meeresbusens, führen Saphire, häufiger kommen Gold, Kupfer und zumal Eisen vor. Auf der Küste von *Cochinchina* ist der Granit sehr verbreitet. (FÉRUSSAC, *Bullet. de Géol.; VIII, 325.*)

Am 28. Januar 1825, um Mitternacht, verspürte man ein Erdbeben in der Grube von *Zyrianöf;* zum Bergwerks-Arrondissement von *Kolivanovos-Kristensky,* zwischen dem *Irtisch* und der *Boukhtarma*, gehörig, am Fuſse der *Kholzoun-Kette*, welche sich gegen SO. des *Altai*-Gebirges ausdehnt. Die Bebung folgte der Richtung aus O. nach W., und war von einem gewaltigen unterirdischen Geräusche begleitet. Im Jahre 1824 hatte man, am 11. März zur Mittagszeit in der *Riddersk*-Grube, und am 1. April um 3 Uhr in der *Zmeinogorsk*-Grube, gleich der vorigen im SW. des *Altai* gelegen, gleichfalls Erschütterungen der Erde wahrgenommen.

FR. HOFFMANN theilte Untersuchungen über die Pflanzenreste des Kohlen-Gebirges von Ibbenbühren und vom Piesberge bei Osnabrück mit. (KARSTEN, Archiv für Bergb.; XIII, 266.) Frühere Forschungen haben ergeben, daſs die Flöz-Gebirge der *Weser*-Gegenden, und was westwärts davon in der Fortsetzung des Norddeutschen Hügel-Landes bis jenseit der *Ems* und der *Vechte* beobachtet worden, zu den Bildungen gehören, welche jünger sind, als der Kalk des Kupferschiefer-Gebirges. Ueberall fand man, daſs bunter Sandstein, von nicht durchsunkener Mächtigkeit, als Grund-Gebirge auftritt, und auf ihm die mannichfachen Glieder der Muschelkalk- und Keuper-Formazion, der Lias- und der Jura-Bildung in auſserordentlicher Entwickelung verbreitet. Von diesem sehr allgemeinen Verhältnisse gelang es dem Verf., an den äuſsersten westlichen Enden jener Gebilde, eine sehr bemerkenswerthe Ausnahme aufzufinden. Es sind dieſs die, meist Kohlen führenden, Konglomerate, und die Reste des Kupferschiefer-Gebirges, welche am *Piesberge* und am *Hüggel* bei *Osnabrück*, so wie in den

Berges von *Ibbenbühren* hervortreten. Als Resultate der Untersuchungen ergibt sich, dafs die so eben genannten Gegenden zur Formazion des Roth - Liegenden gehören, welcher hier die Steinkohlen - Flözze untergeordnet sind. Da leztere Verhältnifs liefs sich indessen nur an einem der Berge, welcher keine Steinkohlen - Flözze zu führen scheint, und an welchem alle Glieder des Roth - Liegenden, der Kupferschiefer - Formazion und des jüngeren Flöz - Gebirges vollständig entwickelt vorkommen, mit Sicherheit nachweisen. Von den beiden andern konnte man nur durch Analogie und Vergleichung sehr spezieller Erscheinungen schliefsen, dafs von ihren Alters - Verhältnissen dasselbe gelten müsse, und es war nicht möglich, auf dem Wege der Beobachtung ihrer spärlich aufgeschlossenen Lagerungs-Verhältnisse, zur Evidenz zu gelangen. Da boten sich wohl erhaltene Pflanzenreste, Abdrücke aus den Gruben von *Ibbenbühren* und vom *Piesberge*, die hier zu den seltenen Erscheinungen gehören, und vorzugsweise in dem Schieferthone vorkommen, welcher die Kohlen begleitet. Es fanden sich: sechs sehr deutlich verschiedene Arten von Blatt-Abdrücken von Farrnkräutern, und zwei Arten von Strünken baumartiger Farrnkräuter. — Diese Pflanzenreste zeugen unzweifelhaft dafür, dafs die oben genannten Hervorragungen des Kohlen - Gebirges der alten Steinkohlen - Bildung beigezählt werden müssen.

————————

Von den früher angekündigten Abbildungen und Beschreibungen der Petrefakten des Museums der Königl. Preufs. Rhein - Universität zu *Bonn* und des Hösninghaus-ischen zu *Crefeld*, von Dr. August Goldfus, ist nunmehr

die erste Lieferung (Düsseldorf gr. Fol. 1826) erschienen.
Vier solcher jährlichen Lieferungen, jede mit 25 Steindruck-
tafeln und dem zugehörigen Texte 18 fl. subskriptionsmäßig
kostend, sollen allmählich alle fossilen Reste der obengenann-
ten, der Graf Münster'schen und einiger anderen kleineren
Sammlungen in Original - Abbildungen liefern. Das erste
Heft enthält die urweltlichen Polypen - Wohnungen und
76 Seiten Text, aus welchem ersichtlich ist, daß einige
spätere Tafeln ebenfalls noch Korallen - Abbildungen, zum
Theile als Supplemente zu den früheren, enthalten werden.
So stehen wohl auch vom Texte noch einige Bogen darüber zu erwarten.

Die vorliegenden Blätter enthalten die Diagnosen und
Beschreibungen von 39 Geschlechtern und 263 Arten, in
Deutschem und Lateinischem Texte. Die Geschlechter sind
theils nach Linné, theils nach Lamarck, theils nach Lamouroux und Schweigger, viele sind neu. Unterabtheilungen, für deren Reihenfolge, sind nicht angegeben.

1. *Achilleum* Schweigg. (*Spongia* - Arten bei Lam. u.
Lamx.). 2. *Manon* Schweigg. (ebenso). 3. *Scyphia*
Oken, Schweigg. (*Spongia* - Arten Lam., Lamx.). 4. *Tra-
gos* Schweigg. (*Alcyonium*-Arten Lam., Lamx.). 5. *Cne-
midium* Goldf. (*Mantellia* - und *Siphonia*-Arten Parkins.,
Limnorea Lamx., (der letztere Name mußte geändert werden, weil er schon früher von Péron sonst verwendet
war. Da aber auch dafür der Name *Mamillopora* schon
substituirt worden, so scheint es, obschon eine Erweiterung
des Geschlechts - Charakters Statt gefunden, nicht nothwendig, noch einen ganz neuen Namen zu schaffen. Dieselbe
Bemerkung wäre in Ansehung vieler, zu anderen Geschlech-

ten versetzten, Arten zu machen, wo ebenfalls ohne hinreichenden Grund die Artnamen geändert sind]). „Kreiselförmige Polypen-Stämme, aus dichten Fasern, mit horizontalen, vom Mittelpunkte nach der Peripherie auslaufenden Kanälen. Scheitel konkav, oder im Mittelpunkte trichter- oder röhrenförmig ausgehöhlt. Risse oder Furchen verlaufen von dessen Mitte über die ganze Oberfläche." 6. Si- phonia GOLDF. (Siphonia - Arten PARK., Halirrhoë- und Serae-Arten LAMX.). „Vielgestaltige, freie oder ansitzen- de Polypen-Stämme, aus dichten Fasern bestehend, — der Länge nach von Kanälen durchzogen, die sich am oberen oder unteren Ende münden. Engere, horizontal nach den seitlichen ausstrahlende, Kanäle, anastomosiren mit jenen. Mündungen der ersteren auf dem Scheitel kreisrund, und auf einer ebenen oder vertieften Fläche regelmässig strahlen- förmig geordnet. Mündungen der Seiten-Kanäle unregel- mäßig und angefressen." 7. Myrmecium GOLDF. „Ein auseinan- der, fast kugelförmiger Polypen-Stock, mit einem ver- schmolzenen Fasergewebe, welches mit ästigen, von der Grundfläche nach der Peripherie ausstrahlenden, Kanälen durchzogen ist. Ihre Mündungen zerstreut, sternförmig auf- gesetzt. Mitte des Scheitels mit einer grosen, kreisrunden Röhre durchbohrt." 8. Gorgonia LAMX. 9. Isis LAM. 10. Nullipora LAM. 11. Millepora LAM. 12. Stromato- pora GOLDF. „Halbkugelförmige Kalk-Koralle, bestehend aus abwechselnden, mit einander verwachsenen, dichten und schwammig porösen Schichten." 13. Madrepora GOLDF. (Madrepora Poeillopora LAM.). 14. Eschara LAM. 15. Cellepora GOLDF. (Cellepora Discopora LAM.). 16. Reta- pora. 17. ? Cosoinopora GOLDF. „Becherförmiger, aus

dichten, geraden, büschelförmigen Fasern bestehender Polypen-Stock, der mit regelmäßigen, schrägzeilig stehenden,
trichterförmigen Löchern durchbohrt ist." 18. *Coeloptychium* GOLDF. „Polypen-Stock hutschwammförmig, gestielt,
hohl, aus netzförmig laufenden Fasern zusammengesetzt. Hut
tief genabelt, von netzförmig stehenden Poren strahlenförmig
durchbohrt, unten faltig, Falten mit warzenähnlichen Erhabenheiten." 19. *Flustra.* 20. *Ceriopora* GOLDF. (*Al-
veolites*-Arten LAM. [Auch hier ist mit Unrecht ein neuer
Name gebildet. Das Bedürfniß desselben erfolgt keineswegs
aus dem Umstande, daß einige LAMARCK'sche Arten aus Irrthum zu diesem, statt zu andern schon gebildeten Geschlechtern gesetzt worden sind.]) 21. *Dactylopora* LAM. (*Reto-
porites* Bosc., LAMX. [Auch hier gebührt dem letzteren Namen seiner Priorität wegen dem Vorzug.]). 22. *Ovulites*
LAM. 23. *Lunulites* LAM. 24. *Orbitulites* LAM. [ist un-
richtig; der LAMARCK'sche Name heißt *Orbulites*, jener andere aber ist von BRONGNIART gegeben, zu Vermeidung von
Verwechselung mit dem gleichnamigen Konchylien-Ge-
schlechte]. 25. *Pavonia* LAM. 26. *Agaricia* LAM. 27.
Lithodendron SCHWEIGG. (*Oculina Caryophyllia* LAM.). 28.
Anthophyllum SCHWEIGG. (*Montlivaltia* LAMX.). 29. *Fungia* GOLDF. (*Porpita* auctor. [oder „auctt.", nicht aber
„auctorr.", wie der Verf. überall setzt], *Fungia et Cyclo-
lithes* LAM.; Vereinigung beider Geschlechter, wegen beob-
achteter Uebergänge.) 30. *Diploctenium* GOLDF. „Koral-
len-Stamm laubförmig, fächerähnlich, gebildet aus gedop-
pelten, unten verwachsenen Blättern, welche selbst wieder
auf beiden Seiten mit von der Basis strahlenartig verlaufen-
den Lamellen versehen sind." 31. *Turbinolia* GOLDF. (*Tur-

lifolia-Arten LAM.). 32. *Cyathophyllum* GOLDF. (*Turbinolia*-Arten LAM.; *Acervularia* SCHWEIGG. [Warum ist
hier abermals der leztere Name vernachlässigt?]). 33. *Strom-
bodes* SCHWEIGG. 34. *Meandrina* LAM. 35. *Astrea*
GOLDF. [*Astrea Monticulariae* LAM.]. 36. *Columnaria.*
GOLDF. „Ein kalkartiger Polypen-Stock, welcher aus säu-
lenförmigen, parallelen, an einanderliegenden Röhren besteht. Das Innere derselben ist mit Stern-Lamellen besezt.
Querscheide-Wände und Verbindungs-Röhren sind nicht
vorhanden." 37. *Sarcinula* LAM. 38. *Catenipora* LAM.
39. *Syringopora* GOLDF. (*Tubipora*-Arten LINN.). „Poly-
pen-Stamm kalkig, aus zylindrischen, parallelen oder diver-
girenden Röhren zusammengesezt. Röhren, innerlich mit
einem Sipho versehen, dessen trichterförmiges Proliferiren-
die Verlängerung der Röhre und die Abtheilung derselben
in Kammern veranlaßt. Röhren, äuserlich durch kleinere,
horizontale Seitenröhrchen unter einander verbunden, welche
sich aber nicht zu horizontalen Lamellen (wie bei *Tubipora*)
vereinigen." — — Ueber den, sonst so oft vernachlässigten, inneren Bau mancher Korallen-Versteinerungen, sind
sehr häufig neue Beobachtungen mitgetheilt, welche ein besonderes Verdienst des Verfassers für die Petrefaktenkunde,
wie für die Zoologie begründen. Das gilt insbesondere für
die neuen Geschlechter, *Cyathophyllum*, *Syringopora*, *Columnaria* und mehrere andere. Nur wäre zu wünschen gewesen, daß die innere Struktur, noch öfter, als es wirklich
geschehen ist, und wenigstens bei jedem *Genus* einmal, durch
Abzeichnung von Quer-Durchschnitten, versinnlicht worden wäre, da dem Verf. hierzu Mittel in reichem Maaße zu Gebote standen, welche so viele Andere fast gänzlich entbehren.

Auch für die·Arten sind kurze Beschreibungen vorh
den, und die Orte ihres Vorkommens angedeutet. We
bestimmt ist die Gebirgsart bezeichnet. Aber am Schl
des Werkes soll eine Uebersicht der beschriebenen organisc
Reste, nach ihrer chronologisch - geognostischen Verbreitu
mitgetheilt werden. Die Uebergangs - Gebirge der Ei
des *Bergischen* u. a. O. am *Niederrheine*, der Jurakalk
Franken, *Württemberg* und der *Schweiz*, der Mergelgr
bei *Essen* an der *Ruhr*, die Kreide - und Grobkalk - Geb
von *Mastricht*, *Aachen*, *Paris* und *Italien*, haben die gr
te Menge derselben geliefert, meist noch unbeschriebene, c
doch unbenannte Arten. Die Arbeit des Herrn Profe
Goldfuss bietet uns sehr dringend nothwendig geword
Mittel zur Verständigung über die Korallen - Versteinerung
namentlich der älteren Formazionen, während wir bis
über diesen Gegenstand fast nichts besafsen, als die Arbe
von LAMOUROUX über die Flözkalk-Versteinerungen der (
gend von *Caen*, und jene von LAMARCK über die des Gr
kalkes von *Paris*. Aber der erstere hat oft nur schlech
der leztere wenige Abbildungen geliefert. PARKINSON I
weniges geleistet. FAUJAS - ST.-FOND (über den *Petersb*
bei *Mastricht*), gab Bilder ohne Text; dasselbe gilt v
HÜBSCH und KNORR, da der gegebene Text jezt fast ganz (
ne Werth ist. Die v. SCHLOTHEIM'schen Arbeiten entb
ren leider der Abbildungen für diese Klasse von Verstei
rungen fast gänzlich, und bei KÖNIG's neuem Werke s
Text und Abbildungen (oft nur Kopien) gleich dürftig. !
dem Vorliegenden aber bleiben die Lithographieen in kei
Rücksicht hinter dem Texte zurück. Das ARNZ'sche Insti
hat uns mit einem Werke beschenkt, welches schon als i

zimmes Kunstprodukt alle Aufmerksamkeit verdient, und den
besten Arbeiten von *Paris* und *Sèvres* in diesem Fache getrost
an die Seite gestellt werden darf. (Eingesendet.)

Man schmeichelt sich, in *Sibericn* Diamante zu
entdecken. Ein Schreiben eines mineralogischen Reisenden
(dessen Name bis jezt unbekannt geblieben), unter den 20.
August 1826 an den Rektor der Universität *Dorpat*, Staatsrath Ewers erlassen *, sagt darüber Folgendes: „Unser
Ausflug nach *Kouschva* oder *Goro - Blahodat* war für mich
vom größten Nuzzen, theils was die allgemeine Kenntniß
des Ural-Gebirges betrifft, theils in Ansehung gewisser sci-
entifscher Meinungen, die mich beschäftigten. Ich glaube
nun mit Sicherheit die Art und Weise bestimmen zu können, wie das Gold in jenen Bergen zerstreut vorkommt;
ich glaube, mit mehr Genauigkeit, als solches bis jezt geschehen, die Formazion angeben zu können, welcher das
Platin angehört. Die besondere Gefälligkeit, mit welcher
mich die Beamten der Kronwerke von *Zlatooust* und *Ka-*
tharinenburg, so wie jene der, im Privat-Besiz befindlichen, Fabriken von *Neviansk* und *Nischni Tahil*, verdanke ich vorzüglich den glücklichen Erfolg meiner Untersuchungen. Der Platinsand von *Nischni - Tousa*, der Kron-
fabrik von *Kouschva* zugehörend, zeigt eine auffallende
Ähnlichkeit mit den aus *Brasilien*, in welchen gewöhnlich auch die Diamante gefunden werden. Nach der Be-

---

* Abgedruckt im *Journal de St. Petersburg* und aus diesem gütigst mitgetheilt durch Hrn. Minister v. Struve.

L.

schreibung des Hrn. v. Eschwege * besteht dieser Sand
vorzüglich aus Rollstücken von Braun - Eisenstein und von
Jaspis ; er läfst aufserdém eine Menge kleiner mikroskopi-
'scher Steinchen wahrnehmen von verschiedener Farbe , und
enthält mehr Platin als Gold.   Der Sand von *Nischni -
Toura* hat augenfällig dieselben Gemengtheile, und die Gegenwart des Braun - Eisensteines ist um desto denkwürdi-
ger , da der Brasilianische Diamant von einem Eisenstein -
Konglomerate umschlossen wird, und sich auf solche Art
der Beweis ergibt,   dafs jene beiden Mineralien nicht
zufällig mit einander vorkommen, sondern dafs sie Trümmer einer und derselben Gebirgs - Formazion sind. — Sie
fragen mich vielleicht, warum ich nicht selbst die Diamanten da gesucht habe , wo ich glaube, dafs sie zu finden
sind? Weil die kleinen Steinchen, zerstreut in einem Gemenge aus thonigem Sande und Trümmern, nicht ohne
Waschen und Schlümmen geschieden werden können, wozu
es mir an Zeit und Mitteln fehlte.   Wie hätte ich auf einem Raume von mehr als 250 Quadrat-Wersten, zum grofsen Theile mit Sümpfen und Waldungen bedeckt, meine
Untersuchungen anstellen sollen? Wie sollte ich , in der
wenigen Wochen, die ich noch dem *Ural* widmen kann,
schürfen und graben lassen, und Waschwerke anlegen ?
Wie viele Gehülfen und Arbeiter wären mir dazu nothwendig gewesen ? — Der Direktor von *Nischni - Toura*, dem
ich meine Beobachtungen mittheilte, schien mir geneigt, in
seinem Distrikte die erforderlichen Nachforschungen anstellen zu lassen u. s. w. ''

' v. Hum<

---

* Geognostisches Gemälde von *Brasilien*; Weimar; 1822.

v. Humboldt gab Nachricht über das, durch Boussin-
gault aufgefundene Vorkommen des Platins auf
Gängen. (*Ann. de Chim. med.; Aout* 1826, *p.* 397.)
Es dahin hatten alle Nachforschungen über den Ursprung
desselben keinen Erfolg. Man hatte jenes Metall in plattgedrückten, abgerundeten Körnern, in aufgeschwemmten
Lagern und im Sande am *Choco* in *Neu-Granada* gefunden;
in ähnlicher Gestalt kommt es, im *Matto-Grosso* in *Brasilien*, in sandartigen Massen, so wie im Bette des *Yaki*,
und *St. Domingo* vor. Allgemein war der Glaube, die
Körner aller dieser verschiedenen Gegenden, hätten sich abgerundet beim Fortrollen im Sande; aber das von Boussin-
gault aufgefundene Platin, das auf Gängen in einer granitischen Felsart vorkommt, zeigt dieselben Gestalt-Verhältnisse. Es ist dieses Platin gleichfalls mit Palladium, Iridium und Rhodium verbunden.

─────────

Die Insel *Foula*, die westlichste unter den *Schottländischen*, hat ein ausgezeichnetes Aeufseres. Ihre Länge beträgt höchstens drei (Engl.) Meilen, die Höhe 1370 F.,
und an der Westküste stürzt sie mit senkrechten Felsen ab,
die an einer Stelle 1230 F. Höhe messen. Sandstein ist
die herrschende Felsart; er ruht auf Urgesteinen, und zeigt
namentlich in Gneifs die unmerklichsten Uebergänge.
(Fitch, *Mem. of the Werner. nat. hist. Soc.; IV*, 237.)

─────────

Zu *Schneeberg* im *Erzgebirge*, findet sich ein Mineral
von unvollkommenem, strahligem Gefüge, metallisch glänzend, zwischen stahl- und bleigrau, Flußspath rizzend
und von einer spezifischen Schwere = 6,0 — 6,7 *, welches, in Beziehung auf den Gehalt, und darauf, daß
wie sich aus der Untersuchung ergeben, das Wismuth es ist,
welches die Textur der Substanz bestimmt, den Namen
Wismuth-Kobalterz erhalten hat. C. Kersten, welcher die Substanz beschrieb, fand ihren chemischen Bestand
= Arsenik 77,9602, Kobalt 9,8866, Eisen 4,7695, Wismuth 3,8866, Kupfer 1,3030, Nickel 1,1063, Schwefel
1,0160, Mangan eine Spur. Vor dem Löthrohre entbinden
sich starke weiße Dämpfe von arseniger Säure, und es zeigt
sich ein gelblicher Beschlag, während das Erz eine dunklere
Farbe annimmt, ohne jedoch in Fluß zu kommen; Borax-
glas wird davon schön blau gefärbt. Als Pulver ist das Mineral schon in der Kälte, durch Säuren angreifbar. (Schweio-
ger, Jahrb. d. Chem.; n. R.; XVII, 265.)

———

P. Lesson lieferte eine allgemeine Uebersicht des
stillen Ozeans und seiner Inseln (*Ann. des Sc. nat.;*
1825, *Juin*). Die Eilande dieses Meeres liegen zu beiden
Seiten des Aequators. Sie weichen hinsichtlich der allgemeinen Vertheilung von dem Inselzuge ab, welcher mit der
Ostspizze von *Neu-Guinea* beginnt, und östlich von *Neu-
Holland* eine Kette bildet, die in *Neu-Seeland* endet. Diese

---

* Gewicht des, von den quarzigen Beimengungen gereinigten,
Fossils. — Auch die Härte rührt mehr von dem, in beträchtlicher Quantität eingesprengten, Quarze her.

je die Fortsezzung der vorgeschobenen Länder Asiens zu
dem man muß die *Sunda*-Inseln, die *Molukken* und
nesien als ehemalige Theile von Asien ansehen. Die
des stillen Ozeans sind theils vulkanisch, so nament-
hohen, theils animalisch, d. h. solche, die ihren
rung der Arbeit der Korallen verdanken. *Neu-Holland*
ist ein später entstandenes Land; Alles deutet darauf hin,
die Inselkette zwischen *Neu-Guinea* und *Neu-Seeland*
das Ufer eines zertrümmerten, versunkenen Erdtheiles
denn die dortigen Gewässer sind dicht mit platten,
der Meeres-Oberfläche zusammenfallenden Bänken besezt.
ganze erste Stufe, des von N. nach S. ziehenden, *blauen*
gus, so wie die hohen Uferwände, findet man aus
sand (lockeren Steinkohlensand) zusammengesezt. Auf
3292 Engl. Fuß hohen, Berge *York*, der ein ausge-
ter Vulkan scheint, sieht man, wie der Meeressand
ein, beide Ketten trennendes, Thal vollkommen abge-
ten ist. Dem *Clwyds*-Thale schließen sich die Berge
zweiten Kette an; sie bestehen aus Granit, den man bis
weit verfolgen kann. *Neu-Seeland* gehört theilweise
alls zur Ur-Formazion, aber es besizt thätige und aus-
aste Vulkane. Auf der Insel *Praslin*, auf hohen Ber-
Kreidewände, die im Innern des Eilandes ein neues Ufer
einem älteren gebildet haben. Die hohen Berge von
und *Neu-Guinea*, fast unter dem Aequator, müs-
primitiv seyn, denn das Bette der Flüsse besteht aus
n-Geschieben, während die hohen Ufer, und selbst
Insel *Masanouary* und *Masmapp* der späteren Koral-
all-Formazion zugehören, und die Meeresfläche um mehr
00 F. übersteigen. Die *Sunda*-Inseln und die *Moluk-*

12 *

ken gehören, wie bekannt, zur Ur-Formazion *. Es e
sich hieraus, daſs die Inseln im SO. *Asiens, Australien*
die Kette bis *Neu-Seeland* hinab — vielleicht selb[s
Campbell-Insel — der Ur-Formazion, und die eigentl
Inseln des stillen Ozeans einer spätern Zeit, der Feuer-
Korallen-Bildung angehören. Die Vulkane, welche so
und so weit von einander entlegene Länder hervorgeb
scheinen auf, unter der See fortgesezten, Bergketten z
hen. Auch die Korallen scheinen dergleichen submarin
Berg-Gruppen zur Basis ihrer Arbeit gewählt zu h
Der groſse Ozean enthält übrigens auſser vielen ausgeb
ten Vulkanen (so fand man auf den Gesellschafts-I
Trachyt, und der Berg *Oroena*, 3323 Meter hoch,
an seinen Wänden lange Basaltstrecken, dasselbe ist
Naukaniva der Fall) noch eine Menge thätiger, und
seine Grenzen sind damit besezt. *Neu-Seeland* (der
liche Theil ist ganz vulkanisch, der See *Rotondna* is
Krater, aus welchem heiſse Quellen sprudeln), *Kaledo*
die *Schotten*-Inseln, die *Marianen*, die *Sandwichs*-In
Kalifornien, haben brennende Feuerberge. Wahrschei
waren die vulkanischen Inseln des groſsen Ozeans z
bevölkert, während der Mensch erst viel später auf
Korallenriffen ansiedeln konnte. (*Hertha; V*, 168.)

Aus F. von der DEKEN's philologisch-historisch
graphischen Untersuchungen über die Insel

---

* Die *Sunda*-Inseln und die *Molucken* haben Vulkane in gr
Zahl aufzuweisen.   d. H.

geland [*] entlehnen wir Folgendes. — Die Insel *Helgo-
land* (*Heiligeland*) ragt als ein ungeheurer Felsen aus dem
Meere hervor, dessen Wogen sich stets schäumeud an ihm
brechen; der Anblick ist weniger reizend, als furchtbar.
Das Eiland besteht aus jenen Felsen mit einem Vorlande,
und einem, durch einen Kanal von ihm geschiedenen, Sand-
lande. Es ist von Kaninchen und Sandspinnen bewohnt,
und hat einen einzigen Brunnen mit süssem Wasser. Auf
der Oberfläche des Felsens steht die Stadt, zu der man nur
auf einer, in den Felsen gehauenen, Treppe von 126 Stufen, die 10 Fuss breit sind, gelangt. Das Meer hat die
Oberfläche des Felsens rund herum untergraben, und wird
sie einst durchbrechen. Gewiss war die Insel vor Zeiten
grösser; besonders nach der Seite von *Jütland* hin, womit
sie ehemals ganz zusammen gehangen haben mag, oder wovon dieselbe, nach der Sage, nur durch einen schmalen
Kanal getrennt war. Man hat Karten aus der Mitte des
XVII. Jahrhunderts, welche den Umfang der Insel um 800,
1300 und 1649 darstellen; allein die beiden ersten beruhen
mehr auf Muthmassung und Tradizion, als auf sichere Angaben. Einen grossen Abbruch litt die Insel durch die gewaltige Ueberschwemmung von 1649. Nach einer Angabe
soll seit 1699 der Folsen in 91 Jahren einen Verlust
von 4900 F. im Umfange erlitten haben, so, dass vielleicht nach wenigen Jahrhunderten nur noch einzelne Theile
übrig seyn werden. (Gött. gel. Anz.; 1826, 130. St.)

* * *

* Hannover; 1826.

Ueber das Gebiet von Alençon theilt Herr
Nachrichten mit. (*Ann. des Sc. nat.; VIII,* 101.)
mehreren Gegenden um *Alençon,* namentlich bei *Cours,*
det man, nahe an der Oberfläche des Bodens, eine
gelblichen Thones von ungefähr 4 Meter Mächtigkeit.
cher Formazion derselbe angehört, läßt sich nicht mit
wißheit bestimmen, da solcher nur von Dammerde be
ist; möglich, daß er dem, von ihm überlagerten, Ool
Gebilde beigezählt werden muß. Barytspath-Krystalle
den sich hin und wieder darinnen, weit seltener kom
Kalkspath-Bruchstücke vor. Der oolithische Kalk,
welchem der Thon liegt, dürfte dem unteren Theile
im *Calvados* mit dem Namen *Calcaire à polypiers,* bese
neten, Gesteines entsprechen. Dieser Oolith umschließt
fig Drusenräume mit Kalkspath-Krystallen ausgeklei
welcher fast stets von Barytspath begleitet wird. In
Steinbrüchen unfern der alten Straße, nach *Argenton,*
man in den Steinbrüchen drei kleine Mergel-Lagen;
Mergel beim *Pont du Fresne,* schließt viele Enkri
ein, und ruht unmittelbar auf Granit. Auf der Straße
la *Pooté,* in der Nähe der Granitbrüche von *Hertré,*
durch Steinbruch-Bau aufgeschlossener Kalkstein, wel
fast ganz aus späthigen Blättchen besteht, und demjen
vollkommen ähnlich ist, den man häufig in den Arrond
ments von *Bayeux* und *Caen,* in dem mittleren Theile
Calcaire à polypiers, findet. Aehnliche Kalk-Lagen we
oft in dem oberen oolithischen Kalke (*Oolithe d'Oxf*
getroffen; allein da, nach Beobachtungen von JULES
NOYENS, der Oolith der Gegend um *Lisieux,* welcher
Theil dieses Gebietes ausmacht, derselbe ist, wie der

Mortagne, und dieser leztere eine um Vieles höhere Stelle einnimmt, als der Oolith von *Mamers*, der dem Kalke von *Alençon* verbunden ist, so ergibt sich daraus, dafs dieser dem Kalke der oberen Oolithe nicht zugehören kann. — Bei *Coars*, unfern *Alençon*, liegen reine weifse Oolithe auf feinkörnigem Quarz - Sandsteine, dessen Bindemittel zum Theil kalkig ist, und der Drusenräume, mit Kalk - und Baryespath - Krystallen erfüllt, enthält. — Der Sandstein umschliefst einen anderen Sandstein, dessen Bindemittel quarzig ist, und der nur einzelne kleine Kalkkörner enthüllt. — Am Eingange der Vorstadt *Monford*, auf dem linken *Sarthe* - Ufer, liegt über dem Quarz - Sandsteine nur eine Thon-Schicht, untermengt mit Bruchstücken oolithischen Kalkes. — Der Boden, auf dem *Alençon* erbaut ist, scheint demnach dem *Calcaire à polypiers* anzugehören, oder dem oberen Theile des unteren oolithischen Systemes [*]. Das Gebiet erstreckt sich auf ziemlich grofse Weite im N., O. und S. der Stadt, nur gegen W. ist die Ausdehnung sehr beschränkt, denn in 2 bis 3 Kilometern Entfernung findet man Granit.

———

Bei *Saint - Brieux*, im Nordküsten - Departement, verspürte man am 14. April 1826, um 5 Uhr Nachmittags, ein Erdbeben.

———

Am 31. Aug. 1826 fiel im Gouvernement *Ekaterinoslaw*, im *Pawlograder* Distrikte, nach heftigem Getöse in der Luft, das mit einem starken Donnerschlage endigte, ein Aerolith, 2 Pfund schwer, schwarzblau, und an der Oberfläche mit kleinen Höhlungen. (Zeitungs-Nachricht.)

———

[*] s. des Verf. *Mémoire sur les terrains du Calvados*; Ausgabe von 1826.

184

A. Boué schrieb über die Aenderungen, welche
während der verschiedenen Perioden der Erd-
bildung in den Klimaten auf unserem Planeten,
in der Natur, und in der physikalischen und
geographischen Verbreitung von Thieren und
Pflanzen statt gehabt haben dürften. (Jameson,
Edinb. new phil. Journ., *April* 1826, 88.) Die Betrachtung der Aenderungen, welche die Erde durch Vulkane,
Ströme, den Ozean, die Atmosphäre, und verschiedene
chemische Agenzien erlitten, bietet sehr einfache theoretische Ansichten zur Erklärung des Entstehens der Felsgruppen, aus denen die feste Erdrinde zusammengesezt ist, nach
bekannten, physisch-chemischen Gesezzen. Die tabellarische
Uebersicht der Felsarten, dargelegt im XIII. Bande 'des
Edinb. phil. Journ. *, deutet die Ursachen der Aenderungen an, welche auf der Oberfläche unseres Planeten statt
gehabt und, dem zu Folge, in den drei Naturreichen; sie
löst, auf sehr natürliche Weise, das gröfste geologische
Problem, indem die Gründe dargelegt werden, für die Bildung verschiedener Zonen, in Länge, Breite und Höhe,
für das Werden verschiedener Klimate, für die allmählichen
Aenderungen in den Schöpfungen der todten und lebendigen
Natur, endlich für die besondere Vertheilung der Ueberbleibsel der alten oder untergegangen Schöpfungen. Alle
diese Aufgaben scheinen gelöst durch die Annahme, dafs in
einem früheren Zeitraume eine bei weitem gröfsere Thätigkeit in den chemischen Akzionen statt gehabt habe, Akzionen, welche noch immer als Quellen der, heutiges Tages
wirksamen, Vulkane gelten müssen. Dieser erste Saz stützt
sich auf eine Reihe von Thatsachen, aufgestellt in der befragten tabellarischen Uebersicht, aus denen sich ergibt, dafs
die vulkanische Thätigkeit, im umgekehrten Verhältnisse zu
der neptunischen, von den älteren zu den neueren Perioden
abnimmt. Haben nun die unterirdischen chemischen Wirkungen aus den älteren zu den neueren Zeiten sich allmählich vermindert, so mufsten weniger vulkanische Massen ge-

---

* Wir werden bei einer andern Gelegenheit darauf zurückkommen.   d. H.

bildet werden, und kleine Landstriche sind vulkanisirt worden, oder haben feuerige Einwirkungen und Umwandelungen erlitten; und da die erhöhte Temperatur solcher vulkanischen Erzeugnisse auch die Temperatur der Atmosphäre gesteigert haben mußte, so ergibt sich, daß im Verhältnisse wie die Formazion vulkanischer Massen abnahm, auch die Wärme des Dunstkreises und der Erd-Oberfläche geringer wurde. Vulkanische Wirkungen sieht man meist vergesellschaftet mit Spaltungen, mit Einstürzungen oder Emporhebungen ganzer Landstriche. Es müssen solche Erscheinungen, wie gegenwärtig, sich auch ehemals ereignet haben; allein da die bedingenden Ursachen vor Zeiten bei weitem mächtiger waren, so mußten auch die hervorgebrachten Witkungen um Vieles beträchtlicher gewesen seyn. Daraus scheinen sich auch die Emporhebungen gewisser Fels-Schichten und selbst ganzer Theile von Kontinenten zu erklären, so wie die allmähliche Abnahme des Meeres-Niveaus. Unläugbare Folgen sind ferner: daß Seen und Festlande in der früheren Weltzeit sich schneller änderten, als gegenwärtig; daß die Temperatur der Erde folglich auch schneller abnahm. Allein in Folge abnehmender Wärme mußte gleichzeitig auch die Verdunstung sich mindern; die Sonnenstrahlen mußten, in einer minder feuchten Atmosphäre, weniger Wärme gehabt haben; die Mengen niederfallender Regen mußten abgenommen haben, und die atmosphärischen Meteore im Ganzen weniger beträchtlich geworden seyn, die Ströme ihre ursprüngliche Größe, wie ihre zerstörende Gewalt nach und nach eingebüßt, und die geneigten Flächen, längs denen sie flutheten, mußten, je nach dem Verhältnisse örtlicher Umstände, ab- oder zugenommen haben. Auf der andern Seite mußten die Gegenden, von welchen die See verlassen, oder jene, die emporgetrieben worden, einen Theil ihrer Temperatur eingebüßt haben. Ferner ergibt sich, daß die Abnahme der Temperatur nicht gleichmäßig über die ganze Planeten-Oberfläche Statt hatte, sondern daß sie im Verhältnisse stand mit dem Umfange und den Abkühlungs-Graden vulkanischer Massen, mit dem Rückzuge des Meeres und mit der Lage der verschiedenen Erdtheile, im Vergleiche zu ihrer Seehöhe, zu ihrer Entfernung von dem Meereeufer und hinsichtlich ihrer Lage gegen die Sonne. Die

lezte Annahme ergibt mit vieler Wahrscheinlichkeit,
einige Theile der Erde stets wärmer gewesen, als die ü
gen, sie erläutert aufserdem, wie die verschiedenen Zo
entstanden nach Breite, Länge und Höhe, und, in Uel
einstimmung mit örtlichen Verhältnissen, die verschied
Klimate der ganzen Erde. Es ist bekannt, dafs jede Z
und fast jedes Klima, in so fern ihm eine gröfsere Al
meinheit zusteht, ihre besonderen Thiere und Pflanzen
be; wenigstens das ist aufser Zweifel, dafs Zonen, Lä
und Klimate vom wesentlichsten Einflusse sind auf die V
theilung von Thieren und Pflanzen. Ist es nicht natu
mäfs, in dem allmählichen Werden der verschiedenen Zo
und Klimate, die Ursachen von allen den Unterschieden
suchen, welche zwischen der Pflanzen- und Thierwelt h
tiges Tages und den ähnlichen, in Fels-Schichten und St
bänken begrabenen, Schöpfungen beobachtet werden ?
Geognosie hat dargethan, dafs, jemehr wir eindringen
Innere der Erdrinde, um desto einfacher sich die veget
lischen und animalischen Erzeugnisse darthun; diefs we
auf eine grofse Einförmigkeit der Schöpfungen hin, wel
in früherer Zeit die Erdfläche belebten, und die nur
Folgen einer mehr gleichmäfsigen Temperatur, die ei
Statt gehabt, gelten kann, denn die angedeuteten Ursach
hatten damals die gegenwärtig kalten oder gemäfsigten Z
nen in warme umgewandelt, sie verliehen vielleicht
heifsen Zone eine um Vieles höhere Temperatur, als i
gegenwärtig zusteht, während zu gleicher Zeit gewiss
Theilen dieser Zone, durch den Einflufs mannichfacher, ni
bekannter, Umstände die Temperatur anderer Himmelsstri
eigen seyn konnte. So wie Zonen und Klimate allm
lich sich begründeten, wurden Thiere und Pflanzen manni
facher; die Vegetabilien gewisser Erdtheile erloschen sogle
weil sie nicht mehr das ihnen zuträgliche Klima fand
und in Gemäfsheit ihres Vertheiltseyns zu jener Zeit,
wie der, zu ihrer Existenz nöthigen, Temperatur, ver
ren sich einige augenblicklich, andere arteten aus, und ma
che Geschlechter und Gattungen, denen vielleicht ei
ziemlich hohe Temperatur nothwendig war, leben no
zwischen den Tropen. Die Thiere, denen keine Lokom
tivität zustand, mufsten dasselbe Schicksal erfahren, w

die Pflanzen; jene Geschlechter hingegen, denen die Macht sich zu bewegen verliehen war, verwendeten dieselbe zum Auswandern in Gegenden, deren Verhältnisse sie für sich zuträglich fanden. Einige, die in Folge vulkanischer Empörebungen, oder durch das Zurücktreten des Meeres, plötzlich in kalte Klimate versezt wurden, mufsten gänzlich untergehen, oder nur in der Nähe des Aequators ihr Leben gefristet haben; andere, die kein ihnen zuträgliches Klima fanden, mufsten allmählich aussterben, während gleichzeitig noch andere von den Bergen in die Thäler und flachere Gegenden herabstiegen. — Auf solche Weise dürfte das Gemenge von Pflanzen und Thieren der gemäfsigten und heifsen Zone erklärbar werden, desgleichen die innigen Beziehungen zwischen der geognostischen Struktur der Erdrinde und der geographischen Vertheilung von Pflanzen und Thieren, und besonders auch das vereinzelte Auftreten mehrerer derselben. Der Petrefaktolog kann schon *a priori* den Schlufs ziehen, dafs, jemehr wir, vom Aequator aus, den Polen näher treten, die fossilen Ueberreste nach Geschlechtern und Gattungen, denen ähnlich oder analog werden müssen, welche gegenwärtig zwischen den Tropen vorhanden sind. Je neuer die Formazionen sind, um desto sicherer darf man erwarten, die analogen oder identischen Spezies ihrer fossilen Ueberreste zu finden. Je älter im Gegentheile Fels-Ablagerungen sind, um so weniger, kann man hoffen, identische, oder auch nur analoge Spezies in den Meeres - oder süfsen Wassern der heifsen Zone zu treffen; denn unter dieser Zone vereinigen sich gegenwärtig vielleicht nicht mehr alle nothwendigen Umstände zum Vorhandenseyn solcher Wesen, obgleich der Wärmegrad heutiger Zeit noch der nämliche seyn dürfte. Je neuer die Formazionen in verschiedenen Kontinenten sind, oder in irgend einem besonderen Kontinente, um desto abweichender müssen die fossilen Reste von einem Festlande zum andern, von einer Zone zur andern, ja selbst von einem Boden zum andern seyn. Aber die fossilen Ueberbleibsel dieser verschiedenen Lande, werden sich stets in dem nämlichen Verhältnisse zeigen, was die Zahl analoger oder ähnlicher Spezies im Vergleiche zu den, in jenen verschiedenen Gegenden noch lebend vorhandenen, Thieren betrifft.

Neuere Analysen mineralischer Körper.

Albit aus dem *Wildthale* bei *Freiburg* im *Breisgau* = Kiesel 69,8, Thon 18,2, Kalk 0,6, Natron 10,0. (R. Bran-des, Schwligger's Jahrb. d. Chemie; XVII, 318.)

Asche i. J. 1822 vom *Aetna* ausgeworfen = Kiesel 28,10, schwefelsaurer Kalk 18,00, schwefelsaures Eisen 20,88, Thon 8,00, Kalk 2,60, Kohle 1,00 *. (Vauque-lin, *Journ. de Pharm.; XI*, 553.)

Barytspath von *Pyrmont* = schwefelsaurer Baryt 93,9, schwefelsaurer Stronzian 3,1, schwefelsaurer Kalk 0,5, Wasser 2,5. (R. Brandes u. Th. Gruner, Schweig-ger's Jahrb. d. Chem.; n. R.; XVI, 245)

Thoniges schwefelsaures Blei ** von *Baden-weiler* = schwefelsaures Blei 84,8, eisenschüssiger Thon 13,2, Wasser 2,0. (P. Berthier, *Ann. d. Min.; XIII*, 227.)

Cererit von *Nya - Bastnäs -* Grube bei *Riddarhyt-tan* = Cereroxyd 79,4, Tantaloxyd 0,3, Molybdän 0,2

---

* Die fehlenden 21,42 dürften aus Feuchtigkeit, schwefelsaurem Kupfer, schwefelsaurem Thon, und aus Spuren von Salzsäure und Schwefel bestehen. V.

** Erschien plözlich an der Stelle des arseniksauren Bleies, welche seit langer Zeit Gegenstand des Bergbaues war. Die Substanz ein Gemenge, ist dicht, im Bruche uneben - feinkörnig, blal ockergelb ins Röthliche, undurchsichtig und von krystallinischer diamantglänzenden Partbieen durchzogen; auch enthält dieselb einige schwefelgelbe Körner.

eisenhaltige Thonerde 0,5, Kieselerde 17,1, Yttererde 1,4 *. (GRUNER, TROMMSDORFF's neues Journ. d. Pharm.; X, 45.)

Cordierit von *Arendal* in *Norwegen* $=$ Kiesel 44,0, Thon 30,0, Talk 10,0, Eisen-Protoxyd 13,2, Mangan-Protoxyd 0,8, Kalk (Spur), und Wasser 0,6. (LAUGIER, *Bullet. de la Soc. phil.*; 1826, *Mars*, *p.* 43.)

Dolomit von *Ollioule* in *Provence* $=$ kohlensaurer Kalk 51,55, kohlensaurer Talk 41,31, Kiesel, Thon und Eisen 2,50.

Derselbe von *Cette* in *Languedoc* $=$ kohlensaurer Kalk 5,44, kohlensaurer Talk 39,24, Kiesel, Thon und Eisen 4,00. (LAUGIER, *Bullet. de la Soc. phil.*; *Décbre*, 1825, *p.* 184.)

Zinnweißer Glimmer von *Zinnwald* $=$ Kiesel 44,28, Thon 24,53, Eisen-Protoxyd 11,33, Mangan-Protoxyd 1,66, Flußsäure 5,14, Kali 9,47, Lithion 4,09.

Grauer Glimmer aus *Cornwall* $=$ Kiesel 50,82, Thon 21,33, Eisen-Protoxyd 9,08, Mangan-Protoxyd (Spur), Flußsäure 4,81, Kali 9,86, Lithion 4,05.

Grünlicher Glimmer von *Altenberg* $=$ Kiesel 44,19, Thon 22,72, schwarzes Eisenoxyd 19,78, Mangan-Protoxyd 2,02, Flußsäure 3,99, Kali 7,49, Lithion 3,06.

Brauner Glimmer aus *Cornwall* ** $=$ Kiesel 40,06, Thon 22,90, Eisen-Peroxyd 27,06, Mangan-Protoxyd 4,79, Flußsäure 2,71, Kali 4,30, Lithion 2,00. (E. TURNER, BREWSTER, *Edinb. Journ. of Sc.*; *Oct.* 1825, *p.* 261.)

Hétépozit von *Hureaux* in der Gemeinde *St. Sylvestre*, im Depart. der *Haute-Vienne* $=$ Eisen-Peroxyd 35,5, Mangan-Protoxyd 16,5, Phosphorsäure 48,0. (VAUQUELIN, *Ann. de Chem. et de Phys.*; *XXX*, 294.)

---

* Daß die gefundenen Stoffe wohl als beigemengte zu betrachten sind, ist sehr wahrscheinlich, darum dürfte ihre Menge nicht immer dieselbe seyn. GR.

** Eine frühere Zerlegung desselben Glimmers von dem nämlichen Analytiker, findet man, ihren Resultaten nach, im Jahrgang 1826 dieser Zeitschr., I, 478. d. H.

Huraulit von *Hureaux* im Depart. der *Haute-Vienne* $=$ Eisen- und Manganoxyd 47,2, Phosphorsäure 32,8, Wasser 20,0. (VAUQUELIN, *Ann. de Chim. et de Phys.; XXX.*, 302.)

Kakoxen von der Eisenstein-Grube *Hrbek* in der Herrschaft *Zbirow* in *Böhmen* $=$ Kiesel 8,90, Phosphorsäure 17,86, Thon 10,01, rothes Eisenoyyd 36,32, Kalk 0,15, Wasser und Flufssäure 25,95. (STEINMANN, Vorträge, gehalten in der öffentlichen Sizzung der Böhmischen Gesellsch. d. Wissensch.; Prag, 1825.)

Die Resultate dieser Zerlegung, deren Wiederholung wegen geringen Vorraths des Minerals nicht möglich gewesen, erwarten durch weitere analytische Arbeiten, ihre Bestätigung oder Berichtigung.

Lepidolith vom *Ural* $=$ Kiesel 50,35, Thon 28,30, Manganoxyd 1,23, Flufssäure 5,20, Kali 9,04, Lithion 5,49 und eine Spur Kalk.

Dergleichen aus *Mähren* $=$ Kiesel 50,91, Thon 28,17, Manganoxyd 1,08, Flufssäure 4,11, Kali 9,50, Lithion 5,67 und eine Spur Kalk. (BREWSTER, *Edinb. Journ. of Sc.; June* 1826; *p.* 162.)

Magneteisen * aus der Gegend von *St. Brieux* im *Nord-Küsten-*Departement $=$ Eisen-Peroxyd 48,8, Eisen-Protoxyd 23,4, Thon 13,3, Kiesel 11,0, Chromoxyd 0,3, Kohle und Verlust 3,2. (P. BERTHIER, *Ann. des Mines; XIII*, 227.)

Manganerz von unbekanntem Fundorte $=$ Mangan-Peroxyd 76,73, Eisen-Peroxyd 3,10, Flufssäure 0,75, Wasser 2,99, kieselige Materie 17,85, Kalk, eine Spur. (BONIS, *Journ. de Pharmacie, Juin*, 1826; *p.* 326.)

Der Zerleger fügt die Bemerkung bei, dafs dieses Manganerz, von dessen Vorkommen-Verhältnissen er nicht unterrichtet ist, derb sey, Glas leicht rizze und an dem Stahle einige Funken gebe; kleine Quarz-Krystalle kommen damit verwachsen vor.

---

* Bildet an der Oberfläche des Bodens einen kleinen, nicht geschichteten, in sehr grofse Blöcke sich absondernden Hügel. Die Textur ist zuweilen Rogenstein-ähnlich, theils auch unvollkommen schiefrig; Farbe schwarz, aber ohne Metallglanz.

Meteorstein am 24. Okt. 1824 bei *Zebrak* im *Be-raner* Kreise in *Böhmen* gefallen = metallisches Eisen 19,45; metallisches Nickel 0,85, Schwefeleisen 18,82, Kiesel 41,03, Thon 4,45, Talk 2,40, Eisen-Protoxyd 6,71, Wasser 2,40, Manganoxyd und Verlust 2,09. (ZIPPE, Verhandl. d. Gesellsch. des vaterländischen Museums in Böhmen; 3. Heft, S. 62.)

Hinsichtlich der Bestandtheile stimmt dieser Meteorstein mit jenen der bisher untersuchten Aerolithe, den von *Stannern* aus genommen, im Wesentlichen überein. In Beziehung auf die Gemengtheile, gehört derselbe unter die an metallischen Theilen reichen, und kommt darin mit denen von *Lissa* am nächsten.

Pikrosmin * von der Eisengrube *Engelsburg* unfern *Imniz* in *Böhmen* = Kiesel 54,886, Talk 33,348, Thon 3,792, Eisen-Peroxyd 1,399, Mangan-Protoxyd 0,420, Wasser 7,301. (G. MAGNUS, BREWSTER, *Edinb. Journ. of Sc.; Jan.* 1826, *p.* 108.)

Pyrop vom *Stiefelberge* in *Böhmen* = Kiesel 42,080, Thon 20,000, Talk 20,199, Eisenoxydul 9,096, Kalk 1,993, Chromsäure 3,013, Eisenoxyd 1,507, Manganoxyd 0,320. (Fr. v. KOBELL, KASTNER's Archiv f. d. g. Naturl.; VIII, 417.)

---

* Die neue Mineral-Gattung, von welcher die Rede, ist durch HAIDINGER bestimmt worden (*Treatise on Min.*; III, 137.) Das Fossil, wozu wahrscheinlich ein Theil vom gemeinen Asbeste, namentlich von dem bei *Zöbliz* vorkommenden, gehören dürfte, findet sich auf Lagern im Urgebirge mit Magneteisen und Braunspath. Es erscheint in grünlichweißen ins Grünlichgraue, und in verschiedenen Nuanzen des Grünen übergehenden, perlmutterglänzenden, nur an den Kanten durchscheinenden, krystallinischen Massen; die Kernform ist eine gerade rektanguläre Säule, bei welcher sich die, durch Spaltung entblößten Entseitungs-Flächen über M unter Winkeln von 126° 52' neigen; rizt Kalkspath, rizbar durch Flußspath; Strichpulver weiß; Eigenschwere = 2,66 bis 2,69; vor dem Löthrohre unschmelzbar; in Borax und Phosphorsalz lösbar, in lezterem mit Hinterlassung eines Kiesel-Skelettes; mit Natron auf Kohle zur halbverglasten undurchsichtigen Masse; mit Kobalt-Solution Reaktion von Mangan zeigend.

Retinasphalt von *Cape Sable* in *Maryland* =
tumen 55,5 , eigenthümliches Harz 42,5., Eisen und ?
1,5. (G. Troost, *Transact. of the Americ. Soc. of Phi*
II, 110.)

Serpentin von *Gullhjö* in *Wermeland* = ?
42,34, Talk 44,20, Eisenoxydul 0,18, Kohlensäure
Wasser 12,38 ; (Verl. 0,03). (G. S. Mosander, Po
dorff's Ann. d. Phys.; V, 501.)

Rosenrothe Substanz * von *Confolens* im
part. der *Charente inférieure* = Kiesel 57,5, Thon
Kalk 2,4, Talk 2,4, Wasser 15,4. (P. Berthier,
des Min.; *XIII*, 213.)

Tafelspath von *Cziklowa* = Kiesel 50,0, Kalk
Kohlensäure 1,5, Wasser 2,0. (R. Brandes, Schv
ger's Jahrb. XVII, 246.)

Titaneisen von *Muisdon*, im Depart. der L
inférieure = Eisenoxyd 44,0, Titanoxyd 9,0, Kiesel
Talk 10,0, Thon 3,0. (P. Berthier, *Ann. des I*
XIII, 217.)

---

* Diese sonderbare Substanz kommt in Thon, auf Adern
in kleinen Massen vor; sie ist dicht, im Bruche gar; w
ähnlich und sehr weich; im Wasser zerspringt sie in
kleine, Durchsichtigkeit erlangende, Bruchstücke;
Kalzinazion wird dieselbe weifs und so hart, dafs sie
stark rizt. — Die Färbung dürfte ohne Zweifel von ein
ganischen Substanz abstammen.

Ueber

Alluvium und Diluvium.

Von

Herrn Professor Sedgwick.

(Fortsezzung. S. Januarheft S. 67.)

Aus dem Vorhergehenden ergibt sich, daſs die Diluvial-Formazionen nicht entstanden sind in Folge theilweiser und vorübergehender Ueberschwemmungen, verursacht durch den Ausbruch von Seen, oder durch irgend eine der gewöhnlichen Wirkungen, mit deren bedingenden Ursachen wir bekannt sind. Die lezte Annahme dürfte begründet seyn in der ständigen Aufeinanderfolge von Diluvium und Alluvium, und in dem Verschiedenartigen der, in beiden eingeschlossenen, organischen Ueberbleibsel; vorzüglich aber stüzt sich dieselbe auf die beiden folgenden Betrachtungen: 1. daſs die Oberfläche der Erde, mit sehr wenigen Ausnahmen, keine Spuren

13

ehemaliger Seen zeigt, denen man die Kraft
schreiben könnte, solche Mengen von Grufs her
zubringen; 2. dafs, wenn man auch, gegen
Evidenz, das Vorhandenseyn solcher alten Seen
nehmen wollte, die Hypothese dennoch kein A
verschafft, mächtig genug, um die überall ausge
teten Trümmer (*diluvial debris*) von ihm alle
zu können. — Buckland's Untersuchungen h
dargethan, dafs in keinem der höheren Theile
lands einige Spuren solcher terassenförmigen
Absäzze wahrgenommen werden, wie man si
den *Glens* von *Schottland* sieht.

Diluvial-Wirkung, erwiesen aus
Gestalt-Verhältnissen mancher Ent
fsungs-Thäler (*Valleys of Denudation*).
läugbar ist, dafs unsere sekundären Thäler d
Entblöfsung gebildet wurden, und dafs viele T
der Aufsenfläche des Planeten, nachdem die fe
Fels-Schichten ihre gegenwärtige Stellung eing
men, grofse Aenderungen in der Gestalt durch
wirkung der Wasser erlitten haben. Es dürfte
daraus die Behauptung ergeben, dafs in zahl
Fällen der gegenwärtige trockene Zustand der
Oberfläche weder durch lange fortdauernde
wirkung der Elemente, noch durch den Ausb
einer Reihe, vormals in höheren Gegenden e
schlossener Seen, bewirkt werden konnte; un
jene Behauptung begründet, so geht daraus w
hervor, dafs die gegenwärtigen Modifikazionen
äufserlichen Umrisse unserer Erde Folgen des

wirkens von Wassern, sind, die durch Kräfte bewegt
worden, sehr verschieden von den uns bekannten.
Einige Thatsachen mögen zur Erläuterung dienen.
In den Grafschaften *Kent* und *Sussex* entspringen
viele kleine Flüsse auf dem mittleren Rücken der
Hasting sands. Sie fallen, in nördlicher und südlicher Richtung; den, mit *weald clay* erfüllten, Längenthälern zu, und statt ihren Weg zum Meere
durch dieselben fortzusezzen, brechen sie, unter
beinahe rechtem Winkel, hervor, und fliefsen, in
tiefen Schluchten durch die nördlichen und südlichen Dünen, einer Seits in die Themse, und anderer Seits in den Kanal. Auf diese Weise sieht man
die ganze Gegend durchzogen von einem gedop-
pelten Systeme von Thälern, welche mit dem Meere
in Verbindung stehen, und einander fast rechtwinkelig schneiden. Es scheint undenkbar, physisch
unmöglich, dafs diese seltsamen Umrisse ausschliefslich durch langdauerndes Einwirken der Wasser
sollten hervorgebracht worden seyn. Denn wollte
man auch zugeben, dafs die Flüsse die Längenthäler
in *weald clay* ausgehöhlt hätten, so spricht dennoch kein Grund dafür, weshalb sie nicht jezt noch
diesen Thälern folgen sollten, und es bleibt uner-
klärbar, aus welchen Ursachen sie, an nicht weniger als acht Stellen, sich ihren Weg durch die
hohen Rücken der nördlichen und südlichen Dünen
gebrochen haben sollten. Wollte man auch eine
Verlängerung dieser Dünen in südöstlicher Richtung annehmen, so, dafs dieselben fortlaufende

13 *

Rücken ausmachten, so wird die Schwierigkeit
vermindert, aber nicht beseitigt. Nach solcher
aussezzung möchte ein See den Raum erfüll
welchen der *weald clay* jezt einnimmt; de
durchbrach die Schranken, die ihm das K
Gebiet sezte, und bildete ein oder zwei
blöfsungs-Thäler. Unmöglich aber ist, dafs
ein Agens das verwickelte Thal-System erzeu
ben sollte, von welchem man die Dünen d
schnitten sieht. Dafs vielmehr alle diese T
durch die nämlichen zerstörenden Ursachen ih
seyn erhielten, welche die Aufhäufungen alle
chen Grufses in den benachbarten Gegenden
England hervorbrachten, leidet keinen Zweif
Ein anderes denkwürdiges Beispiel gewährt die
Wight. Zwei kleine Flüsse, welche auf der
chen Seite der mittleren Dünen entspringen, 1
ihren Lauf zum Meere, in niedrigen und ger
Kanälen, durch den lockeren eisenschüssigen
nehmen können; allein sie fliefsen in nörd
Richtung durch zwei tiefe Thäler des Kreide-
kens. Unmöglich ist, dafs die Flüsse diesen I
gang selbst gebahnt haben; Kräfte von höherer
müssen hier thätig gewesen seyn. Eine sorgs
Untersuchung der Oberfläche dieses Eilandes
rechtigt vollkommen zur lezteren Annahme;
es sind unzweifelhafte Beweise vorhanden, dafs
luvial-Strömungen über jeden Theil von *W*
selbst über die erhabensten Punkte sich verbr
dafs sie tiefe Thäler ausgehohlt und unermel

Grufs-Mengen vor sich hergetrieben haben; man
sieht die lezteren auf den oberen Süfswasser-Gebilden (*upper freshwater beds*), und auf allen übrigen terziären Ablagerungen, welche bis zum nördlichen Kanal sich erstrecken, abgesezt.

Aus diesen Betrachtungen ergeben sich zwei
Schlüsse: 1. dafs während einer Periode, die später
fällt, als die Bildung der neuesten bekannten ge-
regelten Schichten viele Theile von England durch
mächtige, die Oberfläche des Bodens entblöfsende,
Kräfte, verwüstet wurden; 2. dafs Gestalt-Verhältnisse und Richtung der Thäler nicht als Folge einer
der, heutiges Tages noch thätigen, Wirkungen der
Wasser gelten können. — Und ähnliche Ereignisse
werden ohne Zweifel auch in andern Gegenden Statt
gehabt haben.

Lage und Ausdehnung des *Diluvial-*
Detritus. Zuerst verlangt das Material Untersuchung, welches durch *Diluvial*-Strömungen zertrümmert und über verschiedene Gegenden von England ausgebreitet worden; Lage und Erstreckung
desselben werden ergeben, dafs sein Daseyn unmöglich durch die gewöhnliche Wirkung irgend eines
bekannten physischen Agens kann bewirkt worden
seyn. Es ist hier nicht die Rede von den, fast
ohne Unterbrechung auf der südlichen Küste fortlaufenden, Massen von *Diluvium*, so wie von den
entsprechenden Erscheinungen im mittleren und süd-

lichen Theile von England; nur die, auf **Thatsa**
sich gründende, Bemerkung möge eine Stelle
den, daſs man in den erwähnten Gegenden üb
die Wirkungen jener zerstörenden Kräfte si
welche den *Diluvial* - Gruſs erzeugten.

Diluvium an der Ost-Küste u. s
Die östlichen Gegenden Englands, von den Kre
Gebilden in *Lincolnshire* bis zu den von *Camb*
geshire, zeigen eine Reihe von Phänomenen, i
verbunden mit der Geschichte der *Diluvial-A*
gerungen. In der Nähe von *Cambridge*, und,
es das Ansehen hat, längs der ganzen Abdach
der Kreide in den Grafschaften *Norfolk* und
folk, lassen sich die *Diluvial*-Ablagerungen in z
besondere Klassen theilen. Die eine besteht
grobem Material, ist oft auf beträchtlichen Hö
vorhanden, und scheint dem ersten Einbruche
Wasser ihr Daseyn zu verdanken; die andere t
man an minder erhabenen Stellen, und allem A
sehen nach, mehr zerrieben durch fortdauer
Einwirkung der Wasser. Die weit erstreckten
lagerungen, in der niederen Gegend zwischen C
bridge und *Lyun*, gehören in der Regel zur lezte
Klasse, und die ungeheuren Mengen der, in densel
enthaltenen, Feuerstein-Rollstücke dürften dartl
daſs die benachbarten Kreide-Schichten einst noch
Vieles weiter in westlicher Richtung verbreitet
wesen, auch beweist eine genauere Untersuch
der Kreide-Berge, daſs die Wirkungen der Stri
keineswegs auf den niederen Theil der Abdach

gen beschränkt gewesen, sondern daſs sie ungeheure
Grufs-Massen, selbst über die höchsten Punkte der
Dünen, hinweggeführt, und die ganze Oberfläche
des Landstriches, auf solche Weise, durch sie grofse
Aenderungen erlitten habe. Endlich deutet der steile
Abfall der Kreide an der Küste von *Norfolk*, und
das Wiederauftreten des nämlichen Gesteines in den
Wolds of Lincolnshire darauf hin, daſs die Formazion einst zusammenhängend war, und daſs die
ganze *Wash* von *Lincolnshire* eine Folge Statt gehabter Entblöſsung ist.

Diluvium in *Huntingdonshire* und
Cambridgeshire. Die hoch liegenden Ebenen,
welche sich an der Grenze von *Bedfordshire*, *Cambridgeshire* und *Huntingdonshire* befinden, zeigen
an mehreren Stellen parzielle Ablagerungen solchen
zusammengeführten Materials, unter dem Rollsteine beinahe aller, in England bekannten, Formazionen getroffen werden; manche Bruchstücke der
älteren, darunter befindlichen, Felsarten stammen
von zweifelhaften, oder ganz unbekannten Fundorten: andere Rollstücke primitiver und Uebergangs-
Gebirgsarten ähneln den, an der westlichen Seite
Englands vorhandenen, Fels-Gebilden, und manche
derselben, welche vorzüglich starke Abrundung zeigen, sind wahrscheinlich durch eine alte Katastrophe in den Konglomeraten des *new red sandstone*
begraben, und später durch andere Umwälzungen
auf ihre gegenwärtige Stelle geführt worden; viele
Geschiebe von Bergkalk (*mountain limestone*) und

von Trapp entsprechen den gleichnamigen Felsarten
von *Derbyshire* und *Staffordshire;* sehr zahlreiche
Blöcke endlich gehören neueren Schichten an. Im
O. und SO. von *Cambridge* finden sich ausgedehnte
Diluvial-Ablagerungen, ähnlich den so eben beschriebenen. Der Grufs des Gipfels auf den *Gog-
magog*-Bergen enthält ungeheure Rollstücke von
Graniten und Porphyren; Geschiebe ähnlich denen
im *new red sandstone* vorkommenden; Massen von
Trapp und Bergkalk, endlich manche Trümmer,
der oolithischen Formazion zugehörig. Solche Grufs-
Massen sieht man auch an mehreren Stellen in *Suf-
folk* und *Norfolk* ausgebreitet *.

Ebenen von *Cheshire* und Hügel von
Derbyshire u. s. w. Ungeheure *Diluvial*-Mas-
sen erstrecken sich von dem Fufse der grofsen oolithischen Terasse durch manche Theile von *Leicester-
shire* und *Staffordshire,* und durch beinahe alle
Theile der Ebenen von *Cheshire.* In jedem Niveau
dieser Gegenden trifft man *Diluvial*-Trümmer,
auf den Höhen der *Charnwood* Wälder, wie in den
nachbarlichen Thälern; grofse Blöcke liegen selbst
hin und wieder auf den Gipfeln der *Derbyshirer*
Kette.

Westliche Moore, Zentral-Ebenen
und östliche Küsten von *Yorkshire.* In
den Gegenden um die westlichen Moore von *York-*

---

* HAILSTONE in den *Geol. Transact.;* III, 244.

shire finden sich gewaltige Anhäufungen groben
Grufses. Nirgends sieht man Spuren von Seen, deren Wasser, durchbrechend und den Weg nach den
niederen Landstrichen sich bahnend, als bedingende
Ursachen der Katastrophen gelten könnten; der *Diluvial*-Schutt scheint vielmehr gleichmäfsig über
die ganze Zentral-Fläche, durch eine Ursache, die
gleichzeitig gewirkt haben dürfte, verbreitet worden
zu seyn; wir treffen deren Spuren von dem südlichsten Ende von *Yorkshire* bis zur Mündung des
Tees. Ueberall an der Küste von *Yorkshire*, wie
in der ganzen nachbarlichen Gegend, erkennt man
Folgen ähnlicher Wirkungen. Die zahllosen Entblöfsungs-Thäler in den östlichen Moorländern; die
unermefslichen Haufwerke herbeigeführten Materials,
auf Bergen, wie in Thälern; der ganze Umrifs des
Thales von *Pickering*; die rundlichen Massen primitiver Gesteine, mitunter von gewaltiger Schwere,
eingeschlossen im *Diluvium*, das seine Stelle auf
den Kreide-Hügeln unfern *Flamborough Head* einnimmt; endlich die zusammenhängende *Diluvial*-Masse, von *Bridlington* bis *Spurn Head* sich erstreckend, und von den Kreide-Dünen bis zum
Meere, Alles zeugt von den gigantischen Kräften,
die während der Bildung des *Diluvial*-Grufses thätig gewesen. — Der berühmte Verfasser der *»reliquiae diluvianae«* hat diese Thatsachen mit gröfster
Treue geschildert. — Von besonderem Interesse ist
das *Diluvium* von *Holdernefs*, theils weil dasselbe
mit einer Reihenfolge von Wirkungen, welche alle

nachbarlichen Landstriche betroffen haben, in unmittelbarem Zusammenhange steht, theils weil es,
bei einer ungeheuern Mächtigkeit, sich längs der
ganzen Küste erstreckt, und, auf solche Weise, zur
Erforschung der, seine Geschichte aufhellende, Umstände die beste Gelegenheit darbietet. Stellenweise,
wo dasselbe eine Reihe hoher Klippen ausmacht,
gewinnt es einen Anschein von Schichtung, oder
man sieht wenigstens ein Abgetheiltseyn in besondere Massen von deutlich unterscheidbarem Charak-
tern. Der niedere Theil der Klippe, bis zu ungefähr 20 F. Höhe, besteht gewöhnlich aus zähem,
blaulichem Thone, der hin und wieder in dunkel-
braunen Lehm übergeht. Mahlzähne von Mammuth wurden an mehreren Stellen in dieser Ablagerung getroffen, und durch das Ganze sieht man, in
unglaubhafter Menge, abgerundete Blöcke von Granit, Gneifs, Diorit, Glimmerschiefer u. s. w. verbreitet, nicht den gleichnamigen Gesteinen Englands, sondern vielmehr den Skandinavischen ähnlich. Regellos damit gemengt, und vielleicht in
noch gröfserer Zahl, erscheinen zwischen denselben
zerstreut, Bruchstücke von Bergkalk, von Kohlen-
Sandstein, Lias, Rogenstein und Kreide, abstammend aus den Fels-Schichten der nächsten Gegenden, und ihrer jezzigen Lagerstätte durch eine gewaltige östliche Fluth zugeführt, deren Spuren überall in den nahen Landstrichen wahrgenommen werden. Jene Rollsteine und Bruchstücke findet man
gleich häufig in den oberen, wie in den unteren

Theilen des *Diluvial*-Lehms. Diese, obwohl nicht leicht zu erklärenden, Thatsachen wurden auch bei andern Ablagerungen ähnlicher Art bemerkt, und scheinen für das Grofsartige der Kräfte zu sprechen, wodurch jene Materialien in ihre gegenwärtige Stelle versezt wurden. Eine andere denkwürdige Beobachtung ist, dafs die, aus gröfserer Entfernung herbeigeführten, Blöcke stärkere Beweise erlittener Abreibung tragen, während jene, die von nachbarlichen Felsarten abstammen, minder bedeutende Aenderungen ihrer Gestalt-Verhältnisse erfahren haben, so, dafs Ecken und Kanten derselben mitunter wohl erhalten wurden. — Ueber dieser Ablagerung findet sich eine Folge von Sand- und Grufs-Schichten, sehr vielartig, was Struktur und Mächtigkeit betrifft. Sie scheinen eine Folge länger fortdauernder, aber minder gewaltsamer Einwirkungen, als jene gewesen, welche den *Diluvial*-Lehm, über dem sie ihre Stelle einnehmen, erzeugt haben. Bei *Bridlington* sieht man eine, ungefähr 60 F. mächtige, *Diluvial*-Ablagerung, deren Zusammensezzung nachstehende ist:

1. Thon und Lehm mit grofsen eingeschlossenen Fels-Blöcken und Trümmern;

2. Sand und feiner Grufs;

3. darüber, und unmittelbar unter der fruchttragenden Erde, ein Lager von Rollstücken von Kreide und Feuerstein, stellenweise zu einem harten Konglomerate verkittet.

; Die Unterlage des Ganzen bildet Krei
Ueber dem Sande und Grufs zeigen sich hi
wieder Spuren alter Torf-Sümpfe und ander
luvial-Ablagerungen. Stellenweise macht Fl
die allgemeine Bedeckung aus.

Die ungeheuren *Diluvial*-Anhäufungen zw
Filey Bridge und *Redcar*, eine Mächtigkeit
150 F. erreichend, lassen die nämlichen Unt
theilungen wahrnehmen, wie die Ablagerungen
Holdernefs. Sie gehören ohne Zweifel der
Epoche an. Weiter gegen N. verlieren sich all
lich die Kreide-Trümmer, und es treten Fragm
von *magnesian limestone* auf, und von and
Felsarten, welche aus der Grafschaft *Durham*
stammen.

. Es ergibt sich aus den dargelegten Thatsac
dafs das *Diluvium* von *Holdernefs*, so wie j
die ganze Ostküste von *Yorkshire* einnehmend,
Entstehen eine Reihe von Ursachen verdanken, w
che über die westlichen Moore und den grö
Theil der mittleren Ebene jener Grafschaft.
Wirkungen verbreiteten. Die *Diluvial*-Ström
gen, welche den Grufs von *Holdernefs* hervorbra
ten, sind sehr wahrscheinlich anderen noch mäc
geren Strömungen gleichzeitig, durch die gewal
Massen primitiver Gesteine aus Skandinavien,
Ebenen von *Yorkshire* zugeführt worden; Auch
in den grofsen Ebenen von Deutschland, Polen
Rufsland vorhandenen Felsblöcke und zahllo

Rollsteine, dürften durch die nämlichen Kräfte dahin gebracht worden seyn.

Diluvium am Fuße der Berge von *Cumberland* u. s. w. Vom Fuße des *Stainmoor* bis
Solway Firth, über die ganze, von rothem Flöz-
Sandsteine gebildete, Ebene sieht man, unter dem
fruchttragenden Boden, das *Diluvium* in so ungeheurer Mächtigkeit ausgebreitet, daß alle tiefer liegenden Fels-Schichten davon bedeckt werden. Die
Ablagerungen finden sich nicht stellenweise oder regellos; sie scheinen vielmehr durch eine, gleichzeitig über die ganze Gegend wirkende, Ueberschwemmung allgemein verbreitet worden zu seyn. Grofse
Blöcke, meist von den Felsmassen nachbarlicher
Berge abstammend, sind in zahllöser Menge darin
enthalten. Da, wo man dem Theile der Ebene sich
nähert, welcher das nördliche Ende der bergigten Gegend begrenzt, trifft man Geschiebe und Blöcke von
Gebirgsarten aus *Dumfrieshire*; und noch weiter
gegen SW., da, wo der rothe Flöz-Sandstein bei
Maryport endigt, enthält das *Diluvium* weniger
Blöcke der Uebergangs-Gesteine aus *Cumberland*,
im Vergleich zu jenen, die von der entgegenliegen-
den Küste *Schottlands* hergetrieben worden. Im *Diluvial*-Schutt, der unfern *Hayton Castle*, etwa 4
Meilen nordöstlich von *Maryport*, einen Hügel ausmacht, findet man granitische Blöcke, ähnlich den
Gesteinen des *Criffel*; einer derselben hatte 10 $\frac{1}{2}$
Fufs im gröfsten Durchmesser.

Westküste von *Cumberland*. Von *St.*
Bees Head bis zum südlichsten Ende von *Cumber-*
land sieht man längs der Küste eine, nur hin und
wieder durch Sand-Hügel und andere neuere Formazionen unterbrochene, *Diluvial*-Ablagerung. Die
Klippen zeichnen sich durch eine dunkelrothe Färbung aus, Folgen zahlloser eingeschlossener Trümmer von *new red sandstone*. Mit diesen sind Fragmente und Rollsteine von Granit, Porphyr und Diorit durch das ganze *Diluvium* verbreitet, und hin
und wieder in solcher Menge, dafs die Masse ein
konglomeratartiges Ansehen erlangt, besonders da,
wo neue zämentirende Einseihungen Statt gehabt.
(Wenn solche *Diluvial*-Konglomerate nicht anstehend gefunden werden, so lassen sich dieselben
dennoch von älteren Trümmer-Gesteinen durch das
frische Aussehen der in ihnen enthaltenen Rollstücke
unterscheiden. Die, in älteren Konglomeraten eingeschlossenen, Trümmer sind gewöhnlich mehr im
Zustande von Zersezzung.) Manche Granit-Blöcke
haben eine ungeheure Gröfse, und alle stammen aus
der granitischen Region ab; welche sich vom Fufse
des *Wastdale* durch den *Muncaster* Sumpf bis
in die Nähe von *Bootle* erstreckt.

Diluvium von *Low Furnefs*. Vom *Dud-*
don bis zur Küste von *Low Furnefs* wiederholen
sich alle Erscheinungen, von denen zunächst die
Rede gewesen. Das ganze, das westliche Ufer begrenzende, Land ist mit einer ungeheuer mächtigenAblagerung von rothgefärbtem *Diluvial* - Grufs

lckt, der zahllose. Rollstücke, der vielartigsten
iebilde nachbarlichen Gebirge einschliefst; auch
die gelegenen Inseln zeigen ohne Ausnahme
thaliche Zusammensezzung. Die Richtung in
m die *Diluvial*-Strömungen über die West-
Statt gehabt, spricht sich deutlich aus durch
ane Aufhäufungen von Blöcken des Granits
Eskdale in *Low Furnefs* und in der ganzen
m der nachbarlichen Inseln, und es liefse sich
scheinen von Rollstücken ähnlicher Art auf den
p you *Lancashire* erwarten. BUCKLAND * führt
lafs dieselben in grofser Menge über die Ebene Lancashire, *Cheshire* und *Staffordshire*
en worden. — Die ganze Mächtigkeit der
tal-Decke läfst sich nicht mit Sicherheit aus-
A, indem die unteren Lagen nicht sichtbar
Hin und wieder dürfte eine Mächtigkeit von
als 100 F. Statt haben; bei *Near-Newbiggin*,
an dieselbe 60 F. stark gefunden. — Alle diese,
mene sind erklärbar durch gewaltsame, aus
en Gegenden herabkommende, Wasser-Ergüsse,
Diluvial-Ablagerungen in mittleren
Regionen u. s. w. Auf den granitischen
n, zwischen *Bootle* und *Eskdale*, trifft man
md wieder grofse Blöcke, abstammend von
iedenen Theilen der Formazion grüner Schie-
green *slate formation*). Zahllose Blöcke und

Inl. dil.; 199.

Rollstücke zeigen sich zerstreut auf den, die nordwestliche Grenze ausmachenden, Bergen und Hügelzügen, allein nur selten sind sie in dem Grade charakteristisch, daſs man über ihren Ursprung aburtheilen dürfte. Die Syenit-Blöcke von *Carrockfell*
(angeblich zumal aus Hypersthén und Feldstein
bestehend) lassen sich indessen verfolgen, von dem
Diluvial-Gruſs und Lehm der Ebenen, durch Thäler hindurch und über Hügel hinweg, bis zu den
Felsen, wo die gleichnamigen Gesteine noch anstehend gefunden werden. Der gröſste bekannte
Syenit-Block miſst 21 F. Länge, 10 F. Höhe und
9 F. Breite. — Porphyr-Rollstücke aus dem *St.
John's*-Thale überdecken den Boden um *Penrud-
dock.*

Beweise von *Diluvial*-Einwirkungen
auf die Gipfel der Berge. BUCKLAND * sagt:
daſs die Gipfel vieler Hochgebirge eben so augenfällig von der ändernden Einwirkung der Wasser zeugen, als dieſs bei Bergen und Hügelzügen
niederer Gegenden der Fall ist. — Gar manche
der höchsten Berg-Punkte in *Cumberland* und
Westmorland, welche aus weichem, zerseztem
Schiefer bestehen, sind eben so unläugbar durch die
Einwirkung entblöſsender Strömungen modifizirt worden, als die Rücken sekundärer Bergreihen der
Insel. Die Oberfläche der Erde hat mehrere, wohl

unter-

---

* *Loc. cit.*; 221.

unterscheidbare Katastrophen durch die zerstörenden Wasser erlitten, und die jezt vorhandene Aenderung, in der Gestalt von manchen Bergketten,
dürfte zu einer Zeit erfolgt seyn, welche der Bildung des *Diluvial*-Grußes bei weitem vorangegan-
gen ist. Daß die *Diluvial*-Strömungen jeden Theil
der Bergketten in *Cumberland* überschritten haben,
ergibt sich aus den, von den höchsten Stellen abstammenden, die Spuren des Einwirkens der Wasser tragenden, Fels-Blöcken, welche man in dem,
fast die ganze Ebene überlagernden, *Diluvial*-Lehm
eingeschlossen sieht. — Aus dem Vorhergehenden
folgt, daß das Vorkommen wahrer *Diluvial*-Abla-
gerungen, in der Nähe der Kämme von Gebirgsketten, eine seltene Erscheinung ist. Mehrere
hierher gehörige Beispiele, aus den Gebirgen *Cumberlands*, verdienen darum besonderes Interesse. In
den tiefen Wasserrissen, welche von *Scafell* gegen
Burnmoor Tarn herabziehen, sieht man große Aufhäufungen von *Detritus*, der ohne Zweifel dem
Diluvium angehört, denn sie gleichen durchaus den
Ablagerungen, welche sich im *Mite*-Thale finden.
Selbst auf den Gipfeln der erhabensten Bergzüge,
welche die Thäler von *Ennerdale* und *Buttermere*
scheiden, sind unzweideutige Beweise von der Einwirkung der *Diluvial*-Strömungen vorhanden. Zwischen *Red Pike* und *Ennerdale Scaw* zeigt sich ein
Theil des Bergrückens aus Syenit, und ein anderer
aus weichem Thonschiefer bestehend, und in ungefähr 2000 F. Höhe über dem Niveau des Meeres

trifft man abgerollte· Syenit‑Stücke und ander[e]
steine· aus noch· höheren Gegenden desselben G[e]
ges·unfern *Red Pike* abstammend u. s. w.

. Die grofse Gleichförmigkeit in dem miner[a]
schen Charakter der Felsarten, ·in manchen Th[ei]
Cumberlands, hindert nicht selten die Richtun[g]
·einiger Sicherheit anzugeben, in welcher die [D]
*vial‑*Blöcke ·aus ihrer Fundstätte sind getrieben
·den. Eine solche ·Schwierigkeit findet man
beim Verfolgen der Granit‑Blöcke von *Shap*
dem· diese mit keiner andern Felsart im N[o]
England[s] verwechselt werden können. "Sie üb[er]
gern stellenweise um ·*Shap* ·den Boden ·fast g[
und· sind über die schroffen Abhänge ·des·Ber[
kes ·und über die ·Berge·unfern *Appleby* getri[
worden; ferner sieht· man solche über die E[b
aus *new red sandstone* bestehend, allgemein [
breitet; sie wurden über·die grofse Zentral‑[
Englands ·bis in die Ebenen von ·*Yorkshire* ge[
ben; sie finden sich eingeschlossen von beiden U[
des *Tees;* endlich trifft man noch Spuren sol[
Blöcke auf dem Wege nach der Ostküste.

Als allgemeines Resultat, aus den dargele[
Thatsachen, ergibt sich: dafs die Fluthen, we[
den *Diluvial‑Detritus* hervorbrachten, sich [
jenen Theil von England hinwälzten; dafs sie du[
uns·unbekannte, Kräfte in Bewegung gesezt w[
den; endlich dafs ihr Wirken in eine Zeit f[

welche neuer ist, als alle regelrechte Schichten der Erde, und älter, als alle bekannten *Alluvial*-Aufhäufungen.

Dieselben Schlußfolgen lassen sich auf jeden Theil des großen Europäischen Beckens anwenden, und sehr wahrscheinlich auch auf die entferntesten Weltgegenden. Die zerstörenden Kräfte, welche, zwischen der Westgrenze von Europa und der Zentral-Ebene von Asien, den *Diluvial*-*Detritus* hervorbrachten, mußten Macht genug besizzen, um Spuren ihrer Thätigkeit in jeder Gegend der Erde zu hinterlassen. Auf dem Amerikanischen Kontinente scheint die Formazionen-Folge ungefähr die nämliche zu seyn, wie in England; und über allen normalen (geschichteten) Fels-Gebilden trifft man hin und wieder *Alluvial*- und *Diluvial*-Formazionen, in jeder Hinsicht den Europäischen gleich. Die *Diluvial*-Phänomene in Europa und Amerika dürften demnach einer Epoche angehören.

Die wirkliche Dauer der *Diluvial*-Aera läßt sich nicht mit einiger Gewißheit angeben; denn da die Kräfte der thätigen Agenzien unbekannt sind, so vermag man nicht wohl eine Zeit zu bestimmen, die zur Hervorbringung solcher Wirkungen, wie die beobachteten, nothwendig war. Gleichwohl machen es die dargelegten Thatsachen wahrscheinlich, daß die *Diluvial*-Fluthen plözlich und vorübergehend waren.

Nach dem gegenwärtigen Stande unseres Wissens kann man nicht mit einiger Sicherheit darthun,

daſs die höchsten Stellen unserer Weltfeste von
Diluvial-Wassern überschritten worden; denn
Gestalt - Verhältnisse der gröſsten Gebirgsketten
gen irgend einer älteren Katastrophe angehören,
wir sind nicht berechtigt das Vorhandenseyn
Diluvial - Detritus in Gegenden der Welt anzu
men, die entweder nicht untersucht worden,
die ganz unzugänglich sind. Indessen läſst sich
noch mit einiger Evidenz beweisen, daſs die D
vial-Fluthen suf mehrere der erhabensten Geb
Punkte Europas eingewirkt haben, uud wahrsch
lich ist diefs auch hin und wieder in Asien der
gewesen.

Da wir mit den Kräften, welche die *Dilu*
Wasser in Bewegung sezten, nicht bekannt s
so befinden wir uns auch, mit sehr beschrän
Ausnahmen, auſser Stand die Richtung zu be
men, in welcher sich jene Strömungen über
Erd - Oberfläche bewegt haben. Manche Geget
des nördlichen Europas scheinen von einer mä
gen Fluth überwogt worden zu seyn, die vom
hen Norden ausging. In einigen Theilen Schottl
hat ein groſser Einbruch von Wassern aus NW.S
gehabt *. Die, im Verlauf dieser Abhandlung
gelegten, Thatsachen zeigen, daſs die Strömung
in den verschiedenen Theilen Englands, nicht
eine gegebene Richtung beschränkt waren. —
Allgemeinen läſst sich annehmen, daſs der D
vial-Grufs über sämmtliche geneigte Ebenen ge
ben wurde, welche die Erd - Oberfläche den
zurückziehenden Wassern darbot.

---

* J. HALL, *Transact. of the royal Soc. of Edinb*
Vol. VII.

Geologie

des

Eilandes *Sumatra.*

Von

Herrn William Jack.

(*Transact. of the geolog. Soo.; sec. ser.; Vol. I, p. 397.*)

Die westliche Küste der Insel ist, wegen der Nähe der Gebirge, und um anderer Verhältnisse willen, zu mineralogischen Untersuchungen vorzüglich geeignet. Alle größeren Ströme nehmen ihren Lauf gegen O., woselbst die beträchtlichsten *Alluvial*-Ablagerungen vorhanden sind. Nach Aussage der Eingebornen, war die Zunahme der Aufsenfläche jenes Gebietes sehr grofs und schnell; *Palembang*, eine Stadt, deren die älteste Geschichte als eines Seohafens erwähnt, liegt gegenwärtig 60 Meilen von der Mündung des Flusses; der nahe Berg *Siguntang-guntong* war ehemals ein Eiland.

Nach W. hin zeigen sich auffallende Unterschiede zwischen jenem Theile der Insel, der nordwärts von *Indrapore* liegt, und dem südlichen. Der erste, ungefähr zwei Drittheile der Länge des Eilandes einnehmend, ist der reichste und interessanteste; die Küste, regellos und zerstückt, wird geschützt von einer Menge kleiner Inseln; die Berge, bald dem Ufer näher, bald weiter davon zurücktretend, folgen keiner bestimmten Richtung. Im südlichen Theile läfst die Küste sparsam Einschnitte wahrnehmen, nur wenige Inseln umgürten dieselbe; die Berge aber ziehen, eine fast nicht unterbrochene Kette bildend, bis *Bukit Pugong* unfern *Croee*, in 10 bis 20 Meilen Entfernung von dem Ufer, sie sezzen die sogenannte *Bukit Barisin* oder *Barrier range* zusammen. Nach N. findet sich weniger Parallelism in der Vertheilung der Berge und Hügel; und obwohl ganz *Sumatra* mag angesehen werden, als eine Kette bildend, parallel mit der der *Malayan*-Halbinsel, so zeigen dennoch deren Theile keineswegs eine entsprechende. Regelmäfsigkeit. Die meisten Karten gewähren, in dieser Hinsicht, nur unrichtige Vorstellungen. Die Berge liegen fast alle der westlichen Küste näher, als die Karten angeben u. s. w.

Wahrscheinlich hat *Sumatra* eine, aus Urfelsarten bestehende, Basis. Granit kommt bei *Menang-Kabau* und zu *Ayer Bangy* vor; am weitesten verbreitet aber dürften die sogenannten Trapp-Gesteine seyn, während die erhabensten, meist isolirten Berge, zum grofsen Theile vulkanisch sind. Der Charakter der Feuerberge auf *Sumatra* ist etwas verschieden von dem der *Javanischen*; jene endigen sich meist in Rücken oder Kämmen, die lezteren sind mehr regelrecht kegelförmig, auch zeigt sich ihre Grundfläche in der Regel weit gröfser.

Die Berge, bei *Acheen Head* endigend, so wie das nahe Eiland *Pulo Way*, und die östliche Küste mit Einschlufs von *Pedier*, bestehen aus kalkigen Formazionen.

Die Bucht von *Tappanooly* bildet einen weiten und tiefen Einschnitt unter den Bergen der Gegend um *Batta*. Die Berge, hinabreichend bis zum Meeresufer, so wie die kleinen, in der Bucht gelegenen, Inseln werden vorzüglich durch feinkörnigen Sandstein zusammengesezt, der häufig gelbe und rothe Streifen wahrnehmen läfst. Die Schichten sind im Allgemeinen eben und regelmäfsig, und haben ein sehr unbedeutendes Fallen, nur hin und wieder zeigen sie parzielle Störungen und wellenförmige Biegungen.

In südlicher Richtung, bei *Nattal*, treten die Berge etwas weiter von der Küste zurück, und der Boden wird flacher, durch welchen der Strom, in grofsen Windungen, seinen Lauf zum Meere verfolgt. In der Nähe der Mündung ein kleiner, einzelner, ganz aus Kalkstein bestehender Berg; Trümmer und Blöcke der Felsart liegen in zahlloser Menge über den Boden zerstreut.

Landeinwärts, ungefähr 50 Meilen in nordöstlicher Richtung von *Tappanooly*, der grofse *Tobah-*
See. Der *Batang Tava* und der *Sinkuang*, gehören zu den beträchtlichsten Flüssen der Westküste.
Der erste entspringt in dem *Diri* - Gebirge nordwärts *Tappanooly*, der leztere hat seine Quellen in
Gunong Kalaber, der südlichen Grenze der *Batta* -
Gegend. Der *Tabuyong* ist ein Flufs von geringerer Bedeutung.

Die Provinz *Mendheling*, landeinwärts von *Nat-*
tal gelegen, war lange Zeit hindurch berühmt wegen ihres Goldes. Die Zahl der Gruben, so wie
die Menge des jährlich ausgeführten Goldes, sollen
sehr bedeutend seyn.

Bei *Ayer Bangy*, wo die Berge dem Meere näher treten, erscheint Granit. Die Stelle ist nicht
fern vom *Gunong Pasaman* — in unsern Karten unter dem Namen des Berges *Ophir* bekannt — eine
beträchtliche kegelförmige Bergmasse, deren Seehöhe man zu ungefähr 13,800 F. schäzt; sie liegt in
etwa 26 Meilen Entfernung von der Küste. An ihrer nordöstlichen Seite entspringt der grofse *Soom-*
poor- oder *Rukan* - Flufs, welcher die Insel in
nordöstlicher Richtung durchlauft. — Der *Indragiri-*
Flufs hat seine Quelle an der östlichen Seite des
Sophia-Sees, durchströmt die Provinz von *Menang-*
Kabau, und nimmt die Wasser des berühmten *Ayer*
Mas oder „*Golden Stream*" auf. Der interessanteste Berg dieser Gegend ist der *Berapi*, welcher
stets raucht. Er übersteigt das Meeres-Niveau um

15,000 F., ist auf der westlichen Küste mit dem, in ungefähr 12,000 F. Höhe geschäzten, *Singalang*, in N. und O. aber mit dem, 15,000 F. hohen, *Gunung Kasumbra* verbunden. Der lezte Berg ist der höchste auf *Sumatra*, und wurde erst neuerdings entdeckt.

Bei der Wanderung durch *Menang-Kabau* wurden, an beiden Ufern des Sees, Granite bemerkt, welche mitunter in Gneifs und Glimmerschiefer übergehen; auch Kalk- und Sandsteine kommen vor. Basaltische und Trapp-Felsarten wurden häufig getroffen; Obsidian, Laven und Bimssteine fand man im Thale von *Tigablas*. Die Gegend südwärts *Padang* bis in die Nähe von *Indrapore*, zeigt ein regelloses Haufwerk von Bergen, die in gerader Richtung bis zur Meeresküste sich erstrecken, zahllose Buchten und Inseln sieht man längs des Ufers. Die meisten Berge bestehen aus einer Art Trapp oder Mandelstein (?), welche, in graulichbraunem Teige, zahllose kleine Bruchstücke und rundliche Massen anderer Gesteine wahrnehmen läfst. Die *Padang-Höhe* ist vorzugsweise aus Trapp zusammengesezt; hier werden auch grofse Quarz-Krystalle und Chaltedon-Geschiebe gefunden.

Von *Indrapore* bis *Bencoolen* lauft der Bergzug beinahe parallel der Küste, und der Zwischenraum läfst, durch Einwirkung der Meereswasser entblöfst, eine Reihe Klippen wahrnehmen, aus festem, rothem Thon gebildet. Im Rücken der ersten Hügelreihe, ostwärts von *Moço Moço*, in der Gegend von

Corinchi, liegt ein beträchtlicher See, zuerst durch Dr. CAMPBELL i. J. 1800 besucht, und von ihm *Lake George* benannt. Ein angebautes Thal trifft man im N. desselben; seine Wasser werden ihm von einem kleinen Flusse zugeführt, der vom *Gunong-Api*, einem hohen vulkanischen, stets rauchenden Berge, ungefähr 60 Meilen in NO. von *Indrapore* gelegen, dem See zufliefst.

· Die Gegenden um *Limun* und *Batang Afsii* haben viel Gold, das in neuerer Zeit besonders nach *Moco Moco*, *Bencoolen* und *Palembang* ausgeführt worden.

· Bei *Bencoolen* findet sich die Gebirgs-Reihe ungefähr 20 Meilen landeinwärts, und der Raum zwischen ihr und der Meeresküste wird von, durch Schluchten zerschnittene, Bergrücken erfüllt, deren allgemeines Streichen parallel der Küste ist. Die Trapp-Formazion zeigt sich auch hier herrschend; man findet mehrere Abänderungen von Basalt, Mandelstein u. s. w. Der interessanteste Berg ist der, ungefähr 4000 F. hohe, *Gunong-Bungko* (*Sugarloaf*). Man findet ihn fast ganz aus regellosen Massen von Basalt oder Trapp zusammengesezt. Die Flufsbetten, in der Nähe von *Bencoolen*, führen häufig Rollstücke von Jaspis und Chalzedon und nierenförmige Massen verhärteten Thones. Eisenerze gehören zu den gewöhnlichen Erscheinungen, und in einem Theile des *Bencoolen*-Flusses wurde, durch Einwirkung der Wasser, ein Kohlen-Lager entblöfst.

Die Gegend von *Pasummah* ist eine weit erstreckte Ebene von sehr grofser Fruchtbarkeit, in Vergleich zur Höhe ihrer Lage. Aus dieser Ebene steigt der *Gunong Dempo* empor, der höher ist, als alle Berge dieses Theiles von *Sumatra*, und nicht weniger als 12000 F. über das Meeres-Niveau erhaben seyn soll. Er raucht fast stets; heifse Quellen und andere vulkanische Phänomene sind ungemein häufig in seiner Nachbarschaft. In der Nähe des Gipfels zeigt er sich fast frei von Pflanzenwuchs; auch trägt derselbe Spuren neuerer grofser Erupzionen. Die Berge, *Pasummah* von *Mannae* scheidend, sind basaltisch; in der Ebene von *Pasummah* wurden Eisenkies-reiche Quarzstücke gefunden.

Unter den Inseln längs der westlichen Küste von *Sumatra*, ist die gröfste und wichtigste, *Pulo Nias*, den Europäern fast unbekannt geblieben. Sie mifst nahe an 70 Meilen Länge und 25 Meilen Breite, und besteht meist aus nicht beträchtlichen Bergen, aber ihre geognostische Struktur ist höchst interessant, besonders durch das ausgedehnte Vorkommen kalkiger Massen, abstammend von Korallen, welche man fast auf der Oberfläche aller Hügel findet, unmittelbar die Fels-Schichten bedeckend, und allem Anscheine nach noch ganz in ihrer ursprünglichen Lage *.

---

* Die am *Pulo Nias* gesammelten, und der geologischen Sozietät übermachten Korallen, sind zu Folge einer, der Abhandlung des Hrn. Dr. JACK beigefügten, Anmerkung, ohne Ausnahme, abgerundete Massen, sie tragen augenfällige Merkmale der Einwirkung der Wasser, und gehören zwei verschiedenen Klassen an.

Im Allgemeinen zeigen sich die Korallen so w
verändert, dafs eine bestimmte Angabe ihrer
schiedenen Gattungen möglich ist, und selbst
zarten Verzweigungen der *Madrepora muricata* u.
sind, den Druck des darauf liegenden Bodens,
die Wirkungen der stets dauernden wässerigen
filtrazion abgerechnet, nicht beschädigt. Die
tungen stimmen unbezweifelt mit den, in der 1
des nachbarlichen Meeres noch vorhandenen übe
Grofse Exemplare von *Chama gigas* kommen
der Höhe der Berge vor, und sind den auf
Riffen noch gegenwärtig lebenden durchaus i
tisch. Alle Erscheinungen deuten darauf hin,
die Oberfläche der Insel einst das Bette des Oz
ausgemacht habe, und dafs, auf welche Weise
die Erhebung Statt gefunden, das Ereignifs
Heftigkeit, ohne grofse Störungen für die, die O
fläche einnehmenden See - Erzeugnisse vor sich
gangen sey. Die Felsarten, die untere Lage au
chend, körniger Quarz, Kalk und kalkiger S
stein *, sind geschichtet; die Kalke führen ;
Theil Muscheln - Trümmer, bei *Tallo Dalam* f
ihre Schichten unter 45°. — Hat man Ursache
zunehmen, dafs der Meeresstand niedriger ge
den, oder mufs das Eiland als emporgehoben
ten? Im ersteren Falle müfsten die nachbarli
Küsten übereinstimmende Phänomene zeigen,

---

* Manche dieser Gesteine gleichen auffallend einem
le der Greensand - Formazion Englands.

nicht Statt hat. Durch die grofse Neigung der
Schichten, durch die Verschiebungen, welche sie
mitunter erlitten zu haben scheinen, wird die leztere Hypothese wahrscheinlicher. Indessen mufs es
immer als ein sonderbares Ereignifs gelten, dafs eine Insel von solcher Gröfse, mit einer bedeutenden
Zahl von Hügeln und. Bergen von 800 bis 5000 F.
Höhe, aus der Meerestiefe sollte aufwärts getrieben worden seyn, ohne dafs die, auf ihrer Oberfläche befindlichen, zerbrechlichen See - Erzeugnisse
so wenige Störungen erlitten hätten. Aussehen und
Natur dieser Produkte, scheinen das Ereignifs in
eine Vergleichungsweise neuere Zeit zu versezzen.

Die andern grofsen Inseln der Kette, *Pulo Ba-*
ta, *Mantawi* und die *Poggies* sind weniger bekannt, aber wahrscheinlich in Absicht der Struktur
Pulo Nias nicht unähnlich.

Die Eilande im O. von *Sumatra* zeigen verschiedenartige Beschaffenheit. Jene, welche mehr
entfernt von der Mündung des *Siak* und *Indragiri*
liegen, auf der Westseite der Strafse von *Malacca,*
sind blofses *Alluvial* - Gebiet; die Inseln *Banca* u. a.
hingegen, müssen als der *Malayan* - Kette zugehörig
betrachtet werden, und als eine Fortsezzung des
Striches, der *Malacca* zusammensezt, welcher Insel
sie, was die geognostische Beschaffenheit betrifft, so
wie hinsichtlich der Mineral - Erzeugnisse, zu denen
vorzüglich Zinn gehört, am nächsten stehen.

Auszug aus einem Briefe.

Mainz, *den* 19. *Januar* 1827.

So eben erhalte ich das Dezemberheft Ihrer geschäzten Zeitschrift. Ich beeile mich Ihnen die Bemerkung zu machen, daſs die daselbst aus Barometer - und Thermometer - Beobachtungen geschlossene
Höhe der mittleren Rheinfläche zu *Mannheim* u m
einen Par. Fuſs zu geringe von mir angegeben worden ist: diese Höhe über der Meeresfläche
(in der gemäſsigten Zone) beträgt nämlich 233 Par.
Fuſs — statt der irrigen Angabe von 232 Par. Fuſs.

Der nochmalige Anblick der Berechnung, und
die Bemerkung, daſs das aus der Formel des Hrn. DE
LAPLACE herausgekommene Resultat zu 290,448 Par.
Fuſs (für die Höhe des Beobachtungs-Órtes
auf der Mannheimer Sternwarte) um mehr als
2 Par. F. von den beiden übrigen Resultaten ab-
weiche, bewogen mich, die Rechnung nochmals
mit aller Aufmerksamkeit vorzunehmen; hier fand
ich nun wirklich, daſs ich mich bei der Korrek-
zion des LAPLACEschen Resultates rücksichtlich

der Temperatur der Luft um beinahe 3 Par. Fuß geirrt hatte. Die korrekte Berechnung aus der Formel des Herrn LAPLACE gibt demnach die Höhe des Beobachtungs-Ortes auf der Sternwarte = 293,537 Par. F. — statt der früher angegebenen fehlerhaften Höhe zu 290,448 Par. F.

Da mir während dieser Zeit noch einige andere Formeln (die Höhen-Messungen durch Barometer- und Thermometer-Beobachtungen betreffend) zu Gesicht gekommen sind, so gab ich mir die geringe Mühe — auch nach diesen Formeln — die Höhe des Beobachtungs-Ortes auf der Sternwarte zu berechnen, und theile die Resultate davon hier um so lieber mit, als dadurch die Ueberzeugung gewonnen wird, wie wenig die, aus diesen verschiedenen Formeln berechneten, Resultate von einander abweichen.

Es beträgt nämlich die Höhe des Beobachtungs-Ortes der Sternwarte über der Meeresfläche:

Par. Fuß

1. nach der Formel des Hrn. DE LAPLACE (Exposition du Système du monde; 1824, Vol. I, p. 167) . . . . = 293,337

2. nach den Tafeln des Hrn. BIOT (aus dessen Astronomie physique; Vol. III, entlehnt) = 292,360

3. nach einer in B. SCHOLZ Physik; 1821, S. 458, §. 383 stehenden Formel . = 293,071

Summe = 878,768

Par. Fuſs

Uebertrag $=$ 878,768

4. nach der (in Dr. Schön's Witterungskunde
   [1818]) angeführten Formel des Hrn. von
   LINDENAU . ' . . . . . $=$ 293,560

5. nach der Formel des Hrn. OLTMANN . $=$ 292,610

6. — — — — — TREMBLEY $=$ 293,278

7. — — — — — SHUCKBUROH $=$ 293,452

8. — — — — — WILLIAM ROY $=$ 293,250

Summe $=$ 2344,918

Mittel $=$ 293,115

Von diesen 293,115 Par. F. $=$ Höhe des Beobachtungs-
Ortes der Sternwarte über
der Meeresfläche,

abgezogen 60,000 Par. F. $=$ Höhe des Beobachtungs-
Ortes der Sternwarte über
der mittleren Rheinfläche,

bleiben 233,115 Par. F. $=$ der Höhe der mittleren
Rheinfläche zu *Mannheim* über der Meeresfläche in der gemäſsigten Zone, oder unter dem 45. Grade nördlicher Breite.

Anmerkung. Die frühere Angabe, wo die Meeresfläche unter dem 50. Grade der nördlichen Breite
als Basis für die Höhen-Messungen angeführt ward,
geschah nach der Neu-Französischen Eintheilung,
wo der ganze Kreis in 400 Grade, der Quadrant in
100 Grade eingetheilt wird; da aber diese Eintheilung
nicht allgemein angenommen ward, und die alte Eintheilung des Kreises in 360 Grade, und des Quadranten in 90 Graden noch beibehalten wird,

so

so muſs die frühere (Neu-Franzöſiſchë) Angabe: —
»über der Meeresfläche unter dem 50. Grade nördlicher
Breite,« — um Verwirrung zu vermeiden — jezt so
geändert werden:

»über der Meeresfläche (unter dem 45. Grade
nördlicher Breite; denn 45 Grade der alten —
allgemein üblichen — Eintheilung des Kreises
in 360 Graden, entsprechen genau 50 Grade der
Neu-Franzöſiſchen — noch nicht allgemein üblichen
— Eintheilung des Kreises in 400 Grade; oder es
müſste ausdrücklich bemerkt werden, daſs der Ausdruck: »unter dem 50. Grade nördlicher
Breite« von der Neu-Franzöſiſchen Eintheilung des
Quadranten zu verstehen sey.

Ist nun der korrekten Berechnung zu Folge die
Höhe der mittleren Rheinfläche zu *Mannheim* = 233
Par. Fuſs über der Meeresfläche (unter dem 45. Grade
nördlicher Breite), so geben die, durch die *Ingénieurs
Geographes* trigonometrisch gefundenen, 302,3 Par. F.
für die Höhe der Sternwarte über der Meeresfläche, nach
Abzug von 233 Par. F., = 69,2 Par. F. für die
Höhe der Sternwarte über der mittleren
Rheinfläche zu *Mannheim*.

Es hätte ferner der Rhein von *Mannheim* bis *Cob-
lenz* einen Fall von 35 Par. F. — statt der angegebenen 34 Par. F.; es würde endlich für *Speyer* (den
Rheinfall von da bis *Mannheim* zu 12 Par. F. angenommen) eine Höhe der dasigen mittleren Rheinfläche zu 245 Par. F. über der Meeresfläche herauskom-
men, und es würden demnach alle jene reduzirten Hö-
hen-Bestimmungen um einen Par. Fuſs vermehrt werden müssen.

v. NAU.

Miszellen.

Gill (*technical Repository*, Jan. 1825, *p.* 145)
rieb neulich einige Griechische Smirgel - Stücke zwi
zwei flachen harten Stahlplatten, und schlämmte das
re Pulver mit Oel. Er untersuchte etwas von den
gen Smirgel, der zuerst niederfiel, unter einem st
Vergröfserungsglase, und fand darunter vollkommen
gebildete Saphir - Krystalle.

K. Fr. Klöden hat: „Grundlinien zu ei
Theorie der Erd-Gestaltung in astron
scher, geognostischer, geographischer
physikalischer Hinsicht" * herausgegeben:
Werkchen, welches der gröfsten Aufmerksamkeit w
ist. Aus einer Hypothese, welche schon an und für
sehr wahrscheinlich, erklärt er nicht nur die Form
der Erde in einer, von der bisher angenommenen al

---

* Berlin; 1824. Mit 7 Kupfertafeln.

chenden, . Gestalt, sondern weist auch aus dieser Gestalt die Veranlassung unzähliger, bisher unerklärter, Erscheinungen nach, begründet die Erklärung anderer viel besser, und verbreitet neues Licht über die mannichfaltigen Phänomene unserer Erde, in alter und neuer Zeit. Seine Hypothese beruht in den Annahmen: „daß die Erde durch Niederschlag aus dem allgemein flüssigen Zustande in den jezzigen übergegangen seye, unter dem Einflusse anderer Weltkörper, daß sie erst langsamer, dann schneller sich um ihre Achse zu drehen begonnen, später aber eine veränderte Lage der Drehungs-Achse erhalten habe."

Der flüssige Körper, einst vielleicht ein Nebelfleck am Himmel, würde ohne fremden Einfluß die Kugel-Gestalt angenommen haben. Aber, angezogen von einem andern, wahrscheinlich von dem früher oder gleichzeitig sich bildenden Monde, gestaltete er sich eiförmig, so, daß das spizzere und längere Ende des Eies dem Monde zugekehrt war. Genauere Berechnung weist nach, daß die Dimensions-Verhältnisse des Eies der Art waren, daß der, dem Monde zugekehrte, Halbmesser am meisten verlängert wurde, der entgegengesezte wenig oder gar nicht, die, unter rechtem Winkel auf beiden stehenden, aber sich verkürzten; diese Eiform ist indessen nicht rein *a priori* konstruirt; Delambre hat nachgewiesen, daß der Durchmesser des Mond-Aequators, in der Richtung der Erde, sich zum Quer-Durchmesser des Aequators $= 1 : 0,99$ verhalte, daß aber beide dennoch größer, als die darauf senkrechten Durchmesser seyen. Viele Erfahrungen haben Aehnliches bei der Erde vermuthen lassen. — Irgend eine unbekannte Ursache, wahrscheinlich der veränderte Druck der, mit verschiede-

nen Stoffen gesättigten, Flüssigkeit gegen den Mittel
hin, veranlafste ein wechselseitiges Niederschlagen
Stoffe, welche sich zuerst um den Mittelpunkt anhä
und allmählich nach jeder Seite in dem Verhältnisse
sen, als die Wasser-Schichten über dem Mittelpunkte
her standen, folglich eine gröfsere Menge von Materien
geben konnten. So mufste ein fester Erdkern entste
welcher selbst die Eiform des anfänglich flüssigen Kö
annahm, aber auf allen Seiten noch von der verdün
Flüssigkeit, im Verhältnisse der Radien, bedeckt
Bei diesen Niederschlägen mufsten folgende Erscheine
mit eintreten: a. Freiwerden von Wärme, und Tem
tur-Erhöhung des Festen und Flüssigen, welche es,
bunden mit dem ungeheuren Drucke der hohen W
massen, Stoffe aufzulösen vermochte, die gewöhnl
Meereswasser nicht löst; b. Volumens-Verminderung
nes wie dieses, in Folge des Ueberganges vom Festen
Flüssigen; c. Verdunstungen, Wiederauflösungen, Aus
lungen [wir fügen hinzu: d. neue Niederschläge von
aus dem wärmer gewordenen Menstruum; e. Erregung
vanischer Thätigkeit]. — Der Erdkörper war im Beg
nach einem ihn anziehenden hinzufallen. Eine seitlich
kende Kraft hinderte die Vereinigung, nöthigte den ers
sich in einer Kurve, und zugleich um seine Achse zu
hen. Wahrscheinlich rollte er um die Sonne, abe
dem Monde in gleicher Fläche, weniges schneller a
Mond ihn umkreiste, wodurch dasselbe Verhältnifs ents
als ob der Mond stille stehe, die Erde aber sich
langsam um ihre Achse drehe. Die Drehungs-Achse m
dabei irgend eine Quer-Achse des Eies seyn; oder de

der Drehungsfläche liegende, Durchschnitt· der Erde mußte
der am meisten eiförmige seyn. , Hatte der feste Erdkörper
langsam sich zu drehen, und sein spitzes Ende von dem
anziehenden Körper abzuwenden begonnen, , so mußte die
flüssig gebliebene Wasser-Bedeckung streben, die Eiform
über dem festen Kerne, in der alten Lage, beizubehalten.
Das längere Ende des Wasser-Eies mußte also jenem Körper zugekehrt bleiben, sogar während das des festen Erdkernes am weitesten sich abkehrte, und nach einer ganzen
Umdrehung endlich wieder in seine alte Lage zurückkam.
War die Wasser-Bedeckung verhältnißmäßig nicht sehr
mächtig über dem Erdkerne gewesen, so mußte, während
der ganzen Umdrehung, der verlängerte Theil des festen
Eies einmal, lange Zeit hindurch, über das Wasser hervortreten, die sie zunächst umgebenden, aber schon tiefer
liegenden, Theile mußten zweimal, obschon in geringerem
Grade und in anderen Zeitpunkten, über das Wasser her-,
vortreten, nämlich nach einer Viertels - und nach der Drei-
viertels-Drehung. So auch der stumpfe Theil. Die Sei-
tentheile konnten wohl nie über das Wasser hervorkom-
men. Ueber die sonstigen mannichfaltigen Modifikazionen der
verschiedenen Theile, in Ansehung des Auf- und Niedertauchens,
den Grad, die Zahl, die Zeit, gibt die Berechnung, nach
festgesetzter Höhe der Wasser-Bedeckung, genaue Aufschlüsse. Es ist bisher angenommen worden, daß das
Wasser-Ei dem festen Eie ähnlich geblieben seye. Da
aber das Wasser spezifisch leichter ist, und die Anziehungs-
kraft minder auf solches wirken kann, so wird das Wasser
auf der, vom anziehenden Körper abgekehrten, Seite sich
mehr von selbem zu entfernen vermögen, aber um das

Gleichgewicht herzustellen, wird sich nun auch das Wasser auf der zugekehrten Seite, von der mittleren Zone her, zusammenziehen, und somit wird das Wasser-Ei spizzer gewesen seyn, als das feste Land-Ei, und obige Erscheinungen mußten dadurch etwas modifizirt werden. Indessen ist begreiflich, daß, bei der unveränderlichen Form des festen Kernes und der beständig wechselnden der flüssigen Hülle, der Schwerpunkt schwanken, und sich wechselweise vom Mittelpunkte zurückziehen mußte. Die Theile der Erde waren nun außer Gleichgewicht, wodurch viele Zerreißungen und Berstungen veranlaßt werden mußten, zumal an jenen Punkten, denen der Schwerpunkt am bedeutendsen verrückt worden. Die so entstandenen Klüfte wurden mit Wasser angefüllt. Neue Niederschläge wurden durch diese Veränderungen des Druckes u. s. w. veranlaßt; neue Wärme entwickelt, das spezifische Gewicht der Flüssigkeit und ihr Volumen gemindert, manche Theile tauchten, bei weiteren Drehungen, noch mehr, herauf, oder blieben endlich fortwährend unbedeckt vom Wasser. Die Niederschläge konnten sich nun nicht mehr als vollständiger Ueberzug der Erde, auf allen Punkten absezzen, sondern wurden fortwährend mehr beschränkt in ihrer Ausdehnung und Mächtigkeit, oder sie konnten sich über Stellen nicht anlegen, welche bei anderer Lage des festen Eies vor späteren Niederschlägen wieder bedeckt wurden. Es ist erwähnt, daß das spizze (*Ostindien, Thibet, China*), und weniger das stumpfe Ende des Eies, am weitesten vom Mittelpunkte entfernt waren. Diese mußten daher auch, auf zwei entgegengesezten Seiten des Erdkörpers, und damals unter dem Aequator gelegen, am frühesten ganz trocken (unsere zwei Kontinente), sich als unbedeckter über das Meer emporhebend, und da die, zwei beiden, unter dem Aequator gelegenen, niedrigsten bei jeder Umdrehung zweimal unter die höchsten Bedeckungen kamen (unter die zwei Enden des Eies nämlich), so mußten in diesen auch die neueren Niederschläge sich über die alten herleiten eiförmigen Horizontal-Durchschnitt der Erde mehr dem kreisförmigen annähern (ein seitlich plattes Ei bilden), während die tiefen Stellen unter den weit weniger hoch bedeckt wurden, geringere schläge erhielten, und abgeplattet blieben. Land-Bewohner mußten, auf derselben Stelle, öfters gewechselt haben, und ihre, durch neue Umstände der Erde verschütteten, Reste auf den, oft sich sehr hoch erhebenden, Punkten angehäuft werden — Ging der Körper allmählich oder plözlich in eine Drehung über, so hatte der feste Kern nicht Zeit, sich unter der flüssigen Hülle wegzuschieben, wurde mit in Umschwung versezt. Das Wasser die Eiform nun nicht mehr behaupten, es konnte sie darin in Gleichgewicht sezzen, weil die Zuflüsse schnell genug erfolgen konnten. Aber eine Bewegung stets bemerklich bleiben, das Streben bezeichnen zu bewirken. An den Theilen, welche bei Umdrehung ein- bis zweimal heraus tauchten, man jezt auch täglich ein ein- bis zweimaliges Anund Fallen wahrnehmen, wobei, wegen nun einzelnen Lokal-Ursachen, noch mehr Veränderungen in Dauer, Zeit, Richtung u. s. w. wahrzunehmen seyn

müssen, als dort (Ebbe und Fluth), welche Bewegungen
in unseren Meeren jedoch, so mannichfaltig und scheinbar
regellos sie auch sind, sich bei detaillirter und lokaler Betrachtung an jedem Orte sehr genau so zeigen, wie der
Kalkul sie *a priori* darthun mußte. Es erklärt sich, warum
diese Bewegungen am stärksten zwischen den Tropen, am
schwächsten unter den Polen sind u. s. w. Aber nach
den schon früher angedeuteten Ansichten tritt die Fluth auf
den zwei entgegengesetzten Erdhälften darum gleichzeitig
ein, weil das Wasser auf der, vom Monde abgekehrten,
ferneren Seite der Erde minder angezogen wird, sich also
vom Mittelpunkte entfernt, und jenes, auf der zugekehrten
Seite, zur Herstellung des Gleichgewichtes ebenfalls nöthigt,
sich zurückzuziehen, und über sein voriges Niveau anzu-
steigen, während NEWTON annahm, daß das Meer auf der,
vom Monde abgekehrten, Seite darum ansteige, weil es
dem schnelleren Fall des Erdkernes, gegen den Mond,
nicht folgen könne, während auf der zugekehrten Seite
seine größere Nähe das Ansteigen bewirke. Endlich ist in
Anschlag zu bringen, daß der Zentrifugal-Kraft wegen, das
Wasser unter dem Aequator höher ansteigen, und die Form
des seitlich plattgedrückten Eies noch mehr ausbilden müsse,
wovon der Durchmesser, von einem Pol zum andern, aus
allen der kürzeste ist. Neue Niederschläge, Wärme-Ent-
wickelung, Berstungen u. s. w. folgten. Bisher hatte jeder
Ort sein beständiges Klima, Tag und Nacht waren überall
gleich lang, und kein Wechsel der Jahreszeiten fand Statt.
Es ist anzunehmen, daß, durch irgend eine Ursache, vielleicht durch die Verrückung des Schwerpunktes, die Drehungs-Achse eine andere Lage bekommen habe, und der

ume Pol 23 ¹/₂ Grad vom alten, in der *Behrings-Strafse* gelegenen, entfernt, zwischen diesen und den alten Aequator gefallen seye, und es ist längst wahrscheinlich, aus astronomischen Beobachtungen, dafs noch fortwährend eine, zwar auch sehr schwache; Veränderung der Drehungs-Achse Statt finde. In dem Falle mufste die trockene Landmasse natürlich, auf beiden Hemisphären, noch ungleicher vertheilt werden, als vorher. Das Klima *Deutschlands* mufste, begünstigt durch die, damals im Ganzen höhere, Erdwärme, fast ein tropisches gewesen seyn, wenigstens, wie jezt jenes der Nordküste von *Afrika.* Daher die fossilen Reste südlicher Thiere und Pflanzen. Für die fortdauernde Aenderung der Erdachse spricht auch der Rücktritt des Meeres an den nordischen Küsten, die Versammlung nördlich gelegener Flufsmündungen, welchen an andern Orten das Wiedereindringen der Meeres-Gewässer in das Land entsprechen mufs, was nicht schwer nachzuweisen ist. — Indessen hat sich die Erde wahrscheinlich unter dem gleichzeitigen Einflusse von Sonne und Mond gestaltet, ersterer aber mufste, der Entfernung wegen, geringer seyn. Wirkten beide Körper nicht in derselben Richtung, so mufste die Erd-Gestalt erscheinen, als hervorgegangen aus der Ineinanderschiebung zweier Eier, mit nicht parallelen Achsen, wovon jedoch das eine weniger von der Kugel-Gestalt abwich, als das andere, daher weniger bemerklich ist, und dessen Enden, auf unserer Erd-Oberfläche wenig vorstofsend, das längere in *Ostindien* und *Neu-Holland*, das stumpfere in den seichten Gegenden des *Atlantischen* Ozeans anzunehmen wären. — Aus dieser unregelmäfsig komplizirten Erd-Gestalt, aus den fortwährenden Schwankungen ihres Schwerpunktes, müssen

auch bedeutende periodische — halbtägige, halbmonatliche,
halbjährige — Schwankungen des Pendels folgen, die man
auch wirklich oft genug beobachtet hat, ohne sie erklären
zu können. Die Regellosigkeit der Erdform erhellt auch
aus den Meridian-Messungen, deren keiner dem andern
gleich gefunden worden ist, was man ebenfalls nicht zu
erklären vermochte, da man die sphäroidische Form der
Erde voraussezte. Aber der kürzeste Durchmesser der Erde
geht — nach der Veränderung der Drehungs-Achse —
nicht mehr durch die Pole, sondern sezt von der *Behrings-Strafse* durch das Erd-Zentrum hinab. Auch können bei einem eiförmigen Körper, die auf verschiedene Tan-
genten seiner Oberfläche gesezten senkrechten nicht im Mittelpunkte zusammentreffen, so wenig als das Loth überall
sich dahin neigen wird, was ebenfalls nicht zu hebende
Schwierigkeiten bei Grad-Messungen veranlafst. Selbst die
Oberfläche des Meeres mufs, durch das Land in seinen Bewegungen gebunden, und das Gleichgewicht herzustellen,
vielen ähnlichen Unregelmäfsigkeiten unterworfen seyn,
und alles dieses im Raume, wie in der Zeit. — Endlich
erklärt sich, warum die Isothermen, selbst nach der Re-
dukzion auf die Seehöhe, nicht mit den Parallel-Kreisen
zusammenfallen, sondern Undulazionen zeigen. Denn der
Meeresspiegel selbst liegt theils in ungleicher Höhe, was
man auch schon aus den verschiedenen (korrigirten) Baro-
meterständen am Meeresufer geschlossen hatte, und da überdiefs
die Erdflächen nur an sehr wenig Orten senkrecht auf den,
durch ihre Mitte gehenden, Erdradien, sondern bald mehr, bald
weniger geneigt sind, die Beleuchtung und Erwärmung
einer Erdfläche sich aber, wie der Sinus ihres Elevazions-

Winkels gegen die Sonnenstrahlen verhält, so müssen auch
in der Beziehung noch mancherlei, sonst unerklärte Unregelmäfsigkeiten hervorgerufen werden.   Wäre die relative
Lage eines jeden Ortes erst bestimmt erkannt, so würde
man, nach der neuen Ansicht, wohl leicht sein geographi-
sches Klima nach Formeln *a priori* berechnen, und endlich
zur Grundlegung einer wissenschaftlichen Meteorologie gelangen können.

Einige der hier aufgestellten Sätze bedürfen allerdings
noch weitere Prüfung, wie namentlich der, mehreren Erscheinungen zu Grunde gelegte, dafs die, durch irgend eine
Ursache veranlafste, Verlängerung einer Hemisphäre der
Erde zu einem halben Eie, die entgegengesezte Hemisphäre
(im Ganzen, wenn sie noch flüssig ist; oder nur ihre
Wasser-Bedeckung) nöthige, zu Herstellung des Gleichgewichtes in einem gewissen Grade, aber in entgegenge-
setzter Richtung dasselbe zu thun.   Scheint auch aus vielen
Gründen die Neigung einer angezogenen, flüssigen Kugel
zur Eiform in der Natur angenommen werden zu müssen,
so ist es vielleicht der Zukunft vorbehalten, uns den Grund
davon genauer nachzuweisen, und im Falle obige Theorie
Modifikationen zu erleiden hätte, so müfste dasselbe, bei
der ganzen Hypothese, erfolgen; wir würden abermals um
eine Theorie der Ebbe und Fluth kommen, aber gewifs
haben uns die vorgetragenen Ansichten der bestimmteren
Erkenntnifs und Würdigung mancher Fakta näher geleitet,
und es ist mit Bestimmtheit zu erwarten; dafs sie sich in
der Hauptsache bestätigen werden — insofern überhaupt
irgend eine zutreffende Methode der Berechnung eines gegebenen Produktes ein Beweis seyn kann, dafs das Produkt

wirklich auch auf die Weise entstanden seyn müsse; und
wohl berücksichtigt, daß unser ganzes Streben in den angedeuteten Beziehungen nur seyn kann, die wahrscheinlichste aller Hypothesen zu entdecken. (Eingesendet.) .

... W. Ellis, Missionair, gibt Nachricht über einen
Feuerberg auf Owhyhee eine der *Sandwich-*Inseln;
(*Phil. Magaz.; March,* 1826, *p.* 229.) Der Krater von
Kirauea gewährt einen Anblick von furchtbarer Größe.
Er mißt bei zwei Meilen Länge und ungefähr 1 Meile
Breite; seine Tiefe beträgt über 800 F.

W. Hisinger beschreibt ein **verbessertes Reise-
Barometer** und theilt verschiedene Angaben mit über
Baum- und Schnee-Grenzen in *Skandinavien.* (Poggen-
dorff, Ann. der Phys.; VII, 33.)

Eine geognostische Skizze der Gebirgs-Bildungen des Kreises Kreuznach und einiger
angrenzenden Gegenden der ehemaligen Pfalz
lieferte J. Burkart. (Nöggerath, Gebirge in Rheinl.
Westph.; IV, 142.) Der Kreis *Kreuznach* liegt auf dem
südlichen Abfalle des *Hundsrücker* Gebirgszuges. Das Te-
rain ist sehr gebirgigt; es dürfte eine Höhe von 2100 F.
über dem Meere erreichen. Die Nahe bildet ein, ziemlich
tief in das Gebirge eingeschnittenes, Längenthal; auch der
Fisch- und der *Gräfenbach* fliessen in Längenthälern. Die

bedeutendsten Querthäler werden durch den *Hahnen-*, *Simmer-* und *Güldenbach* eingeschnitten. Beinahe die Hälfte des Kreises nimmt das, auf beiden Rheinufern sehr ausgedehnte, Uebergangs‑Schiefer‑Gebirge ein, welches aus Thonschiefer, körniger und schieferiger Grauwacke und Quarzfels besteht, denen Kalkstein und Diorit untergeordnet sind. Der Quarzfels (v. Oeynhausen's Kieselfels, Steininger's Kieselschiefer und Hornfels) ist meist grau, im Bruche theils splitterig, theils körnig, und enthält gewöhnlich Glimmer‑Schüppchen. Mituuter zeigt er sich unvollkommen schieferig. Bisweilen macht derselbe mächtige, mit Thonschiefer und Grauwacke wechselnde, Lager aus. Er zeichnet sich aus durch steile Felsen, und ist im östlichen Theile des Schiefer‑Gebirges herrschend. Das deutlich geschichtete Schiefer‑Gebirge streicht im Allgemeinen in der vierten und fünften Stunde, und fällt in NNO. unter 60 bis 75° Erzführend wurde dasselbe bis jezt nicht gefunden. — Auf, oder an das Schiefer‑Gebirge gelagert, trifft man das ältere Sandstein‑ und Porphyr‑Gebirge mit untergeordneten Diorit‑, Mandelstein‑, Kohlen‑ und Kalk‑Flözen. Das ältere Sandstein‑Gebirge besteht aus wechselnden Konglomerat‑, grob‑ und feinkörnigen Sandstein‑ und Schieferthon‑Flözzen; Kohlen‑, Kalkstein‑, Diorit‑, und Mandelstein‑Flözze sind ihm untergeordnet. Der Porphyr bildet einen Haupt‑, unter sich zusammenhängenden Gebirgszug, und steht im Alter dem älteren Sandstein‑Gebirge gleich. Seine Grundmasse ist Feldstein, welche oft ganz hornsteinähnlich wird. Er zeigt keine Schichtung, wohl aber massige, zuweilen auch säulenförmige, oder tafelartige Zerklüftungen, und ist erzführend; früher wurde auf Kupfer und Quecksilber darin gebaut. Wichtiger

die Sool-Quellen in Porphyr; die Bohrlöcher, bei der

Theodorshall, haben bei 130′ Teufe den Porphyr

nicht durchsunken. Die Soole ist siebengrädig, hat

Temperatur von 15 bis 19° R., und die bis jezt vorge

nen Analysen wiesen keine Spur von schwefelsauren K

in derselben nach. — Die Beobachtungen bei *Niederha*

Kusel und *Wolfstein* deuten unwiderlegbar (?) auf eine gl

zeitige Bildung der Porphyr - Massen mit dem älteren S

steine und dessen untergeordneten Gliedern hin ; abe

Absicht der Haupt - Gruppe bei *Kreuznach*, so wie der

den kleineren Gruppen bei *Burgsponheim*, hält es sc

durch Beobachtungen zu erweisen, ob sie stockför

Massen im älteren Sandsteine bilden, und also gleich

mit ihm, oder ob sie jünger, und durch vulkanische K

gehoben sind. — Wie würde man, bei Annahme der

ten Hypothese, das Erscheinen der Soolquellen im Porp

erklären. Ist die Soolführung gangartigen Klüften mit S

thon zuzuschreiben? — — Auf dem linken Nahe - Ufer

der bunte Sandstein auf das ältere Sandstein - und P

phyr - Gebirge gelagert (auf dem rechten Ufer ist di

Verhältniſs nicht mit Bestimmtheit nachzuweisen). Er

deutliche Schichtung; sein Fallen scheint sich jede

nach seiner Auflagerungsfläche gerichtet zu haben.

auſser den Grenzen des untersuchten Kreises liegt der

schelkalk auf buntem Sandsteine, und auf beiden N

Ufern trifft man, in stets unterbrochener Verbreitung, n

rere Parthieen eines theils losen, theils verbundenen

des, viele Reste aus der Thierwelt, vorzüglich Mee

Konchylien und Süſswasser - Muscheln, umschließend,

unter mannichfachem Charakter auftretend. Sandstein und Sand liegen fast stets auf Porphyr, auf älterem oder buntem Sandsteine, nur selten auf dem Schiefer-Gebirge. Das Material zu denselben haben sowohl das Schiefer-Gebirge, als die Kuppen des Porphyres hergegeben, und in der Nähe der lezteren bestehen sie fast blos aus Porphyr-Brocken und Trümmern.

Nach Walchner's Untersuchungen enthalten nicht nur die Olivine etwas Chrom, sondern viele Mineralien, welche Talkerde als Bestandtheil haben, zeigen einen Chrom-Gehalt, wie mancher Speckstein, Strahlstein, alle Serpentine, Grünsteine *, Basalte, selbst manche sogenannte Porzellanjaspise. (Schweigger's Jahrb. d. Chem.; XVII, 119.)

Ch. A. Lee schrieb über die Blei-Gruben bei Ancram. (Americ. Journ. of Sc.; VIII, 247.) Zwischen Salisbury und Ancram wechseln körniger Kalk und Glimmerschiefer. Jenseit der Grenzen von New-York findet man Thonschiefer und Blöcke von Grauwacke. Nicht weit davon erscheint Uebergangskalk, theils dicht, theils körnig. Bei Ancram tritt der Schiefer wieder hervor, und dehnt sich, wechselnd mit dem Kalke, gegen den Hudson-Fluß aus. Die Grube ist südostwärts von Ancram, in einem Berge, der aus jenen beiden Felsarten besteht. Nach dem Innern zu wird der Schiefer kalkhaltig. Der Bleiglanz-Gang nimmt gegen den Tag hin an Mächtigkeit ab. Mit dem Bleiglanze brechen Quarz, Barytspath, Blen-

* Dolerite oder Diorite ?

de, Kupferkies, kohlensaures Kupfer, Thon und vielleicht
molybdänsaures Blei. (Férussac, *Bullet. de Géol.; VIII*,
325.)

Ueber die fossilen Knochen von Westeregeln,
zwischen *Halberstadt* und *Magdeburg*, theilte German
Bemerkungen mit. (Keferstein, geognost. Deutschland;
III, 601.) Mergel-Lehm, in der Gegend überhaupt weit
verbreitet, bedeckt am genannten Orte mehrere Kuppen von
dichtem Gypse, und zieht sich auch in die Spalten dieses,
wahrscheinlich dem bunten Sandsteine untergeordneten, Gebirgs-Gesteines hinein. Durch bergmännische Bearbeitung
des Gypses wird der darüber liegende Mergel-Lehm mit
abgebaut, und man hat dabei seit langer Zeit einzelne
fossile Knochen mit ausgegraben *. Bei weitem der größte
Theil dieser Ueberbleibsel gehört dem Pferde an, wovon
Unterkiefer, Zähne, Halswirbel, Rückenwirbel, Lenden-
wirbel, so wie die vorderen und hinteren Extremitäten
vorkommen. In Hinsicht der Gestalt sind diese Gebeine
von denen des jezzigen Pferdes nicht zu unterscheiden, nur
die

---

* Es erfordert indessen, bei Betrachtung dieser Knochen, einige
Vorsicht, um nicht durch zufällig darunter gekommene Knochen von Thieren der jezzigen Welt getäuscht zu werden:
der Lehm liegt nicht mächtig über dem Gypse, ist vielfach
von Kaninchen, Füchsen und Dachsen durchwühlt, und enthält dann oft, mitten unter den Gebeinen vorweltlicher Thiere,
die Ueberreste dieser späteren Bewohner und der, in ihre
Schlupfwinkel gebrachten, Beute. Bei einiger Aufmerksamkeit
kann man jedoch die Täuschung vermeiden, da alle wahrhaft
fossilen Ueberreste dunkel gefärbt, ungemein zerreiblich, mehr
oder weniger beschädigt, dagegen die späteren Einmengungen
gebleicht, fest und gut erhalten sind.

die Dimensionen zeigen einige, wie es scheint, wichtige
Differenzen. Das Pferd der Vorwelt stimmt mit unserem
Pferde in der Gröfse im Allgemeinen überein mit kleinen
Spielarten; aber hochbeiniger und dickbeiniger war dasselbe,
hatte einen verhältnifsmäfsig kürzeren, schlanken Hals, dagegen einen gröfseren Kopf, und näherte sich in mancher
Hinsicht dem Esel. — Nächst den Knochen des Pferdes
und bei *Egeln* die vom Nashorn am häufigsten. Zähne,
Schädelstücke, Rippen, Beinknochen, liegen im Gemenge
mit Pferdeknochen unter einander, und stimmen mit den
an andern Orten gefundenen Rhinozerofs-Knochen überein.
Von Raubthieren sind Ueberreste der Hyäne nicht allzu
selten. Von Nagern kommen mehrere Ueberbleibsel vor,
allein sie scheinen gröfstentheils nicht fossil zu seyn. Auch
von Vögeln haben sich einige Spuren gefunden, die vom
Repphuhn stammten, und schwerlich fossil sind. Merkwürdig bleibt ein, von einem *Vultur* abstammender, fossiler Oberschenkel-Knochen; er stimmt mit dem gleichen
Knochen eines *Vultur cinereus*, der vor einiger Zeit bei
Leipzig geschossen wurde, vollkommen überein, und dafs
derselbe wirklich fossil ist, lehrt der Augenschein, auch
wurde er in unmittelbarer Verbindung mit Rhinozerofs-,
Hyänen - und Pferde-Knochen gefunden.

Caumont hat Bemerkungen über die geognostische Topographie von Calvados geliefert. (Férussac, *Bullet. de Géologie; Fevr.*, 1826; *p.* 171.) Uebergangs-Gesteine nehmen zum wenigsten den dritten Theil
des Flächenraumes von *Calvados* gegen SW. ein. Zwei

Drittheile davon werden in N., O. und SW. durch
Gebiete bedeckt; die Schichten der lezteren folgen ein
in solcher Art, daſs die neuesten ihre Stelle gegen O
nehmen, d. h. in der Richtung des Pariser Beckens,
dem sie sich im Verhältnisse ihres Alters mehr und
entfernen. So findet man an den Ufern der *Vise* bi
Sandstein und Dolomit (*calcaire magnésien*); der
von *Valognes*, der blaue *Lias* und der untere Roge
entwickeln sich allmählich zwischen jenem Flusse un
Orne. Der Raum von *Caen* nach *Lisieux* wird fast
durch den Kalk mit Polypyten (*Calcaire à poly*
forest marble), den Thon von *Dives* (*oxford clay*)
die oberen Rogensteine erfüllt; endlich folgen *Iron*
Greensand und Kreide in den Gegenden um *Orbec*,
sieux, *Pont-Lévèque* und *Honfleur*. Diese verschie
Gebiete sezzen Streifen zusammen, welche im Allgem
aus N. nach S. oder SO. streichen, und wovon einig
zu dem *Orne*- und *Sarthe*-Departement fortsezzen.
westlichen Theile von *Calvados*, im Arondissement
Bayeux, zeigen sich die Gesteine um desto jünger, je
her sie dem Meere sind. Das allgemeine Fallen der Sch
ten ist gegen O.

———————

J. Davy theilte Bemerkungen über die
sische Geographie des Kaplandes mit. Höh
Tafelberges über dem Meere = 3,308′ (nach Riven
gonometrischen Messungen nur wenig mehr als 3,0
Die Kapschen Flats bilden eine Ebene zwischen der
und Falschenbai, auf einer Seite von der Kette des

berges begrenzt, auf der andern von niedrigen Hügeln umgeben. An den breitesten Stellen mißt die Ebene ungefähr
20 Meilen. Der Boden im Allgemeinen platt; die unbeträchtlichen Unebenheiten bestehen meist aus Sand, nur zuweilen aus Thon, und an den höher liegenden Stellen bemerkt man Kalkstein-Massen, die mitunter etwas über den
Boden hervorragen. Die vorhandenen Sandhügel scheinen
dieselbe Richtung zu haben, wie die herrschenden Winde,
und dürften durch diese gebildet seyn. Zwischen den Kapschen Ebenen und *Stellenbosch*, niedrigen Berge, bestehend
aus Granit, der in Zersezzung begriffen ist. — Der bekannte
Bergpaß, der Hottentotten-Holländische *Kloof* ist eine
Strecke weit durch Thonschiefer gehauen; tiefer steht Granit an, und auf dem Thonschiefer ruht Sandstein. Der
Paß befindet sich an der niedrigsten Stelle der Bergkette,
welche man als die südlichste Schranke des Binnenlandes
betrachten kann. — In der Nähe der Kapstadt ist die Verbindung des Thonschiefers mit dem Granite besonders merkwürdig. Da, wo beide Felsarten einander begrenzen,
dringt der Granit an vielen Stellen in den Schiefer ein;
die Adern sind von verschiedener Länge und Breite, leztere beträgt bei den mächtigsten ungefähr 1 F. In den
Adern ist das Gestein um Vieles schöner, als in der grofsen
Masse. Der Schiefer wird in Bruchstücken, oft von bedeutender Gröfse, bis zu 2 Ellen Länge und 1 Fufs Breite
von Granit umschlossen; die Schichtung hat, bei solchen
eingeschlossenen Stücken, eine andere Lage, als in den benachbarten Massen. Der Granit, aus welchem der sogenannte *Kloof*, der untere Theil des *Tafelberges* und die
gröfsere Hälfte des *Löwenkopfes* besteht, ist von dem Sand-

16 *

steine, welcher den Gipfel und die senkrechten Wänd
ner Berge bildet, nur durch eine dünne Schicht T
schiefer gschieden. Der Schiefer ist roth, als ob er geb
wäre, enthält viel Glimmer, ist sehr zerbrechlich und
tert leicht ab. Der unmittelbar über dem Thonschiefer
gende Sandstein hat auch etwas Eigenthümliches, daß
nämlich von außen dem dunkeln Quarze mehr, als
Sandsteine gleicht; er hat gar nicht die Struktur des l
ren; manche Stellen sind undeutlich krystallinisch, je
fernter er von dem Schiefer ist, desto mehr nimmt er
die Kennzeichen des gewöhnlichen Sandsteines an. Es ist l
merkwürdig, daß, obgleich der Sandstein über dem Scl
so fest, er, doch stellenweise sehr zerbrechlich un
voller Risse ist, als ob er stark erhizt worden wäre.
dünne Schiefer-Lager scheint sich zugleich mit dem S
steine gebildet zu haben. Unter dem *Löwenkopfe* am
ufer, zwischen dem Fuße des *Kloof* und der *grünen*
ze, längs des Ufers, befinden sich Schiefer-Felsen mit
senkrecht fallenden Schichten, und auf der Rückseite,
dem *Kloof* zu, bestehen sie aus großen Massen Gra
beide Arten von Gestein sezzen bis in die See
Da, wo der Schiefer den Granit begrenzt, ist er u
wöhnlich hart mit fast krystallinischem Gefüge und
reich an Glimmer. Viele Granit-Adern erstrecken si
den Schiefer, so wie auf der andern Seite viele Sch
Fragmente vom Granite umschlossen zu seyn sche
(*Hertha*, Jahrg. 1825, IV. B. 2. Heft.)

Ueber einige vorweltliche Thierreste
Friedrichsgemünd unfern Roth in Baiern

H. v. Meyer Nachricht. (Kastner's Archiv für d. ges. Naturl.; VII, 181.) Es gehören dahin: Fragmente des Un-
terkiefers mit Backenzähnen, und Backenzähne aus dem Ober-
kiefer, von der Art des Palaotheriums, welche bis jezt
nur bei *Orleans* gefunden worden, und die in der Mitte
steht zwischen *Palaeotherium crassum* und *P. medium;*
ferner Backenzähne und Knochen von Hippopotamus
und Rhinozeros, Wirbel von Ichthyosaurus und
von andern, zu den Sauriern gehörigen, Thieren. Die
Reste kommen zum Theil auch in dem Lehme vor, der
ausserdem Pflanzen - Abdrücke umschliefst.

Der Anthrazit von *Wilkesbarre*, enthält Abdrücke von Pflanzen (Z. Cist, Silliman's *Americ.
Journ.; IX*, 165), deren Beschaffenheit von der Ruhe
zeugt, mit welcher jene vegetabilischen Reste abgesezt
wurden.

Berghauptmann von Veltheim theilte einige Beobachtungen über den Porphyr von *Torgau* mit, und über das
Porphyr - Gebiet zwischen *Dresden* und *Leipzig*, wobei er
auf den, hin und wieder, namentlich bei *Oschaz* und *Hu-
bertsburg*, sehr häufig vorkommenden, Knollenstein
und auf eine ähnliche Bildung aufmerksam machte, die sich
in den älteren quarzigen Schiefern des *Callmenberges* zeigt.
Ferner gab derselbe Nachricht von einem, neulich von ihm
untersuchten, gangartigen Vorkommen eines porphyrartigen
Gesteines im Thonschiefer bei *Schwarzburg.* (Schweigger's Jahrb. d. Chem.; n. R.; XVI, 428.)

E. L. Hamlin gibt Nachricht über Amerikanische
Mineralien-Fundorte (Silliman, Journ.; X, 14.)
Turmalin, grün, Krystalle bis zu 1.½'' Durchmesser
und 6''. Länge, aber nur selten vollkommen ausgebildet,
Paris unfern *Buckfield*, mit Glimmer und Quarz; Turmalin, blau (Indikolit), kleine Krystalle in Quarz;
Turmalin, roth (Rubellit), meist eingeschlossen in Krystallen von grünem Turmaline; Turmalin, weiß; Glimmer, pfirsichblüthroth, mit Quarz und Turmalin; Graphit, *Greenwood*, auf Granit; Molybdänglanz, daselbst, mit Kupferkies und Feldspath; Staurolith, mit
Granat in Glimmerschiefer.

Nach Schneider (Nöggerath, Gebirge in Rheinland-
Westphalen; IV, 354) findet sich, am *Mühlenberge* unfern *Holzappel* im *Lahnthale*, Perlstein in einem Basalte,
der zugleich Chabasie führt.

C. Kersten hat im haarförmigen Roth-Ku-
pfererze (Kupferblüthe) von *Rheinbreitenbach*, vermittelst des Löthrohres, einen geringen Selen-Gehalt nachgewiesen, und zugleich durch andere Versuche dargethan,
daß dieses Erz in seiner Mischung Selen führt, allein in
welchem Zustande, ob vielleicht als Selensäure an das
Kupfer gebunden, oder als Selen-Kupfer eingesprengt, dieß
ließ sich, der geringen Menge wegen, nicht bestimmen.
Auch einige Abänderungen des erdigen Ziegelerzes von demselben Fundorte zeigten schwachen Selen-Gehalt; in der

Kupferblüthe aus dem Bannate war dagegen nichts davon aufzufinden. (Schweigger, Jahrb. d. Chem.; XVII; 294.)

Berghauptmann v. Veltheim erstattete am 19. März 1825 der naturf. Gesellsch. zu *Halle* einen Bericht über die bergmännischen Versuch-Arbeiten, welche im Jahre 1824 zur näheren Erforschung eines gangartigen, in der Nähe von *Brachwiz* Statt findenden, Vorkommens schlackenartiger Massen im älteren Porphyre vorgenommen wurden*. (Schweiggr's Jahrb. d. Chem.; n. R.; XVI, 427.) Durch diese Versuche ist erwiesen, daß jene Lagerstätte sich als eine gangförmige zeigt, die mit einem Hauptstreichen von St. 8 im Porphyre aufsezt. Sie ist auf eine Längen-Ausdehnung von ungefähr 540 Lachter nachgewiesen, scheint sich aber, wie die an einem Punkte bis zu 10 Lachter nach der Teufe gemachten Versuche beweisen, in mehrere, im Streichen jedoch nicht sehr von einander abweichende, Trummen zu theilen, welche in der Hauptsache ziemlich seiger einsezzen. Die Mächtigkeit hat sich sehr verschieden, im größten zu 3 Lachter, mitunter aber auch nur auf wenige Zoll zusammengedrängt, gezeigt. Die Hauptmasse des Ganges scheint aus einer sand - und staubartigen Ausfüllung zu bestehen, in welcher sich einzelne krystallisirte Quarzkörner deutlich bemerken lassen. In ihr liegen, unregelmäßig vertheilt und mehrentheils mit einer Neigung zu konzentrisch-schaaliger Absonderung und so, daß sich in der Mitte oft ein fester Kern zeigt, Gesteine

---

* Zeitschr. f. Mineral.; 1826, I, 260.

von grofser Verschiedenheit, meist aber von quarziger
tur. Sie sind theils grau und röthlichweifs, theils sch
gefärbt, und namentlich im lezten Falle ausgezeichnet bl
und scheinen sich auch aufserhalb des Ganges, durch K
mit ihm in Verbindung stehend, in besonderer Zu
menziehung zu finden. Mehrere Abänderungen sche
darauf zu deuten, dafs sie aus einer Umänderung des
phyres entstanden sind; andere sind von brekzienar
Beschaffenheit, und schliefsen neben eckigen, zum
ziemlich grofsen und anscheinend veränderten, Quarz-S
ken auch dergleichen von einem schwarz und weifs g
derten Gesteine ein, was dem Porphyre fremd zu
scheint. — Stellenweise finden sich auch Spuren von B
stein und Roth-Eisenstein, etwas Eisenkies, Jaspis
Kalkspath darin. Unter den quarzigen Gesteinen finden
zahlreiche Annäherungen an den Knollenstein. Vom N
Gestein ist die Gang-Masse stets scharf gesondert. Die
in der Nähe fast durchgängig in Porzellanerde verän
und solche Beschaffenheit verliert sich stets in ei
Entfernung von ihm, so, dafs man einen vollständigen
bergang aus der Porzellanerde in unveränderten Por
wahrnimmt. — Alle Umstände scheinen auf eine, von
ten nach oben Stattgefundene, Ausfüllung zu deuten.

S. COLTON gibt Nachricht über Fossilien-Fu
orte im *Konnektikut*. (SILLIMAN, *Journ.*; X,
Alaun, in zerseztem Glimmerschiefer, *Bolton*; B
Krystall, ausgezeichnet schön gelb gefärbt, *Staff*
Granat, sehr häufig als Gemengtheile von Gneifs

Glimmerschiefer, *Monson* und *Stafford;* Schwefel, in
geringer Menge in einer specksteinartigen Felsart, *Somers;*
Eisenkies, zierliche Krystalle im Quarz-Gesteine und im
Glimmerschiefer, ferner ungemein häufig in *Stafford*, *Somers;* Magneteisen, in Gneiß, *Monson;* Sumpf-Ei-
senerz, sehr verbreitet im südlichen Theile von *Massachusetts* und im nördlichen *Konnektikut;* Turmalin, in
Gneiß, *Monson;* Glimmer, in Platten von beträchtlicher Größe, *Monson.*

Ueber beständige Mofetten im vulkanischen
Gebirge der Eifel schrieben J. Nöggerath und G. Bischof (Gebirge in Rheinl. Westphalen; IV, 337). Daß
Kohlensäure-Gas in Verbindung mit Wasser in Form von
Säuerlingen aus der Erde sich entwickelt, ist eine ziemlich
gewöhnliche Erscheinung, die sich besonders in vulkanischen Gegenden am häufigsten zeigt; so namentlich in den
vulkanischen Gebirgs-Parthieen des Rhein-Gebietes, wie
auch in den analogen Gebilden der Eifel. Seltener aber ist
die Erscheinung, daß jenes Gas für sich allein in perma-
nenter Entwickelung an gewissen Stellen zu Tag tritt. Am
Laacher-See, wenige Schritte vom Ufer, und ungefähr
7 F. über dem Wasserspiegel, findet sich eine solche Erscheinung, die schon länger bekannt, und durch Nöggerath beschrieben ist. Weit ausgezeichneter ist diese Art
der Kohlensäure-Entwickelung in der vulkanischen Eifel,
namentlich gehört hierher eine Quelle, *Brudeldreis* genannt,
auf dem rechten Ufer des *Kyll*-Flusses, *Birresborn* gegen-

über *. Das Becken dieser Quelle ist 8. Dezimeter breit
und 5 bis 6 Dezimeter tief. Das Wasser, welches aus der
Erde zu treten und mit großem Blasenwerfen aufzusteigen
scheint, tritt niemals aus dem Becken. Jene Bewegung
aber ist so stark, daß man das Geräusch in 400 Schritten
Entfernung hört. In der unmittelbaren Umgebung des Bek-
kens findet man meist todte Vögel und Mäuse, welche bei
Annäherung zur Quelle, durch die von ihr ausgehauchten
Dämpfe ersticken. Der Rasen ist allenthalben mit einer
Schicht Kohlensäure-Gas bedeckt, welches, allem Anscheine
nach, nicht blos von dem *Brudeldreis*, sondern von vielfach verbreiteten Entwickelungs-Punkten in dessen Umgebung herrührt. — Fünf Stunden von *Trier* bei *Hezzerath*,
auf dem Gehänge des Berges, welcher den *Meilenwald*
trägt, findet sich eine andere Quelle, der *Wallborn*, welche in allen ihren Erscheinungen mit dem *Brudeldreis*
übereinstimmt.

Am 31. Aug. 1826 spürte man zu *Nicastro* in *Cala-
bria ultra*, um 11 Uhr Mittags, zwei starke Erdstöße,
und am folgenden Tage in *Montelsone* und der dortigen
Gegend eine leichte Bebung. — In *Innsbruck* nahm man,
am 28. September d. J., wenige Minuten vor $1\frac{1}{2}$ Uhr
Nachts, eine heftige Erschütterung wahr; die Bewegung
war wellenförmig, und von einem gewaltigen donnerähn-
lichen Getöse begleitet.

---

* Die früheste Nachricht von derselben enthält das *Annuaire
topographique du département de la Sarre pour* 1810,
par DELAMORRE.

W. Vernon lieferte eine Schilderung der Schichten
im N. des Humber unfern Cave. (*Ann. of Phil.;
n. S.; XI*, 435.) Der untersuchte Strich ist die Gegend
zwischen *Goodmanham* und *Brough*. Bei ersterer Stadt
war durch Smith *Lias* aufgefunden worden, von dem er
annahm, daß sich derselbe südwärts gegen den *Humber*
erstrecke; oolithische Gesteine verfolgte der Verf. schon im
Jahre 1823 von *Sancton* bis in die Nähe von *Brough*.
Weiter ostwärts waren von ihm verschiedene kalkige und
sandige Gesteine beobachtet worden, und unter der Kreide
eine rothe Kreide und ein blauer Thon, ähnlich dem von
der Nordseite des *Wolds* u. s. w. — Der westlichste Zug
des sich erhebenden Bodens nimmt bei *North* - und
South - Cliff seinen Anfang, woselbst schon *Lias* sich zeigt.
Bei *Holme* besteht der Gipfel des Hügels aus Grus; in einer Meile Entfernung gegen SO. tritt *red marle* mit eingela-
gertem Gypse auf, zwischen *Selby* und *Cliff* überdeckt ihn
ein sandiges *Alluvium*. — Bei *North Cliff* ausgezeichneter
Lias, welcher *Ammonites*, *Plagiostoma gigantea* und *rusticum* und *Pentacrinus caput medusae* führt. Gegen S.
läßt sich das Gestein verfolgen, jedoch mit Schwierigkeit,
da der Boden durch Steinbruch-Bau nicht aufgeschlossen
worden; bei *South-Cliff* geht es wieder zu Tag aus, auch
sieht man dasselbe um *Hotham*, *Everthorpe* und *South-
Cave*, und hier enthält es, so wie der mit ihm brechende
blaue Thon, Pentakriniten, Gryphiten und *Septaria*. Den
tieferen Lagen scheint mitunter ein rogensteinartiges Gefüge
eigen zu seyn. Die Hügelreihen ostwärts *Sancton* haben
Oolithe, Kreide u. s. w. Die tieferen Lagen der zuerst
genannten Felsarten umschließen *Terebratula spinosa*, *Tur-

ritella, Lima proboscidea und *Trigonia.* — — Unter der
rothen mergeligen Kreide (*red chalk*) trifft man in *El-
loughton Dale* Thon. Das erstere Gestein führt kleine
Belemniten in grofser Häufigkeit, auch *Ostrea deltoidea*
(Sow.) und Stücke verkohlten Holzes. Aehnliche Erscheinungen sieht man bei *Speeton, Kirby Moorside* u. s. w.

Poirier Saint-Brice verfafste eine Abhandlung über
die Geognosie des Departements du Nord. (*Ann.
des Mines; XIII*, 3.) Die verschiedenen Gebiete, den
Boden dieses Departements zusammensetzend, zerfallen in
zwei grofse Abtheilungen, deren eine die älteren Gebilde
umfafst, jene mit geneigten Schichten, während die andere,
die neueren, die wagerecht geschichteten begreift. Als älteste Felsarten aus der Uedergangszeit erscheinen bituminöser Kalk, Thonschiefer und Steinkohlen. Thonschiefer
und Kalk finden sich in dem südöstlichen Theile des Departements ganz allgemein verbreitet; das Steinkohlen-Gebiet begrenzt dieselben, und in NW. treten wieder Kalk
und Thonschiefer auf. Der Kalk, meist dicht, nur stellenweise körnig, dunkel blaulichgrau ins Schwarze, hat häufig
Kalkspath-Theilchen eingesprengt, und ist von Kalkspath-
Schnüren durchzogen. Er enthält ein stark riechendes Gas,
wahrscheinlich geschwefeltes Wasserstoffgas; daher sein
Name Stinkkalk (*calcaire fétide*). Alle seine Merkmale
weisen ihm augenfällig eine Stelle unter den Uebergangs-
Gesteinen an. Die Natur der Versteinerungen, welche der
Kalk führt, scheint denselben als eines der neueren Gebilde
dieser Klasse zu bezeichnen. Man trifft darinnen Ammo-

ten und Terebratuliten, in gewissen Schichten viele Madreporiten, und in andern Enkriniten in solcher Häufigkeit, dafs manche Geognosten diese lezteren Versteinerungen als charakteristisch für das Gebiet angesehen, und dasselbe mit dem Namen Enkriniten-Kalk (*calcaire à encrinites*) bezeichneten; die Schichten, welche Enkriniten führen, sind davon gleichsam ganz durchdrungen, und erscheinen ziemlich häufig in der Formazion. Aufserdem führt derselbe Kalk zwei Muscheln-Geschlechter, welche lange Zeit mit den Terebratuliten verwechselt wurden, *Spirifer* und *Productus* Sow. (welche im Uebergangs-Kalke — *mountain limestone* von *Derbyshire* — vorkommen, der dem oben erwähnten Kalke analog scheint, und gleich ihm durch eine grofse Steinkohlen-Formazion bedeckt wird). Von Belemniten und Orthozeratiten hat sich bis jezt im Kalke auch nicht eine Spur gefunden. — Der Thonschiefer, meist blaulichgrau gefärbt, mit häufig eingemengten kleinen Glimmer-Blättchen, führt mitunter auch Versteinerungen, ähnlich denen des Kalkes, wie Enkriniten, Terebratuliten u. s. w. — Das allgemeine Streichen der Schichten des Kalk- und Thonschiefer-Gebildes ist aus ONO. in WSW.; ihr Fallen zeigt sich sehr mannichfach, bald dem Senkrechten nahe, bald fast wagrecht, ebenso senken sich die Schichten auf sehr ungleiche Weise, hier nach S., dort gegen N. Die Grenzen der Formazion sind, für den Theil des Departements, wo dieselbe zu Tage ausgeht, wohl bekannt; gegen N. senkt sie sich unter das Flöz-Gebiet, und endigt, bei ihrem Zusammentreffen, mit der Steinkohlen-Formazion in einer, dem allgemeinen Streichen parallelen, Linie, welche oberhalb *Montignies* in *Belgien* ihren Ursprung nimmt, und über

Estreux, *Saint Léges* und *Arteux* zieht. Ueberall sieht man Kalk und Thonschiefer ziemlich regelrecht wechseln. Nicht selten wird der Kalk herrschend, seine Schichten nehmen, im Verhältniß zu jenen des Thonschiefers, sehr zu, welche indessen nie ganz vermißt werden. Allmähliche Uebergänge beider Gesteine fehlen auch nicht; der Thonschiefer nimmt Kalk-Theilchen auf in der Nähe dieser Felsart, braust mit Säuren u. s. w. — Von zufälligen Einmengungen führt der Kalk Braunspath und Flußspath, und im Schiefer kommen Anthrazit und Eisenkies (und zwar in kleinen Würfel-Krystallen eingewachsen, so unter andern zu *Glageon*) vor. Der Kalk umschließt auch Drusenräume, erfüllt mit Kalkspath-Krystallen und Stalaktiten. — Als untergeordnete Lager trifft man in dieser Formazion (unter andern in der Gegend von *Saint-Remy-Chaussée*) am häufigsten eine Sandstein-ähnliche, quarzige, feinkörnige Felsart, alle Merkmale der Grauwacke tragend. Das Gestein ist sehr glimmerreich und mitunter etwas schieferig. Mit Säuren braust dasselbe zum Theil etwas auf, denn da, wo es mit dem Stinkkalke wechselt, findet man es stets etwas kalkhaltig. Auch ist dasselbe von Schnüren schwarzen Kalkspathes durchzogen. — Die Eisenerze des Kantons *Trélon* finden sich ebenfalls in der Kalk- und Thonschiefer-Formazion als untergeordnete Lager. — Seit alter Zeit hat man, zur Gewinnung des Kalksteines (unter dem Namen *pierre bleue* bekannt) zahlreiche Steinbruch-Baue vorgerichtet. — Die nördliche Kalk- und Thonschiefer-Formazion ist die Fortsezzung und ihr in allen Beziehungen ähnlich.

Tissier lieferte eine Schilderung der geognostischen Verhältnisse des *Rhône*-Departements. (*Archiv hist. et nat. du départ. du Rhône: Mars*, 1825: p. 321.) Das Departement theilt sich in achtzehn Becken, nach den verschiedenen Flüssen, nämlich: *Bassins du Sosnin, de la Grosne, de la petite Grosse, de la Mauvaise, de l'Ouby, de l'Ardières, de la Vauxonne, du Niseran, de l'Azergue, de la Saône, de l'Iseron, de Giers, du Garon, du Rhône, de la Coize, de la Brevenne, de la Turdine et du Rhin.* — Das Becken der *Brevenne* erstreckt sich aus SW. in NO., vom Plateau von *Meys* bis *Azergue*. Dieses Plateau, von zwei Stunden Länge, umschliefst das Steinkohlen-Gebiet, welches bei *Sainte-Foy-Argentières* bebaut wird, und sich bis zum Berge von *Maringe* ausdehnt. Der Kohlen-Sandstein geht zu Tag aus. Die Erhabenheit, auf welcher das Dorf *Meys* erbaut ist, besteht aus quarzreichem Granite, welcher auch das Kohlenbecken der *Brevenne* umschliefst. Hin und wieder nimmt der Granit ein mehr Gneifs-artiges Gefüge an. — Beim Dörfchen *Montrotier*, unfern *Saint-Genis-l'Argentières* ein Hornblende-Gestein (Aphanit?) mit untergeordnetem (?) Granit. Baryt-spath-Gänge gehören zu den sehr häufigen Erscheinungen; auch Bleiglanz und Malachit kommen vor. — — (*Férussac, Bullet. de Géol.*; 1826, *Août*; 423.)

Unter dem Namen Zéosite wird eine neue Varietät von Opal beschrieben, welche angeblich in *Mexiko* vorkommt. Das Fossil ist schwarz, stark glänzend, spielt sehr lebhaft mit bunten Farben, und hat eine gröfsere Eigen-

schwere, als der edle Opal Ungarns. (ENGELSPACH-LARI-
VIÈRE, *Messager des sc. et arts; Septbre* 1825, *p.* 335,
daraus in FÉRUSSAC, *Bullet. de Géol.; VIII,* 39.)

HALL beschreibt Mineralien aus Aegypten,
Griechenland und Palästina. (SILLIMAN, *Americ.*
Journ.; IX, 337.) Weiſser Kalkstein mit Quarz-Adern,
Rollstück aus dem *Jordan.* Dunkelgrüne Hornblende,
zum Theil krystallisirt, Ufer des *Jordans* bei seinem Aus-
tritte aus dem *Tiberias*-See (in der Nähe trifft man Bruch-
stücke von Mandelstein, deren ·Blasenräume Mesotyp und
kohlensauren Kalk enthalten). Grauer dichter Kalkstein,
Abhang, auf welchem *Nazareth* erbaut ist·. Kieseliger
Kalk, Hügel westwärts von *Jerusalem* und dem Berge
Zion. Mandelstein, *Tiberias.* Weiſser körniger
Kalk, Thal *Josaphat.* Grauer Hornstein, nordwärts
von *Jerusalem.* Grauer dichter Kalkstein, am *Oel-*
berge, am Berge *Libanon* u. a. a. O. Hornblende-
Gestein, Berg *Libanon.* Körniger Kalk, von vorzüglicher Schönheit, Ruine von *Kapernaum.* Feuerstein, Rollstücke vom *todten Meere* u. s. w.

Von den, über Thon-Schichten gelagerten,
Sandsteinen und Brekzien handelte DUBUISSON.
(*Ann. des Sc. nat.; VI,* 488.) Die Departements der
unteren *Loire* und *Vendée's* liefern mehrere denkwürdige
Beispiele der Art. Massen, deren Volumen sich wechselnd
zeigt von dem Gewichte eines Pfundes bis zu dem von
einigen

einigen Zentnern und darüber, liegen in einem, mit quarzigem Sande mehr und weniger untermengten, Thone. So z. a. bei *Remouillé*. Das Grund - Gebirge ist Gneifs. Die Massen erscheinen abgerundet, alle Merkmale erlittener heftiger Reibung tragend; ihr Inneres ist graulichweifs, die Aufsenfläche gelblichbraun. Theils zeigen sich dieselben sehr fest, theils sind sie beinahe zerreiblich. Die Sandsteine dehnen sich über ein weit erstrecktes Plateau, von *Remouillé* bis zur Gemeinde *Vieille - Vigne*, woselbst sie sich dem Granit - Gebiete anschliefsen. Wahrscheinlich gehören dieselben einer oder mehreren Ablagerungen an, die sich dem Absatze des Kalkes der sogenannten Pariser Formation Statt fanden; sie kamen namentlich in dem Thone vor, welcher über dem befragten Kalksteine in der südlichen Hälfte der Gemeinde *Vieille - Vigne* sich findet. Das Korn derselben ist sehr ungleich, bald höchst feip, bald enthalten sie gröfsere Quarz - Bruchstücke. Ohne Zweifel wurde, nicht lange nach der Bildung der Sandsteine, die Gegend mit Wasser überdeckt, die, noch nicht vollkommen erhärteten, Felsarten wurden von der weichen Oberfläche des Bodens, auf welcher sie gelagert waren, untermengt mit dem, sie umschliefsenden Thone, durch die Wasser weggeführt. Aehnliche Sandsteine sieht man sehr verbreitet im S. des Departements der unteren *Loire*, überall lassen dieselben die ziemlichen geognostischen Beziehungen wahrnehmen, und der stärkere Zusammenhalt den sie, verglichen mit andern Sandsteinen, zeigen, ist durch einen Ueberfluß an vorhandener quarziger Materie erklärbar. Das interessanteste Vorkommen ist bei der Mühle *du Breil* südwärts von *le Haie*

17

Formatiäre. In dern nördlichen Hälfte des nämlichen
partements sieht man dieselben Sandsteine zerstreut auf
Ur - und Uebergangs-Gebiete. Bei *Blain* sezt der S
stein, auf Glimmerschiefer, gelagert, eine Berggruppe
sammen, die einzige, welche den zerstörenden Katastro
früherer Zeiten wiederstanden, denn einst diirfte die g
Gegend eine ähnliche Bedeckung gehabt haben. Beim Pa
hofe, de Roche-en-Croix, unfern *Héric*, liegen, we
Zolle unter der fruchttragenden Erde, rundliche,
glatte Sandstein-Massen einzeln zerstreut, die wohl
durch Strömungen herbeigeführt worden seyn dürften.

B. Esmone theilt Nachrichten mit über Ameri
nische Fundorte von Mineralien. (SILLIM
Journ. X, 11.) Heulandit, in Krystallen der K
form und in abgeleiteten Gestalten, mit Chabasie und
bit der Glimmerschiefer, *Chester*; Pimelit, als Au
lung kleiner Höhlungen in tropfsteinartigem Quarz,
Serpentin, *Middlefield*; Pinit, meist derb, auf Gra
Gängen, welche in Glimmerschiefer anfsezzen; Parga
(Hornblende), krystallinit, mit Idokras und Epidot,
ster.

Ueber die, aus vulkanischen Gebirgsar
auswitternden, Salze, insbesondere über
aus dem Trals in den Umgebungen des Laac
Sees und aus den Laven bei Bertrich schrie
Bischof und Noggerath (Gebirge in Rheinh. Westph.
238). Dechen erwähnt eines weifsen, flockigen Uebe

ges auf den porösen Schlacken des *Falkenlei*; FAUKE ge-
dankt eines feinen Salzes, welches aus den Traſsfelſen des
Tönnissteines wittert; die mehr oder weniger senkrechten
Steinbruchswände der Traſs-Gruben im *Brohl* - und *Tönnis-*
steiner Thale, erscheinen an vielen Stellen, und oft ziemlich dick mit einem weiſsen, flockigen Salze bekleidet. Eine Quantität des lezteren zeigte, bei der Statt gehabten
chemischen Untersuchung:

schwefelsaures Kali	18,901
salzsaures Kali	18,273
kohlensaures Kali	43,872
kohlensaures Natron	20,616
	101,662

Im *Brohl* - Thale kommen, gleichfalls auf Traſs, fast
fingerdicke Effloreszenzen eines beinahe schneeweiſsen Salzes vor, das von schaumiger Gestalt ist, und hin und
wieder zarte, haarförmige Krystalle zeigt. Dieses Salz besteht hauptsächlich aus schwefelsaurer Thonerde, mit etwas
weniges Eisenoxyd, Magnesia, einer äuſserst geringen Menge
eines Alkalis, und aus Salzsäure. — Die Untersuchung des
frisch gebrochenen Trasses ergab, auſser den erdigen Bestandtheilen — Kiesel-, Thon- und Kalkerde; und wahrscheinlich auch Talkerde nebst Eisenoxyd — Kali, Natron
und Salzsäure, und leztere sind ohne Zweifel in solcher
Verbindung mit den erdigen Bestandtheilen, daſs die Alkalien gröſstentheils in reinem Zustande, und geringeren Theils
als salzsaure Salze vorhanden sind.

C. L. Giesecke erstattete Bericht über einen mine[
logischen Ausflug durch Galway und Ma[
in Ireland. (*Ann. of Phil.; n. S.; XI*, 271.) [
Gegend zwischen *Marble Hill* und *Woodford*, best[
theilweise aus Diluvial-Land; mitunter schöne Konglo[
rate, zusammengesezt aus Trümmern von rosenroth[
Quarze und Hornsteine, von dunkelgrünem Jaspis und g[
[s]en Glimmerschiefer-Blöcken. Bei *Woodford* eine [
ausgedehnte Schicht von Sumpferz, und darüber eine mä[
tige Lage von Torf, der schon der Moorkohle sich nä[
Von *Cunnamara*, auf der Strafse nach *Oughterard*, schw[
zer Kalk an vielen Stellen zu Tage gehend. Jenseit O[
terard tritt Granit auf. Bei *Ballinahinch* Serpentin, bes[
ders in dem Thale, unfern der Stelle *the Twelve Pins*[
nannt, und graulichweifser, körniger Kalk, der mit Gr[
stein (Diorit?) wechselt. Der Serpentin, ähnlich dem S[
pentino. *Antico* aus Italien, ist mit Speckstein untermen[
mit feinem, körnigem Kalk, und durchzogen von Asb[
Streifen. Einzeln vorkommende Blöcke von Granit füh[
ausgezeichnete Turmalin-Krystalle. Der schwarze K[
wenige Meilen von der Stadt *Galway* entfernt, umschlie[
zahllose Versteinerungen, zumal Gryphiten; Flufsspa[
Adern durchziehen das Gestein. — Um *Cong*, in der Gr[
schaft *Mayo*: (eine Gegend, bemerkenswerth wegen ih[
häufigen unterirdischen Quellen und ausgedehnten Höhl[
durch welche reifsende Ströme in verschiedenen Richtun[
ihren Lauf nehmen), feinkörniger schieferiger Sandstein und[
diesem Nester von überaus schönen Kalkspath-Krystallen, de[
von *Island* nicht nachstehend. Wandungen und Dec[
der Höhlen sieht man bekleidet mit zierlichen Kalk-Stala[

üten. Auf dem Wege über *Neal* und *Ballinrobe* nach
Westport, schwärzlichgrauer, dichter Kalk, mit Kalkspath-
Adern durchzogen. Die Blei-Grube *Sheffry*, 12 Meilen
südwestwärts von *Westport*, baut in Thonschiefer, der
mit Chloritschiefer wechselt, und häufige Quarz-Adern und
Gänge enthält. Der Gang, Bleiglanz führend, den Kupferkies begleitet, streicht in SW.; als Gangarten: Quarz, Braunspath und Baryt. — Das Gestein an der Küste von *Mayo*,
an der *Killery*-Bucht, ist Feldstein-Porphyr, mit Feld-
spath-Kryställen und Adern von grünem Talk. Stellenweise sieht man darüber ein grobes Quarz-Konglömerat.
Die ausgedehnten Felsgruppen von *Reek* und *Croagh Pa-
trick* bestehen aus Serpentin. — Die Insel *Achill*, 20
Meilen von *Westport* entfernt, hat ausgedehnte Gebirgs-
züge von Glimmerschiefer, angeblich mit untergeordneten
Lagern von Granulit, auch von Amethyst-Gängen durchsetzt. Am Fuſse der Berge hin und wieder sehr grobe
quarzige Trümmer-Gesteine, welche auch Hornstein- und
Jaspis-Brocken eingemengt enthalten.

Am 1. Okt. 1826 verspürte man zu *Ofen* und *Pesth*,
ferner in *Pilis*, *Monor* und *Gyömrö* heftige Erdstöſse, und
in der Nacht vom 15. auf den 16. desselben Monats mehrere Bebungen zu *Messina*.

A. BOUÉ schrieb über die Formazionen. (JAME-
son, *Edinb. new phil. Journ.*: *April 1826, p. 84*.) Der
Mangel, gehörig ausgedehnten geognostischen Wissens, hat
es den Gebirgsforschern bisher unmöglich gemacht, örtliche

von allgemeinen Formazionen zu unterscheiden; auf solche
Weise ist die Zahl derselben nuzlos vermehrt worden, und
Manche haben sich mit dem Glauben getragen, dafs stets
noch neue Formazionen sich auffinden liefsen. Von der andern Seite haben sich einige Geognosten der durchaus entgegengesezten Meinung hingegeben, indem sie, ohne Noth,
die Zahl der Haupt-Formazionen verringern. Da sie nicht
immer deutliche Ansichten hatten von der Bildungsart alter
und neuer Mineral-Massen, so scheiden sie die Ablagerungen des einen Landes von den eines andern, indem die Merkmale beider nicht durchaus übereinstimmend waren. Es ist
nicht naturgemäfs anzunehmen, dafs eine sandige oder kalkige Formazion in verschiedenen Gegenden sich different
zeigen sollte, es sey auf den entgegengesezten Seiten eines
Beckens, oder an den Stellen, welche von beiden Seiten eines
Beckens eingeschlossen werden. Wenn die Ablagerungen
Meeres- oder Flufs-Alluvium sind, so wird die Natur der
vorhandenen Trümmer nach den Oertlichkeiten verschieden
sich zeigen, ihre Menge wird bald mehr, bald minder
grofs seyn; dasselbe würde theilweise auch der Fall seyn,
wenn die Gesteine Folgen einer chemischen Absezzung seyn
sollten. Sind die Ablagerungen, welche man wahrnimmt,
nichts als Ueberbleibsel meerischer Geschöpfe oder ähnlicher
Produkzionen, welche die Wässer ergriffen und aufgehäuft
haben, so wird dieselbe Schicht, an verschiedenen Orten,
nicht blos Mannichfaltigkeit der Fels-Trümmer, sondern
auch der fossilen Körper zeigen; denn die Meeres-Geschöpfe sind verschieden nach der Tiefe des Meeres, nach dem
Ungleichen der Entfernung von der Küste, nach Himmelsstrichen u. s. w., und ihre Ueberbleibsel müssen sich eben-

falls auf vielartige Weise gruppirt zeigen, nach dem Verschiedenartigen der Bewegungen der Meereswasser und der
Beschaffenheit des Seebodens.* Auf der andern Seite gibt
es allgemein verbreitete Mineral-Massen, wie Sandstein u. s. w.,
während noch andere mehr als örtliche Gebilde gelten, so
der Kalk, Gyps, das Steinsalz und die Kohlen. Die geschichteten Gesteine haben, wie es das Ansehen hat, in den
Gegenden, wo sie vorkommen, das Entstehen gewisser Ablagerungen bedingt; so sind granitische Felsarten von gewissen Conglomeraten begleitet, die Serpentine werden in
der Nähe gewisser Sandsteine getroffen, den Porphyr sieht
man die Kohlen-Formazion begleiten und manche Flöz-
Gesteine, die Basalte sind vergesellschaftet von Braunkohlen-Ablagerungen und von Sandstein u. s. w. Darum
wird es nicht befremden, wenn, in verschiedenen Gegenden, die Lager derselben Formazion eine gewisse Mannichfaltigkeit wahrnehmen liessen. So werden die Uebergangs-
der Flöz-Sandsteine eines Landstriches, in welchem keine
ungeschichteten Felsarten zu finden sind, sich in Etwas von
denen einer Gegend unterscheiden, welche Gesteine vulkanischer Abkunft, oder nicht geschichtete Gebirgsarten auf-
weisen hat. Man weiss, dafs die Vertheilung der Kalksteine über die Erd-Oberfläche nichts weniger als gleich-
mässig ist, sondern dafs sie vorzüglich begünstigt durch
eigenthümliche Oertlichkeiten entstanden, wie in Becken,
in den Windungen eines Bodens, oder längs der untermeerischen Gebirgskette. Gyps und Steinsalz gehören ebenfalls
zu den örtlichen Ablagerungen, in so fern man ihnen theils

* S. die treffliche Abhandlung von PREVOST.

wässerigen, theils feuerigen Ursprung einräumt. — Endl
sind auch die Ablagerungen brennlicher Stoffe hierher
zählen, indem Thatsachen beweisen, daſs sie nichts si
als vegetabilische und animalische Materien, welche du
Fluſs- oder Meeres-Strömungen, oder durch andere
waltsame Ereignisse fortgeführt, und unter gewissen Trü
mer-Gesteinen begraben worden. — Solche Betrachtun
scheinen nothwendig, um bei Klassifizirung der Felsar
eines groſsen Theiles der Alpen, Appenninen, Karpathen
Pyrenäen zu leiten. Die drei ersten der genannten Gebi
ketten lassen sehr beträchtliche sandige oder mergelige Al
gerungen wahrnehmen, der Grauwacke ziemlich ähnli
und vielleicht die Stelle von mehr als einer sandigen Fl
Formazion anderer Gegenden einnehmend, oder als Stellv
treter dieser sämmtlichen Flöz-Gebilde bis zur Jurake
Eine Thatsache, welche durch den gänzlichen Mangel
Porphyren in jenen groſsen Ketten erklärbar seyn dür
denn überall, wo diese vulkanischen Gesteine auftreten,
ben sie den älteren Flöz-Ablagerungen ihren eigenthün
chen und gewöhnlichen Charakter verliehen. — Diese I
trachtungen führen ferner zu allgemeinen geognostisch
Ansichten, das Entstehen der Flöz-Formazion betreffe
Es scheint, daſs durch zu eifriges Streben, Einzelnhe
zu erforschen, manche Geognosten die allgemeine Thatsa
in dieser Klasse von Fels-Gebilden sich darstellend,
dem Auge verloren. Ohne hinreichende Prüfung verban
sie, unter der Benennung ältere und neuere Uebergа
Klasse, eine unermeſsliche Menge von Ablagerungen, w
selnde Kalk- und Sandstein-Schichten enthaltend; von
andern Seite schieden sie, mehr als nothwendig, viele

nagmächtige Felsmassen, wegen der häufigen, in ihnen enthaltenen, fossilen Muscheln, vielleicht auch weil das Studium dieser Gebilde leichter ist. Sollten in der Flöz-Periode in Wahrheit mehr, als zwei wesentliche und allgemeine Formazionen vorhanden seyn? Die eine mit vorherrschenden Kalk - Gehalt, Kreide und Jurakalk umfassend, die andere von sandiger Beschaffenheit, alle älteren Flöz-Sandsteine enthaltend. — Man sieht in den Flöz - Formazionen die sandigen Ablagerungen aus der Teufe nach oben abnehmen; das umgekehrte Verhältnifs findet beim Kalke statt. Zwischen der Kreide und dem Jurakalke, ja selbst in dem lezteren (*England, Dalmazien; Frankreich*) finden sich nichts als sehr unbeträchtliche sandige Massen, und sogar diese erscheinen nicht überall. Auf der andern Seite werden in den älteren sandigen Ablagerungen nur zwei Kalkstein - Massen wahrgenommen, deren unterste nicht sehr mächtig ist, und sehr beschränkt verbreitet, während auch die andere die allgemeine Erstreckung des Jurakalkes nicht zuzustehen scheint. Endlich bietet der lezte Kalk ein Beispiel, wie umfassend die Beobachtungen seyn müssen, ehe uns eine Entscheidung darüber zusteht, ob irgend eine Ablagerung als allgemein anzusehen sey, oder ob man sich berechtigt achten dürfe, sie als Formazion einzureihen; denn die verschiedenen, hin und wieder in jenem Kalke erkannten Abtheilungen, zeigen sich nicht überall; einige derselben werden mitunter durch sehr mannichfache Gesteine vertreten, und selbst die scheinbar wichtigste Felsart, der *Lias*, fehlt im ganzen südöstlichen Europa, so in den *Appenninen, Alpen,* in *Oesterreich* und *Ungarn.* — —

-,. Varlex hat ein Löthrohr mit zwei Sch
beln erfunden. (Gill, *technical repository*; Nro.
p. 245.) Bekanntlich ist nach Berzelius zur Oxydir
ein Löthrohr mit weiterer, zur Reduzirung aber ein
gleichen mit feinerer Oeffnung erforderlich. Bisher m
man entweder die Schnäbel des Löthrohres, oder das L
rohr selbst stets wechseln, wenn es beim Arbeiten bald
Oxydazionen und bald auf Reduksionen ankam. Var
soll diesem Mangel abgeholfen haben durch Erfindung
Löthrohres, mit welchem man, durch bloße Umkehr
den Schnabel wechseln und Witkungen hervorbringen b
die kein anderes Löthrohr gestattet. (Ausführlich besch
ben und abgebildet findet man das Instrument in Dinol.
polytechn. Journ.; X, 152.)

.3 :

?l

ál Leslie hat ein Instrument zur Bestimmu
der Eigenschwere von Pulvern und fest
Substanzen, die man nicht ins Wasser bringen w
erfunden. Die *Ann. of Phil.*, n. S., *April* 1826, p. 3
liefern eine ausführliche, durch eine Abbildung versinnbc
Beschreibung der Vorrichtung.

l..

Römer-Büchner entdeckte fossile Fischre
bei Frankfurt am Main im thonigen Mergel
Grobkalk-Gebildes. Die Ueberbleibsel, Gräten, Wi
und Schuppen liegen häufiger einzeln zerstreut, nur sc
als Theile eines Gerippes in natürlicher Aneinanderreihu

Weitere Nachricht über diese Entdeckung gab H. v. Meyer.
(Kastner, Archiv für Naturl.; VIII, 437.)

Portlock legte der geologischen Sozietät zu London
Bemerkungen über einige Felsarten des nordöstlichen Irelands vor. (Ann. of Phil. new Ser.; XII,
67.) Nach allgemeinen Betrachtungen über die Granite und
Glimmerschiefer der *Mourne Mountains*, von *Carlingford*,
s wie über jene, einer im N. von *Derry* sehr verbreiteten Berggruppe, wendet sich der Verfasser zur Untersuchung der Erscheinungen des basaltischen Zuges, so wie
zur Betrachtung der beim Zusammentreffen des Basaltes
mit der verhärteten Kreide sich darbietenden Phänomene.

Im *Himalaya*-Gebirge findet man, nach Herbert,
den Graphit in Kugeln von 1 bis 3'' Durchmesser auf
der Oberfläche eines Hügels, dessen Gestein vorzugsweise
aus Glimmer besteht.

Am 15. Dezember 1826, Abends um 8 Uhr und etliche
30 Minuten, ward ein bedeutender Erdstoſs in der
Stadt *Zürich*, ihren Umgebungen, an beiden Seeufern, in
Winterthur u. s. w. verspürt. Die Bebung schien von
nordöstlicher Richtung. Einen schwächeren Erdstoſs haben
manche Personen auch schon zwischen 7 und 8 Uhr, und
einen dritten um 4 Uhr am 16. Dezember Morgens wahrgenommen. (Zeitungs-Nachricht.)

G. B. La Via theilte mineralogische Be
achtungen, in dem Gebiete von Sommati
angestellt, mit. (*Giorn. de Fis. ect.*; 1825, *II*, 29
In der Ebene zwischen *Coltanisetta* und dem Dorfe S
matino zahlreiche Hügel von Uebergangskalk und von M
gel. Den *M. Grande* sezt vorzüglich Gyps zusamm
welcher vielen Schwefel eingemengt enthält. Gyps,
terziären Zeit zugehörig, bildet die Höhe von *Caprar*
Mintina und *Bruca*, er ist häufig mit Thon und
Schwefel gemengt. Der lezte entzündete sich im J.
1787 in einer Bergschlucht, der Brand dauerte meh
Jahre hindurch, und endigte erst 1789 mit einem Stro
flüssigen Schwefels, der am Bergfuße hervorgedrungen s
soll. Angeblich wurden mehr als 800,000 Zentner Sch
fel gesammelt; und der Brand soll noch fortdauern,
dem Berge Rauch entsteigen (?). — Man trifft hier zi
che Krystalle von Schwefel und von schwefelsaurem Stronz
— Schwefel-Quellen sind zu *Mintina* und *Canalatto* v
handen, eine Eisen-haltige Quelle bei *Orto-Trabia*,
eine andere Quelle, welche am Fuße der Gyps-Hügel v
Canalatto hervortritt, ist Gyps-haltig. (Férussac, B
let.; *IX*, 15.)

Berthier zerlegte die grünen Körner ei
Glauconie (*craie chloritée*) aus Deutschland, dem gle
namigen Gesteine von *Havre* sehr ähnlich. Die Kö
sind sehr klein, unregelmäßig, grasgrün. Ihre Zerleg
gab:

Kiesel					0,461.
Eisen - Protoxyd					0,196.
Thon					0,055.
Talk					0,038.
Kali					0,053.
Wasser					0,089.
beigemengten Quarz					0,115.
					1,007.

(*Ann. des Mines; XIII*, 213.)

J. Finch schrieb über die terziären Formazionen an den Ufern des Hudson. (Silliman, *Ame-*
ric. Journ.; X, 227.) Sie erstrecken sich, ungefähr 15
Meilen breit, von *West - Point* bis zur Stadt *Troya* und
und noch weiter nordwärts. Das älteste Gestein, in dem
Becken, welches jene Gebilde einnehmen, ist Ueber-
gangs-Thonschiefer, dessen Schichten unter 35 bis 45°
fallen, und der häufig Quarz-Gänge umschließt, selten
Kohlen - (Anthrazit -?) Lagen. Der Thonschiefer wechselt mit dem, die gewöhnlichen Versteinerungen führenden,
Uebergangskalke. Unmittelbar über diesem Transizions-
Gesteine nehmen die terziären Straten ihre Stelle ein. Sie
bestehen aus folgenden Lagen: 1. bläulich- oder schwärzlichgrauer mergeliger Thon, der zuweilen Eisen-
liese und fossiles Holz führt, zwischen 10 und 80' in
der Mächtigkeit wechselt (wahrscheinlich war die ursprüngliche Stärke mehr gleichmäfsig, und das Ungeregelte der
jetzigen Oberfläche mag durch *Diluvial* - Strömungen be-

dingt worden seyn); 2. Klebschiefer, Lager in den
vorhergehenden Schichten ausmachend; 3. Thon, theils
dem mergeligen Thone eingelagert, theils dessen Stelle vertretend. — Darauf folgt die *Diluvial*-Ablagerung, Sand und
Grufs mit Röllstücken älterer Felsarten. — Zwischen *Hyde
Park* und *Rhinebeck* findet man ausgedehnte Thon-Abla-
gerungen.

BROCHANT DE VILLIERS, DUFRENOY und E. DE BEAU-
MONT erstatteten Bericht über die Blei-Gruben in
Cumberland und Derbyshire, und der erstere namentlich schilderte die geognostischen Verhältnisse dieser
Landstriche und die Beschaffenheit der Erz-Lagerstätte.
(*Ann. des Mines;* XII, 339.) — Das Gebiet, in welchem, in *Cumberland* und in den benachbarten Grafschaften,
so wie in *Derbyshire*, auf Blei gebaut wird, besteht vorzüglich aus Kalkstein, bekannt unter den Benennungen
Bergkalk, erzführender Kalk (*mountain* oder *metalliferous limestone*), Enkriniten-Kalk; CONYBEARE
und nach ihm die meisten Englischen Geognosten bezeichnen das Gestein gegenwärtig, in Beziehung auf das unmerk-
bare Verband, in welchem die oberen Lagen desselben zu
dem, unmittelbar auf ihm ruhenden, Steinkohlen-Gebiete
stehen, mit dem Ausdrucke Kohlen-führender Kalk
(*carboniferous limestone*). Der Kalk, älter als das Kohlen-Gebiet, gehört demnach der Uebergangszeit an, die
Grenze derselben in dem Sinne genommen, wie solche
WERNER festgestellt; Manche wollen freilich das Kohlen-
Gebiet und den Deutschen röthen Sandstein noch den Tran-
sizions-Gebilden beizählen, während die Englischen Ge-

birgsforscher einen wesentlichen Unterschied machen, zwischen ihrem *carboniferous.limestone* und einem ihm unterliegenden Kalke, der ausschliefslich den Namen Uebergangs-Kalk führt. — Die Grafschaften *Cumberland* und . *Westmoreland* im W., *Durham* im O., *Northumberland* im N. und *York* im S. begrenzen einander, in ungefähr gleicher Entfernung vom Irländischen und Deutschen Meere, in einer erhabenen Gegend, wo die Quellen der *Tyne*, *Wear* und der *Tees* sind. In dieser Gegend trifft man das Gebiet des erzführenden Kalkes über einen Raum von ungefähr 37 Kilometer aus O. in W., und von 48 Kilometer aus N. in S. verbreitet, und in südlicher und westlicher Richtung ist dasselbe, jedoch mit Unterbrechungen, noch weiter erstreckt. Die Bleierze, welche so reiche Ausbeute liefern, finden sich in diesem Kalke, und zumal in *Cumberland*, namentlich um *Alston-Moor*, sind Bergbau und Hüttenbetrieb sehr blühend. Der erzführende Kalk wird gegen O., in gleichförmiger Lagerung, durch einen grobkörnigen Sandstein bedeckt, von Englischen Geognosten *Millstone-grit* (Mühlenstein, *grès à meules*) genannt, auf welchem das Steinkohlen-Gebilde von *Northumberland* und von *Durham* ruht, welches sich noch weiter ostwärts bis zum Deutschen Meere erstreckt. In diesen Sandstein dringen die, auf Steinkohlen vorgerichteten, Grubenbaue nicht ein; zwar ist das Kohlen-Gebilde hier nicht geendigt, es sezt vielmehr bis zum erzführenden Kalke fort, besonders in die obere Hälfte desselben; allein die Kohle macht hier stets nur geringmächtige Lagen aus und ist von sehr untergeordneter Qualität (*crow coal*). Dieser allmähliche Uebergang beider Gebiete, und das Vor-

handenseyn der Kohle im erzführenden Kalke unterhalb der
Kalk - Schichten hat den Namen Kohlen - führender Kalk
(*carboniferous limestone*) veranlaßt. — Das Kohlen - Gebiet besteht aus kalkigen Schichten, wechselnd mit schieferigen Felsarten, im Allgemeinen dem Schieferthone näher
stehend, als dem Thonschiefer, und mit Sandsteinen, die
meist grobkörnig, lichte gefärbt, häufig glimmerig, mehr
oder weniger schieferig sind, und oft mit Kohlen - Sandstein, zuweilen auch mit Grauwacke Beziehungen haben.
Man trifft darin auch ein Lager, oder eine Masse eines,
im Lande unter der Benennung *whin - sill* bekannten, Gesteines; die Masse gehört dem an, was im Allgemeinen
unter dem Namen Trapp begriffen wird, sie wurde an
vielen Stellen beobachtet und stets dem Kalke deutlich eingelagert, aber sehr regellos und von wechselnder, oft über
20 Meter betragender, Mächtigkeit gefunden *. Das, den
erzführenden Kalk überlagernde, Kohlen - Gebilde schließt
gleichfalls verschiedene Trapp - Massen von einer dem *whin-
sill* mehr oder weniger analogen Beschaffenheit. — Die
Schichtung des Kalk - Gebietes ist sehr regelrecht und dem
Horizontalen ungemein nahe, denn die Schichten senken
sich nur unter ungefähr 2 bis 3° gegen NO. Dasselbe ist
bei den Kohlen - Lagen über dem Kalke der Fall. Man
zählt ungefähr zwanzig Kalk - Schichten, welche die Gru-

ben-

---

* SEDGWICK lieferte (*Phil. Transact. of Cambridge Soc.*;
  1824) eine ungemein interessante Abhandlung über den, in
  Teesdale beobachteten, *whin - sill*. Er ist der Meinung,
  daß derselbe auf feuerigem Wege entstanden, und seitlich zwischen die, bereits früher vorhanden gewesenen, Kalk - Schichten hineingeschoben worden sey.

bau-Arbeiter in der Regel alle wohl von einander zu unterscheiden wissen, auch mit besonderen Namen belegen. Die meisten sind mit Enkriniten-Trümmern mehr und weniger gemengt (daher der Name: Enkriniten-Kalk), zuweilen auch mit Madreporen und Muscheln. Die Farbe des Likes ist im Allgemeinen grau und häufig ziemlich dunkel. Die Mächtigkeit der Schichten wechselt; selten beträgt sie weniger als 5 bis 6 Meter, manche messen 8 bis 10 M., eine Bank wächst sogar bis zu 20, und eine andere bis zu 40 M. an. Die erste unterscheiden die Bergleute durch die Benennung *great limestone*, die zweite, eine weit tiefere Stelle einnehmend, heifst *melmerby scar limestone.* — Das Gebiet ruht, in gleichförmiger Lagerung, auf **rothem Uebergangs-Sandsteine** (*old red sandstone*), welcher nur das unterste Glied desselben auszumachen scheint; und dieser liegt, nach BUCKLAND's Angabe, auf einem Grauwacken-Gebiete, welches, in gröfserer Teufe, Trapp-Massen umschliefst. Die gewöhnliche Mächtigkeit aller, bis jezt beobachteten Schichten des Gebietes zusammengezählt, von seinem tiefsten an, welche den rothen Uebergangs-Sandstein begrenzt, bis zum *millstone-grit*, der dieselbe überdeckt, mifst die gesammte Stärke ungefähr 924 Yards (845 Meter). — In dem beschriebenen Gebiete liegen die Blei-Gruben von *Cumberland* und von den nachbarlichen Grafschaften. Die Bergleute unterscheiden drei Arten der Lagerungs-Weise des Bleies, die *rake-veins*, eigentliche Gänge, *pipe-veins*, liegende Stöcke, und *flat-veins*, kleine Erz-Lager in der Mitte zwischen den Gestein-Schichten. Auf den *rake-veins* kommen die meisten Erze vor. Sie tragen alle Merkmale, welche man im

Ganzen an Gängen wahrnimmt. Häufig zeigen sich
schiebungen des Gebirgs-Gesteines im Hangenden oder
genden; mitunter weichen die, einander entsprechen
Schichten, in Betreff des Niveaus, sehr bedeutend
manche Gänge machen nicht eine Ebene aus, sondern r
rere unter ein- und ausspringenden Winkeln verbun
Die vertikalen, oder die zu den Schichten wenigstens s
rechten Theile der Gänge stehen nicht unmittelbar über ei
der, sondern der Zusammenhang wird durch eine For
zung des Ganges, in horizontaler Richtung durch
Schicht von anderer Natur, meist Schieferthon, ode
Allgemeinen ein schieferiges Gestein vermittelt, wäh
der vertikale Theil des Ganges in Kalk- oder Sand
eingeschlossen ist *. In *Cumberland* sieht man meh
Erscheinungen solcher Art, ja die meisten Gänge dü
Spuren ähnlicher Struktur wahrnehmen lassen. In
schieferigen, so wie in den Sandstein-Schichten ist
Mächtigkeit der Gänge im Allgemeinen geringer, als in
Kalk-Lagen. Oft hat in solchen Fällen, plözlich
Wechsel in der Stärke von 1 Fuss bis zu 3 und 4 F
Statt; der reiche *Hudgillburn*-Gang soll in der K
Schicht, *Great-Limestone* genannt, 17 F. Mächtigkeit
ben, während diese in den darunter befindlichen Sandst
Lagen, mit dem Namen *Watersill* bezeichnet, kaum
Fuss beträgt. Neben den Verschiebungen und Verrüc
gen müssen auch noch andere Ursachen auf diese Diffe

---

* Eine ähnliche Struktur wurde von WERNER, in den G
der *Halsbrückner-Spath* unfern *Freiberg* genannt, be
achtet, und als seltene Erscheinung bezeichnet.

... in der Mächtigkeit gewirkt haben. Fast stets wird ... der Reichthum der Gänge an Bleierzen durch die ... der Fels-Schichten bedingt *); die Gänge in *Cumberland* zeigen sich stets innerhalb der Kalk-Schichten am ... , im festen Schieferthone enthalten sie nur selten ... , meist sind sie ganz mit thoniger Substanz erfüllt. ... in den verschiedenen Kalk-Schichten ist der Erz... zuweilen ungleich. Die Gangtheile der *great-... genannten Schicht zeigen sich am mächtigsten ... . Die oberen Kalk-Schichten sind im Allgemeinen ergiebiger, als die unteren. In den meisten Gruben ... die Gänge nicht weiter, als bis zur fünften Kalk-..., die ungefähr 307 Yards (280 Meter) Teufe unter... des *millstone-grit* (Kohlen-Sandstein), und, da ... erste Kalk-Lage 108 Yards ausmacht, so ergibt sich, ... die ganze Mächtigkeit des Gebietes, wo die Gänge ... an Blei sind, im Allgemeinen 200 Yards (182 Meter) nicht übersteigt. — Vorzüglich reich ist ein Gang in ... Regel an den Stellen, wo seine beiden Wände, nur in ... Grade verworfen, aus demselben Gesteine beste... ; er wird erzarmer, wenn die eine Wand von Kalk, ... andere von Schieferthon gebildet wird. — Die Erze ... aus Bleiglanz (die übrigen bleiischen Substanzen, ... kohlensaure Blei abgerechnet, sind meist zu unbedeu... , um sich zur bergmännischen Gewinnung zu eignen), ... von Kalk-, Fluss- und Barytspath, von Quarz und von Kiesen begleitet wird. — Die *pipe-veins* sind selten

---

*) Erscheinung, jener anderer Gänge analog, namentlich denen von *Kongsberg*.

18 *

sehr weit erstreckt; aber einige derselben zeigten sich z
lich mächtig. In ihrer Zusammensezzung stimmen sie
Ganzen mit den *rake - veins*. Man trifft dieselben mei
der Nähe der lezteren, und zuweilen selbst in augenfälli
Verbande mit ihnen. Oft enthalten sie keine Erze,
mitunter sollen sie auch sehr ergiebig seyn. Die *flat-1*
oder *strata - veins*, die kleinen Erz - Lager, scheinen ni
als Ergiefsungen (*epanchemens*) der Gangmasse zwisc
den Schichten - Flächen zu seyn; sie führen die nämli
Mineralien, wie der dieselben begrenzende Gang; auch v
den die erzhaltigen, was aber in der Regel nur bis an
wisse Entfernung von den Gängen der Fall ist, zugl
mit diesen abgebaut; nur das Zusammentreffen mit ei
andern Gange kann sie von neuem ergiebig machen.

In *Derbyshire* nimmt der Bergkalk (erzführender K
eine Länge von ungefähr 40 Kilometer aus NW. in
ein; die Breite ist sehr wechselnd, nach S. erreicht dies
ungefähr 24 Kilometer. Nach fast allen Seiten zieht r
das Gestein umgeben von *millstone - grit*, der ihn über
gert und dem das Steinkohlen - Gebilde aufgesezt ist; w
auf der Bergkalk seine Stelle einnimmt, weifs man nic
Die Schichten neigen sich wenig gegen O.; allein du
beträchtliche Veränderungen hat diefs Verhältnifs öftere A
derungen erlitten. In *Derbyshire* zeigt sich der Trapp n
weit häufiger als in *Cumberland*, und ist zu drei M
zwischen den Kalk gelagert. Beide Gesteine sezzen,
sich allein, von *millstone - grit* an gerechnet, das ganze (
biet zusammen, und erlangen eine Mächtigkeit von un
fähr 500 Metern; nur in dem höheren Theile, d. h. n
an der Grenze des *millstone - grit*, findet man thonig-k

lige Schiefer von nicht unbeträchtlicher Stärke. Es lassen
sich vier grofse kalkige Schichten, oder vielmehr Bänke unterscheiden, zwischen welchen drei Massen von Trapp eingelagert sind.' In' der Mitte der' dritten Kalk-Bank, von oben
gerechnet, zeigen sich einige geringmächtige Trapp-Massen.
Die beiden obersten Kalk-Bänke haben ungefähr 45 Meter
Mächtigkeit, die dritte mifst' 64 Meter, und die vierte,
deren Stärke man nicht genau kennt, hat wenigstens 76
Meter. Die Kalksteine dieses Gebietes sind im Allgemeinen
dicht, etwas splitterig, und meist weifslich- oder gelblichgrau von Farbe; allein jede der vier Bänke hat auch Kalk
von dunklerer und selbst von schwarzer Farbe. Die verschiedenen, eine jede Bank zusammensezzenden einzelnen
Lagen sind durch eben so viele dünne Thon-Lagen getrennt von einander. Viele dieser Kalke zeigen sich gemengt mit sehr dünnen, oft plattgedrückten, kieseligen
(Feuerstein-) Nieren, welche den Schichtenflächen parallel,
auf weite Erstreckung sich vertheilt zeigen. Dieses, von
den Engländern vom gewöhnlichen Feuersteine unterschie-
dene und mit dem Namen *Chert* bezeichnete, Mineral ist
häufig schwarz, mitunter aber auch lichte gefärbt. Die erste und zweite Kalk-Bank enthalten Lagen, welche in dem
Grade von Kiesel-Substanz durchdrungen sind, dafs man
keinen Kalk daraus brennen kann. Die obere Hälfte des
zweiten Kalkes ist Talk-haltig, von körnigem Gefüge, die
einzelnen Körner sehr locker verbunden. (Dadurch unterscheidet' sich das Gestein von allen körnigen Kalken der Ue-
bergangs- und der Urzeit.) In allen diesen Kalken, wie in
jenen von *Cumberland*, sind die Enkriniten überaus häufig;
auch Madreporen, Anomieen, Produktus, und andere fossile

Muscheln trifft man darin. In den verschiedenen Kalk-
Bänken hat man viele Höhlen entdeckt; die erste, und mehr
noch die vierte Kalk-Bank, sind besonders Höhlen-reich;
jene von *Matlock* liegt im talkhaltigen Kalke *. Die drei
Trapp-Lagen oder Massen, welche die vier grofsen Kalk-
Bänke scheiden, haben meist Mandelstein-Struktur. Die
Körner, deren Gröfse ziemlich wechselnd ist, aber in der
Regel die einer Nufs nicht übertrifft, bestehen im Allgemeinen aus Kalkspath mit etwas Grünerde, selten aus Achat.
Im Lande führen die Mandelsteine den Namen *toad-stone*.
Die Grundmasse des *toad-stone* ist meist hart und fest,
und von dunkler oft schwarzer Farbe, nur die erdige zeigt
sich lichter gefärbt. Ob die erdige Beschaffenheit stets eine
Folge der Verwitterung sey, läfst sich nicht leicht entscheiden. Der Bruch des Gesteines ist fast stets dicht; einige
nicht häufig vorkommende Abänderungen sollen jedoch ein
schieferiges Gefüge besitzen. Die *toad-stone*-Lagen sind
nach oben und nach unten wenig regelrecht begrenzt; sie
gelten daher manchen Geognosten nicht als eingelagerte,
sondern als eingeschobene Massen vulkanischer Abkunft. ——
In diesem Gebiete wird der *Derbyshirer* Blei-Bergbau verführt, auch Galmei kommt daselbst vor. Die verschiedenen Erz-Lagerstätten werden, wie in *Cumberland*, in *rake-veins*, *pipe-veins* und *flat-veins* getheilt: allein die
beiden lexteren gehören zu den weit seltenen Erscheinungen,
und man baut, wie es das Ansehen hat, bis jezt blos die

---

* Man erzählt, dafs die Bergleute, wenn sie eine solche Höhle
durch ihre Arbeiten aufschliefsen, die Wasser dahin zu leiten
versuchen, indem meist ein Ablauf nach aufsen vorhanden ist.

egentlichen Gänge , d. h. die *rake - veins* ab. Flufsspath und Kalkspath sind die gewöhnlichen Gangarten des Blei-glanzes; auch Barytspath kommt damit vor. Der Flafs-spath findet sich hier oft in schönen Krystallen; da, wo der-selbe den ganzen Gangraum füllt, zeigt er sich blos kry-stallinisch. — Was die Gänge in *Derbyshire* besonders be-obachtungswerth macht, das ist die nicht gewöhnliche Be-ziehung, in welcher sie zu den Felsarten stehen, von de-nen sie umschlossen werden. Eine seit längerer Zeit be-kannte Thatsache ist, dafs die Gänge in den Kalk-Lagen vor-handen sind, und dafs, wenn der Abbau zum untern Thei-le einer solchen Lage, und in den *toad - stone* gelangt, der Gang verschwindet; allein mitunter soll derselbe in der untern Kalk-Schicht, nachdem der *toad - stone* durchbrochen wor-den, sich wieder eingestellt haben. Man hat, aus dieser Beobach-tung, einen Beweis gegen das Grundgesez der Werner'schen Gang-Theorie zu entnehmen gesucht; man glaubte darin ei-nen unwiderlegbaren Beweis zu finden, dafs die Gänge keine erfüllte Spalten seyn können. Allein die meisten Geburgsforscher urtheilten, dafs die theoretischen Schlufsfol-gen, welche sich aus der Gesammtheit der Merkmale aller, in den verschiedensten Gegenden beobachteten, Gänge erga-ben, nicht durch ein einziges dagegen sprechendes Beispiel vernichtet werden könnten, um so weniger, da jene re-gellosen Gänge in *Derbyshire* übrigens den andern Gängen durchaus ähnlich sind, was ihre Zusammensezzung, ihre Struktur u. s. w. betrifft; man ist darum der Meinung ge-wesen, es sey nicht wohl möglich, über diese Gänge ir-gend ein Urtheil auszusprechen, und ohne Zweifel würden spätere Beobachtungen das Verhältnifs aufklären. In der

That hat sich seitdem ergeben, daſs die erwähnte Unter
chung der Gänge durch den *toad-stone*, obwohl dieselbe
lerdings in den meisten Gruben sich zeigt, dennoch ni
als ganz allgemein gelten könne. In der Liste, die Far
über alle Gruben mittheilt, welche bis jezt in *Derbys*
im Betrieb gewesen, oder die noch bebaut werden, (
deren Zahl sich auf 280 · belauft, befinden sich 19, v
denen gesagt wird, daſs die Erze auch im *toad-stone* v
gekommen wären. Zwei dieser lezteren Gruben, die (
Pindale (oder vielmehr von *Nunleys* bei *Pindale*) un
Castleton, und jene von *Sevenrakes* bei *Matlock*., wu
von dem Verf. besucht;. in beiden sezt der Gang aus (
Bergkalke in einen erdigen *toad-stone* über. Zu *Seve*
kes leidet der Gang allerdings eine merkliche Aender
indem er in den *toad-stone* übertritt. Es ist kein einz
regelrechter Gang mehr, wie im Kalke, sondern ein H
werk kleiner, ziemlich paralleler, einander sehr naher G
ge; sie führen etwas Bleiglanz, und die Gangart ist die
be, wie im Kalke. Diese Aenderung, was Struktur (
Mächtigkeit betrifft, welche der Gang in beiden Felsar
zeigt, ist nichts Ungewöhnliches; man kennt mehrere B
spiele solcher Art, und selbst in *Cumberland* kommen ä
liche Aenderungen vor. Diese Beobachtungen zeigen,
die Gänge, von welchen die Rede, wenigstens jene,
aus dem Kalke in den *toad-stone* übersezzen, die nä
chen Merkmale tragen, wie die Gänge im Allgemeinen.
Nichts streitet demnach, dem Verf. zu Folge, gegen

─────────

* *General view of the agriculture and minerals of the L
byshire. Vol. I. London; 1815.*

Anwendung der Hypothese von erfüllten Spalten auf die Gänge von *Derbyshire*. Auch scheine es, so sagt er, dafs alle Geognosten, welche in neuerer Zeit jenen Landstrich besuchten, gleichfalls dieser Meinung wären; allein in betreff der übrigen dasigen Gänge, die durch den *toad-stone* unterbrochen, sind die Ansichten noch verschieden. Keineswegs, als ob man dieselben nicht als wahre Gänge zu betrachten geneigt wäre, d. h. als erfüllte Spalten; sondern um ihre Unterbrechung zu erklären, haben Einige angenommen: dafs jene Gänge einer weit früheren Periode angehörten, als die im *toad-stone* aufsezzenden, und als die Ablagerung des *toad-stone* selbst; dafs dieselben sich in dem Gebiete gebildet, als dieses nur aus Kalk-Bänken bestand, und dafs sie damals, wie solches gewöhnlich bei allen übrigen Gangmassen der Fall, einen nicht unterbrochenen Zusammenhang hatten; endlich dafs ihre gegenwärtige Unterbrechung erst später erfolgt, als der *toad-stone* zwischen die Kalk-Bänke eingeschoben worden. Diese Hypothese schliefst sich einer anderen, weit allgemeineren an, nach der sehr viele geognostische Erscheinungen, selbst solche, die den, als wesentlich vulkanisch betrachteten, Gebieten gänzlich fremd sind, als Folgen der Wirkung eines gewaltigen unterirdischen Heerdes gelten müfsten, durch welche Kräfte der Tiefe, in allen Perioden, auch die entferntesten nicht ausgenommen, grofse Zerstörungen auf der Erd-Oberfläche verursacht worden wären, die Emporhebungen der Planetenrinde bewirkt, und sehr beträchtliche Mineral-Massen, welche aus dem Erdinnern herauf gehoben worden, theils über die bereits vorhandenen Felsschichten, theils zwischen dieselben getrieben hätten. Allein auch durch

Annahme einer solchen Hypothese, die übrigens gegenw

tig die herrschende seyn dürfte, erklären sich die, bei

meisten Gängen in *Derbyshire* beobachteten, Anomalien a

d. h. die Unterbrechungen, welche sie durch den *t*

stone erleiden. Die Unterscheidung zweier Bildungs-*I*

chen bei den Gängen dieser Gegend, so, dafs *diesel*

theils vor, theils nach dem Daseyn des *toad - stone* c

standen wären, ist eine durchaus willkürliche Annahm

denn es bietet sich keine wesentliche Differenz der Gä

welche jene Hypothese rechtfertigen könnte, vielm

scheint A'les darauf zu deuten, dafs die, durch den *t*

stone unterbrochenen, Gänge, sowohl als jene, welche

rin aufsezzen, einer und derselben Bildungszeit ange

ren. — —

BERZELIUS theilt *, aus einer Abhandlung von

MARK: „Beitrag zur Geschichte unseres Erdkörpers" (*J*

gazin *for Naturvidenskaberne af* LUNDH, HANSTEEN

MASCHMANN; I, 28), die Vermuthungen mit, welche

über den Zustand der Erde in der Urzeit darg

legt, und woraus er folgende allgemeine Schlüsse gezog

hat: 1. dafs die Erde Anfangs im flüssigen Zustande gew

sen sey; 2. dafs sie, während ihrer langen Entwickelung

Periode, abwechselnd so weit von der Sonne entfernt w

dafs alles Wasser zu Eis erstarrte, und wieder so nahe d

selben sich befand, dafs nicht allein alle festen Erd- u

Steinarten verändert, sondern auch die Flüssigkeiten, w

---

* Jahresbericht, übersezt von WÖHLER; V, 282.

de dieselbe aufgelöst hielten, zerstört und verändert wurden. Wie tief sich die Erscheinungen des lezten Zustandes
verselt haben, können wir nicht wissen; aber durch Vergleichung der Phänomene der Vulkane mit der Verbrennung
von Natrium, Kalium u. s. w., sollte man schliefsen kön-
en, dafs tief im Schoofse der Erde diese noch vorhanden
seyen, welche die Ausbrüche der Feuerberge verursachen.
1. Dafs die Organisazion, nach beendigter Entwickelungs-
periode ihr Daseyn erhalten habe, und dafs sie stufenweise
mit dem Entstehen weniger ausgebildeter organischer Formen Statt gefunden, und mit der Bildung der vollkommensten, wozu der Mensch zu zählen sey, aufgehört habe. —
Berzelius fügt hinzu: die erste und lezte dieser Schlufsfolgen gehören zu den Resultaten, welche unmittelbar aus
jeder geognostischen Forschung fliefsen, und die von allen
Geologen gezogen worden sind. Es verhält sich nicht so
mit der zweiten, welche voraussezt, dafs die Umlaufsbahn
der Erde einigemal viel elliptischer gewesen ist, als jezt.
Folgendes sind die Schlüsse, durch welche Esmark zu diesem Resultate geleitet worden. Herschel hat bekanntlich
den Gedanken geäufsert, dafs die Nebelflecken das Material
für die Himmels - Körper enthalten, dafs daraus Kometen
entstanden, deren Materie unter ihrer abwechselnden Er-
hitzung und Abkühlung, in ihren sehr elliptischen Bahnen,
allmählich den Stoff zu den Planeten bildet, welcher, während er anfangs sehr geneigt ist, Luftformen in der Nähe
der Sonne anzunehmen, allmählich so verändert wird, dafs
er seine feste Form behält; und zur Unterstüzzung dieser
Meinung führt Esmark Verschiedenes von den Beobachtungen über die Kometen von 1807 und 1811 an. Um es

wahrscheinlich zu machen, dafs ein Aehnliches in der
zeit mit der Erde Statt gefunden haben könne, führt er
wie LAPLACE berechnete, dafs seit HIPPOCRATES, wel
ungefähr vor 900 Jahren lebte, das Jahr um einige
kunden länger geworden sey, und dafs er erwähnt,
die Veränderung Anfangs wahrscheinlich sehr grofs gew
sey, dafs sie aber abgenommen habe, so, dafs sie, als
Bahn der Erde fast zirkelrund geworden sey, aufgehört
be, mehr als kaum merkbar zu seyn. Ohne bei di
sonderbaren Verwechselung von Namen und Zeiträu
sich aufzuhalten, erinnert BERZ. blos daran, dafs LAPL
gerade das Gegentheil erwiesen hat, dafs sich Jahr und
geszeit seit HYPARCHUS nicht um $1/_{300}$ Sekunde geän
habe *, und aufserdem, dafs die Schwankungen in der J
reslänge, welche die Beobachtungen zu ergeben schein
sich immer um eine veränderte Mittellänge drehen. V
den flüssigen Zustand der Erde betrifft, so glaubt E., d
sie sich nicht im glühenden Flusse, sondern im aufgelös
Zustande befunden habe, aber in einer Flüssigkeit, weld
mit der Länge der Zeit ihre Natur ändert, so dafs, we
auch Wasser ein Bestandtheil dieser Flüssigkeit ausmacht
sie dennoch kein Wasser war. Die Folge dieser Umwand
lung, der weite Abstand der Sonne von der Erde ist gew
sen, dafs die Höhen und die ganze Erd-Oberfläche von W
ser in fester Form, von Eis bedeckt wurden, und da
als eine gelindere Temperatur kam, das Eis sich los mad
te, von den Bergen herunterging, und Stücke von Fels
welche sich in demselben festgesezt hatten, mit sich füh

---

* Jahresbericht, 1822.

re, und sie beim Schmelzen absezte, wobei sie oft auf dem
Wasser lange Strecken von ihrem Uisprunge weggeführt
warden, und beim Schmelzen dann niederfielen; so entstanden die Geschiebe, d. h. die losen Blöcke von Granit u. s. w. im Thone von *Norwegen*, auf *Halladds äs*,
und die, welche die Ebenen von *Schonen*, von *Dänemark*
und von *Nord - Deutschland* bedecken. Esmark führt zahlreiche eigene Beobachtungen an, welche diese Wirkungen
des Eises zu beweisen scheinen. — Eine Beobachtung
des Kapitän Parry steht mit jener Hypothese in einigem
Zusammenhang; er fand nämlich sehr oft auf den Eisfel-
dern, welche in diese hohen nördlichen Gegenden vom
Meere geführt warden, grofse Mengen Kies; Sand und Steine auf dem Eise liegen, wonach es das Ansehen hat, dafs
dieses Phänomen, in der Nähe der Pole, wirklich in gewissem Grade Statt habe, und noch fortfahre.

Im Junius 1825 wurde im *Permischen* Gouvernement
in den Besizzungen der Erben Rastorgujevs, 40 Werste
von ihren Werken, und nahe am Flusse *Rassipucha* eine
Kopfer - Lagerstätte entdeckt. Unter einer Schicht von etwa
zwei Faden Mächtigkeit, die aus einem Gemenge von Sand
und Thon besteht, liegt eine andere Schicht sehr zähen und
letten Thones von fast gleicher Mächtigkeit, stark mit Malachit durchzogen, welcher in verschiedenen Formen darin vorkommt. Die die Schicht begleitenden Mineralien
sind: eisenhaltiger Kiesel (Eisenkiesel?) von gelbbrauner
Farbe, und bisweilen weifser Quarz in geringer Quantität.
Bei der Untersuchung zeigte es sich, dafs der Thon, in
welchem der Malachit vorkommt, sehr gute Anzeichen von

Kupfer-Gehalt gibt. Zur genauen Erforschung dieser Kupfer-Grube ist ein Schacht von vier Faden Tiefe angelegt. Die den Malachit enthaltende Thon-Schicht ruht auf einem Kalksteine, den man jezt auch zu untersuchen anfängt, in der Hoffnung, unter demselben noch reicheres Kupfererz zu finden. Die Neigung der Schichten hat dem Anscheine nach gegen die Ufer des Flusses *Bassipucha* Statt; deshalb ist in dieser Richtung ein zweiter Schacht angelegt, bis zu welchem man gesonnen ist, die Arbeiten durchzuführen. In den lezten Tagen des August ist aus diesem Schacht ein Stück Malachit über 10 Pud an Gewicht, und in der größten Ausdehnung über 1 Arschin lang, zu Tage gefördert worden. Es besteht zum Theil aus glattem (dichtem?), zum Theil aus faserigem Malachit, hin und wieder mit eisenhaltigem Kiesel von gelbbrauner Farbe und mit Quarz bedeckt; aber der größte Theil ist von dem oben erwähnten Thone umgeben, welcher den Haupt-Bestandtheil dieses Metall-Lagers ausmacht. Der Malachit selbst ist von der schönen, grünen, diesem Erze eigenthümlichen Farbe. Das Stück enthält inwendig kleine Höhlungen, deren Wände mit sehr saubern sammetähnlichen Malachit-Streifen bekleidet sind. Dieses Stück ist fast ganz wohlerhalten zu Tage gefördert worden, und kann als eine Prachtstufe seltener Art angesehen werden. (Auszug aus dem Russischen Bergwerks-Journal, 1826, No. 2; mitgetheilt von Herrn Minister, Staatsrath v. Stauve.)

Catullo gab Nachricht von der Höhle Selva di Progno im *Veronesischen* (*Giorn. di Fis.;* 1825, *Jule*, *p.* 307), deren Gebeine dem *Ursus spaeleus* Blumenb. zugehören. Eine ähnliche Höhle kommt im Kalke vor, welche das *Bellunesische* von dem Gebiete von *Treviso* scheidet.

BOURSNEL erstattete Bericht über die Galmei - Lagerstätte in der Gegend von Philippeville in der Provinz Namur. (*Ann. des Mines; XII,* 243.) Um *Philippeville,* wie in dem größeren Theile der Provinz *Namur,* herrscht das Uebergangs - Gebiet. Die Stadt selbst liegt auf einem Plateau aus Thonschiefer und Grauwacke bestehend, auf welche Felsarten gegen Süden Kalk-Schichten folgen. Weiterhin treten wieder Thonschiefer und Grauwacke auf u. s. w. Im blauen Kalke, unfern des Dorfes *Santour,* ist die Lagerstätte des Galmeies. Er bildet die Masse eines sehr mächtigen und wahrscheinlich auch weit erstreckten Ganges. Häufig sieht man den Gangmassen Bleiglanz - Theile eingesprengt. Der Galmei ist schnee - und gelblichweiß; körnig; perlmutterglänzend bis matt; Eigenschwere ungefähr 2,8; mit Säuren nur als Pulver stark brausend. Die chemische Zerlegung ergab als Bestandtheile:

unlösbarer Rückstand oder Kieselerde	0,25
Eisen - Protoxyd	0,90
Kalk	25,80
Talk	19,60
Zinkoxyd	9,00
Kohlensäure	45,35
	100,90

Dieß wäre mithin ein Beispiel vom Vorkommen des Galmeies und des Bleiglanzes im talkhaltigen Kalke, und diese Felsart, welche, wie zu *Comberave* unfern *Figeac* in Frankreich, Galmei und Bleiglanz führt, füllt einen mächtigen Gangraum im Uebergangskalk; es scheint sich daraus zu ergeben, daß die Formazions - Epoche der übrigen Blei - und Galmei - Gänge dieser Gegenden nicht älter seyn könne, als jene der Bildung des talkhaltigen Kalkes.

G. V. CARPENTER und G. SPACKMAN geben Nachricht von verschiedenen, bis jezt meist nicht bekannt gewesenen, Fundorten Amerikanischer Mineralien. (SILLIMAN, *Americ. Journ.; X,* 218.)

1. Aus *Chester county, West Goshen Township:* **Chalzedon**, ungemein zarte Gebilde mit zierlichen Farben-
Zeichnungen; **Jaspis**, gelb und roth; **Zirkon** im Syenit
(*Bath Woods* ùnfern *West-Chester*); **Magnesit**, nadelförmige Krystalle, in Serpentin *Joseph Taylor's* Steinbruch
nördlich von *West-Chester*); **Cereolit** (?) u. s. w.

2. Aus *East Bradford Township:* **Disthen** u. a. auch
grün gefärbt (*Black Horse*); **Andalusit**, oder ein diesem sehr ähnliches Mineral, in Glimmerschiefer; **Graphit**;
Titanit in Syenit; **Zirkon**, körnige Massen auch krystallisirt, in Quarz (*Jeffriers ford*); **Skapolith** u. s. w.

3. Aus *Pennsborough Township:* **Diopsid**; **Titanit**
mit Diopsid (*banks of the Brandywine* unfern *Painter's bridge*); **Saussurit** in kohlensaurem Kalk (*Mendenhall's*
Steinbruch) u. s. w.

4. Aus *Newlin Township:* **Feldspath**, Krystalle durch
ihre Gröfse ausgezeichnet, indem sie mitunter 6 Pfund wie-
gen; **Prehnit**; **Turmalin** und **Glimmer**, beide in
ausgezeichneten Krystallen; **Eisenkies** und **rother Granat**, dergleichen u. s. w.

5. Aus *East Marlborough Township:* **Zirkon**, sehr
schöne Krystalle, wahrscheinlich im Gneifs (südlich von
Marlborough-street); **Rutil**, nadelförmige Krystalle mit
sogenanntem Egeran; **Skapolith**, ausgezeichnete Krystalle der Kernform; **Turmalin**, braun, grün und gelb,
zierliche Krystalle in kohlensaurem Kalk; **Nekronit**, sehr
ausgezeichnet, in Kalk; **Apatit**; **Eisenkies**, vorzügliche
Krystalle; **Beryll** u. s. w.

6. Aus *West-Marlborough Township:* **Kalk-Sal-
peter**, nadelförmige Krystalle in einer Höhle bei *Mc Neal's*
Kalk-Steinbruche; **Skapolith** in regelmäfsigen, sechsseitigen (?) Prismen u. s. w.

7. Aus *New-Garden Township:* **brauner Turma-
lin**, schöne Krystalle in körnigem Kalk; **Apatit**, in der-
gleichem; **Leberkies**, auf Gängen im Gneifs; **Augit** in
dergleichen.

8. Aus *New-Castle County, Delaware:* **Chalzedon** von
vorzüglicher Schönheit; **Rutil**; **Fibrolit**, häufig bei
Hennet turnpike, zwischen *Centreville* und *Blue-ball* u. s. w.

Ueber

einige

geognostische Erscheinungen

in der

Umgebung des Luganer-Sees.

Von

Herrn Leopold v. Buch.

(Aarauer Unterhaltungsblatt vom 23. August 1826 *.)

Die bewundernswürdigen Erscheinungen des *Fassa-Thales* in *Tyrol*, welche mit kolossalen Zügen deutlich und überzeugend lehren, wie Augit-Porphyr die Gebirgsarten der Alpen in ihrer ganzen Länge durchbricht, wie dieses Durchbrechen die Ursache der Erhebung des ganzen Alpen-Gebirges selbst wird,

---

* Von Herrn Dr. Boué in Abschrift gütigst mitgetheilt.

19

wie mannichfaltige Stoffe hierbei die Gebirgsarten
durchdringen und sie verändern, oft zu ganz neuen
Substanzen umformen, wie endlich wahrscheinlich
das ganze Alpen-Gebirge als ein Gebirge betrachtet
werden müsse, welches über einer ungeheuern, im
Kalksteine des Flöz-Gebirges aufgebrochenen, Spalte
hervorgestiegen ist, — alle diese, zu solchen Schlufsfolgen unmittelbar und laut führenden, Thatsachen
befinden sich leider in einer solchen Lage, dafs sie
nur schwer, und nur in einem sehr kleinen Theile
des Jahres zu beobachten sind. Die Gipfel der Berge
dieser Gegenden sind fast alle mit immerwährenden
Schnee bedeckt, und die merkwürdigsten der tiefer
liegenden Punkte werden nur erst in der Mitte des
Sommers vom Schnee befreit.

Es ist daher höchst erfreulich, ähnliche Erscheinungen, ähnliche Mannichfaltigkeit und Deutlichkeit
der Verhältnisse, welche sich gegenseitig als Ursache
und Wirkung verbinden, in einer Gegend zu finden,
welche Jedem erreichbar ist, zu jeder Jahreszeit,
selbst im Winter, und mit so weniger Anstrengung,
dafs man die meisten und die wichtigsten Beobachtungen anstellen mag, fast ohne seinen Reisewagen
zu verlassen. Es ist an den immergrünen Ufern des
Luganer Sees, in der Italienischen Schweiz, und
besonders ausgezeichnet auf der neuen Strafse, welche man unter fast senkrechten Felsen hin, von *Lu-*
gano nach *Melide*, angelegt hat.

Zwar hatte man schon längst gewufst, dafs ein
Theil dieser Berge aus Porphyr oder aus ähnlichen

Steinen bestehe., allein. diese ·Kenntnifs beruhte auf
so unsichern Quellen, dafs man sie keiner grofsen
Aufmerksamkeit für würdig hielt, noch viel weniger,
so wie sie·war, Aufschlüsse von ihr für die Gebirgs-
lehre erwarten konnte. Schon 1784 hatte der, mit
La Peyrouse umgekommene, Naturforscher ·Lama-
non erzählt, dafs die benachbarten Berge des *Luga-*
ner-Sees aus Lava beständen, und dieses wird nach
ihm in einem, 1790 zu *Lausanne* herausgekomme-
nen, Kalender (*Etrennes pour tous les âges*) wiederholt.
Allein ·Faujas sagt in seinem *Essai sur les trapps*,
dafs Lamanon selbst später erkannt habe, diefs sey
nicht Lava, sondern Trapp: Mehr als dreifsig Jahre
später bemerkt Breislack (*Instit. géolog.; IV,*
527), es sey auffallend, dafs unter so·vielen Blök-
ken auf den Hügeln von *Brianza* sich kein Porphyr-
stück finde, ungeachtet Porphyr doch am See von
Lugano anstehend sey. Mehr sagt er nicht. Und das
ist Alles, was über diese Gegenden bekannt gemacht
worden ist.

Dagegen bin ich schon seit mehreren Jahren im
Besiz einer Note von Herrn L'Ardy in *Lausanne*, in
welcher dieser vorzügliche Geognost sowohl die rothen, als die Augit-Porphyre, welche den östlichen
Fufs des Sees bilden, genau beschreibt, auf die Son-
derbarkeit ihrer Lagerung aufmerksam macht, und
sie als die ersten Porphyr-Berge hervorhebt, welche
man bis jezt innerhalb der Grenzen der Schweiz
beobachtet hat. Diese Entdeckung sezte sogleich die·
Porphyr-Berge, welche den *Lago d'Orto* in *Pie-*

19 *

mont umgeben, mit den grofsen Erscheinungen der Porphyre, in *Tyrol* in unmittelbare Verbindung, und bewies die Ausdehnung dieser Gebirgsart an der ganzen Südseite der Alpen hin; denn durch Brocchi und Gualandis war es bekannt, wie diese Gesteine nicht blos in den zwischenliegenden Thälern über *Brescia* und *Bergamo* an der *Mella*, am *Oglio* und am *Serio*, wieder erscheinen, sondern, wie auch am See von *Iseo*, Dolomit-Berge vorkommen, welche kaum weniger die Aufmerksamkeit erregen sollten, als die Tyroler-Berge selbst. — Durch diesen Zusammenhang der Augit-Porphyre am südlichen Rande der Alpen-Kette wird aber aufs Neue ein, wahrscheinlich allen Gebirgsreihen gemeinschaftliches, Gesez bestätigt, das nämlich, dafs jederzeit Augit-Porphyre am Fufse der Kette da erscheinen, wo ihr Abfall nahe das flache Land berührt.

Aufgeregt durch diesen wichtigen Lardy'schen Aufsaz, eilten wir (Herr Studer, der berühmte Verfasser der Monographie der Molasse, Herr Albert Mousson von *Bern* und ich) im September 1825 das *Veltlin* herunter nach *Como*, und von hier, auf der grofsen Strafse fort, nach *Lugano*. Da sahen wir den Porphyr, wenig Schritte vom *Capo di Lago* entfernt, unter den fast senkrechten Kalkfelsen, welche sich von *Mendrisio* zum See herabziehen. Es ist rother Porphyr, welcher Quarz-Dodekaeder in Menge umschliefst. Feldspath liegt häufig darinnen, und tritt scharf aus der umgebenden Masse durch seine gelblichweifse Farbe und durch bestimmte Krystalliazion. Selten zeigt sich ein graues, wenig glänzendes Glimmer - Blättchen, mit sehr unbestimmten Rändern, wie diefs gewöhnlich in solchen Porphyren ist. Hornblende oder Augit sucht man vergebens. Gegen *Melano* hin sezzen schwarze Massen, wie mächtige Gänge, durch dieses Gestein; sie wurden immer häufiger und mächtiger, und stets verloren sie sich in der Tiefe unter dem Boden. An dem Bache von *Suveidia*, der vom pflanzenreichen *Monte generoso* herabkömmt, bildeten sie beide Seiten des Thales. Auch hier noch traten sie deutlich unter dem rothen Porphyre hervor, doch nicht mit regelmäfsiger Scheidung, sondern die Grenze beider Gesteine war bald höher, bald weniger erhaben. Wir verfolgten das schwarze Gestein am Bache von *Suveidia* herauf. Nachdem wir etwa 400 Fufs gestiegen waren, erreichten wir am rechten Ufer eine Wand, welche frei hervorstand, und hier erschien die Scheidung dieser Gesteine, wie auf einem Profil. Der rothe Porphyr lag darauf, der schwarze (Augit-) Porphyr darunter, allein in so scharfer, sonderbarer, unregelmäfsiger Begrenzung, dafs man an dem gewaltsamen Eindringen des lezteren in den rothen kaum hätte zweifeln mögen. Höher hinauf bleibt nur auf der linken Seite des Baches der quarzführende (rothe) Porphyr herrschend, noch etwa 500 F. hoch, bis in die Nähe eines senkrechten Wasserfalles unter dem Dorfe *Novio.* Da liegt der Kalkstein darauf und bildet nun gegen O. hin alle höher liegenden Berge.

·.Der rothe Porphyr erreicht das Dorf *Novio* nicht. Das schwarze Gestein steigt auf der rechten Seite. des Baches ohne Unterbrechung·hervor, und bildet fortgesezt alle Berge, welche am See herauf drei Stunden lang bis nach *Campione* sich fortziehen. *Novió* steht darauf, und die ganze Hügelreihe, welche *Novio* von *Campione* und *Bissone* scheidet, besteht nur aus diesem Gesteine.

Die Hauptmasse dieser ausgezeichneten Gebirgsart ist stets sehr dunkel gefärbt, schwärzlichgrün, sehr dickschieferig im Bruche und schwerer als die Hauptmasse des rothen Porphyres. Nie ist ein Quarz-Krystall darin, wohl aber in grofser Menge kleine gelblichweifse Krystalle, ganz in der Form und mit dem Glanze des Feldspathes, welches Albite sind; Feldspath findet sich vielleicht gar nicht darin. Im rothen Porphyr dagegen liegen gröfstentheils nur Feldspath - Krystalle,· Albit nur als Seltenheit, nicht als wesentlicher Gemengtheil, vielleicht sogar nur als ein·später eingedrungenes Fossil. Ein Unterschied beider Gebirgsarten, der höchst bemerkenswerth ist. Augit ist in dem Gesteine der Felsen von *Novio* und *Bissone* gar nicht zu verkennen. Die Krystalle dieses Fossils sind lang gezogen, schwärzlichgrün, in dünnen Scheiben, dunkel lauchgrün, und verrathen sich als Augit durch die etwas breiten, aber dicken Flächen des blätterigen Bruches.

An der Westseite des Sees bei *Melide* und bei *Carona* auf der Höhe findet sich·noch in der Masse Epidot, in ganz kleinen zusammengehäuften·Nadeln,

Menge, dafs der ganze Augit-Porphyr
Punkten übersäet zu seyn scheint. Auch
ümmer von Schwerspath und Flufsspath,
h Eisenstein und Braunstein erwartet man
und wirklich hat auch Herr Mousson in
esteine einen, mehrere Zoll mächtigen,
Schwerspath oberhalb *Carona* entdeckt —
hältnisse, welche die Analogie dieses Au-
yres mit dem, in andern Gegenden vor-
en (bei *Christiania* in *Norwegen*, in *Thü-
ei Ilefeld*, in den *Vogesen* u. s. w.) völ-
ll. Bem

merkwürdiger ist die Abwechselung der
en auf der Ostseite des Sees. Alle Hügel,
der Nähe *Lugano* umgeben, bestehen aus
hiefer, so auch noch der Fufs des *Salva-
dobis* viele hundert Fufs herauf. Kaum
Felsen so nahe an den See getreten, dafs
fast senkrecht über dem Wasser hinlauft,
sich plözlich der Glimmerschiefer, und
rat-Schichten steigen auf, die völlig den
gleichen, wie man sie bei *Eisellach* sieht.
e, fausgrofs und gröfser, bestehen gröfs-
ius Glimmerschiefer, aus Quarz, und nicht
dunkelm Porphyre, ich denke, aus ro-
arzhaltendem Porphyre; allein Kalkstein-
gen nicht darin. Die Schichten senken
ll mit 70 Grad gegen S., und bilden ein
rgebirge in dem See, auf welchem die Ka-
St. Martino steht. Diefs Trümmer-Ge-

stein bleibt etwa 10 Minuten lang anstehend, das
Fallen der Schichten vermindert sich allmählich bis
60 Grad. Dann folgt dichter, rauchgrauer Kalkstein
darauf, in dünnen, kaum mehr als einen Fufs mächtigen Schichten. Sie neigen sich wie die Schichten,
an die sie sich anlegen, und mit dieser Neigung
steigen sie am Berge herauf; allein in ihrer Fortsezzung, gegen den See herunter, vermindert sich die
Neigung stets mehr, so, dafs sie ganz in der Tiefe
kaum noch einige 20 Grad betragen mag. Die Schichten steigen daher von unten in einer Kurve herauf,
welche einer Parabel nicht unähnlich ist. Je weiter
auf der Strafse hin, um so mehr sind diese Schichten mit feinen Trümmern durchzogen, deren innere
Fläche Dolomit - Rhomboeder bedecken. Auch in
kleinen Höhlungen des Gesteines erscheinen solche
Krystalle. Noch weiter fort wird das Gestein ganz
zerklüftet, die Schichtung wird undeutlich. Endlich, wo der Berg von der Höhe fast senkrecht ab-
fällt, sind die Schichten gar nicht mehr zu erkennen, und die ganze Masse ist nun nicht mehr Kalkstein, sondern durchaus Dolomit. Es gibt nirgends eine scharfe Trennung zwischen beiden Gesteinen. Durch Zunahme von Trümmern und Drusen
wird der Kalkstein nach und nach gänzlich ver-
drängt, und es bleibt nur der reine Dolomit übrig.

Da aber Klüfte, Trümmer und Drusen nothwendig später entstanden seyn müssen, als die Masse,
welche sie durchziehen, daher noch mehr die Fossilien, welche ihre inneren Wände bekleiden, so ist

es offenbar, wie auch hier der Dolomit aus Veränderung und Zersezzung des Kalksteines entsteht. Diese merkwürdige Umwandelung ist hier so deutlich, in allen ihren Einzelnheiten, so leicht, so bequem, und in solchem Zusammenhange zu verfolgen, dafs meine Begleiter glaubten, bei diesem Anblicke müsse jeder Zweifel verschwinden; es rede hier die Natur selbst zu laut und vernehmlich. Immer reiner wird der Dolomit im Fortlauf der Strafse, immer weifser und körniger, und damit werden auch die Felsen kühner, wilder und schroffer. Da, wo auf dem Gipfel die Kapelle *St. Salvador* steht, 1980 Fufs über dem See, ist dieser Absturz so schnell und erschreckend, dafs man ohne zu schwindeln gar nicht vom Rande herab sehen, und ohne Mühe Steine vom Gipfel bis weit in den See schleudern kann. Hier wird auch schwerlich noch Kalkstein im Dolomit vorkommen. Alles ist körnig und weifs.

Die Strafse unten bleibt in diesen Dolomit-Massen nicht für eine halbe Stunde Länge; dann weichen die Felsen, der Berg des *Salvador* fällt schnell gegen S. hin ab. Der scharfe Grat dehnt sich zum breiten Rücken aus, und Kastanien - Wälder bedekken jezt den bisher fast baumlosen, felsigen Abhang. Nun bestehen diese Berge unausgesezt, und bis über *Melide* hinaus, aus dem dunkeln Augit-Porphyre mit Epidot, wie er gegenüber bei *Campione*, *Bissone* und *Novio* erschien. Also auch hier, wie in *Tyrol*, entdeckt sich die nähere Ursa-

che der Veränderung des Kalksteines zu Dolomit in
dem Hervorsteigen des Augit-Porphyres und in den
ihn hervortreibenden gasförmigen Stoffen.

Die Halbinsel, zwischen den Seebusen von *Agno*
und *Lugano*, wird durch ein weites Thal in zwei
ungleiche Hälften getheilt. Die westliche besteht
gröfstentheils aus Schichten und Felsen von Glimmerschiefer, und nur an der südlichsten Spizze gegen *Castoro* aus Kalkstein; in der östlichen zieht
sich der Grat des *Salvadore* und der breite Rücken
des Berges von *Arbostoro* fort. In diesem Thale
endigt sich schon an der Mündung (bei *Figino*) der
Augit-Porphyr, der bis dahin, von *Morcote* aus,
anstehend war. Es erscheint rother Porphyr, aber
nicht für lange. Bald verändert sich das Gestein
so sehr, dafs es eine ganz neue Gebirgsart zu bilden anfängt. Es ist der Granit von *Baveno*,
ein ganz eigenthümlicher Granit, der mit keinem, im
Innern der Alpen vorkommenden, Granite in Uebereinstimmung gebracht werden kann. Das Gestein
scheint ein Gemenge von ziemlich bedeutenden,
deutlich blätterigen, fleischrothen Feldspath-Krystallen. Quarz liegt häufig dazwischen in einzelnen
Krystallen, und auch Glimmer-Sechsecke mit fast
eben so unbestimmten Rändern, wie sonst wohl im
Porphyre. Dieses Gestein wird von einer unglaubli-
chen Menge eckiger Höhlungen durchzogen, so sehr,
dafs auch das kleinste Stück, welches man abschlägt,
immer noch einige enthält. Es sind wahre Drusen,
inwendig mit Krystallen besezt, zuerst: mit Quarz-

den, mit den Spizzen gegen die Mitte der

und am Ende mit dem Anfange eines Prisma,

Quarz-Krystalle in der Mitte einer Grund-

sich nie bilden, sondern nur in freien und

Räumen. Zwischen ihnen ziehen sich Kry-

von dem fleischrothen Feldspathe der

größtentheils in der Form der rhom-

ule, mit gerade aufgesezter Zuschärfung

Kanten der stumpfen Winkel, die Hauy'-

chen T und l mit der Fläche P des blät-

Bruches, und des gegenüber liegenden x.

icht findet sich aber einer von diesen Kry-

welcher nicht an den Seiten von zwei gró-

er den Feldspath-Krystallen gewöhnlich

vorstehenden Krystallen von Albit, wie von

hmen eingefaßt wären. Es sind ganz dün-

fast farbenlos und durchsichtig, wenig

als ein starkes Papier; und doch erkennt

deutlich, auch schon bei dieser Dünnheit,

aus- und einspringende Winkel auf der

des blätterigen Bruches. Diese Albit-Kry-

chen mit ihren Flächen völlig den analogen

des Feldspathes gemäß, ungeachtet sie doch,

Verschiedenheit der Flächen-Winkel, nicht

ihnen parallel seyn können. Kleine schwar-

eln, auf den Feldspath-Flächen zerstreut,

lindrische Zusammenhäufungen von kleinen

Blättchen. Alle diese eckige Drusen sind

durch offene Klüfte verbunden, welche von

zur andern hinlaufen. Es sind daher spätere

Erscheinungen, nach dem Hervortreten der Gebirgsmasse, und die Krystalle haben sich darin wahrscheinlich erst später erzeugt. Es sind deshalb in
diesen Höhlungen auch noch andere Fossilien zu erwarten, welche man sonst nicht in festen Gebirgsmassen, aber der Atmosphäre nahe zu sehen gewohnt ist, Apatit, Flußspath, Schwerspath oder
Eisenglanz. Indessen gelang es nur Herrn Mousson,
eine Druse von trefflich schönen, glänzenden Turmalin - Krystallen zu finden. Dieser ausgezeichnete
Granit findet sich auch noch bei *Brusin Arsizio* und
Porto Morcote. Er bildet den, vom Uebergange
bei *Bissone* so sichtbaren, Hügel von *Besano*, im
Thale von *Porto*, dann alle Berge auf den Höhen
des *Val Gana*; ganz in der Richtung, in welcher,
zwischen dem langen See und dem See von *Orta*,
die Granit - Berge von *Baveno* aufsteigen. Er verdient in seinen Verhältnissen zum rothen Porphyre
genauer und vollständiger untersucht zu werden.

Ich wiederhole die Bemerkung, daß man am
See von *Lugano* in jeder Jahreszeit mit wenig Un-
bequemlichkeit und von einer Natur umgeben, wie
sie ihres Gleichen in den Alpen nicht findet, die
mannichfaltigsten Verhältnisse der Lagerung, der
Durchdringung und der gegenseitigen Veränderung
der Gebirgsarten sudiren kann; daß man hier
lernt, nicht blos, daß Augit-Porphyr kein Basalt
und kein rother, quarzführender Porphyr sey, sondern auch, wie vorzüglich von ihm und mit seinem
Erscheinen die merkwürdigsten Veränderungen, Zer-
sprengungen und Erhebungen ausgehen; daß man
hier die großen Erscheinungen, die man im Innern
der Alpen unbefriedigt anstaunt, bis zu ihren in-
nersten Ursachen verfolgt und erforscht.

Das
Buch der Edelsteine

von

MOHAMED BEN MANSSUR [1].

Herr JOSEPH V. HAMMER hat Auszüge aus dem
Werke des MOHAMED BEN MANSSUR, in den Fundgruben des Orients, VI. B. 2. Heft, S. 112 ff.,
geliefert. Wir erlauben uns des Interesses wegen,
das es für Manchen haben könnte, das Wichtigste
davon mitzutheilen; zumal da bis jezt aus den Schriften der Morgenländer, welche diesen Gegenstand

---

[1] Herr R. BLUM, von welchem wir nächstens eine
Schrift über die Edelsteine zu erwarten haben, die in
naturhistorischer und technischer Hinsicht Beachtung
verdient, hat den vorliegenden, interessanten Auszug
mitgetheilt.

d. H.

abhandeln, nur sehr wenig bekannt ist, obgleich aus
diesem hervorgeht, daß sie schon Manches wußten, was wir erst den Entdeckungen neuerer Zeit
zu verdanken glauben. Auch ist die Kenntniß
der Edelsteine unstreitig mit denselben aus dem
Oriente zu uns gekommen; selbst die Abstammung
vieler Benennungen derselben deutet darauf hin.

MOHAMED BEN MANSSUR schrieb sein Werk für
den Sultan NASSAR BEHADIRCHAN, aus der Familie
ABBAS, im siebenten Jahrhundert der *Hedschira* (im
13. unserer Zeitrechnung). Es ist in zwei Bücher
getheilt: das erste beschreibt die Edelsteine, das
zweite die Metalle. Den Edelsteinen reiht er auch
die Perlen und Korallen an.

Die innere Einrichtung des Werkes ist folgende:
jedes Buch zerfällt in Hauptstücke und diese regelmäßig wieder in vier Abschnitte, von denen der erste
die äußeren Eigenschaften, der zweite die Fundorte, der dritte den Werth, und der lezte die geheimen inneren Kräfte der Edelsteine und Metalle
betrachtet.[2] Eine Vorrede eröffnet das Ganze.

1. *Mermarid*, Perlen; Aufzählung der verschiedenen Arten.

2. *Jakut*[3], Saphir. Er kommt roth, gelb,
schwarz, weiß, grün oder pfauenfarbig und blau,

---

[2] „Herr v. HAMMER hat nur die beiden ersten Abschnitte
eines jeden Hauptstückes des ersten Buchs übersezt.

[3] Unstreitig ist der *Jakut* unser Saphir; alle Angaben
sprechen dafür, besonders die der Härte; denn daß der

nch in der Farbe des Rauchs vor. Mehrere dieser
sechs Arten zerfallen wieder, ihren Farben- Abänderungen nach, in Unterabtheilungen. Von Anderen wird der *Jakut* nur in den rothen, gelben,
dunkeln (blauen) und weifsen unterschieden. Er
schneidet alle Steine, den Karniol (?) und Diamanten ausgenommen; von lezterem wird er geschnitten.
Im Feuer erscheint der rothe *Jakut* (Rubin) weifs,
und bekommt, aus demselben genommen, seine vorige Farbe wieder". Er unterscheidet sich von den ihm
ähnlichen Steinen dadurch, dafs er sie rizt, schwerer ist, und das Feuer aushält. Auch der weifse *Ja-*

Karniol ihn rizzen soll, beruht wohl nur auf einen Irrthum. Erstaunen mufs man aber, dafs die Orientalen
schon so frühe richtige Ansichten von diesem Edelsteine
hatten, und sich durch die Farbe nicht verleiten liefsen, ihn verschiedenen Geschlechtern beizuzählen, wie
es bei uns geschah.

ᵃ Aehnliche interessante Erscheinungen beobachtete in
neuerer Zeit Dr. BREWSTER. Er bemerkte, dafs der
Rubin, einer starken Hizze ausgesezt, grünlich werde,
diese Farbe aber beim Abkühlen verliere, sich bräune,
röthe, und endlich nach und nach sein ursprünglich
feueriges Roth wieder erhalte. Der grüne Saphir er-
leide keine Veränderung im Feuer, nur der bläulichgrüne
werde etwas blasser, bekäme aber beim Erkalten seine
vorige Farbe wieder. (*Ann. of Phil.*; Mai 1822,
p. 392.)

kut[5] ist härter, als der Krystall, dem er mannichmal gleich sieht.

Er findet sich auf *Saharan*, einer hinter *Zeylan*
gelegenen Insel, woselbst man ihn auf dem Berge
Sahun von allen Farben-Abänderungen ausgräbt.
Im Jahr der *Hedschira* 669 (1270) wurde östlich
vom Dorfe *Tara*, eine halbe Tagereise von *Cairo*[6],
eine *Jakut*-Mine entdeckt.

... 3. *Semerrüd*, Smaragd[7]. Er wird nach
seiner Farbe in sieben Arten, oder nach den Graden seiner Reinheit auch in den hellgeglätteten und
in den finstern geschieden. Der grasgrüne ist der
hellste. Der Smaragd macht sich von den ihm ähnlichen Steinen, wie Jaspis, grüner *Laal* (Spinell),
Mina (grünes Glas), durch die Politur kenntlich.

. Man findet ihn in *Aegypten*[8], an den Grenzen
des Landes der Schwarzen, im Smaragd-Brunnen,
wo

---

[5] Hierunter scheint der weiſse Topas verstanden zu seyn;
denn nirgends wird dieser Edelstein, den die Orientalen
doch gewiſs gekannt haben, erwähnt.

[6] Jezt weiſs man von keiner Fundstätte des Saphirs in
Aegypten.

[7] Hier ist die Abstammung aus dem Persischen sehr sichtbar, auch geht daraus hervor, daſs man Smaragd und
nicht Schmaragd schreiben müsse.

[8] CAILLAUD soll in der *Thebaischen* Wüste, südwärts
von *Koſsir* (*Kozir*, am Arabischen Meeresbusen),
diese alten Smaragd-Minen, welche nur noch aus der

wo er aus Talk und rother Erde ausgegraben wird. Auch in *Hedschas* findet man den seifengrünen, verwegen dieser der Arabische heifst.

4. *Seberdsched*, Chrysolith. Er wird von mehreren für keine eigene Gattung gehalten, sondern gilt als eine Abart des Smaragds. Man unterscheidet den stark-, mittel- und schwachgrünen.

Man findet ihn in denselben Minen mit dem Smaragd, auch scheint er aus dem nämlichen Stoffe geformt, aber minder vollkommen.

Erwähnung der Schriftsteller und Sagen der Araber bekannt waren, am Berge *Zaharah* wieder aufgefunden haben, als er vom Pascha von *Aegypten* auf Entdekkungen abgesendet worden war. Er will in mehrere unterirdische Gänge gekommen seyn, so grofs, dafs 400 Menschen darin arbeiten könnten, und hier Seile, Hebel, Lampen, Gefäfse und andere Werkzeuge u. s. w. gefunden haben. In den, von ihm entdeckten, Trümmern einer Stadt erkannte er, an den Tempeln, die frühe Aegyptische und Griechische Bauart, die auf ein Alter von mehreren 1000 Jahren schliefsen läfst. — Hierdurch hätten wir nun, wenn es sich bestätigt, dafs es wirklich Smaragd und nicht Beryll, oder gar Flufsspath wäre, Gewifsheit, woher Griechen und Römer, von denen wir unbezweifelte Arbeiten in Smaragd besizzen, ihr Material erhalten haben. Auch Rürel gibt diefs Gebirge *Zaharah*, südwärts von *Kofsir*, als Fundort des Smaragds in *Aegypten* an. (v. LEONHARD, Handb. der Orykt.; 2. Aufl. 1826, S. 394.)

5. *Elmas*, Diamant. Es gibt sieben, nach den Farben verschiedene, Arten. Auf dem Ambose zerbricht er nicht unter dem Hammer, sondern dringt eher in den ersteren ein [9]. Um ihn zu zertheilen, legt man denselben zwischen Blei, und schlägt auf dieses, wo er dann zerspringt. In *Indien* war die Ausfuhr der Diamanten ehedem verboten.

Man findet sie in den östlichen Theilen *Indiens*; Einige glauben in den Minen des *Jakuts*.

6. *Ainol-hurr*, Kazzenauge. Es ist ein glänzender, durchsichtiger, frischer Stein, der dem Anschauenden, wie das Auge einer Kazze entgegenspielt. Dieser helle Strahlenpunkt wendet sich, so wie man den Stein dreht, und spielt in Wogen, wenn das Licht darauf fällt. Zerbricht man eins in Stücke, so zeigt sich der nämliche Strahlenpunkt in jedem derselben.

Er soll sich in den Minen des *Jakuts* finden, und aus demselben Stoffe geformt seyn [10].

---

[9] PLINIUS gebraucht die nämliche fabelhafte Beschreibung, um die ausgezeichnete Härte dieses Edelsteines zu bezeichnen; auch er sagt namentlich: »er widerstehe dem Schlage, so, dafs eher Ambos und Hammer entzwei sprängen, als er.« (*Hist. nat; L. XXXVII, C. 4.*)

[10] Die ganze Charakteristik, so wie auch vorzüglich der angegebene Fundort, scheint eher auf unseren Stern-Saphir (*Astérie*) hinzudeuten. Auch der Strahlenpunkt, der oben angegeben ist, stimmt mehr mit dem lezteren Minerale, als dem Kazzenauge.

7. *Laal*, Spinell [11]. Er ist roth, gelb, violet und grün. Mannichmal findet man an demselben Steine die eine Hälfte grün, die andere roth. Die Farben - Abstufungen desselben sind sehr mannichfaltig, und selbst Kenner finden oft keinen Unterschied zwischen ihm, dem Granate und dem gefärbten Krystalle. Der Unterschied besteht in der größeren Härte des Spinells. — Den Beinamen *Bedachschan* hat er nicht sowohl, weil er dort gegra-

---

[11] Es scheint, als ob die Morgenländer unter der Benennung *Laal* nicht allein den Spinell, sondern auch den Zirkon und Turmalin verstanden hätten; denn alle drei kommen zusammen als Geschiebe im Oriente an denselben Orten vor, und es ist wohl nicht zu zweifeln, daſs sie die lezten auch gekannt, aber dieselben nicht durch eine besondere Benennung von einander geschieden haben. Auch nimmt der Zirkon, wiewohl in minderem Grade, die Politur schwer an, und in vielen Fällen muſs man sich, so wie beim Spinell, zum Schleifen desselben, des Vitriölöls bedienen. Auffallend ist, daſs die Orientalen, statt dieses Schleifmittels, Markasite gebrauchten, da das Vittiolöl aus lezterem bereitet wird. — Die Angabe, daſs man oft die eine Hälfte grün, die andere roth gefärbt finde, kann wohl nur auf Turmalin gehn, denn nur von ihm sind, unter allen Edelsteinen, solche Erscheinungen bis jezt bemerkt worden, und namentlich findet man ihn öfter in den eben angegebenen Farben.

20 *

ben, als verkauft wird. — Er nimmt sehr schwer die Politur an, und lange konnte man ihn nicht glätten, bis man es mittelst des Goldmarkasits, *Ebrendsche*, bewerkstelligte. Zur Zeit des *Califats* der *Abbasiden* barst zu *Chatlan* durch ein Erdbeben ein Berg, wo man den *Laal* von einem weifsen Muttergesteine umgeben fand.

In den Gruben wurde zuerst rother, dann gelber *Laal* gefunden.

8. *Firuse*, Türkis. Er kommt von *Nischabur*, *Chasan*, *Irak*, *Kerman* und *Chowaresm*. Ersterer ist, seiner Härte, Reinheit und dauerhaften Farbe wegen, der Geschäzteste; er wird in sieben Arten getheilt. Der Türkis hellt sich auf und trübt sich mit dem Wetter. Eine Art desselben erhält im Oel schönere Farben, verliert sie aber bald wieder [12]. Dem Türkis ist auch eine Art grünen und blauen Schmelzes ähnlich. Nach der Zeit, wo er gegraben ward, wird er in den, der alten und neuen, Minen getheilt, wovon der neue die Farbe ändert.

Er wird an den Orten, nach welchen man ihn benennt, gegraben. Die schönsten und reichsten Fundstätten sind zu *Nischabur*.

---

[12] Getragen verliert er sehr leicht seine Politur; man sucht daher den Glanz, durch Anstreichen mit Süfsmandelöl, auch bei uns wieder herzustellen.

9. *Besoar* (*Pasehir*) [13]. Er wird in den thierischen und in den gegrabenen abgetheilt. Der leztere kommt gelb, grün, staubfarben (?), gefleckt,
wie eine Eidechse, und weiſs mit goldenen Punkten
vor. Man verfertigt Schach- und Damen-Figuren,
Messergriffe u. s. w. daraus. Wirft man den grünen *Besoar* ins Feuer, so wird er schwarz, ohne
zu verbrennen. Beim thierischen *Besoar* findet das
Gegentheil Statt. Man verfälscht denselben häufig;
der wahre unterscheidet sich vom unächten dadurch,
daſs er kein Branndmahl annimmt, daſs er nicht ins

---

[13] Beide, der *Firuse* und *Besoar*, scheinen unserem
Türkis anzugehören. Schon der, bei ersterem angegebene, Fundort sezt es bei diesem auſser Zweifel; allein
auch den lezteren kann man, wohl ohne Bedenken,
dazu zählen. Die, unter dem Namen gegrabener und
thierischer *Besoar*, geschiedene Art, entspricht denen
vom alten und neuen Stein, wodurch bei uns der wirkliche Türkis von dem andern, der von thierischen, mit
Oxyden gefärbten, Zähnen herstammt, getrennt wird.
Auch belegen die Perser noch, heutiges Tages eine Art
des Türkis, den *Kalaït* (Fischer, *essai sur la Turquoise
et sur la Calaïte; Moscou*, 1818) mit dem Namen
Bisoura; eine groſse Aehnlichkeit in den Benennungen,
welche gewiſs auch auf die Einerleiheit der bezeichneten Mineralien mit ziemlicher Gewiſsheit schlieſsen
läſst.

Blauliche fällt, dafs er keine Punkte hat und gerieben weifs abfärbt.

Der ächte Besoar wird an den Grenzen Indiens und Chinas, wie auch zwischen Mossul und Dschesirei Ben Omer gegraben. Der thierische soll in China, so wie an den Grenzen Persiens sich finden.

10. Akik, Karneol. Eintheilung in sieben, nach den Farben verschiedenen, Arten (leberroth, rosenroth, gelb, weifs, schwarz, blaulich und zweifarbig). Wiewohl er ein harter Stein ist, wird er doch häufig zu gestochenen Siegeln verwendet.

Man findet ihn zu Sanaa und Aden in Jemen (in Arabien), an den Grenzen Indiens, Rum's und in der Nähe von Bassra (südlicher Theil von Mesopotamien).

11. Von den, dem Jakut ähnlichen, Steinen.

a. Benefsch (violet?). Er kommt von rother, reiner, heller, durchsichtiger Farbe vor, ganz dem Jakut ähnlich, so, dafs wenn er mit demselben an einen Faden gereiht wird, auch die gröfsten Kenner dieselben schwer von einander unterscheiden können. Alle Arten des Benefsch sind mit dem Laal verwandt, aber ersterer spielt mehr ins Blauliche, als der Laal.

b. Bidschade, Granat. Er ist ein rother Stein von hellem Wasser. Vom Jakut unterscheidet er sich nicht nur durch das geringere Gewicht, sondern auch durch den gröfseren Wärmegrad.

t. Madendsch oder *Madebendsch* [14]. Dieser ist ein rother Stein, der mit dem Granate vollkommene Aehnlichkeit hat, nur spielt sein Roth mehr ins Schwarze, und er ist leichter als die Granaten. Er erhält keinen Glanz, bis man ihn von unten tief anbohrt [15].

Der *Benefsch* wird in den Minen des Spinells, die Granaten und der *Madendsch* aber an der Grenze *Bedachschan's* gegraben, und von da nach *Kaschmir*, das zwanzig Tagereisen entfernt liegt, gebracht; weshalb man irrig glaubt, dafs die Minen derselben sich zu *Kaschmir* befänden. Wenn die Granaten aus der Grube kommen, sind sie dunkel

---

[14] So unvollständig und dunkel überhaupt die Beschreibung dieser drei Steinarten ist, so scheint doch daraus hervorzugehen, dafs die beiden lezteren verschieden gefärbte Granate sind; unter *Benefsch* aber möchte man eher, der oben stehenden Schilderung nach, den Rubin-Spinell verstehen; denn auch bei uns wurde dieser früher mit dem eigentlichen Rubin (rother Saphir) unter eine Klasse gezählt, und jezt noch oft von den Juwelieren verwechselt; er steht überhaupt, wenn er ganz rein vorkommt, mit diesem in gleichem Werthe.

[15] Die Granaten werden noch heutiges Tages, wenn ihre Farbe etwas dunkel ist, und um diese zu erhöhen, auf der unteren Seite mit einer halb kugelförmigen Vertiefung versehen, d. h. ausgeschlägelt. Solche Steine nennt man sodann Granat-Schaalen.

und ohne Wasser, und erhalten erst durchs Schleifen Glanz und Durchsichtigkeit.

12. *Dschesi*, Onyx. Er ist weifs, schwarz, roth oder vielfarbig. Der *Bakrawi*, eine Art desselben, hat drei Schichten, die erste ist roth und undurchsichtig, die andere weifs und durchsichtig, und die dritte durchsichtig, wie Krystall. Der *Habeschi*, eine andere Art, hat ebenfalls drei Schichten, zwei dunkele und in der Mitte eine weifse. Der Onyx ist der härteste Stein nach dem Diamanten oder *Jakut*, und hat dasselbe Gewicht, wie der Karniol. Einige Onyxe sind gestreift, andere nicht; bei manchen sind die Streifen unterbrochen, so, dafs sie seltsame Gestalten bilden.

Wiewohl der Onyx an mehreren Orten gefunden wird, so sind doch die geschäztesten die, welche man an den Grenzen von *China* und *Arabien* gräbt.

13. *Magnet*. Es gibt vier Arten desselben; der Eisen-Magnet, auch Eisen-Räuber genannt, der Gold-Magnet, der Silber-Magnet und der Zinn-Magnet.

Er wird in *Arabien*, *Indien* und an andern Orten gegraben.

14. *Senbad*, Spath, Korund. Er ist ein harter Stein, der Eisen und Stahl glättet. Seine Härte unterscheidet ihn von den ihm ähnlichen Steinen; denn sie grenzt zunächst an die des Diamanten, der ihn

nach allein angreift. Er ist entweder röthlich oder
blaulich ¹⁶.

Man gräbt ihn an vielen Orten, wie in *Indien*,
Sanguebar, *Siwas*, *Kerman*, *Nubien* und *Aethio-
pien*.

15. *Dehne*, Malachit. Ein grüner Stein,
von der Farbe des Grünspans, mit rothen und
schwarzen Punkten. In *Turkistan* soll es Malachit
von der Farbe des rothen *Jakut* geben. Seiner Farbe
nach theilt man ihn in fünf Arten. Mit Oel angestri-
chen, erhält er gröfseren Glanz. Alt und gebraucht
verliert er seine Schönheit. Er erscheint, wie der
Türkis, bei heller Luft hell, und bei trüber Luft
trübe. Wenn man denselben mit Oel und Natron
abreibt, erhält man daraus das reinste Kupfer.

Er wird in den Bergen *Mauritaniens*, in *Kerman*, *Haskerek*, *Turkistan* und *Arabien*, in der
Höhle der *Bani Salem* gegraben.

———————

¹⁶ Den Härte-Angaben nach, kann der *Senbad* kein anderer Stein, als unser Korund, Diamantspath, seyn,
und noch jetzt wird er, in *China* und *Indien*, theils
gepulvert, theils in ganzen Stücken zum Schneiden und
Poliren der Edelsteine und anderer harten Steinarten
verwendet. Die Tamulen verfertigen sogar aus ge-
pulvertem Korund und Lackharz ein Rad, auf welchem
sie die Edelsteine schneiden. (DE LA TOUR in *Mém.
du Museum; Vol. II*, p. 320.)

16. *Ladschiwerd*, Lasurstein. Es gibt vier Arten. Der von *Bedachschan* wird in den mit, und in den ohne goldene Punkte eingetheilt. Zerriebener Lasur ins Feuer geworfen bringt mannichfachen Rauch hervor.

Die merkwürdigste Mine desselben ist der Lasur-Berg in *Chatlan*, nahe bei *Bedachschan;* auch wird er in *Georgien* zu *Kerman* und an andern Orten gegraben.

17. *Befsed*, Korallen.

18. *Jascheb* oder *Nafsb*, Jaspis. Man hat fünf Arten; der weifse helle, weifsgelbe, grünschwarze, der schwarze durchsichtige und staubfarbige. In *China* bereitet man falschen Jaspis, der sich von dem wahren, durch einen Rauch-Geruch, unterscheidet.

In *China* sind zwei Minen, wovon die eine, *Ak Kasch* genannt, den hellen, und die andere, *Kut Kasch*, den dunkeln Jaspis liefert. Auch wird er an den Grenzen *Kaschghar's*, in *Kerman* und *Arabien* gefunden.

19. *Bellor*, Krystall. Anmuthiger, reiner, heller als andere Edelsteine, ist er theils klar und rein, theils dunkel gelblich. Man kann denselben, wie Glas, schmelzen, und dem *Jakut*, *Laal*, oder Smaragd gleich färben. Abu Riham erzählt, die Versicherung von Steinschneidern bekommen zu haben, dafs sich in dem Krystalle öfters Holz und dergleichen eingeschlossen befinde, und er selbst habe zwei

gesehen, von denen einer einen grünen Zweig [17],
und der andere einen Hyazinth umhüllt habe.

Er wird in *Indien*, *Turkistan*, *Europa*, *Arabien*, *China*, *Armenien* und an der äufsersten Grenze *Moghrib's* (*Mauritaniens*) gefunden. Einige ziehen den Arabischen dem Indischen vor; am wenigsten ist der Armenische geschäzt.

20. *Dschemest*, Amethyst. Er hat mehr Farben wie der Regenbogen. Die Araber schäzzen ihn
ungemein hoch, und schmücken ihre Waffen mit
demselben.

Man gräbt ihn in dem Bezirke des Dorfes *Saf-
ra*, drei Tagereisen von *Medina*. Wein aus einem
Becher von Amethyst getrunken berauscht nicht [18].

Die Art der Erforschung des Umfanges und Ge-
wichts der Edelsteine ist folgende: man füllt ein
Gefäfs mit Wasser, und wirft sie hinein; die Menge
Wassers, welche durch das Mittel eines jeden Edel-
steines aus dem Geschirre herausgeht, vertritt die
Stelle desselben.

---

[17] Mag wohl Strahlstein oder Asbest gewesen seyn;
denn diese findet man oft im Berg-Krystalle, und sie
haben mannichmal ein Zweig-ähnliches Ansehen.

[18] Diese fabelhafte Eigenschaft, dafs er, als Ring u. s. w.
getragen, vor Trunkenheit schüzze, legte man dem
Amethyste schon sehr frühe bei. Aristoteles glaubte
daran, und Plinius erwähnt ebenfalls derselben. (*Hist.
nat.*; *L. XXXVII, C. 9.*)

Ueber

die *Alluvial* - Gebilde.

Von

Herrn Dr. A. Boué

(JAMESON, *Edinb. new phil. Journ.; April,* 1826, *p.* 82.)

I. Altes *Alluvium* (*Diluvium*).

Diese Reihe von *Alluvial*-Ablagerungen schliefst sich, in regelrechter Folge, unmittelbar den neuesten terziären Felsschichten an. Ob solche stets, wie CUVIER, BUCKLAND u. A. behaupten, von dem jüngeren *Alluvium* deutlich geschieden sey, möge dahin gestellt bleiben; deutliche Trennungen dürften mehr zufälligen Erscheinungen angehören. Im Gegentheile hat, wie bei allen vorhergehenden Formazionen, ein Uebergang der einen in die andere Statt; so, dafs es das Ansehen gewinnt, als sey das *Alluvium* überhaupt Erzeugnifs derselben noch vorhandenen Ursachen, obgleich die Wirkungen der thätigen Kräfte aus der älteren bis zur neueren Zeit abgenommen haben dürften. Sieht man beide *Alluvien* deutlich geschieden, so ergibt sich daraus, dafs die Ursache, welcher das alte *Alluvium* sein Daseyn zu verdanken hatte, plözlich zu wirken aufhörte.

In diesen Ablagerungen werden Ueberreste noch vorhandener Pflanzen getroffen; ferner Meeres-, Flufs- und Land - Muscheln, noch lebenden Gattungen zugehörig; endlich Gebeine ausgestorbener und noch existirender Vierfüfser, aber keine Menschen- Knochen.

Alte meerische Ablagerungen.

Aufhäufungen von Sand, von Rollstei- nen und von zersezten Pflanzen, längs der Küste, mehr oder weniger erhaben über dem gegen- wärtigen höchsten Stande der Meereswasser (*Eng- land*).

Sandbänke und Muscheln führender Mergel, mit Gebeinen von Meeresthieren. (Oest- iche Küste *Englands*, *Forth*, *Clyde*, *Norwegen*, Austernbank unfern *Rochelle*, Mündung der *Giron- te*, *Boston* in den vereinigten Staaten.)

Sandige und kalkige Materien, abgesezt durch See- wasser in Höhlen und Spalten der Kalkberge, in der Nähe des Mittelländischen Meeres: dichter Kalk mit noch lebend vorhandenen Seemuscheln (*Nizza*).

Sandig - kalkige Trümmer - Gesteine mit Knochen von Thieren, die jezt nicht mehr alle vorhanden sind in der Gegend, zuweilen auch mit noch in der Nähe le- benden Meeres - und Landmuscheln. (*Nizza*, *Korsika*, *Cette*, *Gibraltar*, *Cerigo*, *Dalmazien*.)

Bänke mit Korallen und Madreporen über dem Meeres-Niveau. (Insel *Lamlash*.)

Spuren von Pholaden in verschiedenen Höhen der Felsen an der Meeresküste, und ziemlich erhaben über dem Hochwasser-Stande. (Gegend bei *Nizza*.)

Einige sandige untermeerische Bänke, durch Strömungen erzeugt. (*Newfoundland-Bank*).

Alte Ablagerungen von Seen und Flüssen längs ihren Seiten oder an ihren Mündungen und bedeutend höher, als der gegenwärtige Wasserstand.

- Haufwerke von Sand, Geschiebe und zersezten Pflanzen, auf Plattoformen, zuweilen auch terassenartig (*Glen Roy, Genfer-See*); einige Thonmergel-Konglomerate mit verkohlten Vegetabilien. (Ufer des *Mississippi*.)

See- oder Fluſs-Mergel mit nierenförmigen Massen erhärteten Kalkes, mit Gebeinen groſser, zum Theil erloschener, Thier-Gattungen, auch mit Fluſs- und Landmuscheln, deren Geschlechter noch vorhanden sind, aber nicht häufig in der Gegend vorkommend. (*Garonne, Rhein, Donau*, nördliches *Deutschland*, groſse Ebene des östlichen *Ungarns*.)

Alte Ablagerungen von Kalktuff.

Quellen- und See-Absäzze aus verschiedenen Zeiträumen, mit Knochen von Landthieren, welche in der Gegend nicht mehr lebend vorhanden, oder von denen Gattungen, ja selbst Geschlechter gänzlich verloschen sind (*Pyrmont*, südlicher *Harz*);

auch mit Ueberbleibseln noch lebend existirender
See - und Landmuscheln, deren Gattungen jedoch
meist nur sparsam in der Gegend vorkommen. (*Baden* in *Oesterreich.*)

Kalk - Brekzie.

Sie umschliefst Gebeine, und kommt im Innern
des Festlandes vor. (*Romagnagno*, unfern *Verona*,
Coucud in *Arragonien*, *Perigord*, *Adelsberg* in
Krain, *Mixtniz* bei *Beruek* in *Steyermark*, *Bele-
nyesh* im östlichen *Ungarn*, *Gailenreuth.*)

Ablagerungen thierischer Knochen

Die Gebeine, zum Theil erloschenen Gattungen
zugehörig, liegen, in Thon oder Kalktuff, in kleinen
und gröfseren Höhlen, meist in Kalkstein - Felsen.

Alter Torf.

Zuweilen unter dem alten Kalktuffe seine · Stelle einnehmend (*Pyrmont*), mit Kiesen und mit
Gypsspath; hin und wieder unterhalb des gegenwärtigen Meeres - Niveaus, oder ganz unter der Seewas-
sertiefe. (*Pommern.*)

Anfgehäufte Substanzen.

Sie entstanden durch Zusammenstürzungen von
Felsmassen in früherer Zeit, herbeigeführt durch
Erdbeben, oder durch zerstörende Wirkungen der
Wasser (alle bergige Gegenden).

Dammerde (zum Theil).

Abstammend von zersezten Felsarten und von
zerstörten animalischen und vegetabilischen Stoffen,
und in der Regel die erhabensten Theile der Erde
einnehmend.

II. Neues *Alluvium* (*Alluvium*).

Hier zeigen sich nur Ueberbleibsel noch lebend vorhandener Thiere und Pflanzen; auch kommen Gebeine von Menschen und Kunst-Erzeugnisse vor.

Neuere Ablagerungen des Meeres.

Man trifft sie nur um weniges höher, als der erhabenste Fluthstand ist.

Aufhäufungen von Sand, von Rollsteinen und von zersezten Vegetabilien (Dünen in *Gascogne* und *Schottland*).

Sandmassen, zuweilen kalkhaltig, gebunden durch kalkige Einseihungen (*Messina*), mit Meeresmuscheln und Menschenknochen. (*Guadeloupe*.)

Korallen- und Madreporen-Riffe, deren Bildung noch stets fortdauert (*Südsee*).

Spuren von Pholaden in den Säulen des *Serapis*-Tempels.

Sandbänke unter dem Meere sich bildend.

Neuere Ablagerungen von Seen und Flüssen.

Sie nehmen ihre Stelle an den Seiten derselben oder an ihren Mündungen ein, und übersteigen den höchsten Fluthstand nur um ein Weniges.

Aufhäufungen von Sand, Rollsteinen und zersezten Vegetabilien.

Schlamm im Gemenge mit thierischen und pflanzlichen Stoffen.

Ablagerungen $\begin{cases} \text{von kohlensaurem Natron in Seen} \\ (\textit{Aegypten, Barbarei}, \text{ mittleres } \textit{A-} \\ \textit{frika}) \\ \text{von Steinsalz, in einigen Seen} \\ \textit{Rußlands.} \end{cases}$

Neue

Neue Kalktüff-Absätze.

Ihre Bildung dauert noch stets in kleinen Seen fort (*Römische* Staaten, *Siebenbürgen*), oder durch Quellen (*Alpen*), Erbsensteine mit Fluſs- und Landmuscheln und thierischen Gebeinen (Thal *Gave de Pau*).

Neuer Torf.

Er entsteht noch gegenwärtig und enthält Menschenknochen und Kunst-Erzeugnisse (*Schottland*, *Mecklenburg*).

Material aufgehäuft durch Felsenstürze oder Erdfälle.

Rigi, Gegend zwischen *Deva* und *Dobra* in *Siebenbürgen*.

Morainen der Gletscher (*Savoyen*, *Schweiz*).

Salinische Erzeugnisse.

Sie entstehen in Höhlen, Gruben u. s. w. (*Ungarn*, *Asien*), Salpeter, salpetersaurer Kalk, schwefelsaurer Kalk u. s. w.

Absätze mineralischer Wasser.

Salinische und eisenhaltige Substanzen; Sumpferz (*Schottland*, *Mecklenburg*); Schwefel, erdig oder krystallinisch (*Baden* in *Oesterreich*).

Dammerde.

Ihr Entstehen dauert noch fort.

Miszellen.

Scouler theilt (Brewster; Edinb. Journ. of Sc.; Oct.
1826, 195) den Bericht einer, in 1824 und 1825 nach
Madeira, Brasilien, Juan Fernandez und die
Gallapagos-Inseln unternommenen Reise mit. —
Madeira besteht aus steilen, von zahllosen tiefen Thälern
durchschnittenen Bergen. Der Boden ist meist basaltisch.
— Um Rio de Janeiro herrscht Granit. Am Meeres-Ufer
zeichnet sich die Felsart durch vorzüglich grosse Feldspath-
und Glimmer-Krystalle aus. Da, wo das Gestein dem
Einwirken der Atmosphärilien ausgesezt ist, zeigt sich dasselbe in dem Grade zersezt, dass die einzelnen Gemengtheile
mitunter nicht mehr zu erkennen sind. — Das Eiland
Massafuero erhebt sich sehr schroff; die Felsen sind fast
senkrecht, die erhabensten Stellen haben nicht viel über
200' Seehöhe. — Auf Juan Fernandez haben die Gesteine
ein noch mehr vulkanisches Aussehen, als jene von Madeira; man findet in ihnen häufig kleine Krystalle eines
grün gefärbten Minerals. Cerastium bedeckt sehr oft die
Oberfläche der Felsen. — Die Küste sämmtlicher Gallapagos-Inseln steigt meist sehr schroff an. Die Berge haben fast alle konische Formen.

Durch BEAUFORT (a. a. O. S. 222) erhielten wir Kunde von einem, auf dem Mittelländischen Meere am 29. November 1810 verspürten, Erdbeben. Das Schiff wurde heftig bewegt, die Masten u. s. w., und selbst die Kanonen wurden erschüttert. Das ganze Phänomen dauerte angeblich 2 bis 3 Minuten. An der Stelle vermochte man mit 500 Faden keinen Grund zu finden. Die Luft ließ keinen besondern Geruch wahrnehmen; das Wasser zeigte kein Aufwallen, selbst nicht einmal eine oberflächliche Bewegung, auch keine Aenderung der Farbe. Manche Personen, die auf dem Schiffe befindlich gewesen, wollen ein hohles untermeerisches Getöse bemerkt haben. Wenige Minuten nach der Katastrophe folgte ein heftiger Windstoß, begleitet von starkem Hagel mit Donner und Blitz verbunden. Später erhielt man die Kunde, daß, an dem nämlichen Tage, Erdbeben auf *Candia* und *Morea* Statt gefunden, und es verdient Beachtung, daß das Schiff sich zur Zeit der Erschütterung in einer, den äußersten Punkten beider Gegenden entsprechenden, Linie befand. Indessen war das Identische der Bebungen nicht mit Sicherheit zu ermitteln, ebenso wenig ließ sich die Richtung, in welcher sich dieselben fortpflanzten, genau angeben. Auf *Cerigo* soll, was sehr auffallend, die Erschütterung nicht empfunden worden seyn.

———————

FR. v. GEROLT erstattete Bericht über die Silber-Grube Santa Rosa im Bergwerks-Reviere Chico. (KARSTEN, Archiv für Bergb.; XIV. 52.) Die Grube, 5 Leguas im W. von *Chico*, baut auf einem mäch-

tigen Gange, *Santo Eugenio* genannt, der als Fortse
des Erz-Ganges von *Arevalo* angesehen wird.   Sein
chen ist *h.* 6, und er fällt unter ungefähr 56° nac
gleich dem Gange von *Arevalo.*   Ein anderer mich
Gang, nordwärts von *Santo Eugenio*, ist die *Vet.*
Santa Rosa.   Er weicht, etwas gegen NW. sich '
dend, in seinem Streichen von dem des Ganges von S
Eugenio ab, so, dafs beide Gänge, wenn sie so weit
halten sollten, gegen W. zusammen kommen müfsten.
Fallen aber, 70° gegen N., ist dem des *Santo Eugenio*-G
ganz entgegen. — Das Mutter-Gebirge ist derselbe Po
— perlgraue Grundmasse aus Thon und Feldspath
mit Krystallen von gemeinem Feldspathe — wori
Gänge von *Pachuca*, *Real del monte* und *Chico* s
zen; nur zeigt sich das Gestein hier mehr zerklüftet.
Hauptmasse der Gänge besteht aus einem innigeren Gen
von kieselhaltigem, dichtem Feldspathe (?), in wel
ebenfalls Krystalle von Feldspath und Eisenkies-P
getroffen werden. Die Erze, Silberglanz, Antimon-
Gediegen-Silber brechen meist mit Quarz zusammen.

———

Nach -BRONGNIART gehören die Steinkohlen '
Höganäs, wie auch schon NILSON und AGARDH bem
nicht derselben Zeit an, wie die gewöhnlichen Englis
und Französischen Steinkohlen-Gebilde, sondern zu ei
einer Stelle zwischen der älteren Steinkohle und der Br
kohle einnehmenden, Formazion.   Die gröfsere Menge
förmiger Materien, welche bei. der Verbrennung der Ko

von *Höganäs* erzeugt worden, sollen jenen Schluſs gleichfalls rechtfertigen. (Berzelius, Jahresber.; V, 294.)

Entdeckung der Platina auf der Westseite
des Urals. — Bisher ward nur in *Amerika* Platina gefunden. In *Europa* entdeckte Vauquelin blos Spuren davon im Fahlerz aus *Guadalcanal* in *Estremadura*. Die
Auffindung dieses Metalles in Ruſsland, an der Ostseite
des *Urals* in *Siberien*, und die Gewinnung desselben begannen im Jahre 1823. Aber im Julius 1826 fand man
auch an der Westseite des *Urals*, in der Gold-haltigen
Suchowisimskischen Grube dieſs Metall von vorzüglicher
Güte. — Diese Grube gehört dem Geheimerath N. Demi-
dov. Sie liegt am Flusse *Suchowisim*, der von W. nach
O. fliefst und in den Fluſs *Utka* fällt. — Sie ist vom
Nischnetagilskischen Werke 45, und von dem *Wischimo-
schaitanskischen* 8 Werste entfernt. Das Lager streicht in
einer Länge von 200, einer Breite von 4 Faden, und in
der Tiefe von 1½ bis 2 Arschin. Wie reich die Grube
ist, ergibt sich daraus, daſs vom Julius bis zum 15. November 1826 schon 3 Pud 22 Pfund 35 Solotnik Gedie-
gen-Platina gewonnen waren. — Die äuſseren Kennzeichen
sind folgende: die Körner sind zum Theil sehr grob und
von verschiedener Form, d. h. gerundete, flache, eckige,
gezähnte und mit Grübchen versehene; die Farbe ist stahl-
grau, oder dem geschwärzten Silber ähnlich. Das Metall ist malleabel; die Körner sind von so ansehnlicher Gröfse, daſs einige derselben, 5 bis 23 Gran wogen.
Durch Analyse ergaben sich in 100 Theilen, 75 Theile reines
Platin. (Auszug aus dem Russischen Bergwerks-Journal,

326

1826, Nro. 1, von A. Kæmmerer; mitgetheilt von Hrn.
Minister, Staatsrath v. Struve.)

Um *Deerfield* findet man, als Geschiebe im Flusse,
eine eigenthümliche Brekzie, in welcher Quarz-
Bruchstücke durch einen Teig von Glimmerschiefer gebunden werden. Glimmer- und Hornblendeschiefer und Granit bilden das Flußbett. Blöcke ähnlicher Art kommen
auf der West-Küste von *Hoosack Mountain*, eine halbe
Meile im W. von *Windsor-meetinghouse* vor. — Ein interessantes Vorkommen von Trapptuff ist auf der Ost-Küste
des *Mount-Tom* vorhanden, im östlichen Theile von *Nort-
hampton* und in *East-Hampton*, zwischen Schieferthon und
Grünstein (?). Der Trapptuff macht, deutlich unter dem
Schiefer anstehend, ein Lager von beträchtlicher Längen-
Erstreckung aus. Er besteht aus Rollstücken von Grünstein (?) und von Sandstein, welche durch Wacke und
zersezten Grünstein (?) gebunden sind. Die Rollstücke
haben von 1″ bis 2′ im Durchmesser. Zum Theil sind
die Massen verschlackt. Stellenweise wechselt der Tuff
mit Grünstein (?). Die Sandstein-Bruchstücke, welche im
Tuffe eingebacken sind, gehören der gleichnamigen Felsart
an, welche den Tuff überlagert. (*Americ. Journ. of Sc.
and Arts; Aug.*, 1824, *p.* 244, und Férussac, *Bullet.*;
IX, 151.)

In *Demerary* verspürte man, am 20. September 1825,
um 10 Uhr Abends, eine sehr starke Bebung des Bodens, deren Dauer 3 bis 4 Minuten betrug. Zuerst

schwankte die Erde, dabei wurde dumpfes, unterirdisches
Getöse vernommen, endlich folgte eine Bewegung, ähnlich
den Meereswogen. Die Erschütterungen nahmen ihre Richtung von WNW. nach OSO. (Zeit. Nachr.)

Einige Beiträge zur Kenntnifs der Kupferlasur von Chessy lieferte Arendts. (Kastner, Archiv f. d. ges. Naturl.; IX, 233.)

Fr. v. Gerolt erstattet Bericht über eine bergmännische Expedition nach dem Bergwerks-
Bezirke von Christo. (Kastner, Archiv für Bergb.;
XIV, 3.) Die Ebene von *Mexiko*, 7458 Fufs Engl. über
dem Ozean, ist ringsum von einer, aus Porphyren und
Basalten bestehenden, Bergkette umschlossen. Ein majestä-
tisches Schauspiel gewähren die beiden Vulkane von *Puebla*,
der *Popocatepec* und *Iztacitonat*, welche sich im SO. von
Mexiko, der erste 17,712, der andere 15,698 E. F., erheben, und deren Gipfel mit ewigen Schnee bedeckt sind.
Fünf Seen nehmen einen Theil des Thales ein, und in ihnen spiegeln sich die Kratere einer Menge erloschener Vulkane, welche hier und da in der Ebene zerstreut liegen.
Der gröfste dieser Seen ist der von *Tezcuco*, der nächste
bei *Mexiko*, welcher 2 $\frac{1}{2}$ Quadratmeilen Flächenraum hat.
Das Thal mufs früher ganz mit Wasser erfüllt gewesen
seyn, und einen einzigen See gebildet haben, dessen Boden
die ungeheuren Ausbrüche der vielen Vulkane aufgenommen,
wovon jetzt nur die Produkte und die erloschenen Kratere

zeugen. In der Ebene findet man häufige Spuren von vulkanischem Sande, von Asche und Stücke von Laven, und
am Fuße der Gebirgskette zeigt sich überall grauer vulkanischer Tuff. Die Masse ist meist dicht und gleichartig.
Selten erkennt man darin kleine Blasenräume, die einen
weißen Ueberzug haben. An den meisten Punkten erscheint
die Masse deutlich geflossen, und enthält in größer Menge
Stücke von mehr und weniger gebranntem Porphyr (?)
und von rothen und schwarzen, mehr oder weniger blasigen, Laven. Da, wo die Masse oder das Ziment nicht
innig gemengt ist, erscheint sie deutlich aus kleinen Bimsstein - Stückchen zusammengesezt, und nicht selten trifft
man mächtige Niederlagen von Bimsstein - Konglomerat.
Eine große Mannichfaltigkeit dieser vulkanischen Erzeugnisse
findet sich an den beiden Pyramiden von *San Juan de Peo-*
jihuacan, im NO. des Sees von *Tezcuco*, welche beide
Monumente durch Menschenhände aus vulkanischen Produkten der Gegend aufgethürmt scheinen. Man unterscheidet, außer den schwarzen und rothen, mehr und weniger
blasigen Laven, Stücke von Basalt - Porphyr, von dichtem
und von blasigem Basalte, die mit einander verbunden
sind; ferner Stücke von Obsidian und andere, an denen
ein Uebergang aus Basalt in Pechstein und Obsidian bemerkbar ist, und von Gesteinen aus glasigem Feldspathe
mit Hornblende - Krystallen, ähnlich denen des *Laacher-*
Sees. Thon - Porphyr (?) und Feldspath (?) - Porphyr
sezzen das Grund - Gebirge des Thales von *Mexiko* zusammen. Beide zeigen die vielartigsten Abänderungen, und
gehen gegenseitig in einander über; eine Trennung derselben in eine Trapp - und in eine Uebergangs - Porphyr-

Formazion (?) gestatten sie nicht leicht. Die Verbreitung
dieses Porphyr-Gebildes ist ungeheuer. Die mächtigsten
Gang-Formazionen, in der Nähe von *Mexiko*, setzen
darin auf. Im *Real* von *Huantla*, 40 Leguas südlich von
Mexiko, liegt der Porphyr im Hangenden von grauem
Kalksteine, welcher gegen O. einfällt, und wahrscheinlich
der Uebergangszeit angehört. Bei *Regla* liegt der Kalk
ziemlich deutlich unter Porphyr. Der Porphyr zeigt sich
häufig deutlich geschichtet. Oft sieht man über ihm ein
Konglomerat, aus Stücken der verschiedenen Porphyrarten
bestehend, gebunden durch verwitterten Feldspath und
Thon. — Ueber diese Porphyr-Formazion führt der Weg
bis *Temascaltepec*, südwestlich von *Mexiko*, wo zuerst
das Ur- (?), östlich einfallende, Thonschiefer-Gebirge
sich erhebt, in dem eine große Silbergang-Formazion auf-
setzt. Der Thonschiefer geht deutlich in Glimmerschiefer
über; auch wechselt er bei *Yslapa del Oro* im NW. von
Temascaltepec mit schwarzem Kalksteine, worin zum Theil
die dortigen Gold-Gänge aufsetzen. Der unmittelbar auf-
liegende Porphyr, dem *Töplizzer* Schiefer ganz ähnlich,
ist regelmäßig (?) geschichtet, und seine perlgraue Grundmasse ein festes und inniges Gemenge von Feldspath und
Thonstein (?), worin kleine Feldspath-Krystalle zerstreut
liegen. Die Erzlagerstätten sind Morgengänge mit nördlichem
Einfallen und 1 bis 3 F. mächtig. Die Gangmasse ist größtentheils Quarz mit eingesprengtem Silberglanze und Roth-
gültigerze, seltener Kalkspath mit Bleiglanz und Eisenkies.
— Jenseit *Temascaltepec* führt der Weg über die hohen
Schiefer-Gebirge (auf dem Rücken der Kordilleren), welche zu mehreren Malen durch Trapp-Gebilde, Basalt und

Basalt-Porphyr, unterbrochen werden. Unweit des Indischen Dorfes *Rio do Cuencla* bedeckt ein schöner, in
Klingstein (Phonolith) übergehender, perlgrauer Porphyr
den Thonschiefer, welcher mächtige Quarz-Lager in Menge
aufnimmt. — Das Bett des *Rio Saline* ist ganz mit Granit
erfüllt. Auch in den Thälern von *Yulnapa* und von *Christo* kommt derselbe Granit zum Vorschein, aber nur zu
geringer Höhe über der Flufssohle, während der Thonschiefer stets die ganzen Gebirgmassen zusammensetzt. Der
Granit scheint mit dem Thonschiefer gleichzeitig; einige
Gänge setzen auch in demselben fort. Merkwürdig ist,
dafs aus diesem Granite, in beiden Thälern von *Rio Salino*
und *Yulnapa*, salzige Quellen entspringen, deren Haupt-
gehalt salzsaures Natron scheint.

––––––

Nilson hat die, von ihm in Schonen aufgefundene, Greensand-Formazion näher untersucht, und
darin, aufser Meeres-Konchylien, auch verschiedene fossile
Landgewächse entdeckt, welche er beschrieben hat. *Schonen* beherbergt gerade die äufserste Grenze der grofsen ter-
zitzen Formazion, welche sich von Deutschland aus unter
der Ostsee forterstreckt, und sich an dem höher liegenden
Theile *Schonens* endigt. Hieraus folgt, dafs die Lager daselbst nicht über, sondern neben einander gesucht werden
müssen. Denn man muss sich vorstellen, dafs sich dieselben, von dem Grunde des Meeres-Bassins, aufwärts biegen,
und dafs sie sich deshalb in einer fallenden Stellung befinden. Aber gewöhnlich ist Alles durch spätere Revoluzio-
nen zertrümmert und unordentlich herumgeworfen, wo-

durch es so schwer wurde, eine vollständige Kenntniß von den relativen Verhältnissen der Gebiete in *Schonen* zu erlangen.

Bustamantz beschreibt eine Reihenfolge neuer Kalkspath-Krystallisazionen aus *Mexiko*, und namentlich aus den Gruben von *Mellado*, *Valenciana*, *Rayas*, *Pachuca*, *Cata*, *Tepeya* und *Guanajuato*. Die lezten Gruben namentlich sollen eine gröfsere Mannichfaltigkeit von Krystallen aufzuweisen haben, als der *Harz* und *Ungarn*. (*Ann. des Sc. nat.; VIII*, 205.)

Bergmeister Schmidt stellte im Jahre 1823 folgende Barometer-Messungen von Höhen im Westerwalde und im Siebengebirge an. (*Hertha; V; geographische Zeitung, S.* 127.)

Nro.	Bezeichnung der gemessenen Punkte.	Gebirgs-Gesteine.	Absolute Höhe in Par. F.
1	*Galfinstein*, Berg bei *Kirchberg* auf dem *Westerwalde* höchster Punkt der Gegend.	Gerölle von Grauwacke und Grauwackenschiefer, am Abhange anstehend	1597,0
2	Schloß *Hachenburg* .	Basalt	1289,0

Nro.	Bezeichnung der ge-messenen Punkte.	Gebirgs - Gesteine.	Absolute Höhe in Par. Fuß.
3	*Schwenger* Berg bei der langen *Mauer*, nächst *Wilferdingen* bei *Freilingen*	Trachyt, ähnlich dem aus dem *Holz Heller-berg im Siebengebirge*	1504,75
4	*Wilferdinger* Brücke nach *Dreifelden* hin, im Mittelpunkte eines fast geschlossenen Kessels	Basalttuff und Trachyt	1285,5
5	*Lie - Berg* bei *Ewig-hausen*	Trachyt in Platten, seiger zerklüftet in hor. 5,4	1387,75
6	*Montabaurer* Höhe, höchster Punkt der Chaussée	Grauwacke und Schie-fer fällt mit 40° in hor. 11 ½ nach S. .	1403,75
7	Signal bei *Neuhäusel* .	Körniger Quarz, wie auf dem *Feldberge* (kuppenförmig aufge-lagert?)	1774,4
8	*Rheinspiegel* bei Kob-lenz	Gerölle	253,0
9	*Werft* bei *Leudesdorf* am *Rheine* . . .	Gerölle	237,6
10	Hof *Windhausen*, An-dernach gegenüber .	Thonschiefer fällt 60° in hor. 11 ½ gegen S. mit Bimsstein bedeckt	678,2

Nro.	Bezeichnung der gemessenen Punkte.	Gebirgs-Gesteine.	Absolute Höhe in Par. Fuß
11	*Laacher-See* . . .	Sand	977,2
12	*Minden-Berg bei Linz*	Säulen-Basalt . . .	1389,5
13	*Erpel*	Rhein-Geschiebe . .	234,0
14	Hängebank des *Gotthelf-Schachtes* auf dem *Martin*-Berge bei *Rheinbreitenbach* . .	Grauwacke fällt 45° in hor. 11 ½ gegen S.	680,2
15	Kloster *Heisterbach*, Kreuz vor der Pforte	mergelige Dammerde .	490,8
16	Die Spizze des *Stenzel-Berges*	Trachyt-Porphyr . .	920,84
17	*Petersberg* bei der Kapelle	Basalt	1053,2
18	*Nonnenstrom*-Berg .	Basalt	1065,7
19	Das *Rosenau* . . .	Trachyt-Porphyr mit Hornblende . . .	1023,4
20	Spizze des *Oelberges* .	Basalt.	1472,8
21	*Löwenburg*	Basalt.	1413,8
22	*Laacher*-Berg . . .	Trachyt	1409,9
23	Großer *Geisberg* . .	Trachyt	1054,6
24	*Drachenfels*	Trachyt	1056,0
25	*Wolkenburg*, höchster Punkt des anstehenden Gesteines	Trachyt	1054,8
26	*Ofenkühler* Stollen-Mundloch	Trachyt-Porphyr (Konglomerat)	626,4
27	Ausfuhr des Lippischen Steinbruchs . . .	Trachyt-Porphyr . .	785,5
28	*Hirz*-(*Hirsch*-) Berg	Trachyt	912,4

Nro.	Bezeichnung der ge- messenen Punkte.	Gebirgs - Gesteine.	Abs Höh Par.
29	*Oberdollendorfer Hardt*	Basalt	84
30	*Ober - Kasseler Ley*, höchster Punkt im Walde	Basalt	67
31	*Ennert bei Kutekopen*, *Feauvaux* Häuschen .	Braunkohlen - Gebirge und Basalt . . .	56
32	Rhein - Spiegel bei Kö- nigswinter	Gerölle	18

Ueber die Porphyr-Formazion in Norwe liest man Nachstehendes in BERZELIUS Jahresbericht, 290. Die Gegend vom *Christiania-Fiord*, bekannt du die Porphyre, welche die Uebergangs - Formazion bedeck schien lange, und ist vielleicht noch in vielen ihrer E zelnheiten, ein, für die Geologen unauflösliches, Proble *West - Gothlands* Formazionen wiederholen sich hier in ner ganz ungeheuern Skala. Aber während man die Lage *West-Gothland* in ihrer unverrückten horizontalen Stell findet, sieht man dieselben um *Christiania* aufrecht, neigt, oder umgestürzt, und an tausenden von Stellen b chen durch ihre Masse, mehr oder weniger mächti Trapp - Gänge hervor, welche in ihrer Mitte bisweilen e grobkörnigere Textur haben, und Porphyre bilden. Ma findet sich hier in dem Mittelpunkte der geognostisch

Gegend, von welcher die Formazion von *West-Gothland* in die äufserste Grenze bildet. Derjenige, welcher einmal die nun nicht mehr bestrittenen vulkanischen Ueberreste der *Auvergne* und von *Vivarais* gesehen hat, wird sich auf dem Wege längs des *Christiania-Fiords* nach *Holmstrand*, in das *Ardèche*-Thal an die durchbrochenen Länder von den noch dastehenden Kratern von *Janjac der Soulioi* versetzt glauben; so ähnlich sind diese mit dem sogenannten Porphyre einer queren Wand, der gegen den *Christiania-Fiord* endigt. Blasenräume, bisweilen leer, bisweilen mit Laumontit und mit kohlensaurem Kalke, und nicht selten mit kleinen Epidot-Krystallen erfüllt, zeigen, dafs die Masse in ihrem flüssigen Zustande Gase entwickelt hat; die keinen Ausweg fanden, als bis die Masse erhärtet und gesprungen war, — Charaktere, welche ihre pyroxenetische Natur bezeichnen. Es scheint also durch die Vergleichung dieser Gebirgsart mit der von bestimmt vulkanischen Gegenden mehr als blofse Wahrscheinlichkeit zu seyn, dafs die Porphyr-Massen, welche Gänge in der Uebergangs-Formazion ausfüllen, und welche sich über dieselbe ausgegossen haben, sich in geschmolzenem Zustande aus dem Innern der Erde hervorgedrängt haben, nachdem schon einmal die Uebergangs-Gebirge gebildet waren, wodurch lediglich der Widerspruch gehoben ist; dafs offenbar im Wasser gebildete Gebirgsarten von solchen bedeckt worden seyn, welche bestimmt nicht in, oder durch Wasser haben entstehen können, und welche Viele deshalb für primitive halten.

E. Hɪᴛᴄʜᴄᴏᴄᴋ fand den Chlorophäit [*] , iɜ
Trapp - Gesteinen bei *Turner's Falls* unfern *Gill* iɜ
Proviɜɜ *Massachusetts*, (Sɪʟʟɪᴍᴀɴ, *Americ.* Jouɜa.;
393.) Das Mineral kommt in nadelförmigen Säuleɜ,
fiɢer in strahligen Massen von der Gröfse einer Erbɜe
zu der einer zweilöthigen Kugel vor. Mehreɜe ɜolɜ
Massen sieht man häufig verbunden, und sie füllɜɜ ɜoɜ
kleine drusenartige Höhlungen von zwei Zoll Durchmeɜ
Mitunter zeigt sich die Höhle theilweise von Kalkspaɜh
füllt, seltener überzieht der Chlorophäit den Kalkɜpaɜh.
vollkommen „frischen Zustande hat. die Substanz eine ɢ
lich- oder dunkelbouteillengrüne Farbe, und ist iɜ Splɜ
halb durchsichtig. Dem Einflusse der Luft ausgeɜeɜt, ɜ
dieselbe dunkler (unter Einwirkung des Sonnenlichtes ɜ
im Verlaufe einer halben Stunde) und färbt sich eɜ
ganz schwarz. Bei dieser Umwandelung wird die ɜtɜaɜ
Struktur mehr und mehr undeutlich, und verschwɜ
zum Theil bei dem vollkommen schwarz gefärbten ɢ
lich. Alle Körner des Chlorophäits, welche an der Oɜ
fläche des Gesteines sich finden, haben eine solche Farɜ
Aenderung erlitten; sie sind schwarz oder unrein grünlɜ
grau. Bis zur Tiefe von einem Zoll und darüber, im
nern der Felsart, sieht man die nämlichen Erscheinuɜ
obwohl die Trapp-Massen sehr zähe und undurchdriɜ
sind. Nicht häufig änderte sich die Farbe ins Braunlɜ
oder die Oberfläche der Körnchen überkleidete sich miɜ
ɜɜm rostartigen Pulver. Der Chlorophäit ist ɜo wɜ

---

[*] Handb. der Orykt.; 2. Ausg. S. 729.

daß der Fingernagel ihn rizt. Man findet ihn an dem genannten Orte ungemein häufig. Der Trapp ist im Grünsteine, in welchem erhärteter Thon die Hornblende zu vertreten scheint; zahllose kleine Feldspath-Theilchen sind verbreitet in dieser Grundmasse, wodurch dieselbe ein porphyrartiges Ansehen erhält. Prehnit, Kupferkies, Chlorit und Grünerde kommen in derselben Felsart vor.

P. Berthier lieferte eine Analyse des Halloysits, einer nach ihrem frühesten Beobachter, Omalius d'Hallot benannten, bei *Angleure* unfern *Lüttich* vorkommenden Mineral-Substanz. (*Ann. de Chim. et de Phys.; XXXII,* 332.) Der Halloysit kommt, in faustgroßen nieren- und knollenförmigen Massen, in einem der Eisen, Zink und Blei führenden Stöcke vor, welche die Räume des Uebergangs-Kalkes füllen, und die besonders in den Provinzen von *Lüttich* und *Namur* so häufig sind. Er ist dicht, im Bruche muschelig, läßt sich mit dem Fingernagel rizzen, und durch Reiben mit dem Finger poliren. Farbe rein weiß oder sehr lichte blaulichgrau; an den Kanten durchscheinend; stark an der Zunge hängend. Kleine Stücke in Wasser gebracht, werden durchsichtig, wie Hydrophan, es entwickelt sich Luft, und das Gewicht wird ungefähr um das Fünffache vermehrt. Durch Kalzinazion büßt das Mineral 0,265 bis 0,280 von seinem Wasser-Gehalte ein, wird sehr hart und milchweiß. Das nicht kalzinirte Pulver absorbirt sehr schnell das Wasser, wenn man es damit in Berührung bringt, oder man es dem Einwirken der feuchten Luft aussezt. Durch Schwefelsäure wird der Hal-

22

loysit, selbst im Kalten, leicht angegriffen, und es
det sich eine Gallerte ab. Die Analyse ergab:

Kiesel 0,395
Thon 0,340
Wasser 0,265

es ist indessen sehr glaubhaft, dafs die wahrhafte Zu-
mensezzung des Halloysits durch die Formel 2AlS^2 +
ausgedrückt werden müsse.

Am 14. Dezember 1826 war in *Granada*, Mo
um halb 5 Uhr, ein so heftiges Erdbeben, dafs m
Einwohner aus den Betten fielen, und Jedermann au
Häusern lief. Den Tag über spürte man vier andere,
schwächere Stöfse. Abends kam die ganze Stadt,
einen fürchterlichen Stofs, in solche Erschütterung,
eine Menge Menschen dieselbe verliefsen.

Bei *Astrachan* und längs der ganzen Küste des K
schen Meeres hat ein furchtbarer Sturm vom 14. No
ber 1826 an drei ganze Tage hindurch, ohne Unterbrech
gewüthet. Die ältesten Leute erinnern sich nicht, da
Sturm mit solcher Heftigkeit so lange dauerte, und
die, von der Gewalt desselben aufgeregten, Wasser so
über das Ufer hinweg gedrungen seyen.

Brocchi theilte Beobachtungen über den S
Berg im unteren *Kalabrien* mit. (*Mem. dell' Istit*

regno Lombardo-Veneto; III, 183; und Ferussac, Bullet.; IX, 148.) Das Crati-Thal scheidet den Sila von
den Apenninen. Der Kalk dieses Gebirges dürfte mehr der
Uebergangs-, als der Flözzeit angehören. Der leztere zeigt
sich hier dicht, weifs, im Bruche erdig oder muschelig
(Berge von Salerno, von Eboli, und jene auf der Strafse
von Basilicata bis zum Lago nero). Der übrige Apenni-
sen-Kalk ist gelb, körnig oder splitterig, halb-krystalli-
nisch, hin und wieder auch schwärzlich mit weifsen Adern.
Der Uebergangs-Kalk, gelb, roth, schwarz oder grünlich,
liegt am Lago nero an, und wird von rothem oder gelbem Thonschiefer begleitet (Laurio, Castelluccio, Morano,
Campo, Tenese, Roterdo, Tarsia, Thal von Crati gegen
Cosenza hin). Zur rechten und linken Seite dieser Berge
tritt Kalk auf, der zur Flözzeit zu gehören scheint. Am
Fufse der Kette treten hin und wieder Ur-Gesteine auf.
Bei Scalea und Paola erscheint Gneifs; Granit sieht man
bei Paola am San-Lucido-Berge und zu Belmonte. Die
nämlichen Felsarten zeigen sich auf der andern Seite der
Kette, bis in die Hälfte des Crati-Thales. Um Cosenza
trifft man Gneifs und Granulit, der in Granit übergeht.
Dasselbe Gestein erstreckt sich von Cosenza bis Amyntea
und längs dem Cocuzzo-Berg, der das Ende der Kalk-
Apenninen ausmacht. Der Sila ist ganz primitiv; Gneifs
und Glimmerschiefer herrschen um Porenti und San-Leo,
S. Giovanni, Spineto, Anghiara u. s. w. Bei San-Leo
ein Lager von Urkalk. Bei Cantazaro überdeckt Grobkalk
diese Gesteine, und der Gneifs umschliefst hier Diorite.
Granit erscheint nur selten; man sieht ihn längs des Giefs-
baches von Sanguinario unfern Cantazaro und bei Tiriolo.

Höher aufwärts bildet diese Felsart die Hauptmasse des
Sila-Berges. Der Granit führt nur wenig Hornblende;
Gänge gelben und weißen Feldspathes mit Quarz-Körnern
durchziehen ihn. Epidot-Adern hat er bei *Ravalle* aufzuweisen, und Lager von Urkalk (?) kommen bei *Serisi*,
Camilixti, *Macchia Sacra*, *Pettina Sacra*, *Volpe Intesta*,
Lungobusco und *Fodero* vor. Bei *Cecio* enthält das Gra-
nit-Gebilde Talkschiefer; auch bei *Serra*, 6 Meilen von
Mongiana, ist diefs der Fall. Diorit hat der *Sila*-Berg
gleichfalls aufzuweisen (*Ravalle*, *Frassineto*). Der Granit wechselt mit Gneifs in *Aspromonte*, und an der Küste
der Meerefenge von *Messina*. Flözkalk findet man unfern
der *Tiriolo*-Ebene. Bei *S. Giovanni* in *Fiore* fetzen hin
und wieder im Granite Gänge auf, die Bleiglanz und Flufsspath führen. Gegen N. machen die Berge von *Coneglia-
no* die Grenze des Granit-Gebietes aus; jenseit des *Crati*-
Thales, so wie in den Bergen um *Cassano*, ist Alles Uebergangs-Kalk.

GILLIES schildert, in einem Briefe aus *Mendoza*
vom 21. April 1826, den Ausbruch eines Vulkanes in der Andes-Kette. (BREWSTER, *Edinb. Journ.
of Sc.; Oct.* 1826, p. 375.) Am 1. März wurden die
Reisenden, während sie sich der Gebirgskette näherten, in
welcher der *Portillo*-Pafs liegt, von gewaltigen Massen
vulkanischer Asche eingehüllt, die von einem, ungefähr in
der Mitte der Kordilleren liegenden, Vulkane herrührte,
der, wenige Stunden früher, einen Ausbruch gehabt hatte.
Die gesammelte Asche zeigte die gröfste Aehnlichkeit mit
der, bei andern Eruptionen, zu *Mendoza* gefallenen, ab-

stammend von dem, 40 bis 50 Meilen entfernten, Vulkane in der Nähe des Passes von *Peuquenes*. Dieser Feuerberg war, während des lezten Jahres, sehr thätig, oder vielmehr von der Zeit an, wo das grofse Erdbeben *Valparaiso* zerstörte.

Arthur Aikin legte der geologischen Sozietät einige Bemerkungen über die geógnostische Struktur des Cader Idris vor. (*Ann. of Phil. new ser.; XII, 145.*) *Mynydd pen y Coed*, der erhabenste Punkt am südlichen Gehänge, besteht aus blaulichgrauem Schiefer, regelrecht geschichtet, das Fallen zwischen 35 und 50°. Als untergeordnete Lager finden sich: Grauwacke, Quarz, theils ächt und Eisenkies-Krystalle umschliefsend, theils porös und ockerig, auch enthält derselbe, zumal in den tieferen Lagen, hin und wieder Feldspath-Krystalle, und wird dadurch porphyrartig. — Der höchste Gipfel vom *Cader Idris* wird von kugelförmigen Konkrezionen, Kiespunkte enthaltend, gebildet (muthmafslich Trapp-Gesteine). Der Berg, den nördlichen Rand des kleinen Thales ausmachend, in welchem der *Goat's Pool* und ein anderer See befindlich, ist aus Trapp-Massen zusammengesezt. — Auf der *Tawyn*-Strafse ein grofser Syenit-Bruch.

In *Innsbruck* verspürte man am 16. Dezember 1826, Abends 39 Minuten nach 5 Uhr, ein ziemlich heftiges Erdbeben, welches beinahe eine halbe Minute dauerte und von einem Donner ähnlichen Getöse begleitet war. (Zeitungs-Nachricht.)

H. W. Vaysey gab Nachricht über die, in der Kette der Gawilghur - Berge (nach Arrowsmith Bindch - oder Binda - chuhills), unfern *Gualior*, in *Goud-wana*, am linken Ufer des *Godavery*, gefundenen fossilen Muscheln (*Mem. of the Werner. Soc.; Vol. V*, 2. *part.*, *p.* 289). Diese Berge — welche 160 Engl. Meilen Länge und 20 bis 25 Meilen Breite messen, im S. durch das *Berar* - Thal und im N. durch den *Taptee* begrenzt werden, — verflächen sich allmählich gegen N., während dieselben gegen S. sehr schnell emporsteigen, und ihre erhabensten Gipfel erreichen eine Seehöhe von 3000 bis 4000 F. Die vorhandenen abgeplatteten Kegelberge bestehen aus Basalten und basaltähnlichen Gesteinen, Wacke, Mandelsteinen u. s. w., den Felsarten der *Riesenstrafse* am ähnlichsten, und häufig zeolithische und kieselige Einschlüsse enthaltend. Auf dem Plateau von *Iillar* über dem Mandelsteine eine Thon - Lage, *Voluta*, *Conus* u. s. w. umschliefsend. Eine ähnliche Ablagerung sieht man, in 2000 F. Meereshöhe, über dem Trapp von *Medcondale*, und ein kieseliges Gestein führt *Turbo*, *Cyclostoma* u. s. w. Im Allgemeinen zeigen sich die, in Indien vorkommenden, Versteinerungen kieseliger Natur, und fast stets trifft man sie in der Nähe der Basalte.

J. Finch schrieb über den neuen oder bunten Sandstein (*new or variegated Sandstone*) der vereinigten Staaten (*Americ. Journ. of Sc.; X*, 209.). Die, in der geognostischen Karte von den vereinigten Staaten, un-

ter dem Namen alter rother Sandstein (old red
Sandstone) bezeichnete Felsart, welche sich von New-
York nach Virginien hin verbreitet, scheint, wenigstens
nach einigen ihrer Glieder zu urtheilen, nicht dahin zu
gehören, sondern vielmehr zum neuen oder bunten Sandsteine *, wie sich dies aus dem Buntfarbigen, aus der Wech-
sel-Lagerung mit Mergel, aus dem geringen Schichtenfalle
u. s. w. ergibt. Am besten entwickelt sieht man das Gebilde in den Steinbrüchen unfern der Stadt Newark in
New-Jersey, welche seit länger, als einem Jahrhundert, im
Betrieb sind. Man trifft hier folgenden Schichten-Durch-
schnitt:

1. mergeliger Sand mit Sandstein-Rollstücken, 25 F.;
2. feinkörniger Sandstein, 9 F.;
3. Sandstein und schieferiger Sandstein, 10 F.;
4. dergleichen, 3 F.;
5. schieferiger Mergel, 1 F. 6 Z.;
6. Sandstein, 2 F.;
7. schieferiger Mergel, 6 Z.;
8. grobkörniger Sandstein, 7 F.;
9. dünne Schichten von Sandstein und von schieferigem Mergel, 6 F.;
10. sehr feinkörniger Sandstein, 8 F.

Die Schichten neigen sich unter 12 bis 15°. Hin und
wieder kommen graulichweiße, glimmerige Sandsteine vor,
mit vegetabilischen Abdrücken und mit Spuren von ver-
kohlter Rinde. Auch kleine Krystalle und plattförmige
Massen von kohlensaurem Kupfer werden in manchen Sand-

---

* Theils auch wohl zum Keuper.   d. H.

steinen getroffen, und andere zeigen Anflüge von Mangan.
Auf Kupfererze wird an mehreren Stellen in dieser Formazion gebaut; so bei *Belleville*, *Sommerset* und *Bridge-*
water in *New-Jersey*. Die Bleigruben von *Perkiome* in
Pensylvanien finden sich in dem nämlichen Sandsteine.
Die Formazion, auf welcher die Trapp-Felsarten von
Patterson ihre Stelle einnehmen, gehört ebenfalls dem
bunten Sandsteine an. Der Boden, durch diese Felsarten
gebildet, zeigt sich besonders geeignet für Weiden und für
Fruchtbäume. Um *Belleville* und *Newark* hat man Gebeine ausgestorbener Thiere in dieser Formazion gefunden.
— Auch der Sandstein, an den Ufern des *Connecticut*,
dürfte hierher gehören. Er nimmt eine höhere Stelle ein,
als der, durch Abdrücke fossiler Fische bezeichnete, bituminöse Schiefer. — R o t h e r U e b e r g a n g s-, oder alter r o t h e r S a n d s t e i n (*old red sandstone*) wird in
den Bergen getroffen, welche das Kohlen-Gebiet von *La-*
ckawannock und das Thal von *Wilkesbarre* begrenzen,
ferner in den blauen Bergen in *Pensylvanien* u. s. w.

P. B E R T H I E R untersuchte verschiedene M i n e r a l w a s-
s e r. (*Ann. des Mines; XIII, 221.*) Das von *Hom-*
burg unfern *Frankfurt* am *Main* (welches vordem zur
Kochsalz-Bereitung benuzt worden) enthält:

salzsaures Natron	0,010720
salzsauren Kalk	0,000863
salzsauren Talk	0,000732
schwefelsauren Kalk	0,000050
kohlensauren Kalk	0,001338
kohlensauren Talk	0,000050

Eisenoxyd 0,000020

Kiesel . . . . Spur

Im Mineralwasser von *Kreuznach*, [das aus Porphyr-Felsen hervortritt und eine mittlere Temperatur von 15° zeigt, fand er: ·

salzsaures Natron . . . 0,00968

salzsauren Kalk . . . 0,00149

salzsauren Talk . · . 0,00016

kohlensauren Kalk und Talk, Eisenoxyd und Kiesel . . 0,00021.

Der Absaz auf den Dornensteinen enthält:

kohlensauren Kalk . . . 0,847

kohlensauren Talk . . . 0,029

Eisenoxyd 0,038

gelatinöse Kiesel-Substanz . 0,026.

Nach ihrer Temperatur, nach dem Beständigen ihres Salz-Gehaltes, ihres Volumens und ihrer Zusammensetzung gehören die Quellen von *Kreuznach* zu den eigentlichen Mineralquellen; sie haben nicht die mindeste Beziehung mit den grofsen Soolquellen des östlichen Frankreichs u. s. w., welche von Regenwassern hervorgebracht werden, die durch die, mit salzsaurem Natron, schwefelsaurem Talke und schwefelsaurem Natron angeschwängerten, Massen von Thon und von Gyps dringen. Die salzigen Wasser der lezteren Art sind stets kalt, wechseln in Hinsicht ihres Volumens und ihres Salz-Gehaltes, und führen, aufser dem salzsauren Natron, schwefelsauren Kalk, schwefelsauren Talk und schwefelsaures Natron. — Der gänzliche Mangel aller Sulfate in einem Mineral-Wasser, ist überdiefs eine ziemlich seltene Erscheinung.

Balard entdeckte eine eigenthümliche Substanz im Meeres-Wasser, und legte ihr den Namen Brom (Murid) bei (*Ann. de Chim. et de Phys.; XXXII,* 337), und von Liebig wurde dieselbe in der Mutterlauge der Saline *Thedorshall* bei *Kreuznach* nachgewiesen (Schweigger's Jahrb. d. Chem.; XVIII, 106).

G. Monetti schilderte die Umgebungen von Mantua. (*Giorn. di Phys.; Nov,* 1825, *p.* 400 und Férussac, *Bullet ; IX,* 148.) Der See von *Mantua* wird durch eine Erweiterung des *Mincio* gebildet. Der Boden des Beckens besteht aus feinem Sande, welcher eine Reihenfolge, mit einander wechselnder, Lagen von Sand und von kalkigen und thonigen Mergeln überdeckt. Im Sande trifft man Rollstücke von Quarz, Feuerstein, Kalkstein, Porphyr, seltener von Granit, von Glimmer- und Thonschiefer. Am *St. Georgs-Thor* zeigte eine Sand-Grube sechszehn Lagen von Sand und von kalkigem Mergel entblöfst, und als allgemeine Unterlage fand sich wieder Sand. Wie es scheint, hat die Gegend ihre Gestaltung durch Strömungen erhalten, sehr verschieden von denen des *Mincio,* dafür sprechen namentlich die gewaltigen Haufwerke von Rollstücken. Möglich, dafs der See sein Entstehen dem Zusammentreffen einer Strömung des *Mincio* mit einer andern, von den Alpen herabkommenden, verdankt.

Gillies gibt Nachricht vom Vorkommen des Alauns zu Calingasto in Süd-Amerika. (Brewster,

Edinb. Joarn. of Sc. ; Oct. 1826, *p.* 375.) Die Stelle ist zwischen den Bergen und dem Ufer des *Rio di San Pian,* ungefähr 40 Meilen nordwärts vom Anfange des Thales von *Uspallota.* Manche Alaunstücke haben ein faseriges Gefüge und sind seidenglänzend. — Auf dem Wege nach dem *Por-tillo -* Pafs, am Ufer eines Baches, kommt Alaunerde vor, welche Alaun in kleinen rundlichen Massen eingeschlossen enthält.

C. Lyell theilte der geologischen Sozietät zu *London* Bemerkungen mit über die Süfswasser-Gebilde von Hordwell, Beacon, Barton Cliffs und Hants. (*Ann. of Phil. new Ser. XII*, 68.) Der Verf. bestätigt das Daseyn der, durch Webster entdeckten, Süfswasser-Forma-zion auf der Küste von *Hampshire*, entsprechend den tie-feren Süfswasser-Gebilden des Eilandes *Wight*, und fand sich veranlafst, die oberen Schichten der *Hordwell cliffs* zu untersuchen, von denen er im voraus die Vermuthung hegte, dafs sie der oberen Meeres-Formazion (*upper marine formation*) angehören dürften. Bituminöses Holz mit Pflan-zen-Saamen und Kapseln und mit Süfswasser-Muscheln kommen in grofser Häufigkeit vor, und in einer Lage et-was verhärteten Kalk-Mergels von 6 bis 8″ Mächtigkeit, bestehend aus einem Haufwerke von *Planorben* und *Lym-naeen*, trifft man die Gyrogoniten (*Chara medicaginula*) in zahlreicher Menge. In der unmittelbar darauf liegenden Schicht entdeckte man die Schaale einer Schildkröte und die Zähne eines Sauriers, wahrscheinlich eines Krokodils. Die Muscheln, aus deren Gegenwart man auf das Vorhandenseyn von meerischen Ablagerungen in *Hordwell cliff* schon im voraus zu schliefsen sich berechtigt achtete, ergaben si̇ch

dem Geschlechte *Potamides* zugehörend: die über de

ben ihre Stelle einnehmenden, Schichten sind ausseh

lich Süfswasser-Gebilde. Von neueren organischen

hat man Schaalen von *Cypris*, kleiner als die im

clay vorkommenden, getroffen, und aufserdem *eine* kl

Ancylus-Art; endlich finden sich *Gyrogonites* und *Ch*

lithes *thalictroides*, um die Uebereinstimmung der

well-Schichten mit jenen des Pariser Beckens vollständig

machen. — Das Süfswasser-Gebilde sezt noch bis je

Beacon Cliff fort. Es nimmt seine Stelle zwischen

Diluvium und dem weifsen Sande ein, welcher den

don clay bedeckt.

Fr. Sorer schrieb über die Beziehungen z

schen den Axen doppelter Strahlen-Brechu

und der Krystallform (*Mém. de la Soc. de Ph*

ect. de Genève; I, 33). Axe doppelter Strahlen-Brechu

nennt man in einem Krystall, welcher das Licht auf

wöhnliche oder ungewöhnliche Weise bricht, und auf s

che Art Doppel-Bilder eines Gegenstandes darstellt, di

jenige Linie, nach welcher ein Theil des einfallenden Li

tes noch besondere Attrakzion oder Repulsion, folglich

frakzion zu leiden scheint, während der andere Theil

einfallenden Lichtes blos der gewöhnlichen Attrakzion

Krystalles folgt, und von jener besondern nicht affizirt

werden scheint, wobei zugleich die Licht-Polarität i

Rolle spielt, indem ein Theil jenes Lichtes nach einer Ri

tung polarisirt ist, welche mit jener, nach welcher

andere sich polarisirt zeigt, einen rechten Winkel mac

so, dafs also die doppelte Strahlen-Brechung theils von

innern Beschaffenheit solcher Krystalle, theils von der Po-
larität des Lichtes abhängt. So haben z. B. der Isländi-
sche Krystall und der Quarz nur eine Axe der doppelten
Strahlen - Brechung, jedoch mit dem Unterschiede, daß bei
dem einen diese Axe repulsiv, bei dem andern attraktiv auf
einen Theil des einfallenden Lichtes wirkt. Nach Brewster's Versuchen gibt es aber auch Krystalle, in denen
zwei Axen der doppelten Brechung angenommen werden
müssen, um den optischen Erscheinungen derselben ein Genüge zu leisten. Diese Axen stehen immer mit gewissen
Kern - Gestalten der Krystalle in Verbindung, dergestalt, daß
mit gewissen Kern - Gestalten nur eine Axe der doppelten Strahlen-Brechung, mit andern zwei dergleichen verbunden sind, und man also aus der Zahl dieser Axen, so
wie sie sich aus den optischen Erscheinungen der Krystalle darbieten, umgekehrt auch wieder auf die Kern-Gestal-
ten derselben schließen kann. Auf welche Weise nun diese
Axen zugleich eine mehr oder minder symmetrische Lage mit
diesen oder jenen Linien oder Steinflächen eines Krystalles
haben, sowohl dieses, als noch mehr andere Untersuchungen, wodurch aus den optischen Erscheinungen der Krystalle sich auf ihre Kern - Gestalt und mehr andere Beschaffenheit ihrer inneren Struktur schließen läßt, wodurch
dann die Krystallographie mit jenen optischen Erscheinungen in eine innere. Verbindung tritt, machen den Gegenstand dieser Abhandlung aus, in welcher der Verf. alle
hierher gehörige Entdeckungen von MALUS, BIOT, BREW-
STER u. m. A. zweckmäßig zusammengestellt, durch Zeichnungen erläutert, und mit einigen Bemerkungen begleitet.
(Gött. gel. Anz. 1826, S. 307.)

Emerson Davis gab Nachricht von den Felsarten und Mineralien in Westfield und Massachussetts. (Silliman, Americ. Journ.; X, 213.) In 5 Meilen westlicher Entfernung von *Westfield Academy* erhebt sich ein Berg, der zwei Serpentin - Lager, in Glimmerschiefer eingeschlossen, und von körnigem Kalke begleitet, enthält. Die Schichten fallen fast senkrecht; sie bestehen meist aus Wechsel - Lagerungen von Serpentin und einem unbekannten, scheinbar dem Kalke am nächsten stehenden, Fossil, das nur einen Zoll mächtige Lagen bildet. Im Gemenge mit einander machen sie ein, dem *Verde antico* ähnliches, Gestein aus. Das befragte Mineral — stellenweise rosa oder purpurroth, von 2,3 bis 2,5 spezifischer Schwere, Glas leicht rizzend, von feinblätteriger Struktur, gleich dem Urkalke, vor dem Löthrohre schwierig zu Email fliefsend, mit Säuren nicht brausend — der Serpentin und ein grauer Talk kommen auch auf gangförmigen Räumen vor, und führen hier Turmalin und Strahlstein. — An dem entgegen liegenden Ufer des Flusses kommt noch ein Serpentin - Lager vor, dessen Eaton und Hitchcock als im Granite eingeschlossen erwähnen, welches aber offenbar ebenfalls dem Glimmerschiefer - Gebiete angehört; die Granite finden sich nur in einzeln zerstreuten Blöcken, vielleicht auch auf Lagern. — Bei *West - Springfield*, ostwärts *Westfield Academy*, kommen Kohlen, Gyps, bituminöser Mergel, Kalk und Kupferkies vor.

W. C. Trevelyan hat (Brewster, *Edinb. Journ. of Sc.: Oct.* 1826, *p.* 375) Krystalle von Schwelel in **Bleiglanz** beobachtet *). Sie finden sich in einem Gange des lezteren Minerals, welcher im Sandsteine zu *Redpath*, ungefähr 5 Meilen nordwärts von *Walling-ton*, aufsezt. Mitunter sieht man die Schwefel - Krystalle in kleinen Höhlungen, die, nach ihrer Form zu urtheilen, einst Krystalle von Bleiglanz enthalten haben dürften, welche leztere zersezt wurden; im Allgemeinen scheint Schwefel, wo er mit Bleiglanz vorkommt, Resultat der Zersezung dieses Erzes zu seyn.

Naturhistorische Merkwürdigkeiten der Gegend von Hannover. (Mitgetheilt von Herrn Minister, Staatsrath von STRUVE in *Hamburg*.) *Hannover* liegt an der Grenze der sich bis an die Elbe erstreckenden sandigen und moorigten Flächen, und scheidet diese von denen zum Harze sich erhebenden Gebirgen. Man findet in den benachbarten Kalkstein - Brüchen bei *Linden* und *Wetbergen* viele Versteinerungen, als Ammonshörner, Belemniten, Fisch-Abdrücke und dergl. **. Vorzüglich merkwür-

---

* Die Erscheinung ist keineswegs neu; bereits in der ersten Ausgabe meines Handb. der Oryktognosie S. 111 (zweite Ausgabe S. 598), habe ich mehrerer ähnlicher Vorkommnisse erwähnt, und von *Fondon* in *Granada* besizze ich zierlihe Schwefel-Krystalle in einem drusenartigen Raume in Bleiglanz.

　　　　　　　　　　　　　　　d. H.

** Hannöv. nüzl. Samml. v. 1757 St. 22, S. 544 bis 347, von 1758 St. 80, S. 1266. RITTER, *specimin. oryktograph. Badenberg. Spec. I. §. V. Spec. IV, p. 6.* Der Verf. behauptet auch, dafs sich in der *Eilenriede*, in einem Flusse (wahrscheinlich in dem *Schiffgraben*), kleine lebende Exemplare von Ammonshörnern (?) finden.

dig sind die Fragmente von Krebsen, in einer, an einem
Sandstein-Felsen liegenden, Mergel-Grube bei *Gehrden*.
Diese Versteinerungen haben noch die natürliche Schaale,
die länger und dicker als die von unsern Krebsen ist.
Ganze Scheeren werden selten gefunden *. Diejenigen
Krebse, die sich an der, zu den Moluckischen oder, den
Gewürz-Eilanden gehörenden, Insel *Amboina* zeigen, ähneln
den Gehrdischen Versteinerungen **. Bis an den, westlich
von *Gehrden* liegenden, *Borgberg* trifft man auch verstei-
nerte Auster-Schaalen an, die eine konvexere und unebenere
Form, als unsere gewöhnlichen haben ***. Bei *Linden* hatte sich 1730, zwischen dem *Badenstädter* und *Davenstädter*
Wege, eine Quelle von einer öligen Materie gefunden, die
als Bergöl angegeben ist ****. — Neuerlich hat man bei der
Gelegenheit, als für den Wegbau bei *Norten*, am Fuße des
Benther Berges, ein Steinbruch eröffnet wurde, aufser Nieren von Bleiglanz, auch krystallisirten und verwitterten
Stronzian gefunden. — Zwischen *Limmer* und *Davenstädt*,
bei *Badenstädt*, am *Ilepole*, am Fuße des *Lindener* Berges, vor dem *Bornumer* Holze, entdeckte der Botaniker
EHRHART 1778 Salzquellen *****. — An den Ufern der *Ih-
me* zeigen sich Belemniten; in der Grandgrube bei *Herrenhau-
sen*, unter andern in Feuersteinen, sogenannte Judensteine,
in

---

* Hannöv. nützl. Samml. von 1757. St. 22.
** Allgem. geograph. Ephemerid.; Bd. XXIII. St. 451.
*** Hannöv. nützl. Samml. von 1757, St. 22.
**** JUGLER, Repertorium über das gesammte Medizinalwesen in
    den Braunschw. Lüneb. Churl. S. 183. Ueber diese' Masse
    mufsten einige Königl. Aerzte ein Gutachten ausstellen (31. Aug.
    1730), das in Folio im Druck erschienen ist.
***** Hannöv. Magaz. von 1779; St. 94.

in einem Graben neben dem *Stürendieb* in der *Ellenriede*,
sollen Karniole, und hin und wieder versteintes Holz angetroffen worden seyn [*]. — Im Amte *Blumenau* ist unter der
Regierung des Herzogs Johann Friedrich, nicht weit von
Hannover, ein grofses Stück Bernstein gefunden worden [**]. —
Dafs die Leine ein Gold führender Flufs sey, ist sehr zu bezweifeln [***]. — Bei *Bemerode*, an dem *Kronsberge*, liegt unter
einer zwei Fufs hohen Lage Dammerde, eine vorzügliche
Thonart, die $1/_{18}$ Sand, $5/_{18}$ Thon und $12/_{18}$ Kalk enthält, und zur Zuckersiederei, auch zu den feineren Töpfer-
arbeiten gebraucht werden kann. Sie ist für die Zuckersieder
vorzüglicher, als der Rouensche Thon. — Der nahe *Dei-
ster*, ein südwestlich von *Hannover*, von O. gegen W.
streichender Bergrücken, bietet mit seinen Steinkohlen-Wer-
ken bei *Wennigsen*, *Völxen* und am *Daberge*, mit seiner,
in dem Fufspfade zwischen dem *Drosselkruge* im Gerichte
Bredenbeck und *Springe* liegenden, Kohlensäure und Eisen
haltigen Quelle [****], dem Mineralogen manche Beschäftigung.

Der biegsame Marmor, welchen man bis jezt
vorzüglich von *Lanesborough*, *West*- und *Stockbridge* er-

---

[*] Hannöv. nützl. Samml. von 1758. St. 86. Ritter, a. a. O.
Spec. II.

[**] Leibnitzii *protogaea* p. 70.

[***] Der Sage nach, soll solches Waschgold in der Mineralien-
Sammlung des verstorbenen Apothekers Andreas gewesen
seyn, dessen sich jedoch Personen, die jene Sammlung kannten, nicht erinnern.

[****] Beckman's Anleitung zur Technologie, 3. Ausg. S. 485 bis
488. Ehrhart, der das Land, auf Befehl des Königs, in bota-
nischer Hinsicht bereiste, (etwa 1780), hat dieses Wasser chemisch untersucht. (S. Hannöv. Magaz.; 1784, Stück 3.)

hielt, wurde durch Dewey neuerdings anch in den gr
Steinbrüchen von New-Ashford in Berkshire aufgefu
(Silliman, Americ. Journ. of Sc.; June, 1825, p.
Die Farbe des Gesteines ist weifs, roth und grau in
schiedenen Nuanzen, und sein Korn bald gröber, bald
ner. Durch Austrocknen verliert der Kalk die Eigens
biegsam zu seyn.

———

Ueber Ursachen und Wirkungen der 1
beben schrieb J. Lea. (Silliman, Americ. Journ;
209.). Er betrachtet die Erdbeben als Folgen vulkan
Erupzionen, und führt eine Reihenfolge aus der Gesch
der Feuerberge bekannter Thatsachen zur Unterstüz
dieser Behauptung auf.

———

Quoy und Gaimard lieferten eine Abhandlung über
Wachsthum der felsbauenden Korallen
geognostischem Gesichtspunkte betrachtet. (Ann. des
nat.; VI, 273.) Péron, verleitet durch vereinzelte Be
achtungen auf Timor und Ile-de-France über den
von Thierpflanzen mit festem Gehäuse angestellt, gla
sich zu allgemeinen Schlufsfolgen berechtigt, indem er
nahm, dafs jene Geschöpfe aus den Tiefen des Ozeans
reiche Archipele, oder gefahrvolle Klippen und Felsen
zen zu erheben vermöchten. Die Gesellschafts-Ins
Neu-Irland, Louisiade, die Marianen- und Palaos
seln, die Marquesas-Eilande und viele andere dürf
statt dafs sie ganz oder theilweise das Werk von Zoop

tte seyn sollen, aus denselben Mineralien bestehen, welche audere Inseln und Kontinente bilden helfen. Man trifft her Schiefer, wie auf *Timor* und *Vaigiou*; Sandsteine, wie auf dem Gestade von *Neu-Holland*; Kalk, in wagerechten Schichten, macht das Eiland *Boni* aus, und umlagert die vulkanischen Kegelberge der *Marianen*. Hin und weder zeigt sich auch Granit; am häufigsten aber dürfte las Werden der Inseln, im Süd-Meere, durch vulkanische Gewalten bedingt worden seyn. *Ile-de-France*, *Bourbon*, mehrere *Molucken*, die *Sandwich*-Inseln u. a. von Bougainville und Cook entdeckten Eilande verdanken ihr Daseyn unterirdischen Feuern. Was berechtigt demnach zur Annahme, dafs Madreporen die Meeres-Becken erfüllen und aus den Tiefen ihrer Abgründe niedere Inseln hervortreten lassen?

Zwei Gegenstände verlangen genaue Erörterung:

1. Untersuchung, wie Lithophyten, über einer Basis von bekannter Natur, ihre Wohnungen aufbauen, und welche Umstände darauf günstig einwirken, oder nicht.

2. Beweis: dafs es keine, einigermafsen beträchtliche, Inseln gibt, welche ständig von Menschen bewohnt werden, und die durchaus von Korallen gebildet wären; dafs diese Thiere, weit entfernt, wie man behauptet hatte, aus den Tiefen des Ozeans, senkrechte Mauern aufzubauen, nur Lagen oder Rinden von einigen Toisen Stärke bilden.

Mit der, durch Madreporen bewirkten, Zunahme hat es folgendes Bewenden. In Gegenden, wo es stets sehr heifs ist, wo das, durch Buchten zerschnittene, Land ruhige Wasser von geringer Tiefe einschliefst, welche weder von heftigen Meereswellen, noch von den gewöhnlichen tropischen Winden stark bewegt werden, häufen sich die felsbauenden Polypen sehr. Sie errichten ihre Wohnungen auf untermeerischen Felsen, umwickeln diese ganz oder theilweise, aber sie bilden solche nicht im eigentlichen Sinne des Wortes. Demnach dürften alle, bis zur Wasserfläche hervorragenden, Klippen, alle Madreporen-Gürtel, welche man ziemlich häufig im Süd-Meere trifft, nur Untiefen seyn, abhängig von der Gestaltung des primitiven Bodens, ein Verband, das man nicht verkennen kann, wenn man einigermafsen gewohnt ist, das Streichen von Bergen und Hügelzügen zu beobachten, Verhältnisse, die unter dem Wasser sich nicht anders darstellen können. Die gröfsten Massen von Madreporen trifft man stets da, wo die Abhänge seicht sind, wo das Meer die geringste Tiefe hat. Sie nehmen überhand bei ruhigem Wasserstande; im entgegengesezten Falle bilden dieselben nur hin und wieder rundliche Erhöhungen, die solchen Gattungen zugehören, welche weniger von der Einwirkung der Fluthen zu leiden scheinen. Man sagt, und es gilt selbst unter den Seefahrern allgemein als bekannt, dafs in den Aequatorial-Meeren, von Korallen gebildete, Klippen sich finden, die, aus den gröfsten Tiefen, gleich senkrechten Mauern emporsteigen, so, dafs in ihrer Nähe kein Grund gefunden wird. Die Thatsache ist, was die Tiefe betrifft, aufser Zweifel; es ist dieser Umstand, welcher den Schiffen häufig grofse Gefahr bringt, denn, durch Strömungen nach solchen Meereshöhen geführt, können sie hier keinen Anker werfen. Allein das ist ungegründet, dafs diese Klippen ganz von Madreporen gebildet werden. Die Gattungen, welche wir stets die mächtigsten Bänke zusammensetzen sehen, wie

einige Meandrinen, gewisse Caryophyllien, vorzüglich aber
die Asträen, mit den schönsten Farben geziert und von
Sammet-artigem Ansehen, bedürfen des Licht-Einflusses,
um diese Eigenschaften zu erlangen; in einigen Klaftern
Tiefe wachsen sie nicht mehr, vielweniger vermögen dieselben in einer Tiefe von 1000 bis 1200 Fuß sich zu entwickeln. Und überdiefs stände, in solchem Falle, den genannten Thier-Gattungen fast allein das Vorrecht zu, in
allen Tiefen, unter dem mannichfachsten Drucke und gleich-
um in allen Temperaturen leben zu können. — Ein anderer, von den Reisenden wenig oder nicht beachteter und
für die herrschende Ansicht keineswegs günstiger, Umstand
ist, dafs das, an seiner Oberfläche stets bewegte, Meer sich
mit Ungestüm an diesen Klippen bricht, ohne dafs es dazu
einer besondern Bewegung durch den Wind bedarf. Und
wendet man blos die sehr wahre Bemerkung der Reisenden
an, dafs die Lithophyten da nicht arbeiten können, wo
die Wellen bewegt sind, weil ihre gebrechlichen Wohnungen stets wieder zerstört wurden, so erlangen wir
die Ueberzeugung, dafs jene unterirdischen Felsen nicht
das Werk thierischer Kräfte sind, wohl aber werden
da, wo eine Vertiefung vorhanden ist, oder irgend ein
anderes schüzzendes Verhältnifs, die Thiere ihre Wohnungen bauen, und so zur Verminderung der geringen Tiefe
beitragen. Diefs zeigt sich auch fast überall, wo eine erhöhte Temperatur jenen Geschöpfen gestattet in Menge zu
gedeihen. — An Stellen, welche der Ebbe und Fluth ausgesezt sind, können die dadurch bedingten Strömungen
mitunter allein regellose Kanäle zwischen den Madreporen
aushöhlen, ohne dafs diese von den nämlichen Gattungen

wieder erfüllt würden, denn die vereinigte Wirkung der
Bewegung und der Kälte der Wasser läfst dief nicht zu.
Wohl aber sieht man an solchen Orten Alzyonien sich vermehren. — Beachtet man mit Sorgsamkeit alle diese Beziehungen, so sieht man, dafs die Zoophyten bis zur Oberfläche der Wellen sich erheben, aber nie über dieselben;
das bis dahin gelangte Geschlecht scheint auszusterben. Es
wird um desto schneller zerstört, wenn, durch Einwirkung von Ebbe und Fluth, die schwächlichen Thierchen, im
Zustande der Nacktheit, den Einflufs einer brennenden Sonne
ertragen müssen. Wenn auf diesen nicht mehr thätigen,
ihrer Bewohner beraubten, Trümmer-Haufwerken kleine
Vertiefungen vorhanden sind, die nie ganz trocken werden,
so nimmt man hin und wieder noch Gruppen der Lithophyten wahr, welche der fast allgemeinen Zerstörung entgingen, und die durch den lebhaftesten Glanz ihrer Farben sich verrathen. Die nun von neuem sich entwickelnden
Familien nähern sich, da sie nicht weiter auf der Aufsen-
seite der Klippen, an denen das Meer sich bricht, anbauen
können, mehr und mehr der Küste, woselbst die ge-
schwächten Wogen fast keine Macht mehr gegen dieselben
haben; *Ile-de-France, Timor, Papua,* die *Marianen-*
und die *Sandwich*-Inseln liefern hierher gehörige Beispiele,
und nur da dürften andere Erscheinungen wahrnehmbar
seyn, wo die Wasser eine grofse Tiefe haben, wie z. B.
bei der *Schildkröten*-Insel Cook's, wo man zwischen den
Madreporen-Klippen und der Insel, ungeachtet der geringen
gegenseitigen Entfernung beider Stellen, keinen Grund findet. —— Wenn man die Thiere an den, zu ihrem Wachsthum vorzugsweise günstigen, Stellen untersucht, so zeigt

es sich, wie die verschiedenen, ihren Gestalten nach eben
so mannichfachen, als zierlichen, Gattungen, bald sich zu
Kugeln runden, bald fächerförmig sich ausbreiten, oder
baumartig sich verzweigen, wie dieselben mit einander sich
verbinden, und vielartige Nuancen von roth, gelb, blau
und violblau zurückwerfen. — Eine bekannte Thatsache ist,
daſs die angeblichen, ausschließlich aus Korallen gebildeten,
Mauern von Weitungen durchschnitten werden, in welche
das Meer gewaltsam ein- und ausdringen kann. Auch dieser Umstand ist von Bedeutung, denn wenn die senkrechten Dämme ganz aus Madreporen bestünden, so würden
dieselben nicht tiefe Oeffnungen in ihrer Kontinuität wahrnehmen lassen, indem es zu den Eigenthümlichkeiten der
Zoophyten gehörte, daſs sie nicht unterbrochene Massen
aufbauen: gelänge es ihnen aber sich aus sehr groſser Tiefe
zu erheben, so würden sie nach und nach jene Durchgänge
ausfüllen, verstopfen, was nicht der Fall ist, und, um
der dargelegten Gründe willen, wohl nie der Fall seyn
wird. — Beweisen diese Thatsachen, daſs die Madreporen
nicht in sehr groſser Tiefe leben können, so sind auch die
untermeerischen Felsen, welche von ihnen nur erhöht werden, nicht ausschließlich ihr Werk.

Es gibt keine, einigermaſsen beträchtliche, Inseln, die
von Menschen beständig bewohnt werden, welche als von
Lithophyten gebildet gelten dürften. Die Bänke, von
ihnen unter dem Niveau der Wasser erbaut, haben nur einige Toisen Mächtigkeit. — Die Unmöglichkeit unter dem
Wasser zu erforschen, in welcher Tiefe Thierpflanzen mit
festem Gehäuse sich ansiedeln, macht es nothwendig, daſs
man auf das zurückkomme, was in frühester Zeit Statt

gehabt, und die Denkmale, der alten Umwälzungen, welche unser Planet erlitten, müssen Beweise für dasjenige abgeben, was in unsern Tagen sich zuträgt; besonders das Eiland *Timor* bietet denkwürdige, hierher gehörige, Beispiele. In Betreff der Madreporen-Bänke, welche das Meer bei seinem Rückzuge auf dem Lande hinterlassen hat, so ist nicht in Abrede zu stellen, daß diese eine Mächtigkeit erlangt haben, welche man außerdem nirgends an denselben wahrnimmt. Das ganze Ufer von *Coupang* (*Kupang*) besteht daraus, und an den Hügeln die Stadt umgebend, trifft man jene Gebilde auf jedem Schritte. Dieß scheint darauf hinzudeuten, daß die ganze Insel daraus besteht, und daß selbst die Bergkette von *Annefoa* und *Fateleon*, welche vielleicht 1000 Toisen Seehöhe haben, diesen Substanzen ihren Ursprung verdanken; allein in geringer Entfernung von der Stadt werden an erhabenen Stellen senkrechte Schichten eines graulichblauen Schiefers getroffen, der mit Quarzadern durchzogen ist, und an den Ufern des *Bocanassi* findet man Blöcke von Kieselschiefer, von einem Jaspis-artigen Gesteine, und an andern Stellen kommen Rollstücke von dichtem Kalke vor, Erscheinungen, welche deutlich genug die Basis zeigen, auf der die Zoophyten ihre Gebäude errichteten. Die Mächtigkeit der Madreporen-Lage ist nicht genau zu ermitteln, aber sie dürfte 25 bis 30 F. betragen. Péron fand in 1500 bis 1800 F. Höhe fossile Muscheln. Er sagt nicht, daß der Boden madreporischer Abstammung wäre: allein gesetzt auch, daß dieses der Fall, so würde dennoch eine sorgsamere Untersuchung der Berge leicht zur Entdeckung der wahrhaften Fels-Unterlage geführt haben. — Dieser Naturforscher,

um seine Meinung zu bekräftigen, welche er in Betreff der
wichtigen Rolle, die er den Lithophyten zuschreibt, ausgesprochen, behauptet, blos auf die Aussage der Eingebornen sich stüzzend, daſs erhabene Berge, welche er nur in
zehn Stunden Entfernung gesehen, alle madreporisch wären [*]. — Alles scheint im Gegentheile anzudeuten, daſs
auf *Timor* nicht ausschlieſslich durch Korallen gebildete Berge
verhanden sind, sondern daſs diese Insel, gleich andern gröſseren
Landstrichen, aus verschiedenartigen Gesteinen besteht. Vulkanische Gebilde trifft man an mehreren Stellen, und hin
und wieder kommen Gold, und Kupfer vor. — — Man
könnte vielleicht den *Bald-Heald*, am *Port-du-Roi-Georg-
es* in *Neu-Holland*, als Gegen-Beweis benuzzen, von
welchem Berge VANCOUVER sagt, daſs man auf seinem Gipfel unverlezte Korallen-Aeste fände. Allein diese Erscheinung ist dieselbe, wie auf *Timor* und an zahllosen andern
Orten. Die Zoophyten bauten auf einem Grunde, den sie
fanden, und nahmen nur die Oberfläche desselben ein.
Sollte der *Bald-Heald* von dem so nachbarlichen, aus Ur-
Gesteinen bestehenden, *Mont-Gardner* verschieden seyn?
PÉRON sagt übrigens ausdrücklich, daſs beide Berge die
nämliche geognostische Konstituzion hätten. — Eine denkwürdige, hierher gehörige, Thatsache erzählt SALT [**].
Nach ihm wird die Bucht von *Amphila*, im rothen Meere,
von zwölf Inseln gebildet; eilf derselben bestehen zum
Theil aus *Alluvium*, aus Korallen, Madreporen, Echiniten
und aus einer groſsen Mannichfaltigkeit von Muscheln, die

---

[*] *Voyage aux terres australes; édit. in 4to; Vol. II, p.* 176.
[**] *Deuxième voyage en Abyssinie; T. I, p.* 216 *et* 217.

in jenem Meere leben. Die Erhabenheit dieser Inseln, bei
der Hochfluth, beträgt ungefähr 30 Fuſs. Die kleine Insel,
verschieden von den eilf übrigen, besteht aus festem Kalkfels, mit Chalzedon-Schnüren. Irgend eine Ursache muſs
die Ansiedelung der Madreporen auf dieser kleinen Insel
gehindert haben, während sie in der nächsten Umgegend
ihre Wohnungen erbauten, ohne Zweifel auf einem Grunde,
der mit dem Boden jener eilften Insel von gleicher Beschaffenheit ist. — Auf *Rota*, eine der *Marianen*, fand
GAUDICHAUD vollkommen erhaltene Zweige wahrer Madreporen auf Kalkfels, in ungefähr 100 Toisen über dem
Meeres-Niveau. — In geringer Höhe trifft man dieselben
an mehreren andern Orten, wie auf *Ile - de - France*, wo
sie eine Schicht von mehr als 10 F. Stärke zwischen zwei
Lavenströmen ausmachen. Auf *Wahou*, eine der *Sandwich*-Inseln, woselbst die Madreporen-Bänke nur geringe
Höhe erreichen, breiten sie sich mehrere hundert Toisen
weit über dem Boden der Insel aus. In jedem Falle müssen die Lithophyten sorgsam unterschieden werden, welchen,
da sie in nicht unterbrochenen Massen arbeiteten, die Fä-
higkeit zustand zu wachsen, und jene, die, fortgerollt,
entkräftet durch die Wasser, untermengt mit Meeres-Muscheln, die Ablagerungen bilden halfen, welche unter dem
Namen des Madreporen-Kalkes bekannt sind; leztere sind
nur die Trümmer der ersteren; sie kommen auf den *Marianen*, im Lande des *Papus*, an den Küsten von *Frankreich* und an mehrern andern Orten vor.

Das Eiland *Timor*, auf welchem die meisten Zoophyten sich finden, führt, der Analogie gemäſs, zu einem
Schlusse über dasjenige, was sich früher ereignet, daſs

nämlich die Gattungen des Geschlechtes *Astrea*, die einzigen, welche unermefsliche Strecken oberflächlich zu bedekken vermögen, ihre Baue nicht tiefer, als 25 oder 30 F. anfangen, um solche bis nahe an die Oberfläche der Meeruswasser zu führen. Niemals haben Quoy und Gaimard durch die Sonde, oder vermittelst des Ankers Bruchstücke dieser Gattungen heraufbringen sehen; niemals fanden sie dieselben an andern Orten, als da, wo wenig Wasser war; während die ästigen Madreporen, welche, weder an erhabenen Stellen, die das Weltmeer verlassen hat, noch am Gestade, mächtige und zusammenhängende Lagen bilden, in ziemlich grofsen Tiefen leben. — Auffallend ist, dafs man nur den Madreporen des südlichen Ozeans und des Indischen Archipels die Bildung steiler submarinischer Gebirge zugeschrieben hat, an deren Fufs kein Grund gefunden wird, und noch seltsamer ist, dafs die Untersuchung der Orte, wo die nämliche Thatsache, ohne Anwesenheit von Zoophyten, beobachtbar ist, nicht zu Zweifeln, hinsichtlich einer so aufserordentlichen Erscheinung, geführt hat. Man weifs, dafs Gebiete des vielartigsten Bestandes steile Gebänge aufzuweisen haben. Das Eiland *Guam*, eine der *Marianen*, hat, in seiner nicht vulkanischen Hälfte, so steile KalkUfer, dafs dieselben durchaus Mauern ähnlich sehen u. s. w.

Was die Art und Weise betrifft, wie die felsbauenden Zoophyten durch ihr Beisammenseyn kleine Inseln erheben können, so hat Forster dieselben sehr gut beschrieben. Wenn im Schuzze gröfserer Landstriche diese Thiere sich bis zur Oberfläche des Wassers geführt haben, so, dafs dieselben, während der Ebbe, unbedeckt bleiben, so führen

die, von Zeit zu Zeit eintretenden, Orkane, indem sie
den Grund dieser wenig tiefen Wasser umstürzen, Sand
und Schlamm mit sich fort. Alles, was von diesen Substanzen an den Erhöhungen der Korallen hängen bleibt,
oder an dieselben sich absetzt, bleibt ihnen fest verbunden,
und so wie der Gipfel der neuen Insel stets frei von
Wasser bleiben kann, so wie die Wellen das nicht wieder
zu zerstören vermögen, was sie selbst haben bilden helfen,
so nimmt der Umfang des Eilandes zu, die Ufer erheben
sich unmerklich durch das Hinzukommen neuen Sandes. Je
nach der Richtung von Winden und Strömungen kann
solch eine Insel lange unfruchtbar bleiben; wenn aber,
durch Einfluß beider Ursachen, Pflanzenkeime von nachbarlichen Küsten ihr zugeführt werden, so sieht man, unter Breitegraden, welche der vegetabilischen Entwickelung
günstig sind, bald die Oberfläche des Eilandes mit grüner
Decke bekleidet, durch deren Zersetzung nach und nach
eine Dammerde-Lage entsteht, welche auch zur Erhöhung des Bodens beiträgt. Die kleine Insel *Kera*, in der
Coupang-Bai, liefert ein lehrreiches, hierher gehöriges
Beispiel. — Damit aber das Phänomen der Zunahme zu einem mehr vollendeten Ziele gelange, so muß sich dasselbe
nicht zu fern von größeren Landstrichen ereignen, weil
sonst die Saamen u. s. w. nicht leicht genug landen können, und
die Inseln deshalb fast stets nackt und unfruchtbar bleiben.

Der Vikomte HÉRICARD FERRAND hat den Bericht
über eine Wanderung von Fontainebleau nach
Château-Landon und eine Schilderung des

Bodens der Ebene von Château-Landon mitgetheilt(*Ann. des Sc. nat.; VIII*, 54), und zieht aus seinen Untersuchungen das Resultat, daß der Boden um *Château-Landon* den oberen Süßwasser-Gebilden angehört.

Ueber den augitischen Porphyr des Vicentinischen theilte L. Pasini Bemerkungen mit. (*Giorn. di Fisica;* 1825, *p.* 296.) Am *Enna*-Berg, dem *Novegno*-Gebirge zugehörig, sieht man den Talkschiefer, mit vielen Flöz-Gebilden überdeckt; rother Sandstein, Zechstein, bunter Sandstein, Muschelkalk, Keuper und Jurakalk kommen hier in wagerechter Lagerung vor. Am Fuße des *Enna*, gegen *S. Giorgio*, treten Greensand und kalkige Kreide mit vielen versteinten Korallen auf, und erstrecken sich bis in *San-Orso* über drei Meilen weit. Die *Scaglia* oder harte Kreide ruht auf diesem Gebiete. Nordwärts *Schio* überlagert eine Masse erzführenden augitischen Porphyres den Greensand, die Kreide und den Jurakalk. Die Masse erstreckt sich von dem *Guizze di Schio* bis zum westlichen Abhange des *Enna*-Berges, und ruht hier auf Muschelkalk. Um *Coroboli* ist der Porphyr Kaolin-artig; weiter wird er mehr augitisch, vielleicht führt er selbst Hornblende. Quarz zeigt sich darin in Krystallen und in kleinen Haufwerken, und am Hügel von *Grumoriondo* macht der Quarz die Hälfte der Porphyr-Grundmasse aus. — Der Porphyr bedeckt am *Grumoriondo* den Muschelkalk, im *Catisilj*-Thale erscheint er unter ähnlichen Verhältnissen, und bei *Lesegno* nimmt derselbe seine Stelle über Jurakalk ein, endlich trifft man solchen gangartige Räume in den

Mergeln und Kalksteinen erfüllend. Die Trachyte der Euganeen zeigen sich im Alter den trachytischen und granitischen Porphyren ungefähr gleichstehend u. s. w. [*].

Ueber den Ausbruch eines Vulkanes im Innern von Sumatra liest man einen Bericht im *Asiat. Journ.; Mai, 1826, p. 577* (FÉRUSSAC, *Bullet.; IX, 20*). Der *Gunung - Ber - Api*, von 12,000 F. Seehöhe, liegt in der Provinz *Tana - Datar*. Nur mit seinem Fuße ist derselbe andern hohen Bergen verbunden. Gegenwärtig kennt man nur einen Krater an demselben, der gegen W. in der Nähe des Gipfels sich befindet. Es soll ihm stets Rauch entsteigen, und oft vernimmt man ein unterirdisches Getöse. Die Erupzion vom 23. Julius 1822, um 6 Uhr Morgens, hatte, einige Meilen (?) vom Gipfel entfernt, bei *Pagar - Uyong*, der Hauptstadt von *Menangkabou*, Statt. Am genannten Tage wurde der Rauch sehr heftig, und war untermengt mit Flammen - Ausbrüchen und mit Auswürfen von Steinen u. s. w. Nachdem diese Erscheinungen eine Viertelstunde gedauert, hörte man ein gewaltiges Getöse, dem Abfeuern groben Geschützes ähnlich. Nach 8 ¹/₂ Uhr endigten die Phänomene, und den übrigen Theil des Tages hindurch entströmten dem Krater nur dicke Aschen-Wolken, von zahlreichen Blitzstrahlen durchschlängelt, und diefs hielt die ganze Woche hindurch an. Vor dem Aus-

---

[*] Gar manche der von Hrn. PASINI aufgestellten Behauptungen, dürften nähere Erörterung verdienen, und scheinen vorläufig sehr zweifelhaft.

d. H.

brache war die Witterung sehr trocken und heiſs geweſen;
das Thermometer zeigte Mittags 85 — 87°, und Morgens
6 Uhr 65 — 68°. Die Bimsstein-Auswürfe waren bedeutend, und die ganze Luft war mit schwefeligen Dämpfen angeschwängert. Der Pik änderte seine Gestalt da, wo
der Krater sich befand. Seit 15 Jahren hatte keine Eruption Statt gehabt. Zwei Monate nach dem Ausbruche verspürte man eine heftige Erschütterung der Erde, zumal in
Menangkabou und zwischen *Gunung - Ber - Api* und *Gu-*
nung-Tallang (ein anderer vulkanischer Kegel in der Provinz *Tiga - Blas*). Die Bebungen waren von Stunde zu
Stunde fühlbar, und hielten 24 Stunden lang an; ein unterirdisches Getöse, das wechselweise von einem der beiden
Feuerberge kam, begleitete dieselben. Der Vulkan *Tal-*
lang raucht mitunter, allein seit sehr langer Zeit hatte er
keinen Ausbruch. *Ber - Api* liefert Schwefel, und in seiner
Umgebung entspringen viele, zum Theil heiſse minerali-
sche, auch schwefelige Quellen.

Durch VICTOR-FRÈRE-JEAN erhielten wir eine geo-
gnostische Skizze vom Eilande Anglesea
(*Ann. des Min.; XIII,* 229.) Die Insel, an der westli-
chen Küste Englands gelegen, hat eine ungefähr kreisrunde
Gestalt, denn ihre beiden Dimensionen betragen etwa
9 Stunden und 7 Stunden. — Das nordwestlichste Ende
von *Anglesea* besteht aus einem Gebiete von schieferigen
Gesteinen, die zuweilen mit Grauwacke, Serpentin und
Granit wechseln. Ein Streifen von rothem Uebergangs-
Sandsteine (*old red sandstone*) scheidet gleichsam das Ei-

land in zwei Hälften; Enkriniten-Kalk (Bergkalk, *carbo-niferous limestone*, *mountain limestone*) und das Stein-kohlen-Gebilde nehmen die Mitte desselben ein. Am süd-östlichen Ende hat die Insel Syenit und Trapp aufzuweisen. Das Schiefer-Gebiet und das granitische sind vielleicht primitiv; wahrscheinlicher aber gehören beide der ältesten Uebergangs-Formazion an. Enkrinitenkalk und rother Ue-bergangs-Sandstein nehmen ihre Stelle unmittelbar über dem Kohlen-Gebilde ein, und gehören zu den neuesten Gliedern der Transizionszeit. Erze werden nur an der, un-ter dem Namen *Hamlet* bekannten, Stelle gewonnen; sie liegt beim Dörfchen gleichen Namens, unfern des Fleckens *Hamlwich*. Hügel und Berge die Gruppe zusammensez-zend, in welcher die Kupfererz-Lagerstätte vorhanden, ha-ben zerrissene, von jedem Pflanzen-Wachsthume freie Ge-hänge. Die Thäler, die einzelnen Berge trennend, sind flach, beckenartig. Unter den Erhöhungen zeichnet sich der Hügel aus, welcher den Erzreichthum umschliefst; seine Basis hat eine beträchtlichere Ausdehnung, und sein Gipfel ein bei weitem gröfseres Plateau; die Oberfläche desselben beträgt mindestens 2000 Quadrat-Meter: auf dieser Platt-form, der jeder regelrechte Umrifs fehlt, ist man, wie in einem Steinbruche, allmählich mit den bergmännischen Ar-beiten niedergegangen. Anfänglich wurde, wie es scheint, der Kupferkies in geringer Teufe unter der Oberfläche des Bodens in Massen gefunden, und man ist nur nach und nach mit den Arbeiten mehr in die Teufe gedrungen, so wie seine Massen und Nieren tiefer sich fanden. Gegen-wärtig arbeitet man in 150 Meter Teufe. Zu den ver-schiedenen Gliedern der Formazion gehören: schieferige

Grau-

Grauwacke, Kieselschiefer, Alaunschiefer, Serpentin mit vor-
herrschendem Quarz; häufige Quarz-Lager zeigen sich sehr
Eisenkies-reich, auf Gängen trifft man Hornstein u. s. w.
Die ganze Ablagerung ist so regellos, daß es nicht möglich
ist, ein bestimmtes Fallen auszumitteln. Der Kupferkies,
selten eine Mächtigkeit von 2 bis 3 Meter erlangend, bildet ein Adern-Geflecht, eine Verzweigung kleiner Gänge;
Quarz, Kieselschiefer und Serpentin begleiten denselben.
Die Gänge, welche man jezt abbauet, haben kein bestimmtes Fallen und Streichen. Im Jahre 1750 fand man
eine ungeheure, ellipsoidisch gestaltete, Masse von Kupferkies, deren kleinster Durchmesser 20 Meter betrug. Eisenkies kommt sehr häufig hier vor, auch schwarze Blende,
seltener Gediegen-Kupfer.

P. Dobson theilte Bemerkungen über die losen Fels-
Blöcke mit, namentlich über jene, welche den rothen
Sandsteinen und seinen Konglomeraten zugehören, und die
bei *Vernon, Manchester, Ellington* u. a. O. in den vereinigten Staaten sich finden. (Silliman, *Americ. Journ.* X,
217.) Er beobachtete, daß die unteren Flächen der meisten wie geglättet erscheinen, so, als seyen die Blöcke in
der nämlichen Lage über Gruß und über andere Gesteine
hingeschleift worden. Die abgeriebenen Theile lassen Rizze
und Furchen wahrnehmen, und wo in den Konglomeraten
eingeschlossene Rollstücke von Feldspath oder Quarz vorhanden waren, zeigten sich diese in geringerem Grade abgeschliffen, oft noch mit ziemlich erhaltenen Kanten und
Ecken. — Blöcke, die erwähnten Merkmale tragend, liegen

24

nicht blos an der Oberfläche des Bodens, sondern sie wurden auch, und mitunter von 10 bis 50 Zentner Gewicht, 200 F. über dem Niveau nachbarlicher Flüsse, aus einem festen Gemenge von Thon, Sand und Grafs ausgegraben, und zum Theil fanden sich dieselben in 24′ Tiefe. — Die Erscheinung dürfte nur durch eine, vermittelst Eismassen Statt gehabte Bewegung der Blöcke zu erklären seyn. In der *Edinburgh Encyclopedia*, XIII, 426, liest man die Bemerkung, dafs ganze Eisfelsen sich zuweilen emporheben, und Steinmassen, mehrere hundert Tonnen an Gewicht, in sich eingeschlossen, mit fortführen, um solche, oft in sehr grofser Entfernung, wieder abzusetzen.

Al. Brongniart hat eine neue Mexikanische Mineral-Substanz, deren Eigenthümliches bereits durch Dumas auf chemischen Wege war dargethan worden, mit dem Namen Bustamit (dem Entdecker derselben, Hrn. Bustamente, zu Ehren) belegt, und beschreibt solche in den *Ann. des Sc. nat.*, Août 1826, p. 411. Das Mineral, ein Bisilikat von Kalk und Mangan, findet sich in sphäroidischen Massen von strahliger Struktur, die Strahlen sind plattgedrückt, fast blätterig. Die Farbe der Substanz grünlich-, gelblich- und aschgrau, bald ins Grünliche, bald ins Braunliche stechend. Vor dem Löthrohre fliefst der Bustamit, der oxydirenden Flamme ausgesezt, leicht zu undurchsichtigem, sehr dunkelbraun gefärbtem Glase, welches in der reduzirenden Flamme durchsichtig wird. Er löst sich unter schwachem Brausen in Phosphorsalz, und hinterläfst ein undurchsichtiges, weifses Kiesel-Gerippe. Von Borax wird

derselbe leicht angegriffen und violenblau gefärbt, in der
reduzirenden Flamme aber verschwindet die Farbe wieder,
Natron, oder Salpeter werden, auf Platinblech, grün gefärbt.
Gepulvert und mit Hydrochlorsäure zusammengebracht,
löst sich das Mineral theilweise unter Brausen.   Ein wei-
ses Pulver schlägt sich nieder, und die Soluzion zeigt Spuren von Eisen und Manganoxyd und vielen Kalk-Gehalt.
Als Resultat der Analyse ergaben sich:

Kiesel . . .	48,90
Mangan-Protoxyd .	36,06
Kalk	14,57
Eisen-Protoxyd . .	0,81
	100,34

und die Formel wäre: $\ddot{C}a^3 \dddot{S}i^3 + 2 \dddot{M}n^3 \dddot{S}i^2$ oder
$CS^3 + 2 Mn S^2$. Bestimmbare Durchgänge sind beim
Bustamit, der übrigens eine unläugbare krystallinische Struktur hat, nicht vorhanden; sein Bruch ist beinahe muschelig; er ist schwach seidenglänzend, und nur in den dünnsten Splittern zeigt er sich durchsichtig.   Er rizt Feldspath,
und seine Eigenschwere beträgt 3,12 bis 3,23. — Unter
den bekannten Manganerzen stehen das rothe Kiesel-Mangan
von *Langbanshytte*, das sogenannte *Hornmangan*, und der
manganhaltige Augit dem beschriebenen Fossil am nächsten.
— Mit dem Bustamit kommt Quarz vor, welcher in kleinen Krystallen die Oberfläche desselben bedeckt, ferner ist
derselbe von Manganoxyd (*Manganèse métalloïde*) begleitet.
Fundort ist: *Real de Minas de Fetela, de Jonotla* in der
Intendanz von *Puebla* in *Mexiko*.

Im Thale *Montason* verspürte man am 15. Dezember
1826, um 9 Uhr Abends, zwei heftige Erd-Erschüt-
terungen, welche schnell auf einander folgten. Die
Richtung der Stöße ging von N. nach S.

E. Hitchcock und B. Silliman (Silliman, *Journ. of
Sc.; X.*, 352.), geben Nachricht von dem Vorkommen des
Topases bei *Monroe*, unfern *Huntington*, 20 Meilen
westwärts von *New-Haven*. Der Topas findet sich hier
auf einem prachtvollen, nur mit dem von *Derbyshire*
vergleichbaren, Flußspath-Gange, zumal aus der unter dem
Namen Chlorophan * bekannten Abänderung bestehend. Der
Flußspath setzt in körnigem Kalk auf, der dem Gneise eingelagert ist. Beryll, Quarz, und ein faseriges, talkiges,
noch nicht näher bestimmtes, Mineral kommen damit vor.
— Der Topas findet sich am genannten Orte derb und krystallisirt; die Krystalle, vier- oder achtseitige Prismen mit
verschiedenartigen Endflächen, gestatten, ihrer Unvoll-
kommenheit wegen, keine genauen Messungen (die bemerkten Winkel-Verhältnisse dürfen darum nur als annähernd betrachtet werden). Meist sieht man die Krystalle
mit krystallisirtem Glimmer bekleidet, auch zeigt sich dieser in jenen eingewachsen. Die auserlesensten Topas-Krystalle haben eine honiggelbe Farbe.

Bei *Schiraz* verspürte man gegen Ende des Oktobers
1825, eine Erschütterung des Bodens von beson-

---

* Handb. der Oryktogn.; 2. Aufl., S. 576.

derer Heftigkeit; viele Gebäude wurden umgestürzt u. s. w.
(Zeitungs - Nachricht.)

Ellis beobachtete, unfern *Keokoa* eine seltsame Erscheinung, eine Laven - Kaskade. Die Láva strömte
über eine senkrechte Masse sehr alter Laven von 60 bis
70 F. Höhe herab. (Brewster, *Edinb. Journ. of Sc.*;
Oct. 1826; p. 376.)

Ueber den vulkanischen Ursprung des Trapps
in Westgötha Fahlbygd liest man in Berzelius Jahresber., Uebersezz. von Wöhler, V, 286 ff. nachstehende
interessante Bemerkungen. Es ist bekannt, daſs in dem sogenannten *Westgötha Fahlbygden* mehrere, mit Wald be-
wachsene, Höhen sich finden, welche zu oberst mit einer
eigenen Gebirgsart bedeckt sind, die von älteren Schwedischen Geologen Trapp genannt, und gewöhnlich unter dem
Namen Grünstein bekannt ist. Unter dieser liegen andere
Gebirgsarten, welche zu der sogenannten Uebergangs-Formazion gehören, und zwar, von oben gerechnet, in nachstehender Ordnung: Thonschiefer, Kalkstein, Alaunschiefer
und Sandstein, welche man endlich an dem Gestade des
Wenners auf Ur-Granit oder Gneiſs ruhen sieht. Solche
Berghöhen sind: *Kinnekulle.*, *Mösseberg*, *Olleberg*, *Billin-
gen*, *Fardalsberg*, *Halleberg* und *Hunneberg*. Vergleicht
man diese mit einander, so findet man bei denselben die
nämlichen Lager, in derselben Ordnung, und unter jeder
Bedeckung von Trapp schieſst ein jedes Stratum vor dem

darüber liegenden hervor, so, dafs das unterste, oder das
Sandstein-Lager am allerweitesten hervorsteht, und jedes
Stratum bildet oft, z. B. auf *Kinnekulle*, eine ungeheuer
grofse Treppenstufe, eben so hoch, als das Stratum dick
ist. Wirft man einen Blick auf Hisinger's geologische
Karte über *Skaraborgs Län* *, so kann man sich schwerlich
eine andere Vorstellung machen, als dafs die ganze Ebene
von denselben Schichtungen bedeckt gewesen sey, welche
durch irgend eine gewaltsame Ursache aufgebrochen und
weggeführt wurden, diejenigen Stellen ausgenommen, wo
sie von einer Trapp-Masse bedeckt waren, die nicht aufgebrochen werden konnte, und deren Zähigkeit von der
Art ist, dafs man oft eher den Hammer zerschlägt, als
dafs es glückt, ein passendes Stück sich zu verschaffen.
Diese Umstände haben grofse Aufmerksamkeit auf jenen
Trapp gelenkt, und in allen Ländern ist seine geologische
Bildung lange der Gegenstand des Streits der Geognosten
gewesen. Seine Aehnlichkeit mit vulkanischen Produkten
ist unverkennlich. Unsere einheimischen Geologen sind
nicht dieser Meinung gewesen, weil sie keine wirklichen
vulkanischen Produkte hatten, womit sie jene vergleichen
konnten, und aufserdem bietet ganz *Skandinavien* keinen
einzigen erloschenen Krater dar, keine Sammlungen von
Bimsstein und Asche, mit einem Worte, keines von den
Zeichen, welche die jezt wirksamen feuerspeienden Berge
charakterisiren. Es fehlt nicht an solchen, welche *Kinnekulle* als einen erloschenen Vulkan betrachten, wegen seines konischen Baues, und welche dabei ein, nun fast ganz

---

* K. Vet Acad. Handl. for 1797.

verwachsenes Moor, auf der grofsen, mit Wald bewachse-
nen Ebene, womit er bedeckt ist, für den Krater nehmen;
aber zu solcher Ansicht ist kein Grund vorhanden. Die
den Berg bildenden Schichten liegen noch heutzutage eben
so horizontal, als zu der Zeit, wo sie gebildet wurden.
Der Krater eines Vulkanes dagegen ist immer von unten auf
erhoben. Aber unter vulkanischen Gebirgsarten versteht
man nicht blos die Auswürflinge und Ströme aus einem
beständig offenen Schlunde, sondern auch die Gebirgsarten,
die, in geschmolzenem Zustande, aus dem Inneren der
Erde aufquollen und auf die Oberfläche geflossen sind, wo
sie erstarrten, und gewöhnlich, wie jede geschmolzene,
erstarrende Masse, perpendikuläre Sprünge bekamen, nach
welchen sie dann mit senkrecht stehenden Flächen oder
Wänden zerfallen. Wenn dann eine solche Masse die Oeffnung bedeckt, aus welcher sie ausgeflossen ist, so sucht
man die Stelle vergebens; aber um zu erforschen, wo es
wahrscheinlich ist, dafs sie sich in glühendem Flusse, auf
die darunter liegenden Lagen, ausgegossen habe, bleibt ein
Ausweg, nämlich nachzusehen, ob sie auf die darunter liegende Gebirgsart Wirkungen geäufsert habe, welche nothwendige Folgen ihrer höheren Temperatur sind. Wenn
man auf der Nordwestseite *Kinnekulle* bei *Lukastrop* be-
steigt, so bleibt man gewöhnlich, ehe man den Trapp-Gi-
pfel erreicht, bei einem Hofe, um daselbst auszuruhen
Dieser Hof ist auf den hervorstehenden Theil eines Lagers
von schwarzem, reinem Thonschiefer erbaut. Steigt man von
hieraus weiter, so findet man bei dem geringsten Aufheben
der Grasdecke, dafs die Farbe des Schiefers weniger schwarz
wird, und nahe am Fufse des Trapps ist dieser Schiefer

ganz weiß und hart, so, daß er am Stahle Funken gibt.
Floß der Trapp einmal glühend über das Lager, so mußte
diese Gebirgsart ebenfalls erhizt werden, und so lange Luft-
oder Wasser-Dämpfe hineindringen konnten, so mußte die
Kohle des Schiefers wegbrennen, der Thon darin zu gebrannten Thon erhärten, und alles Brennbare zerstört werden. Dieß sezte die Theorie voraus, dieß war es, wor-
nach wir sehen sollten, und gerade dieß fanden wir; aber
auf *Kinnekulle* trifft man, oder wenigstens wir trafen
keine einzige Stelle entblößt, wo der Trapp unmittelbar
auf Thonschiefer ruht. Am *Halleberg* und *Hunneberg* dagegen hat der Forscher die ausgezeichneteste Gelegenheit, die
Natur auf der Spur zu verfolgen. Die Landstraße von
Grästrop nach *Musken* verlauft mit der nordöstlichen Seite
des *Hunneberges*, wo man an mehreren Stellen den, unter
dem Trapp liegenden, Alaunschiefer bricht, der als Material zum Kalkbrennen gebraucht wird. Hier trifft man
an vielen Stellen einen transversalen Durchschnitt von der
obersten Kante des Trapps bis tief hinunter in den Alaunschiefer. Man findet da, daß der Trapp mit einer höckeri-
gen, schlackigen Oberfläche endigt, und daß die zunächst
darunter liegende Schicht porös, schlackig, und hinsichtlich
ihres Ursprunges unkenntlich ist: hierauf kommt grauer Schiefer, welcher am Stahle Feuer gibt; er wird dann dunkler,
bildet einige Fuß tiefer einen Schiefer, der schwarz wie
Kohle, aber noch nicht so reich daran ist, daß er gebrannt
werden kann, und erst in einer Tiefe von sechs Fuß ist
der Alaunschiefer ganz unverändert; man kann also die
Wirkungen von der Hizze des geschmolzenen Trapp-La-
gers, von der Berührungsfläche mit dem Schiefer, während

ihrer allmählichen Abnahme, bis dahin verfolgen, wo die Hizze nicht mehr darauf wirkt. Es ist wahrscheinlich, dafs in dieser Masse das meiste der Verbrennung auf Kosten von Wasser - Dämpfen geschah, weil das Eisen in dem Schiefer nur zunächst unter dem Trapp sich zu rothen Oxyd umgewandelt zu haben scheint. Da folglich die Bestandtheile und die Textur des Trapps auf der einen Seite, und die Veränderungen, welche der darunter liegende Schiefer erlitt, auf der andern Seite dafür sprechen, dafs der Trapp in geschmolzenem und glühendem Zustande über das darunter liegende Lager geflossen ist, so scheint dieser Punkt nun zu so grofser Gewifsheit gebracht zu seyn, als ein geologisches Faktum, dafs nicht von Augenzeugen bestätigt worden, erlangen kann.

Graf von Münster gibt, in Férussac's Bullet. de Géolog., IX, 275, Nachrichten über seine Petrefakten - Sammlung, welche als eine der beträchtlichsten in Deutschland anzusehen ist. Der Uebergangs - Kalk am Hof und Naila zeigt sich sehr reich an Muscheln. In der Grauwacke findet man Terebratula prisca von Schloth. Der Kalk umschliefst viele neue Fossilien, die selbst Sowerby nicht kennt. Mehr als 50 neue Geschlechter lassen sich darin nachweisen, und unter diesen gehören eilf den Orthozeratiten an, namentlich Orthoceratites regularis Schloth., Orthoceratites giganteus Sow., und Agnostus Brongniart, eine Turritella mit 20 Spindel-Windungen, mehrere Cardita -Arten, ein neuer, sehr grofser Productus, ein Spirifer, ferner drei neue Terebrateln, auch Ammo-

nites und *Planulites* PARKINSON. Der Baireuthische Muschelkalk enthält ausgezeichnete Exemplare von *Mytulites
socialis*, aus denen sich deutlich ergibt, dafs dieses Petrefakt mit *Modiola elegans* Sow. und *Modiola subcarinata*
LAM. am nächsten übereinkommt. Auch *Mytulites costa-
tus* und Sepien-Schnäbel kommen darin vor; es ist selbst
wahrscheinlich, dafs *Lepadites avirostris* SCHLOTH. ein Se-
pien-Schnabel ist, wie ihn BLUMENBACH abgebildet *. Im
Lias trifft man *Cerithium*, *Astroïtes*, *Nucula*; im *Lias*-
Sandsteine *Belemnites paxillosus*, *Asteriacites lumbricalis*
SCHLOTH. u. s. w. Die obere eisenschüssige Abtheilung des
Lias-Sandsteines führt *Belemnites giganteus*, *caniculatus*,
brevis, *pyramidaeus*, *Ostracites crista galli*, *eduliformis*
und *pectiniformis* SCHLOTH. (*Lima proboscidea* Sow). Aus
dem Jurakalke hat die Sammlung wenigstens 80 Polypiten
aufzuweisen. Im eisenschüssigen und grünen Sandsteine
von *Pirna*, *Königstein* und *Postelberg* in *Böhmen* kommen
Gryphaea spirata SCHLOTH., *Plagiostoma rusticum*, *Inoceramus cordiformis* und *mytiloïdes*, *Lima tetragonus* Sow.
und *Catillus Cuvieri*. Alle diese Fossilien finden sich in
der Kreide wieder. *Catillus Cuvieri* sieht man in der
Kreide von *Diepholz* und *Plagiostoma spinosa* in der Böhmischen. HAUSMANN und KEFERSTEIN vereinigen ohne Grund
die Kreide und den Jurakalk, denn von allen, für das Ju-
rakalk-Gebilde charakteristischen, Geschlechtern hat Gr. v.
MÜNSTER noch nicht eine vollkommen identische
in Deutschland wieder auffinden können. Der schieferige
Kalk von *Solenhofen* lieferte Ueberreste von *Sepia* und von

---

* *Specimen archaeol. telluris. Taf. II, Fig. a.*

Loligo, und selbst einen *Loligo*-Schnabel, ferner *Macrou-
riten* und eine große Meeres - Schildkröte mit Kopf, Füßen
u. s. w. Endlich hat die Sammlung aus einer Höhle im
Uebergangs - Kalke Gebeine von *Ursus spelaeus*, *Gulo spelaeus*, *Hyena*, *Arvicola*, *Mus* u. s. w. aufzuweisen.

R. Stevenson stellte die Erfahrungen über die Beschaffenheit des Nordsee - Grundes zusammen.
(*Mem. of the Wernerian nat. hist. Soc.; III, 314.*) Die
mittlere Tiefe beträgt ungefähr 31 Faden. Auf der Norwegischen Seite dürfte die Tiefe am beträchtlichsten seyn,
hier ergaben Sondirungen eine Tiefe von 190 Faden. Die
Tiefe nimmt von S. nach N. zu. Die Sandbänke nehmen
keinen unbedeutenden Theil der Fläche der Nordsee ein.
Der Verf. schätzt diese zu etwa 153,709 (Englische) Quadratmeilen, und die Fläche der Sandbänke zu 27,443 Quadratmeilen, welches etwa $1/3$ von der ganzen Fläche von
England und Schottland beträgt. Die mittlere Höhe der
Sandbänke mißt 78 Fuß, und hiernach der Kubik - Inhalt
jener ungeheuern Schuttmasse berechnet, beträgt solcher
2,241,248,563,110 Kubikellen. Ein sehr großer Theil
davon besteht aus Kiesel, in der Form des Sandes, von
verschiedenem Kaliber, gemengt mit Korallen und zermalmten Muschel - Schaalen. Da diese Theile spezifisch
leichter sind, so bedecken sie im Allgemeinen die Oberfläche der Sandbänke. Für den vormaligen höheren Stand
der Nordsee bringt der Verf. mehrere Beweise bei. (Gött.
gel. Anz.; 1826, 8. 983.)

Nach Krüger in *Pyrmont* soll der Glimmer des
gen bunten Sandsteines einen geringen Titan-Gehalt ha
(Brandes, Archiv des Apotheker-Vereins; XVII, 68.

J. L. Casaseca beschrieb eine neue, zu Ehren T
nard's mit dem Namen Thenardit bezeichnete, Mine
Substanz, welche zu *Salines d'Espertines*, fünf Stu
von *Madrid*, in Krystallen vorkommt; nach Cord
Bestimmung rhombische, zum Theil entscheitelte O
der, als deren Kernform eine gerade rhombische Säule
Seitenkanten-Winkeln von ungefähr 125° und 55° zu
trachten ist, und die Durchgänge parallel den Kernfläc
am deutlichsten mit P zeigt. — — Zur Winterzeit di
aus dem Becken eines Bassins salzhaltiges Wasser her
welches im Sommer verdunstet, sich konzentrirt, und
mehr oder weniger regelrecht ausgebildeten, Thena
Krystalle absetzt. Die Eigenschwere dieses Minerals
= 2,73, und sein Gehalt = 99,78 schwefelsaures Na
und 0,22 kohlensaures Natron. An der Luft verliert
Salz seine Durchsichtigkeit und bedeckt sich, in Folge
Aufnahme einer unbeträchtlichen Menge atmosphärisc
Wassers mit einem erdigen Uberzuge. (*Journal de Pha*
Juillet, 1826; *p.* 393.)

Toulouzan gab Nachricht von den Erzeugnis
menschlichen Kunstfleifses und andern (
genständen, welche bei Marseille unter
ner Thon-Schicht gefunden werden. (*L'A*

du Bien de Marseille; Mai, 1826, p. 154, und Férussac, *Bullet. de Géolog.; IX*, 265.) In allen Brunnen,
welche in *Marseille* oder in der Gegend um die Stadt,
in dem Gebiete der Trümmer-Gesteine, gegraben werden,
stöfst man, unterhalb dieser Gesteine, auf eine mehr oder
weniger mächtige Lage grauen, mit Kies-Theilen gemengten, Thones, und in derselben finden sich Stämme ver-
kohlter Bäume, theils zerbrochen, theils noch ganz, aufrecht stehend und mit ihren Wurzeln nach der Unterlage
des Thones, einem erdigen festen Boden, ansitzend. Auf
diesem Boden liegen Bruchstücke von Töpfer-Geschirr,
von Eisen und von verschiedenartigen Glas-Geräthschaften;
ferner trifft man Trümmer alter Gebäude, Fufswege, die
ausgegypst, oder mit Ziegelsteinen gepflastert sind, und
längs diesem Pfade Hecken und Strauchwerke, in Kohlen
umgewandelt, endlich kommen hier auch Münzen aus
Bronze vor, welche als die ältesten gelten dürften, die
in *Marseille* geschlagen worden. Ueberall sieht man die
nämlichen Erscheinungen, und der Verfasser erachtet dieselben für wichtig genug, dafs sich darauf ganz neue Beziehungen zwischen der Geognosie und der Geschichte werden
gründen lassen. Er legte, bereits im Jahre 1825, der
Akademie zu *Marseille* einen Bericht über den Gegenstand
vor, von einer Karte der Gegend begleitet, auf welcher
der Boden so dargestellt war, wie derselbe beschaffen seyn
mufste zu der Zeit, als er vor dem Entstehen der Trümmer-
Gesteine bewohnt gewesen. Hr. T. theilte Abschriften seiner Arbeiten mehreren ausgezeichneten Geognosten Frankreichs,
Deutschlands und Englands mit, und wurde von diesen
aufgefordert, vor Allem dasjenige genau zu erforschen,

was die Formazion der befragten Trümmer - Gesteine angeht,
so wie ihre Beziehungen zu den unterliegenden Fels.- Gebilden, und diese Untersuchungen hatte der Verf. die
Absicht, im Herbste des leztverflossenen Jahres, gemeinschaftlich mit Französischen Bergwerks-Ingenieuren vorzunehmen. — J.-J. Huot fügt (a. a. O. 267) bei, dafs
aus den, von Toulouzan dargelegten, Bemerkungen, sich
der Beweis ergäbe, wie, unter dem Einflusse günstiger
Umstände, die Bildung gewisser Felsarten und jene der
Thon-Schichten keine sehr beträchtliche Zeitdauer erfor-
dern; denn wenn die befragten beiden Ablagerungen einer der Gründung von *Marseille* nahen Periode angehören, so sind sie kaum 24 Jahrhunderte alt.   Toulouzan sagt nichts über die Natur des Bindemittels, welches die Rollstücke des Trümmer-Gesteines um *Marseille*
zusammenhält; wahrscheinlich ist dasselbe kalkig, und dann
dürfte die Felsart derjenigen nahe stehen, welche Constant
Prevost an der Mündung des Flusses von *Caen* beobachtete, und die, nach ihm, von so neuer Entstehung ist,
dafs die Muscheln, welche sie umschliefst, gar keinen fossilen Charakter haben.   Thatsachen, sehr für diese Annäherung sprechend, sind die von Toulouzan aufgefundenen
Spuren eines alten Sees, der, nach ihm, an der Stelle gewesen
seyn mufste, wo man jezt den Hafen von *Marseille* findet,
und in dem die, gegenwärtig in das Meer sich ergiefsenden,
Flüsse, *Huveaune* und *Jarret*, ihre Mündung hatten. Ist
es nicht möglich, dafs die Wasser dieses Sees ihre Richtung
nach einem verlassenen Theile der Stadt nahmen, oder dafs
Ueberschwemmungen, veranlafst durch die beiden kleinen
Flüsse, vielleicht unter Mitwirkung des Meeres, auf einem

alten Boden der Stadt, oder in der Nähe derselben, die
schlammigen Ablagerungen, so wie jene der Rollsteine herbeiführten, von denen die Rede ist?

MITSCHERLICH's Entdeckung über die isomorphen
Verhältnisse krystallisirter Körper fährt fort
auf das Studium der Mineralogie einen wesentlichen Einfluß zu haben. Wie alle Entdeckungen von großem Werthe, welche tief in die Wissenschaft eingreifen, hat es
auch dieser nicht an Gegnern gefehlt. Der alte ehrwürdige
Stifter der Krystallographie, HAUY, hörte erst mit dem
Tode auf jene zu bestreiten. Einige weniger bedeutende
Zweifler treten noch in seine Fußstapfen *. Den haupt-
sächlichsten Einwurf gegen MITSCHERLICH's Lehre, hat
man aus der Eigenschaft gewisser isomorpher Körper, zwar
Krystalle von derselben Art, aber nicht mit vollkommen
gleichen Winkeln zu bilden, hergenommen. MITSCHERLICH
äußert sich darüber **: „Wenn die gegenseitige Stellung
der kleinsten Theilchen ganz unabhängig wäre von der
chemischen Affinität, von der Kapazität für Wärme, und im
Allgemeinen von allen solchen Einflüssen, welche von der
verschiedenen Natur der Materie herrühren, so würde man
bei dem isomorphen Körper nicht allein dieselben Durchgänge und dieselben sekundären Formen, sondern auch absolut dieselben Winkel finden. Uebt aber die Materie irgend einen, auf ihre besondere Natur berührenden, Einfluß aus, so kann dadurch eine geringe Veränderung in
der relativen Größe der Krystall-Achse, und folglich in
der der Winkel entstehen. Wie es sich auch hiermit verhalten mag, so kann diese Verschiedenheit nicht bei sym-
metrischen Krystallen, deren Achsen gleich sind, Statt finden; sie kann nur die Länge der Haupt-Achse im sechsseitigen Prisma und im Rhomboeder treffen, während die
andern drei Achsen unter sich gleich bleiben. So zeigt
auch die Erfahrung dieses Verhältniß. Der Winkel der
Krystallform ist bei demselben Körper in einem gewissen
Grade veränderlich, und diese Veränderlichkeit beruht auf

---

* KASTNER's Archiv II, 32; *Edinb. phil. Journ; XII,* 15.
** *Ann. des Mines; IX,* 172.

den Umständen, welche beim Festwerden dieses Körpers
einen Einfluß üben. Man kann z. B. durch Zusaz von
Säure im Ueberflusse zu einer Auflösung von arseniksaurem
Kali, welches gewöhnlich in der Form eines vierseitig zu-
gespizten, rechtwinkelig vierseitigen Prismas anschießt,
nicht allein die Winkel der Endflächen ändern, sondern
auch die Seitenflächen des Prismas kugelig machen. Diese
Aenderung in den Winkeln ist bisweilen größer und konstant bei isomorphen Körpern, zumal wenn sich ihre Krystallform sehr vom regulären Systeme entfernt. Man trifft
diese Ungleichheiten z. B. beim arseniksauren und phosphor-
sauren Ammoniak, wo die Winkel mehr als um einen
Grad ungleich sind. Dasselbe findet man bei denjenigen
kohlensauren Salzen, welche mit Kalk, so wie auch bei
denjenigen kohlen- und schwefelsauren Salzen, welche
mit Baryt isomorph sind. Für jede Klasse sind die Durchgänge, welche die primitive Form bestimmen, die sekundären Flächen und mehrere äußere Charaktere absolut dieselben; aber zwischen den Winkeln ist ein kleiner Unterschied im Allgemeinen wenig bedeutend, der aber doch
bei kohlensaurer Talkerde und Kalkerde 2^0 $17'$ beträgt.
Diese Ungleichheit sezt keineswegs voraus, daß die Molekuls, woraus der Krystall gebildet ist, nicht vollkommen
isomorph seyen, sondern sie ist wahrscheinlich davon abzu-
leiten, daß die Natur der konstituirenden Molekuls nicht
dieselbe ist, in der Richtung einer jeden Krystall-Achse.
Es gibt in allen Klassen isomorpher Körper Beispiele, welche für diese Meinung sprechen: daß Bleioxyd und die
Stronzianerde, in Verbindung mit mehreren Säuren, Salze
geben, welche nicht gleiche Gestalt mit den entsprechenden
Salzen der, mit denselben sonst isomorphen, Baryterde
haben. Wenn diese Ungleichheit nicht von einer modifizirenden Kraft herrührte, sondern statt dessen darauf beruhte,
daß diese Basen nicht isomorph wären, so würde das salpetersaure Bleioxyd und die salpetersaure Stronzianerde eine
andere Krystallform haben, als die salpetersaure Baryterde,
und gleichwohl haben alle diese drei Nitrate das reguläre
Oktaeder zur primitiven Form." (BERZELIUS, Jahresber.:
V, 180.)

Bemerkungen

über das

Geschlecht des Fels-Grammits

und

Beschreibung

des

Oligoklas, einer neuen Spezies desselben)*.

Von

Herrn AUGUST BREITHAUPT,

erstem Professor der mineralogischen Wissenschaften an der Berg-Akademie zu *Freiberg* **.

1. Neueste Geschichte der Feldspathe.

In der wahren Kenntnifs, um die Vielfältigkeit des Feldspathes, hat Herr Professor GUSTAV ROSE *** die Bahn gebrochen. Er unterschied bekanntlich vier

---

* Diese Abhandlung steht zwar in POGGENDORFF's Annalen, hier wird sie jedoch vom Herrn Verfasser umgearbeitet wieder mitgetheilt. d. H.

** Die zu dieser Abhandlung gehörigen Figuren findet man auf der nächsten Tafel. d. H.

*** GILBERT's Ann. d. Phys.; 1823, St. 2.

Spezien: Feldspath, Albit, Labrador, Anorthit. Er
übersah aber das Symmetrie-Gesez seiner ersten
Spezies, indem er dieselbe noch hemiedrisch nahm,
da sie doch so gut wie die andern tetartoedrisch ist,
was ich in meiner, im Frühjahre 1823 erschienenen,
zweiten Auflage der vollständigen Charakteristik des
Mineral-Systemes bewiesen zu haben glaube, und
worauf ich unten, bei dem Artikel Orthoklas, nochmals kommen werde. Ferner ordnete ich den Petalit zu den Feldspathen, und die Untersuchung der
mir zu Gebote stehenden Abänderungen derselben
führte mich zu der Entdeckung einer neuen Spezies,
des Periklins. Hierauf that Herr Prof. C. G. Gmelin * die Selbstständigkeit dieser Spezies von der
chemischen Seite dar.

Herr Professor Mohs **, meine neueren mineralogischen Forschungen ignorirend, hat den Orthoklas zwar auch noch hemiedrisch genommen, obwohl er bei Gelegenheit des Petalits sagt, daſs Spaltungsflächen von verschiedener Beschaffenheit nicht
zu einer einfachen Form gehören, und obwohl eine
solche Verschiedenheit, wie sie seinem $(\breve{P}r + \infty)^3$,
d. i. den Flächen T und l zukommt, noch von keinem, mit Wahrheitsliebe forschenden, Mineralogen ge-
läugnet worden ist. — Was ich als Periklin charakterisirt hatte, führt Herr Prof. Mohs fünfviertel Jah-

---

* Kastner's Archiv d. Naturlehre; 1824, Heft 1.

** Dessen Grundriſs d. Mineralogie; Bd. II.

re später als »Feldspath von der *Saualpe*« auf.
Den Anorthit übergeht er.

Herr Prof. Hessel erkennt sowohl meine Zusammenstellung der Feldspathe, als auch die Existenz der einzelnen Spezien an. Den Namen Orthoklas für den Kali-Feldspath, vertauscht er jedoch
mit dem früher von Hauy in Vorschlag gebrachten
Orthose, der meines Bedünkens weniger gut klingt.
Herr Prof. Hessel gibt auch eine chemische Formel
für alle Feldspathe, wobei jedoch der Hauptzweck
jeder chemischen Formel die unmittelbare Darstellung der Art binärer Verbindungen verloren geht.

In den *Annals of Philosophy* steht, dem Vernehmen nach, eine Abhandlung des Herrn Levy
über die Feldspathe, wobei derselbe den Schweizerischen Periklin mit dem Tetartin verwechselt haben
soll. Ich kenne diesen Aufsaz nicht.

2. Allgemeine krystallographische Bemer-
kungen.

Durch die Haidinger-Mohs'sche Darstellung,
von der tetartoedrischen Abtheilung des Rhomben-
Systemes, scheint allerdings die Theorie desselben
einer bedeutenderen Ausbildung fähig als früher.
Gewiß aber gewinnt die Betrachtung tetartorhombi-
scher Krystallisazionen an Einfachheit, wenn man
nur solche Flächen zu den Flächen des primären,
schiefen, rhomboidischen Prisma wählt, welche als
die erste Pyramide von unendlich langer Achse erscheinen. Und in so fern konstruire ich ferner nicht

mehr die Primärform·nach den Flächen $P.MT$ der Feldspathe,· sondern aus denen PTl, wobei P als schiefe Basis dient, und T und l als ∞. $a : b : c$.

Ich erlaube mir hierbei mein Glaubensbekenntnifs, über die Zahl der Krystallisazions-Systeme *nota bene* der wirklich existirenden, abzulegen. Es ist ausgemacht, dafs, wenn man das Rhomben-System als Homorhomben-, Hemirhomben- und Tetartorhomben-Systeme unterscheiden will, diese drei Systeme unter einander gewifs in einer viel gröfsern Verwandtschaft stehen, als die übrigen drei unter einander und zu dem Rhomben-Systeme. In den Tesseral- und Tetragonal-Systemen hat man homoedrische und hemiedrische, im Hexagonal-Systeme homoedrische, hemiedrische und tetartoedrische Kombinazionen. In der That steht aber das Hexagonal-System keinem andern, in Hinsicht der Aehnlichkeit des Charakters, so nahe, als dem Rhomben-Systeme, besonders dann, wenn sich die Winkel der primären Basis 120° und 60° nähern. Ist es doch bekannt genug, wie schwierig die Glimmer nach ihren Krystallisazions-Systemen zu unterscheiden sind, und gewifs sind hier noch die richtigen Erkennungen seltener, als die Verwechselung, wenn, wie es mir immer wahrscheinlicher wird, der meiste Glimmer tetartorhombisch ist. Hat man doch auch den Molybdänglanz allgemein hexagonal genommen, und ich kann ihn nicht anders, als für rhombisch erklären. Mit dem Roth-Zinkerz ist es umgekehrt, das hat man für rhombisch genommen, und es ist hexagonal.

Bei diesen Ueberzeugungen und Erfahrungen, und nach Beendigung vieler darauf bezüglichen Messungen, beharre ich in der Annahme von nur vier Krystallisazions-Systemen, und behalte dabei die Analogie, jene glückliche Führerin aller Naturforschung, die Analogie der Systeme in ihren Abtheilungen unter einander.

Nach dieser Vorausschickung komme ich noch auf einen Unterschied der tetartorhombischen Primärformen, den ich Unterschied nach linker und rechter Neigung nennen will. Stellen wir jedes primär schiefe rhomboidische Prisma so, daß die lange Diagonale, von der linken zur rechten, in der Zeichnung horizontal liegt, und daß der Winkel, den die brachydiagonale Ebene (M bei den Feldspathen) mit der schiefen Basis (P, welche oben nach vorn gekehrt ist) macht, links oben ein stumpfer ist, so entspricht die vollkommnere laterale Spaltungsfläche der Primärform, entweder der vorne links, oder der vorne rechts liegenden Fläche, nie aber beiden zugleich. Sie liegt links, oder am stumpfen Winkel der Flächen P auf M, bei Petalit, Periklin, Tetartin, Orthoklas und Oligoklas, Fig. 4, Taf. II.; sie liegt rechts, oder am scharfen Winkel der nur genannten Flächen bei Labrador und Anorthit, Fig. 5, Taf. II., wo die Fläche o weggelassen wurde, weil ich sie hier nicht als Spaltungsfläche kenne. Dieser Unterschied konnte natürlich nicht gefunden werden, so lange man den Feldspath für hemiedrisch nahm. — Die Sache läſst sich auch, und zwar am angemessensten so darstellen: bringt man die vollkommenste Spaltungs-Richtung von den zwei lateralen T und l (wenn nach beiden Spaltbarkeit zu bemerken) zur Linken, oder stellt man die laterale Spaltungs-Richtung der Primärform (wenn nur eine zu sehen ist (T)) links und die schiefe Basis oben nach vorne, so ist bei Petalit, Periklin, Tetartin, Orthoklas und Oligoklas die Neigung der Fläche P auf M links, und bei Labrador und Anorthit rechts. Es gibt also links geneigte und rechts geneigte Primärformen, ungerechnet, daſs sie oben nach vorne auch noch, mithin wirklich doppelt, geneigt sind. Hier ist es also nichts mit der Annahme von drei senkrecht auf einander stehenden Achsen-Richtungen, diese stehen wirklich nur schief auf einander *.

Es läſst sich nicht läugnen, daſs im Rhomben-Systeme das Homoedrische mit dem Aufrechten, das Hemiedrische mit dem Gebückten, und das Tetartoedrische mit dem Schiefen des Menschen verglichen werden könne, ohne die Sache ins Scherzhafte oder

---

* Auf eine sehr scharfsinnige und tief wissenschaftliche Weise hat neuerlichst Herr Professor KUPFFER die schiefe Richtung der drei Achsen des Kupfer - Vitriols erwiesen, die sich gewiſs an allen tetartorhombischen Spezien erweisen lassen wird. POGGENDORFF's Annalen d. Physik u. Chemie; Jahrg. 1826, St. 9 u. 10.

Mystische ziehen, noch weniger, um damit etwas
Sonderbares sagen zu wollen. Ich lasse die Sache
reden, und der. Vergleich soll hier nur zur Verdeut-
lichung dienen, ja ohne den Vergleich ist die
Sache nicht zu erklären. Dabei würde sich
ferner ergeben, daſs das Gebückte wohl ohne das
Links - oder Rechtsgeneigte, das Schiefe aber nicht
ohne das Gebückte Statt finde. Und so ist es in
der That beim Menschen. Daſs sich im Menschen
die rechte Seite öfters mehr ausbilde als die linke,
und daher die rechten hohen Schultern häufiger als
die linken hohen Schultern sind, ist anatómisch und
physiologisch sehr erklärlich. Ob es aber mehr als
ein Zufall sey:, daſs auch bei den tetartorhombischen Mineralien der gröſsere Theil links geneigt
sey? Diese Frage weiſs ich nicht zu beantworten.

Paſst aber überhaupt mein hier gezogener Vergleich, so wird man es auch wohl daraus mit einleuchtend finden, daſs Tetartorhomben-, Hemi-
rhomben - und Homorhomben - Systeme nicht eigentlich drei wesentlich verschiedene, sondern nur
drei Abtheilungen eines und desselben Systemes
sind, die sich sogar in der Beobachtung oft verwechseln lassen, wenn diese nicht äuſserst genau
ist. Antholit (Werner's strahliger Anthophyllit),
Euklas und andere Mineralien sind auf das Bestimm-
teste tetartorhombisch, und doch nahm man sie zeither als in andere Abtheilungen gehörig. Malachit
und Halochalzit (Salzkupfererz) sind wahrscheinlich
ebenfalls tetartorhombisch, und haben auch ganz die

Spaltbarkeit wie Orthoklas. Ueberhaupt möchte die tetartorhombische Systems - Abtheilung an Spezien viel reicher seyn, als man bisher geglaubt hatte.

Der Unterschied, von linker und rechter Neigung, läfst sich wohl ferner mit dem Links- und Rechtsgewundenen der trapezoedrischen Flächen am Quarze vergleichen. In England hatte man schon versucht, hiernach den Quarz in zwei Spezien zu sondern, weil ihre optische Differenz sehr grofs ist.

Aus dem Links - und Rechtsgeneigtseyn der Fels-Grammite liefse sich noch mehr folgern. Nach den, in meiner Schrift §. 19 aufgestellten, klassifikatorischen Grundsäzzen sollen nur makroaxe oder nur brachyaxe Primärformen in ein Geschlecht geordnet werden. Und so könnte man auch nur solche tetartoedrische Substanzen in ein Geschlecht zählen, wo die ersten lateralen Flächen der Primärformen nur eine gleichnamige Lage * haben. Sonach liefsen sich die Fels - Grammite in zwei Geschlechter sondern, die weiter durch spezifisches Gewicht vielleicht selbst optisch unterschieden werden könnten. Wenigstens ist so viel erwiesen, dafs der Labrador die Farben-Wandlung in der makrodiagonalen Richtung zeigt, der Orthoklas hingegen in der brachy-

---

* Es ist auch merkwürdig, dafs nur bei tetartorhombischen Substanzen Zwillinge mit paralleler Hauptachse von gleichnamigen Individuen vorkommen, z. B. bei dem Orthoklas von *Elbogen* in *Böhmen.*

diagonalen, welches Verhalten im geringeren Grade auch dem Petalit zukommt. Endlich ist es zugleich höchst merkwürdig, daſs diese mineralogisch ganz ungesuchte Erklärung der Zweierleiheit des Geschlechtes der bekannten chemischen Zusammensezzung entspricht, namentlich da die eine krystallographisch-gleichnamige Abtheilung, nämlich die der links geneigten Spezien, stets aus einem Antheile Alkali S^3 mit $3AS^3$ zusammengesezt ist, und die zweite Abtheilung mit rechts geneigten Primärformen von jener im Gehalte abweicht, unter sich aber wieder ähnlicher ist.

Indessen hat gewiſs jeder Systematiker schon die Erfahrung gemacht, daſs die Glieder einer Klassifikazionsstufe nicht immer gleichen Allgemeinheitswerth haben. Die Natur wird unter wissenschaftlichen Formen im Systeme betrachtet, die ihr nicht in jedem Falle gleich angemessen sind. Und so scheint sich es hier zu verhalten. Ich mag darum nicht läugnen, daſs ich über die Anerkennung der Einerleiheit oder Zweierleiheit des Geschlechtes noch schwanke. Trennt man Labrador und Anorthit wirklich von den übrigen, so besteht wieder in jeder Beziehung eine so feine und schwache Geschlechts-Differenz als nirgendwo. Und aus diesem Grunde halte ich zur Zeit die Verkettung aller Spezien in ein Geschlecht für eben so verantwortlich, als die Trennung in zwei Geschlechter.

3. Ueber die Reihe der einzelnen Spezien.

Die Reihe der Spezien des Fels - Grammit - Geschlechtes ist folgende: 1. Petalit, 2. Periklin, 3. Tetartin, 4. Orthoklas, 5. Oligoklas, sämmtlich mit links geneigten Primärformen; und 6. Labrador, 7. Anorthit, beide mit rechts geneigten Primärformen.

Sie findet Statt nach dem Verhältnisse der Abnahme deutlicher lateraler Spaltungs - Richtungen der Primärformen, und sie hält fast gleichen Schritt mit der Zunahme des spezifischen Gewichts. Warum der Tetartin zwischen Periklin und Orthoklas zu stellen war, wird sogleich klar werden.

Ich gehe nun zur Betrachtung der einzelnen Spezien über.

4. Petalit.

Obwohl ich nur unausgezeichnete Stücke untersuchen konnte, so habe ich mich doch davon überzeugt, daſs ihm eine regelmäſsige Zusammensezzung zukommt, ähnlich der beim Tetartin und Labrador so frequenten, wobei *M* zweier Individuen an einander gewachsen sind. Dieses Verhältniſs, und besonders eine, bei allen links geneigten Fels-Grammiten neu aufgefundene, Spaltungs-Richtung, haben mich den Petalit in einer andern vertikalen Stellung erkennen lassen, als ich ihn früher betrachtete. Die vollkommenste der drei deutlichen Richtungen, welche durch ihren Perlmutterglanz bald zu erkennen

ist, mufs gleich, wie bei allen Spezien des Geschlechtes, als schiefe Basis P betrachtet werden; die zweite deutliche, welche mit jener ungefähr einen Winkel von 117° macht, entspricht der Fläche T, und
ist also wirklich eine laterale; die dritte deutliche
entspricht einer Viertel - Pyramide (gleicher Stellung mit T und) der Fläche o in den Zeichnungen.
Die versteckte, sonst als schief basisch genommene
Richtung, gehört der Fläche M an. So wäre denn
die Analogie mit den übrigen Spezien vollständig
nachgewiesen.

5. P e r i k l i n.

Den Periklin hatte ich nach der Abänderung
von *Zöbliz* bestimmt in Spaltungs - Gestalten einfacher Individuen; allein den Hauptwinkel zwischen
P und M hatte ich immer nur sehr unvollkommen
finden können. Neuerlich bekam ich zwei deutlicher spaltende Abänderungen, eine aus dem *St.
Gottharder* Gebirge, mit Glimmer und Rutil, und
die andere aus dem *Pfunderthale*, Zweig des *Pu-
sterthales* in *Tyrol*. Diejenigen Winkel, die ich
bis jezt mit erforderlicher Genauigkeit messen konnte, fand ich

$$P \text{ auf } M = 93° \ 19'$$
$$P \text{ auf } T = 114° \ 45'$$

Ersteren Winkel mafs ich an Zwillings-Spaltungs-
stücken, so, dafs die Flächen PP zweier Individuen
deutlich spiegelten, mit einer Differenz von nur 3
Minuten. Dieses Verfahren hat Hr. Prof. Hessel

mit vollem Rechte empfohlen. Ich nehme also die frühere Bestimmung jenes Winkels gänzlich zurück.

Als das Auszeichnende dieser Spezies habe ich gleich Anfangs die vollkommene Spaltung nach *T*, und dann die immer noch deutliche nach *l* angegeben. Daſs der Periklin auch nach *l* spalte, hat Hr. Prof. Hessel bezweifeln wollen, allein er hat dabei gewiſs Tetartin für Periklin gehalten, und von jenem die deutliche Spaltung nach *T* noch nicht gekannt. Die am Petalit so deutliche Richtung *o* findet sich beim Periklin wieder, im Sonnenstrahlenlichte oder des Abends am Kerzenlichte stets zu erkennen.

Die Grenzen des spezifischen Gewichtes habe ich, nach den neueren Abänderungen, von 2,53 bis 2,57 auszudehnen.

Beim Periklin muſs, im Vergleiche mit Tetartin und Orthoklas, aus denen er chemisch betrachtet, eine Kombinazion zu seyn scheint, die deutlichere und mehrfache Blätterigkeit, in welcher er von keiner Spezies des Geschlechtes übertroffen wird, eine auffallende Erscheinung genannt werden. Zugleich ist er im Gewichte leichter als die Hälfte der Varietäten des Orthoklases, da man hätte vermuthen können, daſs er schwerer als dieser sey, wenn er aus den angeführten Mischungs - Theilen bestände. — Nun hat sich mir schon längst das merkwürdige Verhalten aller Fluſssäure - haltigen Mineralien aufgedrungen, daſs sie deutlich blätterig sind. Nicht nur Fluſsspath, Topas, Amblygonit und Kryolith, welche sämmtlich reich an Fluſssäure sind,

sondern auch Albin, Glimmer, Amphybolit u. s. w.,
welche wenig. davon enthalten, sind auf das Deutlichste spaltbar. Hängt dieser Umstand in gewissen
Fällen von einer Beimischung Flufssäure wirklich
ab (so wie in andern Fällen das Aehnliche vom
Wasser bewirkt wird), so läfst sich auch hieraus
mitunter auf die unbekannte Zusammensezzung gewisser . Mineralien schliefsen. Eine Folgerung der
Art ist mir schon glücklich gelungen. Amblygonit
und Skapolith, als Glieder eines Geschlechtes, zeigten
nämlich in ihrer Mischung gar nichts gemeinschaftliches als den Thonerde - Gehalt. Ich vermuthete aber
in beiden einerlei elektronegativen Mischungstheil,
und untersuchte deshalb .den Skapolith. auf Flufssäure, welche sich in der That nachweisen läfst. Sollte nicht auch im Periklin Flufssäure enthalten seyn?
Wäre diefs, so müfste man selbst bei Petalit und
Tetartin Rücksicht darauf nehmen.

6. Tetartin.

Beim Tetartin (den ich darum nicht Albit nennen möchte, weil eine früher bekannte Mineral-
Spezies Albin heifst, und die Mehrzahl der mir bekannten Varietäten nicht weifs, sondern farbig ist)
hat uns Hr. Prof. Rose die Winkel sehr genau und
vollständig bestimmt. Davon habe ich mich jüngst,
nach zahlreichen Messungen, überzeugen können.
Ich lernte nämlich eine Varietät kennen, welche mir
anfangs wie eine neue Spezies vorkam. Sie findet sich
in gangähnlichen Trümmern eines sonderbaren Syeni-

tes, der bei *Borstendorf*, zwischen *Freiberg* und
Zschopau, als Lager im Gneifse liegt. Dieser, in
manchen derben Abänderungen dem Petalit ähnliche,
Tetartin * ist deutlich spaltbar, 1. nach *P*, 2. nach
M, 3. nach *T*, und 4. nach *o*, unvollkommen 5. nach
l. Die erste Spaltungs-Gestalt, welche ich schlug,
fiel so aus, dafs ich die parallelen Kombinazions-Kan-
ten zwischen *o*, *P* und *T* als Seiten-Kanten eines
Prisma erhielt, und nun war natürlich die deutlichste Richtung eine lateral-brachydiagonale geworden. Gerade so war es mir, wie allen Mineralogen,
früherhin beim Petalit ergangen. Ich fing an zu
messen, und bekam genau die Winkel wieder, wie
sie Hr. Prof. G. Rose angibt, ja an Zwillingen fand
ich den Winkel *P* auf *M* zu 93° 36' mit gar keiner
Differenz. Die Richtung *T* ist oft nur um ein Geringes weniger vollkommen als die Richtung *M*, daher sind Tetartin und Periklin wohl mit einander zu
verwechseln. Der Unterschied wird sich durch das
Gewicht stets leicht ergeben. Es war mir neu, dafs
der Tetartin so deutlich nach *T* spalte, und auch nach
o. Ich ging nun alle Tetartine darauf durch, und
fand dafür Bestätigung. Aber den geradblätterigs-
ten, den ich zeither dafür genommen, fand ich nur
undeutlich nach *T*, *l* und *o* spaltbar. Diese Abänderung war eine grofsblätterige von *Arendal* in *Nor-*

---

* Die akademische Mineralien-Niederlage zu *Freiberg*
verkauft davon Exemplare zu 4 Gr. bis zu 1 Rthlr.

wegen, welche ich der Güte des Hrn. Dr. Bondi verdanke. Die gewöhnlichen strahligen Tetartin-Abänderungen der Granite von *Finbo*, *Kimito*, *Penig*, *Rozena* u. s. w. liefsen sich darauf nicht untersuchen, sie stimmen aber mit dem *Borstendorfer* und mit anderen, wo jene Spaltungen deutlich sind, im Gewicht und in der Härte überein. Man hat also die Deutlichkeit der Spaltungsflächen T und o mit in die Charakteristik des Tetartins aufzunehmen. Nur die erwähnte *Arendaler* Abänderung — nicht die gewöhnliche von da — gab sich als eine neue Spezies zu erkennen, die ich sogleich näher abhandeln werde. Man überzeugt sich nun auch leicht, warum der Tetartin zwischen Periklin und Orthoklas zu stellen war.

Ich hielt es für nöthig, die wirklich als Tetartin erkannten, Feldspathe noch durch Wägungen genauer zu prüfen, und fand folgende Resultate:

2,608 Bräunlich - bis dunkel fleischrother; von *Siebenlehn*.

2,609 Schön frisch fleischrother von *Skogbohle* im *Kimito*-Kirchspiele in *Finland*, wo er mit zweiaxigem Glimmer und Quarz Granit bildet.

2,609 Dunkel gelblich - bis röthlich - weifser, gebrochen blätterig, ebenfalls deutlich spaltbar nach T und nach o; von *Kårarfvet* bei *Falun*. Bildet mit Quarz und Glimmer grofskörnigen Granit, worin der Pyrorthit liegt. Gemessen.

2,611 Blafs fleischrother, blumig blätteriger bis strahliger von *Penig*, eben solchen Granit bildend.

2,612 Der obige von *Skogbohle*, nachdem die Stücke nach allen sichtbaren Zusammensezungs-Flächen zerkleint waren.

2,619 Weifser strahliger von *Finbo*, unzerkleint.

2,619 Graulichweifser aus dem *Kälberbusch* bei *Mulda* oberhalb *Freiberg*.

2,619 Mittel zwischen grünlich - und gelblich - weifser grofs-blätteriger von *Borstendorf*.

2,620 Grünlichweifser von *Auris*.

2,621 Gelblichweifser bis blafs ockergelber schön frisch und durchsichtig, auf verwittertem Granite aufsizzend, Fundort unbekannt. Gemessen.

2,622 Wasserheller von *Borstendorf*. Gemessen.

2,623 Milchweifser schön glasiger N. 2192 aus dem WER-NER'schen Museum, Fundort unbekannt.

2,624 Milchweifser von *Borstendorf*.

2,626 Milchweifser grofsblätteriger von *Siebenlehn* bei *Freiberg*.

2,627 Der von *Finbo*, zerkleint.

Das geringere Gewicht der ersten Varietäten hängt sichtbar von ihrer Struktur ab. Hiernach sind die Grenzen der Spezies 2,60 bis 2,62 zu ziehen. Den blumig - blätterigen Feldspath von *Breitenbrunn*, den Hr. Dr. G. Rose als Albit bestimmt hat, halte ich nicht dafür, da er nur 2,570 wiegt.

Dafs man im Wesentlichen so übereinstimmende Resultate, wie die obigen, nur dann erhalten könne, wenn mit der gröfsten Genauigkeit operirt werde, hat man wohl zu berücksichtigen. Die NI-CHOLSON'sche Wasserwaage kann hierbei nicht dienen, sondern nur die feinste gemeine hydrostatische Waage.

7. O r-

7. Orthoklas.

Das Auszeichnende dieser Spezies liegt besonders in der geringen Abweichung der Neigungen zwischen *P* und *M* vom rechten Winkel. Ich würde die
früher angegebene Differenz von 6 Minuten selbst
für Null genommen haben, hätte ich nicht, bei peri-
metrischen Messungen, stets zwei spizze und zwei
stumpfe Winkel in der bestimmtesten Lage zu der
Spaltungsfläche *T* gehabt, so, dafs der Orthoklas immer links geneigt erscheint.

Von der Dreierleiheit der sechs gewöhnlichen
Seitenflächen der Orthoklas-Krystallisazionen, scheint
man sich allgemein überzeugt zu haben; allein dafs
jene Neigung von *P* auf *M* eine von 90° verschiedene sey, das fand schwerer Glauben. Jedoch gründet sich die Annahme des rechten Winkels, bei dieser Neigung, sicherlich auf keine reelle Beobachtung. Gesteht man aber die Dreierleiheit der
Flächen-Neigungen von *M T* und *l* zu, und nimmt
dabei jene von *P M* rechtwinkelig an, so kommt
man auf das sonderbare Resultat, nirgends an der
Orthoklas-Krystallisazion einen Schnitt mehr anbrin-
gen zu können, welcher rautenförmige Figur hätte.
Wir kämen so zu einem neuen Krystallisazions-Systeme, was in keiner wesentlichen Beziehung mehr
zu den Abtheilungen des Rhomben-Systemes stünde.

Dafs aber ein solches, auf einer blofsen Annahme beruhendes, Krystallisazions-System wenigstens
bei dem Orthoklas nicht Statt finde — und bei einem

26

andern Minerale hat man es zum Glück noch nicht angenommen — geht aus folgenden Beobachtunge. hervor. Vor Kurzem erhielt ich einen Orthoklas zu der bei paralleler Hauptachse der Individuen nach den Flächen M, d. i. nach den lateral-brachydiagonalen Flächen, also ähnlich dem Periklin, Tetartin u. s. w. zusammengesezt ist. Diese Abänderung ist derb, frisch und von spangrüner Farbe, zum Theil noch schöner, als die ihm höchst ähnliche von *Karabinsk* in Siberien. Aus der näheren Untersuchung derselben liefsen sich zwei wichtige Resultate ziehen, welche meine früheren Angaben bestätigen und berichtigen. Sie sind folgende:

1. Dadurch, dafs die Individuen in zwei Lagen der schief basischen Flächen PP spiegeln, ist zunächst und unzweifelhaft erwiesen, dafs P und M eines Individuums, oder die schiefe Basis und die brachydiagonale Seitenfläche nicht rechtwinkelig, sondern schiefwinkelig auf einander stehen. Der Orthoklas mufs mithin in die tetartoedrische Abtheilung des Rhomben-Systemes gehören, als wohin alle anderen Spezien des Geschlechtes schon gerechnet wurden.

2. Dadurch, dafs ich den Winkel, welchen P und P in der regelmäfsigen Zusammensezzung machen, auf einerlei Flächen, von vollkommener Spiegelung, messen konnte, ward mir ein scharfes Resultat möglich. Ich erhielt in einer Reihe von Beobachtungen $90° 14'$ und $89° 46'$, nur zweimal $90° 16'$

ad 89° 44'. Den ersten Winkeln gebe ich den Vorzug.

Der hinreichend scharfen Beobachtung, bei früheren Messungen an Individuen,. stand nämlich das Unvollkommene der Spiegelung von M entgegen. Der ähnliche Fall tritt auch bei den übrigen Spezien ein. Man wird deshalb allemal am sichersten verfahren, diesen wichtigsten der Winkel (P auf M), wo es nur möglich, an Zwillingen zu messen.

Das gebrochen Blätterige des erwähnten Orthoklases, was durch die regelmäfsige Zusammensezzung der Individuen, welche meist papierähnlich dünn sind, entsteht, ist besser zu erkennen, wenn man die Linien der Zusammensezzung, an dem zu beobachtenden Stücke, von sich nach dem Lichte zu richtet. Er ist von der Westküste Grönlands, wo ihn Mitglieder der evangelischen Brüder - Gemeine auffanden und nach *Herrnhut* sendeten. Es ist mir sehr erwünscht, bei dieser Gelegenheit rühmen zu können, wie viele Verdienste sich die, in Grönland wohnenden, Herrnhut'schen Kolonisten um das Einsammeln merkwürdiger Mineralien erworben haben, und dann wie gern und vielfach mich, in Untersuchung derselben, Herr Dr. Thalacker zu *Herrnhut* unterstüzt hat.

Durch die grüne Farbe des genannten Orthoklases, welcher jedoch auch bis grünlichweifs nuanzirt, veranlafst, suchte ich bei dem grünen Siberischen die Zusammensezzung auf. Und sie findet sich wirklich hier wieder, kann also auch wohl in den

meisten Sammlungen beobachtet werden. Allein nicht
selten entzieht sie sich dem unbewaffneten Auge,
theils wegen Zartheit der Individuen, theils wegen
der Gröfse des Winkels, den die *PP* Flächen hier
machen, welches der gröfste, in der Krystallometrie
noch vorgekommene, seyn möchte. Beide Orthoklase sind übrigens von Tetartin begleitet. — —

Selbst die Zwillings-Krystallisazion des Orthoklases, welche sich (mit geneigten Hauptachsen der
Individuen) auch zu Drillingen und Vierlingen vermehrt, und von *Baveno*, vom *St. Gotthard*, von
Schwarzenstein in *Tyrol* u. s. w. bekannt genug ist,
beweist nichts gegen die Schiefwinkeligkeit der Neigung *P* auf *M*. Die *P* Fläche des einen Individs
scheint mit der *M* Fläche des andern in eine Ebene zu fallen. Dem ist aber nicht so. Wenn auch
schon diese beiden Flächen an einem Zwillinge bei
der gewöhnlichen Betrachtung einen Spiegel zeigen,
so findet sich doch im direkten Sonnenlichte, oder
Abends bei einer ziemlichen Entfernung vom Kerzenlichte, dafs die zwei Flächen etwas von einander abweichen. Vor dem Reflexions-Goniometer
überzeugt man sich vollends davon, da sie nie in
eine Ebene fallen. Bei Vierlingen dieses Gesezzes
ist allerdings, wenn man perimetrisch zählt, das
erste und dritte, dann wieder das zweite und sie-
bente Individ parallel; dieses beweist jedoch nichts
für, und nichts wider die Sache.

So glaube ich denn vollständig bewiesen zu haben, dafs auch der Orthoklas nur in Winkeln, aber

nicht in dem Gesezze der Krystallisazion von den
übrigen Spezien des Geschlechtes abweicht. Die
wichtigste Spezies ist also keine abnorme.

Bei dem Orthoklas finden sich ebenfalls Spuren
der Spaltungs - Richtung nach *o*, die keinem Gliede
der links geneigten Spezien des Geschlechtes fehlt,
und vielleicht mannichmal mit jener nach *T* verwechselt worden seyn mag. Nur sehr selten sieht
man auch Spuren nach *x*.

In der folgenden Uebersicht von Gewichts - Bestimmungen habe ich nur einen kleinen Theil durch
Messungen erkannt, konnte mich jedoch davon überzeugen, es mit keiner andern Spezies zu thun zu
haben.

A. **Mehr oder weniger aufgelöste Orthoklase.**

1,455 Ganz aufgelöster, im Wasser sich noch mehr auf-
lockernder, von *Aue* bei *Schneeberg* im Erzgebirge.

2,362 Etwas aufgelöster, aus dem Granite von *Bobritzsch*
bei *Freiberg.*

2,366 Desgleichen, daher.

2,375 Desgleichen, von *Raspenau* bei *Friedland* in Böhmen.

2,384 Desgleichen, ein fleischrother Drilling, von *Baveno.*

2,415 Desgleichen, ein röthlichweißer Zwilling, daher.

B. **Nicht vollkommen frische Orthoklase.**

2,488 Milchweißes Bruchstück eines Zwillings, von *Baveno.*

2,498 Fleischrother, ins Isabellgelbe fallender, einfacher
Krystall aus der *Auvergne.*

C. Frische Orthoklase, welche auch auf dem
dichten Bruche Glanz besizzen.

2,514 Berggrüner, von *Bodenmais* in Baiern...

2,517 Weifser zerrissen blätteriger, aus Grönland.

2,523 Blafs fleischrother grofsblätteriger, von *Bobershau* bei
Marienberg.

2,539 Graulichweifser, aus dem Freiberger Gneifse.

2,542 Gelblichgrauer, mit fleischrothen Flecken, von *Johann-Georgenstadt.*

2,546 Weifser, von *Weichmannsdorf* bei *Freiberg*, den
man zu *Meifsen* verarbeitet.

2,546 Grüner, aus Grönland.

2,547 Dunkel fleischrother, deutlich und grofsblätterig,
angeblich von *Utön.*

2,547 Graulichweifser, aus einer granitischen Ausscheidung
von der *Baiermühle* bei *Siebenlehn.*

2,551 Gelblichweifser klarer (Adular), vom *St. Gotthard*,
gemessen.

2,554 Schön fleischrother, von *Johann-Georgenstadt*, andere Fundstätte.

2,555 Dunkel gelblichweifser bis isabellgelber, von der
Dorotheen-Aue bei *Karlsbad*, etwas Farbe wandelnd.

2,557 Die 19. Abänderung, anderes Stück.

2,560 Die 13. Abänderung, schöner und klar.

2,562 Grüner, aus *Siberien*, eine Seite polirt.

2,562 Graulichweifser in zugerundeten Krystallen, welche
in Kalkspath gelegen, mit Säure gereinigt, angeblich
von *Arendal*, gemessen.

2,563 Adular-Zwilling von *Dissentis* in der Schweiz.

2,564 Weifser, von *Siebenlehn*, der sonst zu *Meifsen*
verarbeitet wurde.

2,565 Blaulichgrauér, von *Neustadt* bei *Stolpen*.

2,570 Gelblichgrauer, blumig-blätteriger, von *Breiten-*
brunn bei *Johann-Georgenstadt*, undeutlich blätterig, von geringem Glanze.

2,573 Dunkel-fleischrother, aus dem Norwegischen Zir-
kon-Syenite, etwas Farbe wandelnd.

2,578 Milchweifser, mit blauer Farbenwandelung, vom
Heldburger Festungsberge im Herzogthume Meiningen-
Hildburghausen.

2,582 Gelblichweifser, schön klarer (Adular), von *Duck-*
weiler in der *Eifel* in Rhein-Preufsen, gemessen.

2,584 Adular, aus *Graubündten*.

Man kann diesen Erfahrungen zu Folge die
Grenzen des spezifischen Gewichts' beim Orthoklas
= 2,51 bis 2,58 annehmen; allerdings viel bedeutender, als bei den übrigen Feldspathen. Allein bedenkt man, dafs der Orthoklas viel leichter der
Zerstörung unterworfen ist, als die übrigen Spezien
des Geschlechtes, dafs er in so' ungewöhnlicher Frequenz vorkommt, und sich auch unter sehr verschiedenen Umständen und Begleitern gebildet hat;
so ist eigentlich im Vergleiche mit anderen ähnlichen Mineralien, z. B. im Vergleiche mit Skapolith,
seine Gewichts-Differenz immer noch eine kleine.

Der, in Klingsteinen und Obsidianen innelie-
gende, Feldspath dürfte dem Orthoklas zuzuzählen
seyn. Ich habe zwar nur eine Abänderung gewo-

gen; allein der Winkel $\frac{P}{M}$ entspricht, nach einigen ziemlich genauen Messungen . dem, der genannten Spezies.

Bemerkenswerth ist das Ergebnifs der, von Hrn. Dr. STRUVE unternommenen, Zergliederung des so bekannten Zwillings-Orthoklases von *Elbogen* in *Böhmen*. Es besteht derselbe. aus: Kieselerde 67,61, Thonerde 19,65, Kali 9,60, Natron 1,55 (beide mit kleinen Antheilen Schwefel- und Salzsäure), Eisenoxyd 1,13, Wasser 0,46. . . .

8. Oligoklas.

Oben, bei dem Artikel Tetartin, habe ich dieser neuen Spezies schon Erwähnung gethan. Herr Dr. BONDI brachte das Mineral aus *Norwegen* mit; aber ich mufs gleich bemerken, dafs zu *Arendal* auch Orthoklas und Tetartin vorkommen. Seitdem ich diese Spezies in POGGENDORFF's Annalen der Physik bekannt machte, habe ich sie mehrfach aufgefunden, auch die Ueberzeugung gewonnen, dafs die Benennung allerdings dem Charakter aller Abänderungen entspreche. Oligoklas bezeichnet ein Mineral, was wenig spaltet, und die neue Spezies ist weniger vielfach und deutlich blätterig, als alle anderen links geneigten Spezien. Sie steht in dieser Beziehung dem Orthoklas noch am nächsten. Der Oligoklas hat folgende Merkmale:

Unvollkommener Perlmutterglanz auf der Haupt-
spaltungsfläche nach der schiefen Basis, Glasglanz
auf den übrigen Spaltungsflächen, Fettglanz auf
den muscheligen und unebenen Bruchflächen,
welche die unvollkommene Spaltung unterbrechen.

Farbe : weiß, gelblichgrau, weingelb, beide auch
ins Gelblichbraune geneigt.

Primärform : schiefes Rhomboiden-Prisma, nach
Dimensionen unvollkommen bekannt, mit link-
seitiger Neigung. P auf M 93° 45′ und 86° 15′,
P auf $T =$ 115° 30′ geneigt. Gewöhnlich derb,
auch krystallisirt in der Kombinazion P, γ, M,
T, l, wobei M und T sehr ausgedehnt sind.
Jeder Krystall und jede derbe Masse ist vielfältig parallel den Flächen MM, in schmalen Individuen zusammengesezt.

Spaltbar : vollkommen basisch (P), deutlich late-
ral, und zwar brachydiagonal (M), undeutlich
bis zum Verschwinden nach der ersten Seitenfläche (T), und nach der ersten pyramidalen (o).
Nach der andern Seitenfläche (l) nur einmal
beobachtet. Die beiden vorlezten Richtungen
im direkten Sonnenlichte, oder des Abends am
Kerzenlichte, wohl zu erkennen.

Härte 8 bis 8,25.

Spezifisches Gewicht :

2,642 Graulichweißer bis lichte grauer, grobkörnig zu-
sammengesezter, von hohe Tanne unterhalb Freiberg.

2,646 Krystall-Bruchstücke vom *Strauchhahn* bei *Rodach* im Herzogthume Koburg.

2,649 Grauer, von *Laurvig* in Norwegen.

2,650 Graulichweifser, von *Arendal*, ein grofses Stück.

2,654 Dasselbe, nachdem es, in der Richtung einiger Klüfte, zerkleint war.

2,661 Ganz klarer, daher, frei von Klüften.

Die Abänderung von *hohe Tanne* bildet, mit Fibrolit und Quarz, eine kleine Ausscheidung im Gneifse. — Die vom *Strauchhahn* brachte kürzlich Herr von WARNSDORF nach *Freiberg*. Die, in Basalt eingewachsenen, Krystalle derselben sind zum Theil über ½ Zoll grofs, jedoch mit weniger deutlichen Umrissen, als der sonst sogenannte glasige Feldspath. Sie umschliefsen kleine rundliche Körner eines lichte gelblichbraunen harten Minerals, dessen ich zu wenig hatte, um zu erfahren, was es sey. Nach den Hellungs-Kennzeichen zu urtheilen, hat der *Strauchhahner* Oligoklas grofse Aehnlichkeit mit solchem Labrador, den ich auch, in Basalt vorkommend, erkannt habe. Diefs bewog mich, ihn auf den ersten Blick dafür anzusprechen; allein genauere Untersuchung zeigte sattsam, dafs er kein Labrador sey. — Der Oligoklas von *Laurvig* kommt in kleinen derben Parthieen mit Titanit, Orthoklas, Epidot verwachsen vor. — Den von *Arendal* sah ich blos grofsblätterig mit wenig anhängendem Epidot, und hat für den ersten Blick auch einige Aehnlichkeit mit manchem Skapolith, namentlich durch den Fettglanz im dichten Bruche.

In der Hydrochlorsäure war keine der genannten Abänderungen des Oligoklases auflöslich, und
es läfst sich derselbe auch dadurch leicht von den
rechts geneigten Spezien unterscheiden.

Wenn man von äufseren Merkmalen auf chemische Mischung schliefsen darf, so halte ich dafür,
dafs der Oligoklas, wie alle links geneigten Spezien
des ganzen Geschlechtes, aus einem Antheile Alkali-
Trisilikat mit drei Antheilen Thonerde-Trisilikat
bestehen könne. Da schon meine gleichartige Pro-
phezeihung mit dem Periklin zugetroffen hat, so
wird auch wohl die, dafs dem Oligoklas die Formel

$$x S^3 + 3 A S^3, \text{ oder } \genfrac{}{}{0pt}{}{x}{y} \Big\} \, S^3 + 3 A S^3$$

zukomme, wenn x und y irgend Alkalien bezeichnen, ihre Bestätigung finden. Denn wenn ich dort
aus Analogie dreier Spezien auf eine vierte geschlossen hatte, so habe ich jezt schon die Analogie von
vier Fällen zu einer fünften.

9. Labrador.

Keine der übrigen Spezien ist so sehr geneigt,
dichte Abänderungen zu bilden, als der Labrador.
Dabei fallen diese keineswegs ins Glänzende und
Muschelige, sie verlieren vielmehr den Glanz, und
sind fast immer splitterig. Die ausgezeichnetsten
Uebergänge der Art finden sich in dem Syenit- und
Grünstein-Gebirge der Gegend von *Siebenlehn.*

. Da man von dem Grönländischen Labrador zum
Theil ein Gewicht bis 3,75 angibt, so habe ich mich
neuerlichst mehrfach bemüht, dafür selbst eine Bestätigung zu finden; allein man wird aus den folgenden Angaben leicht entnehmen, dafs der Grönländische gerade zu denen, im Allgemeinen leichteren, Varietäten zu rechnen sey.

2,683 Blaulichgrauer, ohne Farbenwandelung, durchscheinend; von *Labrador.*

2,687 Grünlichweifser; aus dem Uebergangs-Granite vom
Drahthammer bei *Leitenberg* im Fürstenthume Schwarz-
burg-Rudolstadt.

2,688 Dunkelgrauer mit rother Farbenwandelung, muglich geschliffen; ebendaher.

2,689 Lichte rauchgrauer, fast weifser mit schöner blauer Farbenwandelung, grobkörnig zusammengesezt; ebendaher.

2,689 Ueberaus schöner und frischer, mit röthlichblauer
Farbenwandelung in höchst reinen Spaltungs-Gestal-
ten; ebendaher.

2,690 Grünlichweifser dichter, KLAPROTH's Felsit, Gemengtheil des Syenits von *Siebenlehn* bei *Freiberg.*

2,690 Graubrauner, mit schön blauer Farbenwandelung,
muglich geschliffen; von *Labrador.*

2,701 Dunkel aschgrauer, mit ganz dunkelblauer Farbenwandelung; ebendaher.

2,708 Lichte pflaumenblauer, aus dem Syenite unterhalb
Siebenlehn.

2,711 Weifser, von der Syenit-Kuppe bei *Halsbrücke,* unweit *Freiberg.*

2,714 Rother, von dem Syenite des Plauen'schen Grundes bei *Dresden.*

2,715 Weifser, aus dem schönen Kugel-Syenite von *Korsika.*

2,715 Grauer, aus dem *Gabbro* von *Prado* in *Toskana.*

2,716 Desgleichen, aus dem *Gabbro* von *Harzeburg* am *Harz.*

2,718 Weifser, körniger Felsit, von *Siebenlehn.*

2,719 Nelkenbrauner, porphyrartig in Grünstein liegend, von *Neustadt* bei *Stolpen.*

2,721 Grünlichweifser, Graf Bournon's Indianit, von *Karnatik* in Ostindien.

Die zweite der gewogenen Varietäten ist die einzige, welche ich im Granite als Gemengtheil gefunden habe.

10. Uebersicht aller Spezien.

Folgende Uebersicht zeigt, dafs man in den meisten Fällen, durch das Gewicht, noch die einzelnen Spezien unterscheiden könne, und wo die Gewichte übereinstimmen, kommen leicht aufzufindende andere Abweichungen zu statten, so, dafs es ungeachtet der grofsen Mannichfaltigkeit des Geschlechtes nicht schwer fällt, das Einzelne richtig zu bestimmen.

1.	Petalit	2,42 bis	2,45	
2.	Periklin	2,53 —	2,57	2,42 bis 2,66 der links
3.	Orthoklas	2,51 —	2,58	geneigten.
4.	Tetartin	2,60 —	2,62	
5.	Oligoklas	2,64 —	2,66	

6. Labrador 2,68 bis 2,72
7. Anorthit 2,76 nach der Rose'- } 2,68 bis 2,76 der
  schen reinen Wägung   rechts geneigten.

Meinen Erfahrungen zu Folge, haben also nur Orthoklas und Periklin zum Theil einerlei Gewicht, und beide lassen sich so bequem nach dem Verhalten der Fläche T, in Bezug auf Spaltung, und nach dem Winkel, den P und T machen, unterscheiden.

Nahträgliche Bemerkung zu dem Gehalte des Periklin.

Durch Herrn EDUARD HARKORT, einem Löthrohr-Bläser von seltener Virtuosität, ist die Flufssäure im Periklin wirklich nachgewiesen worden, und somit die Natur dieser Spezies und ihre Abweichung von ihren Nachbarinnen noch mehr ins Klare gesezt worden.

Als Fortsezzung dieser Abhandlung wird eine Betrachtung des geognostischen Verhaltens aller Spezien, und eine Charakteristik der sogenannten dichten Feldspathe, und überhaupt aller der Mineralien folgen, welche man sonst wohl zum Feldspath gerechnet hatte.

Ueber

das Festwerden der Fels-
Schichten.

Von

Herrn James Hall.

(*Annals of Phil.*, *new Ser.; Oct.* 1826, 299.)

Der größte Theil der festen Erdrinde besteht aus
geschichteten Massen. Viele dieser Schichten waren
einst ein lockeres Haufwerk aus Sand und Gruſs,
Trümmer von Fels-Gebilden höheren Alters, verschieden in Qualität, Quantität und Form; einige
derselben haben die ursprüngliche Schärfe ihrer Umrisse bewahrt, andere wurden, in Folge erlittener
Reibung, zugerundet. Diese Schichten wechseln
mit Lagen von Kalkstein, die in groſser Häufigkeit
Ueberreste meerischer Thiere einschlieſsen, Erscheinungen, welche auch hin und wieder den übrigen
Schichten zustehen. — Sonach scheint es auſser

Zweifel, daſs die Schichten, wenigstens jene
neuerer Bildung, einst aus nicht verbundenen Th
bestanden, und daſs dieselben mannichfaltige (
würdige Aenderungen, sowohl chemische als m
nische, erlitten haben.

Die chemischen Aenderungen bestehen vo
lich im Uebergange der Schichten, aus dem Zu
lockerer Haufwerke in jene fester Gesteine.
mechanischen Modifikazionen verdienen nicht
der Beachtung, zumal was das Gewundene be
das die Schichten gegenwärtig zeigen, ferner
erhabene Lage, indem dieselbe mitunter me
1000 Fuſs über dem Meeres-Spiegel gefunden
den, da es dennoch glaubhaft, daſs sie eins
eine weit tiefere wagerechte Stellung eingenor
haben dürften.

Im Gegensazzé des gröſsten Theiles der I
unserer bewohnten Erde, welcher, wie bem
sich geschichtet zeigt, und aus Trümmern und I
tus entstand, sieht man den andern Theil der
ausgezeichnet durch Festigkeit und durch a
auffallende Eigenschaften, indem ihm im Allg
die Schichtung gänzlich fehlen soll, und er sic
von allen Trümmern zeigt, da das Ganze aus
stallinischen Partikeln besteht, die nach chemi
Normen in einander gefügt werden.

Die krystallinischen Gesteine sind entsch
neueren Ursprunges, in Vergleich zu den ges
teten Massen, indem sie in lezteren durch S
und Klüfte, unter der Form von *Dykes* oder

gen, nach allen Winkeln eindringen; häufig sieht man dieselben auch, zwischen den Schichten, in grofsen gestaltlosen Massen eingelagert.

Da diese Felsarten stets durch ihren krystallinischen Charakter ausgezeichnet sind, so mögen sie im Einverständisse mit Hrn. Hope, durch den Ausdruck Krystallite bezeichnet werden, und diese Benennung soll alle Substanzen der Art, nicht blos Basalt und *Whinstone*, sondern auch Porphyre, Granite und Syenite umfassen.

Die feste Rinde unserer Erde würde demnach, so weit unsere Kenntnifs reicht, und mit Ausnahme der, von Vulkanen ergossenen, Strömen, als aus zwei Klassen bestehend, zu betrachten seyn, nämlich aus Aggregaten und Krystalliten.

Die Gesteine beider Klassen tragen in jeder Rücksicht die Merkmale ungeheurer Umwälzungen, welche sie erfahren haben. Unter allen Kräften der Natur aber ist nur eine, zur Erklärung dieser grofsartigen Phänomene genügend, nämlich die Gewalt innerer Hizze, die, zu allen Zeiten und in den verschiedensten Landstrichen, auf der Erd-Oberfläche, Beweise ihrer Wirksamkeit gegeben, nicht selten auch aus der Meerestiefe herausgebrochen ist, und die noch gegenwärtig hin und wieder Belege ihres Thätigseyns gibt. —

Oft sahe ich mich veranlafst, einen der Säzze von Hutton's Theorie zu bestreiten, nämlich jenen, dafs die Hizze losen Sand, Grufs u. s. w. zu konsolidiren, und zu festem Gesteine umzuwandeln vermöge. Nach meiner Ansicht war eine solche Wirkung auch von der, auf den höchsten Grad gesteigerten, Hizze nicht denkbar. Alle meine Erfahrungen schienen mehr darauf zu führen, daſs ohne Dazwischenkunft eines, durch die Massen jener losen Materialien vertheilten, Fluſsmittels die Verkittung der Partikeln nicht Statt haben könne. Erscheinungen bei *Dunglaſs* beobachtet, erregten in mir den Gedanken, daſs es das Meeres-Salz seyn dürfte, welches als Agens die Schmelzung hervorgebracht. So wurde ich zu einer Reihenfolge von Versuchen veranlaſst, die mir zu ergeben scheinen, daſs jenes Material, unter mannichfachen Modifikazionen, hinreichend ist, um das Festwerden der Fels-Schichten sowohl, als andere Wirkungen zu erklären, welche die Erd-Oberfläche wahrnehmen läſst. — Ich erachte für nothwendig, eine geognostische Schilderung der Gegend voranzuschicken, deren Beschaffenheit mich zunächst auf die befragten Untersuchungen leitete.

Das Gestade vom *Firth of Forth* läſst, durch häufige zerstörende Einwirkungen der Meereswasser, seine innere Struktur deutlich erkennen. Der östliche Theil des Vorgebirges von *Fastcastle* besteht ganz aus Grauwacken-Schichten. Mehr nach W. hin findet man Sandstein fast wagerecht geschichtet. Beim *Siccar Point*, einer steilen Klippe, begrenzen sich beide Felsarten, und die gegenseitigen Beziehungen derselben sind hier deutlich wahrzunehmen. Mehr landeinwärts, längs den Bergen von *Lammer-*

muir, finden sich viele horizontale Lagen aus einem lockeren Haufwerke abgerollter Steine, untermengt mit Sand und Grufs, vor, welche alle Merkmale der Ablagerung durch Wasser tragen. — Im Sommer 1812 war ich im höchsten Grade überrascht, als ich, zurückkehrend von einer Exkursion nach den *Lammermuir*-Bergen und durch das kleine Thal von *Aikengaw* hinabsteigend, in zwei Meilen Entfernung von dem Dorfe *Oldhamstocks* und 8 bis 10 Meilen vom Sceufer, eine Reihenfolge solcher Grufs-Bänke sahe, ganz aus lockerem Materiale bestehend, und senkrecht von einem *dyke* durchsezt, der in seiner Mitte aus Trapp (*whinstone*) gebildet, und auf beiden Seiten durch festeres Konglomerat begrenzt wurde; allein diese feste Beschaffenheit nahm, im Hangenden und Liegenden der Gang-artigen Masse, allmählich ab, bis endlich das Gebundenseyn der Rollstücke ganz aufhörte, und der lose Zustand des Ganzen wieder hergestellt war. Die verkittete Masse, in der Nähe des *dyke*, zeigte durchaus nichts, was an kalkige Einseihungen erinnerte; sie brauste mit Säuren kaum auf, und durch ihren allmählichen Uebergang unterschied sich dieselbe von jedem andern Trapp-Gange, den ich zu beobachten Galegenheit hatte; denn fast immer sieht man die Krystallite gegen die anliegenden Aggregat-Schichten sehr scharf begrenzt.

Ungefähr 100 Lachter höher im *Aikengaw*-Thale sieht man eine ähnliche Agglutinazion, ohne Trapp-Gang, und fest genug, um der zerstörenden Einwirkung der Elemente zu widerstehen, von welcher das, solche früher umlagert habende, Material war weggespült worden; die Erscheinung dieser isolirten Brekzie ist so auffallend, dafs sie selbst die Beachtung der Land-Bewohner der Gegend erregte, und von ihnen mit dem Ausdrucke *Fairy's Castle* (Feenschlofs) belegt worden ist.

Weiter stromaufwärts trifft man mehrere Agglutinazionen, und noch höher werden solche in dem Grade häufig, dafs sie eine fast nicht unterbrochene Brekzien-Masse bilden.

Diese denkwürdigen, und für mich wenigstens neuen, Phänomene waren es, welche in mir zuerst den Gedanken anregten, dafs das Festwerden nicht blos dieser Klasse von Konglomeraten, sondern der Sandsteine im Allgemeinen, durch Einwirkung irgend einer Substanz bedingt worden sey, die im Gas- oder Luft-förmigen Zustande, durch Hizze in die Zwischenräume der lockeren Theile von Sand und Grufs getrieben worden, wo dieselbe als Flufsmittel auf ihre Umgebung wirkte. Der folgende Umstand diente sogleich, um meine Muthmafsung über die Natur der durchdringenden Substanz aufzuklären, und einigermafsen zu bestätigen.

Einige Meilen abwärts von dem Thale, welches die erwähnten Thatsachen aufzuweisen hat, in einer Entfernung von mehr als einer Meile von der See, und zwischen 200 und 300 F. über ihrem Niveau, sieht man eine Klippe von Sandstein, bestehend aus einer zahlreichen Schichten-Reihe. Mehrere die-

chten lassen bei trockenem Wetter, beträcht-
blühungen wahrnehmen, die, durchaus den
ck von Kochsalz haben; der Fels hat davon
egend den Namen *Salt - Heugh* erhalten.
ı meiner Ansicht müsste, wenn auf dem
nde sich eine Lage von Sand oder Grufs
, die mit Salzwasser vollkommen gesättiget
in so fern, nach Hutton's Hypothese eine
ung von Hizze aus der Tiefe Statt hätte,
as Wasser aus dem unteren Theile des San-
rieben, und der Sand müsste mit dem, in
en zurückgebliebenen, Salze zu einer trok-
lasse umgewandelt werden. Während des
d bis die Masse vollkommen in trockenen
übergegangen, würde die Einsaugung der
nen Hizze hindern; dafs die Temperatur
gen Wassers den Siedepunkt überträfe. Al-
m wäre die Masse ganz trocken geworden,
te, nach meiner Ansicht, ihre Temperatur
rad noch übertreffen; der, dem Feuer zu-
cfindliche Theil derselben würde allmählich
end werden; das Salz, welches, durch
ing der Hizze, mitunter eine elastische Genommen, und als Dampf durch die trok-
sse getrieben, würde, durch theilweise
ing der zunächst von ihm berührten Parti-
ıc Agglutinazion hervorbringen.
versäumte nicht, diese theoretischen An-
durch's Experiment zu prüfen. Trockenes
rde mit Sand, theils beide in besonderen

Lagen, theils im Gemenge mit einander, der Hitze ausgesetzt, und zwar so, dafs man solche nur von unten einwirken liefs. Das Salz trat stets auf gleiche Weise in Dampfgestalt durch die lockere Masse, und brachte, durch seine Einwirkung, ein festes Gestein hervor, das vollkommen hinreichte, nicht blos um die, bei *Aikengaw* beobachteten, Thatsachen zu erläutern, sondern auch im Allgemeinen, um die Sandstein-Bildung zu erklären.

Diese künstlichen Steine lassen verschiedene Grade der Dauerhaftigkeit und der Härte wahrnehmen; einige vermögen dem Einflusse der Elemente nicht zu widerstehen, sie zerbröckeln sich, wenn man dieselben in Wasser bringt; einige bleiben, unter solchem Verhältnisse, jahrelang unverändert; andere sind so weich, dafs sie nicht einmal ihre Gestalt lange beibehalten; während noch andere so hart sich zeigen, dafs dieselben mit dem Meifsel behandelt werden können; und als allgemeine Bemerkung füge ich hinzu, dafs so weit die Resultate meiner Versuche vergleichbar waren mit natürlichen Sandsteinen, dieselben vielartigen Abänderungen in beiden Fällen getroffen wurden. Ein auffallendes Beispiel namentlich gewährt der oben erwähnte Sandstein-Fels, *Salt-Heugh* genannt, dessen Gestein, in Wasser gebracht, zerfällt, gerade wie dieses bei manchen meiner Versuche geschehen.

. Ohne Zweifel wirken die Salz-Dämpfe, in allen diesen Fällen, als Flufsmittel auf die kieselige Substanz, und dienen sonach als Bindemittel. — Die

…ung der Salz-Dämpfe bei Töpfer-Glasur ist
…bekannt, nur ihre Anwendung in der eben
…ten Beziehung ist neu.

…so weit war die Erfahrung genügend. Allein
…te man, mit einem Schein von Grund, ein-
…, daß die Gegenwart des kühlen Ozeans
…den Kies- und Sand-Schichten dem, durch
…rgene Hizze zu erzeugenden, Prozeſs hin-
…syn dürfte. Um auch in dieser Hinsicht
…zu erlangen, wurde eine Quantität Sand,
…bis zur Tiefe von mehreren Zollen mit ge-
…hem Salzwasser, der Ofenwärme ausgesezt,
…, wie die Flüssigkeit verdampfte, goſs ich
…it zu Zeit Seewasser hinzu. Dieser Versuch
…jedoch sehr zeitkostend, indem drei Wochen
…ichen, während dem das Kochen stets fortge-
…wurde, ehe das Ganze hinreichend mit Salz
…igt, und das süße Wasser weggetrieben war;
…achtete darum für besser, und nicht minder
…send, gleich Anfangs mit Kochsalz bis zur Sät-
…ſ geschwängertes Seewasser zu nehmen, so,
…das Salz ungefähr den dritten Theil des Ge-
…es ausmachte. Ich füllte den Tiegel, welcher
…hr 18″ Höhe und 10″ Breite hatte, bis nahe
…n Rand mit vollkommen gesättigtem Meeres-
…r, nachdem in dasselbe, bis zu etwa 15″ Höhe,
…Meeressand gebracht worden. Um den Fort-
…des Versuches besser beobachten zu können,
…te ich eine irdene Röhre, von der Größe und
…t eines Flintenlaufes, an ihrem Boden geschlos-

sen, oben offen, in senkrechter Stellung in den
Tiegel, so, dafs sie ungefähr einen Zoll von dem
Boden abstand, während das andere Ende der Röhre einen Fuſs weit über das Salzwasser hinaus reichte. Zahllose Experimente, zu einer grofsen Mannichfaltigkeit von Resultaten führend, gewährten
mir die Bestätigung meiner Ansicht. Der Boden
der Röhre, und meist auch der Sand, in welchem
diese sich befand, wurden rothglühend, während
das Salzwasser, das man aus einem andern Gefäſse
stets nachfüllte, nur aufwallte; die obere Hälfte des
Sandes, von der Flüssigkeit gänzlich durchdrungen,
blieb unausgesezt in lockerem Zustande, die untere
Sandhälfte hingegen wandelte sich zu einer festen
Masse um. Nachdem das Ganze mehrere Stunden
hindurch einer grofsen Hizze ausgesezt worden, und
sodann verkühlte, ergab sich, als man das Gefäſs
zerschlug, dafs der untere Theil alle Eigenschaften
eines Sandsteines erlangt hatte. Hatte die Hizze
nicht lange genug gedauert, so war die Struktur des
erzeugten Sandsteines minder vollkommen, er zeigte
einen starken Salz-Geschmack und zerbröckelte mitunter, wenn man denselben in Wasser brachte. ——
— Auch reiner zerstofsener Quarz, ja selbst Grufs
oder anderes lockeres Material, einem ähnlichen Experimente unterworfen, führten zu denselben Resultaten, welche man mit dem Sande erhalten hatte.

Nachdem nun genüglich dargethan worden, dafs
das Salz, in trockenem Zustande, gemengt mit Sand
u. s. w., oder angewendet in der Gestalt von Däm-

pfen, oder in aufgelöstem Zustände, d. h. als Salzwasser, wenn es der Hizze ausgesezt wird, eine
feste Masse hervorzubringen vermag, ähnlich dem
Sandsteine, so bleibt nur noch zu erforschen, ob
die Natur ein solches Flufsmittel besizze. Man
weifs, dafs der Sättigungs-Grad des Meereswassers
an verschiedenen Stellen sehr ungleich ist; die Aus-
dünstung des Meeres dürfte stärker seyn, als der
Erfaz von süfsem Wasser, welcher ihm durch Ströme, Flüsse und Quellen zugeführt wird. Besonders
zeigt sich das leztere im Mittelländischen Meere,
in welches eine beständige Strömung, aus dem Weltmeere, durch die Enge von *Gibraltar* Statt hat.
Diefs berechtigt uns, zum Schlusse, dafs die Oberfläche des Mittelländischen Meeres tiefer liegt, als
die des Ozeans, und dafs die Salzmenge im ersteren stets zunimmt, wodurch das Wasser nach Eigenschwere und Sättigungs-Grad einer Salzlacke immer
ähnlicher wird. Das Gesagte läfst sich auch auf
die andern Meere anwenden, ja selbst auf die grofsen Ozeane. — Ohne eine solche theoretische Erläuterung der Art und Weise, wie der Ersaz des
Salzes Statt gehabt, zu versuchen, erachte ich es
für meine Zwecke genügend, auf die Salz-Ablage-
rungen aufmerksam zu machen, so wie auf die Salz-
seen und Salzflüsse, welche in allen Welt-Gegenden so häufig vorkommen. Es scheint mir demnach,
dafs wir, zu Folge der dargelegten Versuche, mit
zureichendem Stoffe versehen sind, um die Verkittung des Grufses, wie er bei *Aikengaw* und in den

Schichten des *Salt-Heugh* vorkommt, zu erklären, und daß solche Erklärungsweise leicht anwendbar sey auf den Sandstein im Allgemeinen, und vielleicht auf sämmtliche geschichtete Gesteine. Man hat mir zwar die Einrede entgegen gestellt, daß ich mich nicht für berechtigt achten dürfe zur theoretischen Schlußfolge der Art, die Einwirkung der Hizze auf den Meeresboden betreffend; indem die Nähe des kalten Wassers nothwendig diesem Einflusse entgegen wirken müßte. Ich bemerke dagegen, daß, in allen von mir erwähnten Versuchen, der Sand, während dem Prozesse des Festwerdens, sich rothglühend zeigte, indessen das, über demselben befindliche, Salzwasser im Zustande des Kochens verbliebe, und man vermochte, durch stetes gehöriges Nachfüllen von kaltem salzigem Liquidum, die Temperatur so zu erhalten, daß die Hand ohne Verletzung in die Flüssigkeit gebracht werden konnte, während der untere Sandstein stets rothglühend blieb. Bediente ich mich jedoch bei ähnlichen Versuchen nicht des salzigen, sondern des süfsen Wassers, so wurden, bei gleicher Dauer und Temperatur, durchaus verschiedene Resultate erhalten. Die erwähnte irdene Röhre, in welcher man, bei dem Experimente mit Salzwasser, Gold geschmolzen hatte, blieb jezt stets schwarz und kalt, und der ganze, im Tiegel enthaltene, Sand fiel als lockere Masse herunter, auch nicht ein Spur von Verdichtung war an demselben zu sehen.

Sonach erachte ich es aufser Zweifel, dafs die
dargelegten Thatsachen einen neuen und wichtigen
modifizirenden Umstand der Hizze zu den bereits
bekannten Stüzpunkten der Theorieen Hutton's gewähren; denn da meine Versuche ergeben, dafs die
Hizze, unter Beihülfe des Salzes, zur Konsolidazion
loser Materien vollkommen zureichend sey, so ist
die einflufsreiche Rolle, welche das Salz beim Festwerden der Fels-Schichten spielte, nicht wohl zu
verkennen.

Es gesellen sich, zu den entwickelten Ansichten,
noch manche andere Beobachtungen, den Einflufs
des Salzes unter verschiedenartigen Umständen betreffend, und alle bestätigen, mehr oder weniger,
die Hutton'sche Theorie der Erd-Bildung. Für
mehrere derselben hat das Experiment bereits günstig abgesprochen, andere gehören bis jezt noch ins
Gebiet der Muthmafsungen, indessen kann ich mir
es nicht versagen, auf einige der bedeutenden hinzuweisen.

Ich nehme an, dafs das Salz, in Dampf-Ge-
stalt, getrieben durch eine mächtige Hizze, wohl
auch zugleich modifizirt durch die Gewalt des Druk-
kes, oder im Verbande mit andern Substanzen,
sehr viele Gesteinarten durchdrungen habe, auf die
eine, z. B. Basalte, Granite u. s. w., als Flufs wir-
kend, die anderen, wie namentlich Sandsteine, Brekzien u. s. w. verkittend, und noch andere erwei-
chend, so namentlich die gewundenen Schichten
der Grauwacke. In manchen Fällen mögen die Salz-

Dämpfe, die Macht gehabt haben, andere sehr verschiedenartigen Substanzen, mit sich hinweg zu führen, so besonders Metalle im Sublimazions-Zustand,
welche auf diese Weise in Risse, Spalten und
Höhlungen, — ja in die festen Gestein-Massen selbst
eindringen könnten. Einige Versuche wurden bereits
angestellt, um diese Ideen weiter zu verfolgen. Salz
im Gemenge mit Eisenoxyd, und beide fein gepulvert, sezte ich mit quarzigem Sande der Hizze aus,
das Eisen stieg mit den Salz-Dämpfen in die Höhe,
und der, auf solche Art gebildete, Sandstein zeigte
sich sehr eisenreich, auch waren noch andere seltsame Erscheinungen wahrnehmbar.

Niemand kann Sandstein-Brüche beobachten,
ohne dafs ihm die Gegenwart des Eisens auffallen
wird. Die Felsart enthält dieses Metall auf sehr
mannichfache Weise; bald in parallelen Lagen, bald
in konzentrischen Kreisen u. s. w., und im Allgemeinen so, dafs nicht wohl an einen Absaz zu
zu denken ist. Solche Erscheinungen dürften, meiner Ansicht, ohne Ausnahme dadurch
erklärbar seyn, dafs das Gestein, entweder im Augenblicke des F   oder später, von, mit
Salz angeschwänger n,   fen durchdrungen worden sey, welche Dämpfe zugleich Eisen-halt
waren.

Eines Umstandes, der bei meinen Versuchen,
indem ich Sand der Einwirkung von Salz und Eisen aussezte, eintrat, kann ich nicht unterlassen zu

erwähnen; nämlich: dass beim Zerschlagen der
künstlich bereiteten Sandsteine Spuren beginnender
Crystallisazionen sich zeigten, in so fern es mir ver-
stattet ist, mich dieses Ausdruckes zu bedienen.
Die Natur dieser regelrechten Gebilde habe ich
nicht näher erforscht.

Das Seesalz, wie solches von mir angewendet
worden, ist bekanntlich nicht rein, und bei meinen Experimenten habe ich demselben noch manche
andere Substanzen beigemengt. Zur Erklärung der
Erscheinungen im Grossen müssen wir annehmen,
dass manche verunreinigte Substanzen auf gleiche
Weise hinzutreten, und dass so das Mannichfache
der Phänomene bedingt worden; daher das sehr Vielfältige in der Beschaffenheit der Sandsteine nicht
los, sondern aller übrigen Felsarten. Vielleicht
dass wir, in nicht ferner Zukunft, in den Laboratorien der Chemiker ähnliche mannichfache Erzeugnisse werden bereiten sehen.

Die

allgemeine Ueberschwemmung,

nach

den Aussagen der heil. Schrift und nach den Denkmalen der Natur,

so wie

nach den Ansichten von Cuvier und Buckland.

Von

Herrn John Fleming.

(*Edinb. Journ. of Sc.; XIV*, 205.)

(Fortsezung. S. Novemberheft 1826, S. 404.)

Ergibt der Charakter irgend eines der Glieder neuerer Fels-Gebilde den Beweis vom einstigen Daseyn einer allgemeinen Fluth, als das ausschliefsliche Agens bei Bildung derselben?

Der Ursprung der Sündfluth-Wasser wird von den verschiedenen Geologen nicht auf gleiche Weise gedem. Einige erachten die Wasser unserer Erde für zureichend, sobald dieselben einmal in gewaltsamer Bewegung sich finden. Nur Wenige glauben an eine plözliche Aenderung der Erdachse, als bedingende Ursache des Entstehens der Katastrophe; denn die Astronomie bietet für solche Annahme keinen genügenden Beweis. Noch Andere sind der Meinung, als seyen die Wasser durch anziehende Kraft eines Kometen in Bewegung gesezt worden; ohne die Frage: steht einem Kometen anziehende Kraft zu? gehörig beantworten zu können. Dafs Planeten auf Kometen störend einwirken, ist erwiesen; allein vom Gegentheile wissen wir nichts. Der Komet von 1454 verfinsterte den Mond., während jener von 1770 nicht nur der Erde nahe kam, sondern mitten durch die Satelliten des Jupiters fing, ohne eine bemerkbare Wirkung hervorzubringen. Noch andere Geologen endlich, die Worte Moses: und die Fenster des Himmels öffneten sich, buchstäblich auf einen Kometenschweif deutend, leiten die Fluth von daher. — Ich möchte, ehe ich auf die Sache weiter eingehe, die Frage stellen: ist der Dunst eines Kometenschweifes wässeriger Natur? — Die folgenden Phänomene stehen mit der untersuchenden Frage in näherer Beziehung.

1. Aushöhlung der Thäler. — Die Thäler dürften, nach der Meinung der Vertheidiger der diluvianischen Hypothese, durch verschiedene Ursachen hervorgebracht worden seyn, so unter andern durch das Regellose Statt gehabter Ablagerungen,

oder durch spätere Verrückungen der Schichten.
Jene hingegen, die in beinahe wagerecht abgelagerten Gesteinen sich vorfinden: »sind ausschliefslich
auf die Entfernung der Substanzen zu beziehen, von
welchen die Räume einst erfüllt waren; die Ursache
der Statt gehabten Entfernung aber scheint eine heftige und vorübergehende Ueberschwemmung gewesen zu seyn.« Thäler solcher Art hat man, durchaus unpassend; »Entblöfsungs - Thäler (*Valleys of denutation*)« genannt; gerade so, als habe
die Katastrophe nur das Erscheinen, das Sichtbar-
werden der bereits vorhandenen Thäler bewirkt.
Gar manche Umstände scheinen der diluvianischen
Hypothese von der Thal-Bildung zu widerstreiten;
folgende verdienen besondere Beachtung.

a. **Gestalt der Thäler.** Die sogenannten
Entblöfsungs - Thäler folgen bei weitem nicht immer
einem geraden Lauf; sie haben ein - und ausprin-
gende Winkel, seitliche Verzweigungen, und erweitern sich mit ihrem Absteigen. Beachtet man ein
Thal, das sich gegenwärtig durch Einwirkung der
Rinnwasser in Thon - oder Grufs-Lagen bildet, so
zeigen sich mannichfache Windungen der Ufer durch
die Oszillazionen fliefsender Wasser hervorgebracht,
welche das Material von einer Seite zur andern führen, und, die Wirkungen der Schwerkraft unter-
stüzzend, das lose Material weiter schieben. Auf
ähnliche Weise entstehen seitliche Verzweigungen;
das Thal erweitert sich, so wie dasselbe vorschreitet, durch den Zuwachs, welchen die Wasser von
beiden

beiden Seiten erhalten, und wodurch zugleich die
Macht derselben zunimmt. Die alten Thäler, die
oben geschilderten Merkmale tragend, dürften, nach
meiner Ueberzeugung, auf ähnliche Weise entstanden seyn, wie jene, deren Bildung unter unsern Augen
Statt fand, d. h. durch lange Zeit und ohne
Unterbrechung vor sich gegangenes Einwirken der Wasser auf den Boden, über
welchen sie fliefsen. Ich vermag mir keine
Vorstellung davon zu machen, wie eine plözliche,
vorübergehende, allgemeine, die höchsten Berge
überdeckende Fluth solche Wirkungen hervorgebracht
haben sollte. Das Hauptthal müfste zuerst ausgehöhlt worden seyn; sodann nach und nach die Verzweigungen desselben. Wären die seitlichen Strömungen zugleich mit dem Hauptstrome in Bewegung
gewesen, so würden Verstopfungen an der Mündung eines jeden Zweiges Statt gehabt haben; und
wäre im Hauptthale das Strömen der Wasser unterbrochen worden, so hätte das Material der sämmtlichen Verzweigungen dasselbe erfüllen müssen.

Man hat gegen die Theorie der Ausböhlung der
Thäler, durch rinnende Wasser, eingewendet, dafs
gegenwärtig keine Wasser in denselben fliefsen.
Allein diese können einst da vorhanden gewesen
seyn, wo man sie gegenwärtig vermifst. Das Aus-
brechen von Seen höherer Gegenden, mag die Quellen abgeschnitten, und ihnen eine andere Richtung
gegeben haben.

b. Das Wasser kann solche Wirkungen nicht hervorbringen. Die Vertheidiger der diluvianischen Hypothese sind, in ihrem Eifer, zu dem Irrthume verleitet worden: *causam assignare quae causa non est.* Es ist nicht wohl möglich, sich eine vollkommen adaequate Vorstellung von den Wirkungen zu machen, die eine heftige und vorübergehende Ueberschwemmung, von der die höchsten Berge bedeckt worden, hervorgebracht; ganze Kontinente kann sie durch ihre zerstörende Gewalt fortgerissen haben. Der Geist verirrt sich bei solch ungeheuren Katastrophen, und die entfesselte Einbildungskraft hat für ihre Träumereien freien Spielraum. Ein für den Geologen sehr bedenklicher Umstand. — Ein Strom, im Zustande heftiger Fluthung, führt, wie bekannt, den, seinem Laufe sich widersezzenden, lockeren Boden mit sich hinweg, versezt selbst lose Fels-Blöcke in ein tieferes Niveau, und reifst thierische und vegetabilische Erzeugnisse mit sich fort. Allein dieses Alles hat nur mit gewissen Beschränkungen Statt. In der ganzen Erstreckung seines Laufes hat die strömende Wassermasse die gröfste Gewalt auf ihrer Oberfläche und in ihrer Mitte; nach dem Grunde hin nimmt sie ab, und an den Seiten ist dieselbe gleichfalls minder mächtig. Dringt das Wasser in eine Höhle, oder in einen See, so wird die, unterhalb der Mündung befindliche, Masse in ihrer Bewegung gehemmt werden, und in solchem Zustande komparativer Ruhe, kann eine Senkung der schwereren verführ-

ten Materialien Statt haben. Gewaltsam, aus grofser Höhe, niederströmendes, oder vielmehr herab-
stürzendes Wasser ist kräftig genug, Alles, seine
Wirkungen Hemmende, zu entfernen, in den Boden
einzudringen und denselben aus einander zu treiben,
die vegetabilische Decke zu zerstören, die losen
Blöcke und den Grufs mit sich hinwegzuführen,
während es auf das feste Gestein nur einen sehr geringen Einflufs üben kann. Ein, seine Schranken
durchbrechender, alpinischer See wirkt genau auf
die nämliche Weise, wie ein fluthender Strom; er
zerreifst den Boden, führt lose Massen, Bäume
u. s. w. hinweg, und sezt solche in einem niederen
Niveau wieder ab; in *Val de Bagnes* hat der Durchbruch des Sees von *Mauvoisin* ähnliche Folgen gezeigt *.

Denken wir uns eine gewaltige Wassermasse —
gleichviel, ob süfses, oder gesalzenes — mächtig genug, um die höchsten Berge zu überdecken, welche, sehr schnell vorschreitend, im Norden von
Zetland ankäme, das Königthum durchzöge, und
plözlich nach S. gegen *Land's End* zurückkehrte;
was für Phänomene würden dabei Statt haben?
Der Boden würde gewaltsam zerstört, und als
Schlamm auf gewisse Weite geführt werden; Thiere
und Pflanzen würden fortgefluthet werden; Grufs,
Rollstücke und grofse Fels-Blöcke müfsten dem Druk-

---

* *Edinb. phil. Journ.; Nro. 1, p. 190.*

28 *

ke und der Heftigkeit der Strömung weichen. In
Seen, Thälern, an geschüzten Bergseiten, in Mee-
res-Buchten und Busen würden die gröfsten und
schwersten der weggeführten Fels-Blöcke eine Aufnahme finden. Auf dem Grunde der Thäler und
Seen sähe man die Trümmer der Katastrophen. Allein was berechtigt zur Annahme, dafs die Fluth
auch feste, Felsganze, noch nicht zertrümmerte Massen, aus einander reifsen, und zusammenhängende
Schichten aushöhlen könnte? Die Kraft des Verbundenen ist zu grofs, als dafs die Gewalt der Wasser, aus der Höhe herabstürzend, oder gegen die
Seiten der Felsen einwirkend, viel dagegen vermöchten. Zahllose Inseln längs unsern Küsten, selbst
jene, die am meisten dem Einflusse von Fluthungen
ausgesezt sind, so wie die, im Gebirge so häufig
vorhandenen, Wasserfälle, geben Beweise für das
Gesagte ab. Stände den Wassern eine solche Gewalt zu, so müfste die Meeresenge vom *Dover* und
der *Pentland Frith* längst bodenlos geworden seyn;
der *Niagara* könnte seine wundervollen Erscheinungen nicht mehr zeigen, bewaldete Thäler würden die Stellen der Kanadischen Seen eingenommen
haben.

Während demnach dem Wasser keine zerstörende Kraft, in dem angedeuteten Sinne, eingeräumt werden kann, besizt dasselbe allerdings
eine fortführende, was das bereits zerstückte
Material angeht.

c. **Terassen der Thäler.** Viele Thäler des Festlandes von Europa und von Amerika zeigen terassenförmige Absäzze längs ihren Seiten, und aus dem Wagerechten derselben ergibt sich ihr Entstehen durch Einwirken der Wasser zu der Zeit, als jene Thäler noch Seen waren. Nach Buckland * lassen sich in manchen Thälern selbst die verschiedenen Perioden des Druchbruches erkennen. In *Lochhaber* nimmt man deren vier wahr. Alle diese Terassen gelten als postdiluvianischen Ursprunges ** In welcher Zeit aber dieselben sich auch gebildet haben mögen, so bieten sie Beweise für einige Wahrheiten dar, welche der diluvianischen Hypothese in keinem Falle günstig sind. Gar manche Seen waren einst da vorhanden, wo gegenwärtig Thäler zu finden sind; und der Natur fehlt es nicht an Mitteln, kräftig genug, um, in verschiedenen Zeiträumen, die Schranken solcher Seen zu durchbrechen und den Wassern einen Austritt zu verschaffen. Seen der Art, Agenzien, wie die angedeuteten, gab es schon vor der Fluth. Jeder solcher Durchbruch würde, in seinen Wirkungen, was den Distrikt betrifft, den die Wasser überströmten, einer Fluth geglichen haben; überall würde man die tiefen Gegenden mit Trümmern erfüllt treffen. Sehen wir nun noch jezt Thäler, deren Wasser in

---

* *Rel. dil.; p.* 217.

** *Ibidem.*

engem Schlunde abfliefsen, wie läfst sich bestimmen., ob die Oeffnung des Schlundes vor, oder
nach der grofsen Fluth, oder während derselben
Statt gehabt? Das Thal von *Piekering* in *Yorkshire*
kann als. Beispiel dienen. BUCKLAND sieht es als
einen antediluvianischen See an (seinen Merkmalen
nach würde dasselbe wohl als Entblöfsungs-Thal
gegolten haben, hätte man nicht eine Wassermasse
gebraucht, um den antediluvianischen Hippopotamus darin schwimmen lassen zu können); die Fluth
öffnete, nach ihm, den Schlund zu *Malton*, und
schaffte hier ein postdiluvianisches Thal. Allein es
ist eben so wahrscheinlich, dafs daselbst ein postdiluvianischer See gewesen, und dafs die Schlucht
von *Malton* auf ähnliche Weise gebildet wurde,
wie diefs bei *Lochhaber* der Fall gewesen seyn mag.
Ein Thal, aus dessen Oeffnung Wasser hervortraten, berechtigt zum Schlusse, dafs hier einst ein
See gewesen. Wir dürfen annehmen, dafs eine
plözliche Fluth die Felsen-Schranken nur in dem
Falle durchbrechen konnte, wenn die Gesteine sich
bereits in zerseztem, zerkleintem Zustande befanden: die fortschiebenden Wirkungen der Ströme
heutiges Tages dürfen nicht unbeachtet bleiben; allein der Zeitraum, welchem solche Katastrophen
angehören, läfst sich nicht wohl mit einiger Sicherheit feststellen.

Ganz besonders häufig werden solche terassenförmige Absäzze in den alpinischen Gegenden getroffen; doch fehlen sie auch niedrigen Landstrichen

keineswegs. Ihre Zahl ist überhaupt bei weitem
größer, als man gewöhnlich anzunehmen pflegt.
Selbst im Thale der *Themse* findet man jene Erscheinungen, obgleich Buckland dasselbe als ein
Entblößungsthal ansieht.

2. **Bildung der Grußs-Lager.** Die Materialien, aus welchen diese Lager bestehen, scheinen im Allgemeinen abgerundete Gestein-Blöcke;
regellos durch einander gemengt, oder wenigstens
ohne deutliche Merkmale der Schichtung. Nur selten sieht man sie scharfkantig, nie ist ihr oberfläch-
liches Ansehen so, daß man glauben könnte, sie
wären von einer noch unzersezten Felsmasse erst
neuerdings losgerissen worden. Da man von jenen
Blöcken den Glauben hegt, sie seyen durch die große Fluth (*geological deluge*), zur Zeit, als diese
die Thäler aushöhlte, entfernt worden von ihrer
ursprünglichen Lagerstätte, so müßte allerdings ihre
Oberfläche häufiger frischbrüchig seyn, sie müßte
schärfere Kanten und Ecken zeigen. Finden wir jedoch gerade die entgegengesezten Phänomene, so ergibt sich daraus der Schluß, daß die Gewalt des
Agens, welche das Material der befragten Lager
mit sich hinwegriß, vorzüglich auf die losen und
verwitterten Blöcke der Oberfläche einwirkte. Diese
Thatsache ist von Wichtigkeit, besonders wenn man
dieselbe mit andern Merkmalen, welche der Gruß
wahrnehmen läßt, in Verbindung bringt.

Der, den Gruß begleitende, Thon oder Lehm
trägt, nach Buckland, keine Kennzeichen, aus de-

nen man mit Sicherheit auf die Quelle schliefsen
könnte, aus der er stammt; seine Beschaffenheit zeigt sich in der Regel wechselnd
nach der verschiedenartigen Natur der,
die nachbarlichen Berge zusammensezzenden, Felsarten *. Nimmt man an, dafs jener Lehm von den kleineren Theilen des Bodens
und des *Detritus* herrühre, welche durch die Wasser der Fluth hinweggetrieben worden, so müfste
seine Masse, nicht blos in England, sondern überall, eine gewisse Uebereinstimmung der Beschaffenheit zeigen. Bei dem Mannichfachen aber, welches
die Natur desselben, je nach dem Verschiedenartigen, der Gesteine nachbarlicher Berge und Hügel,
wahrnehmen läfst, und bei dem sehr Ungleichen des
daraus hervorgehenden Bodens und *Detritus*, läfst
sich keineswegs auf ein allgemeines, sondern nur auf
ein örtliches Agens schliefsen.

Nach BUCKLAND zeigt der Diluvial-Grufs stets
einen zusammengesezten Charakter, und enthält aufser dem, in der Regel seine Hauptmasse
ausmachenden, *Detritus*, welcher aus
den Bergen der Nachbarschaft abstammt,
Rollstücke und Blöcke von Gesteinen, deren ursprüngliche Fundstätte wir in weiter Ferne suchen
müssen, und die zur Zeit, als der Grufs gebildet, in ihre gegenwärtige Lagerstätte getrieben
wurde. Das Abgerundete vieler Theile der Grufs-

* *Rel. dil. p. 191.*

Masse verträgt sich nicht mit der Annahme einer
plözlichen und vorübergehenden Ueberschwemmung, die auf unzersezte Theile der Schichten eingewirkt haben soll. Der Umstand, dafs gar
manche der Blöcke das Ansehen haben, als seyen
dieselben aus grofser Ferne herbeigeführt worden,
findet eine genügliche Erklärung bei der Voraussez-
zung einer parziellen Fluth, herbeigeführt durch
den Ausbruch eines alpinischen Sees, als wenn man
an plözliche und allgemeine Fluthen glauben wollte.
Man kann gleichwohl kaum die Frage übergehen,
würde nicht eine allgemeine, heftig wüthende Fluth
einen Grufs erzeugt haben, von so regellosem Gemenge, dafs es schwierig werden würde, das Material desselben nachweisen zu können? Dieser örtliche ·Charakter widerstreitet zwar der diluvianischen Hypothese, allein in anderer Beziehung zeigt
sich derselbe von Wichtigkeit. *Norwegen* hat viel
gelitten durch solche vorübergehende Fluthen, denn,
nach BUCKLAND, sieht man Rollstücke der Felsmassen
dieses Landes auf Englischem Boden. England hingegen sah sich noch mehr begünstigt; indem, bei
veränderten Umständen, das, im Grufs von *Cornwall*
sich findende, Zinn wohl noch um Vieles weiter
von seiner ursprünglichen Lagerstätte entfernt worden wäre; eine, aus Norden kommende, Fluth würde dasselbe vielleicht in der Bucht von *Biscaya* abgesezt haben.

Einen Charakter tragen die Blöcke des Grufses,
der, in theoretischer Hinsicht von hoher Bedeutung

ist, nämlich die Thäler zwischen den Felsmassen von
denen sie abstammen, und den Lagerstätten, welche
sie jezt einnehmen. Man scheint allgemein sich zu
der Annahme zu neigen, dafs jene Thäler, zur
Zeit, als der Grufs fortgeführt worden, noch nicht
vorhanden waren. GREENOUGH * erklärt, dafs die
Granit-Blöcke auf dem Jura bezeugen, wie der
Genfer See nicht existirt habe, als dieselben weggetrieben wurden. Nach BUCKLAND ** wurden die
quarzigen Rollstücke auf die Gipfel der *Oxford* und
Henly umlagernden Hügel aus den Zentral-Gegen-
den Englands dahin geführt, als die Aushöhlung des
heutigen Themse-Thales noch nicht bestand. Betrachtet man demnach jenen Grufs als diluvianischen
Ursprunges, so müfsten die Thäler postdiluvianisch seyn; nimmt man aber an, die Thäler wären
ein Werk der allgemeinen Fluth, dann können die
Grufs-Lager nur antediluvianisch seyn. BUCK-
LAND suchte die Annahme solcher Folgerungen zu
meiden. „Es ist wahrscheinlich,“ sagt er, „dafs
das erste Einbrechen der Wasser die Rollstücke
der grofsen oolithischen Abdachung zuführte, und
sie über die, zu jener Zeit fast nicht unterbrochene, Ebene zerstreute; und dafs die Thäler erst
später, als die nämlichen Wasser sich zurückzogen, ausgehöhlt wurden.“ Ist es indessen denkbar,
dafs eine solche plözliche, vorübergehende und heftige Fluth, bei ihrem ersten Heranströmen gar mannichfache Arten von Blöcken auf eine Weite von

---

* *Geol.;* 177. ** *Rel. dil.;* 248.

10, 20 oder selbst 100 Meilen sollte fortgeführt, dieselben über eine zusammenhängende Ebene ausgebreitet, und sodann erst die Aushöhlung zahlloser tiefer und ausgedehnter Thäler in diese nämliche Ebene bewirkt haben, während dieselbe jenen Ablagerungen, Folgen des ersten Einbruches, gestattete, ungestört auf den eingenommenen Stellen zu verweilen. Und diefs ist nicht die einzige Schwierigkeit. In denselben Thälern, deren Bildung man als Folge der sich zurückziehenden Wasser betrachtet, kommen ausgedehnte Grufs-Ablagerungen vor *. Der lezte, keineswegs ungewöhnliche, Umstand weist auf eine dritte Epoche in der Geschichte der Thäler und des Grufses hin. In dem ersten Zeitraume würde der Grufs über die nicht unterbrochene Ebene ausgebreitet. In dem zweiten folgte die Aushöhlung der Thäler. In die dritte Periode endlich fällt die Ablagerung der Grufsmasse auf dem Boden der Thäler. Diese Thatsachen weisen auf Ereignisse hin, welche nach und nach, unter verschiedenen Umständen, eintraten; sie deuten auf Zwischenräume, welche die einzelnen Phänomene von einander trennten, und widerstreiten der Annahme einer plözlichen vorübergehenden Fluth, als der bedingenden Ursache. Unter solchen Umständen vermag der Geognost die Aera der Bildung eines Grufs-Lagers zu bestimmen.

---

* *Rel. dil.: 251.*

1. Es kann antediluvianischen Ursprunges seyn,
erzeugt durch Ausbruch eines Sees (denn zahllose
und sehr ausgedehnte Seen mußten vorhanden gewesen seyn, ehe die Aushöhlung so vieler Schluchten und Thäler durch Diluvial-Akzion Statt haben
konnte), welcher die Trümmer über die noch beinahe zusammenhängenden Ebenen ausbreitete.

2. Man kann den ersten Erguß der Diluvial-
Wasser, der Bildung der Entblößungs-Thäler vor-
ausgehend, als bedingende Ursache betrachten.

3. Es kann der Thalschutt entstanden seyn
während der stürmischen Einwirkung der wieder
ablaufenden Wasser.

4. Wir können es als Resultat der lezten Kraft-
Aeußerung der Fluth betrachten, welche die gewaltigen Aushöhlungen, die ihr stürmischer Rückzug zur Folge hatte, wieder auszufüllen strebte.

5. Es läßt sich auch ein postdiluvianischer Ursprung annehmen, d. h. man kann eine solche Ablagerung als Ergebniß des Ausbruches eines alpinischen Sees ansehen; und der Gruß kann zu verschiedenen Zeiten abgesezt worden seyn.

Das *Diluvium*, am Gestade von *Glenmornaal-
bin* scheint von vier verschiedenen Ausbrüchen der
Lochhaber Seen herzurühren, und älter zu seyn,
als jede geschichtliche Urkunde. Das *Diluvium* von
Martigny, Folge eines See-Ausbruches, entstand
1818.

Erwägt man alle diese Wahrscheinlichkeiten, so
kann nicht wohl die Bildung aller unserer regello-

sen Thon- und Grufs-Lager in dem nämlichen Zeitraume. Statt gehabt haben.

Unabhängig von diesen Ablagerungen, gemengt aus Grufs und Lehm, trifft man noch ausgedehnte Massen von Sand, Grufs und Thon, aus dem nämlichen Material zusammengesezt, wie das sogenannte *Diluvium;* allein diese, geschieden in Lagen und Schichten, weisen auf Absezzungen aus den Wassern hin, als solche in einem mehr ruhigen Zustande sich befanden. Die Merkmale dieser Ablagerungen scheinen zum gröfsten Theile von den Vertheidigern der diluvianischen Hypothese übersehen worden zu seyn. Es ist nicht glaubhaft, dafs dieselben das Werk einer plözlichen und vorübergehenden Fluth seyn können, welche, bei ihrem ersten Ausbruche, „Blöcke Norwegischer Felsmassen« den Ebenen Englands zuführte; und, als die Wasser mit Heftigkeit sich zurückzogen, den *Solway Frith*, den Englischen Kanal und den See von *Genf* aushöhlten. Von der andern Seite würde ein See von höherem Niveau, seine Schranken durchbrechend und die Trümmer einem See von niederer Lage zuführend, geschichteten Grufs, Sand und Thon erzeugen, so wie man diefs in der Nähe von *Edinburgh* findet und an der Küste des *Tay;* das Austrocknen der tiefer gelegenen Seen erfolgte sodann später.

Das lezte Merkmal endlich, von welchem ich, als den Lehm- und Grufs-Bänken, die man durch die grofse Fluth entstehen läfst, zugehörig, zu reden habe, ist das Vorhandenseyn von Landthier-

Ueberresten. Buckland, Greenough und Conybeare bezeugen diese Thatsache, und aus ihr ergibt sich, dafs die Wasser, welche durch heftiges
Einwirken den Grufs erzeugten, oder fortführten,
über einen Theil der, von Landthieren bewohnten,
Erd-Oberfläche hinstrichen, und dafs keine Mee-
resfluth Antheil an dem Phänomen hatte. Diese
regellos zusammengehäuften Ablagerungen, Folgen
der Einwirkungen von Süfswasser-Fluthen,
habe ich mit dem Ausdrucke Süfswasser-Di-
luvium. (*Lacustrine Diluvium*) bezeichnet. Wäre
eine plözliche, allgemeine und vorübergehende Fluth
mitwirkendes Agens bei der Formazion gewesen,
so würde die Gegenwart von Seethier-Resten
zu erwarten gewesen seyn, gemengt mit Ueberbleibseln von Land- und Süfswasser-Geschöpfen; Fische, Muscheln und Zoophyten müsten sich da finden, wo man jezt blos Landthier-Reste trifft *.

---

* In meiner früheren Abhandlung habe ich fünf Merkmale von *Lacustrine Diluvium* aufgezählt, welche ohne Ausnahme dartbun, dafs keine allgemeine Fluth,
bei Bildung desselben, thätig gewesen. Vier von diesen Kennzeichen haben meine Gegner direkt, oder in-
direkt angenommen; allein das fünfte, nämlich die
Abwesenheit von Meeresthier-Ueberresten, wurde mir
streitig gemacht, mit dem Zusazze, dafs wenn die
drei namhaften Beispiele von der Gegenwart solcher
Reste zu meiner Kenntnifs gelangt wären, ich mir nie

Selbst die Einzelnheiten, verbunden mit dem Erscheinen der Landthier-Reste, widersprechen einer
Fluth, wie die Geologen solche annehmen; denn jene
Ueberbleibsel stammen, nach BUCKLAND, von Individuen ab, welche in den Gegenden lebten und starben, wo ihre Gebeine jezt gefunden werden, sie
waren nicht durch die Diluvial-Wasser aus andern
Breiten dahin geführt worden *. Ich kann mir keinen Begriff von einer plözlichen, heftigen, vorübergehenden und allgemeinen Fluth machen, welche

---

eine solche Behauptung erlaubt haben würde. Indessen ist das eine dieser Beispiele nicht glücklich gewählt, denn man hat, wie es scheint, drei verschiedene Formazionen mit einander verwechselt; den *Crag*
oder die obere Meeres-Formazion (*upper marine formation*), ausgezeichnet von den Ablagerungen neuerer
Zeiträume durch die Gattungen von Muscheln, namentlich aber durch die Gegenwart der, in ihr enthaltenen, Zoophyten; das *Lacustrine Diluvium* mit Ueberbleibseln von Landthieren; endlich das *Marine Diluvium* (meerisches *Diluvium*), Reste von Muscheln
des nachbarlichen Meeres einschliefsend. — In einer
zweiten Schrift zeigte ich, dafs die beiden ersten Beispiele mir keineswegs unbekannt gewesen, und ich
fügte noch sechs andere hinzu, welche der Aufmerksamkeit meiner Gegner wohl nicht entgangen seyn
konnten. Indessen bleibt meine Meinung ungeändert,
und ich mifskenne keineswegs vorhandene Thatsachen,
wenn ich die Unterscheidung zwischen *Lacustrine* und
Marine Diluvium beibehalte, eine Unterscheidung, deren Nothwendigkeit meine Gegner gewifs noch aner-
kennen müssen. — — —

* *Rel. dil.; p.* 44.

Blöcke und Geschiebe Norwegischer Felsmassen nach
England trieb, ohne zugleich einige Ueberbleibsel
ächt arktischer Thiere, wie z. B. Gebeine des weiſsen Bären mit sich zu führen, ohne Reste der Land-
Geschöpfe, Bewohner der nicht unterbrochenen antediluvianischen Ebenen Englands, mit nach *Afrika*
zu treiben. Eben so unbegreiflich ist es mir, daſs
von den Bewohnern südlicher und tropischer Gegenden nicht manche waren nordwärts geführt, und von
den sich zurückziehenden Wassern theilweise in
England abgesezt worden. Unser *Diluvium* enthält
weder Erzeugnisse der Polar- noch der Aequatorial-
Gegenden, sondern ausschlieſslich Ueberbleibsel von
Geschöpfen, die in England heimisch sind. Hieraus
ergibt sich weiter, daſs die Agenzien, welche beim
Entstehen des *Diluviums* thätig gewesen, als örtlich
wirkende angesehen werden müssen. Jede Verwechselung des *Lacustrine* und *Marine Diluviums* ist
sorgsam zu meiden. Manche Theile dieser Ablagerungen wurden in der geschichtlichen Zeit gebildet; andere sind früheren Ursprunges. Landthier-
Gebeine können zufällig darin vorkommen, indem
die sie erzeugenden Ueberschwemmungen des Meeres
leicht Gemenge solcher animalischer Reste herbeiführen konnten.

(Beschluſs folgt.)

—————

Brief-

Auszüge aus Briefen.

Freiberg, den 18. Februar 1827.

Eine Bemerkung in des Herrn B. K. Rath und Prof. Lampadius Handbuch zur chemischen Analyse: »dafs nach Kirwan *das Kali mit Nickelkalk ein bläuliches Glas,* Natron aber damit ein braunes Glas gebe«, veranlafste mich zu einigen Versuchen, ob diese Eigenschaften nicht ein gutes Mittel abgeben könnten, um mit dem Löthrohre diese Alkalien in Mineralien zu entdecken. Mit dem Kali sind mir die Versuche vortrefflich gelungen. Das Blau, was dadurch entsteht, ist mit dem Blau des Kobaltes nicht zu verwechseln, da es ins Milchichte fällt. Die Reakzion ist sehr empfindlich, da ich dadurch den geringen Kali-Gehalt im Periklin deutlich entdeckte. — Mit dem Natron ist mir es noch nicht so gelungen, denn das Glas wird zu schwach bräunlich.

Eduard Harkort.

Freiberg, den 18. Februar 1827.

Neuerlich hat sich Skorodit in kleinen nierenförmigen Zusammenhäufungen mit zart drusiger
Oberfläche auf quarzigem, dichtem Brauneisenerze
auf dem *Freudig Glück* stehendem Gange, am *Jugler* Gebirge, im *Johann-Georgenstädter* Reviere
gefunden. Dieses Vorkommen ähnelt dem von *Car-
rarak Gwenna* in *Cornwall* am meisten. — Das ge-
wässerte arseniksaure Eisen von *Antonio Pareira*
bei *Villaricca* in Brasilien, welches BERZELIUS analysirt hat, soll ebenfalls Skorodit seyn.

A. BREITHAUPT.

Freiberg, den 1. März 1827.

Herr EDUARD HARKORT hat meine Vermuthung,
daſs es vielleicht Fluſssäure sey, welche dem
Periklin zu dem blätterigsten Feldspath, und zugleich zu einem spezifisch leichteren als Tetartin mache,
obwohl beide von fast gleichem Erden- und alkali-
schen Gehalte sind, nun durch mehrere Versuche,
an denen ich selbst Theil genommen, vollkommen
bestätigt. Dabei wurde noch eine Vorsicht gebraucht,
welche allemal hierbei Statt finden sollte. Nicht allein wurden die dabei angewendeten Glasröhren
vorher ganz gereinigt, sondern auch nach der Ope-
razion mit destillirtem Wasser und einem schwer
gehenden Pfropf gereinigt, die anhängende Feuchtigkeit aber wieder über der Spirituslampe vollkommen verdunstet. Es blieb uns dann das erst was-

serhelle Glas mit denselben geäzten Stellen, welche nach dem Blasen zum Vorschein gekommen waren. Mit dem Vergröfserungsglase konnte man sogar die kleinen Höhlungen, welche die Flufssäure ausgefressen hatte, wahrnehmen.

In meiner Abhandlung über die Fels-Grammite bemerkte ich ausdrücklich, dafs wenn sich die Frage wegen Flufssäure bejahen lasse, die dem Periklin am nächsten stehenden Spezien, als Petalit und und Tetartin denselben Mischungstheil, aber in verschiedenen Quantitäten enthalten könnten.

Nun wurde zunächst der Petalit vorgenommen. Deutete die Erscheinung mit dem Periklin schon auf einen, allemal (die Versuche wurden nämlich wiederholt) leicht wahrnehmbaren, Gehalt an Flufssäure, so war doch die nämliche Erscheinung mit dem Petalite so auffallend, dafs der Gehalt an dem neuaufgefundenen Mischungstheile beträchtlich seyn mufs, und dieser ist es auch wohl, der, bei der sonstigen Frischheit des Minerals, die geringe spezifische Schwere desselben, im Vergleiche mit den übrigen Spezien des Geschlechts, bewirkt haben mag. — Ich mufs noch hierbei bemerken, dafs es scheint, als ob der Petalit nicht ganz frei von Kali wäre, denn bei Behandlung mit Nickelkalk zeigte sich auch hier und da eine kleine blaugefärbte Stelle.

Erwartungsvoll wurde weiter die Flufssäure im Tetartin aufgesucht, und hierzu erst die neuerlich entdeckte, ausgezeichnet blätterige, Abänderung von *Borstendorf*, und sodann die von *Arendal*,

welche Hrn. Professor GUSTAV ROSE zur Bestimmung
gedient hatte, gewählt. Merkwürdig genug enthalten auch diese, und also wahrscheinlich alle Tetartine Flußsäure, obwohl die Reakzion nicht so auffallend war, als bei den vorigen Spezien.

Die Versuche wurden, ohne Zusaz von Phosphorsalz, wiederholt, und gelangen fast eben so gut,
so wie denn auch jezt Kurkuma-Papier, in das Ende der Röhre gehangen, gebleicht wurde.

Schon längst war es mir eins der größten Pro-
bleme, das Krystallisazions-System der Feldspathe
aus ihren Mischungstheilen zu erklären, da die Alkalien und kalischen Erden auch Thonerde und Kieselerde, sämmtlich regelmäßigeren Systemen angehören, als das des Feldspathes ist. Es werden nun
Versuche eingeleitet, der Flußsäure und ähnlichen
Säuren, in allen Spezien des Geschlechts nachzuspü-
ren. Von dem Phtor, oder wenn man will, von
der Flußsäure selbst, bin ich schon seit langer Zeit
überzeugt, daß sie ihrer Krystall-Tendenz nach
eben sowohl dem Rhomben-Systeme angehöre, als
Chlor, Iod und Boron (wahrscheinlich auch Brom).
Vielleicht daß also dergleichen Gehalte die wesentlichsten für alle Feldspathe, in Bezug auf generischen
Charakter, sind? Vielleicht enthalten z. B. alle links
geneigten Spezien des Fels-Grammites, Flußsäure?

A. BREITHAUPT.

Bemerkung. Nach Hrn. EDUARD HARKORT reagirt
der Spodumen aus Tyrol nicht auf Lithion (nach der TUR-
NER- und C. G. GMELIN'schen Probe), da es doch der von
Utön thut.

Freiberg, den 3. März 1827.

Mein Schwager, der Oberhüttenamts - Auditor Winkler, brachte den sogenannten Natron-Spodumen, welcher in dem Granite von Danviks-Zoll bei Stockholm gefunden wird, aus Schweden mit hierher, und ich sah dieses Mineral vor wenigen Tagen zum ersten Mal. Das Stück grofskörniger Granit, in welchem er liegt, besteht gröfstentheils daraus, und damit gemengt erscheinen fleischrother Orthoklas (zum Theil wie der grüne zusammenge-sezt), grauer, ins blafs Olivengrüne wenig geneigter, Quarz, etwas schwarzer Glimmer, und einige einge-sprengte Parthieen Orthit, dem Gadolinite täuschend ähnlich. Der seyn-sollende Spodumen ist grün-lichweifs, und zum Theil langblätterig, so, dafs er hiernach allerdings auf den ersten Anblick dem ei-gentlichen Spodumen etwas ähnlich ist. Doch können die Gründe, jenes Mineral für dieses ange-sprochen zu haben, nicht von krystallographischen Verhältnissen hergeleitet seyn, denn diese geben so-fort den Charakter des Fels-Grammites (Feldspathes) deutlich zu erkennen, und ich fand bald, dafs es eine Abänderung der von mir jüngst bekannt ge-machten Spezies Oligoklas sey. Erst wurde mir das aus den Spaltungs-Richtungen wahrscheinlich, und dann durch den einspringenden Winkel (den die vielfältige, regelmäfsige Zusammensezzung mit den P Flächen der papierähnlichen, schmalen Indi-viduen macht) und durch das spezifische Gewicht, was ich $= 2,668$ fand, gewifs.

Da dieser Oligoklas nach den Zerlegungen des Hrn. Prof. Berzelius und des Hrn. Arfvedson, in der Art aus 8,11 Natron, 1,20 Kali; 2,05 Kalkerde, 0,65 Talkerde, 0,50 Eisenoxyd, 23,95 Thonerde und 63,70 Kieselerde besteht, dafs sich der Berechnung zufolge ungefähr die Formel

$$\left.\begin{array}{c} N \\ K \\ C \\ M \end{array}\right\} \ S^3 + 3AS^2$$

ergibt; so mufs man in der That die grofse Aehnlichkeit bewundern, die in der chemischen Zusammensezzung, wie in den äufseren Charakteren Schritt hält. Der Gehalt ist fast ganz genau so, wie ich ihn im Voraus vermuthete. Ich hatte den Oligoklas so geordnet, dafs er zunächst an die Spezien mit rechts geneigten Primärformen, und zwar an den Labrador anschlofs, und gerade dahin mufs er auch seinem Gehalte nach kommen.

Uebrigens kann nun, nachdem Flusssäure im Petalite, Perikline und Tetartine nachgewiesen worden, für die Fels - Grammite mit links geneigten Primärformen nicht mehr blos ein Schema für die chemischen Formeln dienen (abgesehen davon, dafs Oligoklas kein AS^1, sondern AS^2 enthält), weil denn doch für die wesentlich enthaltene Flufssäure etwas von den erdigen Bestandtheilen in Anspruch genommen wird.

Herr Professor Berzelius sagt in seinem fünften Jahresberichte, Natron - Spodumen möchte ein

allgemeines, aber am häufigsten mit dem Feldspathe verwechseltes Mineral seyn. Wir werden sogleich die er-
at man
hingegen den Natron-Spodumen für Feldspath, das Wort im generischen Sinne genommen, gehalten, so ist das ganz richtig; hat man ihn aber für Feldspath, im spezifischen Sinne, also einerlei mit Orthoklas genommen, so wäre das falsch; jedoch kein solcher Irrthum, als ihn identisch mit zu betrachten, man möge den Begriff von für Spezies oder für Genus gelten lassen. auch Herr Professor Mohs den Oligoklas aus seiner Beschreibung des or, indem er von der Spal- dafs sie nur zuweilen sehr diefs jedoch bei dem Tetar- em Oligoklas nie. Ferner be- Grenzen des spezifischen Ge- wichts vom Albit zu 2,61 bis zu 2,68. Ich gläube

nur 2,60 bis 2,62, dahingegen die des 2,64 bis 2,66 anzunehmen sind.

zu seiner Grundmasse habe; denn nach

ifssteines mit habe ich aus eine Bröckel-
gewogen:
Weifssteines von *Lauenhain*

2,660 Feldspath des Weifssteines von *Waldheim.*
Bestätigt sich diese Vermuthung, so hätte der Oligoklas allerdings ein grofses geognostisches Interesse. Und vielleicht läfst es sich rechtfertigen, manche skandinavischen Granite für grofskörnigen Weifsstein anzusprechen.

A. BREITHAUPT.

Miszellen.

P. N. C. Eorn lieferte Beiträge zur Naturgeschichte der Westphälischen Soolquellen. (KARSTEN, Archiv für Bergbau; XIII, 283.) Die Gegend zwischen *Münster*, *Unna*, *Söst*, *Gesecke*, *Paderborn*, *Gütersloh*, *Versmold*, *Lengerich* und *Bevergern*, flach, nur hin und wieder wellenförmig sich erhebend, liegt zwischen zwei Höhenzügen, die in der *Weser* - Gegend, westwärts von *Höxster* und *Beverungen* ihren Ursprung zu nehmen scheinen. Der eine, minder hohe, wovon die *Haar* einen Theil ausmacht, erstreckt sich nach W. bis zum Anfang des Kohlen - Gebirges der Grafschaft *Mark*, der andere, bedeutendere Zug, das *Teutoburger Wald* - Gebirge, streicht in nordwestlicher Richtung an *Horn* und *Bielefeld* vorbei, und endigt in einem Gebirgskamme, *Bevergern* gegenüber. — Dem Zuge der *Haar* und des *Teutoburger Waldes* entlang, liegen, mit Ausnahme einer einzigen, sämmtliche Westphälische Soolquellen. Die Soolquellen von *Königsborn* eröffnen die Reihe, dann folgen die von *Werl*, *Neuwerk*, *Paradiese*, *Söst*, *Sassendorf*, *Westernkotten* und *Salzkotten* zwischen *Gesecke* und *Paderborn*. Diese Sool-

quellen liegen alle in einem Striche, welcher mit dem
Zuge der *Haar* ziemlich parallel läuft, in zwar unbeträchtlichen, doch sehr merklichen Vertiefungen. Sie haben viel Uebereinstimmendes mit den übrigen permanenten
Quellen der Gegend, auch diese entspringen, so viel bekannt, alle auf dem bezeichneten Striche, wo der nördliche
Berg - Abhang endigt. In nassen Jahreszeiten kommen mehrere Bäche von der Höhe der *Haar* herab, die oft reißend
werden, deren Betten aber den Sommer hindurch gar kein
Wasser haben. — Auf der andern Seite finden sich die ersten Soolquellen bei *Rheine*, dann folgen jene, welche etwa 200 F. nordöstlich dem Ende des *Teutoburger* Gebirgs-
kammes gegenüber liegen, die zu *Rothenfelde, Wellenvoß,
Laer.* Von hier rücken die Soolquellen etwas weit vom
Gebirgszuge ab; es läßt sich jedoch nicht verkennen, daß
sie ihm eben so gut angehören, als die früher genannten,
im NO., 6 Stunden von *Bielefeld*, die Soolquellen von
Neusalzwerk, dann jene zu *Böhlhorst* und *Salz - Uffeln.*
Das Verhältniß der Salzquellen, die den Zug des *Teutoburger* Waldes begleiten, ist bei weitem nicht so einfach,
als derjenigen, welche der *Haar* zur Seite liegen; auch
möchte sich keine solche Gleichförmigkeit bei den übrigen
Quellen nachweisen lassen. Und dieß kann nicht befremden, denn das *Teutoburger* Gebirge bietet in Gestalt, Erstreckung, und in geognostischer Eigenthümlichkeit weit
mehr Mannichfaches dar. Die einzige Westphälische Soolquelle, welche beiden Gebirgszügen nicht anzugehören
scheint, liegt bei *Werdohl* an der *Leune*, mitten im Grauwackenschiefer - Gebirge, und bedeutend höher, als die,
7 Stunden entfernte Gegend von *Unna.* — Als Folgerungen

aus seinen sämmtlichen Beobachtungen, deren ausführliche
Mittheilung der Raum nicht gestattet, leitet der Verfasser
folgende ab:

1. Die Soolen der Quellen an beiden Westphälischen
Gebirgszügen, sind von sehr verschiedener Art: selbst die
Quellen derselben Saline zeigen sich, in eigenthümlichem
Verhalten und in Beschaffenheit ihrer Soole, durchaus verschieden. Diese Verschiedenheit geht so weit, daſs fast alle
Haupt-Eigenthümlichkeiten der Soolquellen in weit entfernten Gegenden bei den Westphälischen Soolquellen sich
mit vorfinden möchten. Nur die Soole, welche aus Bohrlöchern genommen wird, die im Steinsalze stehen, unterscheidet sich darin wesentlich von den Westphälischen Soolen, daſs sie bei weitem reiner ist, als leztere. Die Westphälischen Soolen dürften sich gegen auswärtige wohl im
Allgemeinen durch die groſse Menge salzsaurer Kalkerde auszeichnen.

2. Bei weitem die meisten Westphälischen Soolen
schwanken in ihrem Gehalte zwischen 7 und 8 Prozent.
Nur an beiden Enden des Soolen-Bezirkes *Königsborn*
und *Rheine*, sowie in dem entlegenen *Carlshafen* und *Pyrmont*, geht der Gehalt zu 5 bis 3 Prozent hinunter. Die
schwache Soole, in den Quellen auf dem Salz-Bezirke und in
Sost, kann hier nicht in Betracht kommen, da wahrscheinlich
auch an diesen Stellen stärkere Soole zu gewinnen wäre.
Es ist ferner bemerkenswerth, daſs in jedem Soolenfelde
schwächere Soole neben der stärkeren gefunden wird. Diese unedleren Quellen gehen ohne merkbares Gesez in ihrem
Salz-Gehalte, bis zum süſsen Wasser über, und mögen
durch Mischung mit süſsem Wasser, oder durch hindernde

Umstände, bei Gewinnung des Salz-Gehaltes, so schwach-
salzig geblieben seyn. Die reichhaltigste Soole findet sich zu
Neusalzwerk (10 $\frac{1}{2}$ Prozent); sie übersteigt jedoch nur
sehr unbedeutend den oben angegebenen Mittel-Gehalt. —
Vergleicht man den Gehalt der Westphälischen Soolen mit
jenem auswärtiger Soolquellen, so findet sich, dafs er Etwas über dem allgemeinen Mittel steht; man kann also im
Ganzen die dortländischen Soolen reich nennen. Von den
bekannten Soolen findet man blos die der Bohrlöcher, welche im südlichen *Deutschland*, in *Lothringen* und in *England* im Steinsalze stehen (26 Prozent), ferner die von
Lüneburg (25 Prozent), von *Reichenhall* (23 Prozent),
von *Halle* (21 Prozent), von *Stafsfurth* (17 $\frac{1}{2}$ Prozent),
im Gehalte über den Westphälischen Soolen. Es gibt aber
sehr viele auswärtige Salinen, die weit ärmere Soolen haben; es wird selbst aus Soole von 1 $\frac{1}{2}$ Prozent Gehalt,
Salz gewonnen.

· 3. Die Soolfelder *Königsborn*, *Rheine*, *Pyrmont* und
Carlshafen, welche an den äufsersten Punkten des Westphälischen Soolen-Bezirkes liegen, ausgenommen, zeigen sich
die übrigen Punkte dieses Bezirkes, hinsichtlich des Gehaltes der Soole, nach keinem erkennbaren Gesetze zusammen-
geordnet. Keine Thatsache spricht dafür, dafs die Soole
nach der einen Seite zu reicher, oder nach einer andern
ärmer werde.

4. Es scheint, als ob die Soole, welche in gewisser
Tiefe sich findet, etwas reichhaltiger sey, als die, welche
fast an der Erd-Oberfläche ausfliefst. Die reicheren Quellen mögen 200 — 300 Fufs tief liegen. Die Soolfelder
sind jedoch in der Tiefe noch gar zu wenig untersucht,

als daß sich die vorstehende Behauptung mit Bestimmtheit
aussprechen ließe. Auch müssen künftige Bohr-Versuche
zeigen, ob auf allen Soolfeldern die edleren Quellen in
gleichem Abstande von der Oberfläche, oder vielmehr in
gleicher Höhe über dem Meere liegen. Einige Gleichförmigkeit läßt sich, wegen der ziemlich großen Uebereim-
stimmung der Gebirgs-Lagen, in diesem Punkte erwarten.

5. Die Temperatur der Soolquellen ist zwischen 8°,3
bis 14°,6 R. steigend; die meisten Quellen haben eine
Temperatur von 10 — 12 Grad. Auch hier unterscheiden
sich also die Westphälischen Quellen nicht auffallend von
den Salzquellen anderer Länder. Man kann nicht sagen,
daß die Temperatur mit der Tiefe der Quellen zunehme.
(*Rheine* und *Rothfelde*). Auch scheint die Temperatur
nicht durchaus vom Salz-Gehalte abzuhängen. (*Neusalzwerk* und *Salzkotten*); doch ist nicht zu verkennen, daß
nie die Temperatur mit der Löthigkeit steigt. Die Temperatur
der Soolquellen ist ohne Ausnahme höher, als die der Süße-
wasser-Quellen und als die mittlere Temperatur von Westphalen, die 7 — 8° R. beträgt.

6. Die Westphälischen Soolquellen liegen gruppenwei-
se meist in Niederungen zusammen, und bilden so einzelne
Soolfelder, die durch bedeutende Zwischenräume, in welchen keine Soole gefunden wird, getrennt sind. Innerhalb
jedes Soolfeldes wird fast immer Soole gefunden, man mag
einschlagen, wo man wolle. Die nahen Bohrlöcher und
Schächte stehen gewöhnlich mit einander in Verbindung, oft
sind auch sehr nahe Quellen unabhängig von einander. Durch
ein Bohrloch wird meist eben so viele Soole gewonnen, als
durch einen weiten Schacht, woraus sich ergibt, daß die

Sòòle in der Regel nicht in Kanälen, sondern in Spaltungs-Oeffnungen ihren unterirdischen Lauf hat.

7. Die Westphälischen Soolquellen gehören höchst wahrscheinlich in der Art den Gebirgs-Zügen an, denen sie zur Seite liegen; daſs die atmosphärischen Niederschläge an und auf diesen Bergrücken, das Wasser zu den Quellen hergeben. Es gibt mehrere Gründe, um diese Wahrscheinlichkeit zu unterstützen. Es kann nicht zufällig seyn, daſs sämmtliche vierzehn Westphälische Soolfelder treue Begleiter beider Gebirgs-Züge sind; daſs die Soole fehlt, wo die Gebirgs-Züge endigen; daſs sie nirgends fehlt, wo die Berge zur Seite sich hinziehen; daſs die Linie, welche durch die Soolfelder neben der einfach geformten *Haar* gelegt wird, mit dem Rücken des Gebirges durchaus parallel läuft; daſs die Soolquellen am *Teutoburger Walde*, der in mannichfältigen Formen auftritt, dessen Lager verschiedenartiger sind, der in den verschiedenen Punkten seiner Erstreckung auch einen verschiedenen Charakter zeigt, in Lage und Verhalten dieser Mannichfaltigkeit entsprechend, viel weniger Uebereinstimmendes zeigen. Doch ein überzeugender Beweis liegt in den topographischen Verhältnissen des Soolen-Bezirkes. Die Soolquellen der *Haar* können ihre Zuflüsse nicht von N., und die des *Teutoburger Waldes* den ihrigen nicht aus einer Gegend erhalten, welche von diesem Gebirge abwärts liegt; sonst möchte die Soole gegen die Gesezze der Schwere in den unterirdischen Spalten und Kanälen steigen, um den sicheren Ausfluſs zu gewinnen. Aus demselben Grunde kann, im westlichen Theile des Soolen-Bezirkes, die Soole nicht aus W., und im östlichen Theile nicht aus NW. kommen, auch spricht

gegen diese Richtung die Thatsache, daſs die Soole am westlichen und nordwestlichen Endpunkte des Soolen-Bezirkes sich am schwächsten zeigt. Der Annahme; daſs etwa im *Lippischen*, oder bei *Rehme*, oder ostwärts *Paderborn*, die Vorrathskammer liege, aus welcher die Soolquellen nach W., NW. uud N. unterhalten würden, widersprechen triftige Gründe. Wie würde bei dieser Annahme die Verschiedenheit der Soolquellen bestehen können, da die Quellen dann in der Richtung der Soolen-Leitungs-Kanäle hinter einander liegen? Die Soole rinnt nicht in abgeschlossenen Röhren fort; die Zufluſs-Oeffnungen haben bedeutende Breite. Ferner flieſsen die wilden Wasser, in der Tiefe vom Gebirge, ihren Quellen in Richtungen zu, die sich mit der hier angenommenen Richtung, der Salzwasser ziemlich unter rechtem Winkel kreuzen; wie sollte die Soole auf dem langen Wege bis *Werl* und *Rothenfelde* sich, unvermischt, ungeschwächt erhalten können? Das sind noch nicht alle Gegengründe. Die Mitte der Berg-Abhänge, in der Gegend von *Horn*, *Driburg*, *Willebadessen* u. s. w., liegt gewiſs keine 500 Fuſs über *Werl* und *Unna*, und möchte mit *Rothenfelde* fast von gleicher absoluter Höhe seyn. Nun begreift man die Möglichkeit nicht, daſs dieses unbedeutende Gefälle hinreiche, die Soole in engen, unterirdischen Kanälen über 15 Stunden weit so stark fortzudrücken, daſs sie in Bohrlöchern aus einer Tiefe von 250 Fuſs bis zum Tag und über Tag emporsteigt, daſs der Andrang also die Schwere einer Wassersäule von 250 Fuſs zu überwältigen vermag. In der Regel muſs dieser Andrang noch stärker seyn, als der Druck der Wassersäule, den er trägt. Die Sache verhält sich nämlich so: bevor die Quelle,

angebohrt ist, fliest das Wasser in der Erde über die Stelle
hinaus, die später das Bohrloch berührt. Wird nun
das Bohrloch bis zu dieser Stelle niedergebracht, so steigt
das Wasser in ihm empor, weil es dazu weniger Kraft bedarf, als zum Fortfliefsen in den engen Spalten der Erde.
Es wird aber nur so hoch empor steigen, bis der Druck
der Wassersäule stark genug ist, das Wasser durch die Spalten, die es früher durchflofs, fortzudrängen. Die Höhe, bis zu welcher das Wasser in Bohrlöchern und Brunnen steigt, richtet sich also nach den Hindernissen, welche es beim Fortfliefsen durch die Erde zu überwältigen hat. Man ersieht daraus, dafs der Andrang des
Wassers immer stärker seyn mufs, als der Druck, den die,
in einem Bohrloche stehende, Wassersäule ausübt. Ferner ergibt sich aus dem Vorstehenden, wie viele und grofse Hindernisse das Wasser beim Fortfliefsen durch die Erde zu überwältigen habe. Auch erklärt sich daraus leicht der Umstand, warum, wie die Erfahrung lehrt, die Bohrlöcher
mehr Wasser geben, wenn es aus bedeutender Tiefe gepumpt
wird, als wenn man das Wasser fast so hoch steigen läfst,
als es von der eignen Kraft empor gehoben wird. — Das
kleinste Gefälle, welches in der riesenmäfsigen 12 $\frac{1}{2}$ Meile
langen Röhrenleitung zwischen *Berchtesgaden* und *Rosenheim* vorhanden ist, beträgt gegen 50 Fuſs auf die Stunde;
es gibt darin mehrere Strecken, wo das Gefälle 250 Fuſs
und bedeutend mehr auf die Stunde ausmacht, wodurch das
kleinere Gefälle zum Theil kompensirt wird; und doch hat
man, an der Stelle des geringen Gefälles, eine doppelte Röhrenfahrt anzulegen sich gezwungen gesehen. Die Röhrenfahrt,
deren Oeffnung 4 Zoll Durchmesser hat, liefert in 24 Stun-

den gegen 11000 Kbf. Soole nach *Rosenheim*. Die Quelle
zu *Rothenfelde* gibt das Zehnfache; viele Bohrlöcher und
Brunnen liefern die Hälfte von diesem Quantum, und darüber. Man mache hiernach den Vergleich, und urtheile; so
bleibt nichts anders übrig, als dafs die Soole der Quellen
von der Seite des Gebirges zufliefst; ob aber von dem zunächst liegenden Abhange, oder von dem entfernten, oder
wohl gar vom jenseitigen Thale und Thalgrunde, darüber
möchte schwer zu entscheiden seyn. Nur dürfte die Wahrscheinlichkeit, dafs die Soole aus irgend einem Punkte jenseit des Gebirges herkomme, um so schwächer werden, je
weiter dieser Punkt von den Quellen, und je tiefer er liegt.

8. Wie tief die niedrigsten Punkte liegen, welche die
Soole berührt, möchte sich schwerlich bestimmen lassen.
Die Temperatur der Soole kann darüber keinen Aufschlufs geben. Sie ist höchst wahrscheinlich eine Fakzion der chemischen Verbindungen, welche in den Laboratorien, in denen
sie sich gebildet hat, vorgehen, und nicht in der Tiefe dieser Laboratorien. Man erinnere sich der Versuche von VAU-
QUELIN, die GREN im I. Bde. eines neuen Journals der
Physik (S. 388) mitgetheilt hat, nach denen, bei Auflösung
von Kochsalz in Auflösung verschiedener Neutralsalze, sich
eine Temperatur-Aenderung, die in manchen Fällen von Bedeutung (gegen 5 Grad) ist, ergibt. Dagegen spricht bei
den Westphälischen Soolquellen keine einzige Thatsache darüber, dafs die Tiefe auf die Temperatur der Quellen merklichen Einflufs äufsere. Diejenigen Süfswasser-Quellen, welche eine beständige Temperatur haben, zeigen mit ziemlicher
Genauigkeit die mittlere Jahres-Temperatur ihrer Gegend;
ein Zeichen, dafs der gröfste Theil ihres Weges nicht in
.be-

beträchtlicher Tiefe hinabreicht, weil das Quellwasser sonst
deren höhere Temperatur annehmen müßte. Allerdings
würde das Soolwasser aus größerer Tiefe kommen, als
süßes Wasser, welches daraus hervorgeht, daß die Soolquellen im Allgemeinen weit konstanter in ihrem Verhalten
sind, als die Süßwasser - Quellen. Doch dürfte diese Tiefe
nicht sehr viel beträchtlicher seyn.

9. Es findet sich sehr wenig Uebereinstimmung unter
den Schichten, in welchen Soolquellen getroffen werden.
In *Königsborn* scheinen die reichhaltigen Quellen dicht unter, oder über dem grünen Mergel - Flözze zu liegen. Die
übrigen Kalkmergel - Flözze sind darum nicht Soolen - leer.
Zu *Neuwerk* bei *Werl* liegt die angebohrte Quelle unstreitig bedeutend unter dem grünen Flözze, indem das Flöz
dort höchstens 180 F. tief liegen kann. Die Soolquellen von
Salzbrink und *Soest* liegen über diesem Flözze. Da das
Flöz südlich von *Saßendorf* in einer Entfernung von
wenigstens 7000 F. zu Tage ausgeht, so liegt es unter
der *Saßendorfer* Saline gewiß in einer Tiefe von 350 F.;
zu *Westernkotten* wird es wahrscheinlich noch tiefer liegen. Sollten nun die zu *Saßendorf* und *Westernkotten*
vorhandenen Soolquellen, die fast an der Erd - Oberfläche
liegen, nicht etwa Nebenquellen seyn, so, daß man in der
Nähe des grauen Mergel - Flözzes viel reichhaltigere Soolen
fände, worüber Bohr - Versuche erst künftig die Entscheidung geben können; so möchte das, in *Königsborn*
berühmt gewordene, Flöz nur einer vorgefaßten Meinung
seinen Ruf zu verdanken haben. — Gesetzt aber auch man
fände künftig, daß alle stärkeren Soolquellen in der Nähe
des grünen Flözzes entsprängen; so folgt noch gar nicht,

daſs sie in diesem Flözze erzeugt werden. Die groſse Gleichförmigkeit in den Gestein-Lagerungen der *Haar* und in
ihren nördlichen Abdachungen kann zufällig den Ausfluſs der
Soolquellen an das Flöz gebunden haben. Salz-Lager sind
in ihm nicht enthalten. Einige Soolquellen liegen kaum
3000 F. von seinem Ausgehenden. Die Soole erzeugende
Kraft, wenn eine solche einmal angenommen werden soll,
müſste eine wunderthätige seyn, wenn sie in der kurzen
Strecke süſses Wasser in Salzwasser umzuändern vermöchte,
dabei aber das meiste durchflieſsende Wasser unverändert
lieſse. Es ist nämlich sicher, daſs die Wasser der süſsen
Quellen bei *Werl*, zu *Soest*, zu *Saſsendorf*, zu *Lohne*
ihren Durchgang durch das grüne Flöz nehmen. — Die
Soolquellen des *Teutoburger* Waldes entspringen ebenfalls in
verschiedenen Flözzen. Zu *Rheine* kommen die Quellen
aus Schieferthon; zu *Rothenfelde* aus Muschelkalk; zu
Neusalzwerk aus schwarzem Mergel, zu *Salz-Uffeln* zwar
auch aus schwarzem Mergel, der aber von dem zu *Neusalzwerk* merklich abweicht. Auch in andern Gegenden
findet man Soolquellen aus den verschiedenartigsten Gebirgs-
Lagen hervortretend; nur das Allgemeine hat Statt, daſs
die Soolen in neuen Formazionen häufiger, als in älteren
gefunden werden.

10. Weil die Schichten, aus denen die Soolquellen
entspringen, so sehr verschieden sind, so ist es nicht wahrscheinlich, daſs sie die Geburtsstätte der Quellen seyen.
Sie haben vielmehr wohl keine andere Beziehung zu dem,
aus ihnen hervorflieſsenden, Wasser, als die Mündungen
einer Röhrenleitung zu der Flüssigkeit haben, die aus diesen hervorströmt. Dieſs ergibt sich auch aus den Analysen

der Mineralien, welche ein Soolen-führendes Flöz ausmachen. Brandes hat den grünen Mergel von *Königsborn*
und zwei schwarze Mergelarten von *Salz-Uffeln* untersucht, und folgende Bestandtheile gefunden:

	grüner Mergel	schwarzer Mergel Nro. 1.	schwarzer Mergel Nro. 2.
Kieselerde	54,580	67,00	78,50
Kalkerde	8,616	—	—,l.
Bittererde	1,000	—	—
Alaunerde	16,000	12,00	10,25
kohlensaurer Kalk	—	23,00	5,00
Kohlensäure	7,000	—	—
Eisenoxyd Braunsteinoxyd	} 2,600	5,00	5,50
Kochsalz	0,610	—	—
Kohlenstoff	—	0,75	1,00
Wasser	9,250	4,25	4,00

Brandes vermuthet, dafs der Kochsalz-Gehalt, im grünen
Mergel, zufällig sey, indem ihn die Soole durchdrungen,
und diesen Gehalt zurückgelassen habe. Man sieht, dafs
das atmosphärische Wasser aus solchem Gesteine nicht die
Bestandtheile hat herausziehen können, die sich in der
Soole finden. An verborgene Kräfte aber, die dem Flözze
inne wohnen, und süfses Wasser auf einem anderen, als
auf chemischem Wege in Soole umwandeln sollen, ist
nicht zu glauben, weil kein einziger haltbarer Grund zur
Annahme solcher Kräfte berechtigt, und weil dem nichts
entgegensteht, dafs die Soole in einem Salz-Gebirge ihren
Ursprung nehme. Unsere gesammte Naturkenntnifs stellt
kein einziges Beispiel auf, dafs irgend ein Bestandtheil der
Körper, durch eine Naturkraft, in einen andern umgeschaffen werde. Ohne Zweifel sind in der Nähe von Soolquellen, überall Salz-Gebirge, oder salzhaltige Gebirgsarten

30 *

vorhanden. Daſs die Geognosie diese Salz-Lager nicht immer nachweisen kann, gibt keinen Grund, ihr Daseyn zu läugnen. In *England* hat man lange Zeit blos die Soolquellen benuzt, bis der Zufall die Steinsalz-Lager, welche diesen Quellen ihren Gehalt gaben, kennen lehrte. In *Lothringen* ist neuerdings ganz derselbe Fall vorgekommen. Zu *Bex* hatte man zu wiederholten Malen den stark gesalzenen Anhydrit durchfahren; ohne seine wahre Bedeutung für die vorhandenen Soolquellen, für deren Bildung mehrere Hypothesen aufgestellt wurden, zu erkennen, bis Charpentier die grofse Mächtigkeit des, mit reinem Steinsalz durchzogenen, Anhydrit-Ganges auffand. Das Gestein wird jezt ausgelaugt, und jeder Kubikfuſs gibt 30 bis 34 Pfund Salz. Es ist wahr, daſs es Salz-Lager ohne Soolquellen gegeben, aber nie wird es Salzquellen ohne Salz-Lager geben. Man hat der Bildung dieser Soole durch Auflösung von Steinsalz entgegengesezt, daſs auf solche Weise ungeheure Klüfte in der Erde entstehen müſten, die nothwendig Erdstürze zur Folge haben würden, von denen man an der Erd-Oberfläche in der Nähe von Soolquellen Nichts wahrgenommen habe. Es ist leicht, diesen Einwurf zu wiederlegen. Die mächtigste Westphälische Soolquelle ist zu *Rothenfelde*. Sie hat, in etwa 4000 Jahren, eine Masse von festen Bestandtheilen abgesezt, die 18 F. hoch und eine Viertelstunde lang und breit seyn mag. Nach den vorhandenen Analysen machen die festen Bestandtheile, die sich aus der Soole bald absezzen, etwa den 25. Theil der Bestandtheile aus, bilden also feste Bestandtheile der Soole ein Lager, so würde dieses fünf Viertelstunden lang und breit, und 18 F. hoch seyn. Eine solehe Erd-Aushöhlung, wenn sie nicht nahe unter der Oberfläche läge, würde noch keinen Erdsturz bewirken, wie dieß die Erfahrung bei den Steinkohlen-Gruben lehrt, wo die Decke an den Stellen der ausgehauenen Berge einstürzt, ohne daß dieses auf die Erd-Oberfläche Einfluß hat. Man könnte einwenden, es müsse sich ein Erdsturz ergeben, wenn die Aushöhlung weniger weit, aber tiefer vorausgesezt werde. Bei dieser Voraussezung wäre der Erdsturz allerdings möglich, jedoch nicht nothwendig; die Höhlungen werden aber nicht sehr tief seyn, weil nach dem, was in den Sinkwerken des südlichen Deutschlands vorgeht, bekannt ist, daß das Wasser nur die Firste und die Seitenwände angreift, die Sohle aber unangegriffen läßt, und weil die Aushöhlung selten ganz mit Wasser angefüllt seyn mag. Aus den Kohlen-Gebirgen werden ganz andere Massen zu Tag gefördert, als die Soolquellen an festen Bestandtheilen mit sich führen, ohne daß über ihnen Erdstürze Statt fanden, obschon, wie gesagt, die Decke der ausgehauenen Flözze immer einbricht.

11. Bei der Annahme von Salz-Lagern, in denen sich die Soolen erzeugen, erklärt sich ganz ungezwungen der Umstand, daß manche Soolquellen (ob alle, bleibt noch zu untersuchen) mit der Quantität auch an Qualität gewinnen. Die Soole käme dann aus Sinkwerken, und würde um so mehr Salztheile auflösen können, je höher sie in diesen stände, und dadurch noch wenig angegriffene Seitenwände, oder gar die Decke bespülen könnte. Auch erklärt sich nach dieser Hypothese die Verminderung des Soolen-Gehaltes in *Königsborn.* Die hier ausfließende Soole mag das Salz-Lager nur streifen, oder vielleicht nur durch

ein Lager von Salzthon, oder Salzgyps liegen, und dann
geringhaltiger werden, wenn entweder das Salz-Lager so
weit weggespült ist, daſs es später nur noch an einigen
Stellen berührt wird, oder wenn das salzhaltige Mineral
auf dem Wege der Soole gröſstentheils ausgelaugt ist. —
Wie mögen diejenigen, welche einigen Gebirgs-Lagern eine
Soole erzeugende, verborgene Kraft zuschreiben, diels Verhalten mancher Quellen erklären wollen?

12. Die Sool-Quellen zu *Werdohl* stehen als Ano-
malieen da, und sie scheinen sich der hier aufgestellten
Theorie der Soolquellen zu entziehen. Wahrscheinlich verdanken sie ihr fremdartiges Vorkommen einer unbekannten
Eigenheit des dortigen Gebirges und der benachbarten Gebirgszüge. Von NO, her setzt sich das Flöz-Gebirge,
eine Bucht bildend, ins Uebergangs-Gebirge, auf das *Leine*-
-Thal zu, ein. Von dieser Seite wird der Soolenfluſs wahrscheinlich herkommen.

13. So mögen die Westphälischen Soolquellen als un-
verdächtige Zeugen eines, in ihrer Nähe vorhandenen, Salz-
Gebirges angesehen werden dürfen. Bis dahin ist dieses
Salz-Gebirge unbekannt; die Zukunft wird es gewiſs aufdecken. Seine weite Erstreckung muſs für ebenso unbezweifelt, als sein Daseyn, gehalten werden. Viele Salz-
Lager hat man auf der Gränze des Steinkohlen-Gebirges
angetroffen; in *England* und *Lothringen* fand man Steinsalz, indem man nach Steinkohlen suchte. In *Westphalen*
könnte derselbe Fall eintreten. Zu *Mülheim* an der Möhne
gräbt man nach Steinkohlen. Ferner sind zu *Safsendorf*,
Salz-Uffeln und *Neusalzwerk* Bohr-Arbeiten im Betriebe.

C. Daubeny, in seiner Schilderung der thätigen und verloschenen Feuerberge *, entwickelt
nicht blos eine Theorie der vulkanischen Operazionen, sondern gibt auch eine umfassende Darstellung der damit verbundenen Erscheinungen in geologischer und chemischer
Hinsicht. Er wurde zu seinen Untersuchungen durch den
Wunsch veranlaßt, über die Entstehung des Basaltes näher
en Aufschluß zu erlangen, und verfolgte diesen Zweck,
indem er die Beziehungen erforschte, welche zwischen Basalt oder sogenannten Trapp-Gesteinen, und den Erzeugnis-
sen der Vulkane Statt haben. Die Untersuchung beschränkte sich keinesweges auf Handstücke. Daubeny begab sich
an Ort und Stelle, um alle Beziehungen, Lagerungsweise
und Natur der Gesteine betreffend, sorgsam zu vergleichen,
er sahe die verschiedenen vulkanischen Fels-Gebilde von
Frankreich und Deutschland, jene von Ungarn und Italien
und der benachbarten Inseln, auch durchwanderte er Sizilien, Island, Griechenland und Spanien blieben ausgeschlossen von dem Bereiche seiner Forschungen. Seine Beobachtungen in den oben genannten Theilen von Europa,
machen den Gegenstand der beiden ersten Vorlesungen aus,
Beudant's Bemerkungen über die Trachyte Ungarns werden mitgetheilt, desgleichen ein Bericht von Boué über
den bis jezt wenig bekannten, vulkanischen Gebiete von
Siebenbürgen. Was der Verf. über die Auvergne und über
Italien sagt, ist von ihm schon in verschiedenen Englischen Zeitschriften früher mitgetheilt worden. Ueber Is-

---

* A Description of active and extinct Volcanos ecc. London, 1826.

land hat er, vorzüglich nach Mackenzie's Schriften, das
Wissenswürdigste zusammengestellt, und die Kanarischen
Inseln werden nach den Angaben von Humboldt, von
L. v. Buch u. A. abgehandelt. In Klein-Asien, Palästina,
Syrien, und andern östlichen Landstrichen, verfolgt der
Verf. die Spuren vulkanischer Thätigkeit, und weist eine
Linie solcher Wirkungen von Kamtschatka bis Japan nach,
und von hier, in fast nicht unterbrochener Folge, bis Java,
Sumatra, und bis zu den Andamanischen Inseln. Daran
reihen sich Betrachtungen über die Vulkane im stillen Meere und im Golf von Mexiko, und das Ganze schließt mit
einer Zusammenstellung von Humboldt's Untersuchungen
auf dem Amerikanischen Festlande. — — Die Vulkane am
Rhein theilt der Verf. in post-diluvianische und
ante-diluvianische, um anzudeuten, ob die Ausbrüche nach oder vor der Thal-Bildung Statt gehabt. Die Feuerberge der Eifel bieten ein Beispiel der ersteren Art.
Zahlreiche kleine kegelförmige Erhöhungen, oft Krater umschließend, sieht man in diesem Landstriche. Die Krater-
wände scheinen aus wechselnden Lagen von vulkanischem
Sande und von schlackenförmigen Laven zu bestehen; Ähnliche Substanzen zeigen sich äußerlich um die konischen
Berge aufgehäuft. An die ausführliche Schilderung einzelner Krater reiht der Verf. die Beschreibung der dieselben
begleitenden Lavaströme. Obwohl der post-diluvianischen
Aera angehörig, sind solche dennoch der vorgeschichtlichen
Zeit beizuzählen. Die Lava von Niedermennig war schon
zur Zeit August's vorhanden; denn die Pfeiler der alten
Brücke zu Trier bestehen aus derselben. Sind demnach die
Vulkane der Eifel geschichtlich sehr alt, so müssen diesel-

ben dennoch, geognostisch betrachtet, als neu gelten, indem die geognostischen Untersuchungen da aufhören, wo die geschichtlichen Forschungen beginnen. Nimmt man die Meinung BUCKLAND's, die Thal - Bildung betreffend, an, so fällt das Entstehen jener Gesteine, gleich dem der *Auvergne*, in die Zeit nach der Sündfluth; oder, in dem mehr allgemein bräuchlichen Sinne, sie entstanden nach der großen Katastrophe, welche das gegenwärtige Aussehen der Erd-Oberfläche bedingte. Die vulkanischen Erzeugnisse dieses Theiles von Europa scheinen, nach dem Verf., dem Zeitraume anzugehören, in welchem die Ablagerung der terziären Formazionen erfolgte. Die Trachyte und Basalte des *Siebengebirges*, jene des *Westerwaldes* und anderer nachbarlichen Berge, sind dahin zu zählen. Ihre Bildungsweise wird deutlicher durch Betrachtung mancher, in Hessen u. s. w. vorhandener, einzelner konischer Basalt - Parthieen, deren geognostische Verhältnisse leichter zu erforschen sind. An der *Pflasterkaute* bei *Eisenach*, ist man mit dem Steinbruchbau so tief niedergegangen, daß man den Basalt mehr als 50' tief unter der Oberfläche des Sandsteines sehen kann. Die Sandstein-Schichten, gewöhnlich horizontal, haben hier eine senkrechte Stellung angenommen; sie sind zertrümmert nach allen Richtungen, und die Felsart ist weißer und härter, da, wo der Basalt dieselbe begrenzt. Hin und wieder machen die Sandstein-Theile ganze Haufwerke kleiner Säulen aus, deren Form mitunter noch regelrechter ist, als jene des sie umschließenden Basaltes. Auffallend ist die Aehnlichkeit, zwischen jenen Säulen und denen, in mehreren Gegenden von *Derbyshire* und *Yorkshire*, auf künstlichem Wege erzeugten,

indem der dort vorkommende weiche, zerreibliche Sandstein, der Hizze ausgesezt, härter wird, und säulenartige
Gestaltung annimmt. Noch auffallender zeigen sich diese
Phänomene an der *blauen Kuppe* bei *Eschwege*, und höchst
auffallend bleibt es, daſs die Geognosten der *Freiberger*
Schule, bei diesen, fast unter ihren Augen sich findenden,
Thatsachen sich von dem vulkanischen Ursprunge des Basaltes nicht überzeugen konnten. — Trapp-Formazionen in
andern Theilen von Deutschland. — BEUDANT's Untersuchungen in *Ungarn*. Der Verf. theilt dessen Ansicht,
was die Bildung der dortländischen Trachyte und Porphyre
betrifft; das Entstehen der Alaunfelsen leidet er jedoch
nicht von der Einwirkung schwefeliger Dämpfe her, sondern aus Statt gehabten Zersezzungen von Schwefel-
Metallen. — Sämmtliche erwähnte vulkanische Distrikte
sollen wenigstens so neu seyn, als die terziären Ablagerungen. Diefs ist auch der Fall bei dem kleinen Trachyt-Ge-
bilde in *Steyermark*, und bei dem gröſseren Theile der, in
Italien vorkommenden, vulkanischen Erzeugnisse. Die Produkte des *Vicentinischen* und der Gegend um *Rom*, werden ausführlich beschrieben. — Feuerberge bei *Neapel* nach
ihren historischen Beziehungen, so wie nach ihren geognostischen und chemischen Phänomenen. — Eine Erklärung der
Erzeugung des Salmiaks, in Solfataren und Kratern wird
versucht. — Vulkanische Formazionen auf *Sizilien*. Sie zerfallen gleicher Weise in ante- und post-diluvianische. Die
ersten werden vorzüglich im *Noto*-Thale getroffen; am
Aetna finden sich manche Gesteine, deren Bildung in eine
noch frühere Zeit fällt, als jene des Berges selbst. Die
Cyclopen-Inseln, gegenwärtig vereinzelt, müssen vormals im

Zusammenhange gewesen seyn; denn sie zeigen sich mit einer Art Mergel überlagert, der sich augenfällig einst über sämmtliche Inseln ohne Unterbrechung erstreckt hat. Alles deutet bei diesen Eilanden ein submarinisches Entstehen an. Ganz verschieden davon zeigt sich der *Aetna*. Hier findet man Lava in ungeheuren Strömen, nicht vergleichbar mit den Massen des *Vesuv.* Sie erstrecken sich bis zum Meere, und durch sie wird die Gestaltung der Küste bedingt. Zahlreiche kleine Kegel, auf dem gewaltigen Berg-Gehänge, sind Folgen der vielen Seiten-Ausbrüche. Ein Kreis von untergeordneten vulkanischen Bergen umzieht den *Aetna*. Einige derselben zeigen sich mit Pflanzen-Wachsthum bedeckt, während andere noch nackt und kahl sind. — — Die *Kanarischen* Inseln nach L. v. Buch. — Vulkanische Ausbreitungen in *Klein-Asien*. — Die Bildung des todten Meeres soll Folge vulkanischer Ereignisse seyn. — Feuerberge der neuen Welt nach A. v. Humboldt, mit dessen Ansichten, was die Bildung des *Jorullo* betrifft, der Verf. übereinstimmt. — — Allgemeine Schlüsse aus den vulkanischen Thatsachen sich ergebend. Darlegung der verschiedenen, über die Ursachen vulkanischer Phänomene aufgestellten Theorieen; jene, auf Davy's bekannte Entdeckung sich gründend, verdient den Vorzug. Der Verf. nimmt nun an, der Erdkern bestehe, bis zu einer Tiefe von drei oder vier Meilen, aus Verbindungen von Metalloiden der Alkalien und Erden, oder er enthalte dieselben wenigstens in seiner Mischung, und denkt sich als weitere Bestandtheile, Eisen, die meisten gemeinen Metalle, mit Schwefel, und vielleicht auch mit Kohlenstoff hinzu. Die Schwefel-Verbindungen erleiden stufenweise Zersetzungen, sobald sie in Berührung kommen mit Luft und Wasser; allein geschützt durch die Rinde der Erde, hat der Prozeſs, gerade wie dieſs bei einer Masse von Potassium der Fall ist, wenn solche, von einer Rinde ihres eigenen Oxyds umhüllt, am trockenen Orten bewahrt wird, zu allmählich Statt, um mächtige Wirkungen hervorzubringen, es sey denn, daſs das leztere der genannten Agenzien (Wasser) in zureichender Menge vorhanden wäre. Daher bleiben die elastischen Flüssigkeiten, erzeugt durch jene Prozesse, unterhalb unseres Festlandes, niedergedrückt durch die aufliegenden Felsmassen, so lange, bis sie neue Verbindungen eingehen, oder bis dieselben sich durch die festen Schichten hindurchdringen. Unterhalb des Meeres aber, woselbst der Druck einer ungeheuern Wassersäule die Fluida zwingt, auch durch die dünnsten Spalten zu entweichen, müssen die Wirkungen nothwendig von einer weit groſsartigeren Natur seyn. Indessen würden die Effekte in der Mitte des Meeres weniger allgemein sich zeigen, als längs den Küsten; da der Druck des Ozeans selbst hindernd einwirkt; die Erscheinung wird nicht anhaltend, sondern mit Unterbrechungen Statt haben, indem die, durch den Prozeſs erzeugte, Hitze streben wird, die Oeffnungen, wodurch das Wasser eingedrungen, wieder zu schlieſsen, einmal, indem Lava in die Spalten ergossen wird, und sodann durch eine allgemeine Expansion der Felsmassen; auch kann das Wasser nicht eher wieder Zutritt finden, bis das Phänomen sein Ende erreicht hat, worauf die Gesteinmassen sich abkühlen, und ihre ursprünglichen Dimensionen wieder annehmen. Die erste Folge vom Einwirken des Wassers auf die Metalloide der Alkalien und Erden, wird die Erzeugung einer groſsen Menge

Hydrogengas seyn, die, bei zutretender Luft, mit dem Sauerstoffe derselben sich verbinden, und wieder zu Wasser werden wird; findet jedoch kein Luftzutritt Statt, so verbreitet sich das Hydrogen, wahrscheinlich mit Schwefel, ein Prozeß, welchen die hohe Temperatur begünstigen muß. Im ersten Falle entweicht Salpeterstoffgas, im lezteren geschwefeltes Wasserstoffgas. Ist Sauerstoff vorhanden, so entzündet sich der Schwefel ebenfalls, und erzeugt schwefelige Säure, die unter den gasartigen Ausströmungen der Krater-Mündung vorherrschen wird, in so fern eine zureichende Luftmenge vorhanden ist, um mit dem Hydrogen sich zu verbinden, und abermals in Wasser umzuwandeln. Sobald das Oxygen aufgezehrt ist, findet eine Vereinigung des Hydrogens, da es nicht mehr verbrennen kann, mit dem erhizten Schwefel Statt, und entweicht als geschwefeltes Hydrogengas, welches, gegen Ende der Eruption, über die schwefelige Säure vorherrschen wird; denn seine Bildung dauert noch lange fort, nachdem der Mangel von Oxygen die Erzeugung von schwefeliger Säure gehemmt hatte. Man weiß, daß diese beiden Gasarten einander wechselweise zerlegen, und folglich nicht beide zu gleicher Zeit vorhanden seyn können, so, daß das Ausströmen von geschwefeltem Wasserstoffgas aus der Mündung des Vulkans, wo nicht die gänzliche Abwesenheit der schwefeligen Säure, doch das Gehemmtseyn, oder das minder Beträchtliche ihrer Erzeugung, wegen Statt gehabter Aufzehrung des Sauerstoffes, andeutet. Das abermalige Entstehen des Wassers, durch wechselseitige Zersezzung der beiden Gasarten, konnte die Thätigkeit des Vulkans, obwohl in geschwächtem Grade, noch einige Zeit dauernd machen. Das allmäh-

liche Erkalten der Lava würde, für eine längere Periode,
die anliegenden Straten, hinreichend erwärmen, um dem
Schwefel die, für die Verbindung mit dem Sauerstoffe nothwendige, Temperatur zu verleihen; darum muß das Ausströmen von schwefeliger Säure fortdauern, bis diese durch
Anwesenheit des hepatischen Gases zersetzt wird. Das, bei
diesem Prozesse sich bildende, Wasser würde in die Klüfte
der Gesteine einseihen, auf einige noch vorhandene Theile
der Erd- und Alkali-Metalloide einwirken, und eine neue
Bildung von Hydrogengas herbeiführen, wodurch abermals
Schwefel aufgelöst, und das Phänomen wiederholt wird.
— In Absicht des Trapps ist der Verf. im Allgemeinen
der vulkanischen Hypothese zugethan. Er nimmt drei
Klassen von vulkanischen Formazionen an; die erste,
beim Luftzutritt gebildet, und alle Merkmale von Körpern
tragend, welche man dem Einwirken künstlicher Hitze unter-
wirft, sieht derselbe an als erzeugt seit der gegenwärtigen
Ordnung der Dinge; die zweite, unter Wasser gebildet,
hält in ihren Kennzeichen das Mittel zwischen der ersten
                                      ugt während der Abla-
gerung der terziären Gebilde; die dritte, submarinischen
Ursprungs, trägt die Charaktere der ersten Klasse, modifizirt durch starken Druck, und gilt als gleichzeitig mit den
älteren Schichten. Die Argumente, für und gegen den feuerigen Ursprung der Granite und Serpentine, werden angeführt. Die Zunahme der Erdwärme nach dem Innern betrachtet der Verf. als noch unentschieden, da, wie eigene
Erfahrungen ihn lehrten, der Einfluß örtlicher Verhältnisse
größer ist, als gewöhnlich angenommen wird. Die Vulkane gelten ihm als den Mitteln zugehörig, deren sich die
Natur bedient, um die Ausdehnung des trocknen Landes im
Verhältnisse gegen den Ozean zunehmen zu lassen, und als
Beweis wird der Korallen-Riffe gedacht, die auf gehobe-
nen vulkanischen Massen ruhen. (*Ann. of Phil. new ser.*
Septbr. 1826; *p.* 215.)

POLLINI schrieb über die geognostischen Verhältnisse des Veronesischen. (*Bibl. Ital.*, June

1825, p. 353, und Férussac's *Bullet. de Géol.* IX, 280.)
Grobkalk, Kreide und Jurakalk sind die vorzüglich verbrei-
tenden Formazionen. Der Grobkalk umschliefst Nummuliten, Echiniten, Ostraziten, Pektiniten, Cerithien, Madreporen, Enkriniten, und angeblich selbst Orthozeratiten. Dieses Gebiet sezt die Hügel zusammen, welche die Ebene
zwischen *Verona* und *Vicenza* begrenzen, und drängt landeinwärts vor bis jenseit *Bolca.* Das Gestein enthält mehr
oder weniger quarzigen Sand, Nieren von Leberkies, gelben und rothen Ocker und mergelige Bänke, zumal in den
obern Ablagerungen (*Monte Brunio*): es geht
scheln führenden Sandstein über (*Valdonega* u. s. w.), und
bei *S. Ambrogio* macht der Sandstein da
Brekzie von kalkiger Kreide. Die leztere Felsart ist nicht
mit den Alluvial-Konglomeraten zu verwechseln, welche
die Berge von *Peri*, *Volargue*, so wie jene überdecken,
die von *M. Baldo* nach dem *Garda*-See, und längs des
Mincio sich hinziehen. Der Grobkalk steigt bis zu 500
und 600 Toisen über das Meeres-Niveau empor; er bedeckt die Kreide und den Jurakalk, und die Schiefer (?);
die Braunkohlen von *Bolca*, die vulkanischen Tuffe, so wie
der Basalt von *la Purga* kommen in seinen obersten Abtheilungen vor. Der Basalt zeigt sich isolirt im Kalke von
Lavagno, *Avesa*, *Valdonga*, *Pozza-Ferrara* und am *Monte Baldo.* Die Tuffe trifft man in Stöcken ähnlicher Ablagerungen, auch wechseln sie zuweilen mit dem Kalke (*Sette-
Fonti* und *S. Cristina*). Der Tuff schliefst Gänge von
Manganoxyd ein. Die Grünerde kommt im N. des *M. Baldo*,
im *Pianetti*-Thale, in 600 Toisen Höhe vor. Der Basalt,
die Ablagerung umschliefsend, scheint auf Jurakalk zu ruhen. Terziäre Braunkohlen finden sich im Kalke von *Gres-
zana de Castogneto*, auf dem *Maroguare*-Hügel, im Thale *Dei Prusti* und *di Fraselle*, unfern *la Giazza*, im *Tanuro*-
Thale, zu *S. Giovanni Ilarione*, im *Boucate*-Thale, endlich auf der Nordküste des *M. Baldo* bei *Brontonico.* Basalt sieht man in der Kreide bei *Molane*, unfern *Cavalo*,
ferner kommt er mitten im oolithischen Jurakalke, in 500
Toisen Höhe, auf dem Abhange des *M. Baldo*, oberhalb
Fratte vor. Die Kreide-Schichten sollen mit denen des
Grobkalkes gleichförmig gelagert seyn; nur im *Pantena-*

Thale, unfern *Grezzana*, kommt zwischen beiden Formazionen Sandstein vor, und im *Policella*-Thale, werden sie
durch Tuff geschieden. In der *Scaglia* (harte Kreide und
dichter, weifser oder röthlicher Kalk) führt der Verf. Nieren, von Eisenglanz an, ferner Feuerstein-Lagen, Nummuliten und Ammoniten. Die (überrindeten, aber von Manchem als fossil betrachteten) Knochen von *Romagnano*, trifft
man in diesem Kalke, in 250 Toisen Höhe, an der Stelle
il Serbero genannt. Die *Scaglia* sezt die Hügel von *S.*
Ambrogio, Fumane, Grezzana und einem Theile des *M. Baldo*
zusammen; sie steigt 500 Toisen hoch empor. Nach dem
Verf. geht die Kreide in Jurakalk über; er führt u. a. vier
Beispiele dafür auf: *la Corona* auf dem *M. Baldo*, zwischen *Ala* und *Duemigliara*, zwischen *Fumane* und *Breo-
nio* und an der Brücke bei *Veja*. (Allein der Verf., MA-
RASCHINI u. A., haben mit der eigentlichen *Scaglia*, oder
Kreide, weifsen oder rothen, Ammoniten einschliefsenden, Jurakalk verwechselt, wie man solchen bei *Trento* findet; es
sind diese, der *Scaglia* so ähnlichen Kalke, welche in Jurakalk übergehen, auf dem sie unmittelbar ruhen.) Der
Verf. schildert den Jurakalk, der hohe, kegelförmige, au
den Gipfeln ausgezackte und steil abfallende Berge zusammensezt. Versteinerungen führt die Felsart nur wenige;
u. a. Nummuliten, Pektiniten, Ostraziten (*Monte Baldo*,
zwischen *Aqua Neve* und *Scaletto*); auch enthält sie Eisenglanz, sehr selten Feuerstein. Talkhaltig zeigt sich dieselbe
bei *Avio, Campobruno, Posta* und *Lora*, und am lezge-
nannten Orte führt das Gestein kleine Serpentin-Lager; da,
wo es den Augit-Porphyr begrenzt, wird sein Gefüge körnig. Um *Peri* geht der Dolomit in einen grauen oder gelben Mergel, auch in Oolith über. Die Oolithe sind grobkörnig bei *Rondone* und *Campobruno*, und sehr feinkörnig
bei *Fumane, Ponte de Veja, Navene* und *Altissimo*. In
der Gegend von *Corona* ist der Jurakalk bituminös. Augit-
Porphyr findet man zu *Campobruno*, auf der Grenze von
Tyrol und *Vicenza*, und die Berge um *Peri* und *Braonio*
enthalten, in 350 Toisen Höhe, eine sehr mächtige, aus
Tyrol abstammende, Ablagerung von Feldstein-, Porphyr-,
Schiefer-, Granit-, Serpentin-Blöcken u. s. w.

Geognosie
des
Nord-Departements.

Von
Herr*n* Poirier Saint-Brice.

(*Annales des Mines; XIII*, 3.)

Die verschiedenen, den Felsboden des Departements zusammensezzenden, Gebiete zerfallen in zwei grofse Abtheilungen, ein älteres, welchem die Gebilde mit geneigten Schichten angehören, und ein jüngeres, dessen Glieder wagerechte Schichtung zeigen. Das erste besteht aus der Kalk- und Thonschiefer-Formazion und aus der der Steinkohlen: über beide sieht man, in allmählicher Folge, aus der Teufe nach dem Tage, Thon und Sand, Kreide, Sand und Sandstein mit der Kreide, und endlich *Alluvium*. — Die sogenannten Ur-Gebiete werden in diesem Landstriche ganz vermifst.

Uebergangs-Gebiet.

Die ältesten Gebiete sind die des stinkenden Kalkes und des Thonschiefers, und jenes der Steinkohlen.

Das erste dieser Gebiete zeigt sich, nachdem es den ganzen südöstlichen Theil des Departements eingenommen, durch das Steinkohlen-Gebiet begrenzt, dann tritt es von neuem, und unter durchaus ähnlichen Verhältnissen, im Nordwesten auf: es stellt demnach zwei gleichzeitige, aber von einander getrennte, Formazionen dar, welche ich, nach den Stellen, die ihnen zustehen, in die nördliche und südliche trennen werde.

I. Südliche Formazion des stinkenden Kalkes und des Thonschiefers.

Im östlichsten Theile des Departements geht die südliche Formazion des stinkenden Kalkes und des Thonschiefers zu Tag aus. Die Linie, die oberflächliche Ausdehnung derselben begrenzend, zieht sich nordwärts in die Gegenden von *Montignies-sur-Roc* und von *Roisin* in *Belgien*, von wo aus sie, in südlicher Richtung, zwischen *Bavay* und *le Quesnoy* sich ausdehnt, durch den Wald von *Mormal* und zwischen *Maroilles* und *Landrecie*. Jenseit dieser Linie, gegen W., sezt die nämliche Formazion fort, indem sie das Flöz-Gebiet unterteuft, dessen horizontale Schichten fast den ganzen übrigen Theil des Departements bedecken.

1. **Stinkender Kalkstein** (*Calcaire fétide*). Er ist im Allgemeinen dicht und hart, und von Farbe mehr oder minder blaulichgrau, das zuweilen ins reinste Schwarz sich verlauft. Die chemische Analyse hat dargethan, daß diese Färbung von Kohlenstoff herrührt, wovon das Gestein einen größeren oder geringeren Antheil enthält. Ziemlich häufig zeigt sich die Felsart körnig; oft enthält sie auch Kalkspath-Theilchen und Schnürchen in großer Häufigkeit, und die weißen Farben derselben stechen auffallend ab gegen den blauen oder schwärzlichen Grund. Die dichten Theile des Gesteines haben meist muscheligen Bruch, die übrigen sind eben, auch splitterig. Dieser Kalk schließt ein sehr übel riechendes Gas ein, welches geschwefeltes Wasserstoff-Gas zu seyn scheint; es entweicht beim Reiben, und merklicher noch unter dem Hammerschlage. Diese Eigenschaft hat zur Benennung stinkender Kalkstein Anlaß gegeben.

Die verschiedenen Kennzeichen, welche die Felsart trägt, bezeichnen dieselbe augenfällig als ein Uebergangs-Gebilde. Die Art der fossilen Körper, deren Trümmer sie einschließt, scheint ihr eine Stelle unter den neuesten Gebieten dieser Klasse anzuweisen. Man findet darinnen Ammoniten, Terebrateln, in manchen Schichten viele Madreporen, in andern Enkriniten in solcher Häufigkeit, daß einige Geognosten, welche die letzten Versteinerungen als bezeichnend für das Gebiet ansahen, dasselbe Enkriniten-Kalk genannt

haben. Die Schichten, die lezten Petrefakten einschliefsend, sind davon gleichsam ganz durchdrungen, und erscheinen ziemlich oft.

Ich habe aufserdem in dem nämlichen Kalke
zwei Bivalven - Geschlechter aufgefunden, welche
man lange Zeit mit den Terebrateln verwechselt hat,
und die vor wenig Jahren von Sowerby beschrieben worden, nämlich *Spirifer* * und *Productus* **;
beide kommen in dem Bergkalke (*mountain - limestone*) von *Derbyshire* vor, ein Gestein, das dem
unsrigen analog scheint, und gleich ihm durch eine
mächtige Kohlen - Formazion bedeckt wird. Die mit
Enkriniten erfüllten Schichten scheinen mir diejenigen, wo die genannten Petrefakten besonders oft
vorkommen; sie stellen sich aufserdem häufig in andern Kalk - und Schiefer - Lagen ein; darum glaube
ich, dafs man dieselben, so gut wie die Enkriniten,
als charakteristische Versteinerungen für die Formazion anzusehen hat.

Von Belemniten und von Orthozeratiten habe
ich, den sorgsamsten Nachsuchungen ungeachtet,
auch nicht eine Spur in dem stinkenden Kalke auffinden können; diese beiden fossilen Genera schei-

---

* *Terebratulites speciosus*, Schloth.   d. H.

** *Gryphites aculeatus* Schloth. (eine Abbildung findet
man im Taschenb. für Min.; VII, Taf. 4); die Benennung *Productus* wurde, meines Wissens zuerst von
Parkinson angewendet.   d. H.

vorzugsweise den ältesten Lagen des Ueber-
gangskalkes anzugehören, in welchen keine Terebrateln getroffen werden, und wo man nur sehr
wenige andere zweischaalige Muscheln findet.

2. Thonschiefer. Fett anzufühlen; mit
zahllosen kleinen Glimmer-Blättchen; blaulichgrau,
mehr oder weniger dunkel, dem Gelben, auch dem
Grünen sich nähernd; im Bruche uneben, auch erdig; Gefüge schieferig. Diese Felsart, wechselnd
mit dem Kalke, führt hin und wieder die nämlichen Versteinerungen, Enkriniten, Terebratela und
einige der oben namhaft gemachten Bivalven.

Das Streichen der Schichten dieser Formazion
ist im Allgemeinen aus ONO. in WSW. Das Fallen
zeigt sich sehr veränderlich; meist findet man es
ziemlich stark, dem Senkrechten mehr und weniger nahe, stellenweise aber erscheinen die Schichten
sich beinahe wagerecht, um sodann, in einer der
früher entgegengesezten Richtung, sich wieder stark
zu senken. So trifft man bald südliches, bald nördliches Fallen; indessen herrscht dennoch in der Regel auf weite Strecken eine gewisse Beständigkeit.

Man kennt die Grenzen der Formazion überall,
wo dieselbe zu Tag ausgeht, genau; jenseit dieser
Grenze, gegen N., senkt sie sich unter das Flöz-
Gebiet und endigt an dem Steinkohlen-Gebiete in
einer, dem allgemeinen Streichen parallelen, Linie
von *Montignies* in *Belgien* über *Estreux*, *Saint-
Léger* und *Arleux*. *Montignies* ist eine von den
Stellen, wo der stinkende Kalk noch bis dicht unter

der Oberfläche des Bodens vorhanden ist; in geringer Entfernung wird derselbe durch Steinbruch-Bau gewonnen. Zu *Estreux* kennt man sein Vorhandenseyn nur durch Tradizion; man traf, so heifst es, beim Brunnengraben auf eine Schicht desselben. Um *Saint-Léger* ist die Gegenwart der Felsart durch zuverlässige Ergebnisse von Bohr-Versuchen im Jahre 1819 ausgemittelt worden. Man ist, nachdem 31^m,8, Flöz-Gebiet durchbrochen worden, 8^m,95 im grauen dichten Kalke niedergegangen, und hat nicht nur ziemlich grofse Bruchstücke des Gesteines mit Adern weifsen krystallinischen Kalkes zu Tag gebracht, sondern selbst mehrere Fragmente verschiedener kleiner Muscheln, unter denen ich einen Ammoniten, eine sehr niedrige Terebratel, zwei Turritellen und eine *Turbinalia* erkennen konnte. — Jenseit *Saint-Léger*, und im ganzen Arrondissement von *Cambrai*, wird das Daseyn der Formazion des stinkenden Kalkes unterhalb des Flöz-Gebietes nur vermuthet; die Mächtigkeit des lezteren nimmt mehr und mehr zu, und an keiner Stelle hat man es ganz durchsunken.

Ueberall sieht man den stinkenden Kalk mit den Thonschiefer ziemlich regelrecht wechseln. An vielen Stellen aber zeigt sich die erstere Felsart herrschend; ihre Schichten werden um Vieles stärker, als die des Thonschiefers, welche indessen stets nach gewissen Zwischenräumen wieder auftreten, so, dafs beide Gesteine augenfällig einer und derselben Formazion angehören. Gegenseitige Uebergänge haben

in der Regel nicht sehr schnell und entschieden
Statt; im Gegentheile findet man den Thonschiefer
in der Nähe des Kalkes mit Säuren aufbrausend,
der Kalk aber wird thonig, und erlangt mitunter
Schiefer-Gefüge. Der erstere Uebergang ist indessen häufiger beobachtbar, als der zweite; ein Umstand, der, ohne Zweifel, dem Vorherrschen des Kalkes im ganzen Systeme zugeschrieben werden muss.
Ich werde einige der vorzüglichen Stellen angeben, wo ich den Wechsel beider, die Formazion
zusammensezzenden, Felsarten beobachtet habe.

In der Gemeinde *Ferrière-la-Petite* sieht man,
gegen *Cerfontaine*, in nördlicher Richtung aufwärts
steigend, zu beiden Seiten des Weges, Thonschiefer-Schichten, unter 82 bis 83° gegen S. fallend, entblöfst; das Streichen ist, wie im Allgemeinen, ONO,
in WSW. Das Gestein hat eine grünlichgraue Farbe,
ist sehr Glimmer-reich und braust nicht mit Säuren;
es liegt zwischen dem stinkenden Kalke von *Ferrière-la-Petite*, dessen Schichten sich unter 78 bis
81° nach S. senken, und dem, unter 75 bis 80°
gleichfalls südlich fallenden, Kalke von *Cerfontaine*;
das Streichen bleibt unverändert. Die Thonschiefer-Schichten kann man auf grofse Weite, ohne Unterbrechung, verfolgen; ihre Verbindung mit dem Kalke sahe ich nirgends entblöfst.

Zwischen *Ferrière-la-Petite* und *Ferrière-la-Grande*, in der Schlucht, welche ein, ungefähr
aus O. nach W. laufender, Bach bildet, fand ich
andere Thonschiefer-Schichten, welche die Fort-

sezzung der vorhergehenden scheinen: ihr Streichen ist das nämliche; das Fallen stets südlich, beträgt 70 bis 72°; die Felsart hat ebenfalls viele Glimmer-Einmengungen, und ist grünlichgrau von Farbe.

Zu *Aulnois-les-Berlaimont*, an den Ufern der *Sambre*, hat man seit zwei Jahren alte Versuch-Arbeiten nach Steinkohlen wieder aufgenommen. In einem, in den Jahren 1822 und 1823 bis zu ungefähr 30 Meter abgeteuften, Schachte hat man eine Folge von, stark nach S. fallenden, Kalk- und Thonschiefer-Schichten durchsunken: beide Felsarten sind so reich an Kohlenstoff, dafs man dieselben sehr dunkelschwarz gefärbt sieht, und dafs ihre scharfeckigen Bruchstücke auf Papier schwarz schreiben. Dem Thonschiefer besonders steht diese denkwürdige Eigenthümlichkeit zu, welche ihn vom eigentlichen Kohlenschiefer unterscheiden würde, indem dieser, selbst der die Kohlen-Lagen zunächst begrenzende, Papier stets nur grünlichgrau färbt.

Der schwarze Schiefer von *Aulnois* scheint im Allgemeinen keinen Glimmer zu führen; allein Eisenkies findet man demselben in kleinen, oft mikroskopischen, würfeligen Krystallen eingewachsen; die, aus der Nähe des Kalkes entnommenen, Theile der Felsart brausen mit Säuren. Auch der Kalk ist kieshaltig, und aufserdem sieht man ihn von Kalkspath-Adern durchzogen und Kalkspath-Nester einschliefsend. Beide Gesteine zeigen sich, so weit meine Erfahrungen reichen, frei von Ueberresten fossiler Muscheln.

Bei Saint - Remy - Chaussée, zwischen Pont-sur-Sambre und Avesnes, kann man abermals den Wechsel des glimmerigen Schiefers und des stinkenden Kalkes wahrnehmen; allein hier sind beide Gesteine weit weniger Kohlenstoff - reich, und gewöhnlich blaulichgrau. Der Schiefer braust fast stets etwas auf; er enthält in manchen Schichten Enkriniten, Merkmale, welche ihn sehr weit vom Kohlenschiefer entfernen. Der Kalk, mit dem man ihn wechsellagern sieht, schliefst ebenfalls Muscheln ein, besonders aber viele Enkriniten.

Endlich zeigt sich im Kanton Trélon, von der südöstlichen Grenze des Departements, an sehr vielen Stellen der Kalk im Wechsel mit dem Thonschiefer, oft selbst bei Schichten, welche kaum 1 bis 2 Dezimeter Mächtigkeit haben, wie diefs unter andern in der Gemeinde von Glageon beobachtbar ist, auf dem Abhange gegen S. zwischen dem Dorfe und der Gemeinde - Waldung.

Der stinkende Kalkstein umschliefst oft drusenartige Räume mit Kalkspath - Krystallen und Stalaktiten ausgekleidet. Auch Braunspath, Flufsspath, Anthrazit und Eisenkies kommen darin vor: nur die beiden lezten Substanzen führt der Thonschiefer.

Auf untergeordneten Lagen sieht man in der Formazion des stinkenden Kalkes und des Thonschiefers am häufigsten ein quarziges, feinkörniges, sandsteinartiges Gebilde, das alle Merkmale der Grauwacke trägt. Dieser, stets sehr thonig - glimmerige, Sandstein erlangt einigen Kalk - Gehalt, da,

wo er mit dem stinkenden Kalksteine wechselt. So
sah ich denselben namentlich bei *Saint-Remy-Chaus-*
sée: er ist grünlichgrau, sehr glimmerreich und mitunter schieferig; im Bruche uneben und splitterig;
braust mit Säuren schwach auf, und zeigt sich im
Innern von kleinen schwarzen Fäden durchzogen;
wie es scheint, eine Folge vom Eindringen des Kohlenstoffes aus dem stinkenden Kalke. — —

— Es ergibt sich hieraus, daſs die Kalk- und
Thonschiefer-Formazion fast über die ganze Aufsenfläche des Arrondissements von *Avesnes* zu Tag ausgeht. Der Kalk, unter dem Namen *pierre bleue*
bekannt, wird seit alter Zeit zum Bausteine gebrochen. — — — — — — — — — — — — —

— Unter den verschiedenen, von mir besuchten,
Steinbrüchen, verdienen folgende Beachtung. —

1. *Carrières de Cerfontaine,* unfern *Maubeuge.*
Die Kalk-Schichten sind theils beinahe frei von
Versteinerungen, theils zeigen sie sich sehr reich an
Madreporen; deren Röhren bald mit einem körnigen Kalke von minder dunkler grauer Farbe, als
die Grundmasse, theils mit weifsem Kalkspathe erfüllt sind. Mit den Madreporen kamen, in einer
und derselben Schicht, Enkriniten und Terebrateln
vor, auch *Spirifer.* Von Kalkspath-Krystallen trifft
man auf den, den Kalkstein durchsezzenden, Adern
u. a. Haüy's Varietät *bibinaire,* und aufserdem Rhomboeder mit Streifungen, die, zu den Abänderungen *inverse* und *équiaxe* führenden, Durchgänge andeutend. — — — — — — — — — — — — —

2. *Carrières de Ferrière-la-Petite.* Der Kalk ist ganz erfüllt mit Enkriniten, die häufig sehr groß sind, und bis 0^m,01 Durchmesser haben. Außerdem finden sich manche Bivalven darin, namentlich eine glatte *Terebratula* und ein gestreifter *Spirifer*; auch ist Eisenkies in kleinen würfeligen Kryzstallen darinnen vorhanden.

3. *Carrières de Ferrière-la-Grande.* Die Kalk-Schichten streichen in mehreren, in dieser Gemeinde aufgeschlossenen, Steinbrüchen aus ONO. in WSW., und fallen unter 15 bis 18° gegen S. Manche derselben enthalten Enkriniten, *Spirifer* und *Productus* in Menge, ferner Madreporen und einzelne einschaalige Muscheln, welche zu *Turritella* gehören dürften.

4. *Carrières de Baschamp* im Kanton von *Berlaimout.* Der Kalk, den sie liefern, ist durch dunkel schwärze, sehr gleichmäßige Farbe ausgezeichnet.

5. *Carrières de Marbaix.* Ein Kalk mit Enkriniten und zahllosen Bivalven, dem von *Ferrière-la-Petite* durchaus ähnlich.

6. *Carrières du Camp de César* unfern *Avesnes.* Die Schichten zeigen das gewöhnliche Streichen, aber sie fallen nordwärts; eine denkwürdige Aenderung, die sich fortdauernd zeigt, je mehr man gegen S. vorschreitet. Der Kalk ist in einigen Schichten überfüllt mit Enkriniten, und andere, damit wechselnde, Schichten lassen kaum einige Spuren davon wahrnehmen, beide aber schließen, in ziemlicher Häufigkeit, Bivalven ein. In einem der Brüche findet man mehrere Schichten eines, etwas

körnigen, Kalkes. mit kleinen Drusenräumen erfüllt
von Kalkspath - Krystallen, die meist Hauy's *Ch. c.
métastatique* angehören, und mitunter von beträchtlicher Größe sind.

.·. Unter den, in der Nähe von *Avesnes*, auf dem
Wege nach *Sains*, zum Behuf des Strafsenbaues auf-
geführten, Bruchstücken. stinkenden Kalkes fand ich
zwei Ammoniten, als unzweifelhaften Beweis vom
Vorkommen dieser Versteinerung in der befragten
Felsart. Beide, sehr wahrscheinlich aus einem der
Steinbrüche um *Avesnes* abstammend, gehören den
Schichten an, welche die Enkriniten, *Productus*,
Terebrateln u. s. w. enthalten, und dürften dem
Genus *Ammonites simplex* beizuzählen seyn. Die
wohl erhaltene Schaale besteht aus Kalkspath; das
Innere ist von stinkendem Kalke erfüllt.

· 7. *Carrières de Glageon.* Die Schichten theilen das allgemeine Streichen und fallen unter 70°
nach N. Eine derselben ist vorzüglich versteine-
rungsreich. Man sieht sie ganz erfüllt mit Enkriniten, aufserdem enthält sie Terebrateln, *Spirifer*
und *Productus*, die beiden lezteren in gröfster Häufigkeit und sehr wohl erhalten. Ihr Inneres ist theils
mit dunkel gefärbtem, körnigem Kalke, theils mit
weifsem Kalkspathe erfüllt. Die beiden Schichten,
zwischen welchen jene Petrefakten - reiche ihre Stelle
einnimmt, scheinen frei von Enkriniten; sie schliefsen die nämlichen Bivalven, jedoch nur hin und
wieder zerstreut und in geringer Zahl ein, dagegen
enthalten sie Madreporen, Milleporen und Koralliten

in grofser Menge. Aufserdem fand ich ein Bruchstück von einer zweischaaligen Muschel, welches
mir der *Gryphaea latissima* anzugehören scheint,
das einzige Beispiel vom Vorkommen dieses Petre-
fakts im stinkenden Kalke des Nord-Departements.
— Eisenkies kommt, in kleinen Würfeln, in den
verschiedenen Kalk-Schichten von *Glageon* vor; ferner sieht man hier Eisenspath und Flufsspath in
Adern und auf kleinen Nestern.

" 8. *Carrière du bois du Sourment* bei *Trélon*.
Hier findet sich ein rother, weifs geaderter Kalk;
die Schichten neigen sich unter 30°. Als Unterlage
dient ein Thonschiefer, der unter 45 bis 50° nach
N. fällt, und dessen, den Kalk zunächst begrenzenden, Theile lebhaft mit Säuren brausen. Die Schichtung ist, wie man sieht, sehr ausgezeichnet, allein
sie scheint nicht gleichförmig mit der des dunkel-
blauen Kalkes und des Thonschiefers, die auf der
entgegengesezten Seite vorkommen. Dieser Kalk von
Trélon bildet vielmehr eine zufällige Ablagerung in
der Mitte dieses Gebietes, und zeichnet sich auch
dadurch aus, dafs er nicht stinkend ist; allein von
der andern Seite nähert er sich demselben durch
seine, vollkommen analogen, Versteinerungen, u. a.
habe ich einen ausgezeichneten *Spirifer* darin gefunden. Eine der begrenzenden Thonschiefer-Schichten braust mit Säuren, und enthält, aufser einigen
Enkriniten, viele fossile Bivalven, namentlich *Cytherea* und *Bucardita* (es ist indessen möglich, dafs
beide, die keine entscheidende Merkmale tragen,

auch nur Abänderungen von *Spirifer* oder *Productus* sind). Die Schicht stinkenden Kalkes, welche darauf folgt, schliefst die zulezt genannten Versteinerungen in grofser Häufigkeit und von sehr ausgezeichneten Charakteren ein; aufserdem ist dieselbe
auch sehr reich an Enkriniten.

Im Kanton von *Trélon* finden sich ferner ein
thoniges, rothes Eisenoxyd und gelbes Eisenoxyd-
Hydrat. Das erste, der Gattung des Eisenglanzes
beizuzählen, erscheint theils körnig, theils erdig,
die Körner sind sehr klein, und durch einen rothen
Thon gebunden. Das Eisenoxyd-Hydrat findet sich
bald in dem gewöhnlichen Zustande (Braun-Eisenstein), bald ist dasselbe mehr thonig. Mit dem Eisenoxyd-Hydrate kommt häufig Galmei vor.

Das Eisenoxyd sezt untergeordnete Lager in der
Formazion zusammen, deren Betrachtung uns bis
jezt beschäftigte. Man findet deren zwei zwischen
Thonschiefer-Schichten. Im Hangenden und Liegenden des einen dieser Erz-Lager, das am reichsten
ist, eine mittlere Mächtigkeit von 2^m,4 bis 2^m,5 hat,
unter 68 bis 70° nordwärts fällt, und von den Arbeitern *le grand train de mine rouge* genannt wird,
sieht man einen sehr feinkörnigen, glimmerigen, mit
etwas Thon gemengten Sandstein (*clapis* der Bergleute). Die Sandstein-Schicht im Hangenden, mifst
nur eine Stärke von 0^m,15, aber die im Liegenden
befindliche ist 0^m,4 bis 0^m,5 mächtig, und ruht ih-
rerseits auf einem andern, gelb gefärbten Sandsteine,
der 0^m,5 mächtig, feinkörnig und nur wenig schie-

ferig. ist. **Das zweite Erz-Lager,** *petit train de mine rouge,* hat in der Regel nur eine Stärke von 0^m,5 bis 0^m,6, und zeigt übrigens die nämlichen Erscheinungen, wie das vorerwähnte. Das herrschende Gebirgs-Gestein, in der Nähe beider Lager, ist ein glimmeriger, graulichblauer Thonschiefer, welcher die nämlichen Versteinerungen führt, die in der Formazion überall zu Hause sind.

Die gelben Eisenerze (Eisenoxyd-Hydrat) scheinen unter denselben Lagerungs-Beziehungen vorzukommen, und drei untergeordnete Lager auszumachen (*train de mine jaune du Midi*, *train intermédiaire* und *train du Nord*). Alle haben das Streichen und Fallen, wie das, dieselben umschliefsende, Gebiet. Die höchste Mächtigkeit, welche sie erreichen, beträgt 3 bis 4 Meter. Sie sind durch Thonschiefer-Schichten im Hangenden und Liegenden begrenzt; in ihrer unmittelbaren Nähe zeigt sich das Gebirgs-Gestein weniger hart, gelblich von Farbe, die Textur ist nicht so regelvoll schieferig, obwohl die Einmengungen weifser Glimmer-Blättchen nicht seltener werden; stellenweise wird der Thonschiefer etwas kieselig, und erhält einige Aehnlichkeit mit dem, die Lager von Eisenoxyd begleitenden, Sandsteine. In einiger Entfernung aber nimmt die Felsart ihr gewohntes Aussehen wieder an. — Offenbar sind die Eisenerz-Lager dem Thonschiefer untergeordnet, der seines Ortes mit Kalk wechselt.

II. Nördliche Formazion des stinkenden Kalksteines und des Thonschiefers.

Sie ist eine blofse Fortsezzung der südlichen Formazion und ihr durchaus ähnlich; allein beide sind gänzlich geschieden durch das Steinkohlen-Gebiet, welches sie einschliefsen. Das Studium dieser Formazion im Nord-Departement, ist übrigens nicht wohl möglich; denn nirgends geht sie zu Tag aus. Ich habe dieselbe zu *Blaton* in *Belgien* entblöfst gesehen, und hier zeigt sie, gleich der südlichen Formazion, ein Streichen aus ONO. in WSW.; das Fallen, nach den bekannten Stellen zu urtheilen, im Allgemeinen schwächer, beträgt meist nur 10° gegen S.; oft liegen die Schichten auch fast wagerecht.

Die Linie, die nördliche Formazion gegen das Steinkohlen-Gebiet begrenzend, zieht zwischen *Blaton* und dem Walde von *Condé*. Nimmt man sie, als dem allgemeinen Streichen aus ONO. in WSW., parallel an, so würde dieselbe über *Saint-Léonard-de-Rache*, zwischen *Saint-Amand* und *Orchies* sich erstrecken; allein sie scheint eine mehr nördliche Wendung von *Orchies*, gegen *Séclin* hin, anzunehmen. Die Bohr-Versuche von *Wattignies* und andere Thatsachen, wovon in der Folge die Rede seyn wird, deuten darauf hin.

Zu Tag ausgehend zeigt sich die nördliche Formazion nur in *Belgien*, zu *Blaton*, *Peruwels*, *Tournay* u. s. w. Auf der Grenze des Nord-Departements, in der Gemeinde *Vieux-Condé*, süd-

wärts

wird *Peruwels*, hat man seit kurzem, das Daseyn
des stinkenden Kalkes in 13 Meter Teufe dargethan.
In *Flines - lès - Mortagne* scheint ein Bohr - Versuch die Gegenwart des Gesteines in 15 oder 18
Metern Teufe gleichfalls nachgewiesen zu haben;
aber jenseit dieser Stelle senkt der Kalk sich mehr
und mehr unter das Flöz - Gebiet hinab, und mit
dem Bohr - Versuche bei *Lambersart*, unfern *Lille*,
wurde derselbe erst in 80 Meter Teufe erreicht;
dieses ist die lezte Spur von älterem Kalke im Nord-
Departement. Es läfst sich deshalb die Grenze der
nördlichen Formazion des stinkenden Kalkes und
Thonschiefers, nach dieser Seite hin, nicht wohl
bestimmen. Alle Steinbrüche, in welchen solcher
Kalk gewonnen wird, liegen in *Belgien*. Von Erz-
lagerstätten in der Formazion, scheint bis dahin
nichts bekannt geworden zu seyn.

In einem Steinbruche bei *Blaton* habe ich —
eine Erscheinung, welche mir aufserdem nirgends
im Nord - Departement vorgekommen, — mitten im
stinkenden Kalke, eine Substanz, ähnlich derjenigen getroffen, die in den tieferen Lagen der Kreide
sich findet, und Veranlassung gegeben, dieser den
Namen *craie chloritée* beizulegen, in Beziehung auf
die äufserliche Aehnlichkeit mit Chlorit. Die Substanz zeigt sich hier in sehr kleinen grünen Körnern, und kommt in einer Art kalkigen Sandes vor,
dessen Farbe um desto mehr grün ist, je reicher er
an den erwähnten Körnern. Gewisse Theile dieses
Sandes, ganz frei von den grünlichen Körnern, ma-

32

chen nierenförmige Parthieen oder kleine Adern in
der Masse, und stellen einen weifslichen oder gelblichen, lockeren Kalk dar, der die Finger beschmuzt,
wie diefs wahre Kreide auch thun würde.

Ich glaubte zuerst, es sey diefs nur eine zufällige Ablagerung von chloritischer Kreide über dem
stinkenden Kalke; allein bald hatte ich Gelegenheit
mich zu überzeugen, dafs das Gebilde diesem Kalke
wesentlich angehört. In den geneigten Schichten,
welche die kreideartige Substanz einschliefsen, ver-
läuft sich dieselbe in Adern in den Kalk, und dieser wird an solchen Stellen allmählich lichter von
Farbe, hellgrau, und selbst ganz weifs, auch zeigt
er sich weicher, und zum Theil staubartig. Man
könnte Veranlassung nehmen, diefs als eine Art Uebergang aus dem dunkel gefärbten Kalke in die Krei-
de-ähnliche Masse zu betrachten. Allein ich bin
weit entfernt, diese Ansicht als eine wahrscheinliche
darzulegen: der Raum zwischen einem Kalke der
Uebergangszeit und der Kreide, dem jüngsten Gliede
des Flöz-Gebietes, ist zu unermefslich. Meine Absicht war, eine Thatsache nicht unerwähnt zu lassen,
die, so viel ich weifs, bis jezt nicht beobachtet
worden; d. i. die Gegenwart der, gewöhnlich mit
dem Namen Chlorit bezeichneten, Grünerde in der
Mitte eines Uebergangs-Gebietes.

(Fortsezung folgt.)

Das
vulkanische Eiland *Hawaii*
(*Owhyhee*) *.

Von

Herrn Joseph Goodrich.

(Schreiben an Herrn Professor Silliman in New-Haven.)

(Silliman's *Americ. min. Journal*: *XI*, 1.)

Auf dieser Insel, ungefähr vierzig Meilen landein, wärts, in südwestlicher Richtung, findet sich ein

---

* Die größte der *Sandwich*-Inseln, bekannt durch den Tod des berühmten Englischen Seefahrers J. Coox. — Im Oktober 1819 ging eine Mission von *Boston* dahin ab, bei welcher sich die Herren J. Goodrich, Ellis, Haarwood, Thurston, Stewart und Bishop befanden.

brennender Vulkan, der seit undenklicher Zeit im
Thätigkeits-Zustande ist. Die ältesten Eingebornen
wissen von keiner ruhigen Periode dieses Feuerber-
ges; nach ihrer Aussage soll indessen seine Wirksamkeit gegenwärtig weit gröſser seyn, als vor zwölf
oder fünfzehn Jahren.

Wir landeten zu *Oahu*, woselbst ich mehrere
Monate verbrachte. Die von mir untersuchten Felsarten sind entschieden vulkanische; manche tragen
ganz das Ansehen der sogenannten Trapp-Gesteine.
Der Boden hat mitunter ausgezeichnete rothe Färbung; auch bei *Tuuai* (*Atooi*) sieht man ihn so.
Alle *Sandwich*-Eilande sind, nach meiner Ansicht,
vulkanischen Ursprunges.

Hawaii, von N. bis S. und mit Einschluſs der
ganzen westlichen Seite der Insel, besteht fast ganz
aus Lava, die zu verschiedenen Zeiten von den Bergen herabgeflossen ist. Einige Lavenströme sind
noch so neu, daſs sie frei von jedem Pflanzen-Wachsthume geblieben; auf andern, älteren, gedeihen
Buschwerk und sogar Bäume. Das Land im Westen
der Insel, ungefähr 4 bis 5 Meilen von der Küste,
hat etwa 3000 F. Seehöhe. Hin und wieder
stürzte sich die Lava, da, wo sie den Bergen ent-
floſs, 20 bis 100 F. hoch, senkrechten Abstürzen
herunter, und hin und wieder sieht man an solchen Stellen tropfsteinartige Laven-Gebilde.

Eine der denkwürdigsten Stellen ist acht bis
zehn Meilen südwärts von *Kearakekua*, welcher
Ort, ungefähr in der Mitte der südlichen Hälfte des

Eilandes liegt. Hier finden sich vier erhabene Berge;
zwei davon, *Hualulae* genannt, messen ungefähr
7000 F. Höhe, und liegen an den Rücken von *Toae-
hae* und *Kairua*; die beiden andern, ungleich höher, sind der *Mouna Kea* — im nordöstlichen Theile,
— beinahe 18,000 F. hoch, und der *Mouna Roa* —
im südwestlichen Theile, — wahrscheinlich von gleicher Erhabenheit. Ich habe den Gipfel des *Mouna
Kea* zweimal bestiegen. Ich mußte mehrere Schnee-
bänke, im Norden des höchsten Gipfels befindlich,
überschreiten, und der Wechsel heißer und kalter
Temperatur war so schnell, daß man, um der Gefahr des Erfrierens zu entgehen, nicht einen Augenblick, ohne sich stets zu bewegen, verbleiben
konnte. Das andere Mal bestieg ich den Berg im
leztverflossenen Monat April *. Vom Meeresufer
bis zum Gipfel scheinen drei bis vier verschiedene
Regionen vorhanden zu seyn. Die erste, zum Theil
angebaut, nimmt ungefähr 5 bis 6 Meilen ein. Die
zweite hat sandigen Boden und ist, einige Fußpfade
ausgenommen, ganz unwegsam; man trifft hier ein
baumartiges Farrnkraut, dessen Stämme bei 18"
Durchmesser haben. In der dritten Region ist Gras-
wuchs vorhanden; Erdbeeren, Heidelbeeren u. s. w.
gedeihen hier, und Heerden wilden Viehes weiden
daselbst. Der ganze Boden ist in Hügel und Thäler
geschieden, Lava das vorherrschende Gestein. Die

---

* 1825.

obere Region hat Laven von den mannichfachsten
Formen aufzuweisen, von den ungeheuersten Felsmassen an, bis zum groben vulkanischen Sande. Einige Gipfel zeigen sich aus solchem Sande zusammengesezt, andere bestehen aus losem Gesteine und
aus Rollstücken. Manche Stücke, die ich fand,
schienen mir unzweifelhafter Granit, und in den Lavenmassen waren mit Augit-Krystallen erfüllte Drusenräume vorhanden.

Ich verweilte bis 2 Uhr Nachmittags; ein schnei-
dender Südwest-Wind verursachte mir heftigen Kopf-
schmerz, der mich jedoch beim Herabsteigen wieder verließ.

Der Vulkan, von welchem die Rede, dürfte einer der größten seyn, wenigstens von den mir bekannten. Ich besuchte ihn zu vier verschiedenen
Malen. Der Umfang, mit einer Schnur gemessen,
beträgt 7 $\frac{1}{2}$ Meile. Zum Theil maß ich innerhalb
des Kraters, woselbst die Wände 300 bis 400 F.
über uns emporragten. Ich zählte zwölf verschiedene Stellen, wo die Lava sich rothglühend zeigte,
und drei oder vier, wo man die Lava auf 30 bis
40 F. Höhe emporschleudern sahe. Der Krater dürfte
eine Tiefe von wenigstens 1000 F. haben, in etwa
500 F. Tiefe sieht man eine Lavenwand deutlich
hervorragen. Dicke Schwefeldämpfe entsteigen dem
Boden fast überall. Einige der gasartigen Substanzen hatten den Geruch von Salzsäure; sie machen
den Krater, durch ihre erstickenden Eigenschaften,
stellenweise unzugänglich. Mitunter ist das Entwei-

chen der Gase von einem furchtbaren Brüllen begleitet. In der Nacht vom 22. Dezember 1824 öffnete sich ein neuer Schlund am Boden des grofsen, 5 1/2 Meile im Umfang messenden, Kraters. Die Lava sprudelte so gewaltsam hervor, dafs dieselbe mitunter 40 bis 50 F. aufwärts geworfen wurde. Hin und wieder trifft man haarförmiges, vulkanisches Glas in Menge, nicht nur im Krater selbst, sondern auch in 15 bis 20 Meilen Entfernung von demselben in den Laven-Spalten. Um dem Krater finden sich Bimssteine in grofser Häufigkeit, so leicht und porös, dafs jeder Windstofs dieselben fortzutreiben vermag. Ihre Textur ist so zart, dafs man sich nicht leicht gute Exemplare davon verschaffen kann. Auf eine Weite von 15 bis 20 Meilen in südlicher Richtung brechen die Dämpfe, aus Klüften und Spalten der Lava, fast überall hervor. Der Krater hat eine ungefähr eiartige Gestalt; der längste Durchmesser ist aus N. nach S. Innerhalb des Kraters findet man Laven aller Art, von den lockern blasigen, bis zu jenen, die so dicht sind, als manche Trappe. Die dichten Massen haben, ohne Zweifel, den gröfsten Druck erlitten. Rings um dem Krater hat der Boden sich sehr gesenkt; gegen das nördliche Ende desselben findet man ihn ziemlich eben, und nach der Küste zu allmählich abfallend. Wahrscheinlich mifst der Vulkan 8000 bis 10,000 F. Meereshöhe. Im Krater und in seiner Umgebung trifft man grofse Massen Schwefel. Hin

und wieder zeigt sich die Lava ganz erfüllt mit Augit - und Leuzit - Krystallen.

Ich erlaube mir, was die weiteren ausführlichen
Nachrichten betrifft, auf ein Tagebuch zu verwei-
sen, das bei einer, im Sommer nach meiner An-
kunft durch die Insel vorgenommenen, Reise geführt
worden, und theile aus demselben Nachstehendes
mit.

––––––––

Die Reise, von Herrn ELLIS beschrieben, begann zu Kairua, einem Dorfe auf der westlichen
Seite der Insel. Man wanderte längs der Küste, in
südlicher, östlicher und nördlicher Richtung; dabei
hatten häufige Exkursionen landeinwärts Statt. —
Der vulkanische Charakter der Insel Hawaii ist
höchst interessant. Der Kuararai gehört zu den erhabensten Bergen des Eilandes. Am 9. Julius 1823
bestiegen die Reisenden denselben. Nach ungefähr
12 Meilen erreichten sie die lezte Wohnung an der
Westseite des Berges. Von hier aus führt der Weg
häufig über Lavenströme, voll von Rissen und Spalten; hin und wieder sahen sie sich durch dichte
Waldungen baumartiger Farrnkräuter, im Weiter-
gehen sehr gehindert. Sie verbrachten die Nacht in einer leichten, auf Lava erbauten, Hütte. Das Thermometer zeigte am 10. Morgens 46° (am Meeresufer
ist der gewöhnliche Stand 84°). Nach einem Wege
von ungefähr zwei Meilen, erreichten sie einen
Strom alter Lava, ungefähr 20 Ruthen breit und in

fast westliche Richtung sich erstreckend. Gegen 10 Uhr Vormittags gelangten die Reisenden zu einem verlöschten Krater, von einer Meile im Umfang, und etwa 400 F. Tiefe. Die Wände desselben fallen allmählich ab, und der Boden zeigt eine kleine Erhöhung mit offenem Gipfel. Hineingeworfene Steine hörte man, acht Sekunden hindurch, an den Seitenwänden, hin- und herfallen. In der Nähe befanden sich noch einige Oeffnungen von ungefähr 9 F. Durchmesser und, wie es das Ansehen hatte, etwa 200 F. Tiefe. Am Rande des Kraters liefsen sich zwei beträchtliche Lavenströme in ihrem Laufe verfolgen; sie dürften dem grofsen Ausbruche von 1800 angehören. Einer derselben war in nordöstlicher Richtung geflossen; der andere gegen NW. sich ausdehnend, hatte eine Länge von 12 bis 15 Meilen gegen das Meer zu, woselbst die Wasser von ihm zurückgetrieben, und die Grenzen der Insel erweitert wurden. Das Hinabsteigen in den grofsen Krater war, der steilen Wände wegen, nicht möglich. In der nachbarlichen Gegend trifft man noch sechszehn andere Krater, alle von ziemlich gleicher Beschaffenheit mit dem ersten, nur von kleineren Dimensionen. Der ganze Bergrücken schien eine Verbindung vieler Krater, die, zu verschiedenen Zeiten, die tiefer liegenden Thäler mit Lava übergossen, oder mit Asche bedeckt hatten. Einige mufsten schon lange nicht mehr thätig seyn, denn sie waren mit Erde und Pflanzen-Wachsthum bekleidet. Das Besteigen des höchsten Gipfels war, des Wassermangels wegen, nicht möglich; unsere Reisenden kehrten darum nach *Kairua* zurück. Ihr Weg führte sie stets über Lavenfelder.

Am 18. Julius traten sie ihre Wanderungen von Neuem an, und in der Mitte des Tages überschritten sie, unfern *Kahalu*, ein, etwa eine Meile breites, Laven-Lager mit sehr rauher Aufsenfläche, das augenscheinlich neueren Ursprunges war, als die grofsen Lavenzüge, welche dasselbe umgeben.

Am 19. führte sie ihr Weg über ähnliche Lavenstrecken, wie Tags zuvor. An vielen Stellen schien es, als wäre die Oberfläche der Lava erhärtet, indessen dieselbe, wenige Zolle unterhalb, noch halb flüssig geblieben, und in solchem Zustande gewaltsam geborsten und aufgebrochen sey, wodurch seltsam gewundene Gestalten sich erzeugten. Tiefe Klüfte und Spalten nahm man an verschiedenen Stellen wahr.

Am 24. beobachteten die Reisenden, bei *Keakoa* ein bogenartiges Gewölbe von 50 bis 60 F. Höhe, gebildet durch neuere Lava, welche über den steilen Abhang einer älteren herabgestürzt war. Die ganze Masse schien, seit ihrem Entstehen, Wirkungen heftiger Hizze erlitten zu haben; Risse und Höhlungen, theils wagerecht zwischen den Lagen, theils in schräger Richtung ziehend, waren mit minder poröser Lava von hochrother Farbe erfüllt. Diese leztere Lava mufste in hohem Grade flüssig gewesen seyn, denn sie drang in alle Risse, selbst in solche, deren Breite nicht über einen halben

Zoll betrug. Sie zeigte sich dabei sehr glasig, und
hin und wieder schlofs dieselbe kleinere und gröfsere Laven - Rollstücke ein. Der gewaltige Pfeiler,
gebildet durch die, aus der Höhe herabgestürzte,
Lava, bot einen sehr imposanten Anblick dar. Die
Farbe dieser Lava war dunkelroth oder braun; im
Innern zeigte sie sich sehr porös, auch betrug ihre
Eigenschwere bei weitem weniger, als die der alten
Lava. Das Vielartige der Formen läfst keine Schilderung zu. Der, durch die Lava gebildete, bogenartige Gang, von den Eingebornen *Keanaee* genannt,
erstreckte sich ungefähr eine halbe Meile. Hin und
wieder sickerte Wasser durch die Lava hindurch,
und sezte haarförmige salinische Bildungen ab.
Am Gestade bildet die Lava häufig Wände,
gleich Mauern, von 60 bis 100 F. Höhe, die scheinbar jeden Augenblick den Einsturz drohen. Stellenweise hatte die Lava sich weit in das Meer hinein ergossen.

Den 25. sezten die Reisenden ihren Weg längs
der Küste fort, die, durch steile Lavenfelsen gebildet, einen überaus rauhen Anblick gewährte. Unfern *Taureonahoa* erheben sich drei gewaltige Laven-Pfeiler, etwa 80 bis 100 F. über den Wasserspiegel. Zwei derselben neigen sich mit ihren Gipfeln gegen einander. Deutlich konnte man verschiedene Laven-Schichten von schwarzer, rother
und brauner Farbe unterscheiden.

Jenseit *Kalahiti* ein Lavenfeld von seltener
Wildheit, scheinbar zerrissen durch Erdbeben, wäh-

rend, die Masse noch im halbflüssigen Zustande war.
Um die Mittagzeit erreichten die Reisenden einen großen Krater, von dem nur gegen das Meer hin gewaltige Laven-Ergüsse Statt gehabt. Die Lava zeigte sich
weniger porös, als jene von *Keanaee*, in der Nähe
des Kraters war dieselbe braun gefärbt, und nur
stellenweise verglast.

Durch den Mangel an süßem Wasser wird das
Reisen in diesem Landstriche ganz besonders be-
schwerlich; oft muß man meilenweite Umwege machen, um sich nur eine Kürbisflasche voll zu verschaffen.

Am 26. wurde die Wanderung nach dem Bezirke von *Kau* fortgesezt; ein Theil der Insel, der,
gleich den bisher beschriebenen, durch wilde Lavenströme sich auszeichnet. Gar oft vermißt man
jede Wegespur; die Reisenden mußten über ungeheure Massen schlackiger Laven, und über rauhe
Laven-Pfeiler hinwegklimmen. Fast stets schienen
die vulkanischen Ausbrüche hier mit den heftigsten
Erschütterungen der Erde begleitet gewesen zu seyn;
das Zerrissene der Laven, die seltsamen, gewundenen Gestalten großer Massen derselben deuten darauf hin. Laven-Blöcke von beträchtlichem
Durchmesser waren zu Säulen über einander gethürmt, und manche derselben nahm, ohne Zweifel
gewaltsam gehoben, auf solche Weise ihre Stelle 10
bis 12 F. und höher über der gewöhnlichen Laven-
Oberfläche ein. Zahllose kleine Kegelberge, von
150 bis 200 F. Höhe, stiegen in der Umgegend em-

por. Sie bestanden, wie die nähere Untersuchung
ergab, aus Schlacken und aus vulkanischer Asche.
Ob alle diese Hügel je Krater gewesen, liefs sich
nicht ausmitteln.

Den 27. verliefsen die Reisenden *Keavaiti*.
Alles trägt einen vulkanischen Charakter. Dörfer
und Leichenhäuser sieht man aus Lava erbaut. Ein
Lavenblock diente nicht selten dem Missionair zur
Kanzel und seine Zuhörer safsen auf Lavenmassen.

Am 30. wurde ein Lavenstrich von ungefähr
200 Ruthen Breite überschnitten. Als die Reisenden mehr aufwärts stiegen, sahen sie, in beträchtlicher Entfernung, viele Rauch- und Dampfsäulen
sich erheben; eine derselben, auf welche der Wind
wenig einzuwirken schien, kam, wie die Eingebornen versicherten, aus dem grofsen Krater von *Kiranea*. Tages darauf erreichte man die Stelle, wo
jene Rauch-Ausströmungen Statt fanden. Als die
Reisenden denselben nahten, fanden sie häufige
Risse und Spalten von 2 Zoll bis 6 F. Weite. Ganze Grotten, von beträchtlicher Gröfse, hatte das
Einsinken der alten Lava hier hervorgebracht; überall tönte der Boden hohl, und die Lava war noch
sehr warm. Die Dämpfe rochen mitunter stark nach
Schwefel. Die Spalten, in welche man hinein zu
sehen vermochte, waren ungefähr 50 bis 60 F. tief,
und auf dem Grunde nahm man rothglühende Steine wahr. Eine dieser Klüfte mufste erst ganz
neuerdings Lava ergossen, und einzelne Massen aus-
geschleudert haben. Auffallend war das Ansehen

der Bäume, des Buschwerkes und des hohen Grases; an der einen Seite zeigten sich Blätter und Zweige nur versengt, auf der andern waren dieselben zu Holzkohle umgewandelt; von den Bäumen hingen hin und wieder wahre Laven-Stalaktiten herunter. Die neuere Lava war deutlich unterscheidbar von der älteren, den ganzen Thalboden ausmachenden. Sie war schwarz, glänzend, porös; leicht zerbrechlich, die ältere hingegen grau oder röthlich und sehr fest. — Die Stelle, von welcher die Rede, ist ungefähr 10 bis 12 Meilen von der Meeresküste, und 20 Meilen von dem grofsen Vulkane, am Fufse des *Mouna Roa.* — Der Rückweg führte die Reisenden über mehrere Hügel, deren Beschaffenheit darauf hinwies, dafs sie ehedem Krater gewesen.

Am 31. Julius schickte man sich zur Untersuchung des grofsen Kraters von *Kiranea* an. — Eine Höhle in der Lavenmasse war so geräumig, dafs dieselbe mehreren Familien zur Wohnstätte diente. — Der Weg führte über eine Landschaft von ungemeiner Schönheit. Nach der Küste hin, auf eine Weite von 10 bis 15 Meilen senkte sich das Land sehr allmählich, gegen das Innere aber fand steiles Ansteigen Statt, bis zum Fufse des *Mouna Roa.* — Eine andere, von Lava umschlossene Höhle, *Keapuana* genannt, dient nicht selten den Wanderern zum nächtlichen Aufenthalte. Ein Bogen von 8 F. Höhe und 5 F. Weite, aus alter Lava bestehend, bildet den Eingang der Grotte. Im Innern mochte dieselbe ungefähr 50 Quadratfufs betragen; die Höhe der Wölbung läfst sich auf 10 F. schäzzen.

(Fortsezzung folgt.)

Auszüge aus Briefen.

Kielce, den 18. *März* 1827.

Ich arbeite jezt ernstlich an einem ausführlichen
Werke über die Geognosie Polens; zum gröfsten
Theile sind die Karten bereits fertig. Die General-
Karte, welche von *Odessa* bis *Kosel* reicht, wird
eine grofse Lücke in der geognostischen Kenntnifs
von Ost-Europa ausfüllen. Sie stellt in ihrem östlichen und südöstlichen Theile das gröfste aller terziären Bassins dar, welches wir bis jezt kennen,
mit manchen noch ungekannten, höchst interessanten Verhältnissen, so namentlich in *Podolien*, wo
dasselbe unmittelbar das Süd-Russische Granit-Pla-
teau, und nahe an der Türkischen Grenze zwei andere — bis jezt unbekannte — bedeckt, von denen
das eine dem Gothländischen und Estländischen Uebergangs-Kalke am meisten entspricht. Im Süden
zeigt die Karte die Karpathen-Kette mit ihren wunderbaren Sandstein-Formazionen und ihren Num-
muliten-Kalk-Ketten, welche ich 1821 noch verkannt hatte, und deren Einreihung in die Formazio-

nen-Folge höchst schwierig, aber für die komparative Geognosie ungemein wichtig ist.

PUSCH.

Stockholm, den 2. April 1827.

Mineralogische Neuigkeiten hat es in der lezteren Zeit wenige bei uns gegeben. Herr FIEDLER, welcher uns im verflossenen Herbste besuchte, entdeckte bei *Ytterby* ein Mineral, das ihm neu schien. In der That fand Herr MOSANDER dasselbe zum großsen Theile aus phosphorsaurer Yttererde zusammengesezt. Herr LYCHNELL hat den sogenannten gemeinen Serpentin und den Marmolith zerlegt. Er fand, daſs sie alle nach der Formel $MAq^2 + 2MS^2$ zusammengesezt sind, und daſs ihre Verschiedenartigkeiten von einem Vertretenwerden des Talkes durch verschiedene Mengen von Eisenoxydul, seltener von Kalk, am seltensten von Cerium-Oxydul (Serpentin aus *Finland*) herrühren. LYCHNELL hat auch den Meerschaum zerlegt; er läſst sich auf die Formel $MS^3 + Aq$ zurückführen. Die Differenzen, in Betreff des Wasser-Gehaltes dieses Minerals, verschwinden, wenn man es in luftleerem Raume mit konzentrirter Schwefelsäure trocknet.

Herr RUDBERG hat eine vortreffliche und sehr einfache Verbesserung des WOLLASTON'schen Goniometers erdacht. Seine Abhandlung über diesen Gegenstand, so wie jene des Herrn LYCHNELL finden sich in den Denkschriften unserer Akademie der Wissen-

Wissenschaften für 1826, welche in diesen Tagen erschienen sind.

BERZELIUS.

Habichtswald, den 20. April 1827.

Die Berg-Gruppe, welcher, in geognostischen und bergmännischen Schriften, hin und wieder unter dem Namen des *Habichtswaldes* Erwähnung geschieht, besteht, wie zur Genüge bekannt, durchgängig aus abnormen Gebilden, und zwar aus Basalt, von den verschiedenartigsten Formen und Abänderungen, mitunter ganz verglast; dann wieder blasig und einer Lava täuschend ähnlich. Aus Basalt-Konglomerat, mit einer Menge theils fremdartiger, theils bekannter Einschlüsse, worunter besonders bemerkenswerth, scheinbare Geschiebe, von Flöz-, und selbst von Grundgebirgsarten. Durch diese fremdartigen Gemengtheile nimmt die Masse oft ein sehr buntes Ansehen an; die Grundmasse ist indessen in der Regel, mehr oder weniger aschgrau, sehr feinkörnig, bis zum grobkörnigen. Als ein grobes Konglutinat erscheint die genannte Masse, wenn eben jene fremdartigen Gemengtheile und Basaltkugeln, oder unregelmäßig geformte Stücke desselben, darin enthalten sind; sie gewinnt dann das Ansehen einer zusammengekneteten Gebirgsart. — Trapp-Quarz findet sich fast an allen Gehängen des *Habichtswaldes*, wild und regellos, wie die Konturen

der Masse selbst, in grofsen Blöcken zusammenge-
worfen.

Am südöstlichen Abhange des *Habichtswaldes*
wird derselbe aber auch als Gebirgsart anstehend
gefunden. Auch auf dem Plateau des *Habichtswaldes* finden sich, hier und da, grofse Blöcke.

Aus diesen Massen konstituirt, erhebt sich der
Habichtswald aus den ringsum anstehenden jüngeren Flöz-Gebirgsarten, als ein massiges Ganzes hervor. Nach allen Weltgegenden prallige Gehänge, an
einigen Stellen durch tiefe Schluchten zerrissen, deren Sohlen aber immer noch aus basaltischen Massen
bestehen, und welche durch anstehende und herabgestürzte Basalt-Massen ein wildes, dem Naturforscher aber anziehendes, Ansehen erhalten. Die
Oberfläche des *Habichtswaldes* ist sehr verunebenet,
durch hier und da sich erhebende Basalt- und Ba-
salt-Konglomerat-Kuppen, von welchen aber die
ersteren in der Regel die höchsten Punkte einnehmen.

Die Niederungen des Plateaus sind zum Theil
mit terziären Massen bedeckt, welche die so sehr
ergiebigen Braunkohlen-Flözze in sich eingeschlossen enthalten. Die lezteren sind überdeckt mit einem plastischen Thone, und feinen Triebsande, dessen Mächtigkeit von wenigen bis zu 40 Lachtern
herauf reicht. Das Braunkohlen-Flöz durchsezzen,
wie neuere Erfahrungen gelehrt haben, mächtige
Basalt- und basaltartige Massen. Die Braunkohle

wird in der Nähe derselben, namentlich der bedeutendsten, in größerer Tiefe wohl über 100 Lachter mächtigen Basalt - Durchsezzung, wesentlich verändert. Da, wo Kohle und Durchsezzungs-Masse zusammen in Berührung kommen, wird eine Umänderung der Braunkohle in Anthrazit wahrgenommen, und eine stängelige Absonderung derselben, senkrecht gegen die Durchsezzungs-Masse gesezt, ist deutlich sichtbar. Daß die Basalt-Massen emporgehoben, ist mir im vorigen Jahre durch eine Bergbau-Unternehmung — namentlich die Abteufung eines 16 Lachter tiefen Schachtes, lediglich in basaltartigen Massen, und ein, auf der Kohle ausgelängtes, Ort von 20 Lachter Länge — von neuem klar geworden. Hierbei fand sich, daß mächtige Kohlenmassen ganz von Basalt und Basalt-Konglomerat umhüllt waren.

Ueber das Verhalten des Basaltes und des Basalt-Konglomerates, ist es schwer, einen ganz klaren Aufschluß zu erlangen. Ein Unterteufen einer Masse, durch die andere, möchte wohl nicht anzunehmen seyn. Aber wenn ich die, durch die obigen Bergbau-Versuche erlangten, Erfahrungen — was zugleich als eine Entschuldigung dafür dienen mag, daß ich derselben Erwähnung that — mit dem ganzen Vorkommen am *Habichtswalde* zusammenreihe und vergleiche; so will es scheinen, als sey das Basalt-Konglomerat in vielen Fällen mit dem Basalte gehoben. Denn eben bei jenen Versuchen wurde in der Regel der feste Basalt, umschlossen

33 *

von Konglomerat-Massen, getroffen. Im Grofsen
macht man dieselbe Bemerkung, und nach meinen,
bis hierhin gesammelten Erfahrungen, möchte ich
den festen Basalt als Kern, und das Basalt-Konglomerat als Schaale, oder als mantelartige Umhüllung
des ersteren ansehen. Dafür spricht, dafs beinahe
durchgängig die Basalt-Konglomerat-Massen an den
Abhängen des *Habichtswaldes*, und meistens nicht
so hoch, wie der Basalt, emporsteigend, getroffen
werden.

Das Konglomerat ist in sehr ausgedehnten Massen abgelagert, und das Studium desselben wird dadurch sehr erleichtert und begünstigt, und mancher
merkwürdige Fund möglich gemacht, dafs an vielen
Orten, vorzugsweise, aber an dem südlichen und
östlichen Abhange des *Habichtswaldes*, Steinbrüche
in jenen Konglomerat-Massen eröffnet sind, welche
in gröfserer Teufe bearbeitet, ein sehr gutes Bau-
Material liefern, ganz vorzüglich dazu geeignet,
Gebäude daraus zu errichten, welche, wegen der
äufseren Farben ihres Materials, ein hohes Alter-
thum ins Gedächtnifs zurückrufen. Als Belege nenne
ich das, auf einem der höheren Punkte des *Habichtswaldes* erbaute, *Oktogon* und die *Löwenburg*
auf *Wilhelmshöhe*.

In einem jener, besonders stark betriebenen,
Basalt-Konglomerat-Brüche kommt, in mehreren,
nicht weit von einander entfernten, kaum einen Fufs
und weniger mächtigen Schichten, der, mitunter

Fisch‑Ueberreste, und Blätter‑Abdrücke führende, Polirschiefer, vor. Da, wo derselbe angetroffen wird, ist die Oberfläche nicht weit entfernt, und ein, zum Bau‑Material nur irgend brauchbarer, Stein kommt darüber nicht mehr vor. Das noch angetroffen werdende Konglomerat ist von einer mürben, sehr zerklüfteten Beschaffenheit, und nicht mehr regelmäfsig abgelagert. Zwischendurch finden sich Massen eines, durch Aufnahme fremder Gemengtheile sehr buntgefärbten, Konglomerates; auch viel, dem Anscheine nach verwitterter, Olivin wird über diesen Polirschiefer‑Schichten gefunden. Gedeckt ist das Ganze durch Dammerde, in welcher mitunter Basalt‑Gerölle vorkommen. Obgleich es nicht bestritten werden kann, dafs über dem Polirschiefer noch, zu dem Basalt‑Konglomerate gehörige, Massen vorkommen; so ist aber auf der andern Seite nicht zu läugnen, dafs von da an, wo der Polirschiefer vorkommt, die ganze Ablagerung einen, von dem unterliegenden Konglomerate ganz verschiedenen, Charakter annimmt; so, dafs man beinahe versucht wird zu glauben, ein späteres Ereignifs habe zu der Bildung des Polirschiefers die Mittel geböten, und dieser, namentlich mit allem, was darüber vorkommt, gehöre einer, von der vorigen abgesonderten, terziären Bildung an; denn über dem Polirschiefer finden sich unter andern auch Anzeigen von Braunkohlen. Diese Ansicht kann indessen nur dann sich bilden, wenn man auf das Vorkommen Basalt‑Konglomerat‑artiger Massen, über dem Po‑

lirschiefer, kein besonderes Gewicht legt. Wenn
der Polirschiefer fest ansteht, und von der ihm bei-
wohnenden, oder durch die Dammerde-Schicht ein-
gedrungenen Feuchtigkeit noch angenäſst ist, hat er
ein gelbes, mitunter schmuzzig pärsichblüthrothes
Ansehen. Aber auch in diesem Zustande bemerkt
man, daſs er aus dünnen Lagen, von ¹/₈ Zoll Stärke
und darunter, zusammengesezt ist. Um nach den
organischen Ueberresten zu suchen, muſs man das
Fossil erst den Einwirkungen der Sonne, oder son-
stiger Wärme aussezzen. Dann gewinnt es sehr
bald ein blendend weiſses Ansehen, und fängt an
sich von selbst zu blättern. Durchaus unbeschädigte
Exemplare, ist man, wegen der Zartheit des Fossils, worin sie vorkommen, selten so glücklich, zu
erhalten. Welcher Gattung von Fischen diese Ueberreste am ersten zu vergleichen sind, will ich
nicht entscheiden. Nur in Betreff der Gröſse derselben bemerke ich, daſs sie mir noch nicht über
6 Zoll Länge vorgekommen sind.

Die Blätter-Abdrücke anlangend, so sind diese,
ungleich häufiger, wie die Fisch-Ueberreste; meistens sind es Laubhölzer, ganz besonders häufig
sind die Buchen- und Weiden-Blätter. Mitunter,
jedoch nicht gar zu oft, werden auch noch andere
Abdrücke gefunden, die ich nicht zu bestimmen
wage.

STRIPPELMANN.

Darmstadt, den 1. Mai 1827.

Ueber die Phonolithe von *Ober-Widdersheim* säume ich nicht, Ihnen Folgendes mitzutheilen *.

Von *Borsdorf* herunter fliest ein kleiner Bach, welcher, nachdem er von seinem Ursprunge an eine geringe Weite das Schuttland des *Horbwaldes* durchschnitten, etwa eine halbe Stunde unterhalb *Borsdorf* in Phonolith eintritt, durch diesen sein Bett sich bahnt, und unterhalb des *Schwalheimerhofes* mit der *Herloff* sich vereinigt. Durch das kleine enge Thal, welches dieser Bach von der Stelle an, wo die, von *Salzhausen* nach *Berstadt* gehende, Chaussée neben ihm her zu führen beginnt, bis gegen den *Häuserhof* hin, bildet, ist Phonolith an einigen Stellen deutlich entblöfst. Dieser Phonolith nimmt rücksichtlich seiner Verbreitung, gegen das ihn umgebende Basalt-Gebirge, eine sehr untergeordnete Stelle ein. Es ist nur ein parzielles Gebilde von geringer Ausdehnung, zwischen den Basalten dieser Gegend hervortretend, und vielleicht der einzige Phonolith, welcher am *Vogels-Gebirge* auftritt. Er konstituirt die niedrigen Höhen, welche

---

* Ich hatte mir diese Aufschlüsse zum Behufe meines Aufsazzes über die Phonolithe der *Rhön* von Herrn KLIPSTEIN erbeten; leider traf dieser Beitrag, für solchem Behuf, zu spät ein, er möge darum hier eine Stelle finden.

d. H.

von da an, wo die *Borsdorfer* Bach in den *Berstädter* Wald hereintritt, dieselben bis in die Gegend des *Häuserhofes* einschliefsen. Auf beiden
Seiten dieses Baches scheint der Phonolith in seiner
Ausdehnung die Erstreckung von 800 bis 900 Schritten
nicht zu übertreffen. Denn in dieser Entfernung
findet man überall wieder Basalt. Nordöstlich zieht
sich das Gestein bis nach *Ober-Widdersheim* hin.

Rücksichtlich seines Vorkommens und seiner
physiognomischen Verhältnisse, läfst dieser Phonolith
von *Ober-Widdersheim* einen, im Allgemeinen abweichenden, Charakter erkennen. Er bildet keine
isolirte schroff ansteigende, pittoreske Berghöhen,
hoch erhaben über vulkanischem Gebirge, oder
über Flöz-Gebirge hervortretend, gleich denjenigen
der *hohen Rhön*, der Böhmischen und anderer Gebirge; sondern er befindet sich am Fufse einer ungeheuren, hoch ansteigenden, gröfstentheils aus Basalten bestehenden, vulkanischen Masse, und statt
über dem Basalte hervorzutreten, bleibt er noch
unter seinem Niveau zurück; denn die denselben
umgebenden Basalte steigen gröfstentheils höher an.
Der Phonolith nimmt eine der tieferen Stellen im
Basalt-Gebirge ein. Nur der *Günzlöffelstein*, im
Berstädter Walde, bildet einige, am Thal-Gehänge schroff hervortretende, Fels-Parthieen. Aufser ihnen und dem Thal-Gehänge auf der rechten
Seite der *Borsdorfer* Bach, finden sich wohl keine,
die Beobachtung der Gestein-Verhältnisse begünsti-
gende, Entblöfsungen.

Das Gestein ist unregelmäfsig plattenförmig getheilt. Die oft sehr dünnen Platten laufen häufig
nach einem Ende hin, mehr oder weniger, scharfkantig zu, und sind alsdann keilförmig in einander
gedrungen. Die, den Phonolith so sehr bezeichnenden porphyrartigen, Einmengungen glasigen Feldspathes gehen demjenigen von *Ober - Widdersheim* fast
ganz ab. In den Abänderungen von dunklerer Farbe, bemerkt man selten einzelne Feldspathe sparsam
zerstreut. Man beobachtet drei Haupt-Abände-
rungen:

1. Eine dunkelgraue, mit sparsam eingemeng-
tem Feldspathe.

2. Eine hellgraue, ohne Feldspath-Einmengungen.

3. Einen gefleckten Phonolith. Auf hellgrauem
Grunde sind in gröfserer oder geringerer Häufigkeit
kleine dunkelgraue Flecken zerstreut; das Gestein
ist häufig mit solchen Flecken ganz übersäet, so,
dafs sie auf einer frischen Bruchfläche oft $^2/_3$ bis $^3/_4$
derselben einnehmen. Diese Flecken zeigen sich
stets in der Richtung des Längenbruches am deutlichsten. BERTRAND ROUX erwähnt, in seiner geognostischen Schilderung, des *Puy en Velay*, eines ähnlichen gefleckten Phonoliths.

A. KLIPSTEIN.

Miszellen.

MITSCHERLICH und FRESNEL haben interessante Erfahrungen über die Wirkung der Wärme auf Krystall-Winkel mitgetheilt. (BERZELIUS, Jahresber.; V, 182) MITSCHERLICH hat auf experimentalem Wege dargethan, daß die Wärme bedeutenden Einfluß auf die Krystall-Winkel hat, indem solche durch Temperatur-Wechsel verändert werden. Die, von ihm darüber erhaltenen ausführlichen, Resultate sind folgende:

1. Daß die Krystalle, welche zu dem regulären Systeme gehören, und welche das Licht polarisiren, durch die Wärme in allen Richtungen gleich ausgedehnt, und daß also ihre Winkel nicht verändert werden.

2. Daß die Krystalle, deren primitive Form ein Rhomboeder, oder ein sechsseitiges Prisma ist, sich in einer Richtung, nämlich in der der Hauptachse anders verhalten, als in der andern; so z. B. dehnt sich der Kalkspath-Krystall, in der Richtung der Hauptachse, anders aus, als in den beiden andern Achsen, welche mit jener rechte Winkel bilden, und die sich gleich ausdehnen; und hieraus folgt, daß die Krystalle, in welchen die doppelte Strah-

len-Brechung (Polarisation) auf einer Achse beruht, sich zur Wärme gerade so, wie zum Lichte verhalten.

3. Daſs die Krystalle, deren primitive Form ein Rektangulär-Oktaeder, ein Rhomboidal-Oktaeder ist, oder im Allgemeinen, daſs alle diejenigen Krystalle, bei welchen die doppelte Strahlen-Brechung auf zwei Polarisazions-Achsen beruht, sich in allen drei Richtungen ungleich ausdehnen.

4. Daſs sich die Ausdehnung der Krystalle nach den Achsen richtet, und wenn diese mit den optischen im Zusammenhange stehen, so geschieht die Ausdehnung auch im Verhältnisse zu den lezteren, und zwar so, daſs sich die kürzeren in einem gröſseren Verhältnisse ausdehnen, als die längeren. Bei + 100° fand Mitscherlich die relative Ausdehnung bei dem Kalkspathe = 8,5, welches die Ausdehnung in der Richtung zu 0,00325 gab. Um das Verhältniſs der Achsen-Längen zu ihrer Verlängerung durch die Wärme bestimmen zu können, untersuchte Mitscherlich mit Dulong, welchem lezteren wir jezt die genauesten Untersuchungen über die Ausdehnung der Körper, durch die Wärme, zu verdanken haben, die absolute Ausdehnung des Kalkspathes von 0° bis + 100°, und fand sie 0,00196. Aus diesen Untersuchungen ergab sich zugleich, daſs wenn sich der Krystall nach der Hauptachse ausdehnt, er eine Zusammenziehung in der andern erlitt. Es ist bekannt, daſs die optischen, oder Polarisazions-Achsen nicht mit den Krystall-Achsen zusammen fallen, welche zwei Polarisazions-Achsen haben. Mitscherlich hat ferner gefunden, daſs wenn die Linie, welche den, von den Polarisazions-Achsen gebildeten, Winkel in zwei Theile

theilt, nach beiden Seiten verlängert wird, sie sich bei einigen Salzen, z. B. bei der schwefelsauren Talkerde, nach der Krystallfläche auf einer Seite mehr, als auf der andern neigt, und daß sie, obgleich symmetrisch, mit den Polarisazions-Achsen, dieß nicht gegen die Theile des Krystalles ist, und zwar ohne daß Mangel an Symmetrie bei lezteren die Ursache zu seyn scheint.

Fresnel hat durch einen sehr einfachen Versuch die, durch Temperatur-Veränderung bewirkte ungleiche, Ausdehnung der Krystall-Achsen dargethan. Man nimmt zwei dünne Blätter eines Gyps-Krystalls, und legt sie so über einander, daß ihre Achsen rechte Winkel mit einander bilden. Zwischen dieselben streicht man etwas Leim, und läßt ihn dann trocknen. Hierauf werden sie erhizt. Der Leim schmilzt nun so viel, daß sich die Blätter über einander schieben lassen, wodurch sie ihre ebene Fläche beibehalten. — Beim Erkalten erhärtet der Leim noch lange vorher, ehe die Wirkung der Wärme auf den Krystall aufgehört hat, und deshalb werfen sich die Blätter, während des Erkaltens, und werden konvex-konkav, weil sich jedes Blatt am meisten in der Richtung zusammenzieht, in welcher es am stärksten ausgestreckt war, und diese bilden rechte Winkel mit einander.

———

P. Partsch, in seinem Berichte über die Detonazions-Phänomene der Insel *Meleda* *, theilt interessante Nach-

———

* Wien; 1825.

richten über die Knochen-Brekzie von Dalmazien
mit. Sie ist noch jünger; als die Braunkohlen-Formazion.
Diese Brekzie und die ihr ganz ähnlichen von Gibraltar,
Cette, Antibes, Nizza, Korsika, Sardinien, Sizilien, vom
Vorgebirge-Palinaro in Neapel; von Pisa, von den Illyri-
schen Inseln Cherso, Osséro u. s. w.; von Korfu und Co-
rigo gehören zu den merkwürdigsten Erscheinungen in der
Geologie. — Bei der Dalmatinischen Knochen-Brekzie hat
man, wie bei jeder andern, das Verbundene und das Ver-
bindende zu unterscheiden. Das erstere sind Knochen,
Konchylien und Kalkstein-Trümmer. Die Knochen sind
entweder Zähne, die oft noch ganz ihr Email behalten haben, oder kalzinirte Trümmer von Hüft-, Schenkel-, Wa-
den- und Beinen, von Rippen u. s. w. Sie sind stets
stark zerbrochen, zuweilen zu ganz kleinen Trümmern,
zeigen keine, oder wenig Abrollung, und sind daher aus
keiner großen Entfernung in diese Spalten geführt worden.
Die in der Dalmatinischen Brekzie vorkommenden Knochen
scheinen blos Wiederkäuern, und meistens einer Art von Hirschen anzugehören *. Es ist zu vermuthen, daß man aber

_____

* In der, mit der Dalmatinischen analogen, Knochen-Brekzie der
andern oben angeführten Gegenden finden sich aber außer den
Knochen von Pferden, Ochsen und großen Hirschen, welche
auch in dem aufgeschwemmten Boden anderer Länder vorkommen, noch folgende Arten von Thieren, womit diese Kno-
chen-Brekzien die Fauna der Vorwelt bereichert haben, nämlich: drei Arten von Hirschen, eine Art Antilope oder Schaaf,
zwei Arten von Kaninchen, zwei Arten von Pfeifhasen (La-
gomys), einige Arten Feldmäuse (Arvicola), eine Spizmaus,
eine Schildkröte und eine Eidechse; auch sind erst vor Kurzem in einer derselben (bei Nizza) Zähne einer großen Kaz-

in ihr, wenn sie in osteologischer Hinsicht mehr untersucht werden wird, aufser den Knochen von Hirschen,
wohl auch noch solche anderer Thiere finden werde. Die
Thierarten, deren Knochen-Trümmer diese Brekzie ausfüllen, leben, mit wenigen Ausnahmen nicht mehr in den
Gegenden des Mittelländischen Meeres, um welches diese
Knochen-Depots herum liegen; ein Paar analoge Thiere
finden sich im nördlichen *Siberien*, auf den Inseln des
Ostindischen Archipels u. s. w.; die meisten scheinen aber
nicht mehr auf der Erde vorhanden zu seyn [*]. Die Behauptung, dafs sich Trümmer von Kunstprodukten, z. B.
Glasscherben, mannichmal in diesen Brekzien finden, woraus man ihre Entstehung aus einer Zeit datiren wollte, wo
bereits Menschen die Erde bewohnten, beruhen auf einem
Irrthume.

Nebst diesen Knochen schliefst die Brekzie von Dalmazien, wie jene der andern Gegenden, noch Schaalen von
Land- und Süfswasser-Mollusken ein. So enthält sie u. a.
eine grofse Art Helix, verwandt mit *Helix algira*, Puppen
und Planorben. In andern Ländern werden auch noch
Paludinen, Cyklostomen u. s. w. gefunden. Meeres-Konchylien sind in diesen Brekzien nie gesehen worden; ein
Beweis, dafs das Meer zu ihrer Bildung nichts beigetragen

---

zenart, von der Gröfse des Löwen oder Tiegers, entdeckt
worden.

[*] Es mufs erwähnt werden, dafs die Knochen dieser Brekzie
nicht blos von dem Volke in Dalmazien, sondern auch von
manchem der älteren Gelehrten, die aber gerade nicht viel
Gelehrsamkeit in der vergleichenden Anatomie hatten, für
Menschenknochen gehalten worden.

het, und dafs sie jünger sind, als der letzté Aufenthalt des
Meeres auf unsern Kontinenten.

Aufser diesen organischen Resten, den Knochen und
den Land- und Süfswasser-Konchylien, machen noch Kalkstein-Trümmer einen Bestandtheil der Dalmatinischen Knochen-Brekzie aus. Sie gehören alle den Jurakalk-Abände-
rungen der nächsten Umgebung an, und sind beinahe stets
ziemlich scharfkantig; nur am Berge *Subliak* bei *Rogosnizza* sieht man diese Trümmer nicht blos abgerundet, sondern auch stark verwittert, und von erdigem Bruche. Die
Gröfse dieser Kalkstein-Fragmente ist sehr verschieden.

Dasjenige, was diese Knochen-, Konchylien- und Kalkstein-Trümmer verbindet, das Zäment, ist kohlensaurer
Kalk. Nur selten ist derselbe konkrezionsartig und faserig,
oder ein Sinter, der die Knochenstücke zusammenhält;
meist ist es ein Kalk-Zäment von erdigem Bruche, und
dunkel ziegelrother, seltener von brauner Farbe (wie z. B.
auf dem *Scoglio Borovaz* vor dem Hafen von *Lesina*),
mit oder ohne eingestreute Kalkspath-Blättchen. Der Kalkspath füllt zuweilen selbst die Knochenzellen aus, und wo
er sich freier ausscheiden konnte, bildet er stängelige Zusammenhäufungen und Nester in der Brekzie. Er ist mannichmal sehr grofsblätterig, und läfst sich dann leicht nach
seinen drei Theilungs-Richtungen spalten. Mannichmal ist
das Zäment sehr locker und einer rothen bolusartigen Erde
ähnlich.

Die Dalmatinische Knochen-Brekzie bildet, gleich
jener anderer Länder, die Ausfüllung von Spalten, von
Mulden und offenen Höhlen im Jurakalke. Sie ist nirgends

von einem andern Gebilde bedeckt. Die Oertlichkeiten,
wo man diese Brekzie in *Dalmazien* antrifft, sind: der
Berg *Sapliak*, nordöstlich von *Rogosnizza*, und eine andere Gegend zwischen diesem Orte und *Bofseglina*, das
Vorgebirge *Punta della Planca* bei *Rogosnizza*, die *Scog-*
lien Goi und *Borovaz*, vor dem Hafen von *Lesina*, und
eine Stelle am Gestade *Babinopoglie* auf der Insel *Meleda*.
Sie findet sich aber noch an vielen andern Punkten, wie
denn überhaupt die Dalmatinische Knochen-Brekzie die
gröfste Ausdehnung unter allen bisher bekannten Trümmer-
Gesteinen der Art hat. Die Fundorte, welche DONATI
und FORTIS angeben, sind aufser den oben bemerkten in
Dalmazien noch folgende: die Gegend von *Nona*, die Insel *Grofsa* und *Coronata*, die Gegend von *Dernis*, am Ursprunge der *Cicolla*, und die Ufer der *Salona* an ihrem
Ursprunge. Es lassen sich diese Fundörter aufser dem bereits oben angegebenen von *Meleda*, noch mit einem anderen, nämlich mit der Insel *Calamota* vermehren. Die
Brekzie dieses Eilandes ist sehr ausgezeichnet, und enthält
u. a. die, mit *Helix algira* verwandte, grofse Landschnecke.
Sicher haben noch viele andere Punkte *Dalmaziens* Knochen-
Trümmer-Gesteine aufzuweisen. Eine Brekzie, ganz und
gar der Knochen-Brekzie ähnlich, nur dafs sie keine Knochen enthält, findet man an unzähligen Punkten dieses Landes.

Im Jahr 1823 wurde, in Feldspath-Geröllen *, in
dem Gold-haltigen Sande des Sand-Bergwerkes zu *Bor-*
saffsky

---

* Nach dem, von Herrn v. STRUVE mir gütigst mitgetheilten,
Stücke scheint das nicht ganz frische Muttergestein dieses schö-

saffsky, auf dem Gute. Kischtimsk (Eigenthum der Erben des Kaufmanns Rostoreujew), im Permskischen Gouvernement Korund (von Fuchs Sóymonit genannt),
in doppelten sechsseitigen Pyramiden *) krystallisirt gefunden. (Mittheilung des Hrn. Ministers v. Strauz.)

C. Naumann zeigte (Isis, XIX, 879), dafs das reguläre Ikosaeder der Geometrie in der Natur
nicht vorkommen könne.

Bull. de Géol.; IX, 290, liest man,

eine Notiz über Nie-
e Fauna der Ge-
Ein fos-
gehörig,
(?) gefunden **. Er
lät gemengten,
, und ist in eine Art Kohle umgewandelt.

---

nen Korunds mehr Albit, als Feldspath zu; seyn, und mit
dem Albite sieht man Quarz-Körner und Blättchen silberweifsen Glimmers verwachsen, das Ganze ist also offenbar granitisch.

d. H.

* Die Krystalle unrein blau, auch grau gefärbt, gehören dem eben-
randigen Dodekaeder, Hauy's Varietät *bipyramidale* an.

d. H.

** Beschreibung und Abbild. enthalten die *Mém. de l'Acad. roy.
des Sc. de Suède*, 1825, I.

Es ist dies der erste Ueberrest eines fossilen Wirbelthieres, den man in Schweden entdeckt. Zwischen den fossilen Pflanzen, welche Nilson in den Steinkohlen - Schichten von Hoeganaes gefunden, und deren Bestimmung Agardh vorgenommen, findet sich selbst ein Zoophyt, eine Art Sertularia. Nicht minder interessant sind die, von Nilson nachgewiesenen, Ammoniten und Dentalien. Sie kommen im Greensande bei Svenstorp vor. Die Ammoniten zeichnen sich durch ungewohnte Größe aus.

———

Daß Anatase im Diluvial-Boden Brasiliens sich finden, ist eine bereits bekannte Thatsache [*]. Vauquelin hat dieselben zerlegt, und als vollkommen reines Titanoxyd erkannt. (*Ann. des Sc. nat.; IX, 224*) Nach Brongniart (a. a. O.) wechseln die Krystalle in ihrer Größe von der eines Hirsenkornes, bis zu jener einer Erbse. Sie sind von sehr blaß strohgelber Farbe. Das Diluvial-Gebiet, welches dieselben enthält, ist das nämliche, in dem, im Bezirke von *Minas Geraes*, die Diamanten vorkommen.

———

Nach E. Turner findet man Iodim in der Mineral-Quelle von Bonnington unfern Leith. (Jameson, *Edinb. new phil. Journ.; April* 1826, 159.)

———

[*] Handb. d Orykt Zweite Aufl. 8, 369.

Einige · Versteinerungen des bunten · Sandsteines * wurden durch GAILLARDOT beschrieben.. , (Ann. des Se nat.: VIII, 286.) Bei Domptail, fünf Stunden von Lüneville, steht die Felsart in grofsen wagerechten Bänken an, wovon die oberen minder stark sind. Mächtige Spalten durchsezzen die Bänke in ungleichen Entfernungen senkrecht. Der Sandstein ist von verschiedener Farbe; weifs, grau, grünlich, roth, die leztere Farbe zeigt sich meist herrschend. Manche Schichten, findet man, in dem Grade Glimmer-reich, dafs sie ein Gneifs-ähnliches Ansehen erlangen. Die Sandstein-Bänke werden durch mehr oder weniger mächtige Lagen höchst feinkörniger Sandsteine und schieferiger, roth, gelb oder grün gefärbter Thone geschieden. Die Thone trifft man auch, als sogenannte Thongallen, eingeschlossen in Sandstein. In der Mitte der mächtigsten Bänke finden sich platt gedrückte Stängel, auch Blätter schilfartiger Gewächse, die nicht genauer bestimmbar sind. In den unteren Bänken kommen Farrnkraut-Abdrücke vor, welche von den Arbeitern für Fisch-Gräten gehalten werden. Die weicheren Sandstein-Lagen, die mächtigeren Bänke scheidend, umhüllen diese, zu Umbra-, oder Eisenocker umgewandelten, Pflanzenreste oft in grofser Häufigkeit. Einige haben zellige, mit einer schwarzen, glänzenden Substanz erfüllte, Räume, welche alle Merkmale der Steinkoh-

---

* Die Beobachtungen des Herrn GAILLARDOT sind sehr interessant; allein ob die Felsarten alle zum bunten Sandsteine gehören, und nicht, was wahrscheinlicher, zum Theil jüngeren Alters sind, und namentlich der Keuper-Formation beigezählt werden müssen, möge dahin gestellt bleiben.

d. H.

len trägt. Besondere Beachtung aber verdienen die Lagen, oder vielmehr die Haufwerke von Meeres-Muscheln, aus sehr zerreiblichem Sandsteine bestehend, so, daß sie zwischen den Fingern zu leichter, rußschwarzer, mehr oder weniger Eisenoxyd-Hydrat haltiger Erde zerfallen. Von der Schaale ist nichts mehr vorhanden. Sie scheint jedoch durch einen feinkörnigeren, ockerigen, weniger dunkel gefärbten Sandstein gebildet, als der ist, welcher das Innere den Kern, zusammensetzt. Nicht eine Spur von Kalkigem ist in diesen Muschel-Haufwerken wahrnehmbar. Die Formen der Muscheln zeigen sich in ihrer ganzen Unverletztheit, und scheinen im Allgemeinen nicht zerbrochen worden zu seyn. Die Haufwerke von Muscheln begleiten die, die Sandstein-Bänke trennenden, Lagen von feinkörnigem Sandsteine und von schieferigem Thone nicht in ihrer ganzen Ausdehnung; oft endigen dieselben sehr schnell, und der Thon tritt, ohne daß eine Störung bemerkbar wäre, an ihre Stelle. Sie umschließen auch Pflanzenreste, die vielleicht Dikotyledonen angehören. In einigen Höhlungen trifft man harte, knochige Theile, mitunter selbst schmelzartig werdend, und die wohl von Zähnen abstammen dürften. Die muthmaßlichen Zähne würden die ungefähre Länge und Dicke einer gewöhnlichen Feder gehabt haben, und Etwas gebogen gewesen seyn. Die knochigen Theile brausen mit Salpetersäure auf. — Die Muscheln, im bunten Sandsteine von *Domptail* vorkommend, sind nicht die des Muschelkalkes, welcher in der Gegend zu Hause ist. Es gibt Univalven und Bivalven darunter. Sie können übrigens ein Anhalten bieten, in Betreff der Formazions-Epoche des bunten Sandsteines: denn nur damals konnten sie davon

umschlossen werden. Die Muscheln, welche man in großer
Häufigkeit trifft, sind solche, die der Gattung *Natica* zugehören, außerdem, kommen deren vor, die *Cardita* oder
Cytherea, *Donax* oder *Solen* am nächsten stehen. Da nur
die inneren Steinkerne vorhanden sind, und, da diese beim
leisesten Drucke zerfallen, so ist keine genaue Bestimmung
möglich. Einige Muscheln finden sich indessen auch im festen Gesteine, dessen Kern und Härte sie haben, und diese
liefern vorzüglich den Beweis, daß Alles von gleichzeitiger
Bildung ist.

Am 18. September 1826 hatte ein Erdbeben auf der
Insel *Cuba* Statt, wobei die Hälfte der Stadt *Jago* zerstört
worden. Jede der verschiedenen Erschütterungen dauerte
eine Minute; die zweite war heftiger, als die erste; sie
fing mit einem Geräusche an, das dem Getöse eines Wa-
gens auf dem Pflaster glich, und endigte mit einem Schlage,
als hätte eine zahlreiche Artillerie abgefeuert. Eben dieses
Erdbeben wurde zu derselben Stunde in *Jamaika* verspürt.
(Zeit. Nachr.)

A. BLACKADDER beschrieb die oberen Lagen des
Distriktes vom Forth. (*Mem. of the Wern. Soc.*
Vol. V, part. 2, p. 424.) Längs der Ufer des *Forth*,
zwischen *Gartmoore* und *Borrowstouness* findet man Thon.
Der tiefere Theil des Distriktes, abgeschieden von dem hö-
heren durch die Schlucht von *Stirling*, hat als Grund-
Gebirge den rothen Uebergangs-Sandstein (*old red sand-
stone*); darüber liegen Thon und Torfmoore. Die letzteren

schliefsen besonders Eichen ein, und haben mitunter 14 F.
Mächtigkeit. Im unteren Bezirke zeigt der Thon eine Stärke
von 20 bis 30 F. und ruht auf Sand, Grufs und Kohlen-
Sandstein. Im Sande trifft man Holz, Haselnüsse und Baumblätter; der Sand und der Thon führen Muscheln, die noch
gegenwärtig im *Forth* und im Meere leben, und im Thone,
unterhalb des Torfs von *Blair Drummond*, hat man in 4 F.
Tiefe Wallfisch-Gebeine entdeckt. Eine beigefügte geognostische Karte erläutert die Begrenzungen jener verschiedenen
Gebilde genauer. — Der rothe Uebergangs-Sandstein kommt
mit der Kohlen-Formazion der *Allon*-Brücke zu *Redhall* in
Berührung. Er wird hin und wieder durch Gänge vom
Grünstein (Dolerit?) durchsetzt. Die *Comsichills* ruhen
auf rothem Sandsteine.

Die mit Granit erfüllten gangartigen Räume der Gegend um Chester in *Massachusetts* wurden von E. Emmons geschildert. (*Americ. Journ. of Sc.
and Arts; Aug.* 1824, *p.* 250.) Bei *Chester* ist Glimmerschiefer herrschend, und in ihm trifft man den Granit häufig
auf Gängen und auf Lagern. Erstere wechseln in der
Mächtigkeit von 5 Ruthen bis 8 Zoll; sie richten sich theils
in ihren Windungen nach denen des Glimmerschiefers, theils
verzweigen sie sich mannichfach u. s. w. Der Glimmer
dieses Granits ist von vorzüglicher Schönheit.

L. A. Necker gab Nachricht über die Lagerungsweise der Muscheln führenden Schichten in

den Bergen de Sales, des Fizz und de Platet.
(*Bibl. universr. Septb.* 1826, *p.* 62.) Die Muschelbank
des *Fizz* wird von einer sehr mächtigen Kalk-Ablagerung
bedeckt, dann folgt Sandstein, welcher Nadeln bildet von
mehr als 100 Toisen Höhe. An den Felsen von *Sales*
und *Fizz* sieht man aus der Tiefe nach oben: 1. Sandstein
oder körnigen Quarz ohne Versteinerungen; 2. körnigen
Kalk, blau gefärbt, mit eingemengten grünen Punkten,
führt *Turrilites*, *Hamites*, *Inoceramus sulcatus*, *Spatangus*, *Belemnites*, *Ammonites*, *Scaphites aequalis* und obli-
quus Sow., und *Bufonites*; 3. einen lichter gefärbten
Kalk mit Ostraziten und Belemniten; 4. einen dunkelgefärb-
ten stinkenden Kalk; 5. Sandstein mit Spath- (?) Gängen;
6. eine zweite Lage des bläulichen Kalkes mit Turriliten;
7. einen bituminösen, kohlenstoffhaltigen Kalk, wie am
Fuße des Berges; 8. einen grauen sandigen Kalk, mit kleinen Spath- (?) Gängen. Weiter gegen NO. senkt sich
der kalkige Schiefer unter den quarzigen Sandstein der *Ai-
guille de l'Ane* und *d'Anterne*. Bei den Seanhütten von
Sales verliert sich der Kalk Nr. 8 unter dichten, Kohlenstoff-reichen Kalken. Die Schichten erheben sich gegen
den Gipfel des Berges, welcher *Sales* von *Slatet* scheidet.
Zwischen beiden Orten soll ein quarziger Sandstein über
alle genannten Kalke ausgebreitet seyn. Am *Col* von *Platet*
sieht man, aus der Höhe nach der Tiefe, unter dem schieferigen Kalke 1. einen dichten Kalk mit rundlichen Massen
von Eisenoxyd-Hydrat; 2. einen, wenige Versteinerungen führenden, Kalk mit grünen Körnern; 3. grauen,
Kohlenstoff-haltigen Kalk; 4. sandigen, stinkenden Kalk
mit Nummuliten, Cerithien, Turbinoliten, aber ohne Be-

lemniten und Turriliten; 5. dichten, grünlichen Sandstein, Quarz-Krystalle umschliessend; 6. dunkelgrauen, Kohlenstoff enthaltenden, Kalk, scheinbar von Brekzien-ähnlichem Ansehen. Noch tiefer folgt die Muschel-führende Schicht, ähnlich der von *Fiss*, als untergeordnetes Lager in grauen Kalkstein eingeschlossen. Es ergibt sich hieraus, daſs die Muschel-haltigen und Nummuliten-führenden Kalke einer groſsen Kalk-Ablagerung eingeschichtet sind, welche ihre Stelle über Transizions-Kalken und Schiefern einnimmt, von denen man dieselben nur schwierig zu unterscheiden vermag. Auf der nämlichen Ablagerung ruht eine mächtige Sandstein-Masse, deren untere Hälfte aus grünem Sandsteine mit Quarz, schwarzem Glimmer, Feldspath und krystallisirter Hornblende gebildet wird. Dieſs ist der Sandstein der *Diablerets* und von *Tavigliona*. Er zeigt eine so seltsame Beschaffenheit, daſs man gar nicht überrascht seyn darf, denselben als vulkanische Felsart betrachtet zu sehen; denn Hornblende-Krystalle u. s. w. gehören zu den, bis jezt im Sandsteine nicht beobachteten, Erscheinungen. Diese Sandsteine bilden den Kamm zwischen der *Arve* und dem *Giffre*, die *Pelouse*-Spizze u. s w., und steigen bis *St. Sigismond* und *Cluses* hinab. Bei *Pernant* hat man, an der Grenze der Kalke und Sandsteine, auf Anthrazit gebaut; er wechselt hier mit schwarzem, Kohlenstoff-haltigem Kalke, und ruht auf sandigem, eisenschüssigem Kalke und auf einem bituminösen Kalke, ähnlich jenem der *Diablerets* und ganz erfüllt mit *Cerithium diaboli*, *Ampullaria*, *Mactra Sirena*, *Venus Maura* und *Proserpina*, *Voluta affinis*. Ueber dem Anthrazite sieht man wechselnde Lagen von Sandstein mit kalkigem Binde-

mittel und von grauem, sandigem Kalke, und diese sind
überdeckt mit grauem, schieferigem Kalke und mit grünem,
faldspathige Theile enthaltendem, Sandsteine. Endlich bei
Classes, auf der Straße nach *St. Sigismond*, wird ein Lager
von Kalk mit grünen Körnchen angetroffen, eingeschlossen
in einem dichten, weniger Kohlenstoff-reichen, Kalke, als
der von *Fizs* und ohne Quarz-Krystalle. Man sieht in
demselben *Hamites*, *Ammonites*, *Arca* u. s. w. (FÉRUS-
SAC, *Bullet.*; X, 12.)

———————

JOUANNET gibt Nachricht über interessante Petrefakten der Gegend von Bordeaux. (*Ann. des
Sc. nat*; IX, 188.) Das ganze linke *Garonne*-Ufer,
von der Stelle an, wo sie in das Departement eintritt, bis
zum *Bec d'Ambis* *, wird, in einer, dem Flußlaufe ungefähr parallelen, Richtung, durch eine, nur wenig unterbrochene, Ablagerung fossiler Körper begrenzt. Der Verf.
theilte bereits eine Uebersicht derselben mit, allein jede
Wanderung macht ihn mit neuen Fundstätten bekannt. Er
hatte seit längerer Zeit in dem Gruße um *Bordeaux* einige
sehr seltene, aber ungemein wohl erhaltene Exemplare von
Turbo Parkinsoni (*Basterot*) bemerkt, und verfolgte, in
so weit es nur möglich war, alle Nachgrabungen, welche
in dieser Bodenart Statt hatten. Am Thore von *Bordeaux*,
im W. der Stadt, wurde neuerdings ein Gruß-Hügel, von
ungefähr 100 Metern Länge und 3 bis 4 Meter Höhe ab-
getragen, und bei dieser Gelegenheit folgendes Profil entblößt:

———————

* Landspitze, wo die *Garonne* und *Dordogne* zusammenflie-
ßen.

A. Sand oder Grufs mit fruchttragender Erde von 2 bis 3 Zentimeter Mächtigkeit überdeckt. Der Grufs wechselnd in der Größe von den kleinsten· Dimensionen bis zu der einer Faust. Vorherrschend zeigen sich Quarz-Gerölle verschiedener Art, mit wenigen, grünlichen Sandsteinen untermengt. Hin und wieder senken sich Massen von Sand bis zu nicht aufgeschlossener Tiefe abwärts.

B. Bräunlicher Thon, nach der Teufe mehr schwärzlich werdend. Zuweilen sieht man Grufs, Sand und Thon unter einander gemengt. Der Thon zeigt sich, einige rundliche Massen von thonigem Eisenstein abgerechnet, frei von allen Einschlüssen.

C, D, E. Muschelbank, grau, bläulich, auch ziegelroth. Ein thoniger Mergel, mit Muscheln und Madreporen (*madreporites astroites*) gemengt, hin und wieder auch mit Scheeren von großen Brachyuriten. *Delphinula* und *Turbo* kommen besonders in der oberen, mehr weißen und festen Hälfte vor, welche fast ganz aus Astroyten besteht. *Trochus, Arca, Nucula, Terebratula* und *Emarginula* trifft man mehr nach der Teufe. *Crania* erscheint in der Nähe der Astroyten.

Nach einer beigefügten Bemerkung Bronomiart's ist es nicht leicht zu entscheiden, welchen Theilen des Pariser Gebietes jene verschiedenen Ablagerungen genau ·entsprechen; muthmaßlich vertritt der Grufs *A* den Grobkalk; *B* den plastischen Thon und *C, D, E* vielleicht die Kreide, obwohl die Versteinerungen der lezteren Lagen denen der Kreide keineswegs, weder nach Arten, noch selbst nach Geschlechtern, entsprechen.

Das, auf dem *Ural* sich findende, Platinaerz, sagt CH. OSANN. (POGGENDORFF's Ann. d. Phys., VIII, 305) ist von gröfserer Maunichfaltigkeit, als das Amerikanische. Man kann vier wesentlich von einander verschiedene Arten unterscheiden, und vielleicht gibt es aufser diesen noch mehrere. Eine davon, welche in gröfster Menge daselbst vorzukommen scheint, ist in *Petersburg* in der Münze käuflich. Sie besteht aus Körnern von verschiedener Art. Mit dem Magnet lassen sich kleine Körner herausziehen, welche den, auf gleiche Weise aus dem Brasilianischen Platin, ausziehbaren, dem äufseren Ansehen nach, gleichen. Die übrigen bestehen aus bleigrauen, helleren und dunkleren Körnern von verschiedener, gewöhnlich runder Gestalt, von denen die gröfsten meist eine Linie im Durchmesser haben mögen. Aus ihnen können noch einige Körner von goldgelber Farbe und kleine platte, stark metallischglänzende Körner ausgesucht werden. Die in gröfster Menge bei dem käuflichen Platin sich vorfindenden bleigrauen Körner zeigten sich zusammengesetzt aus:

Palladium	1,64
Rhodium	11,07
Platin	80,87
Kupfer	2,05
Eisen	2,30
Schwefel	0,79
Spur von Iridium	—
Rückstand	0,11
	98,83.

Du Ménil schrieb über die Entstehung des Torfes (Trommsdorf's neues Journ. der Pharm.; XII, 2. St.
S. 3), und theilte bei dieser Gelegenheit nachstehende Resultate seiner, mit dem Torfe vom *Steinhuder Moore* vorgenommenen, Analysen mit:

Humussäure	61,75
Pflanzenfaser	30,89
Aetherharz	0,36
Weingeistharz	0,75
Kalziumoxyd	4,00
Aluminiumoxyd	0,20
Eisenoxyd	0,57
Siliziumoxyd	1,36
Verlust an Talziumoxyd . .	0,12
	100,00.

Ueber die granitischen und Porphyr-Gänge
des Valorsine-Thales schrieb L. A. Necker (*Bibl.
univers.; Septbre* 1826, *p.* 62). Der Grund des Thales
von *Valorsine* ist in Protogyne * ausgehöhlt, welche
Felsart die erhabenste Lage des primitiven Bodens ausmacht,
Gneifs bildet die Basis der Kette des *Loguia*-Berges und
des *gros Perron* auf der Nordwestseite des Thales. Die

---

* Bekanntlich jene Abänderung granitischer Gesteine, in welchen
Glimmer durch Talk vertreten wird. S. Charakteristik der
Felsarten S. 49.

d. H.

leztere Felsart ist der ersteren untergeordnet. In der Nähe des Granites wechseln Fallen und Streichen der Schichten sehr; in der Rupes-Schlucht steht porphyrartiger Granit an. Im Allgemeinen zeigen sich die Granite dem Porphyre, die Protogyne aber dem Talk - und Chloritschiefer, dem Topfsteine, u. s. w. verbunden. Der Granit des Rupes ist ein Stock, oder ein Gang von 2 bis 3 Toisen Mächtigkeit, Uebergänge aus Gneiss in Granit finden nicht Statt. In der Nähe dieser Gesteine aber wandelt sich der Granit zu einem Feldstein-Porphyre um, sehr ähnlich den Felsarten, welche man als Geschiebe in den Alpen-Bächen trifft; manche Varietäten erinnern an Trachyte. Unterhalb des Granit-Stockes zeigen sich Granit-Gänge, welche dem Stock sich verbinden. Im Ganzen zählt man deren sieben; einer hat 25 F. Länge und 3 ½ F. Mächtigkeit. Zwischen le Payon und Couteraie und der Kaskade la Barberine zeigt sich wieder Granit und überall von quarzführendem Porphyre begleitet. Der Granit von Valorsine ist besonders denkwürdig, weil seine Schichten (?) sich in verschiedener Richtung auf beiden Seiten des Valorsine-Thales neigen. Von Valorsine bis zur Tête Noire folgen die Gesteine einander in nachstehender Ordnung: Granit, Gneiss, Protogyne, Talkschiefer, dichte Grauwacke, mit Quarz gemengter Kalkstein, thonig-talkiger Schiefer, kalkiger Schiefer mit Belemniten. Alle diese Felsarten sieht man beim Aufsteigen des Buet; am Col de Salenton fangen die eigentlichen Uebergangs-Gesteine an. (Férussac, Bullet. Jänv. 1827, p. 11.)

So lange die Zusammensezzung der Zirkonerde unbekannt war, konnte natürlicherweise keine Formel über dieß Mineral gegeben werden. Seitdem sie nun bekannt ist, hat es sich dargethan, daß die Kieselsäure und die Zirkonerde darin gleichviel Sauerstoff enthalten, das heißt: Zr, oder $\ddot{Z}r\ddot{S}i$. Bei einer, mit Sorgfalt von Berzelius angestellten, Analyse der Zirkone von *Espailly*, wozu mit die, in Glühhizze farblos bleibenden, gewählt wurden, ergab sich die Zusammensezzung des Zirkons aus Kieselerde 33,3, und Zirkonerde 66,7. Zirkon ist auch, im feinsten Pulver, in mit Wasser vermischter Flußsäure unauflöslich. Es wird aber, wiewohl nur sehr unvollständig, bei langer Digestion mit konzentrirter Schwefelsäure zersezt. (Jahres-Bericht; V, 213.)

Aus dem Berichte, den Cuvier über eine Schrift, die fossilen Gebeine im Departement des Puy-de-Dôme betreffend, erstattete, heben wir Nachstehendes aus. „Seit langer Zeit war die *Auvergne* ein klassischer Boden für Geognosie; zahlreiche Kratere; unermeßliche Ströme von Laven und Basalten; mannichfache Zersezzungen, welche diese Substanzen erfahren haben, und die auf entfernte, deutlich unterscheidbare, Epochen hinweisen; die Emporhebung endlich, welche die ganze Masse, auf der die Erzeugnisse unterirdischer Feuer ruhten, erlitten zu haben scheint, gehören heutiges Tages zu den, am meisten unterrichtenden, Thatsachen im Bereiche der Naturgeschichte der Erde; es sind die Beobachtungen von Desmarest, Do-

Lottin, L. v. Buch und Ramond, welchen die Wissenschaft so werthvolle Erfahrungen schuldet. Allein seit einiger Zeit begnügt sich die Geognosie nicht mehr mit der Kenntniß der verschiedenartigen, während jener großen Umwälzungen abgelagerten, Substanzen; sie beschränkt ihre Forschungen nicht auf Ausmittelung der Reihenfolge von Fels-Gebilden und des Wechsels, den sie wahrnehmen lassen; sie verlangt Aufschluß über den Zustand der Lebenswelt in jedem Zeitraume; sie will Pflanzen und Thiere kennen lernen, welche die Opfer jener Katastrophe wurden. Auch in dieser Beziehung schien die *Auvergne* dem Geschichtschreiber der Erdfeste reichhaltigen Stoff darzubieten. Brongniart hatte, bereits unterhalb unläugbar vulkanischer Gebiete, unermeßliche Bänke, erfüllt mit Süßwasser-Muscheln, beobachtet; man sammelte verschiedene Gebeine von Vierfüßern, erloschenen Geschlechtern zugehörig; man wußte, daß fossile Vögelknochen, im Allgemeinen so selten vorkommend, an mehreren Stellen dieses Landstriches, und eingeschlossen in den festesten Fels-Schichten sich finden. Allein Forschungen solcher Art konnten nicht durch reisende Geognosten bis zu ihrem Ziele verfolgt werden; es blieb dem unermüdenden Eifer dortländischer Naturkundigen die Lösung der interessanten Aufgabe überlassen. Durch die Entdeckung einer sandigen, mit zahllosen Knochen verschiedener Art erfüllten Schicht, im Berge *Périer* unfern *Issoire*, wurde die Herausgabe mehrerer Schriften, über den befragten Gegenstand, veranlaßt. Von einer derselben, von Devèze, de Chabriol und Bouillat verfaßt, sind bereits vier Lieferungen erschienen; die andere, Gegenstand dieses Berichtes, ist Ergebniß der gemeinsamen Arbeiten der Herren

BRAVARD, CROISET und JOBERT [*]. Die bis jetzt aufgefundenen Gebeine und Knochen gehören folgenden Thier-Geschlechtern an: Elephant, Hippopotamus, Rhinoceros, Tapir, Pferd, Mastodon (eine kleine Art), Bär, Tieger (wenigstens drei Arten), Hyäne, Wolf, *Lutra*, *Viverra* (zwei bis drei Arten), Ochs (vielleicht von zwei Arten), Hirsch (wenigstens zehn Arten, alle verschieden unter sich, alle abweichend von den heutiges Tages in unsern Klimaten lebenden). Diese große Mannichfaltigkeit organischer Ueberbleibsel findet man fast sämmtlich auf einer Stelle, und alle gehören einer und derselben Zeit an; denn es kommen keine ältern Geschlechter unter ihnen vor, keine Reste von Paläotherium, Lophiodon und noch weniger von Ichthyosaurus, oder von andern monströsen Reptilien; solche fossile Gebeine haben die Verfasser an andern Orten wahrgenommen, und es wird von denselben in dem Verfolg ihres Werkes die Rede seyn. Sämmtliche, bis jetzt abgebildete, Knochen stammen, wie bereits erwähnt, vom Berge *Périer*, oder *Boulade* ab. Sie kommen hier in sandigen, mitunter eisenschüssigen, Schichten vor, herrührend von der Zerstörung primitiver Gebirge, in welchen auch Laven-Bruchstücke eingeschlossen sind. Die, die Knochen führenden, Schichten ruhen auf einer mächtigen Ablagerung großer Rollsteine, welche von vulkanischen

und

---

[*] *Recherches sur les ossemens fossiles du département du Puy - de - Dôme; par M. M.* BRAVARD, CROISET *et* JOBERT. *In 4to avec figures lithographiées a Paris, chez Dufour et d'Ocagne.* (Fünf Lieferungen sind erschienen; das Ganze wird deren fünfzehn ausmachen. Der Subskripzionspreis für jede Lieferung ist 5 Fr.)

und primitiven Felsarten abstammen, unter denen jedoch
die ersteren bei weitem vorwaltend sind, und diese Ge-
schiebe-Bank ihrer Seits ruht auf einem Süſswasser-Kalke,
der seine Stelle unmittelbar über dem Ur-Gebiete einnimmt. Die Knochen führenden Schichten sind von vulkanischem Tuffe bedeckt, dessen Hauptmasse Bimsstein ist,
und in welchem man Bruchstücke und gröſsere, nicht abgerundete, Massen von Laven verschiedenartiger Natur
sieht, deren Analoga nur in dem, fünf oder sechs Stunden
entfernten, Montdor getroffen werden. Der Tuff wird
durch eine Schicht von Rollstücken, von ziemlich groſsem
Volumen unterbrochen. Die Verf. sind der Meinung, daſs
die Ablagerungen, von welchen die Rede, neuerer Entstehung seyen, als die sogenannten älteren vulkanischen
Erupzionen dieser Gegend, während sie einer späteren Periode angehören, als die Erzeugnisse der jüngeren dortländischen Feuerberge."

————————

Die Rhein-Gold-Wascherei wird schon seit den ältesten Zeiten betrieben, hat aber an dem Oberrheine, da
der lezte Goldwascher zu Istein bei Hüningen, wegen
Aermlichkeit der Ausbeute, seine Arbeit im Jahre 1824 nie-
derlegen muſste, ganz aufgehört, und ist nun blos noch
auf den Mittelrhein beschränkt. Hier fängt sie in dem
Badenschen Amts-Bezirke Lahr an, wo sich zu Witten-
weier drei, in Nonnenweier vierzehn, und in Ottenheim,
Meissenheim und Ishenheim zusammen drei Goldwascher
befinden. Rheinabwärts sind deren noch mehrere.

Nach den bisherigen Erfahrungen, kommt das Gold niemals in reinem Sande, oder aufgeschwemmter Erde, sondern blos in einem groben Kiese vor, dessen Sand feinkörniger und etwas schwarzbräunlicher, als der übrige ist. Oft sitzt das Gold auch auf Kieseln in leichtem Anfluge auf, immer zeigt es sich aber in Gestalt kleiner dünner Blättchen, von der Größe einer Nadelspitze, bis zu jener eines Senfkornes.

Die Goldsand-Bänke sind von sehr verschiedener Ausdehnung, zuweilen mehr als 100 Schritte lang, und verhältnismäßig breit. Gewöhnlich legen sie sich längs dem festen Lande, selten an nahe befindliche Inseln, in ruhigem Gewässer und unterhalb solcher Orte an, wo der Rhein vom festen Lande beträchtliche Stücke abgerissen hatte. Nur in diesem Falle, und folglich auch blos nach starkem Gewässer, findet man neue Gold-Bänke, deren Größe jenem des weggerissenen Bodens freilich in sehr verringertem Maaßstabe entspricht.

Jeder Goldwascher, und jeder dieses Geschäftes etwas kundige Rhein-Bewohner behauptet aus diesem Grunde, daß das Gold nicht mehr aus den Gebirgen der *Schweiz* und des *Schwarzwaldes* ausgeführt werde, sondern sich schon in unsern Kies-Lagern, wenigstens dem größten Theile nach, befinde. Denn, sagen sie, wenn das Gold aus den angegebenen Orten zu uns kommen sollte, müßten sich nicht an den Ufern des Oberrheins, welche den unsrigen gleich sind, mehrere und reichhaltigere Gold-Bänke, als bei uns bilden? Warum findet man solche nicht längs dem Thalwege, der den Goldsand doch vorzüglich forttreiben hatte, sondern nur am Ufer, oder nahe demselben? Warum nur unter frischen Land-Einbrüchen, und in einer dieser entsprechenden Größe und Reichhaltigkeit?

Nach ihrer Versicherung ist der Goldsand in einer ½ und 1½ F. starken Schicht Kies, welche unter einer gleich großen von gröberem Kiese und der Dammerde liegt, enthalten. Deutlich können diese Schichten an steilen Ufern erkannt werden, und die vorgenommenen Versuche bewiesen die Richtigkeit der Angaben. Werden in einer Schaufel Gold-haltigen Kieses des festen Landes, auf die unten bezeichnete Weise, ein oder zwei Gold-Theilchen gefunden, dann ist dem Goldwascher in dem, vom Wasser losgerissenen, wieder angespülten, Kiese reichere Ausbeute gewiß; denn in diesem konzentrirt sich, nach den ausgeschwemmten leichteren Erdtheilchen, der Goldsand. Die angeführten Schichten ziehen tief in das Land hinein, und man fand noch in der *Allmansweirer* Gemarkung, eine halbe Stunde weit von dem Rheine entfernt, schon bei den ersten Versuchen Gold.

Aus allem geht überzeugend hervor, daß der Rhein heutzutage wirklich nicht mehr alles ihm abgewonnene Gold uns zuführe, und daß es vielleicht zum größten Theile bei uns lagere. Ob dasselbe in früheren Jahrtausenden durch den Rhein herbei gebracht wurde, oder welchen Ursachen sonst wir dessen Gegenwart zuzuschreiben haben, dieß wäre gewiß eine, des Forschungsgeistes unserer Geognosten nicht unwürdige Aufgabe. (Zeitungs-Artikel)

35 *

Breithaupt hat den Platinsand, ausgewaschen aus
dem Sande von *Nijnotaguilsk* im Gouvernement *Perm*,
untersucht. (Poggendorff's Ann. d. Phys.; VIII, 500.)
Da, wo der Sand reiner und quarziger, wird vorzüglich
das Gediegen-Gold gefunden. Der Platinsand läſst sich
sondern in: Platin, Gold, Osmium-Iridium, sil-
berweiſse platte, bis jezt nicht näher bestimmte,
Körner und Iserin, oder magnetischen Eisensand. Allen
diesen Körnern sieht man es an, daſs sie gar nicht, oder
nicht weit fortgerollt seyn können, also wohl ziemlich
nahe am Orte ihres Entstehens gefunden werden; manche
sind sehr scharfkantig, zackig, oder mit Spizzen besezt.
Die Platin-Körner gehören zwei Spezien an, dem eigentlichen Platin und dem Eisen-Platin; jenes ist ganz identisch
mit dem von Humboldt aus Amerika gebrachten, hat eine
lichtegraue Farbe, und zeigt an konkaven Stellen gewöhnlich einen gelblichen Beschlag, es kommt in eckigen und
zackigen, seltener in stumpfkantigen Körnern vor, und in
hexaedrischen Krystallen, welche gewöhnlich auf die Art
gruppirt sind, wie beim Silberglanze; die Eigenschwere
beträgt 17,108 bis 17,608; das Eisen-Platin ist etwas
dunkler gefärbt und in den Vertiefungen der Gestalten fast
stets dunkelbraun bis schwarz angelaufen, wie das Meteor-
eisen; Körner und Krystalle ganz von der Beschaffenheit
der vorigen Spezies; spezifische Schwere = 14,666 bis
15,790, schwach bis stark magnetisch, und zwar nicht
allein retraktorisch, sondern auch in einigen Körnern selbst
attraktorisch. — Das Osmium-Iridium ist von einer Mit-
telfarbe zwischen weiſslich und gemeinem Bleigrau, in
sechsseitigen Säulen krystallisirt, mit deutlichen Durch-

gingen in der Richtung der P Fläche, häufiger in platten Körnern; die Spaltungs-Richtung ist, der Zähigkeit wegen, nicht leicht zu erhalten. Eigenschwere = 17,969 bis 18,571.

Im Kalkbruche bei *Gullsjö* in *Wermeland* kommt eine Serpentin-Art vor, welche dadurch sich auszeichnet, daß sie halb durchscheinend, weiß und weniger hart ist, als der grüne edle Serpentin von der *Skytt*-Grube bei *Fahlun*. Mosander hat dieselbe analysirt, und sie aus: Kieselerde 42,34, Talkerde 44,20, Wasser 12,38 und Kohlensäure 0,89 zusammengesetzt gefunden. (Berzelius, Jahresber.; V, 203.)

Im Januarhefte 1827 von Férussac's *Bullet*, p. 15 liest man den Auszug eines Briefes vom Grafen Münster in *Baireuth*, in welchem dieser Petrefaktolog meldet, daß er beinahe zwanzig Arten von *Macrourites* aus *Solenhofen* und den Kopf eines Vogels von dem nämlichen Orte besitze. Im Jurakalke fand er ungefähr 70 Arten von Schweigger's *Scyphia*, von denen Goldfuss 31 abbilden ließ. Gr. Münster behauptet, daß die Petrefakten des *Lias*-Sandsteines — zwischen dem Jurakalke und den *Lias*-Mergeln seine Stelle einnehmend — mehr Aehnlichkeit mit denen der ersten, als der zweiten Ablagerung hätten. Unter 68 Ammoniten des *Lias* und 64 Ammoniten des *Lias*-Sandsteines findet man nicht eine analoge Art, und von 39 Ammoniten des Jurakalkes gibt es nur 10 Arten, welche im thonigen Sandsteine des *Lias* wieder getroffen werdem. Der Muschelkalk liefert *Spirorbis*, *Calyptrea*, *Parmophorus*, *Nucula*, *Pecten inaequistriatus* und zwei Arten Sepien - Schnäbel. Der Baireuthische Transizions - Kalk scheint überreich an verschiedenen Arten von *Orthoceratites*, *Nautilus*, *Planulites* und *Productus*. Die Zahl neuerer Arten ist sehr beträchtlich.

———

Nach C. A. Lea ist in *Salisbury* (*Konnektikut*) Glimmerschiefer herrschend, zumal um *Takonik*. Er geht in Talkschiefer über. Gänge von Stinkquarz sezzen darin auf, auch führt derselbe Braun - Eisenstein, Feldspath, Graphit, Mangan, Schwefel, Granat, Staurolith, Hornblende, Augit und Epidot. Körniger Kalk kommt auf Lagern und in Nestern im Glimmerschiefer vor. (*Americ. Journ. of Sc. and arts; Aug.* 1824, 252.)

———

Ueber die Silber - Grube Arevalo im Bergwerks - Reviere Atotonilgo el Chico erstattet Fr. v. Gerolt Bericht. (Karsten, Archiv für Bergb.; XIV, 20.) Die Grube liegt 25 Leguas im N. von *Mexiko*. Der Weg dahin führt zuerst über das Plateau von *Mexiko* bis an das Porphyr - Gebirge, welches hier die Hochebene begrenzt, und in dem die Erz - Gänge von *Pachuca*, von *Real del Monte* und von *Chico* aufsezzen. Man sieht auf dem Wege nichts, als vulkanische Asche und Laven, zerstreut oder eingeschlossen in vulkanischen Tuff. Hier und dort erheben sich Hügel von porösem Basalte. Merkwürdig sind die Ufer des grossen salzigen Sees von *Tezenco*

unweit *Mexiko*, durch Effloreszenz des Salzes, welches
hier weite, Strecken Landes bedeckt und verödet. Die beiden folgenden Seen von *St. Christobal* und *Zumpango*, haben wieder süsses Wasser. Bei der *Hacienda del Palmar*
verläfst man das Thal von *Mexiko*, und steigt nordwestlich
ins hohe Porphyr-Gebirge. Die Grundmasse dieses Porphyres ist Thon und Feldspath (?), meist grau, worin
man Krystalle von gemeinem und, von glasigem (?) Feldspathe antrifft, die zum Theil verwittert sind. Quarz und
Glimmer erscheinen als Gemengtheile. Dieser Porphyr ist
nicht geschichtet. Auf dem Wege nach *Chico* bildet er
eine Menge nackter Felsen-Gruppen. Die Gruben *Arevalo*
baut auf einem einzigen mächtigen Gange, dessen Aus-
gehendes man auf den Höhen mehrere Meilen weit unterscheiden kann. Die Gebirgsart, in welcher der Gang auf-
setzt, gehört zu der bereits erwähnten Porphyr-Formazion;
die Farbe des Porphyres ist fleischroth, er enthält glasigen
Feldspath und Glimmer. Im Liegenden des Ganges bildet
der Porphyr eine feste grauliche Grundmasse mit Feldspath-
Krystallen und Quarz-Punkten, worin zugleich Eisenkies
fein eingesprengt ist. Im Hängenden des Ganges findet sich
ein Lager von sehr dichter, graulichschwarzer Grundmasse
(scheinbar Feldspath und Hornblende), ganz mit glasigen
Feldspath-Krystallen durchsprengt. Eine andere Abänderung
trifft man oberhalb der *Hacienda de Metales*, wo die
röthliche Grundmasse mit Chalzedon-Schnüren durchzogen,
und mit Krystallen von glasigem Feldspathe, braunem Glimmer, Chlorit und Quarz-Punkten durchsprengt ist. Auch
finden sich in denselben häufig Kaolin-Parthieen. Alle Erz-
Lagerstätten sind Silber- und Morgen-Gänge. Sie liegen

nördlich im Liegenden des Ganges von *Arevalo*. Der Gang
von *Arevalo* hat ebenfalls sein Hauptstreichen h. 6, und fällt
nach S. mit 70 bis 75°. Im Liegenden ist derselbe beständig mit
dem Neben - Gesteine verwachsen, im Hangenden begleitet ihn
stets ein mächtiges Saalband einer gebrochen, theils weichen, graulichen Masse, scheinbar von aufgelöstem Porphyre. Die Hauptmasse des Ganges besteht aus grauem,
porphyrartigem Gesteine, aus Kalkspath und Quarz. In
dieser ungeheuern Gangmasse findet man überall Silbererze,
Silberglanz und Schwarzgültigerz fein eingesprengt. Eisenkies kommt häufig mit den Erzen vor, seltener Gediegen-
Silber in dünnen Blättchen. Kalkspath, minder häufig
Quarz, sind die Begleiter. Der Gang bildet im Allgemeinen eine dichte Masse. Quarz, Kalkspath und Silberglanz
kommen zuweilen krystallisirt vor.

Ueber die Muschel-Berge bei Uddevalla liest
man Nachstehendes in BERZELIUS Jahresber.; V, 292: „Zu
den Beobachtungen über die allmählich geschehende Erhebung des Skandinavischen Landes über die Meeresfläche,
worüber, im Jahresber. 1823, Herrn BRUNKRONA's und
HAELLSTRÖM's Untersuchungen angeführt wurden, möchten
folgende, an der Westseite der Halbinsel gemachten, Beobachtungen ein Beitrag seyn. Es ist bekannt, daß auf der
Seeküste und auf den Inseln bei *Uddevalla*, so wie auf
der ganzen Seeküste vom südlichen Norwegen, hier und
da Bänke von See-Muscheln, zuweilen bis 200 Fuß über
der jezzigen Meeresfläche liegen. Diese Muscheln sind im
Allgemeinen wohl erhalten, und keine ist, was man nennt,

kalzinirt, und sie bestehen alle aus solchen Arten, welche
an diesen Stellen jezt noch im Meere leben. Die horizontalen Schichten, worin sie liegen, zeigen, daſs sie sich
hier in der Ruhe gebildet, und daſs sie damals der Grund
des Meeres gewesen sind. Eine derselben, *Lepas balanus*,
befestigt sich immer an die Felsen des Gestades, so, daſs
sie bei Bewegungen der Meeresfläche auf Augenblicke über
die Oberfläche desselben kommt. Brononiart bemerkte,
als er die Gegend bereiste, daſs, im Falle die Meeresfläche
über dieser Stelle gestanden habe, man vielleicht noch Bala-
nen festsizzend finden würde, wenn entblöſste Felsen zu
treffen wären, und weitere Untersuchungen haben diese
Vermuthung bestätigt. Dieſs dürfte das älteste und zu-
verlässigste von allen See-Merkmalen seyn, die beweisen,
daſs sich die Skandinavische Küste über das Meer erhoben
hat, indem ein Fallen der Meeresfläche, von 200 F., rund
herum nicht denkbar ist. Man möchte sich dabei gerne
die Frage thun: Was hebt uns empor, und wie und wann
wird die Erhebung beendigt seyn? Aber wer wollte wohl
versuchen, hierauf eine Antwort zu geben?"

———

Bei *Holyhead*, in *Schottland*, hat eine Frau, welche
nach Torf grub, sieben goldene Münzen aus Konstantin's
des Groſsen Zeiten, vollkommen wohl erhalten, gefunden.
(Zeitungs - Nachricht.)

———

Man hat kürzlich in *Louisiana*, nahe an *Mississippi*,
das Gerippe eines Thieres gefunden, wovon keine lebende

Arten mehr vorhanden sind. Einer der Knochen des Unterleibes hat 17 Zoll im Durchmesser, und die wahren Rippen haben 9 F. Länge. Man glaubt demnach, dafs das Thier 60 F. lang, 20 bis 26 F. breit und ungefähr 20 Fufs hoch gewesen ist. Es mufs in der Ausdehnung das Mammuth übertroffen haben, im nämlichen Verhältnisse, wie dieser den gewöhnlichen Ochsen. Das Skelett ist zu *Columbia*, im Staate *Ohio*, öffentlich ausgestellt. (Zeitungs-Nachricht.)

MITSCHERLICH gab eine ausführliche Beschreibung seiner Methode, die Winkel der Kryftalle zu berechnen. Er bedient sich zu dem Ende der sphärischen Trigonometrie, statt dafs HAUX die ebene anwendete. (*Ann. des Mines; IX*, 137.)

Ueber die Höhle mit thierischen Gebeinen zu Banwell, in Sommersetshire gab BERTRAND-GESLIN Nachricht. (*Ann. des Sc. nat. IX*, 196.) Der Verf. welcher diese Höhle im Jahre 1826 besuchte, fand in derselben, in sehr grofsartigem Maafsstabe, eine, von ihm bereits 1826 in der *Adelsberger* Höhle beobachtete, Thatsache bestätigt; nämlich dafs ein Theil der, in Höhlen enthaltenen, thierischen Gebeine durch eine, dem Entstehen der Knochen-Brekzie gleichzeitige, Katastrophe dahin gebracht worden. Die Höhle, von welcher die Rede, in der Grafschaft *Sommerset*, eine Stunde vom Flecken *Banwell* gelegen, wurde im September 1825 durch BEARD entdeckt. Sie befindet sich nahe am Gipfel einer kleinen Kette aus

Bergkalk (*mountain limestone*) zusammengesezt, welche
den *Mendip*-Hügeln angehört. Die Felsart, dicht, schwarz
oder grau von Farbe, bituminös riechend, enthält Enkriniten und Produktus, und ist in mächtige Schichten abgetheilt, welche unter 75° in NNO. sich senken. Sie besteht aus verschiedenen Abtheilungen, deren größere ungefähr 45 F. lang, 30 F. breit und 10 F. hoch, die eigentliche Höhle ausmacht, und in der eine senkrechte Spalte,
7 bis 8 F. breit, vom Boden aufsteigend, durch die Wand
und in die Decke sich fortzieht. Am äußersten Ende der
Höhle, dem Eingange gegenüber, steigt man einen, unter
30° sich senkenden, Gang hinab, welcher 45 bis 60 F.
lang und, da wo er anfängt, 10 Fuß hoch ist, dann aber
sich sehr verengt. Eine kleine, vor der eigentlichen Höhle
befindliche, Weitung; eine Art Vorhalle, war, nach
Beard's Versicherung, ganz erfüllt von, viele thierische
Gebeine enthaltendem, rothem, thonigem Schlamme, während dieser lehmartige Schlamm in der Höhle selbst nicht
gleichmäßig über den Boden verbreitet, sondern in der
Richtung von der Spalte bis zu dem Gang, von welchem
die Rede gewesen, also die Höhle selbst schräg durchzie-
hend, im nordwestlichen Theile derselben aufgehäuft sich
zeigte. An Knochen war dieser Schlamm minder reich als
der der Vorhalle. Unglücklicherweise wurde, um der
Entdeckung der Gebeine willen, das Haufwerk thonigen
Schlammes ganz hinweggeschafft; man sieht gegenwärtig
alle Knochen längs den Wänden der Höhle symmetrisch geordnet. Nur an zwei Stellen ist der Schlamm noch anstehend; nämlich in der senkrechten Spalte der Wand der
größeren Höhle, die er ganz ausfüllt, und in dem geneigten

Gange. Hier ist der rothe thonige Schlamm, erfüllt mit
Knochen und mit eckigen Bruchstücken schwarzen Kalkes,
ähnlich dem Bergkalke, während in der Spalte die Knochen
minder häufig sind. Den abfallenden Gang erfüllt der thö-
nige Schlamm nicht ganz; am Ende gegen die Höhle, ist
er ungefähr 7 bis 8 F. breit, eben so hoch und 15 F.
lang. Die schlammige Masse, welche sich hier hinein wälz-
te, fand einen Widerstand in der niedriger werdenden
Decke. — Unter den zahllosen Knöchen, welche der Verf.
in der größeren Höhle, so wie in der Wohnung des Hrn.
Baard aufgehäuft sahe, fanden sich viele zerbrochene; die
Gebeine von Herbivoren herrschten vor, namentlich jene
einer großen Ochsen- und Hirschart; vom Bären wurde
nur ein großer Schädel bemerkt, und einige Kinnladen kleiner Karnivoren *. — Man kann nicht daran zweifeln, daß,
ehe der Schlamm vom Boden der größeren Höhle hinweg-
genommen wurde, die Theile desselben, welche die senkrechte Spalte und den geneigten Gang füllen, ein Ganzes
ausmachen. Das gesammte Haufwerk thonigen Schlammes,
mit den zerbrochenen Knochen und den, keine Spuren des
Abrollens zeigenden, Kalk-Bruchstücken, muß theils durch
die Spalten der größeren Höhle, theils durch die Oeffnung,
vermittelst deren man zur Vorhalle gelangt, in die Grotte
eingedrungen seyn; ferner ist man berechtigt zu glauben,
daß dasselbe sehr schnell anlangte, denn das Ganze, regellos durch einander gemengt, ist dennoch von so gleicharti-

---

* BLAINVILLE, der mehrere dieser Knochen untersuchte, erkannte darunter, aus der Klasse der Wiederkäuer, Gebeine
zweier Hörnerträger und eines Geweihträgers, und von Raubthieren, Knochen von Wölfen und von Füchsen.

ger Beschaffenheit, daſs man nicht wohl an ein Herbeiführen zu verschiedenen Zeiten denken kann; auch läſst sich die Erscheinung nicht als Folge einer Wasserströmnng ansehen, indem man keine Spur des Abwaschens wahrnimmt. Es muſs demnach das Haufwerk thonigen Schlammes von einem, von auſsen erfolgten, Einfallen herrühren, das, wie die eckigen Stücke dichten Kalkes beweisen, durch eine ziemlich heftige Katastrophe bedingt wurde. Diese Thatsachen führen zu folgenden Annahmen: 1. wenn kalkige Infiltrazionen das Haufwerk thonigen Schlammes durchdrungen hätten, in dem Zustande, worin dasselbe sich befindet, würde man dann nicht eine wahre Knochen-Brekzie vor sich haben? 2. Ist es nicht glaublhaft, daſs, wenn eine, mehr oder weniger beträchtliche, Wassermasse die Höhle mit gröſserer oder geringerer Schnelle durchzogen hätte, diese das Haufwerk angegriffen, und Knochen und thonigen Schlamm mehr oder minder gleichmäſsig über den Höhlen-Boden verbreitet haben würde?

Seit dem 18. März 1826 strömt in der *Szlatinaer* Steinsalz-Grube im *Marmaröscher* Komitate, in der Grube *Ludovici*, in einer Teufe von 45 W. Klaftern, ununterbrochen aus einer Spalte des, im Steinsalze eingelagerten, Thonmergels ein **brennbares Gas** aus, das seit dem 10. Mai zur Beleuchtung der Verhaue benuzt wird; J. N. Bremen gibt Nachricht von der interessanten Erscheinung. (Poggendorff's Ann.; VII, 131.) Das anstehende Salz ist unrein, mit Salzthon untermengt, weshalb man einen Verhau von 10 W. Klaftern zu treiben anfing, und hier zeig-

te, sich das denkwürdige Phänomen. Das ausströmende Gas
hat keine gefährliche Eigenschaften, es ist spezifisch leichter, als atmosphärische Luft, farblos, entzündlich, brennt
mit blaulichweißer Flamme, und mit Ausscheidung von
Kohlen, und ist, mit atmosphärischer Luft gemischt, ohne
Beschwerde athembar.

Von den Fulguriten, oder Blizröhren, gaben R. Brandes und Echterling Nachricht. (Kastner, Archiv, IX,
295.) Wir heben nachstehende, für die Bildungsart derselben wichtige, Thatsachen aus. Am 29. April 1825 ent-
lud sich ein heftiges Wetter auf ganz ungewöhnliche Weise in der Senne, und drang, durch die Dährenschlucht,
mit gewaltsamer Schnelle durch das Gebirge auf die andere
Seite, über den Flecken Lage. Ströme von Wasser ergossen sich, und eine schreckliche Verheerung wurde binnen kurzer Zeit angerichtet Besonders furchtbar tobte
das Gewitter in der Nähe des, eine Stunde von der Dährenschlucht entlegenen, Ortes Augustdorf und auf das Feld
des Kolonus Leppelmeyer fuhr namentlich ein gewaltiger
Bliz nieder. Das Revier, welches der Bliz berührt hatte,
waren drei besäete Kornfelder, und seine Wirkung war
gleichsam eine zweifache gewesen, eine oberirdische und
eine unterirdische. Erstere bestand in der Art seiner Verbreitung, deren Erkennung durch die Lokalität, ein be-
stelltes Kornfeld, sehr begünstigt wurde. Diese Verbreitung des Blizzes zeigte sich in einer Reihe auslaufender
Wege, Blizgänge, von dem Punkte seines Einfahrens an. Diese Blizgänge glichen schlangenförmig gekrümmten Wegen,

und hatten stellenweise eine Breite von 1 Fuß. Sie nahmen alle Kornfelder ein, und auf ihnen war die Frucht ganz zerstört. Um die unterirdischen Wirkungen des Blizzes kennen zu lernen, wurde zuerst an dem Punkte, von welchem die längsten und breitesten Blizgänge ausliefen, nachgegraben. Die Lage Dammerde, die lose Sandschicht bedeckend, zeigte keine Spur von Schmelzung; allein da, wo der Sand begann, fing auch ein Fulgurit an, der zuerst dünn war, aber als dickere Röhre sich fortsezte, und dem man bis zu ungefähr 10 Fuß nachgrub.

John Rankins * hat, in einem neuerdings herausgegebenen Werke **, höchst sonderbare Ansichten, in Betreff der Geschichte fossiler Ueberreste, ausgesprochen. Der Verf. stellt nämlich historische Untersuchungen an, über Kriege und Jagden der Mongolen und Römer, in denen man Elephanten und andere wilde Thiere gebrauchte, oder tödtete; und vergleicht die Orte und Gegenden, wo jene Kämpfe und Belustigungen Statt hatten, mit den Stellen in Europa und Siberien, wo die Ueberreste dieser Thiere gefunden werden. Er ist bemüht zu beweisen, daß unter Römischer Oberherrschaft eine Menge solcher Thiere, Bewohner heißer Klimate, in Europa verbreitet worden, und daß das Nämliche von Seiten der Mongolen in Asien

---

* Ein gelehrter Britte, der 20 Jahre lang Resident seiner Regierung in *Hindostan* und *Rußland* war.

** *Historical Researches on the wars and sports of the Mongols and Romans ect.* London; 1826.

geschehen wäre. HELIOGABALUS ließ sich das Gehirn von
600 Straußen vorsezzen; 500 Bären wurden, während eines einzigen Kampfspieles, getödtet; COMMODUS würgte 100
Löwen mit eigner Hand; und am Geburtsfeste HADRIAN's
opferte man mehr als 1000 wilde Thiere. Ueberall, wo die
Römer Städte mit Besazzungen hatten, richteten sie Am-
phitheater auf, und gefielen sich in solchen Würgereien.
Nach RANKINO findet man in der Nähe dieser Amphithea-
ter die Gebeine wilder Thiere, welche in so hohem Grade
die Beachtung der Geognosten anregten. Allein es läßt sich
dem gelehrten Forscher (wie dieß u. a. im *Oriental Her-
ald*, *July* 1826 geschehen) einreden: daß man Reste des
Asiatischen Elephanten im nördlichen Amerika findet; daß
unter den fossilen Thierresten nie Ueberbleibsel von Menschen getroffen werden u. s. w. (FÉRUSSAC, *Bullet. Janv.*
1827, *p.* 14.)

R. BRANDES und F. KRÜGER liefern m i n e r a l o -
g i s c h - g e o g n o s t i s c h e B e m e r k u n g e n ü b e r d i e
U m g e b u n g e n v o n P y r m o n t *. Bunter Sandstein,
Muschelkalk, jüngerer Mergel und Thon (Kenper), Gryphitenschiefer und Grobkalk sind die ausgezeichneten Formazionen

---

* Pyrmonts Mineralquellen. Pyrmont; 1825. — Herr Rath Dr.
MENCKE hat zwar diesen Gegenstand auf sehr gründliche
Weise in der Zeitschrift, 1825, II, 1, 149 und 219 abgehandelt; wir erachten uns aber dennoch verpflichtet, unsern Le-
sern auch die Arbeit der Herren BRANDES und F. KRÜGER
auszugsweise mitzutheilen.

d. H,

mazionen der Gegend. Der bunte Sandstein tritt in
manchen Abänderungen als Mergel- und Thon-Sandstein
auf, und zeigt die Eigenthümlichkeiten, welche diese Formazion besonders charakterisiren. Weiss gefleckt ist er oft:
Streifen- und Flammen-Zeichnungen gehören zu den seltenen Erscheinungen. Die Glimmer-Blättchen, welche derselbe einschliesst, sollen Titan-haltig seyn. Barytspath
kommt in den senkrechten Spalten des Sandsteines, oft
aber auch nur auf den Flächen der Felsart angeflogen vor.
Als Anflug auf dem Barytspath, auch in den Klüften des
Sandsteines, trifft man schuppigen Eisenglanz, Eisenocker
und ockeriges Wad. Bei *Pyrmont* erhebt sich der Sandstein kaum 140 F. über die Thalebene, deren Unterlage
er bildet, und ist wahrscheinlich auf Zechstein gelagert.
Bei einem, 162 F. tiefen, Bohr-Versuche, in der niedrigsten Stelle des Thales, wurde der Sandstein nicht
durchsenkt. Sandstein-Bänke und Einlagerungen von Mergelthon sind meist wagerecht, selten neigen sie sich bis zu
10°. In der Regel fallen dieselben nordwärts. Von organischen Resten kommen u. a. solche vor, die Fragmente
von Knochen zu seyn scheinen. Bunter Mergelthon
bedeckt den bunten Sandstein, und erscheint auch eingelagert in ihm. Seine ersten Lagen über dem Sandsteine sind
sehr eisenschüssig und roth; in der Höhe nimmt der Kalk-
Gehalt des Gebildes zu, und die Schichten des darauf folgenden Thonmergels werden durch den Wechsel von Farben ausgezeichneter, je mehr sie sich den Muschelkalken
nähern. Die grün gefärbten Stellen, die hin und wieder
bemerkbar sind, sollen von erdigem Chlorite herrühren.
Als untergeordnetes Glied der Formazion tritt Gyps auf,

36

an der Grenze des bunten Sandsteines und des Muschelkalkes, jedoch nur in geringen Spuren. Muschelkalk
ist die vorherrschende Gebirgsart der *Pyrmonter* Gegend,
und bildet die Berge, welche das Thal umgeben. Er ist
zum Theil mit jüngeren Flözzen überlagert, und ruht auf
buntem Sandsteine. Gelber, seltener grauer Mergel-Kalk-
stein begleiten den reinen dichten Muschelkalk, das vor-
waltende Glied der Formazion. Wulstiger Kalkstein, so-
genannter Wurm- oder Zungen-Kalkstein, erscheint im
Mergelkalke in verschiedenen Formen. Ausgebildeter Rogenstein ist der Formazion fremd; nur hin und wieder
zeigen die schieferigen Absonderungen der oberen Lager
Neigung zur oolithischen Struktur. Dolomitische Massen
wurden bis jezt nicht nachgewiesen. Senkrechte Klüfte
durchziehen das Muschelkalk-Gebilde sehr häufig. Die
Schichtung ist ungemein deutlich. Stellenweise zeigen sich
die Schichten wellenförmig. Das Fallen ist gering; das
Streichen nicht konstant. Mit Ausnahme der, zu den charakteristischen Versteinerungen gehörenden, längsgefurchten
Chamiten, Terebratuliten und Enkriniten-Gliedern ist das
Vorkommen organischer Reste ziemlich beschränkt. Kno-
chen-Fragmente, wahrscheinlich von Fischen herrührend,
trifft man im Mergel-Kalksteine (*Siegebusch*) und im
dichten Kalke (*Griefser* Berg). Aufserdem finden sich,
meist jedoch nur in Abdrücken, oder als Steinkerne: *Ammonites nodosus*, Schloth.; (*Mühlenberg, Hagener Berg*
u. s. w.); *Buccinites gregorius*, Schloth. (*Siegebusch*);
Myacites muscoides, Schloth. (*Griefser* Berg); *Trigo-
nellites vulgaris*, Schl. (im thonigen Sandsteine, *Schel-
lenberg*): *Chamites striatus*, Schloth. (zu *Plagiostoma*

Sowerby gehörig, sehr gemein); *Terebratulites vulgaris*, Schl. (*Bierberg*, *Griefser* Berg u. s. w.); *Mytulites socialis*, Schl. (nur selten in den mittleren Muschelkalk-Schichten, *Elkenberg*) u. s. w. [*]. Pflanzen-Versteinerungen scheinen dem Muschelkalke um *Pyrmont* zu mangeln. Bemerkenswerth ist das Vorkommen des kohlensauren Natrons. Es effloresizirt aus feuchten Mauern, wozu ein Mörtel, aus gebranntem Muschelkalke bereitet, als Bindemittel oder Ueberzug angewendet worden. Solcher Mörtel-Ueberzug zeigte sich Hydrochlorsäure-haltig, woraus die Verf. den Schlufs ziehen, dafs der Muschelkalk hin und wieder etwas Salz führen dürfe. — Dem Muschelkalke untergeordnet, tritt j ü n g e r e r G y p s auf. In Absicht des oryktognostischen Verhaltens stimmt derselbe mit dem, dem bunten Sandsteine untergeordneten, Gypse überein· Der Gyps späthig, faserig, auch schuppig-körnig, ist wenig oder nicht geschichtet, aber sehr zerklüftet, und die Klüfte sind mit Lehm, mit Kalkstein- und andern Geschieben erfüllt. Bezeichnend ist in allen diesen Gyps-Flözzen das Vorkommen von grauem Thon. T h o n u n d M e r g e l (K e u p e r) finden sich in manchen Modifikazionen, und schliefsen sich dem Muschelkalke an. Am meisten verbreitet ist der buntgestreifte Mergel. Er führt Faser-Baryt. Der Thonmergel, mehr einfarbig, oft graulich-weifs, umschliefst nicht selten Eisenkies-Krystalle (*Reinerbeck*). Der Thon- (oder Keuper-) Sandstein, bedeckt zum

---

* Mehrere Muschelkalk-Petrefakten, welche der Beachtung der Herren Verf. entgingen, führt Hr. Mencke a. a. O. an.

Theil die Höhen der Muschelkalk-Berge. Er erscheint
nicht besonders mächtig, und wird gewöhnlich von Schieferthon unterteuft. Mächtiger erscheinen seine Lager da,
wo er auf buntem Mergel ruht. Seine Schichten liegen
häufig horizontal, stellenweise aber, so namentlich an höheren Punkten (*Lüningsberg*), fallen sie unter 30° nach S.
Hin und wieder sieht man auf den Absonderungsflächen einen Anflug von Malachit, Eisenoxyd und Ziegelerz; da, wo
das Gestein mehr mergelig wird, schließt es oft kleine Nieren von Roth-Eisenstein ein. Zu den merkwürdigsten
Versteinerungen des Keuper-Sandsteines gehören Abdrücke
von Blättern, zu den Baumfarrn gehörig (nicht selten
ist er auch ganz frei davon); ferner Rohrstängel und andere
unbestimmbare pflanzliche Reste. Die obere Lage der Keuper-Formazion bildet ein quarziger Sandstein, von dem
thonigen durch Härte, feineres Korn und weißere Farbe verschieden. Er enthält zuweilen kleine Berg-Krystalle. Ka-
lamiten und andere Reste urweltlicher Pflanzen, kommen
nicht selten in ihm vor. Zwischen Mergel-Sandstein und
Schieferthon findet sich, als untergeordnetes Lager, ein eisenhaltiger, thoniger Kalkstein. Die Formazion des G r y -
p h i t e n - K a l k e s (*Lias*) u n d d e r d a z u g e h ö r i g e
M e r g e l , ist vorzüglich in der Bergkette verbreitet, welche vom *Süntel* bis zur *Porta Westphalica* sich erstreckt,
um *Pyrmont* sieht man dieselbe weniger ausgedehnt, und
auf die untersten Gruppen des Gryphiten-Thones und Mergels beschränkt. Ein kohlig-bituminöser Mergelschiefer mit
feinen Glimmer-Blättchen, stellenweise unter 25 bis 30°
südwestlich einfallend, ist vorherrschend. Er braust leb-

haft mit Säuren, und hat ein dünnschieferiges Gefüge. Auf
den Absonderungsflächen zeigen sich häufig Gyps- und Kalkspath, und zarte Eisenkies-Blättchen kommen oft im Gesteine vor. Nur stellenweise wird der Gryphitenschiefer
von einem bituminösen Mergel-Sandsteine bedeckt, der viel
Eisenkies enthält, und aufser unbestimmbaren Pflanzensten-
geln noch folgende Versteinerungen führt: *Belemnites
giganteus* und *paxillosus*, *Ammonites amaltheus*, *ammo-
nius*, *macrocephalus*, *hircinus*, *capricornus* (*A. planicosta-
ta* Sow.), Schl.; ferner: Nautiliten, Bukziniten, Terebratuliten, Mytuliten (sehr verdrückt), *Myacites musculoides*
und Pentakriniten. Zur Grobkalk-Formazion gehört namentlich die Muschelbank am Fuße des *Berno*,
deren Mächtigkeit ungefähr 20 Fuſs tief aufgeschlossen ist.
Wahrscheinlich ruht dieselbe auf buntem Mergel, auf ihr
liegt zunächst eine Lehmschicht. Das Ganze erscheint als
Sandmergel mit zahlreichen, kleinen (chloritischen) Punkten.
Versteinerungen finden sich häufig und sehr mannichfaltig
darin, theils kalzinirt, theils als Steinkern; manchen ist
ihr Perlmutterglanz geblieben. Die einzelnen Muschel-Fa-
milien liegen ziemlich getrennt. Es gehören dahin: *Turritella* (scheinbar zu *T. conoidea* und *brevis* Sow. zu zählen), *Pectinites* (*textorius* und *asper* Lam.), *Pectunculus
pulvinatus*, *Buccinum* u. s. w., ferner Dentaliten, Kalyp-
träen, Glossopetern, Echiniten u. s. w., *Pectunculus* und
Turritella sind vorherrschend. — Als jüngste Gebilde endlich, trifft man Lager von Torf, Kalktuff, Rasen-
Eisenstein, Lehm und Sand.

In · der · Mitte Oktobers 1826 wurden in den Bergen von *Praauu* starke Erdbeben verspürt. Am 11. Oktober war der Berg *Pakŏwodjo* geborsten. Auch in den Bergen · *Kloet* hatten ähnliche Phänomene Statt. (Zeitungs-Nachricht.)

Die von ADELMANN am gewöhnlichen Goniometer angebrachten Verbesserungen sind wichtig. Er versah das Instrument mit einem feiner getheilten Gradbogen, auch erfordert das Messen mit diesem verbesserten Goniometer nicht so viele Geschicklichkeit und Gewohnheit.

Inhalt des ersten Bandes.

S.

II. Auszüge aus Briefen.

III. Miszellen.

S

von *Bonnington* unfern *Leith.* Versteinerungen des bunten Sandsteines. Erdbeben auf der
Insel *Cuba.* Beschreibung der oberen Lage
des Distriktes vom *Forth.* Gangartige, mit Granit erfüllte, Räume in der Gegend um *Chester.*
Lagerungsweise der Muscheln‑führenden Schichten in den Bergen *de Sales*, *des Fiz* und *de
Platet.* Interessante Petrefakten der Gegend von
Bordeaux. Platinaerz auf dem *Ural* vorkommend. Entstehung des Torfes. Granitische und
Porphyr‑Gänge des *Valorsine*‑Thales. Zir-
k o n e r d e. Fossile Gebeine im Departement
des *Puy - de Dôme.* R h e i n - G o l d - W ä s c h e-
r e i. P l a t i n s a n d. Serpentin bei *Gullsjö* in
Wermeland vorkommend. Petrefakten im *Bai-
reuthischen.* Glimmerschiefer in *Salisbury.* Silber-Grube *Arevalo* im Bergwerks - Reviere *Atoto-
nilco el Chico.* Muschelberge bei *Uddevalla.*
Gerippe eines Thieres in *Louisiana* bei *Mississippi* gefunden. Methode, die Winkel der Krystalle zu berechnen. Höhle mit thierischen Gebeinen zu *Banwell* in *Sommersetshire.* Brennbares Gas. F u l g u r i t e. Geschichte fossiler
Ueberreste. Geognostische Bemerkungen über
die Umgebungen von *Pyrmont.* Erdbeben in
Praauw. Verbesserung des Goniometers. 522 — 56

IV. Analysen von Mineralien.

Albit. Vulkanische Asche. Barytspath. Thoniges, schwefelsaures Eisen. Cererit. Cordierit.
Dolomit. Zinnweißer Glimmer. Grauer Glimmer. Grünlicher Glimmer. Brauner Glimmer.
Hétépozit. Huraulit. Kakoxen. Lepidolith.
Magneteisen. Manganerz. Meteorstein. Pikrosmin. Pyrop. Retinasphalt. Serpentin. Rosenrothe Substanz. Tafelspath. Titaneisen.

Taschenbuch

für die gesammte

Mineralogie

mit Hinsicht auf die neuesten

Entdeckungen

herausgegeben

von

Karl Caesar Ritter von Leonhard,

Geheimen Rathe und Professor an der Universität zu
Heidelberg.

Ein und zwanzigster Jahrgang.
II. Band.

Mit der geognostischen Karte von Europa.

Frankfurt am Main, 1827.

Verlagsbuchhandlung von Ludwig Reinherz.

Zeitschrift

für

Mineralogie.

Herausgegeben

von

Karl Cäsar von Leonhard,

der W. W. Dr., Geheimenrathe und Professor der Mineralogie an
der Universität zu Heidelberg.

Jahrgang 1827.

II. Band.

Mit der geognostischen Karte von Europa.

Frankfurt am Main, 1827.

Verlagsbuchhandlung von Ludwig Reinherz.

Synoptische Darstellung

der

die Erdrinde ausmachenden Formazionen,

so wie der wichtigsten, ihnen untergeordneten, Massen.

Von

Herrn Dr. A. Boué.

Im Gebiete mehrerer Wissenschaften, hat man synoptische Darstellungen versucht; allein hinsichtlich der Geognosie ist dieß bis jezt nicht der Fall gewesen *, oder es waren die hierher gehörigen Arbeiten stets auf einen sehr kleinen Theil des geognostischen Bereiches beschränkt. Verbinden nun

---

* Mir sind nur die geognostischen Tafeln von KARSTEN bekannt, so wie jene von LEONHARD (systematisch-

solche Versuche mit sich den Zweck, dafs sie eine
Wissenschaft in ihren engsten Grenzen darstellen,
gleichsam das Gerippe derselben zeigen, dabei jedoch ein Uebersichtliches des Ganzen gewähren sollen, so mufs man gestehen, dafs in der Geognosie,
die so neu ist, die so vielartige Forschungen umfafst, es schwierig sey, selbst nur in grofsen Zügen, in einem Gemälde alle dahin gehörigen Gegenstände aufzunehmen; darum beschränkte ich mich
auf ein Zusammenordnen jener Theile, welche der
genannten Wissenschaft sich zunächst wesentlich anschliefsen, und bei Ableitung ihrer Reihenfolge im
Grofsen dienten mir nur geognostische Betrachtungen als Norm. Obwohl ich die Ansichten der be-

tabellarische Uebersicht der Mineralkörper) †, von
CORDIER, und endlich die neueste, hierher gehörige,
Arbeit: die Tabellen über vergleichende Geognosie von
KEFERSTEIN; alle weichen, wenigstens was den Plan
betrifft, von meiner Darstellung ab.

---

† Sehr verschieden von dieser älteren Ansicht, die Reihenfolge
der einzelnen Gebirgs-Gesteine betreffend, ist die in meinem
Leitfaden zur Naturgeschichte der Erde (Frankfurt, 1819) von
mir dargelegte, und gegenwärtig habe ich, dem fortschreitenden
Wissen gemäfs, auch von dieser lezteren mich wieder losge-
sagt, und ein geognostisches Klassifikazions-System aufzustellen versucht, das mir in meinen Vorträgen als Norm dient, und
über welches ich seiner Zeit öffentliche Rechenschaft abzulegen nicht unterlassen werde. Die Grundzüge trug ich bereits
in der hiesigen Gesellschaft der Naturforscher und Aerzte, in
ihrer Sizzung am 24. März d. J. vor.
                                        LEONHARD.

währtesten Gebirgsforscher über geognostische Klassifikazionen benuzte, so dürfte dennoch die vorliegende Arbeit nur als gewagter, wahrscheinlich sehr fehlervoller, Versuch gelten; das einzige Verdienst derselben ist, dafs sie der prüfenden Beurtheilung mit einem Male die Ergebnisse aller neuen geognostischen Beobachtungen vorlegt. Gern gestehe ich, dafs mein Widerwille, eine so schwierige Arbeit bekannt zu machen, durch den Gedanken überwunden ward, dafs ich von Zeit zu Zeit ähnliche Darstellungen liefern, und so auf leichte Weise meine Irrthümer berichtigen könnte *, auch sahe ich mich dazu ermuntert, durch die Hoffnung, dafs solche allgemeine Uebersichten werthvolle Beurtheilungen und Widersprüche anregen, und folglich immer genauere und wahrhaftigere geognostische Meinungen herbeiführen würden. Indem ich meine Klassifikazion auf Thatsachen stüzze, und nicht auf mehr oder weniger bestrittene theoretische Ansichten, finde ich, mit Herrn MAC CULLOCH, in dem Geschichtetseyn der Mineral-Massen, oder in dem gänzlichen Mangel an Schichtung, zwei grofse naturgemäfse Abtheilungen, und diefs führt mich zur An-

---

* Diese Betrachtung hat sich schon bewahrheitet; denn neue Reisen, welche ich gemacht, nöthigten mich bereits zu vielen Aenderungen an meiner, im *Edinb. phil. Journ.*, *July* 1825 enthaltenen, synoptischen Darstellung der Formazionen vorzunehmen.

1 *

nahme dreier verschiedenartigen Ablagerungen: u[
geschichtete, oder auf feuerigem Wege
bildete, geschichtete, oder neptunis[
und Ablagerungen bei deren Entste[
wässeriger und feueriger Fluida t[
waren. Es ist hier nicht der Ort, alle Th[
von Neuem aufzuzählen, welche diese theore[
Meinungen in mir anregten, und die ich bere[
her dargelegt habe *; ich beschränke mich i[
gemeinen darauf hinzudeuten.

1. Alle Geognosten, denen es vergönn[
wesen, thätige und erloschene Feuerberge zu [
suchen, sind darüber einig, daſs man die [
Vulkane von den ausgebrannten Feuerbergen z[
terscheiden habe, d. h. von den Gegenden, wel[
sehr früher Zeit vulkanische Einwirkunge[
fuhren.

2. Die meisten Gebirgsforscher, nam[
Alle, welche die erloschenen Vulkane sahen, [
ben an den feuerigen Ursprung der in Ström[
Lagen, in Kegeln, oder in gangartigen Masse[
kommenden terziären Basalte, so wie an di[
rige Abstammung der Trachyte.

---

* *Essai sur l'Ecosse; Mémoire sur l'Allemagne* [
moire sur la France et l'Allemagne (im *Edin*[
Journ., *July* 1823); *Mémoire sur le Sud-Ou*[
la France (*Annales des Sciences nat.*; 1824, *V*[

3. Viele ausgezeichnete Geognosten geben zu, daſs Natur, Lagerungsweise und andere Erscheinungen, welche Basalte und Trachyte wahrnehmen lassen, in jeder Hinsicht gestatten, ihnen die sekundären Trapp-Gesteine, und selbst die, lezteren innig verbundenen, Porphyre nahe zu bringen, so, daſs eine gemeinsame Entstehungsweise aller dieser Felsarten als sehr glaubhaft gilt.

4. Endlich sahen sich einige Geognosten, durch das genaue Verband zwischen Porphyren, Graniten und Syeniten, und selbst zwischen den übrigen nicht geschichteten Gesteinen, so wie durch die ähnliche Lagerungsart aller dieser Felsmassen, dazu bestimmt, auch leztere als dem feuerigen Gebiete angehörig zu betrachten.

Sämmtliche geschichtete Felsarten werden von allen Geognosten als Erzeugnisse neptunischer Abstammung angesehen, mit Ausnahme der krystallinischen Uebergangs-Schiefer (talkiger Gneiſs, Talkschiefer u. s. w.), so wie der gewöhnlich primitiv genannten Gesteine, ein Ausdruck, welchen ich vermeide, um nicht ein vorläufiges Urtheil, hinsichtlich ihrer Priorität in Vergleich zum Daseyn organisirter Geschöpfe, zu fällen. Diese leztere Klasse von Felsarten ist auffallend verschieden von den übrigen, durch eine eigenthümliche Textur und durch eine Vielzahl krystallisirter Mineralien, welche in den andern geschichteten Massen nicht wieder gefunden werden. Ich bin auf die Vermuthung gekommen, daſs diese Ablage-

phil. Journ., (*July*, 1823) und in den *Annales des*

aus dem Erdinnern allmählich die Uebergangs-Schie-

Rinde erwärmt haben; diefs würde ein Zergehen
auf feuerigem Wege, eine Schmelzung zur Folge
gehabt haben, ähnlich derjenigen, welche Herr DE
DAEE erhielt, zumal in Fällen, wo der Druck stark

würden ihre Kohäsions-Kraft eingebüfst haben, die

seyn, und nun konnten die unterirdischen Gas-
Ausströmungen in die, auf solche Weise entstan-

und die, die Felsarten ausmachenden, Theile wür-

Umständen, mehr oder weniger krystallinisch zu-
sammengefügt haben, ohne dafs die ursprüngliche
Blätter-Struktur auf sehr merkliche Weise gelitten
hätte, oder gar vernichtet worden wäre. Ferner

hätte jenes. Wirken chemischer Verwandtschaften,
unterstützt durch die, auf dem Wege: der Sublimazion eingeführten, fremdartigen Substanzen, in jenen Felsarten, wie in den Laven, die grofse Zahl
mineralischer, krystallisirter und krystallinischer Gattungen und Arten erzeugen helfen, welche, man
nesterweise, in Stöcken und auf kleinen Gängen, in
der Mitte der krystallinischen Schiefer antrifft; nur
eine, verhältnifsmäfsig weit beschränktere, Zahl
minder mannichfacher Mineralien wurden später, in
Folge Statt gehabter Infiltrazionen, oder durch wäs-
serige Krystallisazionen in denselben gebildet. Die
Wirkungen dieser unterirdischen Agenzien würden
stets, abgenommen haben aus der ältesten Zeit bis
zur Periode neuer, thätiger Feuerberge. Diese
kühne Theorie scheint wenigstens den Vortheil mit
sich zu verbinden, dafs sie auf genügende Weise
alle geologisch-geognostischen Bedenklichkeiten und
Schwierigkeiten deutet und aufhellt: die krystallinischen Parthieen des Uebergangs-Gebietes; das
Verbundenseyn alter Fels-Gebilde; ihre krystallinischen Nester; den vielartigen, chemischen Bestand mineralischer Gattungen; das eigenthümliche Vertheiltseyn der Arten (*sousespèces*); das Verwickelte regelrechter Formen; die kleinen granitischen, im Gneifse eingeschlossenen, Gänge; das Gewundene der Blätter-Lagen dieses Gesteines * u.s.w.

---

* Man vergleiche, der weiteren Ausführung wegen:
  Ann. des Sc. nat.; Août, 1824, p. 418.

8

Nach diesen; von Herrn Mac Culloch [*] angenommenen, Ansichten, welchen auch Herr v. Buch
zugethan ist, glaubte ich die schieferigen, krystallinischen Gesteine an der Spizze der neptunischen
Ablagerungen lassen zu müssen, und ich habe nur
ihre Abhängigkeit vom plutonischen Gebiete bemerklich gemacht, so wie die, auf feuerigem Wege
entstandenen, von ihnen umschlossenen Substanzen;
indem ich in die Nähe der, die feuerigen Felsarten
enthaltenden, Kolumne sowohl gewisse Gesteine stellte, deren Natur oder Struktur jener der feuerigen
Gebilde sehr verwandt ist, als auch, indem ich daselbst die meisten krystallisirten Mineralien des Ur-
Gebietes aufnahm. Wir würden also hier noch
eine dritte Art des Entstehens der Gesteine, eine
gemischte haben.

Die wieder verbundenen Erzeugnisse
(*produits réaggregés*) alter und neuer Feuerberge schienen mir schicklicher ihre Stelle in der
Folge der Gesteine einzunehmen, von denen sie abstammen, als unter den neptunischen Felsarten, und
mehrere dieser Massen konnten selbst an keinem
andern Orte eingeschaltet werden, indem einige, augenfällig unmittelbar auf feuerigem Wege entstande-
ne, Produkte sind, wie solches durch den berühmten Herrn v. Buch und durch mich dargethan wor-

[*] *Journal of Sc. of the Royal Instit.: Jan.*, 1825.

den *. Sonach sind die feuerigen Brekzien (*brèches ignées*) nur Trümmer der von plutonischen Massen, bei ihrem Emporsteigen, durchbrochenen Felsarten, Trümmer, gebunden durch feuerige Substanzen. Was die übrigen Agglomerate betrifft, so reichte es hin, dieselben auf eigenthümliche Weise zu bezeichnen, und die Uebergänge bemerkbar zu machen, welche sie mitunter in wahrhafte sandsteinartige Gebilde wahrnehmen lassen,

Den von mir, bei andern Gelegenheiten **, entwickelten theoretischen Ansichten zu Folge, habe ich den Erze führenden Gängen ihre Stelle mehr in dem feuerigen, als in dem wässerigen Gebiete angewiesen, indem der größere Theil dessen, was sie enthalten, hinsichtlich seiner Bildungsart durch die Nähe von, auf feuerigem Wege entstandenen, Gesteinen leichter durch plutonische, als durch neptunische Agenzien erklärbar ist.

Obgleich die Steinsalz- und Gyps-Ablagerungen ihr Entstehen theils submarinischen Solfataren verdanken, theils dem Einwirken von Säuren, abstammend von Solfataren, welche beim Luftzutritte brennen, so habe ich dieselben dennoch nicht von den neptunischen Gesteinen geschieden,

* S. die Aufsätze des Herrn v. BUCH im Taschenb. für Min.; Jahrgang 1824, und meine Abhandlung über Deutschland im *Journ. de Physique*, 1823.
** *Essai sur l'Ecosse* und *Mémoire sur l'Allemagne.*

indem auch das Wasser mitunter bei ihrer Bildung nicht unthätig gewesen zu seyn scheint. Hätte ich den entgegengesezten Weg eingeschlagen, so würde ich, aus dem nämlichen Grunde, von dieser Klasse andere Dinge, wie namentlich die Eisenerz-Lagerstätten, gewisse Salze und salinische Verbindungen zu trennen gehabt haben u. s. w.

Ich bin bemüht gewesen, die auffallendsten zoologischen Merkmale jeder Formazion hervorzuheben; ich habe die Stufen (*étages*) angegeben, auf denen, im Felsbaue der Erdrinde, die verschiedenen Klassen und die mannichfachen Geschlechter von Pflanzen und Thieren erscheinen, und zugleich deutete ich die Epoche an, in welcher gewisse vegetabilische und thierische Geschlechter, so wie diese oder jene Mineralkörper in den Schichten der Planetenrinde verschwinden. Endlich habe ich für nüzlich erachtet, durch Buchstaben die Unter-Abtheilungen der Formazionen anzudeuten, so wie die, bald mehr allmäblichen, bald mehr plözlichen Uebergänge einer Formazion in die andere; ich fügte den sekundären und terziären Gebieten manche außer-Europäische Fund-Gegenden bei, und jeder Formazion die wichtigsten synonymen Benennungen, und die ungefähre gewöhnliche, oder ungewöhnliche Höhe, bis zu welcher dieselbe in Europa emporsteigt.

Durchsieht man, nachdem diese Erläuterungen gehörig erfaßt worden, die von mir entworfene Darstellung, so glaube ich mir schmeicheln zu dür-

en, die gewählte Klassifikazions-Methode werde
durchaus naturgemäſs befunden werden. Allgemeinhei-
n und einzelne Erscheinungen sind, darinnen gleich
icht bemerkbar, und mit einem Blicke vermag
in die geognostischen Horizonte, oder die gleich-
erthigen Formazionen (*formations équivalentes,*)
r verschiedensten Gegenden, so wie die, auf man-
chfache Weise dieselben ändernden, Zufälligkeiten
erfassen. Ist man berechtigt, die Erdrinde als
ne Folge wechselnder, wässeriger und feueriger
Lagerungen, und solcher Gebilde anzusehen, denen
gemischter Ursprung zusteht, so wird man diese
Ordnung der Dinge in meiner Uebersicht vollkom-
in dargestellt finden, indem alle verschiedenarti-
Ablagerungen, eines und desselben Zeitraumes,
einander gegenüber gestellt wurden. Endlich zeigen
ine Tafeln ziemlich deutlich die Abnahme des
uerigen Gebietes von den älteren zu den neueren
bilden, so wie die ruhigen Zwischenfristen, wäh-
nd der vulkanischen Phänomene.

Noch habe ich Einiges Weniges über die Art
bemerken, wie, nach meiner Ansicht, die
mannichfachen Ablagerungen der verschiedenen Gegenden Europas, oder der
festeste überhaupt, mit einander in Verbindung gebracht werden müssen; ein Gegenstand, der bis jezt nicht aus dem wahrhaften
Gesichtspunkte betrachtet worden seyn dürfte; denn
wegen Mangel hinreichend ausgebreiteter geognostischer Kenntnisse, wuſste man nicht immer allge-

meine Formazionen von örtlichen Ablagerungen gehörig zu unterscheiden; auf solche Weise wurden,
ohne Noth, die Formazionen vermehrt, oder man
wähnte, in jedem Lande neue Formazionen gefunden zu haben, während in andern Fällen auf
eine gänzlich entgegen gesezte Art verfahren, und
die Haupt-Formazionen bei weitem zu sehr beschränkt wurden. — Die Bildungsweise neuer und
alter Mineral-Massen war nicht ganz richtig auf-
gefaßt worden; darum trennte man nicht selten die
Ablagerungen dieser und jener Landstriche, wegen
der Unterschiede, welche sie wahrnehmen ließen.
Und dennoch ist es sehr einfach, daß eine sandige
oder kalkige Formazion dieser Gegend, im Vergleich
zu der einer andern, oder daß eine solche Formazion, an verschiedenen Stellen eines großen Bek-
kens auftretend, gewisse Unähnlichkeiten wahrnehmen lassen. — Sind Ablagerungen der Art Resultate
der Absäzze oder der Anschwemmungen von Meeren oder von Flüssen, so ist begreiflich, daß die
Natur der Trümmer verschieden seyn müsse nach
den Gegenden und nach dem mehr oder minder
Mächtigen der Aufhäufung; dieß würde zum Theil
auch Statt haben, wollte man jene Gesteine von einem chemischen Niederschlage ableiten

Sind solche Massen nichts als Ueberreste meerischer Thiere, oder ähnlicher, durch die Wasser
bearbeiteter, Erzeugnisse, so wird eine und dieselbe
Lage an verschiedenen Orten Abänderungen, nicht
nur was die Natur des Gesteines betrifft, sondern

uch hinsichtlich der Petrefakten wahrnehmen lassen, denn die Meeres-Geschöpfe sind nicht die nämlichen in verschiedenen Wassertiefen, in ungleichen
Entfernungen von den Küsten, unter verschiedenen
Himmelsstrichen, oder an diesen und jenen Gestaden, und Art und Weise, auf welche ihre Trümmer durch die Meereswasser bearbeitet werden,
müssen sich verschieden zeigen, nach dem Ungleichen der Bewegungen des Meeres, und nach der
mannichfachen Tiefe seiner Wasser. Ich überlasse
dem trefflichen Beobachter Herrn CONSTANT PREVOST
die weitere Entwickelung dieser Ansichten; sie sind
bereits von ihm in einer wichtigen Abhandlung über
das Pariser Becken dargelegt worden.

In der Erdrinde trifft man gewisse allgemein
verbreitete Massen, wie namentlich die san-
gen Materien, die Sandsteine u s. w., während andere mehr örtliche Erscheinungen
sind, so alle nicht geschichteten Gesteine,
oder die Kalke, die salinischen Felsarten,
als Gyps und Steinsalz, und die Kombusti-
lien.

Beobachtungen thun dar, dafs die leztere Klasse
der Ablagerungen nur in Streifen, in Gruppen, oder
in gröfseren und kleineren Massen sich findet; diefs
muss Folge der Art ihrer Entstehung seyn. Nicht
geschichtete Gesteine scheinen das Werden jener Ablagerungen in den verschiedenen Gegenden
ihres Vorkommens bedingt zu haben; so sieht man
die granitischen Felsarten von gewissen Agglomera-

ten begleitet; die Serpentine treten in der Nähe gewisser Sandsteine auf; die Porphyre trifft man im
Allgemeinen nicht fern von den Kohlen-Gebieten
und von gewissen sekundären Sandsteinen; die Basalte werden von Braunkohlen und von sandigen
Materien begleitet; die Erzgänge erscheinen überall
in der Mitte, oder zur Seite der grofsen Haufwerke
nicht geschichteter Gesteine u. s. w. Es darf folglich nicht befremden, dafs man, in verschiedenen
Landstrichen, Verschiedenheiten in den Schichten
einer und derselben Formazion bemerkt; so weichen z. B. die Transizions- oder sekundären Sandsteine einer Gegend, in welcher keine ungeschichteten Felsarten vorhanden sind, von den gleichnamigen Gesteinen anderer Landstriche, denen solche
Phänomene zustehen, in Etwas ab.

Es ist bekannt, dafs die kalkigen Felsarten nicht gleichmäfsig über die Erd-Oberfläche verbreitet wurden, sondern dafs ihre Bildung nur in
gewissen Gegenden Statt fand, so z. B. in Becken,
in Buchten und Krümmungen von Becken, oder auf
den Kämmen untermeerischer Felsen. Auch die salinischen Materien gehören augenfällig der
Klasse lokaler Ablagerungen an, in so fern man
nicht eine gemischte Entstehung auf feuerigem und
auf nassem Wege einräumt. Endlich sind die Kom-
bustibilien hierher zu zählen, denn alle Thatsachen scheinen darauf hinzudeuten, dafs sie nichts
weiter sind, als vegetabilische und thierische Materien, welche dem, durch Fluthen von Strömen und

Meeren, oder durch andere Katastrophen entblöfsten, Boden entrissen, und unter verschiedenen Aggregaten begraben wurden.

Hieraus ergibt sich, wie sehr man irren würde,
wollte man z. B. in der Mitte eines Beckens von
beträchtlicher Gröfse Steinkohlen, Braunkohlen, Gyps
oder Steinsalz suchen, wenn solche Vorkommnisse
zufällig am Rande des Beckens gefunden werden.
Wir wollen keineswegs die Möglichkeit des Gelin-
gens einer Untersuchung der Art ganz in Abrede
stellen; nur darauf erachten wir für nöthig hinzudeuten, dafs die Wahrscheinlichkeit des Vorhanden-
seyns einer der fraglichen Ablagerungen stets mit
zunehmender Gröfse des zu erforschenden Beckens
abnimmt. So darf es z. B. durchaus nicht überra-
schen, in einem grofsen Becken, auf dessen Rändern Steinkohlen oder Salz vorkommen, hin und
wieder, statt der brennbaren oder salinischen Materien, sandige Gesteine mit geringem, oder ohne allem
Gehälte von Kohle, oder von Salz, zu treffen. Die
kalkige Ablagerung des einen Becken-Randes kann
von jener des entgegengesezten Randes in Etwas abweichen, oder sie kann selbst, an verschiedenen
Stellen, nicht nur eine ungleiche Erstreckung, sondern auch örtliche untergeordnete Schichten, thonige, sandige, kohlige oder salinische zeigen.

Diese vorläufigen Bemerkungen erachtete ich für
nothwendig, um die Felsarten eines grofsen Theiles
der *Alpen*, der *Karpathen*, der *Apenninen* und der
Pyrenäen auf schickliche Weise klassifiziren zu kön-

nen. Die drei ersten der genannten Ketten l
in meiner Darstellung, eine grofse sandige un
gelige Ablagerung wahrnehmen, ziemlich
der Grauwacke; es würde scheinen, als ve
jene Gesteine mehrere sandige, sekundäre F
zionen anderer Landstriche, oder als erse
dieselben sogar alle bis zum Jurakalke. Dies
sache würde sich, nach meiner Ansicht, du
fast gänzliche Abwesenheit der Porphyre in
Gegenden erklären; denn, überall, wo diese
gen Gebilde auftreten, haben sie den älteren
Ablagerungen ihre eigenthümlichen und beso
Merkmale verliehen; gewisse Theile der
Ungarns, des südlichen *Tyrols* u. s. w.,
überraschende Beweise für diesen Saz *.

Alle diese Bemerkungen führen zu un
deren Ansichten in Betreff der sekundären G
es scheint in Wahrheit, dafs man, zu sehr
tail - Studium befangen, die Gesammtheit allge
Thatsachen nicht mehr zu erfassen vermochte.
gründliche Untersuchung vereinigte man, un
Benennung älteres und neueres Transizions-
eine unermefsliche Mächtigkeit von Schichten
reichen Wechsel sandiger und kalkiger Lage
gend, während man, von der andern Seite
weit minder beträchtliche Masse von Ablager
weil sie mehr Petrefakten führten, oder leicl

* *Mémoire sur l'Allemagne.*

erforschen waren, bis ins Unendliche abtheilte. · Bestehen denn in Wahrheit im Flöz - Gebiete mehr als
zwei wesentliche und allgemeine grofse Formazionen,
wovon die eine, im höchsten Grade kalkig, die
Kreide und den Jurakalk umfassen, würde, während,
die andere, im Ganzen sandig, alle Flöz-Sandsteine,
von höherem Alter, als der Jurakalk, einschlösse?
— Ich gestehe, dafs ich es nicht glaube; ich sahe im
Bereiche der Flözzeit die sandigen Formazionen aus
der Tiefe nach oben abnehmen, und, die kalkigen im
umgekehrten Verhältnisse, d. h. vom Tage nach der
Teufe, und ich finde zwischen der Kreide und dem
Jurakalke, oder selbst in lezterem, (*England, Dalmazien*) nur sandige Massen, welche von geringer
Bedeutung, und nicht überall vorhanden sind. Zwischen den sandigen Ablagerungen sahe ich blos zufällig zwei kalkige Massen auftreten, wovon die
unterste wenig mächtig, und von sehr beschränkter
Verbreitung ist, während der anderen keineswegs die
Allgemeinheit des Jurakalkes zuzustehen scheint.
Endlich zeigt uns dieser leztere Kalk, wie viel man
beobachtet haben müsse, ehe man sich die Entscheidung erlauben dürfe, ob diese oder jene Ablagerung eine allgemeine oder eine Formazion sey, indem die verschiedenen Stufen (Abtheilungen; *étages*),
welche man hin und wieder in diesem Kalke wahrgenommen haben will, keineswegs überall vorhanden sind,
da sie durch andere zuweilen vertreten werden,
und weil die Scheidung, auf die am meisten Werth
gelegt wurde, nämlich der *Lias*, im ganzen süd-,

östlichen Europa, wie in den *Apenninen, Alpen, in Oesterreich* und *Ungarn* nicht vorhanden ist.

Wie dem auch sey, diefs sind die Ansichten, welche mehrere ausgezeichnete Geognosten, und namentlich solche, die mit dem Hammer in der Hand, und nicht blos im Bereiche ihres Büchersaales, die Natur befragen, erfafst zu haben scheinen. Bereits im Jahre 1816 war mein berühmter Lehrer, Herr Professor JAMESON, nicht fern von der lezteren Meinung, mit welcher alle bekannten Thatsachen der geognostischen Geographie vollkommen verträglich sind; allein dessen ungeachtet glaube ich, dafs es noch wesentlich ist, alle aufgestellten Unter-Abtheilungen beizubehalten, ja, dafs man selbst bemüht seyn müsse, deren mehrere anzunehmen, um leichter alle Einzelnheiten des verwickelten Gerüstes im Erdrinden-Bau auffassen zu können.

Allgemeine Betrachtungen über die geographische Vertheilung, die Natur und den Ursprung der Gebiete Europas.

Unsere Darstellung zeigt, dafs die erhabensten Europäischen Bergspizzen aus krystallinischen Schiefer-Gesteinen, oder aus Transizions-Ablagerungen bestehen, und dafs die relative Höhe der Formazio-

nen im Allgemeinen, von den alten zu
den neuen Gebieten, abnimmt. Wäre man
noch des Dafürhaltens, daſs alle diese Massen ausschließlich durch Wasser gebildet worden, und daſs
dieselben nach ihrer Bildung keine Störungen erlitten hätten, so würden zugleich gewisse Anzeichen über die Höhe des wässerigen Fluidums in verschiedenen Epochen geboten seyn. Von der andern
Seite ändert sich das Problem gänzlich, wenn man
bedenkt, daſs die Erdrinde Emporhebungen erlitten
habe, mithin auch Einsinkungen, so, daſs dasjenige,
was gegenwärtig eine sehr hohe Stellung einnimmt,
einst sehr niedrig gelegen haben kann, und umgekehrt. Gewisse Landstriche können, nach einander,
Hebungen und Senkungen erfahren haben, ja, es ist
nicht undenkbar, daſs ganz Europa dem Weltmeere
heutiges Tages entstieg.

Die Struktur primitiver Ketten mit ihren Schich-
ten-Neigungen, mit den Umstürzungen und Zerrei-
fsungen, überhaupt das Ansehen aller Europäischen
Hochgebirgs-Reihen, lassen keinen Zweifel, hinsichtlich des Gewaltsamen, so wie des mehr oder
minder Plözlichen, ihrer Bildung, und darüber,
daſs diese Bildung mit häufigen Zerspaltungen und
Verschiebungen (*Glissements*) begleitet gewesen.
Die Emporhebungen scheinen die Stelle der großen
Aushöhlungen entschieden zu haben, welche man
am Fuſse der Haupt-Gebirgs-Ketten trifft. Auf
solche Weise würden die terziären Becken auf dem
Abhange beider Alpen-Seiten, das Böhmische Bek-

2 *

ken, die sekundären Becken Frankreichs, jene der
Nordsee und des Baltischen Meeres entstanden seyn
u. s. w. Sehr schwierig wird die Unterscheidung
der, durch Senkungen entstandenen, Aushöhlungen
von jenen, die Folgen einer Zerspaltung, oder einer Emporhebung benachbarter Gebiete sind. Welcher von beiden Ursachen gehört die Aushöhlung
des Rheines zwischen *Basel* und *Bingen* zu? Ueber-
dieß ist es möglich, daß ursprüngliche Vertiefungen (*enfoncements*) der Erdrinde über die Stellen
gewisser Meere entscheiden, wie namentlich über
jene des Mittelländischen, des Baltischen Meeres
u. s. w.

Nimmt man parzielle Emporhebungen an, und
räumt man zugleich ein, daß das Meer einst ein
weit höheres Niveau gehabt, als gegenwärtig, so
ergibt sich aus der mittleren Höhe des terziären,
sekundären und Transizions-Beckens in Europa,
daß das Meer sein Niveau heutigen Tages um einige
Hundert bis zu Eintausend Fuß in den meisten terziären Becken übersteigen mußte, mit Ausnahme
des Baierischen und des Schweizer Beckens, während zur Zeit der Flöz- und der Uebergangs-Ablagerungen ungefähr 4000 Fuß für die eine, und 6000
bis 8000 Fuß für die andere das Maximum der
Meeres-Erhebung gewesen seyn dürfte. Erscheint
die Annahme solcher Meereshöhe zu seltsam, so
kann die Verschiedenheit im Niveau der Formazionen
auch durch Emporhebung ganzer Kontinente erklärt
werden.

Geognostische Thatsachen bieten den
Beweis, dafs die Abnahmen der Meereshöhe, oder die Emporhebungen der Berge, vorzüglich gegen das Ende der alten
Alluvial-Epoche Statt hatten, nach der
Formazion des terziären Bodens, nach
der Ablagerung der Kreide, aber vor dem
Beginnen sekundärer Absäzze, vor der
Bildung neuerer Uebergangs-Gesteine
und vielleicht selbst noch früher, als gewisse alte Transizions-Felsarten entstanden.

In der Erhebungs-Theorie müssen zwei Meinungen wohl unterschieden werden. Nach der einen
stammen die Bergketten von Emporhebungen ab,
welche aus ältester Zeit und bis nach der Bildung
der Kreide, oder auch bis nach dem Entstehen des
terziären Bodens eintraten; die andere Meinung läfst
im Gegentheile alle jene Hervorragungen, nach Ablagerung der Kreide, oder während der Alluvial-
Epoche, emporsteigen. Die leztere Meinung scheint
bei weitem mehr Einreden unterworfen, als die erste, obwohl beide auf die individuelle und respek-
tive geognostische Stellung der Ur-, Flöz- und der
terziären Gebiete, auf die Form von Thälern und
Bergspizzen u. s. w. sich gründen.

Fanden solche Erhebungen erst neuerdings Statt,
wie kommt es denn, dafs die Hochgebirge keine
terziären Gebilde, keine Alluvial-Ablagerungen
aufzuweisen haben? Wie hätten gewisse terziäre

Becken erfüllt werden können, wären nicht zur
Zeit, als diefs geschah, ihre Umrisse bereits gestaltet gewesen? Woher kommt es, dafs einander sehr
nahe terziäre Becken nicht die nämlichen Erscheinungen wahrnehmen lassen, was Bestand und Struktur betrifft? Wären die eingewendeten Schwierigkeiten nicht unübersteiglich, so würden die terziären Gebiete auf beiden Gehängen der *Alpen*, deren Analogieen nur auf einige wenige Versteinerungen sich gründen, zum mindesten an diesen oder jenen Stellen der Kette, und in *Franche-Comté* jenseit des Jura wieder zu finden seyn, und die terziären Ablagerungen *Böhmens* würden sich nicht so
verschieden von den in *Oesterreich* vorhandenen
zeigen, die im *Rheinthale* befindlichen weichen nicht
so sehr ab von denen *Westphalens* u. s. w.

Die Thatsache, dafs in der höchsten Europäischen Gebirgskette, in den *Alpen*, die terziären
Ablagerungen in kein einziges Querthal vordringen, ist von Bedeutung. Die Untersuchung dieser Kanäle, durch welche die Wasser der Zentralkette, oder der Längenthäler, hervortreten, zeigt
augenfällig, dafs sie nicht durch strömende Wasser
ausgehöhlt worden. Das Bett der Flüsse hat sich
ausgetieft, hin und wieder wurden die eckigen Biegungen und Krümmungen derselben zugerundet;
allein keine Spur deutet auf dem Gehänge der Berge
ein stufenweises Abnehmen der Wasser an. Parallele Trümmer-Terassen, oder kleine Agglomerat-
Plateaus, sind nur in solchen Thälern vorhanden,
welche einst durch einen See eingenommen wurden,

.oder die Theilganze eines grofsen Sees ausmachten. Die *Alpen* .Oesterreichs, die Umgebungen verschiedener Schweizer .Seen liefern zahlreiche Beispiele solcher Art.   .

Gleichwohl hat diese Abwesenheit des terziären Gebietes in *Alpen*-Thälern, nur in den *Hochalpen* .Statt; denn am östlichen Ende schliefsen die lezten .Verzweigungen der *Alpen* die terziären Becken der *Mur*, der *Leitha* u. s. w. ein. Aufserdem steigen diese neuen Ablagerungen ziemlich weit aufwärts in den Längen-Thälern der *Drave* und der *Save*, und zeigen sich selbst im Längen-Thale des *Iun*, da, wo dasselbe einer Quer-Richtung zu folgen beginnt. Diese Thatsachen bieten den Beweis, dafs in den *Alpen*, zur Zeit der terziären Ablagerungen, bereits eine gewisse Zahl der heutigen Thäler vorhanden gewesen.

Von der andern Seite werden diese Gesteine in vielen Thälern des *Jura*, der *Apenninen*, der *Karpathen* und der Gebirgsketten Deutschlands getroffen, wenn diese nicht versperrt gewesen, oder eine zu hohe Lage hatten. Die nämlichen Thatsachen findet man wieder in den grofsen Thälern um die Zentral-Gruppe der Gebirge Frankreichs, auch die Ebene von *Roussillon*, in den *Pyrenäen*, zeigt ein Beispiel von der Art. Da die terziären Ablagerungen nirgends auf den, diese Thäler umlagernden, Gipfeln gefunden werden, so geht daraus deutlich hervor, dafs jene vorhanden gewesen seyn müssen, ehe das Werden der befragten Formazionen begonnen,

und am häufigsten findet man die Felsarten dergestalt denen der grofsen terziären Becken verbunden,
dafs man nicht vermuthen kann, die Berge, die auf
solche Weise erfüllten Thäler einschliefsen, seyen
emporgehoben worden, nachdem die Erfüllung bereits Statt gefunden. Die Ungereimtheit einer Annahme der Art ergibt sich schon aus dem Nicht-
Vorhandenseyn terziärer Ablagerungen in den Gebirgen oberhalb eines gewissen Niveaus.

Ferner haben bei weitem ältere Emporhebungen
Statt gehabt, denn die sekundären Gesteine überdecken die Ketten nicht; hin und wieder trifft man
wohl Massen der Art, zu ziemlich grofser Höhe
emporgehoben, im Allgemeinen aber erscheinen dieselben längs des Fufses der Ketten, und ohne dafs
sie in den Thälern eine gewisse Höhe überschreiten.
Es mufs demnach zur Zeit, als diese Gesteine gebildet worden, das Uebrige der Berge bereits aufserhalb des Wassers sich befunden haben; die Thäler
müssen versperrt gewesen seyn; oder Strömungen
süfser Wasser hinderten das Entstehen jener Ablagerungen. In einigen Ketten konnten, auf solche
Weise, sekundäre Gebilde das Verbreiten des terziären Beckens in den versperrten Thälern hemmen;
ein ähnlicher Fall dürfte z. B. in den *Pyrenäen* und
an mehreren Stellen der *Alpen* Statt gefunden haben. Wollte man im Gegentheile annehmen, dafs
Gebirge, das gewöhnliche Niveau sekundärer Ablagerungen um einige tausend Fufs überschreitend,
nach ihrer Bildung emporgehoben worden, so müfs-

ten diese Massen sich in Streifen auf ihren Hervorragungen wieder finden. Nur einige Stellen der *Alpen* und der *Pyrenäen* dürften als Stützpunkte solcher Hypothese sich anführen lassen; sie kann für
diese Ausnahme vollkommen begründet seyn; allein
auf die Allgemeinheit der Berge Europas ist sie in
keinem Falle anwendbar. Die wenig beträchtliche
Höhe einiger derselben, wie namentlich jene der
Gebirge im nördlichen Deutschlande, in Frankreich
und in England, thut dar, daſs das Flüssige, aus
welchem die Flöz-Gesteine abgesezt wurden, nicht
sehr hoch gestiegen seyn konnte, oder daſs die befragten Landstriche minder beträchtlich emporgetrieben worden, als das mittlere Europa, oder daſs auf
die Erhebung ein Niedersinken folgte.

Allerdings ist es wahr, daſs Statt gehabte Zerstörungen in verschiedenen Gegenden auf sehr ungleiche Weise eingetreten seyn können; aber nichts
spricht für die Möglichkeit beträchtlicher Katastrophen der Art, daſs im ganzen Bereiche einer groſsen Kette auch nicht eine Spur solcher Ablagerungen übrig geblieben wäre. Je mehr man überdieſs
ein vergleichendes Studium der Formazionen verschiedener Länder und ihrer gegenseitigen Lagerungs-Beziehungen treibt, je umfassender unsere
geognostischen Karten werden, desto lebhafter sieht
man sich überzeugt, daſs die Aufsenfläche der Erde
um so regelloser gewesen, je näher man der neueren Zeit kommt; die Meere theilten sich ab; ihre
Ufer wurden mehr wellenartiger gestaltet; die Abla-

gerungen, mehr auf Oertlichkeiten beschränkt, erhielten um so gröfsere Mannichfaltigkeit, und ihre
Schichten schmiegten sich den Unregelmäfsigkeiten
der bedeckten Oberfläche an. Zulezt wurde die gegenwärtige Struktur der Gebiete durch Verschiebungen, Zerspaltungen, Emporhebungen und parzielle
Zerstörungen vollendet. Liefse sich das Geordnet-
seyn, diese Scheidung in Becken, Golfe und Meeresengen, diese bogenartige Ablagerungsweise, auch
durch plözliche und sehr neue Emporhebung alter
Gebirge und aller Kontinente erklären? Ich glaube
eine solche Auslegung wäre wenig haltbar; denn
nähme man an, die Ketten wären unermefslichen
Spalten entstiegen, so würde man sehr oft verlegen
seyn, um Lagerungsart und Ursprung der Agglomerate zu erklären, um das Verschiedenartige der Gesteine auf den entgegengesezten Abhängen einer Kette,
um die Verbindung der sekundären und terziären
Felsarten in Thälern mit jenen der grofsen Becken
zu deuten, so wie um von dem Entstehen alter fossiler Vegetabilien Rechenschaft abzulegen. Beschränkt
man selbst jene plözlichen Emporhebungen auf die
schieferigen, krystallinischen Gesteine, wendet man
diese Meinung vorzüglich nur auf die Alpen an; so
begegnet man den nämlichen Schwierigkeiten; und
alle diese Schwierigkeiten schwinden, räumt man
ein, dafs es zu jeder Zeit einen entblöfsten Boden
gegeben, verschieden nach Stelle und Ausdehnung,
und dafs dieser Boden eben so gut Emporhebungen
und Zerspaltungen erfahren konnte, als der Grund

der Meere. Unter Berücksichtigung der, zu Gunsten
der Erhebungen von Ketten erwähnten, Thatsachen,
erachten wir uns demnach zum Schlusse berechtigt,
daſs die Emporhebungen, so wenig, als die übrigen
vulkanischen Phänomene, auf eine und dieselbe Epoche
beschränkt werden dürfen, sondern daſs sie zu allen
Zeiten Statt gehabt. Da wir überdieſs keine glaub-
würdigen Beispiele vom Sinken des Meeres haben,
während uns Beweise Statt gefundener Emporhebungen dargeboten sind, so muſs die Theorie sich mehr
vorzugsweise auf die lezteren Thatsachen, als auf
die ersteren einfachen Vermuthungen stüzzen.

Die Emporhebungen, welche noch gegenwärtig
auf der Erde beobachtet werden, gehören alle vulkanischen Phänomenen an; dürfte nicht dasselbe der
Fall seyn bei jenen, von denen wir glauben, daſs
sie während der Bildung der Planetenrinde sich ereignet? Thatsache ist, daſs feuerige Erupzionen in allen Zeiträumen Statt gehabt, wo
die mittlere relative Höhe der verschiedenen Gebiete über dem Ozean ein Sinken der Meereswasser, oder eine Emporhebung der Kontinente andeutet.

Vor dem Entstehen der Uebergangs-Ablagerungen
und gegen das Ende dieser Erscheinung traten gewaltige
Haufwerke granitischer und syenitischer Felsarten aus
dem Erdinnern heraus, später, vor und nach der Bildung neuer Transizions-Gesteine, brachen ähnliche
feuerige Massen, ferner Diallagon-Gesteine, Serpentine, Porphyre und Trapp-Felsarten hervor. Als das

Werden der Flöz-Ablagerungen begann, erschienen
Porphyre, Trappe und einige granitische oder serpentinische Massen. Endlich bezeichnete, nach ziemlich langem, wenig unterbrochenem, ruhigem Zwischenraume, die trachytische und basaltische Formazion, das Beginnen terziärer Ablagerungen, und
eine große Zahl von Feuerbergen ergossen ihre Laven
während der Alluvial-Epochen. Die Masse dieser
ausgeströmten, feuerigen Materien selbst
scheint stets in gewisser Beziehung mit
dem muthmaßlichen Sinken des Meeres,
oder mit der Emporhebung der Kontinente zu stehen; folglich war die plutonische Thätigkeit (obwohl unsere tabellarische Darstellung im Allgemeinen zeigt, daß das feuerige Gebiet im umgekehrten Verhältnisse, mit dem neptunischen Gebiete, aus der älteren zur neueren Zeit, abnimmt)
am größten zur Zeit der trachytischen Erupzionen,
und während der Epochen des Werdens der lezten
Uebergangs-Ablagerungen, und in diesen beiden
Zeitscheiden erfuhr auch das Meer die größten Sinkungen, oder es wurden die Kontinente am meisten
emporgehoben.

Wäre demnach gestattet, mit den Herren Heim,
v. Buch, Sartorius und Keferstein, die ausgeströmten Materien als schwache Beweise einer gewaltigen inneren Gährung — welche durch Erschütterungen, Zerspaltungen, Emporhebungen, Umstürzungen und Erupzionen sich Luft gemacht — anzusehen, so würden wir alles Nöthige zur Lösung des

Problemes haben. Nun sind wir aber berechtigt,
nach der Analogie vulkanischer Erupzionen heutiger
Zeit, solche Wirkungen zu vermuthen, und wir finden, dafs das Erscheinen feueriger Massen früherhin von zahlreichen, noch jezt vorhandenen, Zerklüftungen begleitet gewesen, wie diefs namentlich
die leeren, oder erfüllten Spalten, die erzarmen,
oder erzreichen Gänge darthun. Ferner bieten Eng-
pässe und viele Thäler, so unter andern jene im
südlichen Tyrol, alle Merkmale gewaltsamen Entstehens; sie lassen sich keineswegs als durch Wasser
ausgehöhlt betrachten, wohl aber als Folgen sekundärer feueriger Einwirkungen. Endlich zeigen
die vulkanischen Haufwerke emporgehobene neptunische Massen, verrückte, versezte und umgestürzte
Berge *, man darf folglich nur eine Kraft-Verstär-
kung annehmen, um zur gewünschten Erklärung
solcher Resultate zu gelangen. Wäre man im Gegentheile geneigt, das Wahrscheinliche dieser vulkanischen Phänomene nicht einzuräumen, so würde
sich, ohne übernatürliche Mittel, weder ein Sinken
des Meeres, noch eine Emporhebung der Kontinente
erklären lassen, und man sähe sich, besonders bei
Darlegung des Ursprunges gewisser Steinkohlen-Gebiete, wie namentlich bei denen in der Rheinpfalz,
in Schottland, in England und im ganzen nördli-

---

* *Mém. sur le Sud-Ouest de le France.* (*Ann. des Sc. nat.;* 1824.)

chen Deutschland vorhandenen, in grofser Verle-
genheit.

Hatten die Gebirge stets ihre relative Erhabenheit, und war dem Meereswasser, zur Zeit der
Ablagerung des Jurakalkes, über einen grofsen
Theil von Europa noch ein Höhestand von mindestens 4000 Fufs eigen, so kann man nur staunen,
ungeheure Haufwerke von Vegetabilien so fern von
den *Alpen*, *Apenninen*, *Pyrenäen* und von *Skandinavien* begraben zu sehen, indem die letzteren
Ketten, nach dieser Ansicht, fast die einzigen gewesen, welche als Eilande aus dem Meere jener Zeit
hervorragten, und mithin die einzigen Stellen, wo
ähnliche Pflanzen wachsen und gedeihen konnten.
Wie wäre es möglich, dafs vegetabilische Theile
von solcher Zartheit, wie diefs bei Farrnkräutern
und Graspflanzen der Fall, aus so weiter Ferne
kömmend, zwischen sandigen und thonigen Schichten, sich so wohl erhalten könnten, und warum
hätten dieselben nicht, auf ihrem Wege, Trümmer
meerischer Körper umhüllt und mit sich fortgeführt?
Endlich aus welchem Grunde fände man jene Haufwerke gerade zwischen Engen und in Krümmungen
von Bergen, fern von den Gebirgen, von welchen
sie abstammen sollen, niedergelegt?

Allerdings kann man, in solchem Falle, die
sehr wahrscheinlichen Annahmen wählen, dafs gewisse Gebirgsketten in höherem Grade zerstört wurden, als andere. Allein es müfsten sodann, zum
Beispiel, die Englischen Bergketten, auf den die

tropischen Pflanzen der Steinkohlen-Gebiete dieses
Landes wuchsen, das Schiefer-Gebilde des Rheines,
welches die tropischen Gewächse der Kohlen-Ablagerungen in der Pfalz und in Belgien nährte, zu
jener Zeit eine Höhe gehabt haben, beträchtlich genug, um gleichfalls Inseln auszumachen. Gleichwohl glaube ich nicht, dafs man sich berechtigt achten dürfe, der lezteren Ursache allein so wundervolle Wirkung zuzuschreiben, und überdiefs werden Sinkungen gewisser Theile der Erd-Oberfläche,
oder dieser und jener Gebirgsketten, durch allgemeine, bereits erwähnte, Thatsachen, oder durch
geschichtliche Erzählungen wahrscheinlich.

Diese Ansicht beseitigt wenigstens alle Schwierigkeiten; und da Sinkungen auch Emporhebungen
voraussezzen, so erklärt diefs, warum die sekundären Ablagerungen in gewissen Fällen in einem
Kontinente mehr, als in einem andern emporsteigen,
wie solches namentlich der Fall ist, wenn gewisse
Formazionen der *Andes* mit denen von Europa verglichen werden.

Versucht man auf solche Weise die Höhe des
Meeres-Niveaus, oder jene der Erhebungen von
Kontinenten in verschiedenen Epochen vermittelst
der gegenwärtigen relativen Höhen der Formazionen
zu schäzzen, so darf nicht vergessen werden, dafs
es Gebiete gibt, wie namentlich jenes der Steinkohlen, welche mitunter auf grofsen Höhen sich finden
können, ohne dafs sie dadurch den Beweis bieten,
das Meer habe, zur Entstehungszeit einer solchen

Ablagerung, dieses Niveau behauptet, oder es sey eine Ablagerung der Art bis zu dieser Höhe erhoben worden.

Wie wir später zeigen werden, so ist es sehr wahrscheinlich, daſs wiederholte groſse Ausbrüche von Süſswasser-Seen den meisten Antheil gehabt, an der Formazion der Kohlen, und diese Ablagerungen können auf ein Niveau, weit unterhalb des Meeresstandes in alter Zeit, beschränkt geblieben seyn; nur in groſser Nähe von Küsten, oder auf sehr kleinen Inseln konnten sich die Alluvionen, von solchen Ausbrüchen abstammend, auf dem Meeresufer abseczen.

Da das Steinkohlen-Gebiet in *Colombia*, bei *Chipo*, zu einer Höhe von 8160 Fuſs emporsteigt, und jenes in den Kordilleren von *Canta* vielleicht 13,800 Fuſs Höhe über dem Meeresspiegel erreicht, so werden wir, durch vertrautere Bekanntschaft mit den, in jenen Ablagerungen vorhandenen, Versteinerungen, darüber Aufschluſs erlangen, ob sie ihre Höhe einer Emporhebung verdanken, oder ob dieselbe Folge ihrer Bildungsweise ist. Die nämlichen Beobachtungen lieſsen sich auch, in einigen Fällen, auf die Lagerung der Molasse-Braunkohlen anwenden; allein bis jezt haben wir keine recht auffallende, hierher gehörige, Beispiele, vielleicht mit Ausnahme einiger Stellen in *Dauphiné* (*Villars de Lans* u. s. w.).

Endlich ist die wiederholte Bemerkung nicht überflüssig, das die Höhe aller sekundären und terziären

ziären marinischen Ablagerungen keineswegs immer
des allgemeine Niveau des Meeres, oder jenes Statt
gehabter Emporhebungen genau angeben sollen, indem auch spätere Erhebungen derselben sich ereignet haben können, wie diefs vielleicht an gewissen
Stellen der *Alpen* und der *Andes* der Fall gewesen.
Jemehr die Formazionen, die einen über den andern,
sich häuften, um desto mehr theilte sich der Ozean
in deutliche Becken, und einige der lezteren könnten
wohl in sehr fernen Vorzeit, von den übrigen Meeren hinreichend genug geschieden gewesen seyn, um
ein etwas höheres Niveau, als diese zu behaupten.
Die leztere Vermuthung, welche ich hier als eine
Möglichkeit andeute, hat wenigstens bei den terziären Gebieten als unläugbare Thatsache Statt; denn
es ist augenfällig, dafs die Wasser der terziären
Becken Frankreichs, Nord - Deutschlands und der
Schweiz, drei sehr verschiedene Niveaus einnehmen
mufsten.

Wir haben bereits erwähnt, dafs man gesucht
diese Verschiedenheiten im Niveau durch Emporhebungen und Wieder - Aufrichtungen zu erklären; wir
wollen den früher schon dargelegten Einreden nichts,
hinzufügen, als dafs diese Hypothese keineswegs Rechenschaft gibt von den geognostischen Differenzen,
terziärer Becken. Mit einem Worte, wir sehen
keine Thatsachen, die so wundervolle Wirkungen,
und von so neuer Zeit, zuliefsen, obwohl wir einräumen, dafs ähnliche Phänomene in allen Epochen
Statt gehabt; allein ihre Latensität und ihre Ausdeh-

3

nung scheinen aus der ältesten bis auf neuesten geognostischen Zeit abgenommen zu haben, denn ihre
ersten Ursachen folgen solch einer abnehmenden Progression. Von diesen, mehr und minder wahrscheinlichen Voraussezzungen ausgehend, hätte man nicht
mehr nöthig, sich einzubilden, dafs das Meer einst
eine gröfsere Höhe gehabt, als die Uebergangs-
und krystallinischen Schiefer erreichen, da
ähnliche Theile oder Ketten nach ihrem Entstehen
noch emporgehoben worden seyn können. Es gebricht uns gänzlich an Mitteln, um die Höhe des
Niveaus der Meere, in deren Schoofse sich die
Transizions-Ablagerungen erzeugten, schäzzen zu
können; nur das Daseyn eines Ozeans, ähnlich dem gegenwärtigen, und die tiefsten
Theile der Weltfeste, oder die Höhlungen ihrer Oberfläche einnehmend, können wir daraus ableiten.

Die Abdrücke von Land-Pflanzen, selbst das
Daseyn der Anthrazit-Lager in den Uebergangs-
Schiefer-Massen, deuten augenfällig darauf hin,
dafs gewisse Gestein-Parthieen schon in der
Mitte der Meere Inseln bildeten, welche Pflanzen nährten, vielleicht von
weit geringerer Mannichfaltigkeit als
diejenigen, womit gegenwärtig die Erd-
Oberfläche überdeckt ist; diefs scheint
eine mehr gleichmäfsige Temperatur auf
der ganzen Aufsenfläche des Planeten

anzudeuten, als die heutiges Tages, bestehende. Ferner ergaben die fossilen Reste monokotyledoner Pflanzen dieser Epoche, so wie das sparsame Vorkommen der Dikotyledonen, daſs die erste Pflanzen-Klasse zu jener Zeit auf der Erde entweder ganz allein vorhanden war, oder wenigstens im Verhältnisse zu den übrigen vorherrschte, und ihre Aehnlichkeit, oder ihr Analoges mit tropischen Pflanzen führt zum Glauben, daſs die allgemeine Temperatur der Atmosphäre jener der Aequatorial-Zone gleichkam, oder sie vielleicht selbst noch übertraf. Ferner war das Meer bereits mit allen Klassen von Wesen bevölkert, welche es jezt aufzuweisen hat, die Cetaceen ausgenommen; aber die Gattungen dieser Thiere scheinen minder mannichfach gewesen zu seyn, als gegenwärtig, und ein Fluidum anzudeuten, mehr analog dem heutigen zwischen den Tropen, als jenem der gemäſsigten, oder kalten Zonen.

Dieses sind die Ansichten, zu welchen man durch das Studium fossiler meerischer Ueberreste jener alten Formazionen gelangt, von denen mehrere Geschlechter, und die meisten Gattungen in den Seewassern heutigen Tages nicht mehr gefunden werden.

3 *

Während und nach der Ablagerung aller Transizions-Gesteine. traten zahlreiche, nicht geschichtete Massen hervor (Granite, Syenite, Serpentine, Porphyre und Trappe) begleitet von Zerklüftungen, Aufrichtungen, auch von einigen Emporhebungen und Sinkungen in jenem Gebiete. Die lezteren Wirkungen mußten zur Bildung einiger großen Thäler und gewisser Berg - oder Insel - Gruppen beitragen, und sie konnten einander wechselweise in derselben Gegend, oder in verschiedenen Orten, von einem Ausbruche zum andern folgen. Diese Aenderungen in der Stellung mancher Mineralmassen, mußten nothwendig — in so fern unsere Fundamental-Prinzipien wohl begründet sind — während des Entstehens des Uebergangs-Gebildes, Oszillazionen im Niveau, oder in der Ausdehnung der Meereswasser verursachen, und, nach dieser Ablagerung, eine beträchtliche Erhöhung der Kontinente, oder, wenn man will, ein merkbares Sinken in der Gesammtmasse des wässerigen Flüssigen zur Folge haben.

Endlich beschränkten sich die plutonischen Agenzien nicht darauf, mitten in die neptunischen Uebergangs - Ablagerungen feuerige Massen hinein geschoben zu haben; sie sezten insgeheim ihr Wirken fort; und erst nachdem ein langer Zeitraum verstrichen, kamen sie außer Thätigkeit. In solchen, den

Solfataren ähnlichen, Verhältnissen, in diesen An-
strömungen verschiedener gesäuerten, oder mit Erz-
theilen angeschwängerter Gasarten, hat man, aller
Wahrscheinlichkeit nach, den ersten Ursprung der
Gyps- und Steinsalz-Lagerstätten im Uebergangs-
Gebiete zu suchen, so wie den mannichfachen Wechsel kalkiger und thöniger Gesteine, die Bildung
zahlreicher Gänge, und des gröfsten Theiles der
dieselben erfüllenden Substanzen.

In dieser Zeit stellte Europa ein un-
ermefsliches Meer dar, mit ziemlich vielen vereinzelten Inseln, und mit kleinen submarinischen Bergketten. Im Norden befanden sich die beiden Gruppen der Skandinavischen Eilande, und die Schottischen,
Englischen und Irländischen Inseln, bestehend aus den am meisten erhabenen Theilen
der Ketten von krystallinischen und Uebergangs-
Schiefern dieser verschiedenen Gegenden. Im Osten
bildeten die Ketten zwischen Rufsland und
Asien andere Inseln; gegen Süden sezte der gröfste
Theil der Zentral-Alpen, von *Ligurien* und der
Provence an bis nach *Ungarn*, ein weit erstrecktes Festland zusammen, von welchem wahrscheinlich nordwärts das Französische Eiland
oder die am meisten erhabenen Gegenden des mittleren Frankreichs, die Westphälische Insel, das
grofse Schiefer-Plateau der Rheinufer; das
Eiland des Erzgebirges und des Riesen-Gebirges sich erheben, so wie die Insel, oder die

Inseln der Karpathen, das Zentrum der nördlichen Karpathen, und die östliche Hälfte dieser Kette umfassend. Im Süden der *Alpen* stellten sich vielleicht unter der Form von Inseln, oder von submarinischen Bergen, Theile von *Griechenland*, von *Kalabrien* und *Sicilien*, von *Korsika* und von *Sardinien* dar, während im Westen Europas, das Meer die Inseln der Pyrenäen, jene des mittleren Spaniens und Portugals umzog.

Zu den submarinischen Ketten dürfte man ungefähr die Bretagne und Cornwall, einen Theil von Portugal, die Vogesen, den Schwarzwald und den Odenwald, das Fichtelgebirge, den Harz, das Böhmer-Waldgebirge, und die Basis der Apenninen zählen, so wie im Allgemeinen den Grund verschiedener Meeresengen, die Inseln scheidend, wie jene der Englischen und Schottischen Inseln, oder die zwischen der nördlichen Karpathischen Insel und der Insel des Riesen-Gebirges, zwischen der Pyrenäen-Insel und dem Eilande des mittleren Frankreichs, zwischen den Russischen Inseln und der östlichen Karpathischen Insel u. s. w. Die Bemerkung verdient Beachtung, dafs die meisten jener untermeerischen Berge aus den neuesten Uebergangs-Gesteinen bestehen.

Diese Vorstellungsweise des Meeres-Ansehens in älterer Zeit, führt zur Beobachtung, dafs die

gegenseitige Lage der angedeuteten Inseln, gleichsam
im Voraus schon die geographische Abtheilung der
gegenwärtigen Europäischen Meere vorbereitete. So
umschlossen die nordwestliche und die nordöstli-
che Afrikanische Insel, das Kaukasische Eiland und
die *Alpen*, mit den ihnen zugehörigen Inseln, bereits ein Meer, analog der Mittelländischen See,
und schieden dasselbe zum Theil von den übrigen
Ozeanen, während die Inseln des nordwestlichen
Europa, den Raum des heutigen Nordmeeres, um-
grenzen, und die weiterstreckte Vertiefung zwischen
den Skandinavischen und Russischen Inseln, zwischen denen des Erzgebirges und des Riesen-Gebirges das Baltische Meer andeutet. Wir werden sehen, wie neuere Ablagerungen, vermittelst der Vertiefung des Meeres-Niveaus, oder einer Statt gefundenen Emporhebung der Kontinente die Vereinze-
lung jener Meere vollendete.

Ferner bietet sich die Beobachtung, daß die
Inseln, welche am wenigsten durch Zerstörung lit-
ten, oder die am meisten emporgehoben wurden,
die *Alpen* sind, oder das Eiland, welches im Mittel
aller Europäischen und Afrikanischen Inseln seine
Stelle einnimmt, so daß es nicht ganz unwahrschein-
lich wird, dasselbe verdanke seine Erhaltung der
Art von Damm, wodurch es gegen die Macht der
Wogen und Strömungen des Ozeans sowohl, als des
Eismeeres geschüzt wurde.

Von der andern Seite ist es augenfällig, daß
die am meisten zerstörten Inseln, oder

die am wenigsten emporgehobenen, jene
im Westen und im Mittel von Europa sind,
denn die Berge, welche sie gegenwärtig darstellen,
haben alle eine so wenig bedeutende Höhe, daß sie
selbst noch um Vieles niedriger geworden zu seyn
scheinen; hierher die Schieferkette *Westphalens*,
jene in der *Bretagne* u. s. w. Dieses Phänomen
konnte auch von dem Verschwinden einiger Inseln
im Westen Europas begleitet gewesen seyn.

Die im Vorhergehenden aufgestellten Sätze thun
dar, daß die Epochen dieser grofsen Katastrophe, oder vielmehr dieser Reihenfolge von Katastrophen, nothwendig nach
der Bildung des Kohlen-Sandsteines,
oder selbst nach jener des bunten Sandsteines eingetreten seyn müssen; zur genaueren Besimmung fehlen die Anhaltepunkte.

Endlich ergibt sich aus diesen Betrachtungen,
daß der Ozean und die Meere in jener
Epoche ungefähr die nämliche Stelle, wie
heutiges Tages, einnahmen. Die Inseln
hatten, so wie dies gegenwärtig der
Fall, ihre Berge, Thäler, Flösse und
Seen, ihre Oberfläche war mit Pflanzen
bedeckt, Monokotyledonen ziemlich ähnlich denen der heutigen Aequatorial-Zone; Gräser, grofse baumartige Farrnkräuter, verschiedene Bäume und sonderbare Gesträuche, und
einige Dikotyledonen, wovon ein Theil im Steinkohlen-Gebiete uns aufbewahrt worden, verschö-

neten, jene Landstriche. Einige Mollusken
und Fische, lebten in den Flüssen und
Seen, und verschiedene Reptilien hatten
ihren Aufenthalt an den Stellen, wo die
Flüsse ins Meer mündeten, wahrscheinlich gab es auch schon manche Insekten.

Die heifse Temperatur wurde auf den Europäischen Inseln durch verschiedene physische, zum
Theil nicht bekannte Ursachen erhalten; unter diesen zeigten sich, wahrscheinlich besonders wirksam
die allmähliche Erkaltung der feuerigen
granitischen Massen und der Schiefer,
welche durch plutonische Agenzien flüssig oder krystallinisch geworden *; die
Ausdehnung der Meereswasser; die starke Verdunstung aus dem Gesichtspunkte
ihres Einflusses auf den Druck der Luft-
säule, und auf die Wärme der Sonnenstrahlen sowohl, als aus dem eines Lei-
ters des Wärmestoffes betrachtet: Natürlich mufste die Temperatur gleichzeitig abnehmen,
so wie die physischen Ursachen, durch welche sie
erhalten wurde, nach und nach aufhörten.

So wie das Meer und seine Strömungen, unter
Beihülfe der Flüsse, die sandigen Uebergangs-Ge-

---

* Mémoire sur les Pyrénées (Ann. des Sc. nat.; Août,
1824) und Mac Culloch's Mém. sur les roches pri-
maires (Journ. of royal Instit., 1825).

bilde aus den Trümmern älterer Felsarten zu bilden
wußten, wie dasselbe aus der Zerstörung der Arbeiten zahlloser Meeres-Geschöpfe das Material zu
den kalkigen Ablagerungen nahm, so wirkten in
der folgenden Zeit die nämlichen Ursachen fort, ja
mitunter sind sie alle oder theilweise noch thätig,
und bedingen das Werden ähnlicher Erscheinungen.
am. Die Ströme und Flüsse der Europäischen Inseln waren, wie solches noch jezt der
Fall, unablässig beschäftigt, dem Schoo-
ße der Meere Rollsteine, Sand und vegetabilische Theile zuzuführen. Aus zwei
Gründen hatte diese Arbeit einst in weit größerem
Maßstabe Statt. Einmal waren Flüsse und Ströme
um Vieles mächtiger, als gegenwärtig; denn die mehr
erhöhete Temperatur eines großen Theiles der Welt-
seite, veranlaßte eine weit stärkere Verdünstung,
mithin so gewaltige atmosphärisch-elektrische Meteore und Regengüsse, daß wir uns selbst durch
Orkane und Regen, welche unter dem Aequator
Statt haben, kein Bild davon zu gestalten vermögen.
Sodann mußte, da die Wolken besonders die Berge
umlagerten, und die Ausdehnung des Landes minder beträchtlich war, auch beim übrigens gleichen
Verhältnisse, auf eine Gegend mehr Regen herab-
strömen, als jezt. Endlich waren die Flußbetten
um Vieles abhängiger, als gegenwärtig, folglich
mußte das Fortführen der Alluvial-Materien weit
schneller vor sich gehen.

So wie die Temperatur nach und nach abnahm, die Verdunstung sich minderte, der entblöſste Boden an Umfang gewann, und die geneigten Fluſs- betten mehr und mehr dem Wagerechten sich nä- herten, büſsten die gewaltigen Wirkungen von Flüs- sen und Strömen nach und nach ihre Kraft ein. Diese allmähliche Abnahme erklärt zum Theil, war- um die Folge sekundärer und terziärer Gebiete, zwei Reihen sandiger und kalkiger Formazionen, zwei abnehmende Progressionen, eine jede im ver- schiedenen Sinne, aufzuweisen hat, nämlich die san- digen Massen älterer Gebiete im Gegensazze neuerer Formazionen, und die kalkigen Ablagerungen der lezteren im Gegensazze der ersteren.

Während die Flüsse auf solche Weise beschäf- tigt waren, dem Meere Alluvionen zuzuführen, ar- beitete das leztere, durch seine periodi- schen Bewegungen, durch seine Strömun- gen, unausgesezt an Zerstörung der Kon- tinente, und beförderte gleichzeitig das Ordnen der Trümmer des Festlandes in regelrechter Lagen und Schichten. Das Meer bringt noch solche Wirkungen hervor, folg- lich müſsten sie zu jeder Zeit Statt gehabt haben *.

---

* Man vergleiche Herrn Stevenson's Untersuchungen über das Deutsche Meer, und jene des Herrn Steele über den Irländischen und den *Manche*-Kanal. (*Dublin phil. Journ.*; 1825, Nro. 1.)

Waren die Alluvial-Massen zu beträchtlich, so fehlte
dem Meere die Gewalt, sie weit zu verbreiten, oder
solche schichtenweise zu ordnen; es beschränkte
sich dasselbe in diesem Falle darauf, nur ihre Oberfläche anzugreifen, und rief so den Wechsel grö-
berer und feinerer Gesteine durch das Regellose
seiner Bewegungen hervor. Von der andern Seite
vermochte das Meer, in dem Augenblicke, wo
physische Ursachen ihm mehr Gewalt verliehen, ungefähr in gleichem Zeiträume, weit mächtigere Fels-
Schichten zu bilden, als in andern Augenblicken.
Flüsse und Giefsbäche mufsten, wie
solches gegenwärtig geschieht, und wie es der Fall
war zur Zeit der Bildung des Transizions-Gebietes,
G e w ä c h s e, die längs ihrer Ufer den Stand-
o r t h a t t e n, mit sich hinwegführen, um solche in
ihren Alluvionen, mehr oder minder gut erhalten,
zu begraben.* Während ungewöhlich hohen Wasserstandes, oder in der Regenzeit, mufsten gewaltige Ueberschwemmungen noch gröfsere Zerstörungen
herbeiführen, und wenn endlich die Seen jener Epoche Gelegenheit fanden, ihre
D ä m m e z u d u r c h b r e c h e n u n d a b z u f l i e -

---

* Man vergleiche die ausführlichen Schilderungen über
die unermefslichen Alluvionen von Rollstücken, Sand
und Holz am *Missisipi* in den Amerikanischen Zeitschriften, namentlich in SILLMAN's Journ. *of Sc.*
u. s. w.

faen, so mufsten diese Wassermassen, bei dem starken Falle der Ablauf-Kanäle, Wirkungen hervorbringen, von denen wir uns nur ein sehr schwaches
Bild zu gestalten vermögen, im Vergleich der Erscheinungen ähnlicher Art, welche die Seen unserer
Zeit hervorbringen. *

Diese mannichfachen Ursachen sind es, welche,
nach meiner Ansicht, das Werden des Steinkohlen-
Gebietes bedingten; auf solche Weise vermag ich
mir nicht nur die Menge von Pflanzen und von
Süfswasser-Muscheln zu erklären, welche jene Formazion enthält, sondern auch die fast gänzliche Abwesenheit meerischer Körper, so wie das Regellose
von Lagerung und geographischer Verbreitung des
befragten Gebietes.

Mit je gröfserer Sorgfalt man Ursachen und Folgen dem Ausbrüche neuerer Seen studiert, und die
Struktur gewisser alter Alluvionen, um desto mehr
findet man, dafs Lagerungsweise und andere Erscheinungen dieser Ablagerungen den Braunkohlen-
Haufwerken im terziären Gebiete ähnlich sehen. Da
die lezteren zuweilen eine überraschende Analogie,
was Struktur und Natur angeht, mit den sekundären Braunkohlen sowohl, als mit dem alten Steinkohlen-Gebiete zeigen, so scheint es mir, dafs alle
diese Ablagerungen ungefähr auf die nämliche Weise

---

* S. die Beschreibung des Ausbruches vom *Mauvoisin-
See* in *Val de Bagnes*.

gebildet worden, und dafs ihre Verschiedenheiten
nur durch die verschiedenen Epochen, in denen ihre
Ablagerung Statt halte, so wie durch besondere,
dabei eingetretene, Umstände bedingt wurden. Es
gibt Haufwerke von Vegetabilien, welche plözlich
begraben und zu Kohlen umgewandelt wurden,
während andere lange im Wasser schwammen und
sich erst absezten, nachdem sie bereits mehr oder
weniger verwest waren, oder zertrümmert worden,
oder nachdem schon Umwandelung derselben zu
einer sehr zersezten vegetabilischen Materie eingetreten war. Auf solche Weise ist das Mannichfache
der Natur kohliger Gesteine erklärbar; die erdigen
Braunkohlen zumal scheinen auf die zulezt angedeutete Art entstanden zu seyn. Nur eine kleine
Zahl bituminöser, zumal kalkiger Gesteine, und
vielleicht einige Kohlen dürften von thierischen Materien abstammen; namentlich gehören dahin gewisse Felsarten der Kalk-Alpen.

Die Beobachtung ergibt, dafs alle diese Kom-
bustibilien ohne Unterschied ihre Stelle in vertieften, ausgehöhlten Räumen einnehmen, in Thälern,
in Krümmungen oder in grofsen Meeresengen. Ueberall zeigen sich die nämlichen auffallenden Wech-
sel-Lagerungen der Schichten, dieselben Regellosigkeiten, die Verrückungen gewisser Theile, die nämlichen Zerspaltungen und andere Erscheinungen,
welche nothwendige Folgen jener Bewegungen der
Massen sind. Im Allgemeinen findet man, dafs, je
älter das, auf solche Weise gebildete, Gebiet ist,

um desto bedeutender und häufiger ähnliche erwähnten Phänomene sich darstellen, und mithin
mächtig wirkende Ursachen andeuten. Augenfällig
ist, daſs, als die Meeresküsten sehr weit gedehnt
und regelrecht gewesen, die kohligen Ablagerungen
sich gleichmäſsiger ausbreiten muſsten, und weniger
den Verrückungen und Zerspaltungen unterworfen
waren; wie solches unter andern bei gewissen Reihen sekundärer Braunkohlen-Schichten sich zuge-
tragen. (Braunkohlen des *Lias* - Sandsteines in *West-*
phalen und Braunkohlen des oberen Jurakalkes in
Istrien.)

Ist die Annäherung dieser verschiedenen Ablagerungen in Wahrheit auf die Identität, oder auf
die Analogie ihres Ursprunges begründet; so würde
sich daraus eine geognostische Thatsache von Wichtigkeit ergeben. Da das Holz der Alluvionen, und
im Allgemeinen die Braunkohlen nur zufällige Erscheinungen im Alluvial-, im terziären und im Flöz-
Gebiete abgeben, so müſste dasselbe, hinsichtlich
der Steinkohlen, in Beziehung zur Grauwacke und
zum rothen Sandsteine der Fall seyn, und diese leztere
Ablagerung würde, in einem weit gedehnten Bekken, statt, wie solches bei andern Gebieten der Fall,
die ganze Erstreckung einer ähnlichen Aushöhlung
zu bedecken, nur einen sehr kleinen Theil füllen.

Diese Betrachtung würde ferner zur Erklärung
des Regellosen in der geographischen Vertheilung
der Steinkohlen-Ablagerung dienen, indem dieselbe
abhängig wäre von der Gröſse der Inseln und von

48

der Macht der Ursachen, von denen sie abstammt.
Ebenso erhielt man auf solche Weise Rechenschaft
über die mannichfachen Lagerungs - Beziehungen
zwischen dem Steinkohlen - Gebiete und der Grauwacke, indem jenes mit dieser Felsart nicht selten im
Verbande stehend erscheint, während es in andern
Gegenden, übergreifend und nicht gleichförmig auf
denselben gelagert sich zeigt.

— Die Schottischen, Englischen und Westphälischen Inseln, jene des nördlichen Böhmens, der
Karpathen und des mittleren Frankreichs haben zur
Entstehung der gröfsten Europäischen Steinkohlen-
Massen Veranlassung geboten. Die Schottischen wurden vorzüglich in einer Meeresenge aufgehäuft, zwischen der Schottländischen Hauptinsel und der, vielleicht submarinischen, Grauwacken - Kette im Süden
dieses Königthumes. Die Steinkohlen - Ablagerungen Englands und Irlands finden sich in Einbiegungen am Fufse der Schiefer - Gebirge dieser Inseln,
oder in der Enge, welche die Englische Insel mit
den Eilanden *Cornwall* und *Bretagne* bildeten. Ebenso trifft man die, von der Westphälischen Insel abstammenden, Steinkohlen in Westphalen und in Belgien in kleinen untermeerischen Einbiegungen der
Schiefer - Kette *; jene der Rheinpfalz kommen auf

dem

---

* S. die Karte über das Westphälische Steinkohlen - Gebiet von OEYNHAUSEN in KARSTEN's Archiv für Bergb.;
Jahrg. 1825.

dem Grunde einer Meeres-Enge vor. Die kohligen Materien der Sächsisch-Böhmischen Insel lagerten sich in kleinen Becken ab (*Schlesien*, *Tharandt*, *Plauen*), oder an den tieferen Stellen der grofsen Ausweitung im Süden des Erzgebirges (mittleres Böhmen).

Die Wasser der Zentral-Insel Frankreichs führten ihre Kohlen-Haufwerke den untermeerischen Krümmungen auf der Ostküste jenes Eilandes zu (*Figeac*), und den Aushöhlungen des entgegen liegenden Ufers (*St. Etienne*, südliche Gegend von *Moulins*, *Autun* u. s. w.). Am nördlichen Fufse der *Karpathen*, der Oesterreichischen *Alpen* * und in *Ligurien* hat es das Ansehen, als wären die Kohlen-Ablagerungen auf einer Meeresküste ausgebreitet worden.

Einige andere Steinkohlen-Ablagerungen haben sich in *Irland* gebildet, ringsum die *Bretagne* (*Litry*, *Anzet*, *Quimper* u. s. w.), im Osten des *Harzes* (*Wettin*) und des *Thüringer Waldes* (*Ilmenau*, *Kronach* in *Baiern*), im südlichen *Ungarn* (*Oravicza* und *Fünfkirchen*), in *Spanien*, *Portugal* und in der Gegend von *Neapel*.

Mehrere dieser Massen finden sich so nahe an wenig erhabenen Gebirgen (*Harz*, *Thüringer Wald*,

---

* Die Kohlen-Gebilde mit Farrnkraut-Ueberresten, zwischen *Waidhofen* und *Scheibs* u. s. w., sind von Meeres-Konchylien begleitet.

Bretagne), dafs es sehr. schwer ist zu entscheiden,
ob sie von denselben abstammen, oder ob sie von
irgend einer andern grofsen nachbarlichen Kette gekommen. Bekennt man sich zur ersteren Meinung,
als der wahrscheinlicheren, so wird man genöthigt
vorauszusezzen, dafs jene, gegenwärtig niedrigen,
Berge einst um Vieles höher gewesen, dafs sie zerstört worden, oder eine plözliche Erniedrigung erlitten haben, oder dafs das Niveau des Meeres stets
einen nicht hohen Stand gehabt habe.

. Aufserdem trifft man in Europa keine Steinkohlen-Ablagerungen; sey es, dafs gar keine Bildungen der Art Statt gehabt, oder dafs sie wieder
zerstört, oder auch dafs dieselben begraben worden
und jezt gänzlich überdeckt sind von neueren Gesteinen, wie solches längs des gröfseren Theiles der
Alpinischen Insel der Fall seyn dürfte.

. Unter den aufgezählten Steinkohlen-Gebieten
würden diejenigen, welche in ihrer unteren Hälfte
mit, Meeres-Muscheln einschliefsenden, Kalksteinen
wechseln, in submarinischen Aushöhlungen im Umkreise kleiner Inseln abgesezt und am See-Gestade
vergraben. Es ist schwierig, darüber etwas Bestimmtes auszusprechen, ob alle anderen kohligen Ablagerungen ursprünglich eine ähnliche Lagerungsweise
gehabt, obwohl diese keineswegs einen Wechsel von
Süfswasser- und Meereswasser-Absäzzen heischt,
indem auch Flufs-Alluvionen, in das Meer fortgeführt, und marinische Ablagerungen solche Erscheinungen vollkommen erklären können.

Vor dem Entstehen der Kohlen-Haufwerke und während ihrer Ablagerung
hatten häufige Porphyr-Erupzionen Statt.
Sie scheinen einen besondern Einfluſs auf
das Entstehen der Hauptmasse der Steinkohlen geübt zu haben; denn alle groſsen Kohlen-Gebiete werden von Porphyren begleitet, und die
beiden beträchtlichsten Aufhäufungen pflanzlicher Substanzen finden sich gerade in den zwei Epochen, wo die
unterirdischen Agenzien bei weitem mehr Laven emporgehoben haben, als in andern Zeiträumen.

Dieser Einfluſs war ein indirekter; das Erscheinen der Porphyr-Berge muſste hin und wieder den
Lauf der Wasser unterbrechen, es konnten selbst
Seen entstehen, während die nämlichen Ursachen,
oder die Erschütterungen der Erde und die übrigen
Phänomene, von denen die Ausbrüche begleitet gewesen, bis zu gewissem Grade, den Ablauf groſser
Wasser-Massen begünstigen, und so die Ablagerung
mehrerer Theile der Steinkohlen-Gebiete bedingen
helfen.

Die Struktur der trachytischen Distrikte macht
es überdieſs glaubhaft, daſs nach der Erhebung solcher unermeſslichen Berge, aus krystallinischen Gesteinen bestehend, durch Ueberschwemmungen, wie
das auch in Folge der neueren vulkanischen Erupzionen geschehen, ein groſser Theil des Werkes
unterirdischer Agenzien zerstört, und die Trümmer,
zugleich mit schlackigen und leichteren Massen, rings
um den Fuſs dieser Berge aufgehäuft worden. Das

4 *

Auftreten der sekundären Porphyre dürfte ungefähr von den nämlichen Erscheinungen begleitet gewesen seyn, wenn dieselben sich ziemlich erhoben befanden über der Aufsenfläche der Wasser; auch die untermeerischen erlitten grofse Zerstörungen.

Auf solche Weise bildeten sich die rothen Konglomerate, die Ablagerungen unter dem Namen des Todt-Liegenden bekannt, überall, wo porphyrische Erupzionen Statt gehabt. Ihre Bildungsart erklärt auch, weshalb diese Gesteine, gleich dem Kohlen-Gebiete, bei weitem weniger allgemein verbreitet sind, als die übrigen Flöz-Formazionen.

Im ganzen Umkreise der Insel des Erzgebirges und des Riesen-Gebirges haben die Zerstörungen von Porphyr-Massen hin und wieder zum Entstehen von Haufwerken des rothen Flöz-Sandsteines (Todt-Liegendes) den Anlafs geboten; durch sie wurde der Grund der grofsen sekundären Aushöhlungen im nördlichen Deutschlande erfüllt. Um den *Harz* und um den *Thüringer Wald*, in den *Vogesen* und im *Schwarzwalde*, bildeten sich ähnliche Ablagerungen. Auch in England (*Exeter*) werden sie getroffen; allein hier, wo, wie in Schottland und Norwegen, die grofsen Porphyr-Massen früher auftraten, bedingten dieselben die Bildung des neuen Uebergangs-Gebietes, oder des rothen Uebergangs-Sandsteines (*old red sandstone*); dessen Merkmale jenen des Todt-Liegenden Deutscher Geognosten ziemlich entsprechen.

Um die Alpinischen Inseln traten die sekundären
Porphyre nicht auf den nördlichen Gehängen hervor, und hier sieht man den rothen Flöz-Sandstein
nicht; wenigstens zeigt sich derselbe nur um die
Porphyr-Gruppe des Berges von *Estrelle* in *Pro-*
vence.

Auf einer andern Seite des Alpen-Abhanges
sind einige Säulen-Gruppen von Uebergangs-Porphyr vorhanden (*Tyrol*, *Allgau*, *Hindelang*, *Ebna*,
Gaisalp), und hier erscheint auch stellenweise der
rothe Uebergangs-Sandstein, oder der *old red sand-*
stone (*Elmau*, *Rattenberg* in *Tyrol*, *Rodana* im
Vorarlberg, *Wallenstädter* See, oberes *Steyer-*
mark). Auf den südlichen Gehängen der *Alpen*
brachen die, zum Theil Quarz-führenden, Porphyre von *Windisch-Kappel* in *Kärnthen* bis *Aro-*
na am *Lago maggiore* hervor; besonders häufig
zeigen sie sich in *Tyrol* zwischen dem *Cordevole*
und dem *Adige.* Ferner trifft man hier auch porphyrische Trapp-Massen mitten zwischen neuem
Uebergangs-Kalksteine (*Maut*, *Raibel*, *Neumarkt*,
Kärnthen, *Zeuk* in *Kroazien*) und gewaltige Ablagerungen von rothem Transizions-Sandsteine (*old*
red sandstone) zumal werden zwischen *Idria* und
Lack (*Lach?*) in *Kärnthen* gefunden.

Ferner haben in *Ungarn* (*Fünfkirchen*), in
Bretagne (*Montrelois*, *Quimper* * u. s. w.) und in

---

* *Mém. sur le Sud-Ouest de la France* (*Ann. des Se-*
nat.; Août, 1824).

Forez (*la Palisse*) hin und wieder Ausbrüche von Quarz-führendem Porphyre Statt gehabt, und hier bildeten sich aus dessen Trümmern auch Konglomerate, oder rothe sekundäre Sandsteine (Todt-Liegendes).

In vielen Gegenden folgt eine meerische Kalk-Ablagerung dem rothen Flöz-Sandsteine, ein Beweis, daß die Stellen, wo jene Bildung vor sich gegangen, eine Ruhe von hinlänglicher Dauer genossen, oder vielmehr, daß dieselben ziemlich frei gewesen von sandigen Materien, um dem Meere zu gestatten, fast allein, vermittelst der Trümmer von Arbeiten und Wohnstätten sehr mannichfacher See-Geschöpfe, Ablagerungen zu bilden. Gewisse Steinkohlen-Gebiete (*Rheinpfalz*) lassen, in ihren oberen Abtheilungen, einen Wechsel des Sandsteines, mit einigen gering mächtigen Schichten von Kalkstein, wahrnehmen, der dem ältesten Flözkalke ziemlich ähnlich ist; dieß würde beweisen, daß das Meer an jenen Orten bereits zur Bildung solcher Ablagerungen sich anzuschicken begonnen.

Im ersten Augenblicke glaubt man, aus dem Wechsel kalkiger und sandiger Gebiete, auf Ursachen schließen zu müssen, welche großen regellosen Perioden untergeordnet waren; es ist indessen auch möglich, daß solche geognostische Erscheinungen durch ein Verbundenseyn gänzlich verschieden-

artiger Ursachen bedingt wurden. Kalkige Ablagerungen dieser Art finden sich nicht überall; sie haben nicht immer die nämliche Mächtigkeit, und werden stellenweise ganz, oder zum Theil, durch sandige Massen vertreten. Die Talk-haltigen Konglomerate des Flöz-Dolomits (*calcaire magnésien secondaire*) in der *Normandie* und in *England*, die
sandigen Schichten des Muschelkalkes und des Jurakalkes gewisser Landstriche (*Deutschland*, *Dalmazien*), so wie die, im ganzen *Keuper* zerstreuten,
dolomitischen Parthieen (*carbonate de magnésie et
de chaux*), bieten uns Beispiele zum Belege des
Gesagten, und beweisen sehr gut, daſs Flüsse und
Meere niemals aufhörten Rollstücke und Sand mit
sich zu führen. Es würde demnach scheinen,
daſs alle Oertlichkeiten nicht gleich günstig gewesen für das Entstehen jener rein kalkigen Ablagerungen, wie z. B. in der Umgegend der *Vogesen*
und des *Schwarzwaldes* *. Endlich zeigt uns die
abnehmende Progression kalkiger Massen, von der
neueren zur älteren geognostischen Zeit, nicht nur
eine allmähliche Vermehrung der See-Geschöpfe,
und zwar in zunehmenden Verhältnissen, je näher
man den jüngeren Formazionen kommt, sondern es
ergibt sich daraus auch der Beweis, daſs die Wohnstätten jener Thiere stets leichter sich zu erhalten
gewuſst, oder daſs das Meer, ohne in seinem Wir-

---

* Loc. cit. (am Schlusse).

ken durch sandige Alluvionen gestört zu werden,
ihre Trümmer immer leichter in Lagen aufhäufen
konnten.

Der Kalk der älteren Uebergangs-Schiefer ist
stets, mehr oder weniger, mit Schiefer-Theilen gemengt, oder er erscheint von Schiefer-Parthieen
durchzogen. In Massen jüngeren Ursprunges sezt jenes Gestein schon Lager, obwohl von geringer Erstreckung, zusammen; und in der Grauwacke werden diese noch deutlicher, mächtiger, reiner; sie
tragen hier augenfälliger das Gepräge, dafs sie das
Werk von Meeres-Geschöpfen sind. Später, in der
Flöz-Epoche, zeigen sich die Kalksteine um Vieles
beträchtlicher und bei weitem vorherrschender; Andeutungen, dafs, je näher man dem Zeitraume der
neueren Gebiete rückt, um destomehr günstige Stellen zur Ablagerung von Meereskalk vorhanden gewesen, oder dafs die Zahl von Einbiegungen und
Küsten-Gegenden, wenig sandige Alluvionen em-
pfangend, und daher desto eher im Stande kalkige
Lagen abzusezzen, zugenommen haben.

Man kann hier noch weiter hinzufügen, dafs
die Landstriche, wo grofse Wasser-Ausbrüche (débacles) Statt gehabt, oder über welche gewaltige
Strömungen sich ergossen, während einer gewissen
Zeitdauer ziemlich frei von Trümmern seyn mufsten,
so, dafs die Flüsse solche nicht bis zum Meere hin
verführen konnten. Erst, als es den lezteren gelungen war, in ihren Betten, der ganzen Erstreckung
nach, Rollsteine und Sand aufzuhäufen, konnten die

sandigen meerischen Ablagerungen recht eigentlich
beginnen.

Von der andern Seite mufste sich die abgesezte
kalkige Masse unendlich mannichfach zeigen, je nach
dem Vielartigen der Zahl von See-Geschöpfen an
verschiedenen Orten, nach dem mehr oder minder
Festen der Küsten-Abhänge der Inseln jener Zeit,
nach der Richtung, welche Meeres-Strömungen nahmen, und je nachdem die Ufer in höherem oder geringerem Grade gegen Strömungen und Alluviónen
geschüzt waren *. In Gegenden, wo keines der
erwähnten Verhältnisse Ablagerungen kalkiger Massen begünstigte, oder da, wo einer von jenen Umständen dem andern entgegen kämpfte, bildeten sich
keine, oder nur sehr wenige kalkige Gesteine.

Darf man sich endlich für berechtigt achten,
den Ursprung der Kalksteine in der Arbeit so schwa-
cher Wesen zu suchen, als Zoophyten und Mollusken es sind **, so mufs man die Art und Weise
nicht aus den Augen verlieren, wie jene Thiere dazu gelangen, von dem Meeresboden aus Inseln auf-
zuführen, und zulezt unermefsliche Kalk-Bänke
zu bilden. Auf solche Art kann man versuchen,
die ungleiche Vertheilung des neueren Uebergangs-

---

* Nemmo, über den Grund des Irländischen Kanals im
Dublin. phil. Journ.; 1825, Nro. 1, p. 154.

** Kotzebue neueste Reise um die Welt; Bd. III, und
Gaimard und Quoi in den Ann. des Sciences nat;
Nov., 1825.

Kalkes (*mountain limestone*) und der Flöz-Kalk-
steine, des Muschel- und des Jurakalkes zu erklären. Zu derselben Zeit, als die Meeres-Geschöpfe durch ihre Arbeiten in England und Deutschland
nur eine kalkige Ablagerung von einigen tausend
Fuſs Mächtigkeit, untermengt mit sandigen Schichten, hervorzubringen vermochten, erheben sie, mehr
geschützt, oder in günstigerer Lage befindlich, am
Fuſse der Alpinischen und Karpathischen Insel, auf
beiden Ufern, eine unermeſsliche, fast durchaus kalkige Mauer. Da diese Eilande die gröſsten waren,
so muſste das Meer auf ihren Abhängen mehr kalkige Trümmer häufen, als auſserdem irgendwo.
Auf dem nördlichen Abhange der *Alpen* ist der Mangel sandiger Schichten besonders merkbar. Wäre es
möglich, daſs — da die Flüsse dieses Eilandes zu
jener Zeit, bei der relativen Ausdehnung der verschiedenen Iuseln, die gröſsten in Europa waren —
die Gewalt bewegter Wasser Rollsteine und Sand so
weit hinwegführte, daſs der Uebergangs-Kalk sich,
auf gewissen Stellen der weit erstreckten Ufer, ruhig bilden konnte? — Es ist diensam, bei dieser
Gelegenheit die Bemerkung einzuschalten, daſs die
Solfataren, oder die Ausströmungen saurer Dämpfe,
von welchen die Porphyr- und Trapp-Erupzionen
auf dem südlichen Alpen-Gehänge begleitet gewesen, sich vorzüglich auf dem entgegen liegenden
Abhange Luft gemacht zu haben scheinen; wenigstens haben die vulkanischen Säuren, zumal hier,
in der Mitte zwischen umgestürzten und zerklüfte-

ten kalkigen Gesteinen, salinische, chemische Verbindungen erzeugt, und das Steinsalz ist allein hier abgesezt worden.

Der erste Flözkalk (Zechstein) sezt nur Bänke von geringer Mächtigkeit um die Inseln und submarinischen Kämme des *Harzes* und der Höhen von *Alvensleben* ab, so wie hin und wieder am Fuſse des östlichen Theiles der Schieferketten von *Hessen*, vom *Odenwalde*, vom *Thüringer Walde* und vom *Erzgebirge*. Da das tiefe Meer dieser Gegenden einen wenig geneigten Grund hatte, so vermochte die kalkige Ablagerung sich mehr gleichmäſsig und regelrecht auszubreiten. Diese Bildung steigt gegen das Ufer aller Eilande jener Zeit an, oder gegen alle Abhänge der Ketten, so, daſs ihre Schichten mehrere weit geöffnete Kreisbogen bilden, deren Wölbungen gegen den Grund der Höhlungen gekehrt sind. Beträchtliche Regellosigkeiten in der Struktur, so wie Statt gehabte Verschiebungen, nimmt man nur an einigen Stellen (*Thüringer Wald*) wahr, wo der Kalk sehr ungleiche Oberflächen überdeckte, oder wo derselbe die Aenderungen des unterliegenden sandigen Gebildes erfuhr. Weiter umfaſst diese Ablagerung, hin und wieder, Felsganze welche fast durchaus das Werk von See-Geschöpfen sind, und die, durch ihre eigenthümlichen Lagen in Buchten, gegen Zerstörung geschüzt wurden (*Liebenstein* im *Thüringer Walde*).

Längs der östlichen und nordwestlichen Küste der Englischen Insel bewirkte das mehr abhängige

Ufer und der Einfluss der Strömungen, dafs die
Kalk-Ablagerung etwas beträchtlicher wurde, als
in Deutschland, obwohl es mir scheint, dafs es nur
die eine Seite einer Reihenfolge bogenartig gekrümm-
ter Schichten ist, deren äufserste Enden gegen den
Nord-Abhang des *Harzes* sich erheben.

Eigenthümliche Umstände, vielleicht abhängig
von den, dieser Epoche vorangegangenen, vulkanischen Akzionen, haben bedingt, dafs dieser Kalk im
Allgemeinen weit mehr Talkerde enthält, als der
Deutsche. So finden wir, dafs die Talk-haltigen
Kalke sehr häufig in der Nähe feueriger Gesteine
auftreten; der Talk-haltige Zechstein erscheint in
einem Landstriche, wo viele sekundäre augitische
Felsarten vorhanden sind; die Jura-Dolomite Baierns
kommen in der Nachbarschaft der Serpentine des
westlichen *Böhmer Waldgebirges* vor, jene von
Tyrol und in den *Apenninen* trifft man nicht fern
von den Serpentin-Nestern der *Alpen* und der *Apen-*
ninen, oder sie zeigen sich von vielem terziären
Augit-Porphyre vergesellschaftet; endlich sieht man
die Talk-haltigen Uebergangs-Kalke oft von Trapp-
oder Serpentin-Gesteinen begleitet. Gleichwohl ist
die Bemerkung nicht überflüssig, dafs man jene
Erde in den Kalken aller Zeiträume trifft *; allein

---

* Daubent im *Edinb. phil. Journal* 1822, und C. G.
Gmelin in den naturwissenschaftlichen Abhandlungen
u. s. w.; Tübingen, 1826, I. Bd.

sie findet sich zumal in gröfster Häufigkeit in den
späthigen, krystallinischen Theilen dieser Kalke,
welche am öftersten nichts sind, als mehr oder weniger unkenntliche organische Ueberbleibsel. Da die
Scheidekunst gegenwärtig noch kein Anhalten darbietet, um über die ursprüngliche feuerige Entstehung der Talkerde in der Mitte der Meereswasser
zu urtheilen, so mufs man abwarten, bis jene Wissenschaft uns neue Thatsachen gewährt, um eine
wahrscheinliche Erklärungsweise über die ziemlich
regellose Vertheilung der Talkerde in den Kalken
aufzufinden.

Die Talk‑haltige Ablagerung sezt aus England
nach den Küsten Frankreichs, nach der *Manche* und
dem *Calvados* fort; allein in andern Landstrichen
des lezteren Königthums sieht man den ersten Flözkalk nur am nordöstlichen, und vielleicht am südwestlichen Fufse der Zentral‑Insel Frankreichs wieder, wie in *Bourgogne* bei *Autun*, und im *Avey-
ron*‑Departement (*Ville-Franche*). Sollten es nicht
die, von Wassern der Flüsse verführten, Materien
seyn, welche seine Bildung im SO. und im N. des
Französischen Zentral‑Eilandes, im Umkreise der
Vogesen, längs des *Schwarzwaldes*, in *Böhmen*,
Mähren, *Ungarn* und in der ganzen *Apenninen*-
Kette, gehindert hätten? Auf solche Weise würde
man die ungeheuer sandigen Aufhäufungen — rother
Flöz‑Sandstein (Todt‑Liegendes), talkige Konglomerate (*Calvados*), oder ein, der Grauwacke ähnlicher, Sandstein (*Apenninen*) — zu erklären vermö-

gen; denn solche Massen überdecken mehrere der
Landstriche, wo man vergebens den ersten Flözkalk
sucht, wie namentlich in den *Vogesen*, im *Schwarzwalde*, in den *Apenninen* und *Alpen*.

In den *Alpen*, wo der Uebergangs-Kalk eine
sehr ungleiche Oberfläche bedeckt, hat derselbe nie
ein zusammenhängendes Plateau ausmachen können;
im Gegentheil mußte er den späteren Ablagerungen
Erhabenheiten und Vertiefungen darbieten, und
durch Statt gehabte Verschiebungen und Umstürzungen der kalkigen Schichten wurden diese Ungleichheiten noch vermehrt. Auf solchen ungleichen Gehängen sezten sich die Alluvial-Materien ab, in
deren Mitte Kalk-Lagen vorhanden sind, die keineswegs als mit dem ersten Flözkalke übereinstimmend betrachtet werden dürfen, obwohl einige derselben in der nämlichen Epoche, wie die befragte
Felsart, entstanden zu seyn scheinen. Wenn der
nördliche Abhang der *Alpen* keine Aequivalente
dieser Ablagerungen aufzuweisen hat, so ist diefs
nicht der Fall hinsichtlich der Italienischen *Alpen;*
denn hier trifft man, im *Vicentinischen* und im
südlichen *Tyrol*, d. h. weit im Vorgrunde der Ueber-
gangs-Ketten, oder in Gegenden, wo sie die krystallinischen Schiefer nicht bedeckt, genau die Deutsche Ablagerung. Bei dieser Gelegenheit bietet sich
die interessante Beobachtung, daß in allen Landstrichen, wo der erste Flözkalk dem in Deutschland
vorhandenen gleich ist, in der Nähe grofse Porphyr-Massen auftreten. Vielleicht werden uns spä-

tere Beobachtungen ·die Ursachen dieses Verbun-
denseyns aufklären.

Im ganzen westlichen Frankreich, *Calvados* und
Manche ausgenommen, sieht man keine Spur jener
Formazion; sey es, daſs dieselbe unter neueren Ablagerungen verborgen ist, oder daſs solche gar nicht
vorhanden, in Folge der Nähe eines wenig ruhigen Ozeans, oder jener flieſsenden Wassermassen.

Den sekundären Porphyr-Erupzionen folgten Ausströmungen gesäuerter
und Erz-haltiger Gase, und einige Spalten in
nicht geschichteten Felsmassen wurden auf solche Weise
zum Theil mit sublimirten Erzen (Oxyden von Mangan, Eisen,· Kupfer u. s. w.) erfüllt, zum Theil
auch mit eingeseihten Mineralien. Gewisse geschichtete
Gesteine, in der Nähe solcher Solfataren befiudlich,
konnten manche Mineral-Substanzen durch Sublimazion aufnehmen, während das, mit kohlensaurem Kupfer beladene, Meereswasser den Erz-Reich-
thum gewisser Theile des ersten Flöz-Kalksteines
bedingt haben dürfte. Wir äuſsern dieses mit desto
gröſserer Zurückhaltung, da das Verschiedenartige
der Ansichten, in Betreff des fraglichen Gegenstandes, uns keineswegs unbekannt ist, und jene salinische Substanz auch ein sekundäres Produkt seyn
kann, lange Zeit nach der ursprünglichen Ablagerung gebildet.

Die Formazion des bunten Sandstei-
nes folgt überall auf den so eben erwähnten Kalk,
oder auf den rothen Sandstein, oder auf den Koh-

len - Sandstein, was, wie ich glaube, eine allgemein erneute Thätigkeit in den, durch das Meer fortgeführten, Alluvionen sowohl, als in den Bewegungen des Meeres anzudeuten scheint. Ueberall, wo man eisenhaltige Porphyre, oder grofse granitische Massen trifft, eignet sich jene Felsart eine rothe Farbe an, während sie an den Orten, welche diese Gebilde nicht aufzuweisen haben, nicht als der Deutsche bunte Sandstein vorhanden ist, sondern ein Ansehen gewinnt, ähnlich dem der Grauwacke, oder der grauen glimmerigen Sandsteine (in so fern wir berechtigt sind, in das Bereich dieser Formazion die mergeligen Sandsteine der *Karpathen*, der *Alpen* und *Apenninen* aufzunehmen).

Die bunten Sandsteine, mit ihren wenig geneigten, oft gebogenen Schichten, erfüllen alle Ausweitungen und alle Engen zwischen den Inseln, den untermeerischen Felsen Deutschlands; das Bekken von *Böhmen* allein macht eine Ausnahme, eine Eigenthümlichkeit, die, allem Anscheine nach, in dem Gürtel alter Berge, von dem dasselbe umgrenzt ist, ihren Grund haben dürfte. Zu dieser Zeit machte folglich das Böhmische Becken bereits eine, von dem grofsen Europäischen Ozean ziemlich scharf abgeschiedene Weitung aus, so, dafs es nicht an allen Ablagerungen des lezteren Theil nahm *.

Das

---

* S. die geognostischen Karten Deutschlands der Herren KEFERSTEIN, BERGHAUS u. s. w.

Das Rheinthal wurde mit · buntem Sandsteine erfüllt, und der Grund der großen Ausweitung des Nordmeeres scheint damit bedeckt gewesen zu seyn, denn das Gebilde tritt mit entgegengesezter Schichten-Neigung in Deutschland und England auf. In Frankreich füllte die Felsart einen Theil der Tiefen zwischen den *Vogesen* und der Zentral-Insel Frankreichs, zwischen den *Pyrenäen* und der *Bretagne;* allein gegenwärtig zeigt sich das Gestein nur auf der östlichen (*Lothringen*), südwestlichen (Departement *des Landes*) und nordwestlichen Küste (*Normandie*, *Calvados*) dieses großen Beckens. Zwischen den *Alpen* und dem mittleren Frankreich haben die Porphyre von *Estrelle* wahrscheinlich sein Entstehen in der *Provence* (zwischen *Frejus* und *Brignolles*) begünstigt, wie dieses die Nachbarschaft der Granite bei dem ähnlichen Sandsteine des *Arveyron* bewirkte. Endlich bildete sich die Ablagerung auch in dem großen Thale von *Arragonien*, im mittleren *Spanien*, in *Castilien* und *la Mancha;* auch kennt man dieselbe in *Rußland.*

Der graue bunte Sandstein hat den Fuß des nördlichen *Alpen*-Abhanges überdeckt, während, auf dem entgegengesezten Gehänge die Nähe der Porphyre für die Felsart eine durchaus rothe Färbung herbeiführte, und ihr solche Merkmale verlieh, wie sie in Deutschland hat (zwischen dem *Comer*-See und *Kärnthen*). Die lezteren Sandsteine bedecken den ersten Flözkalk, auch ruhen dieselben auf älteren sekundären, oder auf Transizions-

und krystallinischen Gesteinen, während der graue
Sandstein der nördlichen *Alpen*-Gegenden zumal
die ausgetieften Räume der geneigten Oberfläche
neuerer Uebergangs-Kalke erfüllt. Diese Sandsteine
bilden gegen Osten einen breiten Gürtel um die
nördliche Karpathische Insel, sie umziehen an mehreren Stellen das östliche Karpathische Eiland, sie
füllen das Becken Siebenbürgens und den Grund
der regellosen Aushöhlung, welchen die alten Gesteine von *Aspromonte* in *Calabrien* von jenen der
mittleren *Apenninen* (*Carrara*) und von *Ligurien*
schieden.

Während des Entstehens dieser Ablagerung gibt
das Meer Beweise, daſs es nicht aufgehört in seinem Streben kalkige Massen hervorzubringen; denn
wir finden in diesem Gebiete nicht nur ungemein
viele mergelige Schichten, sondern auch wahrhafte
kalkige Lagen, die vorzüglich in den untern und
obern Abtheilungen zu treffen sind. Zumal in der
Mitte der grauen Sandsteine erlangen die Kalke eine
groſse Wichtigkeit; sie wechseln hier oft mit sandigen Felsarten, aber der Umstand, daſs stets Sand
und Rollsteine hin und her getrieben werden, so
wie die Bewegung der Wasser, scheinen sich fast
immer dem Erhaltenwerden organischer Geschöpfe
und der Pflanzen entgegengesezt zu haben.

In dieser Epoche erlitt die Wirksamkeit
unterirdischer Agenzien eine bedeutendere Minderung durch die unermeſsliche Menge
von Materien, welche aus dem Innern der Erde in

den vorhergehenden Zeiträumen, und selbst noch
bis fast zum Anfange der Ablagerung des ersten
Flöz-Kalksteines, waren hervorgetrieben worden.
Gleichwohl hatten ihre Heerde, wie solches auch
bei neueren Feuerbergen der Fall, noch Materien
genug, die gröfsten Wirkungen bedingten, wie namentlich das Ausströmen der mit schwefeliger Säure,
mit Salzsäure, Boraxsäure u. s. w. geschwängerten
Dämpfe *. Diese Arten von Solfataren, welche
unter dem Meere, oder beim Luftzutritte brannten,
sind wahrscheinlich die ersten Ursachen, dafs der
bunte Sandstein so grofse Massen von Gyps und
von Steinsalz umschliefst. Was diese Muthmafsung bestätigt, ist der Umstand, dafs die beiden
beträchtlichsten salinischen Ablagerungen solcher Art
gerade in Gebieten (neuer Uebergangs - Kalk und
bunter Sandstein oder Keuper) vorhanden sind,
welche einige Zeit nach den gröfsten bekannten porphyrischen und granitischen Erupzionen gebildet
worden. Herr v. Buch beobachtete, dafs Gyps und
Steinsalz, gleich den Porphyren, häufig am Fufse
von Gebirgsketten getroffen werden.

---

* Man vergleiche die Geschichte der Lagunen, oder der
heifsen und wässerigen Ausströmungen von Boraxsäure,
wie u. a. jene am *Monte Cerboli*, im Gebiete von
Volterra u. s. w., so wie die ausführlichen Angaben
über die Solfataren und sauren Flüsse in *Java*, Colombia u. s. w.

Die Struktur der meisten grofsen Gyps - und Salz-Massen erscheint beim ersten Anblick so eigenthümlich', dafs nicht wohl zu zweifeln ist, das Wasser habe dieselben abgesczt; denn wollte man behaupten, diese salinischen Materien seyen unmittelbare Erzeugnisse der Vulkane, so würde man auch den sie begleitenden thonigen und mergeligen Gesteinen denselben wunderbaren Ursprung zuschreiben müssen; man müfste an unerhörte Umwandelungen glauben, an ein Daseyn sehr beträchtlicher vulkanischer *Salsen* *. Obwohl diese leztere Ansicht mit unsern gegenwärtigen geognostischen Thatsachen keineswegs in Uebereinstimmung ist, so scheint es dennoch schwierig, den wässerigen Ursprung des Anhydrits der Salz-Lagerstätten und gewisse andere Phänomene dieser Massen zu erklären **; vielleicht, dafs man sich demnächst zur Unterscheidung zweier Arten salinischer Lagerstätten veranlafst sehen dürfte, von denen die eine neptunischer Abstammung und sekundäre Produkte der Solfataren wäre, während die andere ganz oder theilweise als unmittelbare Gebilde der Vulkane gelten müfste.

Schon erzeugten die unterirdischen Agenzien keine Verzweigungen Erze führender Gänge mehr.

---

* Luft- und Schlamm-Vulkane.

** v. CHARPENTIER über einen Salz-führenden Anhydrit-Gang zu *Bex* in POGGENDORFF's Annalen; Januar, 1825.

Wir sahen, daſs solche Lagerstätten im rothen Flöz-
Sandsteine (*Wolfach* im *Schwarzwalde*) und in dem
vorhergehenden Flözkalke nur sehr sparsam zu Hause
sind; im bunten Sandsteine kennt man sie gar
nicht, es müſsten denn gewisse Sandsteine vom *Bleiberg* in. *Belgien* hierher gehören, wo Bleiglanz mit
kohlensaurem Kupfer u. s. w. vorkommt, ferner jene
von *Chessy*, die Spessarter und noch andere. Manche Lagen und kleine Nester von Eisenglimmer, die
in der Mitte der bunten Mergel sich finden, sind
nur als anomale, seltsame Erscheinungen zu betrachten. Wäre man demnach berechtigt, um ihre Bildungsweise zu erklären, zu Sublimazionen seine
Zuflucht zu nehmen?

. Gegen das Ende der Bildung des bunten Sandsteines war der Meeresgrund schon ziemlich in die
Becken abgetheilt, welche Europa gegenwärtig aufzuweisen hat. Vielleicht sind es diese, nicht scharf
genug abgemarkten, Aushöhlungen, durch welche
das Entstehen des Muschelkalkes, oder des
zweiten Flözkalkes begünstigt wurde; denn
wir sehen dieses Gestein in allen Gegenden Europas,
welches, gegen die Strömungen und die Gewalt des
groſsen Ozeans ziemlich geschützte, Becken bilden
muſste, und wir finden dasselbe nicht an Orten, die
den Wogen des Atlantischen Meeres ausgesezt waren (westliches Frankreich, England). Diese kalkige Ablagerung, mit ihren sehr gewundenen Schichten, nimmt den Grund der Becken des Königreichs
Sachsen und der Sächsischen Herzogthümer ein; das-

selbe ist in Hessen und Franken der Fall; man trifft
sie in der Enge zwischen dem *Odenwalde* und dem
Schwarzwalde; sie erstreckt sich in den Ausweitungen des bunten Sandsteines von *Westphalen* und
Hannover, und zwischen dem *Harz* und den Höhen
von *Alvensleben*, und einzelne kleine kalkige Massen, in der Mitte der Ebene Deutschlands (*Ruders-
dorf*) auftretend, bezeugen, dafs diefs Gebiet sich
weit ausgedehnt hat. · Dem *Schwarzwalde* und dem
Odenwalde sich anlehnend, steigt der Muschelkalk
auf der andern Seite des Rheinthales gegen die *Vogesen* an, und ruht auf dem entgegengesezten Abhange der lezteren Kette, so wie auf dem südwestlichen Fufse der *Eifel* und der Berge der Rheinpfalz.
Weder in England, noch im westlichen Frankreich
kennt man die Felsart, und dafs dieselbe blos durch
eine übergreifende Bedeckung von Jurakalk dem
Auge entzogen worden, läfst sich nicht sagen. In
unbedeutenden Spuren tritt das Gestein wieder am
Fufse der *Pyrenäen*, und vielleicht in *Arveyron*
auf; allein im ganzen übrigen Europa, das *Vicentinische* und *Tyrol* ausgenommen, kennt man dasselbe
nicht; so namentlich in *Böhmen* und *Ungarn*, wo
die Becken schon durch die sie umziehenden Gebirgsketten ziemlich scharf abgemarkt wurden. In
den *Alpen*, *Apenninen* und *Karpathen* vermag man
den Muschelkalk mitten unter den sandigen, mergeligen und kalkigen Massen, welche allein das
Steinkohlen - Gebiet vom Jurakalke trennen, nicht
aufzufinden.

Die vulkanischen Phänomene hatten, während der Bildung dieses Kalkes, beinahe aufgehört. Eine lange Ruhe war ihren Ausbrüchen und den Solfataren gefolgt, wie diefs noch der Fall ist bei den Feuerbergen unserer Zeit; demungeachtet scheint es, dafs der Muschelkalk auch, jedoch sparsam, einige Gypsstöcke und Erz-haltige Nester einschliefst (*Westphalen*) *. Herr Professor HOFFMANN glaubte in den Gypsen und in ihren Rauchwacken feurige Umwandelungen wahrzunehmen, und im *Vicentinischen* führt der Muschelkalk, in der Nähe terziärer vulkanischer Felsarten, Erze.

In diesem Zeitraume hatten schon einige merkbare Aenderungen in der Natur und in dem Mannichfachen der Pflanzen und Thiere Statt gehabt. Das Meer nährte viele grofse Reptilien, Geschlechtern zugehörig, die gegenwärtig erloschen sind (*Plesiosaurus* u. s. w.); es gab schon *Cetaceen*; die Geschlechter der Fische waren weit zahlreicher geworden. Endlich sah man die Erde mit einer grofsen Menge dikotyledoner Pflanzen bedeckt, und das Verhältnifs zwischen Monokotyledonen und Dikotyledonen fing an sich demjenigen zu nähern, welches heutiges Tages Statt findet auf der Erde.

---

* HOFFMANN's Beschreibung der Weser-Ufer in KARSTEN's Archiv; 1825.

Die Ablagerung des Muschelkalkes hörte in den
verschiedenen Gegenden durch Ursachen, deren Erklärung bis jezt unmöglich geblieben, ziemlich plözlich auf; man müste denn an Aenderungen der
Meeres-Strömungen, an Ausbrüche von Seen u. s. w.
glauben. Eine dritte sandige Ablagerung
entsteht in der Mitte der Meere, und umschliefst
hin und wieder Seemuscheln und Holz, das von
den Flüssen verführt worden. Vielleicht dafs diese
fossilen Körper hier ihre Eindrücke eher, wie im
bunten Sandsteine, hinterlassen konnten, da, als das
leztere Gebilde abgesezt wurde, die Alluvionen weit
beträchtlicher waren, und die Wasser-Bewegungen
um Vieles gröfser. Von der andern Seite scheint
es, dafs die Wasser zu dieser Zeit mehr Holz und
vegetabilische Theile mit sich hinwegführten, als in
beiden vorhergehenden Epochen, denn wir finden
in diesem Sandsteine Braunkohlen-Lagen (*Westphalen*), wovon der Muschelkalk keine Spur aufzuweisen hat. In den Gegenden, wo der Muschelkalk nicht niedergelegt worden, ist diese Ablagerung
unzertrennlich vom bunten Sandsteine.

Man sieht die sandigen Materien, von welchen
die Rede, vorzüglich im Umkreise des *Harzes* abgelagert, in *Westphalen*, in *Baiern*, in einer grofsen Ausweitung des bunten Sandsteines und des
Muschelkalkes, im *Luxenburgischen*, in *Lothringen*,
in *Burgund* (*Avallon* u. s. w.) zu *Royat* bei *Cler-
mont*, endlich im westlichen (*Melle*, *Confolens*
u. s. w.), so wie im südwestlichen Frankreich (Fufs

der *Pyrenäen*). Wir haben folglich im Allgemeinen mit einem Gebiete zu thun, das in der Nähe der Uebergangs - Formazion, der granitischen Felsarten und der bunten Sandsteine auftritt. Je nach dem Verschiedenartigen seiner Lagerung, in Beziehung zu dem lezteren Gesteine, eignet sich dasselbe eigenthümliche Merkmale an; so sieht man es in Deutschland im Allgemeinen quarzig, oder mergelig, während dasselbe in *Burgund* und *Auvergne* oft granitartig wird. Ferner umschliefst es in den zulezt genannten Landstrichen, in der Nähe des Granites, vielen Barytspath, Flufsspath, Bleiglanz u. s. w. Neue Forschungen dürften nothwendig seyn, um über den Ursprung dieser seltsamen Gemenge zu entscheiden, denen die Nester von kohlensaurem und phosphorsaurem Blei des Baierischen Sandsteines in keinem Falle verglichen werden können.

In dem übrigen Europa tritt unser Sandstein nicht auf, einige Stellen der Kalk - Alpen des südlichen *Tyrols* und des *Vicentinischen* abgerechnet, wo derselbe durch eine gering mächtige sandige, röthliche Masse vertreten zu werden scheint.

In allen Gegenden, wo das Gebiet nicht vorhanden ist, wurde die Jurakalk - Formazion mächtig entwickelt, so z. B. in England u. s. w.; oder es verbindet sich dieser Kalk mit einer grofsen sandigen und mergeligen Masse, welche im ganzen südöstlichen Europa alle übrigen sekundären Gebiete vertritt (*Apenninen*, *Nieder-Oesterreich*).

Vielleicht gelangt man einst dahin, dafs sich die
Ursachen, weshalb gewisse Ablagerungen in einigen
Gegenden fehlen, während sie in andern mehr oder
minder häufig erscheinen, ahnen oder selbst nachweisen lassen. Beim gegenwärtigen Stande des Wissens vermag der Gebirgsforscher diese Anomalien
nur zu erklären, indem er mehr vertiefte, oder
mehr vereinzelte Aushöhlungen annimmt, oder indem derselbe an spätere Bedeckungen, an Zerstörungen gewisser Felsarten, oder an den gänzlichen Mangel einer Ablagerung glaubt. Meist sind
diese Voraussezzungen ganz willkürlich, und man
verliert dabei die Natur und Bildungsart der älteren Gesteine, der Unterlage sekundärer Gebiete,
aus den Augen.

Der Jurakalk füllt die drei grofsen Aushöhlungen Frankreichs, und bildet, auf solche Art, die
drei getrennten Becken, in denen sich später der
Greensand und die Kreide abgesezt haben. Der
nämliche Kalk erstreckt sich aus dem nördlichen
Frankreich durch das ganze östliche England; er
bedeckt einen Theil des Randes der Aushöhlung,
welcher jenes Reich angehört, und bereitet ebenfalls mit der Jurakalk-Ablagerung Westphalens und
des nördlichen Frankreichs ein Becken für die Kreide.
Im Norden Deutschlands konnte der obere Jurakalk
sich nicht bilden, wenigstens trifft man ihn nur in
Westphalen und nordwärts vom Harze in einer Ausweitung des zweiten Flöz-Kalksteines. Im mittleren Deutschland, südwärts vom *Harze*, fehlt der-

selbe gänzlich, und man findet ihn in diesem Bekken erst in *Polen* und *Rufsland* wieder, wo derselbe in Häufigkeit, ·verbunden mit Kreide, vorkommt.

Zwischen dem nördlichen und südöstlichen Bekken Frankreichs erstreckt sich die Kalk-Kette, quer
durch die Schweiz, bis nach Baiern·und ins Kobur-
gische. Sie bildet auf solche Weise zwischen den
Alpen, *Vogesen*, dem *Schwarzwalde* und dem *Böhmer Wald-Gebirge* ein zusammenhängendes Plateau,
welches anfangs längs der Nordseite der Ausweitung
hinzieht, um sodann der östlichen Seite sich zuzu-
wenden. Diese Art von Damm scheidet schon das
Schweizer- und das Baierische Becken von dem des
Rheines und Frankreichs. Unwillkürlich erinnert
derselbe an die Bänke von Korallen, von Polypiten
und von Mollusken, an die Klippen, welche auf
weite Erstreckung die Küsten Neu-Hollands begrenzen; und die Vergleichung wird um desto wahr-
hafter, da man noch an mehreren Stellen dieser
Kette die unverlezten Arbeiten der Zoophyten sieht.
Mit einem Worte, es sind Haufwerke zerstörter und
.wieder aufgebauter Felsen-Klippen.

Zwischen den *Alpen* und *Karpathen* wurde der
Jurakalk nur in kleinen Parthieen abgelagert; so in
Mähren (unfern *Nikolsburg*), und in Oesterreich
(*Falkenstein*, *Ernstbrunn*, *Hollabrunn*), ferner in
der Mitte von Ungarn (Gegend um *Ofen* und von
Gran am *Balaton*-See). Dieser Kalk hat folglich
.dazu beigetragen, das untere Oesterreichische Bek-

ken.sowohl, als das Ungarische in zwei, mehr oder
weniger gleiche, Hälften zu scheiden.

Im Süden der *Alpen* vollendet diese Formazion
mit ihren kalkigen Bergen, die Abmarkung des Umrisses des heutigen Mittelländischen Meeres im südlichen Spanien (*Gibraltar, Sierra Ronda*), in Afrika, Aegypten, Palästina, Syrien, in West-Grie-
chenland, in den Jonischen Inseln, in Dalmazien,
im nördlichen Sizilien, in den Apenninen (vom
Meeresbusen von *Taranto* bis *Toskana*), und zumal am Fuße der Italischen Alpen (vom *Lago maggiore* bis *Triest* und *Fiume*). Ueberall bieten diese
Gesteine dem Mittelländischen Meere beträchtlich
steile Küsten, und im Allgemeinen senken sich die
großen Gebirgsketten des südlichen Europas steiler
und schneller diesem Meere zu, als gegen die Nordsee, oder gegen den Atlantischen Ozean.

Der Jurakalk hat mit seinen Abtheilungen in
Europa einige denkwürdige geographische Eigenthümlichkeiten aufzuweisen. Der Gryphitenkalk,
oder *Lias*, mit seinen Sandsteinen und seinen Braunkohlen (*Pyrenäen*), ist eine Frankreich, England
und Deutschland eigenthümlich zustehende Ablagerung, er fehlt im übrigen Europa. In England
(*Stonesfield*) und in Baiern (*Solenhofen*) umschließt
diese Formazion Lagermassen, welche sich von dem
übrigen Ganzen durch einen großen Reichthum 'eigenthümlicher Versteinerungen auszeichnen; von der
andern Seite scheinen die Nummuliten einen großen
Theil des Mittelländischen Jurakalkes, so wie den

der Pyrenäen und den Ungarischen zu charakterisiren. — Ist der Sandstein des *Lias* im Nordwesten
von Europa ziemlich allgemein verbreitet, so sieht
man dagegen nur in England, Istrien und Dalmazien, so wie in den *Apenninen*, daß gewisse Theile
des Jurakalkes sandige Schichten umschliefsen (*Dalmazien, England*), oder kohlige Lagen (*Istrien*,
Eiland *Veglia*). Man kann hinzufügen, daß die
Oolithen, welche die oberen Abtheilungen dieses Kalkes bezeichnen, zumal in den Ebenen, wie namentlich
in Frankreich, England und am südlichen Fuſse der
Alpen vorkommen. Diese niederen Lagen, oder der
Umstand, daß sie gewundene Ufer ausmachen, erklärt vielleicht das Eigenthümliche ihrer Struktur,
denn man weiſs, daß dieselben nichts sind, als zerriebene Reste von Meeres-Geschöpfen (Korallen,
Enkriniten u. s. w.), oder Haufwerke schaaliger
Konkrezionen, deren Kerne durch kleine Muscheln-
Bruchstücke, oder durch Polypiten-Fragmente gebildet worden. Das Weltmeer ist noch stets beschäftigt, ähnliche organische Ueberbleibsel zu zer-
brechen, zu zerreiben und hin und her zu schwemmen. Endlich verdient beachtet zu werden, daß
die unteren eisenschüssigen Ablagerungen dieser Formazionen nur in der Nähe alter Felsarten vorkommen, besonders bei granitischen Gesteinen, wie in
Baiern, in Frankreich, in den Pyrenäen u. s. w.
Was die oberen Eisenerze betrifft, so ist die Bildungsweise derselben meist weniger leicht erklärbar.

Nach der Ablagerung des Jurakalkes wurden
von Neuem hin und wieder Alluvial-Materien aufgehäuft; allein ihre Verbreitung war sehr regellos,
denn man sieht dieselben nur stellenweise in gewissen Landstrichen (*Böhmen*) auftreten, oder auf diesen oder jenen Rändern der Becken (Westküste des
Beckens von Nord-Frankreich). Es sind diefs die
sandigen Gesteine, welche man unter den Benennungen Ironsand und Greensand (*grès ferru-
gineux et vert*) zusammengestellt hat, weil dieselben oft ziemlich viele Partikeln von Eisenoxyd-
Hydrat enthalten, abstammend von der Zersezzung
älterer Felsarten.

Diese Sandsteine sieht man der Jura-Kette
Englands angelagert; zum Theil zeigen sie sich sehr
mergelig, und gehen auf solche Weise in Kreide
über. Im nördlichen Becken Frankreichs sind sie,
auf der westlichen Seite, sehr quarzreich; am Fuße
der Pyrenäen erlitten dieselben große Zerstörungen,
hier kommen sie nur im Departement *des Landes*
vor. Ob das Gebilde in *Provence* (*Grasse*) vorhanden sey, weifs man noch nicht mit Gewifsheit.

In *Belgien* kennt man den Greensand bei *Aachen*, von wo aus sich dieses Gebiet den chloritischen, kreidigen Mergeln Westphalens verbindet,
welche im ganzen Umfange der großen Bucht hervortreten, in derem Grunde *Paderborn* liegt. Die
Gesteine zeigen sich in *Hannover* wieder, zumal
am nördlichen Fuße des Harzes, ferner finden sie
sich bei *Dresden*, in der Lausiz, in Schlesien,

Böhmen und Mähren, in der Mitte von Ungarn
(*Ofen*), in Skandinavien, Rufsland, an einigen
Stellen der Baierischen Alpen (*Hausruck*, *Tei-
sendorf*, *Sonthofen*), hin und wieder in den
Schweizer Alpen (*Diablerets*, *Schwyz*, *Entrever-
nes* u. s. w.), endlich in den Italischen Alpen, im
Bellunesischen und Vicentinischen.

Die Hauptmassen stammen von schieferigen
und quarzigen Uebergangs-Gesteinen ab, wie jene
in Frankreich, auf dem Harze und in Böhmen. Im
lezteren Reiche füllen diese Sandsteine, auf der
Grenze von Sachsen, eine mächtige Spalte, die nicht
lange vor der Sandstein-Ablagerung entstanden seyn
dürfte, denn Böhmen hat fast keine sekundären Gebiete aufzuweisen, ein Umstand, welcher darauf
hindeutet, dafs dieses Becken von dem Weltmeere
abgeschieden war, seit der Zeit, wo die Steinkohlen-Bildung abgesezt wurde, und dafs dasselbe vollkommener geschlossen seyn mufste.

Nach dieser örtlichen Unterbrechung, bedingt
durch die Greensand-Ablagerung, gewann die Kalk-
Formazion bald wieder die Ueberhand; es wurden
nun überall mehr oder weniger Kreide-artige Gesteine abgesezt, die im Grunde nichts Anderes sind,
als, in höherem oder geringerem Grade, zerstörte
Wohnungen von Meeres-Gsschöpfen, und Gemenge
solcher Trümmer mit kalkigem Schlamme, abstammend von den Kontinenten, so wie von submarinischen Felsen jener Zeit. Die Verbindungsweise dieser Bruchstücke, ihre Gröfse und die Dichtheit der

Gesteine mufsten, je nach dem Verschiedenen der
Oertlichkeiten, mannichfache Wechselgrade wahrnehmen lassen.

Durch die Kreide erhielten in England und Frankreich die Umrisse der beiden terziären Englischen Bekken, so wie jene der grofsen Becken im nördlichen
und südwestlichen Frankreich ihre lezte Abmarkung.
Diese Felsart bildete längs der älteren Gebiete in
Belgien, Westphalen und am Harze einen fast nicht
unterbrochenen Streifen; sie füllte den Grund der
Vertiefung zwischen jenen Gebirgen und denen von
Skandinavien, denn man sieht vereinzelte Massen
und Streifen derselben in der Mitte der Ebene von
Lüneburg und *Holstein* auftreten, so wie auf den Dänischen, Pommerschen und Skandinavischen Inseln.
Die Kreide überdeckte mit ihren mergeligen Schichten das ganze Böhmische Becken und die Einbiegungen der Küste des Meeres, dessen Wasser die
Gebirge Schlesiens und Galliziens bespülte. Von
hieraus erstreckte sich dieselbe nach Polen und Rufsland, und bis in die südlichsten Gegenden des lezteren Reiches. Man findet Ablagerungen davon in
der Mitte Ungarns (*Ofen*) und vielleicht hin und
wieder in Siebenbürgen (kalkiger Mergel mit grünen Punkten über den Salz-führenden Lagerstätten), so wie am Fufse der Alpen Baierns (*Tei-
sendorf, Sonthofen*), der Schweiz und Savoyens
(*Monts Voirons*). Längs des Süd-Abhanges der Alpen (vom *Comer*-See bis *Udine*) erscheint diese Ablagerung unter Gestalt eines Kalksteines mit
Koral-

Korallen und Nummuliten, und als ein sehr dichter
Kalk, wodurch derselbe der Kreide der nördlichen
Alpen, und jener des nordwestlichen Fufses der
Pyrenäen näher tritt. Endlich ist die dichte Kreide
vielleicht noch im Gebiete von *Ancona* vorhanden,
auf den Jonischen Inseln, so wie auf den Eilanden
Kreta und *Malta*.

Bei dieser Gelegenheit will ich darauf aufmerksam machen, dafs die Flöz-Formazionen Europas
im Allgemeinen eine gedoppelte Verschiedenheit
wahrnehmen laßen; die nordwestlichen Gebiete sind
sehr ausgezeichnet von den südöstlichen. In der ersten geognostischen Region finden wir viele Steinkohlen-Ablagerungen, die vollständige Reihe sekundärer Sand- und Kalk-Formazionen, den Gryphitenkalk (*Lias*), viele Oolithen, Greensand und
erdige Kreide, während die andere Region nur sehr
wenig Steinkohlen aufzuweisen hat, und aufserdem
eine mächtige meerische, sandige Ablagerung, die
Stelle der fünf ersten Flöz-Gebiete vertretend, wenige Oolithe, sehr dichte Kreide und keinen Lias.
Diese Verschiedenheit mufs wesentlich bedingt werden durch das Ungleiche der Natur der älteren Gebiete in jenen beiden Regionen, von der relativen
Gröfse alter Europäischer Eilande, und von dem
Eigenthümlichen der Bewohner des Meeres, durch
welches dieselben bespült wurden. Als das Entstehen dieser sekundären Ablagerungen seinen Anfang
nahm, mufste der Europäische Ozean, obwohl nicht
scharf, in zwei grofse Hälften geschieden seyn,

6

welche vielleicht damals noch ungefähr von den
nämlichen Geschöpfen bewohnt waren, die jedoch
später, und sehr allmählich, für das Gedeihen dieser oder jener Thiere mehr geeignet wurden. Da
der zweite Flözkalk sich vorzüglich zwischen unsern beiden Regionen, oder in der Mitte von Europa gebildet hat, so ergibt sich daraus sehr leicht,
dafs in jenem Zeiträume dieser Theil des Weltmee-
res allein ziemlich ruhig gewesen, geschüzt durch
Inseln gegen die Strömungen, um den Meeres-Geschöpfen Gelegenheit zu geben, hier ihre Wohnstätten zu erbauen, und so die befragte Ablagerung
zu bilden.

In dieser Epoche war die Erd-Oberfläche weit davon entfernt, das Aussehen
zu zeigen, welches ihr zur Zeit des Entstehens der Steinkohlen-Formazion zustand, oder selbst vor Ablagerung des
Jura-Gebildes. Schon waren die Meereswasser
beträchtlich gesunken, die Temperatur der Atmosphäre war niedriger geworden, in dem Verhältnisse,
wie die bedingenden Ursachen der grofsen Hizze
abnahmen, die erhabensten Gegenden des Festlandes hatten wahrscheinlich bereits eine verschiedene
Temperatur in Vergleich zu jener der Thäler; daraus mufsten, für denselben Landstrich, zwei verschiedene Arten des Pflanzen-Wachsthumes sich ergeben. Die Monokotyledonen und Dikotyledonen
der Thalgründe zeigten sich denen analog, welche
gegenwärtig unter den Tropen gedeihen, während

die erhabenen Gegenden, oder die Berge mit Monokotyledonen und Dikotyledonen bedeckt waren, ähnlicher denen, jezt in Europa vorhandenen. Diese Uebergänge, einer Vegetazion in die andere, hatten sehr allmählich Statt; von einer gänzlichen, plözlichen Zerstörung derselben war nicht die Rede.

Bereits vor der Ablagerung eines Theiles des Jura-Gebildes, hatte die Wärme in dem Grade abgenommen, dafs eine grofse Mannichfaltigkeit von Insekten, Vögeln und Amphibien auf der Erde leben könnten, und zur Zeit der Entstehung der Kreide-Formazion, oder wenigstens gegen das Ende dieser Ablagerung, dürfte wahrscheinlich schon eine gewisse Zahl von Geschlechtern eigenthümlicher Vierfüfser, deren Gattungen zum Theil verschwunden sind, wie Mastodonten, Hirsche, Bieber, Bären, Hyänen u. s. w. vorhanden gewesen seyn. Endlich hatten sich die Meeres-Geschöpfe nach Gattungen und Geschlechtern jenen unmerklich genähert, von denen die Wasser heutiges Tages bewohnt werden; auch finden wir in den, der Kreide im Alter nachstehenden, Gebilden nur wenige ausgestorbene Geschlechter.

Während des Entstehens der Kreide begannen die trachytischen Erupzionen; allein die beträchtlichsten trachytischen und basaltischen Massen wurden nach jener Ablagerung und während der Bildung des plastischen Thones (*Euganeen*) und des ersten terziären Kalkes (*Sicilien*, das *Vicentinische*)

emporgetrieben. Während der Ablagerung des
oberen terziären Gebietes büfsten die meisten Trachyt-Gebirge von ihrer Höhe ein, und die Trümmer ihrer Gesteine wurden von neuem gebunden
(*Pesth, Feldbach*); Basalt-Gesteine entstiegen noch
hin und wieder dem Erd-Innern. Endlich ergossen manche Vulkane, auch, nach der Ablagerung
der örtlichen Süfswasser-Gebilde, mächtige Lavenströme, und ein Theil dieser Feuerberge ist noch,
im verlöschten Zustande, vorhanden (*Eifel, Auvergne*), während andere brennende Gipfel sich öffneten (*Aetna*).

Die Trachyte entstanden, sehr häufig in den
nämlichen Orten, wo die vulkanischen Agenzien
schon in sehr früher Zeit Porphyre oder Granite
aufgehäuft hatten; so namentlich in *Ungarn* und
Frankreich. Dieser Umstand deutet an, dafs eine
erneute Thätigkeit in den alten vulkanischen Heerden entwickelt worden.

Die basaltischen Felsarten und die übrigen Tra-
chyt-Massen Europas (*Siebengebirge*) brachen in
verschiedenen Epochen aus den schieferigen Ueber-
gangs-, oder aus den krystallinischen Gesteinen hervor. Je nach ihrer Lage, im Verhältnisse zum Niveau der Wasser, waren einige dieser Ausbrüche
untermeerische (*Hessen, Mittel-Gebirge, Hebriden*), und erfüllten Spalten (*Hebriden, Irland*),
oder sie bildeten unter dem Meere Felsen und Berge
(*Hegau, Kaiserstuhl, Hebriden*). Die Erupzionen, welche beim Luft-Zutritte Statt hatten, zei-

gen fast nur die Merkmale der noch brennenden Vulkane (*Schneegrube*), oder es wurden die Spalten und Löcher ganz von ziemlich dichten Gesteinen erfüllt (*rauhe Alp*).

Nur sehr wenige von diesen feuerigen Massen häuften sich auf der Mitte der Inseln jener Zeit an; hierher gehören wahrscheinlich die Gruppen von *Cantal* und von *Montdor*, die übrigen traten auf dem submarinischen Abhange dieser Inseln, oder am Fuße von Gebirgsketten, deren Gipfel allein aus den Wassern ragten, oder in der Tiefe des Meeresgrundes hervor, so in Ungarn, längs des *Bosporus*, in Italien, Portugal, Deutschland und Schottland. Die Basis der großen Alpen-Insel, oder des mittleren Europa, wurde von ähnlichen Erupzionen durchbrochen, zumal auf der südöstlichen Seite im *Veronesischen*, *Vicentinischen*, im Gebiete von *Padua* und im südlichen *Tyrol*. Im lezteren Lande haben die feuerigen Gesteine Porphyr- und Granit-Massen aufzuweisen, welche das innige Verband, zwischen den alten und neuen vulkanischen Felsarten, vollkommen darthun; allein daraus darf man keineswegs auf einen eben so neuen Ursprung aller Granite schließen. Von der andern Seite sind die große Alpinische Insel und das Griechische Eiland von einem fast vollständigen Kreise vulkanischer Haufwerke umzogen, welcher die Trachyte und Basalte Schwabens, jene von *Banöw* in Mähren, die von *Ober-Pullendorf* in Ungarn, ferner die trachytischen und basaltischen Gruppen von *Feldback*

in Steyermark, so wie jene in Ungarn und Siebenbürgen, die großse Trachyt-Gruppe von Klein-Asien
nordwärts *Smyrna*, und die Basalte des *Bosporus*,
die Trachyte der Eilande *Santorin* und *Milo*, die
Sardinischen, endlich die vulkanischen Gesteine des
nördlichen Italiens in sich begreifen. Mehrere Gelehrte haben bereits gestrebt den Beweis zu führen,
daßs die Ausbrüche in gewissen geraden, schiefen,
oder kreisförmig gebogenen Richtungen Statt gehabt *.

Es sind diese furchtbaren vulkanischen Ausbrüche, begleitet von Zerspaltungen, von Emporhebungen und Senkungen der Fels-Gebilde, welche wahrscheinlich den Kontinenten ihre gegenwärtige Höhe
gegeben, oder durch die das Meer gezwungen ward,
zuerst bis zum Niveau der niedrigsten terziären
Becken (*Paris*) zu fallen, und endlich seinen gegenwärtigen Stand anzunehmen. So erhielten die
Gebirgsketten Europas allmählich ihre Höhe, und
die Kontinente wurden dadurch ungefähr so gestaltet,
wie sie es heutiges Tages noch sind. Während diesem Zeitraume bekamen die Jura-Berge von Süd-
Tyrol, und viele andere Kalk- und Sand-Berge,
die Schrecken erregenden steilen Gehänge, und die
seltsamen Formen-Verhältnisse, so wie die auffallende

---

* Sickler, Ideen zu einem vulkanischen Erd-Globos;
und v. Hoff, Geschichte der Veränderungen der Erd-
Oberfläche; II. Th.

Erhabenheit, durch welche sie ausgezeichnet sind.
Dieser Rückzug des Meeres und die Oszillazion,
eine natürliche Folge desselben, trugen wahrscheinlich dazu bei, die Kreide des nördlichen Deutschlands und des Mittelländischen Meeres so sehr zu
zerstücken, und andere Formazionen mußten dadurch auch beträchtlich leiden. Sehr viele Thäler
wenig erhabener Landstriche, oder der Ebenen,
wurden damals ausgehöhlt, oder doch mehr vertieft.

Nach Bildung der Kreide machte Europa ein großes Festland aus, mit sehr
zerstückten Umrissen und viele innere
Meere und Süßswasser-Seen einschlie-
ßend. Gewisse Gegenden des südlichen Schwe-
dens können ungefähr einen Begriff von dem Oberflächen-Ansehen Europas in jener Zeit geben.

Im Norden Europas befand sich ein unermeßli-
ches Meer, welches aus Rußland, oder selbst aus
Asien durch das nördliche Deutschland hindurch bis
nach England sich erstreckte, und mit der Nordsee, vielleicht auch mit dem Eismeere verbunden
war. Das mittlere Europa stellte ein zweites inneres Meer dar, wovon die Schweizerische Ebene,
das Rheinthal, das niedere Schwaben, Baiern, Oesterreich, Mähren und Ungarn bedeckt war. Zwischen beiden Meeren, und mit lezterem verbunden,
befand sich das Böhmische Becken. Im Süden von
Europa überdeckte das Mittelländische Meer alle
wenig erhabenen Landstriche, welche gegenwärtig
seine Ufer bilden. Noch hatte dasselbe die Säulen

des Herkules nicht durchbrochen; es stand durch
Kanäle mit dem rothen Meere sowohl, als mit dem
schwarzen in Verbindung, und hing auch mit dem
grossen Becken des westlichen Asiens zusammen.
In Frankreich gab es ausserdem zwei grosse Meere;
das eine erstreckte sich zwischen den *Pyrenäen*,
Saintonge, *Perigord* und zwischen den Bergen des
Cantals und des *Arveyron*; es war mit dem Meere
im Verbande, welches *Languedoc* und die *Provence*
überdeckte, und erst nach Ablagerung der Molasse
musste jener Zusammenhang aufgehört haben, oder
doch sehr unterbrochen worden seyn. Der Damm,
das südwestliche Becken Frankreichs vom Ozeane
scheidend, besteht nicht mehr, und die zerstörende
Macht der Wogen des Atlantischen Meeres musste
sich in ihrer Thätigkeit durch die grosse Strömung
unterstüzt sehen, welcher die Bucht der *Gascogne*
ihre Gestalt verdankt. Ein zweites Meer bedeckte
alle wenig erhabenen Landstriche zwischen der *Pi-
cardie*, *Champagne*, *Bourgogne*, dem *Limousin*,
der *Vendée*, zwischen *Mans*, der *Bretagne* und
Manche. Endlich bildeten in England die Umgebungen von *London* ein kleines Meer, begrenzt von
Kreide - Gestaden; und die Insel *Wight*, so wie
die entgegen liegende Küste machten wieder ein besonderes Becken aus, oder sie gehörten vielleicht
auch dem grossen Meere des nördlichen Frankreichs an.

Alle diese Meere hatten ein höheres
Niveau, als der Ozean; oder es wurden

seitdem ihre alten Becken sehr ungleich
über das Meer erhoben. Das Geschiedenseyn
dieser verschiedenen Becken wird durch die terziären Küsten-Fossilien augenfällig, deren Urbilder in
mehreren tausend Fuſs Tiefe gelebt haben müſsten,
wollte man annehmen, alle jene Becken wären verbunden gewesen und hätten nur ein einziges Meer
ausgemacht. Die Emporhebungen, welche Europa,
zumal gegen seine Mitte, erfahren haben dürfte,
hindern uns die relative Höhe der verschiedenen
Meere mit Genauigkeit anzugeben; allein wenn man
von den gegenwärtigen Höhen der Becken ein Anhalten entnehmen könnte, so würde sich ergeben,
daſs das Zentral-Meer von Europa, das am meisten
erhaben war, daſs das Becken im Norden, so wie
das Englische, eine geringere Erhabenheit hatte,
daſs das Mittelländische Meer der Höhe des Zentral-Meeres am nächsten kam, während dem Französischen Becken nur eine wenig beträchtliche Erhöhung zustand. Es ist augenfällig, daſs die relative Höhe der Schichten dieser Becken keinen Begriff von dem Niveau der Wasser, zumal jener des
Zentral-Meeres geben kann; wenn folglich die Wasser der Becken von *Paris*, *Wien*, *Ungarn* und
jene des nördlichen Deutschlands um einige hundert
Fuſs über dem Stande des gegenwärtigen Ozeans
waren, oder wenn diese Landstriche zu jener Höhe
emporgehoben wurden, so folgt daraus keineswegs,
daſs das Wasser je die Höhe gewisser Schweizer
Molassen erreicht habe, welche man in einer Er-

habenheit von 3 bis 4000' F. findet; die Emporhebungen der Alpen mufsten diese Felsarten, die aufserdem eine Seehöhe von 800, 1000, 1700, oder
im äufsersten Falle von 2000 F. nicht übersteigen,
so hoch aufwärts getrieben haben:

Diese Meere hingen durch Kanäle mit
ziemlich vielen kleinen inneren Meeren,
oder auch mit Süfswasser-Seen, mehr
und weniger zusammen. Die befragten Wassermassen befanden sich an den Grenzen unserer
Meere, oder sie waren eingeschlossen zwischen Ge-
birgs-Einbiegungen, und hatten ihren Abfluſs in
die grofsen Meere. So empfängt das Meer des
nördlichen Europa seine Wasser aus besonderen
Becken von Hessen und Thüringen; das Rhein-
Becken und jenes des mittleren Europa erstreckten
sich längs des gegenwärtigen Bettes mehrerer mächtigen Ströme; das Mittelländische Meer hing mit
den erhabensten Becken Spaniens zusammen, so wie
mit denen von *Toskana*, und namentlich mit den
Sienesischen; das Becken des nördlichen Frankreichs
war verbunden mit dem der oberen *Loire* und des
Alliers; jenes des südwestlichen Frankreichs stand
in Verbindung mit dem des oberen *Tarn* und der
Dordogne; endlich war das Becken des südöstlichen Frankreichs jenem der *Saone* verbunden u.s.w.
Später nahm die Zahl dieser Meere oder dieser inneren Seen noch zu, in Folge der durch die Ablagerungen bewirkten Scheidungen, und mitunter ergab es sich, dafs die inneren Seen schon ganz erfüllt waren von süfsem Wasser, während das innere

Meer, von dem dieselben abhingen, nur salziges
Wasser umschlofs.

Endlich enthielten diese Meere eine
grofse Zahl von Inseln, wie in Baiern, in
Ungarn, im Norden Europas u. s. w., und diese
Eilande mufsten zunehmen in dem Verhältnisse, wie
die Wasser während der terziären Epoche sich
senkten.

Das Becken des nördlichen Europa
stand in ziemlich freier Verbindung mit dem Ozean,
und füllte sich zum grofsen Theile mit Sand und
Rollstücken, oder im Allgemeinen mit sandigen
Trümmern, welche aus dem Süden und Norden
her verführt worden. Die Braunkohlen-Ablagerungen entstanden hier in verschiedenen Zeiträumen
durch Strömungen und durch Ausbrüche einiger
Seen, deren Bildung und Abflufs durch das Auftreten feueriger Gesteine begünstigt worden. Diese
Kombustibilien-Haufwerke nehmen ihre Stellen in
den Einbiegungen des Beckens (*Artern, Halle,
Helmstädt, Lausiz*), oder an dessen beiden Rändern (Grenze des Baltischen Meeres im Mecklenburgischen und in Preufsen); in andern Gegenden
füllen sie gewisse Vertiefungen in der Mitte des
Beckens (*Freyenwalde, Brandenburg* u. s. w.); oder
man trifft dieselben längs den Seiten der Seen, welche mit dem Meere des nördlichen Europa verbunden waren (*Tann* in der *Rhön, Hessen-Kassel*).

Während der Zeit, dafs stets Sand, Rollsteine
und thonige und mergelige Materien verführt wurden,

konnten die Mollusken und andere See-Geschöpfe
nur in einigen Stellen ruhig leben; dieses ist die
wahrscheinliche Ursache, warum der Grobkalk nur
in gewissen tiefen Buchten dieses Beckens (*Anvers* in
Belgien, *Lemgo* in *Westphalen*, *Dickholzen* im
Hannöverischen, *Helmstädt*, *Egeln* im *Magdebur-
gischen*, *Lausiz*, *Gallizien*) abgesezt wurde, oder
in Becken, welche von den übrigen Meeren ziemlich scharf geschieden waren (*Dransfeld*, *Kassel*
in *Hessen*). Alle diese Kalke scheinen zur Zeit des
Entstehens der ersten terziären Kalk-Ablagerung
gebildet; wenigstens tragen sämmtliche Parthieen
derselben, die bis jezt näher geschildert worden,
ziemlich deutlich die Charaktere dieser Epoche.

Die Alluvionen, womit dieses Becken erfüllt
worden, stammen zum größeren Theile von Ur-
und Uebergangs-Gebieten ab, ein Umstand, welcher auf sehr naturgemäße Weise das Vorwalten
des Sandes und der Rollsteine im Verhältnisse zu
den übrigen Materien, so wie die Nester von Eisenoxyd-Hydrat erklärt, die in dem oberen Sande
eingeschlossen sind.

Dieses Becken war von der Nordsee durch einen schwachen Damm, aus neuen sekundären Felsarten bestehend, abgeschieden; der Abfluß seiner
überreichlichen Wasser und die Macht der Wellen
des Ozeans zerstörten nach und nach die mauer-
artige Grenze, und durch vulkanische Agenzien bedingte Erscheinungen, Spalten u. s. w., konnten diese Zerstörung beschleunigen, so, daß die Wasser

des Beckens mehr stofsweise, als allmählich entleert wurden. Ein solcher schleuniger Rückzug der Wasser dürfte aus dem Norden und Nordosten die meisten jener Blöcke herbeigeführt haben, welche auf der Oberfläche des terziären Beckens von Nord-Deutschland zerstreut sind; allein die minder voluminösen kamen gleichzeitig mit dem terziären Sande.

Im Becken des nördlichen Frankreichs lagerten sich zuerst thonige und sandige Materien ab; einige Haufwerke von Braunkohlen, von Monokotyledonen und Dikotyledonen abstammend, und gemengt mit Süfswasser-Muscheln, wurden durch Ausbrüche von Süfswasser-Seen, oder durch Ströme, darinnen aufgehäuft. Alsdann begann der Grobkalk sich in diesem Becken zu bilden, das nur in der Nähe seines Abfluſs-Kanales, so wie an den Stellen des Austrittes der in dasselbe sich ergiefsenden Flüsse, in Unruhe gesetzt wurde. Gegen das Ende dieser Ablagerung verführten die Strömungen aufs Neue thonige, sandige und kohlige Materien, und so wurden, in der Umgebung von *Paris*, die in der jüngeren Abtheilung des Kalkes vorhandenen Haufwerke gebildet. Gleichzeitig waren gewisse Theile des Beckens, die den Strömungen der Flüsse (*Seine*, *Marne*) ausgesezt gewesen, Etwas Weniges Salz-haltig geworden, und hatten, von Flüssen oder Quellen, kieselige oder gesäuerte Materien zugeführt erhalten. Auf solche Weise entstand, hin und wieder, namentlich bei *Paris*, mit dem oberen Grobkalke ein kieseliger Kalk, oder eine mergelig-gypsige Ablagerung. Es ist bekannt, dafs das leztere Gebilde einige Meeres- und Süfswasser-Muscheln, so wie Gebeine von Vierfüfsern umschliefst, welche ihm durch Flüsse zugeführt worden. Herr C. Prevost hat zehn Lagen solcher Gemenge von Meeres- und Süfswasser-Erzeugnissen beobachtet. Wenn diefs die Beschaffenheit der Ablagerungen im Pariser Becken gewesen, so haben die übrigen Theile unseres grofsen Meeres nicht immer ähnliche Erscheinungen gezeigt; nach der ersten sandigen terziären Formazion erhielten die südwestlichen, nordwestlichen und östlichen Küsten des Beckens ihre eigenthümlichen Gesteine, wenigstens lassen die Kalke derselben mineralogische und zoologische Unterschiede wahrnehmen (*Falun* der *Touraine*, *Tufeau* der *Manche*, Ufer der *Loire*) und die gypsigen Felsarten bildeten sich nur in dem östlichen Theile.

Eine grofse mergelig-sandige Formazion folgte den vorerwähnten Ablagerungen, und umschlofs Eisenerze (*Normandie*); wie im Norden von Europa. Später büfste das Becken allmählich seinen Salz-Gehalt ein und wurde ein Süfswasser-See, der unmerklich an Gröfse abnahm. Dieser See sezte zuerst in mehreren Gegenden (*Paris*, *Le Mans* u. s. w.) kieselige Gesteine ab, und sodann Mergel und Kalke mit Süfswasser-Muscheln und mit Wasser- oder Sumpf-Pflanzen. Vor dieser lezteren Epoche befanden sich die oberen Becken des *Allier* und der *Loire* schon scharf abgeschieden vom gro-

ſsen inneren. Meere, sie waren bereits nichts als
Süſswasser-Seen, so, daſs sich hier nur Mergel,
Süſswasser-Kalke und Gypse, während der ganzen,
dem unteren Grobkalke gefolgten, terziären Epoche bildeten. Endlich lehnten sich diese groſsen
Seen, in Folge der Aushöhlung, an Ablauf-Kanäle
(*Loire*, *Seine*); durch Ausbrüche (*débavles*) wurden die oberen terziären Bänke zerstückt, beträchtliche Alluvionen haben sich in den Thälern gebildet,
und der *Manche*-Kanal fing an zu bestehen, oder
wurde wenigstens bedeutend breiter.

Die beiden terziären Becken England's,
um Vieles kleiner, lassen weniger Verschiedenartiges in ihrer allgemeinen Struktur wahrnehmen. Von
der andern Seite haben die drei meerischen Formazionen derselben einige eigenthümliche Charaktere,
welche wahrscheinlich von der Natur der Felsarten
der umliegenden Kontinente, so wie von der Nähe,
oder selbst von der unvollkommenen Verbindung
mit dem Becken des Nordens von Europa abhängen.
Nach einigen Lagen plastischen Thones mit Braunkohlen, wurden Muscheln-führende thonige Gebilde,
statt des ersten terziären Kalkes und des ihn begleitenden Sandsteines, abgesezt; die gypsig-mergeligen
Felsarten kommen hier nicht vor, und zwischen
dem London-Thone und dem oberen Sande zeigen
sich nur einige zufällige Gemenge von Muscheln salziger und süſser Wasser.

Auch diese Becken verloren nach und nach ihren
Salz-Gehalt; eine Süſswasser-Ablagerung bezeichnet

das Ende der terziären Epoche, und die Kreide-Ränder jener Becken wurden zum Theil eingerissen, durch Ablauf vom inneren Meere des nördlichen Europa sowohl, als durch Aushöhlung oder zufällige Bildung des *Manche*-Kanals.

Im südwestlichen Frankreich füllte sich das Becken zuerst mit Molasse und mit Mergel; es hatte eine Trennung von dem Mittelländischen Meere Statt, und sodann bildete sich, gegen den tiefsten und breitesten Theil, eine, von dem Uebrigen ziemlich gut abgeschiedene, Aushöhlung, wo das Wasser einen so ruhigen Stand hatte; dafs verschiedene See-Geschöpfe hier leben, und dafs eine Bildung von Grobkalk vor sich gehen konnte. Da die erste Ablagerung eine Art Damm zwischen dem Meere und dem Grunde des Beckens erhoben hatte, so verlor ein Theil des lezteren seinen Salz-Gehalt fast ganz, und war, als die Entstehung des ersten terziären Kalkes begann, nur ein Süfswasser-See. Ein Kalkstein, frei von Muscheln und die Merkmale eines Süfswasser-Gebildes tragend, sezte sich zu der nämlichen Zeit darin ab, als der untere Theil des Grobkalkes an andern Orten gebildet wurde, und ein Muscheln-führender Süfswasser-Kalk entstand während der Formazion des Muschelsandes (*Faluns*) der *Gironde* und des *Adour*, und des Gypses von *St. Sabine* und *Beaumont*. Die Stellen, wo das Meer mit dem, von seinem Salz-Gehalte frei gewordenen, Becken zusammenhing, zeigen Gemenge von Meeres- und Süfswasser-Muscheln (*Samas,*

Dax,

Dax, *Bazas*, *Marmande* und Meeres-Muscheln einschliefsende Molassen wechseln mit Muscheln-freien Süfswasser-Kalken, und sind bedeckt von dem Süfswasser-Kalke, der an der Grenze dieser beiden Ablagerungen auftritt.

Der grofse innere See endigte seine Ablagerungen erst, als das Meer Gelegenheit fand, sich in ungehinderte Verbindung damit zu sezzen. Der Umstand, dafs die Masse süfser Wasser nicht im Verhältnisse war mit der Gröfse der Ablauf-Kanäle, mufste jenes Ereignifs beschleunigen. In Folge dieses Einbruches salziger Wasser in dem Ueberreste des Beckens entstanden, noch vor dem Absazze des Muscheln-führenden Süfswasser-Gebildes, mergelige, Austern umschliefsende, Lagen, auf welche sehr bald die Fortsezzung der Süfswasser-Formazion und eine gröfsere sandige marinische Alluvion folgten.

Nach den sandigen Alluvionen büfste der Kreide-Damm, welcher das Becken vom Ozean trennte, durch die Bewegung der im Becken befindlichen Wasser, so wie durch jene des Atlantischen Meeres, allmählich seine Mächtigkeit ein und wurde zerstört; das Wasser des Beckens flofs ab, die Alluvial-Epoche begann, und ihr ging keine obere Süfswasser-Ablagerung voran, da in der Gegend keine isolirten Aushöhlungen vorhanden waren, geeignet zu Seen zu werden.

Das Mittelländische Becken, umgeben von steilen Kalk-Gehängen, zeigt wesentliche Eigen-

thümlichkeiten, scheinbar abhängig vom allgemeinen
Typus, der Formazion des südöstlichen Europa; zu-
dem haben seine zahlreichen Krümmungen und seine
Gröfsen, eine und die nämliche Ablagerung an verschiedenen Orten sehr modifizirt.

Auf der Nordseite bildeten sich hin und wieder, längs dem Fufse der Berge, Alluvionen, wie
in *Provence* (Nagelflue von *Aix* u. s. w.), oder
grofse thonige, sandige und mergelige Massen, so in
den *Apenninen* und am südlichen Fufse der *Alpen.*
In günstig gelegenen Orten folgte eine grofse Kalk-
Ablagerung; sie umhüllte viele Meeres-Geschöpfe,
und fand ihre Stellen in Thälern, oder am Fufse
der Berge (*Sardinien*).

Am südlichen Fufse der *Alpen* haben die Meeres-Geschöpfe und die Polypiten zur Bildung eines
Streifens, oder einer Felsen-Reihe von Nummuliten
führendem Grobkalke beigetragen, während zu beiden Seiten der *Apenninen* die Zoophyten ihre Arbeit nicht vollführen konnten, und die Alluvionen,
vom thonigen Boden der *Apenninen* herabziehend,
haben nur Mergel und Thon gebildet, welche im
nördlichen Theile des Rhone-Beckens durch Molassen vertreten worden.

Längs der *Alpen* und in *Sicilien* dauerte die
Kalk-Ablagerung noch eine Zeit hindurch fort, und
während der Epoche der Bildung des oberen Pariser Grobkalkes sezte sich hier noch ein Kalk mit
Nummuliten ab, welcher hin und wieder (Gebiete
von *Vicenza* und *Verona*, *Noto* in *Sicilien*) mit

regenerirten vulkanischen Gesteinen wechseln, die Braunkohlen umschliefsen (*Noto*, *Bolca*), wie zu *Paris*; allein auf diese Gebilde folgt keine andere Ablagerung längs der *Alpen*.

Auf beiden Seiten der *Apenninen* und in *Sicilien* wurden die Mergel und die Thone, während einer weit längeren Periode, abgelagert; sie umhüllten viele Meeres‑Geschöpfe; Braunkohlen‑Massen häuften sich hin und wieder an (*Sinigaglia*), und durch die Ausströmungen submarinischer, oder beim Luft‑Zutritte brennender Solfataren wurden grofse Nester oder Lagen von Schwefel, von Gyps (*Valterra*) und von Steinsalz (*Sicilien*) erzeugt.

In den lezteren Gegenden, so wie in *Provence* (Becken der *Rhone*), in *Languedoc*, *Roussillon* und *Sardinien* findet man die dritte grofse terziäre, sandige Formazion, und überall, *Roussillon* ausgenommen, einen zweiten terziären Kalk wieder, der sämmtlichen Becken fehlt, von denen bis jezt die Rede gewesen. In *Provence* befand sich schon zur Zeit der Ablagerung der oberen Hälfte des ersten terziären Kalkes ein kleines, von dem Mittelländischen Meere ziemlich scharf geschiedenes, Becken, so, dafs hier die Bildung eigenthümlicher Gesteine Statt haben konnte. Dieses Becken ist jenes von *Aix*, es wurde mit mergeligen, kalkigen und gypsigen Felsarten erfüllt, welche denen des *Montmartre* ziemlich analog sind. Etwas später entstand in einem ähnlichen Becken, um *Salinelle*, in *Langue*-

doc, eine Ablagerung von kalkigem Sande und von Süfswasser.-Magnesit.

In *Toskana* bedingten Ausbrüche von Seen und Flüssen, in der Mitte der oberen marinischen Ablagerungen, die Bildung thonig - mergeliger Schichten, Braunkohlen und zufällige Gemenge von Süfswasser-und Meeres'-Muscheln (Gebiet von *Siena*) umschlie-fsend. Die Kalksteine dieser Epoche beweisen, dafs erst gegen das Ende des befragten Zeitraumes die See-Geschöpfe ruhig leben, und ihre Wohnungen aufbauen konnten, und die Abwesenheit jener Felsarten, im ganzen nördlichen und nordwestlichen Europa, deutet hier ein unruhig bewegtes Meer und stete Verführungen durch Alluvionen an. Nach diesen, Ablagerungen hatte das Mittelländische Meer sich bereits beträchtlich gesenkt, oder seine Ufer waren bedeutend empor gehoben worden; es strebte sich stets mehr in Verbindung mit dem Ozean zu sezzen, und hatte im Innern verschiedene Seen hinterlassen, deren Wasser endlich süfs geworden waren. So bildeten sich hin und wieder (*Siena, Rom*) Süfswasser-Kalke und Travertine, und die Dichtheit dieser Gesteine, so wie ihre Erstreckung, wechselten, je nachdem die kalkigen Materien von Quellen, oder aus Seen abgesezt worden. In derselben Zeit überdeckten Kalke und Mergel süfser Wasser gewisse Landstriche in *Languedoc* und in der *Provence* (*Vigan, Montpellier* u. s. w.).

Dem grofsen Meere des Innern von Europa führten die Ströme von allen Seiten Sand und

Rollsteine zu, und die Wogen häuften diese Materien, wie solches noch heutiges Tages geschieht,
längs der Seeküste an. Die mit kalkigen oder kieseligen Theilen angeschwängerten Flüssigkeiten, und
das Gewicht der Massen, verliehen diesen Gesteinen
ihre gegenwärtige Festigkeit. Auf solche Weise bildeten sich die Streifen kalkiger Konglomerate längs
des Alpen-Fußes vom Wiener Becken, und alle
die mächtigen Molassen- oder Sandstein-Ablagerun-
gen, die gewaltigen Trümmer-Gestein- und Mergel-Massen, welche das große Ungarische und Sie-
benbürgische Becken begrenzen, und von denen das
ganze ebene Land Mährens, so wie der Fuß der
Deutschen und Schweizerischen Alpen überdeckt ist.
Gleichzeitig erfüllen ähnliche, nur mehr thonige Gesteine den Grund des Rheinthales und des Böhmischen Beckens. Besondere Beachtung verdient der
Umstand, daß die Deutschen Konglomerate nur
Trümmer nachbarlicher Alpen aufzuweisen haben, während man die gleichnamigen Felsarten der
Schweiz und des Vorarlbergischen voll von Bruchstücken sieht, welche in den *Alpen* fast unbekannt,
dagegen im *Schwarzwalde* und in den *Vogesen* zu
Hause sind, wie Granite, Porphyre u. s. w.

Haufwerke von Braunkohlen entstanden in der
Mitte der vorerwähnten Gesteine durch die nämlichen Ursachen, wie an andern Orten, und diese vegetabilischen Massen, gemengt mit Süßwasser-Muscheln, wurden in Aushöhlungen begraben (nördliches *Böhmen*), oder in Einbuchtungen (*Haering*),

oder in Längethälern (Thäler der *Save* und *Drave*),
auch trifft man dieselben im Vorgrunde der weit erstreckten Ufer jener Zeit. Da die *Alpen* damals
das gröfste Festland ausmachten, so ist es natürlich, dafs die beträchtlichsten Braunkohlen - Ablagerungen sich in den Thälern derselben finden (*Kärnthen*), oder am Fufse der Gebirgsketten.

Nach der Bildung dieses ersten terziären Gebietes fand sich jenes grofse Meer ziemlich scharf abgetheilt in mehrere besondere Becken, denen alle bereits nicht mehr das nämliche Niveau zukam.
Das Böhmische Becken und das Becken
des Rheines zwischen *Basel* und *Bingen* trennten sich von dem grofsen Meere, und von *Savoyen*
bis zur *Wallachei* entstanden zwei grofse Meere,
das Schweizer Becken und das Baierische,
aus der Nähe von *Aix* in *Savoien* bis zum *Haus-
rück*-Gebirge sich ausdehnend, und das innere
Becken von Unter - Oesterreich und von
Ungarn, und die Ebenen von Ober-Oesterreich
dienten denselben als Verbindungs-Kanal. Die Aushöhlung im südlichen Siebenbürgen war auch von
der Ungarischen isolirt worden, und in der Mitte
der *Alpen* hatten sich innere Seen gebildet, deren
gröfsten diejenige seyn mufsten, welche die Ebenen
Kärnthens bedeckten, längs dem oberen Laufe der
Drave und *Save*.

In Böhmen scheinen die terziären Ablagerungen, nach der Epoche der Braunkohlen, fast aufgehört zu haben; denn man trifft dort nur selten

(*Kostenblatt*) kleine Haufwerke kieseliger und mergeliger Gesteine, welche vielleicht jünger seyn könnten, als die erste terziäre Formazion. Dieses Bekken muſs demnach lange Zeit ein Süſswasser-See
gewesen seyn, aus dem keine Gesteine abgesezt
wurden, und der folglich nicht viele Thiere er-
nährte.

Im Rhein - Becken hat sich nordwärts, bis
in die Nähe von *Mannheim*, eine ziemlich mächtige
Grobkalk-Ablagerung gebildet; die Felsart schlieſst,
zumal in ihrer oberen Abtheilung, viele Süſswasser-
Muscheln ein, die in jenem Becken zugleich mit
See-Geschöpfen gelebt haben müssen, oder welche
hierher durch Flüsse verführt worden. Weiter gegen Süden und Norden scheinen die Grobkalke durch
Thone und Braunkohlen-Molassen überlagert worden zu seyn, und selten, wie zu *Buchsweiler*, trugen kleine abgeschiedene Süſswasser-Becken zum
Entstehen kalkiger Massen bei. Mit Ausnahme einiger Muscheln-führender Thone des Südens dieses
Beckens, zeigen sich nur hin und wieder neuere
Süſswasser-Ablagerungen, so u. a. am südwestlichen Fuſse des *Schwarzwaldes* *.

In der Schweiz hat der ganze terziäre Boden
nur Sand, Sandstein, Konglomerate, Mergel und

---

* MERIAN im Schweizerischen Anzeiger von MEISNER;
Jahrg. 1825, und dessen Schrift über den Kanton Basel.

Braunkohlen aufzuweisen; indessen scheinen gewisse
gypsige Mergel der westlichen Schweiz, manche untergeordnete Lagen, von Süfswasser-Kalk und von
Braunkohlen, so wie die Muscheln-führenden sandigen Massen in, den meisten Molassen Ablagerungen
anzudeuten, welche dem dritten terziären Gebiete
entsprechen, nämlich dem blauen Thone, dem Mergel, dem Sande und selbst dem zweiten terziären
Kalke. Man hat noch nicht festgestellt, welches die
Gesteine waren, die darinnen zur Zeit des ersten
terziären Kalkes gebildet worden, und zumal
herrscht grofse Ungewifsheit über das mächtige Na-
gelflue-Lager, das die Alpen begrenzt.

In Baiern zeigen sich, längs den *Alpen*, ungefähr die nämlichen Felsarten, wie in der Schweiz,
während die Nordseite des Beckens mit Quarz-rei-
cherem, feinkörnigerem Sandsteine bedeckt ist, mit
Sand, Mergel und schwach verbundenem Trümmer-
Gesteine. In dem östlichen Theile des Beckens sind,
am Fufse des Böhmer-Waldgebirges, ebenfalls Thone
und Braunkohlen vorhanden, die, nach unserer Ansicht, den beiden oberen terziären Abtheilungen
zugehören.

In Ober-Oesterreich wird das grofse Mo-
lassen-Gebiet augenfällig von Mergeln und Muscheln-
führenden Molassen überlagert, welche der Epoche
des dritten terziären Gebietes beizuzählen sind
(*Wolfsegg*). Haufwerke von bituminösem Holze
ohne Versteinerungen kommen darinnen, in der Mitte

dieser neuen Ablagerungen, vor, und sind begleitet
von Sand und von plastischem Thone (*Wolfsegg*).

Im südlichen Theile des kleinen Beckens
von St. Pölten findet man ungefähr die nämlichen Verhältnisse, und der obere terziäre, Muschelu-
haltige Sand wird hier noch weit augenfälliger (*St.
Pölten*). Auch Braunkohlen mit einigen Konglomeraten und Thonen trifft man daselbst (*Thalern*,
Obrizberg). Der nördliche Theil gehört schon dem
folgenden Becken an.

Das große Oesterreichische und Ungarische Becken läßt bei weitem mannichfachere
Verhältnisse wahrnehmen, und die Felsarten sind
hier fast genau die nämlichen, wie solche durch das
Mittelländische Meer gebildet worden. Nach den
Konglomeraten oder Molassen sezte sich ein eigenthümlicher Grobkalk ab, der einen, beinahe nicht
unterbrochenen, Streifen im Umkreise des ganzen
Beckens bildet. Dieser Kalk besteht zum Theil nur
aus Lagen zerstörter Korallen und Nummuliten,
allein nach der Höhe gewinnt derselbe mehr das
Ansehen des Pariser Grobkalkes, und wechselt mit
dem, ihn überdeckenden, blauen Thone. Diese
Mergel und Thone, genau die nämlichen, wie in
den *Apenninen*, schließen Haufwerke von Braunkohlen, oder von bituminösem Holze ein in Oesterreich (*Neufeld*) und in Ungarn (*Brennberg*), und
Nester dichten Schwefels in Kroazien (*Radobay*).
Eine zahlreiche Menge fossiler Körper charakterisirt

die oberen Lagen, und Molassen scheinen diese Gesteine auf gewissen Sciten des Beckens zu vertreten.

Mergel, Sand, zum Theil Muscheln-führend,
Molasse und Grobkalk haben sich dem Thone auf.
gelagert, und vollenden so das dritte terziäre Gebiet, welches genau das der *Apenninen* ist. Beträchtliche Haufwerke. von Braunkohlen mit Thon
(*Ofen*) und zufällige Gemenge von Muscheln süfser
und salziger Wasser (*Hellas*, *Gaya*, *Balaton*-See,
Arapatak in *Siebenbürgen*), charakterisiren den
Sand.

Während der nämlichen Epoche haben sich auch
in einigen Gegenden des nördlichen *Siebenbürgens*,
das mit dem Ungarischen Becken zusammenhing,
oberer Sand und Grobkalk, während ähnliche Gesteine im Süden des nämlichen Landes, wahrscheinlich durch einen grofsen inneren See, abgesezt wurden, welcher See das Becken der *Aluta* einnahm,
und mit dem Meere in Verbindung stand, von dem
die *Wallachei* bedeckt wurde.

Nach dem ·Schlusse aller dieser Formazionen
blieben hin und wieder noch Süfswasser-Seen in
dem Becken, welche das gegenwärtige Beit der Donau einnehmen. Die gröfsten mufsten jene gewesen seyn, die einen weit erstreckten Theil der
Mitte der grofsen. östlichen Ebene Ungarns bedeckten, wenigstens nach dem bekanuten Vorkommen
von Süfswasser-Kalk um *Czigled*, *Nesmely* u. s. w.
zu urtheilen. Minder grofse Süfswasser-Seen und
von verschiedenem Alter werden· durch die Kalk-

steine, die Mergel, oder die kieseligen Felsarten
(Menilite) von *Sirmien*, vom *Zempliner* Komitate,
vom *Matra*, von *Ofen*, *Wimpassing* und vom
Eichkogel bei *Wien* angedeutet. Ober-Oesterreich
hat keine ähnliche Ablagerung aufzuweisen; dafs in
der Schweiz und in Baiern dergleichen vorhanden
sind, ist bereits erwähnt worden.

Haufwerke von Kalktuff, Absäzze Kalk-haltiger
Quellen, trifft man aufserdem sehr häufig in der
Schweiz und in Baiern; allein sie stehen in ihrem
Alter der Epoche, von welcher die Rede gewesen,
sehr nach.

Die örtlichen Ablagerungen von Süfswasser-
Kalk, dürfen mit den ziemlich ähnlichen Kalk-Lagen, welche zufällig gewisse terziäre Braunkohlen-
Haufwerke der *Alpen* (*Grüz*) und des *Rheinthales*
begleiten, nicht verwechselt werden. Auch scheint
es, dafs manche andere kleine lokale Gebilde, wie
jenes von *Oeningen*, von *Nikolschiz* in *Mähren*,
von *Sirmien* u. s. w. nichts gemein haben mit den
Süfswasser-Kalken, von denen die Rede gewesen.
Es sind Gesteine, die in einer älteren Epoche, vielleicht nach dem blauen Muscheln-führenden Thone
in besonderen Becken entstanden sind; denn man
sieht ihre Versteinerungen zum Theil in den, dem
oberen Muscheln-haltigen Thone untergeordneten,
Lagen eingeschlossen; ein Umstand, welcher andeutet, dafs jene organischen Ueberbleibsel bald in ein
Meer, bald in einen kleinen Süfswasser-See dieses
Meeres hin und her geführt werden.

Nach dieser Entwickelung der allgemeinen Natur der Becken im Norden der *Alpen*, darf man
nicht vernachlässigen, die Schlußfolgen daraus zu
ziehen, daß während der ganzen terziären Epoche
die Meeres-Geschöpfe bei weitem häufiger in dem
Oesterreichischen und Ungarischen Becken gewesen,
als in dem Schweizerischen und Baierischen, oder
daß sie im ersten besser gedeihen konnten und
weniger vernichtet wurden, als im lezteren.

Vergleicht man ferner die terziären Ablagerungen beider Alpen-Gehänge, so zeigen sich auffallende Unterschiede, was Beschaffenheit und Ver-
theilungsweise derselben betrifft. Sandige Materien
walteten am ganzen nördlichen Alpen-Fuße vor,
sie steigen in einigen Längen- und Querthälern dieser Kette aufwärts. Auf dem entgegengesezten Abhange sind die terziären Formazionen kalkig, und
dringen in kein Alpen-Thal vor. Fügt man diesem
bei, daß auf der lezten Seite alle großen Thäler
Querthäler sind, und daß sie neuerdings entstandenen Spalten gleichen, so wird man zu glauben geneigt, daß viele Thäler des Nordens der Alpen bei
weitem früher gebildet worden, als die meisten des
gegenüber liegenden Abhanges. Vor Entstehung dieser lezteren mußte die größte Masse ihrer Wasser
aus dem Süden gegen Norden ablaufen; die Spalten,
welche das gegenwärtige Bett derselben ausmachen,
konnten erst gegen das Ende der terziären Epoche
entstanden seyn, und die fließenden Wasser hatten
nur die Zeit, den Grund tiefer, neuerdings in Folge

von Erupzionen und von vulkánischen Hebungen
entstandener, Klüfte zu erfüllen. Die Struktur der
Wände, am Ausgange der meisten grofsen Thäler
des Südens der Alpen, gestattet keine Annahme vormaliger, durch den Wasserlauf zerstörter, Dämme;
bei ihrem Anblicke erlangt man unwillkürlich die
unerwartete Meinung, welche so eben entwickelt
worden.

Nach dem Schlusse der terziären Ablagerungen, begann die Alluvial-Epoche. Die Becken
Europas waren zum grofsen Theile noch erfüllt mit
Wasser, und geschieden in eine beträchtliche Menge
von Süfswasser-Seen, wie jene von Baiern, Oesterreich, Ungarn, Böhmen und der Rhein-Gegenden,
wie das Becken des nördlichen Frankreichs, welches in das Becken von *Paris* und in die Becken
der unteren und oberen *Loire* getheilt war. Die
Becken des südwestlichen Frankreichs, das Haupt-
Becken des Nordens von Europa und die Becken
Englands haben wahrscheinlich diesen allmählichen
Uebergangs-Zustand nicht erfahren, oder wenn derselbe eingetreten, so geschah es doch nur auf kurze
Zeit, während bei den übrigen Becken diese Periode von längerer Dauer war. Das Mittelländische
Becken endlich scheint stets salzig geblieben zu
seyn.

Einige dieser Seen haben beträchtliche Ablage-
rungen hinterlassen (*Rheinthal*, östliche Ebene von
Ungarn, Oesterreich u. s. w.); allein andere, deren
Abflufs schneller erfolgte, sezten nur sehr wenige

thonige und sandige Materien ab, und die Flüsse
konnten in derselben früher ihr gegenwärtiges Bett
einnehmen. Von dieser Epoche bis zum Ablauf der
Seen verstrich eine beträchtliche Zeit, und während
derselben verliefsen die Flüsse mehr und weniger
ihr jeziges Bette. Als Beispiele dienen das *Rheinthal*, das Thal der Donau u. s. w. Die Höhe jener alten Süfswasser-Seen ist erkennbar in den grofsen Massen von Rollsteinen und von Mergel, der
theils Muscheln und Gebeine von Vierfüfsern einschliefst, wie man solches in der östlichen Ungarischen Ebene wahrnimmt, in Oesterreich, im *Rheinthale* längs der *Garonne* und mehreren Flüssen des
nördlichen Deutschlands. Anhäufungen von Sand,
von Rollsteinen und Konglomeraten (*Alpen*) auf
Plateaus und Abhängen von Hügeln und Bergen beweisen, dafs in ganz Europa die Ströme, während
der ersten Hälfte der Alluvial-Epoche ein Niveau
und ein Bett hatten, weit erhabener, als gegenwärtig, oder vielmehr es fanden sich auf ihrem Laufe
Seen von, jezt zerstörten, Dämmen zurückgehalten.

Zu derselben Zeit, als die süfsen Wasser alle
diese Ablagerungen bildeten, griff das Meer die
Kontinente an, und seine Strömungen und Wogen
häuften hin und wieder beträchtliche Alluvionen
an, welche wir gegenwärtig an allen seinen Ufern
in weit höherem Niveau finden, als das des jezzigen
Ozeans. So haben die Küsten von Frankreich, England, Schottland und Norwegen Aushöhlungen aufzuweisen, und Anhäufungen von Rollsteinen, Sand,

von Mergeln und Muscheln'um Vieles höher, als das
Niveau des heutigen Meeres. Die nämliche Erscheinung wiederholt sich an dem entgegen liegenden
Amerikanischen Ufer des Atlantischen Meeres (*Boston*) und längs der Küste des Baltischen und Mittelländischen Meeres.

Im lezteren trifft man auf erhabenen Felsen die
Spuren der Arbeit von Pholaden (*Nizza*, *Cap Cir-
cée*), Sand, Rollsteine, Konglomerate und Haufwerke von Muscheln, deren Analogen noch in diesem Meere lebend vorhanden sind (*Nizza*, *Sicilien*,
Isthmus von *Korinth*), und die Spalten dieser Kalkberge zeigen sich hin und wieder (*Gibraltar*, *Languedoc*, *Korsika*, *Nizza*, *Dalmazien*, *Jonische Inseln*) mit, noch jezt lebenden, Meeres- und See-Muscheln (*Nizza*, *Gibraltar*), mit Knochen-Trümmer-
Gesteinen erfüllt, oder es umhüllen diese Knochen-
Brekzien nur Land- und Süßwasser-Muscheln,
wenn sie mehr entfernt von der Küste sich finden.

Die Ursachen, welche ein Sinken der Meeres-
Wasser, oder eine Emporhebung der Kontinente
nach der Epoche der alten Alluvionen herbeiführten,
lassen sich nur schwierig nachweisen, weil sie, je
nach den örtlichen Verhältnissen, sehr verschieden-
artig seyn können. Im Mittelländischen Meere dürfte der Ausbruch des grofsen inneren Meeres von
Asien die Senkung beschleunigt haben, und die zufällige Bildung, oder weitere Austiefung, der Enge
von *Gibraltar* mag die vorzügliche bedingende
Ursache gewesen seyen. Im Baltischen Meere konn-

ten ähnliche Ursachen gewirkt haben; allein in Absicht des Nordmeeres und des Atlantischen Ozeans muſs man andere eingetretene Ereignisse ahnen.

Waren wir berechtigt, in alten Erupzionen, die Ursachen der Stellen zu suchen, welche die Meere nach und nach einnahmen, so könnten wir auch hier die Feuerberge in Anspruch nehmen, welche während der Alluvial-Epoche thätig gewesen, so wie die Phänomene, die als nothwendige Folgen derselben eintreten muſsten. Endlich gelangen wir zu der Zeit, wo das Europäische Festland begann, seine gegenwärtige Gestaltung und Konstituzion zu erhalten; das Meer und die noch vorhandenen Seen fuhren fort Ablagerungen zu bilden; Flüsse und Ströme sezten Rollsteine und Sand ab; durch Wirkung der Quellen entstanden hin und wieder Kalk-Haufwerke; die Torfe fuhren fort sich weiter auszudehnen; der Einfluſs der Gletscher machte die Hochgebirge niedriger; an mehreren Orten hatten Einstürzungen und Ausbrüche Statt, und die Vulkane brannten fortdauernd in den alten Gebieten des Feuers, oder sie brachen neuerdings in Landstrichen am Meeresufer hervor, oder auf Inseln.

Ferner verdienen hier eine Erwähnung: die Aenderung des Laufes einiger Ströme (*Arno*), das Austrocknen mehrerer Seen, manche Einstürze und Ausbrüche (*débacles*), das Erscheinen, Verschwinden oder Verlöschen einiger vulkanischen Kegel u. s. w.

Während

Während der Bildung der terziären
Gebiete nahm Europa allmählich die Gestalt an, es erhielt die Pflanzen; die Geschöpfe, welche ihm jezt noch eigen sind;
im Anfange der Alluvial-Epoche bestanden noch einige Unterschiede in der geographischen Vertheilung der Thiere; damals bewohnten· die Menschen Europa
noch nicht; allein im neueren Alluvial-.
Zeitraume war Alles, wie heutiges Tages.

Die Temperatur der Luft nahm allmählich ab; die
Zahl der Dikotyledonen vergröfserte sich sehr auf
Europäischem Boden, während jene der Monokotyledonen und der den Gewächsen der Tropen-
Länder Analogen geringer worden. Die Thiere,
nach Geschlechtern und Gattungen den Bewohnern
der Aequatorial-Zone ähnlich, verschwanden nach
und nach, und zulezt ganz gegen das Ende der
terziären Ablagerungen. Einige dieser Thiere fanden Zeit nach Welt-Gegenden auszuwandern, wo
sie eine Wärme trafen, die zu ihrer Existenz
nothwendig war, und so konnten dieselben zum
Theil unter der Aequatorial-Zone sich erhalten;
die übrigen aber, mit keinem Wanderungs-Triebe
ausgerüstet, starben nach und nach in ihren früheren Wohn-Gegenden, und diese machen die, heutiges Tages verschwundenen, Thierstämme aus. Einige Thiere bewohnten vielleicht Europa und die tropischen Regionen zugleich während der terziären

8

Epoche; konnten sie nicht wandern, als die Kälte
fühlbarer wurde, so fristeten sie ihr Daseyn nur
in heifseren Klimaten, und war ihnen auch die Ae-
quatorial-Temperatur nicht hoch genug, so mufsten
sie von der Erd-Oberfläche verschwinden.

Auf solche Weise erklärt es sich sehr einfach,
warum die terziären Gebiete Versteinerungen einschliefsen, den jezt vorhandenen Lebenwesen identisch, oder fast identisch, während die Urbilder
anderer Petrefakten des nämlichen Zeitraumes gänzlich verschwunden sind, oder selbst ihren Aehnli-
chen nach nicht mehr aufgefunden worden. Daher
der Umstand, dafs so viele Muscheln und Gebeine
grofser Vierfüfser durch Flüsse und Strömungen,
während der alten Alluvial-Epoche, verführt, und
ihre Ueberbleibsel in der Mitte der Mergel und des
Sandes von Thälern, oder andern Aushöhlungen vergraben worden. Endlich finden wir darin die Bestätigung der Ansichten mehrerer Naturforscher hinsichtlich der Höhlen, erfüllt mit thierischen Gebeinen, die zum Theil in Europa nicht bekannten, oder
selbst ganz ausgestorbenen Thier-Geschlechtern angehören, und die, in jenen Grotten, durch den
Tod der Thiere, oder durch ihre eigenthümliche
Lebensweise aufgehäuft wurden. Man trifft in den
Höhlen Ueberbleibsel von Thieren, deren Gewohnheit es ist, solche unterirdische Weitungen zu bewohnen, untermengt mit Resten anderer Geschöpfe,
die ihnen zur Nahrung gedient, oder welche durch
Wasser-Strömungen dahin geführt worden, wie

dieses namentlich in Betreff sämmtlicher Knochen-
Brekzien der Fall war. Alle übrigen Gebeine und
Muscheln der Alluvial - Epoche finden sich stets in
Thälern und niederen Gründen. Die Thiere sahen
sich sehr natürlich nach solchen Gegenden hingezo-
gen, weil die Temperatur hier länger einen höheren
Stand behielt, und die Ueberreste derselben wurden
hier ganz zufällig begraben. Ohne Zweifel fanden
manche jener Thiere in den Wassern ihren Untergang, oder es wurden dieselben, auf die eine oder
die andere Weise, getödtet, wie solches auch noch
heutiges Tages Statt hat; allein von einer allgemeinen Fluth, welche die gesammte Thierwelt plözlich
vernichtete, kann keineswegs die Rede seyn. Hätte
ein solches Ereigniß Statt gehabt, so würde man
die Ueberreste dieser Geschöpfe in dem Mergel und
Sande, der sie zu begleiten pflegt, auch auf Bergen
treffen, oder, wo jene Alluvionen selbst sehr zerstört worden, so würden doch, was nicht der Fall,
Spuren davon auf ziemlich erhabenen Plateaus vorkommen. Längs des Gehänges der Berge und an
Gießbächen findet man allerdings Sand, Rollsteine,
Blöcke und Gestein - Trümmer, allein kein Gebirgsforscher wird die Behauptung aufstellen: hier sey
die Lagerstätte fossiler Gebeine, oder von diesen
Alluvionen wären einst diese Berge beinahe überdeckt gewesen. Die fossilen Reste, in Alluvionen
der Art vorkommend, gehören stets Thieren an, die
noch in Europa lebend zu. finden, oder in der
Gegend selbst einheimisch sind. Im Gegentheile

8 *

trifft man alle Alluvionen mit Gebeinen,
oder mit fossilen Ueberbleibseln von,
Europa fremdländischen, Thierarten an
den Ufern, oder in den Becken der niederen Flüsse heutiges Tages, oder in den
Ebenen, welche sie durchziehen, oder
endlich, wiewohl seltener, auf kleinen,
durch Hochgebirge beherrschten, Plateaus.

Die geologischen Erscheinungen beweisen demnach, daſs die ganze Erd-Oberfläche vormals ein
mehr oder minder heiſses Klima gehabt, und daſs
diese Luftwärme mit den Ursachen, welche sie
hervorgebracht, abnahm; indessen reichen jener
Phänomene bei weitem nicht zur direkten Behauptung hin, daſs der ganze Erdkörper sich einst im
glühenden Zustande befunden. Aber die Abnahme
der Temperatur, auf der Aufsenfläche des Planeten,
hatte nicht gleichmäſsig Statt, denn sie wurde, unserer Ansicht zu Folge, durch die Gröſse vulkani-
sirter Massen, durch ihr Verkühlen und durch die
Lage der verschiedenen Erd-Gegenden in Beziehung
zur Sonne, der Entfernung derselben vom Meere
und ihres Niveaus über der allgemeinen Wasserfläche bedingt. Hieraus würde folgen, daſs es stets
wärmere und kältere Theile der Erde gegeben habe,
und daſs die Zonen der Temperatur, oder die Isothermen in Breite, Länge und Höhe nur allmählich,
und je nach dem Verhältnisse örtlicher Klimate verschiedener Länder eingetreten sind. Nach und nach

erlangten die verschiedenen Erd-Theile ihren gegenwärtigen Temperatur-Stand; diejenigen, welche
eine günstigere Lage hatten, um durch die Sonnenstrahlen wieder erwärmt zu werden, blieben am
heifsesten, während die andern ihr warmes Klima
mit einem desto kälteren vertauschten, je nachdem
sie, längere oder kürzere Zeit, die ganze wärmende
Kraft der Sonnenstrahlen erfuhren.

Die Erzeugnisse des Pflanzenreiches mufsten bei
diesem Uebergange der Wärme zur Kälte, bedingt
durch die angedeuteten Verhältnisse, sehr mannichfache Aenderungen erleiden. Die Gewächse erfuhren nicht blos Aenderungen, sie nahmen auch nach
und nach eine feste geographische Stellung ein, so
wie sie in Gegenden die ihnen zuträgliche Temperatur fanden. Der Einflufs der nämlichen Ursachen
mufste sich, ungefähr auf dieselbe Art, auch in der
Thierwelt äufsern; die Thiere, denen ein warmes
Klima zusagte, vertauschten zuerst die erhabenen
Erd-Gegenden mit den niederen, und sodann die
kalt gewordenen, oder die gemäfsigten Himmelsstriche mit der heifsen Zone. Diejenigen Thiere, welche nicht auswandern konnten, mufsten allmählich
in den Erd-Gegenden untergehen, welche zu kalt
für sie geworden waren, und den gemäfsigten und
kalten Himmelsstrichen blieben nur die Geschöpfe,
denen solche klimatische Verhältnisse zusagten, oder
die sich nach und nach daran zu gewöhnen vermochten.

Diese einfache, aus geologischen Phänomenen entnommene, Erklärung, gibt Rechenschaft von allen den vermeintlichen geologischen Anomalien, um deren man so viele willkürliche Hypothesen ersonnen, Hypothesen, welche im Widerspruche waren mit der bewundernswerthen und beständigen Ordnung, die im Universum herrschte.

Das erste, auf solche Weise gelöste, geologische Problem ist Ursprung, Beschaffenheit und Lagerungs-Verhältnifs der Steinkohlen und Braunkohlen-Gebiete. Man staunt nicht mehr, so grofse Analogieen zwischen den pflanzlichen Ueberresten der Steinkohlen-Gebilde aller Länder zu finden und zu sehen, wie gemäfsigte und kalte Zonen analoge Produkzion mit den Tropen-Gegenden haben. Eben so naturgemäfs erscheint in den Braunkohlen-Ablagerungen der verschiedenen Gebiete eine Art Abstufung in dem Gemenge der verschiedenen Klassen von tropischen Gewächsen mit Europäischen Pflanzen; denn die Berge und Thäler Europas hatten damals schon eine sehr mannichfache Vegetazion. Die Gegend zwischen den Tropen endlich besizt vielleicht nicht die Wärme und die übrigen nothwendigen Bedingnisse zum Gedeihen von Pflanzen identisch mit jenen der Steinkohlen; darum darf es nicht befremden, findet man in jener Zone keine den lezten ähnliche Gewächse.

Das zweite geologische Problem, dem Scheine nach nicht weniger seltsam und befremdend, wird eine ganz einfache Folge der verschiedenen Temperatur-Zustände, welche die Oberfläche in den verschiedenen Welt-Gegenden erfahren hat. Wir reden nämlich von der Natur der fossilen meerischen Erzeugnisse in den vier grofsen Abtheilungen, Uebergangs-, Flöz- und terziäres Gebiet und Alluvium, begraben.

Je weiter man in das Erd-Innere eindringt, je mehr Einfachheit zeigt sich in pflanzlichen und thierischen Produkzionen, um desto gröfser mufste auch die Einförmigkeit derselben auf der ganzen Erd-Oberfläche seyn. Diese Thatsache wäre nur Folge gröfserer Temperatur-Gleichheit, welche auf der ganzen Erde geherrscht, denn die angedeuteten Ursachen bedingten gröfsere oder geringere Wärme in den gegenwärtig kalten oder gemäfsigten Zonen, und verliehen vielleicht der heifsen Zone eine weit höhere Temperatur, als jezt, während es möglich, dafs gewisse Stellen derselben nur den Wärmegrad anderer Zonen hatten.

War in Europa und auf der ganzen übrigen Erde die Temperatur der Oberfläche, als die ersten Fels-Gebiete entstanden, höher, als gegenwärtig, und nahm dieselbe allmählich ab, so ist naturgemäfs, dafs die Europäischen Meere zuerst, wie überall, Geschöpfe nährten, welche die Analogie jener der heutigen Meere zwischen den Tropen am nächsten stellt. Später, so wie die verschiedenen Zonen sich bildeten, mufsten jene Thiere unendlich mannichfacher werden, und sie näherten sich stets mehr und mehr denen, welche heutiges Tages die Meere der Länder bewohnen, wo man ihre versteinten Ueberbleibsel begraben findet.

Während der allmählichen Wärme-Abnahme, als die, für das Leben gewisser See-Geschöpfe nothwendige, Temperatur aufgehört, mufsten diese Thiere, wenn ihnen, wie den *Cetaceen*, den Fischen, den Radiarien u. s. w. das Vermögen zustand, sich zu bewegen, Klimate zu gewinnen suchen, welche ihnen mehr zusagten, und sie erhielten sich nur um den Aequator, in so fern dieselben hier hinreichende Wärme fanden. Die übrigen Thiere, nicht mit der Macht sich zu bewegen ausgerüstet, hatten dasselbe Schicksal, wie die Pflanzen; die einen, plözlich in einen zu kalten Himmelsstrich versezt, werden nur in der heifsen Zone ihr Daseyn gefristet haben, wenn sie sich hier befanden, andere, denen noch gröfsere Wärme nöthig war, büfsten ohne Ausnahme ihr Daseyn ein.

Daraus folgt, dafs, je näher man von den Polen dem Aequator kommt, um desto mehr müssen die fossilen Reste den Geschöpfen gleich, oder ähnlich nach Geschlechtern und Gattungen seyn, die noch gegenwärtig unter den Tropen lebend sich finden. Je neuerer die marinischen Flöz-Ablagerungen und die marinischen,

oder Süfswasser-Ablagerungen der terziären Zeit sind, desto mehr Analogieen
müssen ihre versteinten Ueberbleibsel
mit den Bewohnern der Meere, oder der
süfsen Wasser Europas haben, bis zulezt
einige sehr neue Ablagerungen nur, oder
fast nur Gattungen wahrnehmen lassen,
mit den jezt lebenden durchaus identisch.

Eine nothwendige Folge dieses Sazzes ist, dafs,
je neuer die in verschiedenen Kontinenten, oder in einem Kontinente beobachteten Gebiete sind, um desto mehr müssen
ihre fossilen Körper von einem Kontinente zum andern, oder richtiger von einer Zone zur andern und zugleich von
einem Becken zum andern abweichen; allein die Versteinerungen zweier Gegenden, welche die nämliche Temperatur
haben, müssen stets ungefähr die nämlichen Beziehungen zeigen, was die Zahl
gleicher oder ähnlicher Thiere betrifft,
die noch jezt in diesen verschiedenen
Ländern leben.

So wird der Grobkalk von Neu-Holland nicht
die nämlichen Versteinerungen aufzuweisen haben,
wie das gleichnamige Europäische Gestein; aber die
Petrefakten der ersten Felsart werden die nämlichen
Analogieen, dieselben Beziehungen zu den, gegenwärtig in dem Meere Australiens lebenden, Ge-

schöpfen zeigen, wie dieses der Fall ist hinsichtlich
der Petrefakten des Europäischen Grobkalkes und
der Thiere Europäischer Meere. Ferner werden die
Versteinerungen der Mittelländischen terziären Kalke
nicht vollkommen übereinstimmen mit denen des
Kalkes im grofsen terziären Becken von Nord-Eu-
ropa, oder mit jenen der Französischen Becken;
allein sie werden mehr Analogieen haben mit den
Petrefakten des zentralen terziären Beckens von Europa, als mit dem der lezteren, und die Versteinungen des südwestlichen Französischen Beckens,
werden sich mehr jenem des Mittelländischen nähern, als denen in der Nähe von *Paris* oder von
London.

Eine andere Folge der dargelegten Ansichten ist,
dafs, je neuer die beobachteten Gebiete
sind, und je näher dem Erdgleicher, man
um desto eher erwarten dürfe, die lebmn-
den analogen oder identischen Geschlechter ihrer Versteinungen zu finden, oder
dafs wenigstens die Zahl der analogen lebenden Geschlechter um desto beträchtlicher seyn werde.

Endlich ergibt sich, dafs, je älter die Gebiete sind, in denen meerische oder Süfs-
wasser-Fossilien vorkommen, wir um so
weniger hoffen dürfen, ihre identischen,
oder auch nur analogen Gattungen, oder
selbst Geschlechter in Meeren und süfsen
Wassern der heifsen Zonen wieder zu

finden; denn sie besizzen, ungeachtet der Wärme des Himmelsstriches, welchem dieselben angehören, vielleicht dennoch nicht alle Bedingnisse, die zum Leben solcher Geschöpfe nöthig sind.

Auf diese Weise gelangen wir zu Schlußfolgen, die in genauer Uebereinstimmung mit unsern gegenwärtigen geognostischen Kenntnissen sich finden, und besonders mit den Einzelnheiten der geognostischen Geographie.

Die geographische und geognostische Vertheilung der fossilen Ueberbleibsel von Vierfüßern und von Landthieren erklärt sich ebenfalls zureichend.

Zu Anfang der terziären Ablagerungen war die Temperatur, in gewissen niederen Gegenden von Europa, noch ziemlich hoch, so, daß Vierfüßer und Thiere analog denen, der gegenwärtigen heißen Zone, daselbst leben konnten; darum trifft man Reste solcher Wesen in terziären Becken, Elephanten‑Knochen, Gebeine vom Rhinozeros, Pferden u. s. w. in den Alluvial‑Mergeln, und Haufwerke von Hyänen‑ und Bären‑Knochen u. s. w. in Spalten und Höhlen der Kalk‑Felsen. In der allmählichen Aenderung des Klimas sehen wir die Ursachen, warum die meisten dieser Thiere untergingen, oder in die heißen Zonen verbannt wurden, während jene, die vormals die erhabenen Gegenden Europas bewohnten, allein daselbst geblieben sind.

Gab es Geschöpfe, welche, wegen der zu großen Wärme der heißen Zone, nur in gemäßigten

Himmelsstrichen wohnten, fanden sich andere zugleich auf den Plateaus der heifsen Zone, und in
den Ebenen gemälsigter, und kalter Himmelsstriche
(Mastodonten u. s. w.), und konnten sie nicht zu
gehöriger Zeit ein, ihnen zuträgliches, Klima aufsuchen, gab es endlich Thiere, deren Daseyn vielleicht im Gegentheile eine noch heifsere Temperatur
als jene der warmen Zone verlangten, so ist es klar,
dafs alle diese Geschöpfe untergehen, von der Erde
verschwinden. mufsten, oder dafs sie nach und nach
unter mehr oder minder mächtigen Alluvionen, begraben wurden.

Ein besonderer Umstand, der vorzüglich unter
der heifsen Zone wirksam seyn konnte, war das
Emporheben von Plateaus; hier dürfte die Temperatur so schnelle Aenderungen erlitten haben, dafs
viele Thiere zu Grunde gehen mufsten.

Endlich erklärt sich die geographische Vertheilung der Pflanzen und aller
Lebenwesen des Planeten eben so einfach und deutlich.

Man sieht, warum die Pflanzen in einer Zone
abweichen von denen einer andern, weshalb sie die
gewisse Unterschiede wahrnehmen lassen, je nach
den Länge - und Breitegraden ihrer Stand - Gegenden, sondern auch nach den Höhen, auf welche
dieselben über dem Niveau des Ozeans vorkommen
oder nach den isometrischen sie einschliefsenden
Zonen. Auf diese Weise verschwinden alle Schwierigkeiten, welche der Hypothese einer Wanderung
der Pflanzen widerstritten; Schwierigkeiten, welche
sonst um desto mehr zunehmen, je höher die Stand-
örte der Vegetabilien, deren Vertheiltseyn man erklären will, über der Meeresfläche in einer Zone
sind. So bietet sich Aufklärung über die Einerleiheit der Gewächse, die erhabenen Gegenden einen
jeden Erdtheiles einnehmend, welcher vordem eine
Insel ausmachte, oder mehrere nachbarliche Eilande
Endlich staunt man nicht mehr über die fernländ-

sche Zerstreuung einiger Pflanzen-Geschlechter oder Gattungen, wie z. B. das vereinzelte Vorkommen gewisser identischer Geschlechter oder Gattungen in zwei verschiedenen Zonen, welche ungefähr die nämliche Temperatur haben u. s. w.

Das, hinsichtlich der Pflanzen, Gesagte ist, mit wenigen Modifikazionen, bedingt durch die eigenthümliche Organisazion, auch auf die Vertheilung der Lebenwesen im Allgemeinen nach Breiten, Längen und isometrischen Zonen, oder Höhen über dem Meeres-Niveau anwendbar. Da das Klima durch Einwirken dieser dreien, mit einander verbundenen, Ursachen verschieden geworden, so mußte es seinen Einfluß eben so gut auf die Thiere, als auf die Pflanzen ausüben, und jedes Klima mußte nach und nach seine eignen Landthiere und Meeres-Geschöpfe erhalten. Mit einem Worte, jedem Klima wurden zuletzt seine Meeres-Bewohner, seine Fauna, seine Flora; die Erd-Oberfläche stellte mehrere Schöpfungs-Kreise dar, aber nur spärlich den Geschlechtern, oder den Gattungen nach seltsam vereinzelte Lebenwesen. Diese Schlußfolgen sind in völliger Uebereinstimmung mit den Beobachtungen der Botaniker und Zoologen.

Dieses sind die allgemeinen Ansichten, welche aus meinem Streben, das Unbekannte aus dem Bekannten zu erklären, sich ergeben, aus dem Wunsche, mich nie in Deutungen zu verirren, wovon die gegenwärtigen geologischen und physischen Phänomene auch nicht eine Spur darbieten. Ich darf nicht unterlassen zu bemerken, daß einige meiner, vorzugsweise wichtigen, Ansichten schon den Reiz der Neuheit verloren. Ich erfaßte solche, wie das Zeugniß der Herren v. HUMBOLDT, NOEGGERATH und WALDAUF von WALDENSTEIN darthun kann, bereits im Jahre 1822; allein ich bin fern von der Anmaßung, mir eine derselben ausschließlich aneignen zu wollen. Mit jedem Tage schreitet das Wissen vorwärts; jeden Tag müht sich die Denkkraft neue Schlufsfolgen aus aufgefundenen Thatsachen zu entwickeln. So können, bei mehreren Forschern, dieselben Meinungen, zum grofsen Gewinn der Wissenschaft, rege werden; die Darlegungen erfolgen in diesem Falle aus desto mannichfachern und zahlreichern Gesichtspunkten.

Die Emporhebung der Berge wurde schon von mehreren Geologen vermuthet, wie von PALLAS *, DE LUC, HUTTON, KESSLER VON SPRENGSEYSEN **, JUSTI, VOIGT *** und von FICHTEL ****. Hatte HUTTON die Gänge, als durch feuerige Materien erfüllt, nachgewiesen, so legte FICHTEL bereits 1794 eine, der meinen ähnliche, Theorie über ihre Ausfüllung auf mehrfachem Wege (*origine mixte*) dar *****. BREISLAK theilte im Jahre 1818, in seinen geologischen Instituzionen, theoretische Andeutungen über verschiedene Gegenstände mit, namentlich über die Entstehung des Gypses, des Steinsalzes u. s. w. HEIM schrieb 1812 sehr ausführlich über die Emporhebung der Gebirgsketten durch Vermittelung der Basalte und Porphyre, über Sublimazionen von Mineralkörpern und von Metallen in Gesteinen, und über die, durch feuerige Erupzionen, in verschiedene Felsarten bewirkten Aenderungen ******. Im Jahr 1820 erschien mein Versuch über Schottland, in welchem man bereits mehrere allgemeine Betrachtungen der vorliegenden Abhandlung findet. Im Jahr 1821 sprach sich Herr v. HUMBOLDT im Allgemeinen über die Aenderungen

---

* Sammlungen zur Physik und Naturgeschichte; V, 131.
** Untersuchungen über die Entstehung der jezzigen Oberfläche der Erde.
*** Prakt. Gebirgskunde
**** Bemerk. über die Karpathen; S. 418 — 434.
***** Mineralogische Aufsäzze; S. 364.
****** Geologische Beschreibung des Thüringer Waldgebirges (Allgemeines Resultat).

der Temperatur des Erdkörpers ungefähr auf gleiche
Weise aus *, welche Ansichten er später (1824)
in seiner Rede über die Vulkane von Neuem dar-
legte. Herr v. Férussac schrieb 1821 über die allmähliche Abnahme der Meereshöhe, und insonderheit über den terziären. Boden **; wir haben dessen Meinungen theilweise angenommen. Im Jahre
1823 lieferte Herr v. Buch seine Beobachtungen über
die Dolomite und Porphyre von Tyrol, so wie
über die Emporhebung dieses Theiles der Alpen,
und 1824 entwickelte er seine Meinung genauer,
wodurch die Ansichten Heim's mehr Ausdehnung
und Genauigkeit erhielten ***. Gegen das Ende des
nämlichen Jahres machte Herr Fourier seine Be-
rechnungen über die ursprüngliche und gegenwärtige Temperatur der Erde bekannt ****. Im Jahre
1825 ging Herr v. Férussac in mehrere Entwickelungen ein, die geographische Vertheilung der Mollusken betreffend, welche unsern aufgestellten
Schlußfolgen ziemlich entsprechen *****. Im nämlichen Jahre machte Herr Mac Culloch ******
die Ansichten über die Bildung der primitiven Gesteine, welche ich schon 1824 mitgetheilt *******,
von neuem bekannt, und Herr Crichton zeig-

---

* *Distribution numérique et géographique des végé-*
taux sur le globe. (*Diction. des Sc. nat. de Le-*
vrault.)

** *Mém. sur les terrains tertiaires* im *Journ. de Phy-*
sique.

*** Taschenb. für Mineralogie; Jahrg. 1824.

**** *Ann. de chim. et de Phys.; XXVII,* 136.

***** *Geographie des Mollusques.* (*Dict. classique*
l'hist. nat. par Baudoin.)

****** *Journ. of Sc. of the Royal Instit.; Jan.* 1825.

******* *Ann. des Sc. nat.; Août,* 1824.

te *, daſs er gewisse Meinungen über die ursprüngliche Temperatur der Weltfeste theile. Endlich haben die Herren Hoffmann, v. Oeynhausen, v.
Charpentier und Noeggerath ** manche ausführliche Entwickelungen in Betreff des Gypses und des
Steinsalzes geliefert, und die Herren Merian, Keferstein und Poulett Scrope *** verallgemeinten
die Erhebungs-Theorie.

Ermuthiget durch alle diese Arbeiten, lege ich
meine Ansichten dem Publikum vor, und sehe mit
Vergnügen so viele ausgezeichnete Gebirgsforscher
das Bekenntniſs ablegen, daſs die Geologie in der
Erdrinde eine nicht unterbrochene Reihe vulkanischer und neptunischer Phänomene erkennt. Noch
gelingt es der Wissenschaft nicht, diese Erscheinungen alle vollkommen und deutlich zu erklären;
sie erwartet neue Aufschlüsse durch das Fortschreiten der Chemie, Physik und Astronomie, und dann
wird es den Philosophen gestattet seyn, geognostische Ansichten in ihrer ganzen Reinheit aufzufassen.

---

* *Ann. of Phil.; 1825.*

** v. Oeynhausen, Rheinlande u. s. w., und Poggendorff's Ann. der Phys.

*** *Considerations on Volcanos; 1826.*

Synoptische Darstellung

der

ie Erdrinde ausmachenden For-mazionen,

wie der wichtigsten, ihnen unter-geordneten, Massen.

Von

Herrn Dr. A. Boué.

Erste

Krystallinische Schiefer-, oder

Geschichtete oder neptunische Gebilde.

I. Gneifs - Formazion, z. B. *Erzgebirge, Böhmer-Wald-Gebirge, Schwarzwald, Steierische Alpen, Limousin, Schottland, Schweden, Kanada, Grönland, Brasilien, Kolumbien* u. s. w.

Maximum der Höhe in Europa wenigstens 8585 F.

Eine grofse Menge verschiedener umschlossener krystallisirter Mineralien, als: Granat, Disthen, Beryll, Chiastolith, Korund, Kryolith, Lazulith im Kalke u. s. w., oder als Stökke, wie Granatfels, Magneteisenfels (*Schweden, Lappland*), Kobalt-Glanz (*Tunaberg in Schwe-*

Untergeordnete Lager und Stöcke.

Hornblendeführende Felsarten:
- Hornblendeführender Gneifs
- Hornblende-Gestein
- Hornblende-Schiefer

Schottland, Skandinavien, Böhmen.

Kalkstein:
- körnig (*Schweden, Finland, Schottland*)
- dicht (*Insel Tyrie* u. s. w.)

Schöne Marmor-Arten und Bildhauer-Marmor.

Dolomit körnig (*Iona in Schottland*)

Quarzfels körnig

II. Glimmerschiefer-Formazion.

Der wahre Glimmerschiefer scheint keine so bedeutende Strecken Landes, als der Gneifs, einzunehmen; eine Feldspathführende Abart ist jedoch äufserst häufig und wird zum Gneifse gerechnet (*Schottland*)

Maximum der Höhe in Europa über 6 bis 7000 F.

Klasse.

sogenannte Urschiefer - Gebirge.

Massive oder plutonische Gebilde.

Granite als Kegel oder stehende Stöcke (*Baierischer* Kaolin-Granit mit Skapolith und Halb-Opal, *Sächsischer* Topasfels, Pinit-führender Granit, Lepidolith-Granit bei *Roszena* in *Mähren*); — lagerartige Stöcke oder Gänge (*Schottland*, *Böhmer Wald*); — Gänge (*Finland*, mit Beryll, Turmalin u. s. w., *Baiern*) — und Trümmer (*Schottland*, *Pyrenäen*). — Maximum der Höhe in Europa über 4000 F.

Syenite als Kegel (*Böhmen*) — stehende oder lagerartige Stöcke, oder lagerartige Gänge (*Schottland*), Gänge und Trümmer (*Schottland*).

Diabase vorzüglich in lagerartigen Stöcken oder Gängen und in wahren Gängen (*Schottland*, *Norwegen*).

Alle diese Felsarten wurden später, als die umgebenden Schiefer, gebildet, doch läſst sich ihr Entstehungs-Alter nicht genau ausmitteln, obgleich manche vielleicht nur während, oder selbst nach der Grauwaken-Formazion emporgehoben wurden, z. B. gewisse Granit-Gänge, Granit- und Syenit-Stöcke u. s. w.

Groſse Gebilde, oder Stöcke des Weiſssteines; Uebergang des Gneiſs Gefüges in jenes des Granites

Serpentine als stehende, hin und wieder zylindrische Stöcke und lagerartige Stöcke oder Gänge (*Mähren*, westliches *Böhmer-Wald-Gebirge*).

Untergeordnete Lager oder Stöcke:	Hornblende-führende Gesteine Körniger Kalk (*Alpen*) Körniger Gyps (Gipfel des Mont-Cenis) Körniger Quarzfels	den), Kokkolithfels (*Schweden*), Graphitführender Gneifs (*Hafnerzell* in Baiern)

Diese Formazionen sind mit der folgenden, durch häufige, und wohl bekannte Uebergänge, innigst verbunden (*Alpen*, *Pyrenäen*, *Schottland*, *Deutschland*).

m-
plu-
cher
ing-

: Ihre Emporhebung ist gleichzeitig mit der Grauwacken-, oder selbst, hin und wieder, mit der Steinkohlen-Bildung.

Undeutlich schieferige und besondere Kalk-Gesteine trennen sie gewöhnlich von den krystallinischen Schiefern, und in Berührung mit Kalk durchziehen sie lezteres Gestein, oder bilden eine Brekzie (*Schottland*). Varietäten des. *Verde Antico.*

Porphyre als Gänge; oft von nicht älterer Entstehung, als die Grauwacke; und lagerartige Gänge aus der Uebergangs- oder Flöz-Zeit (*Erzgebirge*, westliches *Böhmer-Wald-Gebirge*, *Schottland*).

Basalte als Gänge des ersten terziären Zeitraumes (*Schottland* u. s. w.)

Verwickelte und sich durchkreuzende (*Reseaux*) Erz-Gänge, oder Stockwerke in den geschichteten und massiven Gebilden; Gänge in lezteren fast gleichzeitig mit der Felsart gebildet, in den andern Gebilden Gänge oft nur von dem Alter der Grauwacke (*Erzgebirge*).

Yttrio-Tantalit, Gadolinit u. s. w.

Kohlensaurer Stronzian findet sich fast nur in Erz-Gängen des Gneißes (*Schottland*). Es gibt hier auch schon Zeolithe.

Zweite

Uebergangs-

Geschichtete oder neptunische Gebilde.

I. **Talk, Quarz und Thonschiefer-Formazion.** Z. B. *Alpen*, Maximum der Höhe 8 bis 10000 F., *Pyrenäen*, *Ardennen*, Max. der Höhe im östlichen Theile 3000 F., *Taunus*, Max. der Höhe 2600 F., *Bretagne*, *Böhmen*, *Schottland*, Max. der Höhe 5700 Fuſs u. s. w.

Haupt-Felsarten und Abarten

Glimerschiefer
Talkschiefer
quarziger Talk-schiefer
Chloritschiefer
quarziger Chlo-ritschiefer
Thonschiefer
quarziger Thon-schiefer
körniger Quarz-fels
dichter Quarz-fels
gemeiner Gneiſs
talkiger Gneis

hin und wieder sandsteinarti-ge Ge-steine

einige ein-geschlossene Mineralien, Magneteisen.

Chiastolith, Dipyr, Eisen-kies u. s. w.

Maximum der Höhe in Europa 14656 F.

Klasse.

Gebirge.

Massive oder plutonische Gebilde.

Versteinerungen höchst selten Zoophyten, Orthoceratiten, Nautiliten, Muscheln, Trilobiten (*Bretagne, La Manche* u. s. w.), Reste von Monokotyledonen (*Alpen*).

Granite, porphyrartige, und hin und wieder zellige Granite, Schrift-Granit, Pinit-führender Granit. — als Kegel, lagerartige Gänge, Gänge und Trümmer (*Erzgebirge*). — selten mit terziären Basalt-Gängen (Insel *Arran*).

Veränderte, eingeschlossene und verschobene Schiefer hin und wieder in der Nähe.

Syenite, als Stöcke, lagerartige Gänge, Gänge und Trümmer.

Diabase (Ophite der *Pyrenäen*) höchst selten schlackig und mit einer Brekzie verbunden (*Rimont* in den *Pyrenäen*). — vorzüglich in lagerartigen Stöcken, oder Gängen und in wahren Gängen.

Lagerartige Stöcke von Hornblende-führendem Schiefer, Strahlsteinschiefer, (*Skye*), Eisenglim-

Kugelfels in Stöcken (Insel *Korsika*).

Selagite, oder Hypersthen-Syenit in Kegeln oder Stöcken (*Schottland, England*) und auf Gängen (Insel *Skye*).

Euphotide, als Kegel oder Stöcke (*Ligurien*).

Wezschiefer

Kieselschiefer

Alaunschiefer

Zeichenschiefer

Kohlenblende-führende Schiefer (*Alpen*)

kalkiger Thonschiefer (*Alpen*)

Erste Kohlen-Spur.

Untergeordnete Lager oder Stöcke:

körniger Kalk (*Pyrenäen, Apenninen, Alpen*)

halbkörniger Kalk

dichter Kalk mit Kalkspath-Trümmern

Kalk-Brekzie (*Alpen, Ligurien*)

Schöne Marmor-Arten, auch Bildhauer Marmor.

krystallisirte Mineralien, wie Hornblende, Augit, Granat, Tafelspath (*Bannati*) u. s. w.

wenige krystallisirte Mineralien, wie Feldspath (*Col du Bonhomme*).

körniger Dolomit

dichter Dolomit

einige krystallisirte Mineralien, wie Vesuvian, Tremolit

körniger Gyps

dichter Gyps

Savoische Alpen, Ligurien bei *Isoverde* unfern *Genua*.

Diese Formazion geht in die folgende über, und erscheint oft nur undeutlich davon getrennt.

merschie-
fer (*Brasi-
lien, Baiern*),
granitar-
tiges Ge-
stein mit
Eisen-
glimmer
(*Schottland,
Vicentini-
sches Gebiet*),
Glimmer-
schiefer
mit Ser-
pentin ge-
mengt (*Al-
pen*), grä-
nitischer,
talkiger
Gneiss,
Topfstein
u. s. w.

Serpen-
tine { als Kegel oder Stök-ke und lagerar-tige Gän-ge (*Ligu-rien*). } { Viele einge-schlossene Mineralien wie Hornblende, Augit, Chromei-sen, Chrysopras, Pimelit u. s. w. — Gediegen-Kupfer, Plati-na? (*Ural*). }

Maximum der Höhe in Europa 14430 F.

Augit-fels { als Kegel oder ste-hende Stücke und Gänge (*Pyrenäen, Piemont*). } Eine, aus Augitfels und körnigem Kalke bestehende, Brekzie begleitet dieses Ge-stein am *Port de L'herz.*

Porphyre (auf lagerartigen und an-
Syn. *Elvan* in dern Gängen vom Alter
Cornwall der neueren Grauwacke
Trapp-Ge- (*Vendée, Erzgebirge,
steine Cornwall*).

Hin und wieder sind die Schiefer in der Nähe lezterer Gesteine verändert worden (*Trebischthal*); dichter Kalk ist körnig geworden (neben dem Granite der *Pyrenäen* und dem Syenite des *Banna-tes*); — Mineralien entstanden im Kalke (*Pyrenäen, Bannat, Odenwald*), und Erz-Puzzen bildeten sich in lezterer Felsart (*Eisen-Puzzen* bei *Vicdessos*, und *Ku-pfer-Puzzen* im *Bannat*).

Geognosti-
sches Vor-
kommen des
Diamants.

Verwickelte und sich durchkreuzende (*Re-seaux*) Erz-Gänge oder Stockwerke in den geschichteten und massiven Ge-

II. Aeltere Grauwacken-Formazion, z. B. *Süd-Schottland*, Maximum der Höhe 3300 F., *Wales*, Max. der Höhe 3571 F., *Cumberland*, Max. der Höhe 3022 F., *Bretagne*, *Harz*, Max. der Höhe ungefähr 2000 Fuſs, *Vogesen*, Max. der Höhe 2049 Fuſs, *Frankenwald*, Gesenke in *Mähren*, *Pyrenäen*, Max. der Höhe beinahe 7000 F. u. s. w.

Haupt Felsarten	Grauwacke Grauwackenschiefer	Thonschiefer, Kieselschiefer, Feldspath- und Glimmer-Trümmer in Thonschiefer.
Untergeordnete Lager oder Stöcke:	Konglomerate	weiſses (*Pyrenäen*, *Manche*-Department) graues (*Merslavodizza* bei *Malavodi*, *Kapellen-Gebirge*) rothes (*Calvados*- und *Manche*-Department *Cumberland*).

bilden, in dem lezteren eine fast gleichzeitige Bildung mit der des Gesteines,
und in ersteren von dem Alter der Grauwacken, oder der Flöz - Porphyre. —
Gold, Gediegen - Kupfer, Roth-
Kupfererz, Würfelerz, chrom-
saures Blei. — Oberste Grenze der
Uran - Erze und der Tantalite. —
Geognostisches Vorkommen von Lie-
vrit, Axinit und Anatase auf
Gängen im Schiefer - Gebirge.

Granite:

porphyrar-
tiger Gr.
$\begin{cases}$ als Kegel, lagerartige Gänge und Trüm-
mer (*Schottland, Nor-
wegen* und daselbst im
Muschel - Kalksteine). $\end{cases}$

erzführender Gr. (*Zinnwald*) als
Kegel oder stehende Stöcke
(Flöz - Granit).

Oberste Grenze des Topases,

Die Por-
phyre
fangen an
emporge-
hoben zu
werden.

Syenite:

porphyrar-
tiger S.
Zirkon-S.
erzführen-
der S.
Diabase
$\begin{cases}$ als Kegel oder stehende Stöcke (*Schott-
land, Norwegen, Un-
garn*), lagerartige
Gänge (*Cotentin*),
Gänge und Trüm-
mer (*Schottland, Nor-
wegen*). $\end{cases}$

Vorkommen des Platins (*Ural, Kolumbien*).

Selagite oder Hypersthen - Syenite als stehende Stöcke (*Harz*).

Unterge-
ordnete
Lager
oder
Stöcke:

Thonschie-fer
- mit Orthozeratiten (*Harz, Skandinavien*)
- mit Trilobiten (*Angers, La Manche*)
- mit Fischen u. s. w. (*Glaris, Schweiz*)

Kieselschiefer } (*Schottland, Moffart,*
Alaunschiefer } *Leadhills, Harz*).

Kohlenblendeschie-fer (*Vogesen, Alpen, Bretagne*). — Pseudovulkanisch-Gesteine (*Poligny, Bretagne*).

körniger Kalk (*Frammont* in den *Vogesen, Schirmek*).

halbkörniger Kalk (*Süd-Schottland, Cumberland*)...

dichter Kalk { mit Kalkspath-Trümmern | *Harz, Marmarosh, Siebenbürgen* | gute Marmor-Arten } Spatheisen und Eisen-Hydrat, Stöcke mit Arragon (*Steyermark, Val Trompia, Italien*).

dichter Kalk mit Trilobiten (*Dudley, Eifel, Hof* bei *Baireuth, Prag, Liefland, Skandinavien, Nord-Amerika*).

dichter körniger } Dolomit (*Gerolstein*) u. s. w

III. Jüngere Grauwacke, oder rothe Uebergangs-Sandstein-Formazion.

Syn. *Old red Sandstone, Grès pourpré intermediaire*, rother Sandstein und Konglo-

Euphotide:

porphyrar-
tige E.
Variolite
Serpentine

als Kegel oder ste-
hende Stöcke (*Ba-
steberg* am *Harz*, *Alpen*
der *Dauphinée*), zy-
lindrische Stöcke
(im Kalke bei *Willendorf*
in *Oesterreich*), lager-
artige Gänge (Horn-
blende-Serpentin mit As-
best in den *Pyrenäen*,
Variolit, Diallag-
Porphyr u. s. w. in
Ligurien, mit Eisenkies
Monte Ramazzo), und
Gänge.

Uebergangs-Kalk mit Serpentin gemengt,
oder eine Brekzie zwischen Kalk und
Serpentin (*Willendorf* bei *Wien*).

In der Nähe
des Grani-
tes und
Syenites
wurden ge-
bildet dich-
ter
Gneiſs,
Hornfels
(*Harz*, S W.
von *Schott-
land*, Bre-
tagne) und
Schörl-
schiefer
(*Harz*, Corn-
wall*) u. s. w.

Kugel-Por-
phyre
Mandelför-
mige Por-
phyre
Thon-Por-
phyre
mandel-
steinarti-
ge Th. P.

als Kegel stehende
oder lagerartige
Stöcke und Gänge
(*England*, *Siebenbürgen*).

Neben den Porphy-
ren veränderte, ge-
hobene und von
Porphyr um-
schlossene Grau-
wacke (*Vörospa-
tak*, *Lapos Banya*
in *Siebenbürgen*),
mit Gold-haltigem
Eisenkies ange-
füllte, und Mine-
ral-Holz enthal-
tende Granwacke
(*Vörospatak*),
dichter Kalk, kör-
nig geworden und
mit Eisenoxyd an-
gefüllt (*Fram-
mont*).

merate *Schottlands* (Boué); rother Sandstein der *Pyrenäen* (CHARPENTIER) und gewisse Grauwacken.

Ueberall, wo grofse Porphyr-Gebilde in diesem Zeitraume emporgehoben wurden, wie in *Schottland*,
Norwegen u. s. w., hat dieser Sandstein eine grofse Ausbreitung und Mächtigkeit, dagegen nimmt er
keinen bedeutenden Plaz da ein, wo keine Porphyre
herauskamen, oder nur wenige Trümmer verur-
sachten (*Pyrenäen*).

Grofs - Britannien Norwegen.	*Nordwestliches Frankreich.*	*Pyrenäen.*
Maximum der Höhe 2 bis 300 F. Mächtigkeit mehr als 2000 F. Konglomerate, oder quarzige Trümmer-Gesteine aus älteren Gebirgsarten bestehend, rothe Färbung herrschend (*Schottland*).	Konglomerate, quarzige, feine und grobe.	Konglomerate, quarzig, roth und weifs
Granitische Konglomerate (*Fyre* in *Schottland*).	Sehr dichte Konglomerate (*Calvados*).	(*Cierp* und südlicher Abhang der *Pyrenäen*).
Dichter Sandstein, roth und weifs mit Muscheln.	Dichter Sandstein, roth und weifs mit Muscheln.	
Mergeliger Schieferthon. Eisenschlüssiger Schieferthon.	*Productus* } *Conularia* } May im *Calvados*.	

Trapp-Gesteine. Mandelsteine (Epidot, Quarz, Kalkspath, selten Datolith) Schaalsteine oder Blattersteine (*Westphalen, Cumberland*) Augitische Trapp-Arten (*Prag*)	stehende Stöcke im Uebergangs-Gebirge (*Cumberlands*), lagerartige Stöcke (Prager Trilobiten-Kalke), lagerartige Gänge (*Cumberland, Westphalen*). Maximum der Höhe mehr als 4000 F.
Porphyr-Trümmersteine Trapp-Trümmersteine	als lagerartige Stöcke die mit Porphyr oder Trapp innigst verbunden sind; dann Porphyr- oder Trapp-Brekzien, die während der Emporhebung des Porphyres oder Trapps gebildet wurden, oder als wahre oder neptunische Lager in der Mitte der geschichteten Gebilde; dann eigentliche Porphyr- oder Trapp-Konglomerate, die hin und wieder Petrefakten umschliefsen (*Wasgau, England*) und in geschichtete Felsarten übergehen.

Verwickelte und sich durchkreuzende Erz-Gänge oder Stockwerke Bleiglanz, Galmei, Zinnober (*Dombrawa* in *Siebenbürgen*) in den geschichteten und massiven Gebilden, hin und wieder, fast gleichzeitig mit den sie enthaltenden massiven Felsarten,

Apenninen, Karpathen, nördliches Deutschland.	Nord- und Süd-Seite der Alpen.	Kanada und Nord Amerika.
	Maximum der Höhe über 3000 F.	
Mächtigkeit mehr als 2000 F.		
Konglomerate, rothe (*mittleres Böhmen*).	Konglomerate, rothe (*Wallenstädter See, Elmau, Tyrol, zwischen Idria und Lack*)	Konglomerate, aus älteren Felsarten bestehend (Ufer der grofsen Seen).
Einige Grauwakken (*Harz, Böhmen*).	Granitische Konglomerate (*Valorsine, Sargans*).	
Sandstein, roth und weifs (*mittleres Böhmen*).	Dichter Sandstein, roth und weifs (*Rattenberg, Rodana, Tyrol u. s. w.*).	Sandsteine, rothe und weifse.
	Harter Schieferthon.	

entstanden z. B. Kiesel-Mangan, Tellure, Gold-
kies. — Oberste Grenze des Goldes? Wismuths,
Antimons, Scheels, Arseniks, Pharmako-
liths, des Goldkieses? u. s. w.

Granite
Syenite
Selagite (Insel *Skye*)
als Kegel- oder stehen-
de Stöcke.

Serpentine als Gänge (*Forfarshire*, *Schottland*,
mit Trapp).

Porphyre
Mandelstein-
Porphyre
als lagerartige Gänge (*Mont-
rose*, *Bervie* in *Schottland*),
oder Stöcke und Gänge
(*Dundee*).

Trapp-Gesteine
Mandelsteine.
Augit-Trappe.
als stehende oder lagerartige Stöcke und Gän-
ge. (*Dundee*).

Porphyr-
Trapp-
Trümmer-
steine
als lagerartige Gän-
ge, oder als Lager
(*Bervie*).

Verwickelte Eisenoxyd- und Eisenoxyd-Hy-
drat-Gänge (*Schottland*). — Oberste Grenze
des Platins.

IV. Neuere Uebergangs-Kalk-Formazion
Syn: *Encrinal*, *Mountain*, oder *metalliferous Limestone*, *Calcaire alpin*, oder Zechstein der Alpen und Pyrenäen, Hochgebirgs-Kalk UTTINGER's und ESCHER's; BEUDANT's *Calcaire à encrines?*

Groß - Britannien.	Niederlande und nordwestliches Frankreich.	Pyrenäen.
Mächtigkeit über 900 Fuſs.		
Maximum der Höhe 2384 F.	Maximum der Höhe 2000 F.	Maximum der Höhe 5 bis 6000 Fuſs?
Dichter grauer Kalk mit Enkriniten, Produktus.	Dichter grauer Kalk (*Marquise, Picardie*) mit Enkriniten, Produktus (*Ecausines, La Manche*). Brauner Kalk (*Picardie*).	Dichter grauer Kalk (*Fitou, Tarascon*) mit Muschela (*Cirque de Gavarnie*).
Untergeordnete Lager: Stinkkalk — schwarz mit Asphalt (*Castleton*). Dolomit (*Matlock*). Stink - Dolomit. Rogensteinartiger Kalk (*Bristol*).	Stinkkalk, meistens schwarz.	Schwarzer Stinkkalk.

Nord - Deutsch-
land.

Maximum
der Höhe 2000
Fuſs?
Dichter
grauer Kalk
(*Mähren*) mit
Enkriniten,
Produktus
(*Harz, Bai-
reuth*).

Stinkkalk.

Dolomit (*Ge-
rolstein*).

Porphyre { als Stöcke *Blei-*
berg, *Windisch-
Kappel, Kärnthen*).

Untergeordnete Lager:

Groſs - Britannien.	Niederlande und nordwestliches Frankreich.	Pyrenäen.
Erzführender Kalk.	Erzführender Kalk mit Galmei und Eisen-Hydrat.	
Eisenkalk (Irland).		
Mergel.	Mergel.	Sandiger Mergel mit Muscheln.
Sandstein (Syn. Millstone-Grit). Max. der Höhe 2 bis 3000 F. Mächtigkeit 720 Fuſs.	Sandstein.	Mergeliger Glimmer-Sandstein mit Pflanzen-Abdrücken (Gavarnie).
Zerfressener Sandstein mit Enkriniten.	Zerfressener Sandstein mit Enkriniten.	
Schieferthon, theils bituminös, eisenschüssig mit Sphärosiderit.	Schieferthon, theils bituminös.	
		Dichter Gyps (Tarascon). Körniger Gyps (Fitou).
Selenit in Nestern (Alston-Moor).		Selenite mit Quarz-Krystallen (Fitou) neben der Diabase.
Stöcke geringhaltiger Kohlen (Schottland, England).	Schlechte Kohlen (Niederlande, Marquise).	

Nord-Deutsch-
land.

Mergel.

Grauwacke.

Zerfresse-
ner Sand-
stein (Harz)
mit Enkrini-
ten.

Trapp-
Gesteine

Mandelstein in ste-
henden Stöcken im
Sandsteine bei *Neu-
markt*, im Kalke bei
Maut, *Kärnthen* mit
Datolit, als stehen-
de Stöcke im Kalke
der *Gaisalp*, *Hinde-
lang*.
Augit-Trapp als
Gänge im Kalke *Eng-
lands*, *Northumber-
land*, und lagerarti-
ge Stöcke oder Gän-
ge (*Castleton*).

Maximum der Höhe über 3000
Fuſs.

Karpathen, Apenninen.	*Nord- und Süd-Seite der Alpen, Ungarn, ·Bannat, Siebenbürgen.*

Max. der Höhe 2 bis 3000 F.

Max. der Höhe 9089 F. bis über 10000 F.

Dichter grauer, oder schwarzer Kalk. ohne Petrefakten, hin und wieder mit Hornstein, in abwechselnden Lagern mit mergeligen Grauwakken (*Ligurien, Toskana*).	**Dichter Kalk** **Halbkörniger Kalk** {meistens grau und weifs} (nördliche *Kalk Alpen, Kärnthen*). (Oft zerklüftet, undeutlich geschichtet, mässig und ohne Petrefakten).

Dichter Kalk mit {Enkriniten (*Salzburg, Dotio in Ungarn*). Produktus (*Bleiberg*). (Opalisirender Muschel-Marmor).

Rother Gelber Brauner Weifser } dichter Kalk {Gute Marmor-Arten in den obersten Theilen.

      mit **Hornstein** (*Salzburg, Tyroler Alpen, Nord-Karpathen*).

Stinkkalk, meistens **schwarz** (*Bex, Leoben, Montmelian*).

— mit **Asphalt** (*Vorarlberg, Baiern, Savoyen*).

Bitterkalk.

Stink-Dolomit.

Rauchwacke, oft mit Gyps und Salz *Bex, Hall, Waidhofen, Tetsdorf, Petersdorf*).

Rogensteinartiger Kalk (*Aigle*).

Erzführender Kalk (*Kielce, Galizien, Schlesien*).	**Erzführender Kalk** mit **Bleiglanz, Galmei, Spath-Eisenstein** (*Raibel, Bleiberg, Baiern*).

Schwarzer Mergel (in den untersten Theilen) { mit **Anthrazit** und **Quecksilber** (*Idria, Füfsen, Val Imperina*). mit **Asphalt** und **Fischen** (*Seefeld in Tyrol.*

Kanada, Nord-
Amerika.

Dichter
grauer Kalk
mit Enkri-
niten und
Muscheln.

Dichter
Kalk mit
Hornstein
(oberste Lager).

Stinkkalk
(Eaton).

Mergel.

Porphyr-
und
Trapp-
Trümmersteine

(*Kärnthen*)
als Stöcke
(*England*, bei
Berkley mit Pe-
trefakten im un-
teren Theile).

Nord - und Süd - Seite
Bannat, Si

Mergel
stein
mit Petrefakt
Lavascherthal in
(Opalisirender
Konglomerate
Kalk - Massen (
sterreich).

meistens im mittleren   le

Glimmer, Bleigl
fel - Arsenik (*Tyrol*

Anhydrit (*Bex*

dichter   ⎫   ⎫
körniger ⎬ Gyps ⎬ Z
faseriger ⎭   ⎭ co

Selenit
dichtes   ⎫
faseriges ⎬ Salz ⎧ (*Salzburg*).
schlechte Kohlen (*Gosau* u. s.

Stöcke

Diese Kalksteine liefern gute und mittelmäfsig gute Marmor - Arten. — Oberste Grenze der guten Marmor - Arten.

Die Anthrazite oder Kohlen - Lager, von geringer Güte, mit Pflanzen - Abdrücken zeigen die innige Verbindung dieser Formazion mit dem Steinkohlen - Gebirge; darum hat man, hin und wieder, dieses leztere in die Reihe von Uebergangs - Gebilden gestellt.

Kanada, Nord-Amerika.

Sandstein, vorzüglich in der Mitte.

Konglomerate.

Schieferthon. Eisen-Mergel mit Eisenkies und Sphärosiderit. Salz-Mergel.

Stöcke von { dichtem Gypse und von Selenit.

Kohlen. Schwefel-Stöcke { E-riesen-Ka-nal.

Erz-Gänge und Stockwerke; grofse Bleiglanz- und Galmei-Ablagerung. In den obersten Theilen der Gänge sind oft durch Zersezzung chemische Affinitäts-Kräfte und Einsinterung, kohlensaures und phosphorsaures Blei, später entstanden, und selbst der Spath-Eisenstein ist in Eisenoxyd-Hydrat verwandelt worden.

Geognostisches Vorkommen des Witherits und Arragons in Erz-Gängen.

Dritte

Flöz-

Geschichtete oder neptunische Gebilde.

I. Erste Flöz-Sandstein-Formazion.

1. Kohlen-Gebirge, z. B. *Nord-Deutschland, Tharandt, Plauen, Wettin, Böhmen, Mähren, Schlesien, Galizien, Fünfkirchen, Oravicza* im *Bannat, Ronchamp, Autun, St. Etienne, Auvergne, Bretagne, Litry, Niederlande, England, Pestum* bei *Neapel, Nord-* und *Süd-Amerika, Grönland, Neu-Holland, China* u. s. w.

Viele Monokotyledonen, Landpflanzen, einige Dikotyledonen (*Litry, Newcastle*).

Oesterreich, Karpathen, Apenninen.

Keine Spur von Seethieren in allen grofsen bebauten Kohlen-Ablagerungen.

Max. der Höhe in *Europa* 1600 bis 3000 F.

Max. der Höhe über 2 bis 3000 F.

In einigen Lagern zweischalige Muscheln, die den Süfswasser- mehr, als den Seemuscheln gleichen.

Haupt-Gebirgsarten. Verschiedene Arten von	
Sandsteine. feldspathigem Sandsteine, hin und wieder roth (Böhmen). Konglomerate.	Grauer Mergel-Sandstein (mit Pflanzen-Theilen). Konglomerat mit Feldspath-Theilen (*Ipsiz*).
Schiefer-thon bituminösem Schieferthone {selten mit Ammoniten, Pektiniten im untersten Theile.	Mergel-Schiefer. Bituminöser Mergel-Schiefer, hin und wieder verhärtet (Pflanzen- und Farrnkräuter-Abdrücke, *Ipsiz*).
Sphärosiderit.	

Fische waren sowohl in dem Meere, als in Flüssen.

Klasse.

Gebirge.

Massive oder plutonische Gebilde.
Alter der Emporhebung der Granite von *Zinnwald*, *Baveno* u. s. w.

Die Empor-hebung der Trapp- und Porphyr-Gesteine fängt mit der Grau-wacken-Bildung an, und endigt mit der des Todt-Liegenden, oder selbst später; eine Thatsache, die wäh-rend diesem ganzen Zeit-raume durch die Abwechse-lung von

Euphotide
Serpentine

zusammen

als kegel-oder keilförmige Stöcke, de-ren unterster Theil tief nie-dersinkt, wäh-rend der oberste Theil die ge-schichteten Ge-bilde bedeckt.

(*Prato Im-pruneta, Monte Cer-boli in Tos-kana*, in *Mo-dena, Borg-hetto* in *Li-gurien*, zwi-schen *Ipsiz* und *Waid-hofen* in *Un-ter-Oester-reich*).

Geschichtete Felsarten sind hin und wie-der neben diesen Gesteinen in verän-dertem Zustande vorhanden; Mergel-Kalke sind zu Jaspis-Arten gewor-den (*Prato, Cravignola*-Thal). — Die Emporhebung dieser Gesteine hat, zwischen ihnen und dem geschichte-ten Gebilde, das Entstehen einer ei-genen Euphotid-Brekzie verur-sacht.

Trapp- und Porphyr-Gesteinen oder Kon-glomerat-Lagern mit den nepta-nischen Sandstein-

Häufige schlak-kige Porphyre Thon-Porphyre Kaolin-Por-phyre (*Halle*). Dichte Porphy-re mit Granaten Klingsteinar-tige Porphyre

als Kegel (*Sach-sen, Litry*), la-gerartige Stöcke (*Schott-land, Schlesien, Litry*), Gänge und Trümmer (*Schottland*).

Neben diesen Gesteinen sind die ge-schichteten Gesteine ver-ändert, ver-härteter Sandstein, (*Salisbury,*

Haupt-Gebirgsarten. verschied. Arten von	Schieferkohlen. Kannelkohlen. Pechkohlen. mineralischen Holzkohlen. *Conincoal coral,* oder Schieferkohle mit der Nagelkalk-Zusammensezzung(*England*).	
Untergeordnete Lager.	Kalkmergel mit Fischen (*Rheinpfalz, Schottland*). Dichter Kalk, Stinkstein (*Rheinpfalz*).	Kalkmergel mit See-Muscheln(*Ipsitz*). Dichter Kalk, Stinkstein.	Pseudovulkanische Gesteine, Datt- Schott-

Diese Formazion enthält allein im Ueberfluſs die wirkliche fette Schieferkohle. Sie überlagert hin und wieder ungleichförmig die Grauwacke oder die älteren Felsarten (*Rheinpfalz*).

2. Rothes-Todtes, oder Todt-Liegendes, z. B. *Vogesen, Schwarzwald, Thüringerwald, Böhmen, New red Sandstone* BUCKLAND's. Fehlt auf der nördlichen Seite der Alpen und Pyrenäen.

Max. der Höhe 3602 F. (Erzgänge im *Schwarzwalde.*)

Diese Bildung besteht aus Konglomeraten, oder einem äuſserst feldspathreichen, oder porphyrartigen Sandsteine, u. zerfällt, hin und wieder, in	eigentliches rothes Todtes, z. B. *Halle, Tharandt,* die Forez-Gegend, *Moulins, Bretagne,* der Berg *l'Estrelle,* das *Vicentinische,* der feine rothe Sandstein im *Calvados (Cartigny).* Weiſs-Liegendes, z. B. *Wettin,* Eisleben, mit kohlensaurem Kupfer.

Gebilden unwiderruflich bewiesen ist.	Halb verglaste Porphyre. Pechsteine.	als lagerartige Gänge oder Stöcke (*Trebisch-Thal*), u Gänge (Insel *Arran*).	*Craig*), Jaspisartiger Schieferthon, Granaten im verhärteten Schieferthone
	Max. der Höhe in *Europa* 2 bis 3000 F., vielleicht selbst 4000 F.		(Insel *Anglesen*), Kohlen zu Coak verwandelt
	Serpentinartige Trappe mit Asbest	als Stöcke (*Inchkolm bei Edinburgh*).	(*Newcastle, Wettin*),
kanische (*St. Etienweiler, land*).	Augitische Trapp - Gesteine, Wakke	als Kegel (*Edinburgh, Rheinpfalz*), Stöcke, lagerartige Stöcke oder	Kohlen in Anthrazit, oder theils in prismatischen Graphit übergegangen
	Feldspathartige Trapp-Gesteine, erdige Abart.	Gänge und Gänge (*Edinburgh, Tharandt, Nordhumberland*).	(*Saltcoast, Cumnock in Schottland*).
	Halbverglaste Trapp-Gesteine	als stehende oder lagerartige Stöcke (*Rheinpfalz*).	
	Porphyrartige Trümmer-Gesteine, Thonsteine, einige Wacken (*Wettin*).	als lagerartige Stöcke, die innig mit dem Porphyre oder Trappe verbunden sind, dann wirkliche Brekzien (*Süd-Tyrol, Halle*), oder als wahre stockförmige neptunische Lager unter die geschichteten Felsarten, dann Konglomerate, die in die	
	Trapp-Trümmersteine.	geschichtete Gebilde allmählich übergehen, und selbst Pflanzen-Abdrücke enthalten (*Rochliz in Sachsen*).	

Haupt-Gebirgsarten. verschied. Arten von

Schieferkohlen.
Kannelkohlen.
Pechkohlen.
mineralischen
Holzkohlen.
Conincoal cor
oder Schieferkohle
der Nagelkalk-Z
mensezzung(*En*

Untergeord-nete Lager.

Kalkmergel-
schen (*B.*
Schottlan
Dicht
Stink
pfalz

Dies

wenig-
43 F.

2. P

	Pyrenäen.	*Frankreich.*
Bituminöser Mergelschiefer. Kupferschiefer mit Fischen, Insekten, Karpolithen — Allophane, erdigem und kugeligem kohlensaurem Kupfer. *B.* Dichter grauer Zechstein mit Produktus (Gryphi-ten SCHLOTHEIMS). Bitterkalk (*Schwarzburg*).	Der wahre Zechstein ist wahrscheinlich in keinem dieser beiden Länder vorhanden, *Lias* oder Ue-bergangskalk hat man damit bis jezt ver-wechselt.	**Bituminöse** Mergelschie (*Villefranche? tun*) mit Fisch Dichter grau Kalk mit Biva (*Autun*). Bitterkalk (rentan, *Cartigny*

Ablagerung von Achaten und
..hen, wie Stilbit, Me-

..rz - Gänge und Trümmer
..teten und massiven Fels-
.. Grenze des Queck-
..ystallisirten Man-
Zinnes.

(als lagerartige Gänge
der Stöcke
..rabisch-
Gänge
..Insel Angle-
.. Kohlen
.. ver-

..(craig), Jas-
pisartiger
Schieferthon,
Granaten im
..rkristirten
Schieferthone

..phi-

Oberste

.. Trilobiten?.

	..d - Seite der Alpen.	Süd - Seite der Alpen (Gebiet von Süd- Tyrol).	Terziäre Trapp-Gesteine und Augit-Trapp-Trümmersteine	(als Gänge, lagerartige Gänge (S. An- tonio; das Vi- centini- sche).
..der Hö-.. 875 F. ..ichtigkeit 300 F. ..hieferi- ..rBitter- ..lk (Sun- ..lerland).	Diese Forma- zion ist da nicht erkenn- bar, ihre Stelle wird vielleicht durch dichte Mergel-, Kalk- und Mergel- Sandstein- Lager mit Fucoiden eingenom- men. (Unter - Oe- sterreich.)	Bitumino- ser Mer- gelschie- fer (St. An- tonio). Dichter grauer Kalk ohne Muscheln (Recoaro, Schio).		Mergelschiefer ne- ben den Trapp-Gän- gen verhärtet (San Antonio).
Dichter ..itter- ..alk.				
..eliger ..d trau- ..förmi- ..r Bit- ..rkalk.				

. Die kupferhaltigen Sandsteine bei *Chessy*, unsern
Lyon, und der am westlichen Fuße des *Urals*,
dürften wohl eher dem bunten Sandsteine, als
dem Todt-Liegenden angehören.

Das Weiß-Liegende des nördlichen Deutschlands
verbindet den Zechstein mit dem rothen Todt-
ten.

II. Erste Flözkalk-Formazion, oder Zechstein.
Syn. *Magnesian limestone.*

Deutschland.	Schlesien, Pyrenäen.	Frankreich.
Max. der Höhe wenigstens 1443 F.		
A. Bituminöser Mergelschiefer. Kupferschiefer mit Fischen, Insekten, Karpolithen — Allophane, erdigem und kugeligem kohlensaurem Kupfer.	Der wahre Zechstein ist wahrscheinlich in keinem dieser beiden Länder vorhanden, *Lias* oder Uebergangskalk hat man damit bis jezt verwechselt.	Bituminöser Mergelschiefer (*Villefranche?* Autun) mit Fischen, Karpolithen.
B. Dichter grauer Zechstein mit Produktus (Gryphit.u Schlotheims).		Dichter grauer Kalk mit Bivalven (*Autun*).
Bitterkalk (*Schwarzburg*).		Bitterkalk (*Carentan, Cartigny* im *Calvados*).

Große Ablagerung von Achaten und Zeolithen, wie Stilbit, Mesotyp.

Verwickelte Erz-Gänge und Trümmer in den geschichteten und massiven Felsarten. — Oberste Grenze des Quecksilbers, des krystallisirten Manganoxyds und des Zinnes.

Nicht viele See-Petrefakten, Amphibien, Insekten, Algaziten. — Oberste Grenze der Produktus und Trilobiten?

England.	Nord-Seite der Alpen.	Süd-Seite der Alpen (Gebiet von Süd-Tyrol).	Terziäre Trapp-Gesteine und Augit-Trapp-Trümmersteine	als Gänge, lager-artige Gänge (S. Antonio, das Vicentinische).
Max. der Höhe 875 F. Mächtigkeit 300 F.				
Schieferiger Bitterkalk (Sunderland).	Diese Formazion ist da nicht erkennbar; ihre Stelle wird vielleicht durch dichte Mergel-, Kalk- und Mergel-Sandstein-Lager mit Fucoiden eingenommen. (Unter-Oesterreich.)	Bituminöser Mergelschiefer (St. Antonio).		
Dichter Bitterkalk.		Dichter grauer Kalk ohne Muscheln (Recoaro, Schio).		
Kugeliger und traubenförmiger Bitterkalk.				Mergelschiefer neben den Trapp-Gängen verhärtet (San Antonio).

Deutschland.	Schlesien, Pyrenäen.	Frankreich.
Eisenkalk (*Schmal-kalden*) mit Spath-Eisenstein. Stinkstein. C. Asche oder erdiger Kalk - Mergel. Rauchwacke oder brekzienartiger, oder zelliger Kalk.		Stinkkalk. Erdiger Kalk-Mergel. Zelliger Kalk (*Figeac*).
Rauher Kalk (*Glücksbrunn*) (Syn. Höhlenkalk). Körni- ꞁ ger ꞁ Gyps (*Harz*) Dich- ꞁ mit Aphrit. ter ꞁ		Bitterkalk-Konglomerat (*Cartigny*). Kieseliger, zelliger Mergelkalk mit Chalzedon (*Castilly* im *Calvados*).
Durch Lager-Abwechselungen mit dem bunten Sandsteine verbunden.		Durch Lager-Abwechselungen mit dem bunten Sandsteine verbunden.

Diese Formazion kommt vielleicht auch in Nord- und
nen Marmor, und sie ruht, hin und wieder, ungleich
land), oder auf älteren Formazionen.

England.	Nord-Seite der Alpen.	Süd-Seite der Alpen (Gebiet von Süd-Tyrol).	
Erdiger Bitterkalk, rekzienartiger d zellier Bitterkalk Saithhields). itterk-Konmerat.			Verwickelte Erz-Gänge und Erz-Puzzen — Gediegen-Kupfer, Malachit, Bleiglanz, Blende. Oberste Grenze der Kobalt,- und Nickelerze, des Fahlerzes und der großen Galmei-Ablagegerungen.
Ueber- und La-bwech-gen mit bunten steine anden.		Durch Lager-Abwechselün-gen mit dem bunten Sand-steine verbun-den. (Val di Prak, Ilecoaro).	

Amerika vor. — Sie liefert kei-
uf dem Kohlen-Gebirge (Eng-

III. Bunte Sandstein-Formazion. Syn. Ein
Theil der Kohlen-Sandsteine BEUDANT's, **Grau-**
wacke der *Alpen* mehrerer Geognosten, ein
Theil des Alpenkalkes UTTINGER's, älteste
Molasse längs den *Alpen*, *Pietra Serena* und
Forte Toscana, *Macigno* der Italiener, *Red*
Marl.

Deutschland.	Schlesien, Galizien.	Frankreich.	Pyrenäen, Spanien.
Max. der Höhe, wenigstens 2000 Fuſs, gewöhnliche Höhe 15 bis 1800 F.		Max. der Höhe über 1800 bis 2000 F.	
A. Bunter Sandstein.	Bunter Sandstein. Mergeliger grauer, Grauwacken-ähnlicher Sandstein (*Galizien*).	Bunter Sandstein (*Vogesen, Arveyron, Perigord*). Röthlich grauer Sandstein (zwischen *Brignolles* und *Frejus*).	

Wenig monokotyledone und dikoty-ledone Land-Pflanzen, viele See-Gewächse, Muscheln und Zoophyten im obersten Theile (*Sulz* im *Elsafs, Wieliczka*). Unterste Grenze des Erdharzes?

England, Irland.	Nord-Seite der Alpen, Nord- und Ost-Karpathen, Apenninen.	Süd-Seite der Alpen.		
Max. der Höhe 200 bis 803 F. Mächtigkeit 708 F. Rother u. weifser Sandstein.	Abwechselung von feinem und grobem { mergeligem, Grauwacken-ähnlichem Sandsteine (*Oesterreich, Allgau, Toskana*).	Bunter Sandstein.	Terziäre basaltische Gesteine und basaltische Trümmer-Gesteine.	als Kegel, keilförmige Stöcke und Gänge (*Hessen*).

11 *

Deutschland.	Schlesien, Galizien.	Frankreich.	Pyrenäen, Spanien.
B. Bunter Mergel.	Mergel.	Bunter Mergel (Elsaß, Lothringen).	
Mergelkalk, dichtem Kalke } im obersten Theile. Rogenstein, theils Bitterkalk. Horn-Mergel u. quarzigem Sandsteine (Westphalen)		Mergelkalk. Dichter Kalk } im obersten Theile. Quarzige Sandsteine.	Mergelkalk. Dichter Kalk. Horn-Mergel. } im obersten Theile, St. Pandelon, Dax.
Gyps und Salz (Württemberg, in den Abwechselungen	Gyps-Mergel, Salz.	Gyps (Roquevaire en Provence, Decize, Lothringen, Saintonge à St. Jean d'Angely?)	Gyps und Salz-Stöcke (Castille, La Manche).
Salz-Mergel mit Muschelkalk). Thon-Eisenstein (Salz-See). Braunkohlen.	Salz-Mergel, (Wieliczka), mit Muscheln, Carpholithen (Bochnia), mit Braunkohlen (Wieliczka).	Braunkohlen mit Farrnkräutern (Vic, Sulz im Elsaß).	Salz-Mergel.

Lager, Stöcke und Nester von

England, Irland.	Nord - Seite der Alpen, Nord - und Ost - Karpathen, Apenninen.	Südseite der Alpen.	
Bunter Mergel.	Abwechselungen von { Mergel mit Seepflanzen. grauem, sandigem schwarzem, gelbem Kalksteine (Toskana). Ruinen - Marmor (Klosterneuburg).	Bunter Mergel (Recoaro) Mergelkalk mit Muscheln (Tyrol). Sandiger Mergel. Rogenstein Hornmergel (Recoaro)	Zerklüfteter, geschmolzener, oder entfärbter Sandstein neben dem Basalte. (Sachsen, Eschwege. Eisenach, Vicenza).
	Konglomerat (Allgau, Siebenbürgen).	Quarziger Sandstein (Fassa).	Gehobene und veränderte Sandsteine neben dem Augit-Porphyre (Val di Rif bei Predazzo),
Faseriger Gyps als Trümmer.	Gyps und Salz.	Gyps (Varese, Süd-Tyrol).	Mergel und Sandsteine, mit den Schichtungs - Linien und vertikalen Trapp - Gängen gleich laufenden, schwarzen
Salz-Stöke (Chester).	Salz - Thon (Siebenbürgen Karpathen).		Streifen (im Fassa-Thale nach H. Meyer aus Tyrol).
	Braunkohlen als Nester im Salze, im Sandsteine und als Lager mit Petrefakten (Alpen).	Spuren von Braunkohlen.	

Deutschland.	Schlesien, Galizien.	Frankreich.	Pyrenäen, Spanien.
Eisenglimmer.			Eisenglanz als Stock (*Bastenes, Landes*) im Gypse (*Dax*).
Eisenkies. Quarz. Boraxit im Gypse (*Lüneburg*). Erdharz im Gypse (*Holstein*). Bleiglanz *Blei-* Malachit *berg.*	Schwefel-Nieren (*Czarkow, Galizien*).		Eisenkies. Eisenkiesel (*Dax, Spanien*). Arragon (*Bastenes*). Phosphorit (*Spa-* Glauberit *nien*).
		Sandstein mit kohlensaurem Kupfer (*Chessy*).	
Salz-Quellen.	Salz - Quellen.		Salz-Quellen (*Pyrenäen*).

Nester von

England, Irland.	Nord-Seite der Alpen, Nord- und Ost-Karpathen, Apenninen.	Süd-Seite der Alpen.
Schwefel-saurer Stronzian.	Quarz-Krystalle (*Vasarhely*, Mar-marosch).	Gyps mit Quarz-Krystallen (*Recoaro*)
Salz-Quel-len.	Salz-Quellen.	Keine Salz-Spur.

IV. Zweite Flözkalk - Formazion, oder Muschelkalk. Syn. Rauchgrauer Kalk Me-rian's, *Zechstein des südwestlichen Deutsch-lands nach mehreren Geognosten, ein Theil des *Calcaire horizontal* des Omalius d'Halloy.

Deutschland.	Nordöstliches Frankreich.	Pyrenäen und südliches Frank- reich.
Max. der Höhe 2675 F. Medium der Höhe 2000 Fuſs.	Max. der Höhe 1200 F.	
A. Rogensteinartiger Kalk, theils Bitterkalk (un- terster Theil).	Rogensteinartiger Kalk.	
B. Grauer dichter Kalk mit Enkriniten.	Grauer dichter Kalk mit Enkri- niten.	Grauer dichter Kalk (*Arveiron*), mit Enkriniten, Modiolen (*Tou-lon*).
Schwarzer Stinkkalk { Arragon, schwefelsau- rer Stronzian (*Württem-berg, Pyr-mont u.s.w.*)	Schwarzer Stink-kalk.	Vielleicht bei *As-benas* in *Viva-rais.*
C. { Gelber Grauer Zelliger } { Bitterkalk mit Hornstein. } (Syn. Rauchwacke.)	Gelber Grauer Zelliger	{ Bitter-kalk mit Horn-stein (*Saver-ne*). }

Ziemlich viele Seethiere, Cetaceen, Ple-
siosauren, erstes Vorkommen der Belemniten, Echiniten, Krabben (*Württemberg*) und vielleicht der Nummuliten (*Württemberg*), wenn gewisse
Alpen-Felsen (*Grünbach*) nicht wahre
Flöz-Gebirge sind.

England.	Nördliche Seite der Alpen, Apenninen, Karpathen.	Süd-Seite der Alpen.		
Fehlt hier.	Man kann die Formazion nicht in den ab-wechselnden Sandstein- und Kalk-Lagern erkennen, die einzig den Ju-rakalk vom Ue-bergangskalke in jenen Gegen-den trennen.		Ter-ziäre Basalte.	als Gän-ge und zylin-drische oder keilför-mige Stöcke.
		Grauer dich-ter Kalk mit Enkriniten (*Vicentini-sches Gebiet, Süd-Tyrol*).	Augit-Porphyre	als Gänge und la-gerarti-ge Gän-ge (*Vi-centini-sches Gebiet*).

Deutschland.			Nordöstliches Frankreich. ;	Pyrenäen und südliches Frankreich.
D. Mergeliger Kalk mit	{ Quarz-Krystal-len, Blei-glanz u. s. w., Braun-kohlen	(im untersten und ober-sten Theile (*Pyrmont*).	Mergeliger Kalk.	

Gyps als Stock (*West-phalen*).

Dichter Kalk - Mergel in abwechselnden Lagern mit den Mergeln und Sandsteinen der fol-folgenden Formazion.

England.	Nördliche Seite der Alpen, Apenninen, Karpathen.	Süd-Seite der Alpen.	
		Dichter Mergelkalk mit Pflanzen-Abdrücken. Bleiglanz, Galmei, Mangan-Epidot, neben terziären Augit-Porphyren (*Vicentinisches Gebiet*).	Verhärtete Kalksteine neben dem Basalte, Kalkstein im Basalte (*Warburg, Hessen, Vicentinisches Gebiet*). Ein Theil des veränderten Kalksteines bei *Canzacoli.*

V. Dritte Flöz - Sandstein - Formazion, oder Keuper.

Syn. Quader - Sandstein in Boué's Abhandlungen über Deutschland, 1822, und über Frankreich, 1824; *Arkose* der Herren BRONGNIART und BONNARD, chemals mit buntem Sandsteine verwechselt — *Marnes irisées* CHARBAUT's zum Theil.

	Deutschland.	Oestliches Frankreich.	Südwestliches Frankreich.
	Max. der Höhe 2300 F. Gewöhnliche Höhe 800 bis 1500 F.	Max. der Höhe 900 bis 1000 F.	
Haupt - Felsarten.	Mergeliger Sandstein (röthlich, graulich).	Mergeliger Sandstein.	Sand
	Kalk-Mergel Thon-Mergel { von verschiedenen Farben (gelb, roth, blaulich, braun, grün).	Kalk - Mergel. Thon - Mergel.	Mergel { mit See-Pflanzen? (*Bidache*, unfern *Bayonne*).
Untergeordnete Lager.	Weißer Gelber { Sandstein mit Pflanzen (*Westphalen, Koburg*). (im oberten Theile vorzüglich). (Sonderbare Felsen.)	Weißer Gelber } Sandstein mit Pflanzen, (*Couches, Luxemburg, Vigy, Vic*).	Weißer Sandstein.

See - Muscheln und Thiere, monokotyledone und dikotyledone Pflanzen,
selten Farrnkräuter.

England und nordwestliches Frankreich.	Nord-Seite der Alpen, Apenninen, Karpathen.	Süd - Seite der Alpen.		
Dieser Sandstein fehlt in *England* und dem nordwestlichen *Frankreich*, wenigstens würde er mit dem bunten Sandsteine da nur eine Bildung ausmachen.	In den grofsen Sandstein-, Mergel- und Kalk-Gebilden, zwischen dem Jura- und Uebergangs-Kalke, könnten gewisse grobe Sandsteine (*Greiffenstein* bei *Wien*) und Schiefer-Sandsteine unmittelbar unter dem Jurakalke (*Hasselbach* in	Mergeliger feiner Sandstein (roth und gelb) (*Vicentinisches Gebiet, Süd-Tyrol*).	Augit-Porphyre, der terziäre Basalte	als Gänge (*Tyrol, Vicentinisches Gebiet*).

Deutschland.	Oestliches Frankreich.	Südwestliches Frankreich.
Töpferthon (*Ko-burg*.)	Thon (*Vigy, Basel*).	
Grauer ⎰ Bitterkalk? Weifser ⎬ mit Horn- Zelliger ⎱ stein (*Koburg*).	Grobe quarzige Granitische Kieselige ⎱ Sandsteine ⎰ (*Vigy, Autun, Avallon, Sombernon*).	Grobe quarzige Granitische Kieselige ⎱ Sandsteine ⎰ (*Malle, Confolens, Depart. de la Charente und Vienne*).
Rogensteinartiger Mergel, theils Bitterkalk? (*Württemberg*).	Rogenstein, theils Bitterkalk (*Vic*).	
Nagelkalk, oder Tuten - Mergel (*Württemberg*).		
Dichter ⎰ Gyps Faseriger ⎱ (*Dürrheim*).	Dichter ⎰ Faseri- ⎬ Gyps ger ⎱	⎱ (*Lothringen*).
	Salz und Salz-Quellen	
Braunkohlen (*Württemberg*).	Braunkohlen.	
Kalkige Sandstein - Krystalle mit der Kalkspath - rhomboedrischen Form (*Württemberg*).		

Untergeordnete Lager.

ngland ! nord- sdliches nkreich.	Nord-Seite der Alpen, Apenninen, Karpathen.	Süd-Seite der Alpen.	
	Unter-Oester- reich) wohl den Plaz die- ser Formazion einnehmen. Vielleicht dürften selbst die obersten abwechseln- den Kalk - und Fucus-führen- den Sandstein- Lager den obersten Keu- per, *Lias* und *Lias* - Sand- stein darstel- len.		

Deutschland.	Oestliches Frankreich.	Südwestliches Frankreich.
Nester. { Eisenkies und Eisen- kiesel. Schwefelsaurer Stronzian. Faseriger Malachit. Phosphor- saures Kohlen- saures } Blei (Vilseck Prestet in Baiern).	Eisenkies Flufsspath Schwer- spath Malachit Blende Bleiglanz } neben dem Granite in den Arkosen Burgunds. Chromoxyd (E- couchets).	Flufsspath. Schwerspath (Royat bei Cler- mont). Malachit. Blende Bleiglanz } (Non- tron).

Diese Formazion steht durch Lager-Abwechselung mit

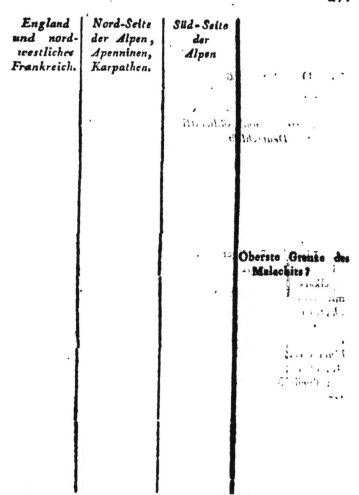

England und nordwestliches Frankreich.	Nord-Seite der Alpen, Apenninen, Karpathen.	Süd-Seite der Alpen

dem Lias in Verbindung.

VI. Dritte Flözkalk-Formazion oder Jurakalk.

Nordwestliches und südwestliches Deutschland.		Polen u. s. w.	Schweiz, nordwestl. u. südöstl. Frankreich.
4. Lias oder Mergelkalk mit *Gryphytes arcuata* LAM. oder *cymbium* SCHL. Im obersten Theile *Gryphites cymbium* LAM., *Plesiosaurus* u. s. w. (*Württemberg*). Syn. Zechstein, *Calcaire ancien* (ältere Benennung). Hin und	1. Sandiger Mergelkalk {grau 2. Mergelkalk Muschelkalk Bitterkalk (*Westphalen*), mit schwefelsaurem Stronzian. 3. Mergelschiefer Alaunhaltige schwarze Mergelschiefer mit { Selenit (*Amberg*). Schwerspath (*Banz*). Thonmergel mit { Selenit, Phosphorit (*Amberg*).	Mergelkalk mit Schwefel und Asphalt?	*Lias oder Pierre bleue de Bourgogne; Calcaire à Gryphites arquées.* — Sandiger Mergelkalk. Mergelkalk (*Provence*). Mergelschiefer (*Vivarais*). Alaunhaltiger Mergelschiefer { Selenit schwefelsaurem Stronzian (*Arau*). Thonmergel.

Viele Petrefakten, vorzüglich lagerweise oder nach der Art von Stöcken vertheilt. Erstes erwiesenes Erscheinen der Nummuliten, Krebse, Vögel, Insekten und kleine vierfüssige Land-Thiere.

Pyrenäen und südwestliches Frankreich.	England, Irland und Schottland.	Nord-Seite der Alpen, Unter-Oesterreich und Ungarn.	Süd-Seite der Alpen, Apenninen, nordwestl. Sicilien, Dalmazien, Jonische Inseln u.s.w
Mergelkalk mit Schwefel u. Asphalt oder Petroleum. (St. Boës bei Orthes) Mergelkalk mit Gryphites cymbium Lam. (St. Girond).	Sandiger Mergelkalk. Mergelkalk oder weisser Lias. Blauer Lias. Mergelschiefer. Alaunschiefer mit Selenit (Whitby). Thonmergel.	Nähme man Lias und Jurakalk in einigen der Nord-Kalk-Alpen an, so wirde man wahrscheinlich mehrere Fucus führende Sandsteine und die Kohlen und Erdharz enthaltende Muschel-Sandsteine zwischen Piesting	Dolomit; scheint den Lias in den südlichen Kalk-Alpen zu ersezzen. Max. der Höhe über 10000 F.

Tertiaire Augit-Porphyre, theils granitisch oder erzfürend (Gebiet von Vicenza, Predazzo).

Max. der Höhe wenigstens 6 bis 7000 F.

Tertiaire granitische Gesteine mit Schörl

als Gänge, Kegel und lagerartige oder stehende Stöcke.

als Kegel oder stehende u. zugleich überlagernde Stücke (Predazzo).

	Nordwestliches und südwestliches Deutschland.	*Polen u. s. w.*		*Schweiz, nordwestl. u. südöstl. Frankreich.*
wieder liefern die Muschelkalke schlechte Marmorarten.	Muschelkalk-Lager. Braunkohle (*Amberg*, *Westphalen*).	*Brasilien.* Tapanhoacanga ?	Lias oder Pierre bleue de Bourgogne; Calcaire à Gryphées arquées.	Braunkohle und Erdharz (*Basel*).
	4. Lias-Sandstein (Syn. Quader-Sandstein, Eisen-Sandstein *Würtembergs*) mit {Eisen-Hydrat Stöcken} {Wavellit. Arragon. Eisenblau.} (*Oberpfalz.*) Sandiger, theils kieseliger, weisser oder gelber Mergel mit Pflanzen-Abdrücken, Ueberreste von Samen, Muscheln u. s. w.	weisser u. gelber Sandstein mit Eisen-Hydrat, Gold und Wavellit. *Nord-Amerika.* Weisser Quarz-Sandstein, *Lake superior* (Schoolcraft's *Narrative*).		Lias-Sandstein (*Cintrey*, *Basel*, *Luxemburg*). Eisen-Sandstein (*Hayange*, *Luxemburg*). mit Pflanzen-Ueberbleibseln.
	5. Eisenschüssige Oolithen (*Ostrea crystata*). Max. der Höhe 2400 F., gewöhnliche Höhe 800 bis 1700 F.			Eisenschüssige Oolithen (südl. von *Caen*, *Nancy*, *Evrecy*), (*Ostrea crystata*).

Pyrenäen und südwestliches Frankreich.	England, Irland und Schottland.	Nord-Seite der Alpen, Unter-Oesterreich und Ungarn.	Süd-Seite der Alpen, Apenninen, nordwestl. Sicilien, Dalmazien, Jonische Inseln u.s.w.	
	Opalisirender Muschelkalk.	und *Grünbach* in *Oesterreich* als Lias, und gewisse weiſse Kalk-Felsen oder Berge als Jurakalk ansprechen. Selbst in der Schweiz könnten sodann Nummulitenkalke erscheinen.		Basalte Basaltische Brekzien
Braunkohlen u. Erdharz (*Orthes*), Lias-Sandstein, weiſser, gelber oder eisenschüssiger Sandstein mit Muscheln (*Navarreins*). od. grauer mergeliger Sandstein, (Pflanzen Braunkohle) (*Les Corbieres, Nalzen*). Eisenthon mit Bohnerz im untersten Jurakalke (*Nalzen*).	Braunkohlen. Kieseliger Sandstein mit Muscheln (*Harptrae*). Eisenschüssige Oolithen (*Ostrea crystata*). Max. der Höhe 6 bis 700 F.			

als Gänge und Stöcke (Würtemberg).

Nordwestliches und südwestliches Deutschland.		Polen u. s. w.	Schweiz, nordwestl. u. südöstl. Frankreich.
Südwestliches Deutschland.	Nord - Deutschland:		
B. Dichter Jurakalk mit untergeordneten Massen von Jura-Dolomit und dichten Oolithen (*Regensburg, Ulm u. s. w.*).	Oolithen- und dichter Jurakalk (*Hildesheim*), Enkrinitenkalk mit Bohnerz (*Goslar*), Mergel (*Hildesheim*). Max. der Höhe einige 100 F.	Dichter Jurakalk (*Polen, Galizien*).	Oolithen- und dichter Jurakalk mit Erdpech (*Sassel, Neufchatel*). Enkrinitenkalk (*Jura, Langres* und Dolomit-Felsen (*Cette, Nica, Provence, Pont St. Esprit*) und Mergel (*Port en Bessin*). Jurakalk mit Schildkröten-Resten (*Solothurn*). Kalk mit Farrnkräutern (*Mamers* in der *Normandie*. Madreporenkalk von *Caen* mit Mergel u Tartuffiten (*Normandie*).
C. Schieferkalk (mit Fischen, Krebsen, Insekten, Pterodactylus, Schildkröten, Vögeln, selten mit Ammoniten, so z. B. bei *Solenhofen*). Max. der Höhe 2 bis 3000 F.			

Pyrenäen und südwestliches Frankreich.	England, Irland und Schottland.	Nord-Seite der Alpen, Unter-Oesterreich und Ungarn.	Süd-Seite der Alpen, Apenninen, nordwestl. Sicilien, Dalmazien, Jonische Inseln u.s.w.	
	Mächtigkeit 4 bis 500 F.			
Dichter Kalk und Oolithen (Inneres Frankreich). Dolomit (Nalzen, Pyrenäen).	Oolithen und dichter Kalk oder Great-Oolith mit Mergeln. Max. der Höhe 1022 F. Mächtigkeit 400 F. Stonefieldslate. Cornbrash Limestone. Forest Marble mit Tartufsite.	Dichter Kalk und Oolithen (Ernstbrunn), mit Dolomit (Nikolsburg, Staat u.s.w. in Oesterreich, Ofen, Bakonywald). Schieferkalk mit Fischen (Plattensee).	Dichter Kalk (weiß, gelb, oder roth) (Apenninen). Oolithen (Süd-Tyrol, Belluno, Friaul, Krain) mit Dolomit (Mola, Sicilien, Ancona). Dichter Kalk und Oolithen mit Chalzedou, Feuer- und Hornstein (Sicilien, Zante, Corfu, Ancona).	Der Lias Irlands und Lias auf der Insel Skye ist neben dem Basalte in Basalt-Jaspis verwandelt (Syn. Muschel-Basalt). Jurakalk und Dolomit sind neben dem Augit-Porphyre und granitischen Gesteinen zu körnigem Marmor geworden (Predazzo); und schließen Idokrase u. s. w. ein (Predazzo, Monzoniberg.)

Max. d. Höhe 1022 F. Mächt. 400 F.

Nordwestliches und südwestliches Deutschland.	Polen u. s. w.	Schweiz, nordwestl. u. südöstl. Frankreich.
		Dichter Kalk von *Vermanton*. Thon (zwischen *Basinghen* und *Marquise* in der *Picardie*, *Dives*, *Mamers* in der *Normandie*, *Loraine*). Dichter Kalk oder Oolithen von *Lisieux*, *Mortagne*.
		Mergelthon (*Honfleur*, *Boulonnois*, *Champagne*).

Pyrenäen und südwestliches Frankreich.	England, Irland und Schottland.	Nord-Seite der Alpen, Unter-Oesterreich, und Ungarn.	Süd-Seite der Alpen, Apenninen, nordwestl. Sicilien, Dalmazien, Jonische Inseln u.s.w.
Dichter Cerithienkalk (*La Rochelle*).	Mergelthon, oder *Oxford Clay* (sehr niedrig). Mächtigk. 5b. 700 F.		
Madreporenkalk (*La Rochelle*).	*Coral rag* oder Madreporenkalk. Max. der Höhe 576 F.	Mergelthon (*Ofen*).	Korallenkalk (*Fiume, Kapellen-Gebirge*).
Mergelthon (blauer u. grüner). (*Gap Chatellallion*).	*Kimmeridge Clay*, oder Thon. Max. der Höhe 500 F.		Pflanzen-Theile, enthaltende Mergelthone und Mergel-Sandsteine, Gyps (*Dalmazien, Istrien*).

Nordwestliches und südwestliches Deutschland.	Polen u. s. w.	Schweiz, nordwestl. u. südöstl. Frankreich.
		Theils chloritischer Oolith oder dichter Kalk am *Saleve* bei *Genf* mit Flußspath u. faserigem Gyps.	Oberster Kalk von *Gris Nez* in der *Picardie.* Oberster Kalk von *Rau-ville.* Oberster Kalk zwischen *Gris-Nez* u. *Equilen.*
D. Thonmergel mit (*Baiern*).	Bohnerz Vielleicht Eisenthonmergel.	Thonmergel mit Bohnerz (*Jura*).

Der Thon mit Eisenerz verbindet diese Formation
Lias, Jurakalk und Dolomit kommen noch in *Süd-Ame-*
Becken vor. Der *Brasilianische*, selten dichte
ist von Jurakalk fast überall umgeben: (*Spanien,*

Pyrenäen und süd- westliches Frank- reich.[1]'	England, Irland und Schott- land.	Nord-Sei- te der Al- pen, Un- ter-Oester- reich und Ungarn.	Süd-Seite der Alpen, Apenni- nen, nord- westl. Si- cilien, Dal- mazien, Jo- nische In- seln u.s.w.
			Chlori- tischer Kalk (Nizza).
Nummuli- tenkalk, zum Theil chloritisch (zwischen LaRochel- le u. Ro- chefort, Pyrenäen) Muschel- kalk (Ro- ches bei Roche- fort).	Portland Purbeck Kalk Max. der Höhe 300 F. Mächtigk. 500 F.	Nummuli- ttenkalk (Ofen, Bakóny- wald).	Nummu- litenkalk (Ville- franche bei Nizza, Istrien, Dalma- zien, Päpstliche Staaten), mit Eisen- kies-Stok- ken (Zovi- niaco, I- strien), mit Koh- len-Lagein (Albona, Istrien, Dalma- zien).

mit der nächsten.
rika (Kolumbien), in Patagonien und in dem Mississippi-
Kalk mit Hornstein gehört dahin. Das Mittelländische Meer
Barbarei, Egypten, Syrien u. s. w.).

VII. Formazion des grünen Sandsteines.
Syn. Bunter Alpen-Sandstein, UTTINGER; bunter Sandstein *Ungarns* nach BEUDANT, ein Theil des Quader-Sandsteines der Deutschen Geognosten.

Nördliches Deutschland, Böhmen, Mähren, Baiern.	*Schlesien, Galizien, Polen, Rufsland.*	*Schweiz, nordwestliches, nord- und südöstliches Frankreich.*	*Pyrenäen und südwestliches Frankreich.*
A. Eisen-Sandstein und Sand mit Thon, mit Eisenerzen (*Blansko*).	Eisen-Sandstein.	Eisensand und Sandstein, fein und grob (Syn. *Tourtia*) (*Glos* in der Normandie, *Le Mans*, *Boulgunois*), mit Eisenerzen (*Le Mans*), mit Thon (*Boulonnois*).	Eisensand und Sandstein mit Eisenerzen (*Perigord*).
	Eisenschüssige Mergelthone mit Muscheln (*Panky* u. s. w)		

Ziemlich viele Meeres - Petrefakten, Monokotyledonen - und Dikotyledonen-Reste, Erdharz, Süßwasser-Muscheln (*England; Nord-Frankreich*).

England und Irland.	Nördliche Seite der Alpen.	Südliche Seite der Alpen.	
Max. der Höhe 993 Fuß.	Max. der Höhe über 7000 Fuß.		
Eisensand. Mächtigkeit 500 F. (Syn. *Hastings Sand*).	Eisen - Sandstein (*Sonthofen*) mit kugeligen Eisenerzen (*Neukirchen Teisendorf, Sonthofen, Schweiz*).		Basalt, Basalt-Tuff: als lagerartiger Stock (*Costalta* und *Madonna de San Orso* bei *Schio* im *Vicentinischen*).
Mergel, Mächtigkeit 100 bis 300 Fuß.			
Nagelkalk.			

Nördliches Deutschland, Böhmen, Mähren, Baiern.	*Schlesien, Galizien, Polen, Rußland.*	*Schweiz, nord-westliches, nord- und südöstliches Frankreich.*	*Pyrenäen und südwestliches Frankreich.*
Grobes Konglomerat (*Dresden*, *Freiberg*).		Versteintes Holz (*Angers*).	Versteintes Holz (*Sarlat*).
B. Grüner Sandstein und Sand, oft mergelig(*Regensburg, Lissiz, Jung-Bunzlau, Harz*).	Grüner Sandstein, oder Sand (*Schlesien*, *Heuscheuer*).	Grüner Sand und Sandstein (*Bellegarde, La Fleche. Wissant* in der Picardie).	Grüner Sand und Sandstein (*St. Severe*).
C. Mergel mit Braunkohle und Erdharz (*Obora* in *Mähren*).		Mergel und Sandstein (zwischen *Blanc - Nez* und *Wissant* in der Picardie).	Mergel mit Braunkohle, Erdharz, Fuc (Insel *Aix*, *Landes*).
Kieseliger Mergel, Sand.			
		Salzige Quellen (bei *Anzin*).	

Diese Formazion ist innigst mit der folgenden verbunden
Amerikanischen Staate vor.

England und Irland.	Nördliche Seite der Alpen.	Südliche Seite der Alpen.	Terziärer Basalt und Basalt-Tuff	als Gänge und lager-artige Gänge (Schio).
Holz, Tartuffite (Syn. Weald-Clay). Grüner Sand, Mächtigkeit 300 F. (Syn SHanklins Sand).	Dichter Nummulikalk (Allgau, Schweiz). Grüner Sandstein (Hausrücken, Sonthofen, Diablerets, Reposoir).	Mergeliger grüner Sandstein mit Muscheln (Belluno, Gebiet von Vicenza).		
Sandstein und Mergel (Gault und Merstham-stone).	Mergel (Hausrüken), mit Braunkohle, Erdharz (Neukirchen, Sonthofen), mit Süfswasser- und See-Muscheln. (Kohlen von Entrevernes in Savoyen?)	Theils sandige Mergel und Thon (bei Schio).		

den. — Sie kommt auch im Nord-

VIII. Kreide-Formazion. Syn. Weiſser Jurakalk, HAUSMANN; *Scaglia* in *Italien.*

Belgien, Nord-Deutschland, Böhmen, Mähren.	Schlesien, Polen, südliches Rußland.	Südöstliches und nördliches Frankreich.	Südwestliches Frankreich und Pyrenäen.
		Max. der Höhe 6 bis 900 Fuſs.	
A. Chloritische Kreide (Syn. Planer Kalk) mit *Gryphaea columba* (*Regensburg, Böhmen*).	Chloritische Kreide.	Chloritische Kreide (*Le Mans, Saumur, Chatellerault, Stillenehould, Bellegarde,* Departement *du Var ?*) (Orbitolithen).	Chloritische Kreide (*Landes,* Orbitolithen *Biaris*).
Dichte chloritische Kreide (*Regensburg*).			
Kieselige chloritische Kreide (*Blansko* in *Mähren*).		Kieselige Kreide (*La Flecha*). Syn. Cos.	
Mergel.			

Oberste Grenze der Ammoniten und Belemniten.

England und Irland.	Nördliche Seite der Alpen und Ungarn.	Südliche Seite der Alpen, Maltha u. s. w.	
Max. der Höhe 1011 F. Mächtigkeit 600 bis 1300 Fuß.	Max. der Höhe 7000 F.		
Chloritische Kreide, Syn. Mulatoestone (*Belfast*).	Chloritische Kreide (*Berg des Fis*).	Chloritische Kreide (*Belluno*).	Terziäre Augit-Porphyre { als Gänge, deren oberster Theil die Kreide bedeckt (*Schio*).
	Dichter Nummulitenkalk, weiß oder roth (*Arz*, *Sonthofen*, *Schwyz*).	Korallen- u. Nummulitenkalk (Gebiet von *Vicenza*, *Puglia petrosa*?).	Basalte, Basaltische Brekzien { als Gänge (*Irland*) und lagerartige Gänge (*Schio*).
		Mergel und Kalkmergel (*Schio*, *Belluno*).	

Belgien, Nord-Deutschland. Böhmen, Mähren.	Schlesien, Polen, südliches Rußland.	Südöstliches und nördliches Frankreich.	Südwestliches Frankreich und Pyrenäen.
Dichter Kalk mit Muscheln (Eck-muhl, Regens-burg).			Dichter chloritischer Kalk (Pointe de Fouras, Rochefort).
B. Zerreiblicher Kalk bei Mastricht.		Bakuliten Kalk (Valognes, La Manche).	
Mergelige od. grobe Kreide (Pirna, nördlicher Harz u. s. w.).	Mergelige Kreide (Galizien).	Mergelige Kreide, Syn. Craie tufeau, mit Magnesit (Colummier), mit Hornsteinen (Paris).	Mergelige Kreide.
Schwarzer weißer rother { dichter Kalkstein mit Hornsteinen (Paderborn, Harz).	Dichter weißer Kalk (Krimm).		Dichter Kreidekalk (Saintonge).
			Nummuliten-Kreidekalk (Royan, Bastenes).
C. Erdige Kreide mit Feuersteinen (Lüneburg).		Erdige Kreide mit Feuersteinen und schwefelsaurem Stronzian.	Kreide mit Feuersteinen (Bastenes).

Die Kreide geht nicht in folgende Formation über.
lemniten und Kraniolithen) in den Inseln Moen, See

England und Irland.	Nördliche Seite der Alpen und Ungarn.	Südliche Seite der Alpen, Maltha u. s. w.	
	Weifser Kalkmergel mit grünen Theilen über den Salz - Lagern in Siebenbürgen?		Veränderte und zerklüftete Kreide, in Berührung mit den Augit - Porphyren (*Schio*) — verhärtete, und in Marmor verwandelte Kreide (*Belfast* in *Irland*).
Mergelige Kreide, Syn. Chalkmarl. Mächtigkeit 3 bis 400 F.	Mergelige Kreide (*Neukirchen*, *Hausrücken*).		
	Dichter Kalk (weifs) (Berg *Vairons*)?	Weifser oder rother dichter Kalk (Syn. *Scaglia*) (Gebiet von *Vicenza*, Süd-*Tyrol*, vielleicht *Sicilien* und die Gegend von *Ancona*).	Verwickelte Erz-Trümmer und Gänge — Bleiglanz, Silber-haltiger Bleiglanz, Blende im Augit - Porphyre (*Schio*).
Erdige Kreide mit Feuersteinen.	Kiesclige brekzienartige Kreide (*Ofen*) mit Schwerspath.		

Mergelkreide ist noch in *Skane* (mit Beland, *Rügen*, *Wollin* und *Usedom* vorhanden.

13 *

Vierte

Terziäre

Geschichtete oder neptunische Gebilde.

I. Erste terziäre Sandstein - Formazion.
Syn. *Argile plastique.*

Viele Pflanzen - Ueberbleibsel, Süfswasser - Muscheln und
Fische — Insekten, grofse Land - Säugethiere (Mastodonten u. s. w.)

Becken vom nördlichen Frankreich.	Becken von London und der Insel Wight.	Becken vom südwestlichen Frankreich.	Becken vom südöstlichen Frankreich.	Becken von Nord-Deutschland, Dänemark und Rufsland.
Maximum der Höhe ungefähr 800 Fufs.	Maximum der Höhe über 600 F. Mächtigkeit 100 bis 1100 F.			
Mergelthon.	Mergelthon.	Mergelthon.		Mergelthon.
Plastischer Thon.	Töpferthon.			Töpferthon.
Sand.	Sand.			Sand und Gerölle.
Sandstein.		Molasse mit See-Muscheln im obersten Theile (*Marmonde*).		Sandstein, dichter (*Zeiz*).
Kieselerde in Nestern (*Vierson*).				

Klasse.

Gebirge.

Massive oder plutonische Gebilde.

Der bestimmte, terziäre Zeitraum, wo folgende Emporhebungen Statt gehabt haben, ist oft höchst schwer zu bestimmen.

achyte:

mititische Trachyte mit	Glimmer Hornblende Augit Quarz	als Kegel und stehende Stöcke, meistens von Uebergangs-Gebirgen umgeben.

rphyrische Trachyte mit Granaten als stehende Stöcke und stromartig.

Becken vom nördlichen Frankreich.	Becken von London und der Insel Wight.	Becken vom südwestlichen Frankreich.	Becken vom südöstlichen Frankreich.	Becken von NordDeutschland, Dänemark und Ruſsland.
Konglomerate.	Konglomerate.		Kalk-Konglomerate (*Aix in Provence*).	Gerölle.
Kiesel - Konglomerate (*Rennes*).	Kiesel-Konglomerate (*Hertfordsh*).			
Eisen - Hydrat-Nieren? Erdiger Gyps.				Erdiger Gyps (*Egeln*).
Erdige Braunkohle. Braunkohle mit Eisenkies, mit Bernstein (*Auteuil*), mit Blende, Oberste Grenze der Blende (*Auteuil*). Aluminit. In den obersten Lagern ein zufälliges Gemenge von Süſs - und SalzwasserMuscheln und Schnekken (*Melanopsiden*).	Braunkohle mit Bernstein. In den obersten Lagern ein zufälliges Gemenge von Süſsund Seewasser - Muscheln.	Braunkohle (höchst selten).	Braunkohle (*Gardonne*)??	Erdige Braunkohle. Braunkohle mit Eisenkies (*Mecklenburg, Helmstädt*), mit Bernstein, Mellit, Schwefel und Aluminit, mit Süſswasser-Muscheln, Insekten und Fischen (am untern Rheine?) (MastodontenKnochen).

verglaste Tra- Obsidian als stehende
chyte Pechstein Stöcke, Ströme (*Ungarn*),
und Gänge (*Can-
tal*).

Thon (an

A

bimssteinartige Trachyte mit Perlstein
(*Glashütte*).

Die meisten Trachyt-Gebirge sind von Uebergangs-
Gebirgen, oder von Granit umgeben.

Klingstein { gewöhnlicher als Kegel oder
erdiger Ströme in älte-
ren Gebirgen mit
Leuzit und
Sphen (*Kaiser-
stuhl*).

Becken vom Rhein, zwischen Basel und Bingen.	Becken von der Schweiz, Baiern und Ober-Oesterreich.	Becken von Mähren, Unter-Oesterreich, Ungarn und Siebenbürgen.	Italienische Becken.	Böhmisches Becken.
Max. der Höhe 800 F.	Max. der Höhe 4000 F.			
Mergelthon?			Mergelkalk und Thon (am Fuſse der Alpen Onigo), (mit See-Muscheln).	Mergelthon. Töpferthon.
Sand.		Sand und Gerölle mit Petrefakten (Eisenstadt).		Sand.
Sandstein mit See-Muscheln. (Alzey).	Molasse?	Molasse?		Sandstein (mit Quarz-Krystallen u. Porphyr).

Augit-Porphyr (Gebiet von *Vicenza*, *Süd-Tyrol*, *Dumbartonshire* in *Schottland*, *Hebriden*).

Maximum der Höhe 8000 F.

Augitischer Basalt mit Olivin, Nephelin { als lagerartige Stök-ke, Gänge, Ströme und stehende Stöcke (*Odenwald*). (In älteren Gebirgen.)

Feldspathartiger Basalt als Stöcke und Kegel.

Halbverglaster Basalt (schwarz oder blau) { als Theil eines Ke-gels (*Morostico* im *Vicentinischen*), oder als Ströme.

Becken vom Rhein, zwischen Basel und Bingen.	Becken von derSchweiz, Baiern und Ober-Oesterreich.	Becken von Mähren, Unter-Oesterreich, Ungarn und Siebenbürgen.	Italienische Becken.	Böhmisches Bekken.
Konglomerate mit See-Muscheln (Kreuznach u. s. w.).	Kalk - Konglomerate (bei Häring) und Nagelflue längs den Schweizer Alpen (Thun).	Kalk-Konglomerate (im Wiener Becken und in Ungarn).	Konglomerate (in den Apenninen).	Konglomerate (Karlsbad).
				Kiesel - Konglomerate (Blansko, in Mähren).
Eisen - Hydrat (Stromberg).				
				Braunkohlen. Selten mit Süßwasser-Muscheln (Unio Anodonte) und Insekten (Bilin).

Pseudovulkanische Erzeugnisse {Porzellan-Jaspis} {Böhmen)
Erd - Schlacke
Tripel - Thon (Bilin).

Diese kleine Formazion ruht ungleichförmig auf Flöz- oder älteren Gebirgen.

Trachyt - Konglomerate
Erdige, Trachyt - Kon-
glomerate mit Gold?
(*Königsberg*), mit Opal
Bimsstein - Konglome-
rate
Alaunstein mit Pflan-
zen - Abdrücken und
Muscheln (*Ungarn*).
Basaltische Konglome-
rate

} als lagerartige
Stöcke, Lager
und stehende
Stöcke (*Ungarn,
Seckler-Land,
Steyermark, Unter-
Rhein, Cantal
u. s. w.*)

Gibt es wirklich Gold-haltige Trachyte — wie Graf
Breuner behauptet? — Oberste Grenze der Stock-
werke von Silber-haltigem Bleiglanze,
Blende u. s. w. im Augit - Porphyr (*Val
Zuccanti bei Schio*). — Wenig Achate, große
Zeolithen - und Halb - Opal - Ablagerung,
Opal — Hauyn. — Oberste Grenze des Arra-
gons, unterste Grenze des Nephelins und
Leuzits.

II. Erste terziäre Kalk - Formazion. Syn. *Calcaire grossier.*

Becken vom nördlichen Frankreich.	Becken von London und der Insel *Wight.*	Becken vom südwestlichen Frankreich.	Becken vom südöstlichen Frankreich.	Becken vom nördlichen Deutschland und Rußland.
Max. der Höhe 600 F.	Max. der Höhe 759 Fuſs. Mächtigkeit 77 bis 550 Fuſs.	Max. der Höhe 400 Fuſs. ungefähr.		Max. der Höhe einige 100 Fuſs, bei *Kassel* 500 F.
a. Unterer Theil. *A.* Kalk - Konglomerate aus Seethieren und Muscheln bestehend (*Cleons bei Nantes, Dinant, La Manche*).		*a.* Unterer Theil. Madreporen und Muschel-Konglomerate oder dichter Kalk mit wenig Muscheln (*Bordeaux, Blaye*), mit Braunkohlen-Spuren.		

Zahlreiche kalzinirte Muscheln,
Säugthier - Knochen von ausgestorbenen Arten. — Oberste Grenze der Kraniolithen.

Rhein-Becken zwischen Basel und Bingen.	Becken von der Schweiz, Baiern und Ober-Oester-reich.	Becken von Mäh-ren, Un-ter-Oe-sterreich, Ungarn und Sie-benbür-gen.	Italieni-sche Bek-ken, Si-cilien.	
Max. der Höhe 800 F.	Max. der Höhe 4000 F.	Max. der Höhe 600 bis 1000 Fuſs.	Max. der Höhe über 1000 F.	als Ke-gel, la-gerarti-ge Stök-ke (Bre-gonza, Val di Noto), Gänge (Vicen-tini-sches Gebiet) und Ströme.
		Porö-ser Dich-ter Erdi-ger (Loretto, Krapina, Siebenbür-gen), mit blauen Thonmer-gel - La-gern im obersten Theile (Loretto).	Nummuli-tenkalk (Verona, Gebiet von Vicenza, Sicilien), mit Tar-tufſiten (Castel-gomberto), mit blauen Thonmer-gel - La-gern, mit Muscheln (Bassano,	Basal-tische Ge-steine

Korallenkalk

Becken vom nördlichen Frankreich.	Becken von London und der Insel Wight.	Becken vom südwestlichen Frankreich.	Becken vom südöstlichen Frankreich.	Becken vom nördlichen Deutschland und Rußland.
Chloritischer Kalk.	Blauer und grüner Thon mit Muscheln (Syn. London-clay), mit Kalk-Nieren.			Chloritischer Kalk (Lemgo, Osnabrück).
Nummuliten-kalk (Gisors).				ChloritischerThon mit Muscheln (Helmstädt).
b. Oberster Theil. B. Sandiger Mergelkalk mit Muscheln (Grignon). Faluu in der Tourraine (Doué).		b. Oberster Theil. Sandiger Mergel-kalk mit Muscheln (Dax, Leognan), mit Eisen-Hydrat (Dax), mit Süßwasser-Muscheln		Sandiger Muschel-kalk (Antwerpen, Dickholzen u. s. w.)

Rhein-Becken zwischen ...l und Bingen.	Becken von der Schweiz, Baiern und Ober-Oester-reich.	Becken von Mäh-ren, Un-ter-Oe-sterreich, Ungarn und Sie-benbür-gen.	Italieni-sche Bek-ken, Si-cilien.	
			Castel-gomber-to), (mit Gryphaea columba, Plagiosto-ma spino-sa).	Basal-tische Kon-glome-rate
		Nummu-litenkalk (Wol-lersdorf, Ungarn) im ober-sten Theile.		als La-ger (Kassel in Hes-sen, Vicen-tini-sches Gebiet Sici-lien),
...ndiger ...uschel-...lk, oder Mergel-...alk mit ...ßwas-...r- und ...ee-Mu-scheln. (Syn. ...lußkalk Steinin-...en's).	Molasse?			mit Muscheln, mit schwefel-saurem Stron-zian.

Becken vom nördlichen Frankreich.	Becken von London und der Insel Wight.	Becken vom südwestlichen Frankreich.	Becken vom südöstlichen Frankreich.	Becken vom nördlichen Deutschland und Rußland.
		(Dax, Merignac), mit Craniolithen (Bordeaux).		
C. Cerithienkalk (Paris, Miliolithen) mit Flußspath. (Oberste Grenze des Flußspathes).				Grobkalk Kassel, Galizien, vielleicht auch im Mecklenburgischen, bei Sternberg, und auf Fardo).
			Unterster Theil des blauen Thones (Pont St. Esprit).	
Untergeordn. ob. L. Braunkohlen - Thon mit Süßwasser- und Seewasser- Muscheln (Montrouge.)		Dichter Mergelkalk mit Süß- und Seewasser- Muscheln, als Lager in den	Braunkohlen.	

Rhein-Becken zwischen ...el und ...ingen.	Becken von der Schweiz Baiern u. s. w.	Becken von Mähren, Un- ter-Oe- sterreich, u. s. w.	Italieni- sche Bek- ken, Sici- lien.	
...obkalk *Türk-kim, 'rank-...rt*).		Grob- oder Ceri- thienkalk (ganz oben) (*Prinzen-dorf*).		Basaltische Brekzien als stehende Stök-ke (*Verona* u. s. w.).
		Unterster Theil des blauen Thones (Syn. Te-gel).	Unterster Theil des blauen Thones (*Subapen-ninische Hügel*).	
		Braunkoh-len. Aber im östlichen *Ungarn*, in *Sieben-bürgen*, anstatt	Braunkoh-len (*Bol-ca*). Dusodile (*Sicilien*). Dichter Stink-schiefer-	

Becken vom nördlichen Frankreich.	Becken von London und der Insel Wight.	Becken vom südwestlichen Frankreich.	Becken vom südöstlichen Frankreich.	Becken vom nördlichen Deutschland.
Untergeordnete oberste Lager Phosphorsaurer Kalk-Sandstein, oder Sand mit Süß- und Seewasser - Muscheln (*Beauchamp*). Mergel und Mergelkalke mit kieseligem Kalke wechselnd (*Montrouge*). In der Mitte des Beckens.	Sandstein, oder Sand.	obersten sandigen Muschelmergeln (*Soucas, Bazas*).		

Die geognostischen Forschungen des Hrn. C. Prevost
ser terziäre Kalk sich nicht überall in allen Becken
Becken in Lagunen von Süßwasser - oder wenig g°
nem Theile der Grobkalk sich bildete, anderswo Mer
seligem Gesteine entstanden. J. Prevost läßt die
die Becken hereinkommen, und hat deutlich gezeigt,
längs gewissen Flüssen vorhanden sind. So erscheint
Masse im Kalke, und nicht als Formation, wie Herr
gewisse Buchten dieser Becken, durch ihre Lage, sehr
daß während einem großen Theile des terziären Zei:
wasserkalk oder Mergel da gebildet wurde. Dieses
wasser-Bildung des Grobkalkes und des lezten terziären

Rhein-Becken zwischen Basel und Bingen.	Becken von der Schweiz, Baiern u. s. w.	Becken von Mähren, Unter-Oesterreich u. s. w.	Italienische Becken, Sicilien.	
		blauer Thon, Molasse.	kalk mit Pflanzen- und Fisch-Abdrücken (*Bolca, Salcedo*). (Diese zwei lezten Lager im obersten Theile des Nummulitenkalkes, oder am Fuſse der Alpen).	Trachytische Konglomerate Bimsstein-Konglomerate } als Lager oder Stücke.

und die meinigen im südlichen Frankreich zeigen, daſs die-
gebildet hat. Damals waren schon einige Theile mehrerer
salzene Seen verwandelt worden; so, daſs während in ei-
gel und Süſswasserkalk mit ziemlich vielem Gypse und kie-
Kieselerde und Schwefelſäure durch Flüsse oder Quellen in
daſs im Pariser Becken diese lezteren Ablagerungen nur
der Gyps im terziären Gebiete auch nur als untergeordnete
BRONGNIART es irrigerweise aufstellte. Es scheint, daſs
früh von dem Haupt-Becken getrennt worden sind, so,
raumes, oder während diesem ganzen Zeitraume, nur Süſs-
Verhältniſs macht die Unterscheidung zwischen der Süſs-
Zeitraumes höchst schwierig.

14 *

Süfswasser - Bildung des ersten terziären Kalkes. — Ablagerungen eines süfsen oder wenig gesalzenen Wassers, die gleichzeitig mit der Bildung des obersten Grobkalkes und mit dieser innigst verflochten sind, wie bei Paris. (Syn. *Formation gypseuse; depot d'eau douce inférieur.*)

Becken vom nördlichen Frankreich.	Becken von London und der Insel Wight.	Becken vom südwestlichen Frankreich.	Becken vom südöstlichen Frankreich.	Becken von Nord-Deutschland.	Rhein-Becken zwischen Basel und Bingen.
Max. der Höhe 250 F. und darüber.	Max. der Höhe 90 F. Mächtigkeit 63 F.	Max. der Höhe 600 F.			Max. der Höhe mehr als 500 F. Mächtigkeit 60 F.
		Molasse mit Süfswasserkalk-Lagern (*Villeneuve*).			
Kieselkalk {weifser, rother} mit Chalzedon (*Brie, Berry*).		Süfswasserkalk ohne Muscheln mit Schwerspath (*Lot et Garonne*), gleichzeitig mit	Mergelkalk, theils schieferig mit Süfswasser und Secufer - Muscheln und Fischen (*Aix*).	In diesem Becken ist nichts Aehnliches bekannt.	Süfswasserkalk mit Knochen (*Buxweiler*).

Ziemlich oft Land-Säugethier-Knochen von ausgestorbenen Arten und Gattungen, von Fischen u. s. w.

Becken von der Schweiz Baiern u. Ober-Oester-reich. (Salz-wasser-Bek-ken.)	Becken von Mäh-ren,Un-garn u.s. w. (Salz-wasser-Bek-ken.)	Italieni-sche Bek-ken. (Salzwas-ser-Bek-ken.)	Böhmi-sches Becken.	Becken der obern Loi-re, vom Allier und Tarn.	Ba-salti-sche Fels-ar-ten	als La-ger, Stöcke (Ger-go-via), und Strö-me. (Can-tal).
In die-sem Becken ist nichts Aehnli-ches be-kannt, wenn nicht	Blauer Thon.	Blauer Thon.	Polir-Schie-fer. Tripel-Schiefer mitSüfs-wasser-Fisch-Abdrük-ken.	Mergel-kalk, porö-ser Tuff-kalk mit Süfswas-ser-Schnek-ken (Indu-sia).		

Becken vom nördlichen Frankreich.	Becken von London und der Insel Wight.	Becken vom südwestlichen Frankreich.	Becken vom südöstlichen Frankreich.	Becken vom nördlichen Deutschland.	Rhein. Becken zwischen Basel und Bingen. Braunkohle (im tersten Theile)
Mergelkalk mit Knochen (*Argenton*).		dem dichten Grobkalke, der *Gironde* gebildet), mit Muscheln und Knochen von Säugethieren (gleichzeitig mit dem obersten sandigen Muschelkalke der *Gironde* gebildet). Süfswasser - Quarz (*Meuliere*), als Stock (*Damazan, Guateloup*). Kieselkalk mit Holzstein (*Aurillac*).	Mergelkalk unter dem Basalte (*Vivarais*).		
Schiefer-Mergel. Mergelgyps. Körniger Gyps.	Mergel.		Mergel. Mergelgyps Körniger Gyps Dichter Gyps Selenit. (*Aix*).		
Dichter Gyps (mit Knochen).					
Selenite. Erdiger Gyps (längs der *Marne*) mit Menilit.					
Dichter, schwefelsaurer Stronzian. Süfswasser.					

Becken von der Schweiz u. s. w.	Becken von Mähren, Ungarn u. s. w.	Italienische Bekken.	Böhmische Becken.	Becken der obern Loire u. s. w.	Basaltische Konglomerate, oder Brekzien	
gewisse Süfswasserkalk- und Braunkohlen-Lager der Molasse dazu gehören möchten, *Schweiz.*	Braunkohlen (*Radoboy*). Schwefel (*Radoboy*), mit Kalkmergel (Fische und Insekten-Abdrükke).	Braunkohlen. Krystallisirter oder massiver Schwefel (*Asenate, Sicilien*). Kalk-Mergel (Fische, Insekten), (*Sinigaglia*). Dichter Gyps (*Volterra*). Selenite (*Nizza, Sicilien*). Gyps mit Blätter-Abdrükken (*Stradella* bei *Pavia*). Schwefelsaurer Stronzian (*Sicilien*).	Halbopal (*Kostenblatt bei Bilin*).	Knochen (*Mont de la Boulade, Gergovia*). Kalkmergel. Faseriger Gyps (*Puy en Velay*), mit Knochen. Max. der Höhe im *Puy* 1200 Fufs. Gyps bei *Aigueperse.*		als Lager, Stöcke (*Aurilluc, Puy de Marmant, Clermont*), und stehende Stöcke (*Puy de la Pege, Puy Crouelle, zwischen Aurilluc und Vic en Carladez*), mit Pflanzen-Abdrükken (*Puy de Marmant*).

Becken vom nördlichen Frankreich.	Becken von London und der Insel Wight.	Becken vom südwestlichen Frankreich.	Becken vom südöstlichen Frankreich.	Becken vom nördlichen Deutschland.	Rhein-Becken zwischen Basel und Bingen.
Schnecken, selten und oft See- Muschel- Lager oder Gemenge von beiden Muschel- Arten. (Mergel mit Gyps und der Kieselkalk haben sich neben ein- ander ge- bildet und der Gyps scheint nur mit dem ober- sten Ceri- thieukalke von *Paris* gleichzei- tig zu seyn).		Mergel mit Austern, zwischen beiden Ar- ten von Süfswas- serkalk (*Aiguil-lon*). Mergel mit Selenit, über dem Süfswas- serkalke Gyps mit schwefel- saurem Stronzian als Stock (*St. Sabi-ne, Beau-mont*).			

Oberste Grenze des Schwerspathes und schwefel
Diese Bildung ist mit der zweiten terziären Thon- und
verbunden.

Becken von der Schweiz u. s. w.	Becken von Mähren, Ungarn u. s. w.	Italienische Becken.	Böhmische Becken.	Becken der obern Loire u. s. w.
Mergel mit Selenit oder faserigem Gypse? Molasse mit Knochen von Land-Säugethieren?		Salz und Salz-Quellen (Sicilien, Volterra).	Kleine Ablagerungen, scheinbar nicht von diesem Alter; sie dürften eher gleichzeitig mit dem Grobkalke entstanden seyn, wenn sie nicht noch zum ersten terziären Sandsteine gehören.	Die Becken des Allier und der Loire enthalten, noch unter dem Süsswasserkalk und Mergel, Sand und Konglomerate.

sauren Strontians.

Sandstein-Formazion durch abwechselnde Lager

III. Zweite terziäre Sandstein-Formazion und zweiter terziärer Kalk.

Becken vom nördlichen Frankreich.	Becken von London und der Insel Wight.	Becken des südwestlichen Frankreichs.	Becken des südöstlichen Frankreichs.	Becken von Nord-Deutschland u. Rußland.	Rhein-Becken zwischen Basel und Bingen.
Max. der Höhe 600 Fuß.	Max. der Höhe 60 F. Mächtigkeit 30 F.				Max. der Höhe wenigstens 800 Fuß.
A. Mergelthon (mit Austern).			Molasse mit Petrefakten (Dauphinés). Blauer Thon, hin und wieder mit Petrefakten (Pont St. Esprit, Montpellier), zufällig chloritisch im unteren Theile, mit Braunkohlen (Pont St. Esprit,	Thon mit Braunkohlen (unter manchen Basalten), mit Blätter-Abdrükken. Trippelschiefer mit Fisch-Resten. (Habichtswald).	Sand mit Erdpech (Lobsan), oder Braunkohlen- und Süßwasserkalk-Lager (Mühlhausen).

Hin und wieder unzählige
Muscheln. — Leztes Erd-
harz.

Becken der Schweiz, Baierns und Ober-Oester-reichs.	*Becken von Mähren, Un-ter-Oesterreich, Ungarn und Siebenbürgen.*	*Italische Subapennini-sche Becken und Sicilien*		
Max. der Hö-he wenigstens 2500 F.				
Molasse mit Nagelflue und mit Mergelthon, hin und wieder mit Muscheln im obersten Theile (*Belp-berg, Wolfs-egg*), mit Braunkohlen (*Küßnacht*) und Süßwas-serkalk-Lager (*Court-Thal, Häring*).	Molasse oder blauer Thon, hin und wieder mit Petrefakten, vorzüglich im obersten Theile, wo auch schon *Melanopsides* vorkommen mit Braunkoh-le, die in der Molasse oft von Süßwasserkalk-Lagern begleitet ist (*Graz, Syrmien, Kärnthen*) mit Selenit.	Blauer Thon, hin und wie-der mit Pe-trefakten, vorzüglich im obersten Theile, zu-fällig chlo-ritisch (*Ge-nua*), mit Braunkoh-len-Stöcken oder Pflan-zen-Abdrük-ken im Mer-gel (*Anthra-cotorium* bei *Cadibona*), mit Selenit (*Volterra*).	Dich-ter Basalt / Porö-ser Basalt	als Kegel (*Ober-Pullen-dorf, Steyer-mark*) und als Lager-Stöcke (unfern *Rom*).

Becken vom nördlichen Fränkreich.	Becken von London und der Insel Wight.	Becken des südwestlichen Frankreichs.	Becken des südöstlichen Frankreichs. und hoch auf dem Gebirge bei Grenoble).	Becken von Nord-Deutschland und Rußland.	Rhein-Becken zwischen Basel und Bingen.
					Mergel mit Selenit und Mu-scheln.
B. Mergel.	Mergel.	Mergel.	Sandige Mergel.	Sand mit Erdpech	

Becken der Schweiz, Baierns und Ober-Oesterreichs.	Becken von Mähren, Unter-Oesterreich, Ungarn und Siebenbürgen.	Italische Subapenninische Becken und Sicilien.	
Mergel mit Selenit (Boudry).	Polirschiefer, Halbopal (Zamuto, Zemplin).		
Lokale Süfswasser - Bildung von Oeningen, Mergelschiefer. Kalkmergelschiefer (mit Pflanzen, Insekten, Amphibien, Fischen).	Lokale Süfswasser - Bildungen bei Nikolschiz in Mähren. Mergelkalkschiefer. Stinkkalkschiefer.	Basaltische Konglomerate	als Lager und Stöcke (Rom, Feldbach in Steyermark.
	Halbopal als Lager (Insekten und Fische). Halbopal, Menilit (Pata im Tatra).		
Sandige Mergel.	Sandige Mergel.	Sandige Mergel mit La-	

Becken vom nördlichen Frankreich.	Becken von London und der Insel Wight.	Becken des südwestlichen Frankreichs.	Becken des südöstlichen Frankreichs.	Becken von Nord-Deutschland und Rußland.	Rhein-Becken zwischen Basel und Bingen.
				(Zilenzig, Preußen),	
Klebschiefer.					
			Sandiger Grobkalk.		Sandstein und Sand mit
			Sand mit Thon (Montpellier). Süßwasserkalk mit Magnesit (Salinelle, Gard).	mit Thon und Braunkohlen (Corvoy), (Insekten), mit Eisen-Hydrat (eisenhaltige Quellen).	Braunkohlen (Vogelsgebirge Wetterau), (Blätter-Abdrücke)

Becken der Schweiz, Baierns und Ober-Oester- reichs.	Becken von Mähren, Un- ter-Oesterreich, Ungarn und Siebenbürgen.	Italische Subapennini- sche Becken und Sicilien.
		gern von Kalkmergel (Süfswasser- Muscheln (*Sienna*).
Sand - Lager.	Sand - Lager mit See - und Süfs- wasser - Mu- scheln (Neriti- nen, Hellas), Melanopsiden (*Gaya*, *Myti- lus*). Sandiger Mu- schelkalk (*Moedling*).	
Sand mit Thon und Braunkohlen (*Wolfsegg*, *Usnach*).	Sand mit Thon und Braunkoh- len - Stöcken (Süfswasser- Muscheln, *My- tilus*, *Anodon- ta* u. s. w.) (*Thalern* bei *Ofen*).	Thon - und Braunkoh- len - Lager (Süfswasser- Muscheln, Planorben, Melanopsi- den, Neriti nen u. s. w.). Bei *Sienna* sind fünf sol- che Stöcke, einer über dem andern.

Becken vom nördlichen Frankreich.	Becken von London und der Insel Wight.	Becken des südwestlichen Frankreichs.	Becken des südöstlichen Frankreichs.	Becken von Nord-Deutschland und Rußland.	Rhein-Becken zwischen Basel und Bingen.
C. Sand (Bayeux, Montmorency) mit Eisen-Hydrat (Normandie), selten mit Muscheln und Palmenholz.	Sand mit Muscheln (Syn. Bagshot Sand).	Sand (ohne Muscheln mit Eisen-Hydrat), und Manganoxyd (mit Palmenholz).	Sand und Sandstein mit See-Muscheln, Austern u. s. w.		Mu-schelnhaltige Molassen oder Mergel.
Sandstein mit quarzigem Kalk-spathe (Fontaine-bleau).	Sand-stein.	Lenzinit (St. Severe). Konglo-merate als Stöcke.	Sand ohne Muscheln, mit Geröl-len (Montpel-lier, St. Paul trois chateaux)	Blöcke; Gerölle.	
D. Der zweite ter-ziäre Kalk fehlt.		Der zweite terziäre Kalk würde feh-len, wenn die Molasse wirklich 'em Argile plastique, und nicht dem blauen Thone parallel steht. — Oberste Grenze des Manganoxy-des.	Sandiger Grobkalk (St Paul trois cha-teaux). Chloritischer Grobkalk (Mont-pellier).	Grobkalk (östli-ches Ga-lizien?).	(In so fern der Kalk von Mainz zum er-sten ter-ziären Kalke ge-hört.)

Becken der Schweiz, Baierns und Ober-Oesterreichs.	Becken von Mähren, Unter-Oesterreich, Ungarn und Siebenbürgen.	Italische Subapenninische Becken und Sicilien.		
Muschelnhaltige Molassen.	Sand oder Sandstein mit See-Muscheln (*St. Pölten, Pyrawort u. s. w.*).	Sand mit Muscheln (*Ischia, Neapel*).		
Sandstein und Sand von Nord-Baiern. Nagelflue-Lager der obersten Schweizer Molasse.	Sandstein oder Sand ohne Muscheln (*Gumpoldskirchen*), und mit Geröllen und Konglomeraten (*Wien*).	Sandstein oder Sand ohne Muscheln (*Monte Marius*), mit Geröllen und Konglomeraten (*Rom*).	Basaltische oder Leuzit-Lava	als Ström (*Capo di Bove, Viterbo u. s. w.*).
Kalk-Muschel-Sandstein (*Stockach, Lenzburg*)? Eigentlicher Grobkalk fehlt.	Sandiger Grobkalk (*Wien*). Grobkalk (*Pesth, Oedenburg*) mit Milliolithen.	Sandiger Grobkalk Grobkalk (*Volterra, Sienna, Aspromonte, Otrento*). mit Milliolithen (*Sardinien und Sicilien*).		

Terziäre Süßwasser - Bildung von verschiedenem Alter, nur in manchen beschränk-

lung der meisten jezzigen Thäler der **Ebenen** entstanden. (Syn. *Depot supérieur d'eau douce*).

Becken des nördlichen Frankreichs.	*Becken von London und der Insel Wight.*	*Becken des südöstlichen Frankreichs.*	*Becken der Schweiz und Baierns.*
Max. der Höhe über 600 F.	Max. der Höhe 400 F. Mächtigkeit 55 F.	Hin und wieder unter dem Meeres - Niveau (*Sete*).	
A. Süßwasser-Quarz (Syn. *Meulere*), mit Muscheln.			k (*Lo-*).
B. Mergel.	Mergel.	Mergel (*Mo pellier*).	
C. Süßwasser-kalk (*Orleans*), (mit Wasser-Pflanzen).	Süßwasser-kalk.	Süßwasserkalk (*Rhodes, le Vigan* u. s. w.). Vielleicht gehört auch der Mergelkalk unter dem Basalte des *Vivarais* hierher?	wasserkalk (*Heidenheim*), (mit Wasser-Pflanzen).

Es gibt kein Uebergang der terziären Gebilde in die

Pflanzen, von noch jezt vorhandenen Gattungen, theils auch von untergegangenen; Muscheln- oder Schnecken-Arten.

Becken Unter-Oesterreichs und Ungarns.	Italienische Apenninische Becken.		
...	...	...	...
Kieseliger Kalk (*Ofen*).	...	Basaltische Lava	als Ströme und Kegel.
Kalkmergel (*Ofen*).	Kalkmergel (*Colle, Sienna*), mit Muscheln.	Basaltische Konglomerate	als lagerartige Stöcke auf dem Kalke.
Süfswasserkalk (zwischen *Meidling* und *Gumpoldskirchen* bei *Wien*, Max. der Höhe 581 F., *Wimpassing, Neszmely, Ofen, Czigled* u. s. w.	Süfswasserkalk, dichter Süfswasserkalk (Gegend von *Sienna*), lockerer Süfswasserkalk (Syn. *Travertino*) (*Rom*). Max. der Höhe 325 Meter.		

Alluvial-Ablagerungen.

15 *

Man kennt noch' terziäre Formazionen in *Island* un²
chen *Portugal,* um *Lissabon,* am Vorgebirge *S:.*
führende Kalke; in *Spanien* u. a. Sand, Muschel-
gos, *Frejenal*); in dem Atlantischen Theile *Nord*
scheln-führenden Kalkstein (*Florida*); im *Mississippi-*
schen Inseln (*Guadeloupe*, *Barbadoes*, *Jamaika*,
tigen Kalkstein;' in *Sardinien* und in *Griechenland,*
Kalksteine, am *Bosporus,* in der *Wallachei* un
südlichen *Rufsland* und in der grofsen Ebene vor
(*Bucharey*); in *Indien,* Thon, Braunkohlen, Mergel
Insel *Zeylan,* u. a. Muscheln-haltigen Kalkstein mit
Thon mit Krebsen, Muschelkalk u. s. w., an mehren
auf den Inseln *Madeira,* auf den *Kanarischen* Inseln

Grönland, namentlich Braunkohle und Thon; im westli-
Vincent u. s. w., namentlich Braunkohlen und Muscheln-
Sandstein (*Barcellona, Alicante*), Süfswasserkalk (*Bur-
Amerikas* u. a. Thon, Braunkohlen, Muschelsand und Mu-
Becken; im nördlichen *Columbien* und auf den *Westindi-
Antigua* u. s. w.), u. a. Muschelsand und Muscheln hal-
bei *Korinth*, vorzüglich sandige Muscheln einschliefsende
Moldau, vorzüglich Thon, Braunkohlen und Sand; im
Mittel-Asien, u. a. Sand, Muschelsand, Thon u. s. w.
mit Paleotherium-Knochen (Ufer des *Ganges*); auf der
Seethieren; in *Neu-Holland*, in den *Molluckischen Inseln*,
Orten des nördlichen Theiles und des Innern von *Afrika*, und
u. s. w., besonders Thon, Sand und Muschel-Kalkstein.

Fünfte

Alluvial-

Geschichtete oder neptunische Gebilde.

I. Aeltere Alluvial-Bildungen. (Syn. *Diluvium.*) — Die neueren Alluvial-Bildungen sind nicht immer von diesen älteren geschieden; eine solche Trennung ist nur zufällig und an andern Stellen gehen beide Bildungen so in einander über, dafs sie augenscheinlich von denselben noch. jezt vorhandenen Ursachen herstammen müssen. Jedoch haben diese Natur-Wirkungen von den älteren bis zu den neueren Zeiten immer abgenommen. Wenn die zweiten Alluvial-Bildungen wirklich getrennt erscheinen, so müfsten die Entstehungs-Ursachen der älteren Gebilde plözlich aufgehört haben, wie z. B. in einem grofsen Becken, wo das Wasser durch einen Durchbruch der Dämme plözlich sehr gesunken seyn kann u. s. w. — Diese Bildungen bedecken die andern Formazionen meist ungleichförmig.

Aeltere Meeres-Bildungen.

1. **Sand-Gerölle und Ablagerungen verwes** **Küsten, und sehr hoch über dem jezzigen** *Britanien*). — **Gewisse Kalk-Konglomerate**
2. **Muschel-, Sand- und Mergel-Bänke mit** **ren, längs den Küsten über dem Niveau** **Wasser-Fluthen (östliche Küste** *Englands* (*Crag*),

Klasse.

Gebirge.

	Massive oder pluto- nische Gebilde.
Nur noch lebende Pflan- zen? — See-, Fluſs- oder Erdmuscheln und Schnek- ken. — Ueberbleibsel von verschwundenen und noch lebenden Thieren, aber keine Menschen- Knochen.	Aeltere La- ven. { als Ströme in noch jetzt vorhan- denen Thie- lern (*Viva- rais* ſ *Ve- lay*).
	Steinige La- ven { Feldspath- artige La- ven (*Nea- pel*). Basaltartige Laven.
ter Pflanzen, längs dem Meeres - Spiegel (*Groſs*- (Küste bei *Nizza, Sicilien* u. s. w.). Knochen und See-Thie- der jezigen höchsten *Forth* und *Clyde* - Ufer in *Schott*-	Glasige La- ven. { Obsi- dian Bims- stein { als Strö- me? Is- land.

land, südliches *Norwegen*, bei *la Rochelle* und am
Bänke), *Nord-Amerikanische* Küste bei *Boston* u. s. w.).

3. Sandiger Kalk-Schlamm in Weitungen
Felsen u. s. w. (*Mittelländisches Meer*). —
Mittelländischen Meere noch jezt lebendet,
tar). (Syn. *Calcaire mediterraneen* von RISSO).
Sizilien. — Knochen-Brekzie, oder theils von
von mitunter noch im Lande lebenden Thieren und
Dalmazien, Jonische Inseln, Montpellier, Roussillon
See-Muscheln (*Nizza, Gibraltar*).

4. Korallen- oder Madreporen-Riffe über
Spiegel (Insel *Lamlash* in *Schottland, Süd-See*).

5. Spuren von Bohr-Muscheln in verschie
am Meeres-Ufer und sehr erhaben über
höchsten Fluthen (*Nizza,* Vorgebirge *Circeo,* im

6. Torf von See-Pflanzen unter dem Meere

7. Grofse Sand-Bänke, die unter dem Meere
bildet wurden.

Aeltere See- und Flufs-Bildungen längs ihrer
Mündung und über dem jezzigen Stände

1. Sand, Gerölle und Ablagerungen verwes
oder Terrassen (Umgebung des abgeflossenen See
fer-See). — Einige Konglomerate.

2. Thon-Mergel mie Pfanzen-Ueberbleibseln

See- oder	mit Geröllen, verhärtete Mer
	serstuhl, *Ungarn*), Knochen, theils
3. Flufs-	Thieren und Süfswasser- und
Mergel	ken, deren lebende Arten, hin
	selten sind.

See-Mergel mit Süfswasser-Muscheln

Eingange der *Gironde* (Austern-

oder Spalten der Kalk-
Dichter Kalk mit, im
Muscheln (*Nizza*, *Gibral-*
Muschelkalk-Brekzie in
härteter Schlamm mit Knochen
mit Land-Schnecken (*Korsika*,
u. s. w.), seltener auch mit

Vulka-
nisches
Kon-
glome-
rat.

Basalti-
sches Kon-
glomerat
mit Zirkon
(*Velay*),
Bimsstein-
Konglome-
rate

als
Stök-
ke
oder
La-
ger.

dem jezzigen Meeres-

dener Höhe auf Felsen
dem jezzigen Stande der
Königreiche *Neapel*).
gebildet.
durch Strömungen ge-

Aeltere Anhäufungen
von Fels-Blöcken,
Lapilli, Asche,
oder Bimsstein.

Ufern, oder an ihrer
ihrer Wasser.
ter Pflanzen auf Plateaus
in *Glen Roy*, *Schottland*, Gen-

Vorkommen des Meionits,
des Nephelins, Mel-
lilits, und vieler an-
dern Mineralien der ältern
Laven, oder der Aus-
würflinge.

(längs dem *Mississippi*).
gel-Nieren (*Kai*-
von verlorenen
Land-Schnek-
und wieder, jezt

Garonne,
Rhein,
Donau-
Thal
Nord-
Deutsch-
land, *Ost-*
Ungarn.

und Knochen theils ver-

storbenen Thier-Arten zugehörig, unter
lands (*Forfarshire*).

4. Knochen-Brekzie, weit vom Meeresufer
ten (*Romagnano*, unfern *Verona*, im Jurakalke,
franche, im *Arveiron*-Departement, *Lunel* und *Mont*

Aelterer Kalktuff (der in Seen oder durch
nen Seiten gebildet wurde), oft mit
nicht mehr im Lande leben, oder selbst
den sind (*Pyrmont*, *südlicher Harz*), und hie
ser- und Erd-Schnecken, deren Arten
sind, aber im Lande, wo der Kalktuff
(*Baden*, *Oesterreich*).

Thierknochen - Anhäufungen, deren Arten
im Thone oder Kalktuffe einiger (vorzüg
(Im Uebergangskalke *Belenyes* in *Ungarn*, *Mixnick*
lohn in *Westphalen*, *Baumannshöhle* auf dem *Harz*,
kalke *Adelsberg*, *Gailenreuth*, im Gypse *Gera*, im
caire an der *Garonne*).

Aeltere Torfmoore, hin und wieder unter
Kies, Selenit — zufällig auch unter dem
(Ufer des *Baltischen Meeres*, *Pommern*, *Meklenburg*,

Felsen- oder Erd-Anhäufungen, durch sehr al-
Niedersenkungen, eine Folge von Erd-
ser-Einsinterungen oder Auswaschungen
, genden.

Ein Theil der vegetabilischen Erde der hö
Oberfläche. — Verwitterung der Felsen und
Thieren sind die bedingenden Ursachen.

den Torfmooren Schott-

und in Kalkfelsen-Spal-
Concud in *Arragonien*, *Ville-*
pellier im terziären Kalke).
Quellen an verschiede-
Thierknochen, die theils
von der Erde verschwun-
und wieder mit Süfswas-
noch jezt vorhanden
ist, selten vorkommen

| | Produkte der älteren untermeerischen Solfataren. |

theils ausgestorben sind,
lich Kalk-Felsen-) Höhlen.
bei *Bernik* in *Steyermark*, Iser-
Kirkdale, *Banwell*, im Jura-
Grobkalke *Lunelviel*, *St. Ma-*

Produkte der älteren
Solfataren, die an
der Luft gebrannt
haben.

Alaunstein.

Kalktuff (*Pyrmont*), mit
jetzigen Meeres-Spiegel
England, *Schottland*).
te Niederstürzungen oder
Erschütterungen, Was-
u. s. w. In allen Gebirgs-Ge-

Ausgebrannte Vulka-
ne (*Auvergne*).

heren Punkte der Erd-
Verwesung von Pflanzen und

| II. Neuere Alluvial-Bildungen (Syn. *Alluvium*). | Nur Ueberbleibsel von, noch jezt in demselben Lande lebenden Thieren, Menschenknochen und Kunstwerken. |

Neuere Meeres-Bildungen, die kaum das Niveau der höchsten Fluthen übersteigen.

1. Sand, Gerölle und Ablagerungen verwester Pflanzen und Thiere (*Seedünen* in *Schottland*, in der *Gascogne*).

2. Theils kalkige, durch kalkige Einsinterungen zusammengekittete Sand-Bänke (*Messina*), mit See-Muscheln und selbst mit Menschen-Gerippen (*Guadeloupe*).

3. Korallen und Madreporen-Riffe, die sich jezt noch bilden (*Südsee*).

4. Bohrmuscheln-Spuren auf den Säulen des Serapis-Tempels bei *Neapel*, wahrscheinlich Folge eines vulkanischen Ereignisses.

5. Sand-Bänke, die im Meere neu entstanden sind.

Neuere See- und Fluss-Bildungen längs den Ufern, oder an ihrem Ausflusse; nur das Niveau des höchsten Wasserstandes erreichend.

1. Sand-Gerölle und Ablagerungen verwester Pflanzen und Thiere.

2. Mit Pflanzen- oder Thierstoff gemengter Schlamm.

3. Absätze von {
kohlensaurem Natron (Seen in *Egypten*, in der *Barbarei*, in der Mitte *Asiens*, in *Kolumbien*).
salzsaurem Natron (Seen des südlichen *Russlands*, *Asiens* u. s. w.
}

		augitische		als
	steinige	basaltische'		Ströme
		feldspathartige		und
Neuere Laven:		leuzitische		Gänge.
	glasige	Obsidian		als Ströme und
		Bimsstein		in Stöcken.

	Lava-Blöcken	
	verschiedenen Felsarten	
Auswürfe von	Lapilli	als la-
	Augit- und Titansand	gerartige
	Asche	Stöcke.
	Bimsstein	

Regen - oder Schneewasser schwemmen jene
ausgeworfenen Gesteine zusammen, und
bilden daraus vulkanische Tuffe; namentlich:

augitischer Tuff	
basaltischer Tuff	als
feldspathartiger Tuff	Stöcke.
bimssteinartiger Tuff	

Das Wasser unterirdischer Höhlen bildet aus
vulkanischen Feldspath - Gesteinen einen
Thon - Tuff, hin und wieder mit
Fisch - Resten (Syn. *Moja*). — Vorkommen des Meionits, Wollasto-
nits, des sogenannten Eisspathes
u. s. w.

Produkte der untermeerischen Solfataren (*Island*, Insel *St. Michael*).

Thier - oder selbst Menschenknochen - Anhäufungen in Höhlen und Kalktuffen (*Durfort*, Depart. *du Gard*).

Neuer, in kleinen Seen gebildeter, Kalktuff (*Siebenbürgen*, Umgebung von *Rom*), durch Flüsse abgesezter Kalktuff (Wasserfall bei *Terni*), und durch Quellen entstandener Kalktuff (*Karlsbad, Alpen*) — Pisolithen. — Unächter Alabaster. — Jene Abseezungen dauern noch immer fort, und umschliefsen sowohl Land - Schnecken und Süfswasser-Muscheln, als Knochen der, im Lande noch jezt lebenden, Thiere (*Gave de Pau*).

Neuere Torfmoore, die sich gegenwärtig noch bilden, und hin und wieder Menschen - Körper und Kunstwerke enthalten, wie in *Schottland*, *England* u. s. w.

Felsen - oder Sand - Anhäufungen durch Niedersinkungen oder Herabstürzungen veranlafst (Fufs des *Rigi*, zwischen *Dobra* und *Deva* in *Siebenbürgen*. — Morainen der Gletscher.

Salzige Mineralien, die sich in Bergwerken, in Höhlen und auf dem Erdboden in mehreren Landstrichen bilden (*Ungarn, Asiatische Ebenen* u. s. w.), z. B. Salpeter, salpetersaurer Kalk, schwefelsaurer Kalk, Alaun, Schwefel, schwefelsaures Kupfer, schwefelsaures Eisen u. s. w.

Absäzze eisenhaltiger, salinischer oder warmer Mineral - Quellen; z. B. Eisen - Hydrat oder Rasen-Eisenstein (*Schottland, Mecklenburg*), Eisenkies (*Auvergne*), erdiger oder krystallisirter Schwefel (*Baden* in *Oesterreich*).

Vegetabilische Erde, deren Entstehen noch fortdauert.

Erzeugnisse der an der Luft brennenden Solfataren, wie Schwefel,
Alaun (Solfataren bei *Pouzzoli*, *Guadeloupe*, Berg *Budoshegy* in *Siebenbürgen*).

Schwefelsaure Seen, ehemalige Solfataren, mit Wasser angefüllt (Insel *Java*).

**Schlamm-
Vulkane
(*Modena*,
Sicilien,
Krimm,
*Kolum-
bia*).**

Flüsse { mit Salzsäure (*Rio Vinagre*,
Kolumbien).
mit Salz- und Schwefelsäure (Insel *Java*).

Lagoni mit Boraxsäure (*Toskana*),
oder Ausdünstungen von heisen, sauern Was-
ser-Dämpfen.

Warme Quellen (*Karlsbad*) und mehrere Mineral-Quellen (*Siebenbürgen*), Kiesel-Sinter (*Geyser*).

Mofetten (*Eifel*, *Auvergne*, *Italien*).

Brennende Vul-
kane und ihre
Ausdünstungen { salzsaures Natron.
salzsaures Ammo-
niak.
Schwefelsäure.
salzsaures Kupfer
u. s. w.

Auszug aus einem Briefe.

Kopenhagen , den 26. April 1827.

Die neueren Beobachtungen haben zwischen den Kreide-Bänken auf *Stevensklint* (mit den der Kreide zugeschriebenen Versteinerungen darüber und darunter) eine ungefähr 1 bis 2 Zoll starke Lage von Faxoe-Kalkstein, mit mehreren dieser Formazion angehörigen Petrefakten, entdecken lassen, so, dafs wahrscheinlich beide Formazionen in eine zusammen fallen. Man reime diefs nun mit den angenommenen engen Schranken im Vorkommen der Versteinerungen. Auf *Mönsklint* hat man neuerdings sogar viele, die Kreide durchsezzende, sehr flache Gänge wahrgenommen, die aus nichts als losem Gerölle, Granit und Gneifsstücken u. s. w. bestehen. Einige halten sie für Lager dieser Kreide (die doch alle Kennzeichen und Versteinerungen der *Pariser* darbietet) eigenthümlich, oder vielmehr diese Kreide ihnen zugehörig. Ich glaube sie aber für Ausfüllungen von oben, wo das nämliche Gerölle weit verbreitet vorkommt, ansehen zu müssen.

VARGAS BEDEMAR.

Ueber

das

Vorkommen von Grobkalk

am

westlichen Rande des *Schwarzwaldes.*

Von

Herrn Professor FRIEDRICH WALCHNER
in Karlsruhe.

Das jüngere Gebirge, welches sich am westlichen Rande des *Schwarzwaldes* abgelagert hat, beginnt in der Regel mit der grofsen Sandstein-Formazion, welche die Formazionen des Todt-Liegenden und des bunten Sandsteines, die an vielen anderen Orten durch Zwischenlager von Kalk getrennt sind, repräsentirt. Dieser folgen Muschelkalk, Keuper, Lias, Jurakalk, und als das jüngste Gebirgs-Lager, mit Ausnahme der Süfswasser-Bildungen, welches von dem Löfs,

16

dem neuesten Gebilde des Rheinthales, bedeckt
wird, galt bisher die Molasse.

Das *Schutterthal* weist ein noch jüngeres Mee-
res-Gebilde auf. Diefs Thal liegt von *Schweigha-
sen* bis *Reichenbach* im Gneiſse des Urgebirges,
der bei dem Dorfe *Schutterthal*, unmittelbar hinter
dem Hofgute des sogenannten Winterbauers, ein
Serpentin-Lager enthält, welches wie der
Gneiſs geschichtet ist, und mit diesem unter 15° h.
10 südlich fällt. Von *Reichenbach* bis *Lahr* liegt
das *Schutterthal* im bunten Sandsteine, der
sich südlich über den *Langenhord* bis in das Thal
von *Ettenheimmünster*, und nördlich, die Höhen
hinter *Burgheim*, *Heiligenzell*, *Ober-Weier* und
Ober-Schopfheim bildend, bis ins *Diersburger*
Thal zieht, woselbst er das dortige Kohlen-Sand-
stein-Gebirge bedeckt. Bei *Burgheim* liegt,
am Fuſse des *Altvaters*, Jura-Rogenstein,
nach meinen Beobachtungen die nördlichste Masse
von eigentlichem Jurakalke, am westlichen Rande
des *Schwarzwaldes*. Ob dieser Rogenstein unmittelbar auf den bunten Sandstein des *Altvaters* folge,
oder ob er mit diesem durch ein älteres Gebirgs-
Lager in Verbindung stehe, konnte ich nicht bestimmen, weil er nur durch Steinbrüche aufgeschlossen ist, die von dem Sandsteine ziemlich entfernt
liegen, und weil der Zwischenraum durchaus mit
Löſs überdeckt ist. Ich vermuthe indessen nach
dem, was ich an andern Stellen beobachtet habe,
daſs eine Masse von Muschelkalk dazwischen liege.

Der · Rogenstein ist sehr regelmäßig ·in· Schichten
von 1 — 2' abgetheilt, und fällt unter 45° h: 10%/₈
gegen NW. ·

Von *Burgheim* westlich, liegt der *Schutter-
Lindenberg*, durch eine muldenförmige Vertiefung
vom *Altvater* geschieden, in welcher sich mächtige
Löfs-Ablagerungen befinden, wie die tief eingeschnittenen Hohlwege zeigen. Er bildet einen starken Vorsprung 'auf der rechten Seite des *Schutter-
thales*, und gewährt eine herrliche Aussicht in das
fruchtbare *Rheinthal* An seinem Fuße liegen *Ding-
lingen* und *Lahr*, über welche er sich um 354' erhebt. Der *Schutter-Lindenberg* besteht aus G r o b -
k a l k,

Ich 'habe die Formazion des Grobkalkes noch
an keiner anderen Stelle unseres Gebirges gefunden,
auch ist mir nicht bekannt, daß sie schon von Je-
manden am *Schwarzwalde* wäre beobachtet worden,
und ich stehe daher nicht an, den Freunden der
vaterländischen Geognosie einige Nachricht von seinem Vorkommen mitzutheilen.

Eine genaue Untersuchung des Gesteines ist nur
an einer einzigen Stelle möglich, da, wo das Gebirge durch den Betrieb eines Steinbruches aufgeschlossen ist, und was ich in Folgendem über den
Grobkalk des *Schutter-Lindenberges* anführe, ist
das ' Resultat der Beobachtungen, die ich in dem
großen Steinbruche zwischen *Lahr* und *Dinglin-*

16 *

gen, auf der Südseite des Berges, im Mai 1826 angestellt habe.

Das Gestein des *Schutter-Lindenberges* ist im
Allgemeinen fest, von gelblichgrauer Farbe, geringer Härte, und besizt einen unebenen, erdigen
Bruch. Es riecht beim Anhauchen thonig, hängt indessen nur wenig an der feuchten Lippe. Man bemerkt in ihm eine Menge schimmernder Punkte, die
von perlmutterglänzenden Muschel-Trümmern, oder
von Blättchen weifsen Kalkspathes herrühren. Auch
rostfarbige Flecken, durch Eisenoxyd-Hydrat bewirkt, und schwarze Punkte und dendritische Zeichnungen von Braunstein, enthält es hin und wieder.

Die untersten Massen bestehen aus einem
groben Kalk-Konglomerate, das abgerundete
Stücke von einem dichten, dem Jurakalke ähnlichen, graulich- und braunlichgelben Kalksteine und
Stücke von Jura-Rogenstein, von der Gröfse einer
Linse bis zur Faustgröfse, enthält. In dem mergeligen Bindemittel liegen zahllose, einzelne Rogen-
steinkörner, und mitunter Kalkspath-Theile.

Darüber liegen Schichten eines Kalksteines,
der sich durch ein feinkörniges Ansehen, und stellenweise durch eine auffallende Rogenstein-Struk-
tur auszeichnet. Das Rogenstein-Gefüge rührt nicht
etwa von kleinen Muscheln oder Muschel-Trümmern, sondern von kugeligen und sphäroidischen,
oftmals sehr bestimmt schaalig abgesonderten Kalk-
Theilen, von der Gröfse eines Hirsenkornes, die

durch eine Masse von Kalkmergel verkittet sind,
und bald einzeln zerstreut, bald in solcher Menge
in der Grundmasse liegen, dafs man diese kaum
mehr gewahrt. Sollten diese Rogenstein-Körner
nicht eben so gut, wie die abgerundeten Stücke
von Rogenstein, die sich im Konglomerate finden,
aus dem, in der Nähe vorkommenden, Jura-Ro-
gensteine abstammen? Ich habe in diesen Schichten
lange vergeblich nach, einigermafsen erhaltenen,
Versteinerungen gesucht. Endlich war ich so glücklich einige Stücke aufzufinden, welche mehrere,
ziemlich unvollständige, kalzinirte Muscheln enthielten, die von schwarzen Streifen von Braunstein
umzogen waren. Sie scheinen mir der Gattung *Cy-
theraea* oder *Venus* anzugehören. Mein verehrter
Freund, Herr Dr. Bronn, entschied für die leztere.
Die Spezies kann indessen an den unvollkommenen
Exemplaren nicht bestimmt werden.

Der dichte Grobkalk hinterläfst bei der Auflösung in Säuren einen bedeutenden Rückstand, der
zum gröfsten Theile aus kleinen eckigen, weifsen,
sehr harten Körnern besteht, die sich im Phosphor-
salze nicht lösen, mit Soda aber zu einem harten
durchsichtigen Glase schmelzen, und somit Quarz
sind. Das Uebrige ist ein rostgelber Thon, der
vor dem Löthrohre Eisen-Reakzion zeigt. Die erhaltene Auflösung ist farbenlos, und enthält weder
Eisen noch Thonerde, wohl aber, nebst dem Kalke,
Spuren von Bittererde. Ich theile hier das Resultat von zwei Analysen mit:

		I.		II.
kohlensaurer Kalk	.	87.46	.	87.71
Rückstand . .	.	12.54	.	12.29
		100.00		100.00

Die obersten Lagen des Grobkalkes bestehen aus einem dickschieferigen, mergeligen, versteinerungsleeren Kalksteine, dem viel Sand beigemengt ist. Das Gestein ist durchaus deutlich geschichtet, die Schichten liegen horizontal, und sind durch Zwischen-Lagen vom Mergel getrennt. Das Konglomerat bildet Bänke von 3 bis 3 ½'. Die mittleren Schichten sind ½ bis 1 ½' mächtig, und die obersten messen 1 bis 6'' und sind unmittelbar von *Löfs* bedeckt, der es unmöglich macht, das Verhalten dieses Grobkalkes zum Rogensteine auszumitteln.

Andeutungen

über

Charakteristik der Felsarten.

Von

Herrn KARL LILL *von* LILIENBACH *zu Wieliczka.*

I. Galizisch - podolisches Plateau.

1. **Alluvions- und Diluvions-Ablagerungen.** Diese bedecken die terziären Formazionen, und den *Karpathen*-Sandstein; vorzüglich mächtig erscheinen sie in den grofsen alten Flufs-Thälern, wie in jenen der *Weichsel.*

In *Podolien* ist das Alluvium mit nicht bedeutender Mächtigkeit auf dem terziären Plateau abgelagert.

2. **Sand und Sandstein der oberen Meeres-Formazion (Molasse).** Der jüngere terziäre Sand und Sandstein erscheint am ausgezeich-

netesten in dem westlichen Saume des Galizischen
Bassins (*Wieliczka*). Die Sandsteine sind quarzig
und oft von Eisenoxyd gefärbt, und führen auch
schmale Schichten oder Mugeln von Thon-Eisenstein.
Die Konglomerate sind erfüllt mit Muscheln. Dieses Gebilde umschliefst auch Knochen von grofsen
Vierfüfsern.

Sechs Arten fossiler Konchylien.

3. **Terziärer Gyps.** Diese Felsart, welche
besonders deutlich am *Dniester* den Grobkalk überlagert, erscheint blos mit blätterigem Gefüge.

4. **Grobkalk.** Der Typus dieses Gebildes ist
am vollständigsten in dem östlichen Theile des Galizischen Bassins entwickelt; er erscheint dort theils
als reiner weifser Kalk, mit lockerem Gefüge, angefüllt mit Korallen - Trümmern und kugelig abgesondert; theils mehr mit Thon oder Sand gemengt,
als Kalkmergel; dann in inniger Verbindung mit Kieselerde, als Kieselkalk; — und endlich als dichter,
weifser Kalk, von dem es aber zum Theil noch unentschieden ist, ob er nicht ein Süfswasser - Gebilde
seye.

Sechszehn Arten Versteinerungen.

5. **Braunkohlen-Sandstein.** Dieser Sandstein erfüllt den nördlichen und südlichen Saum des
Galizischen Bassins, während er in der Mitte desselben mit unbedeutender Mächtigkeit blos wahrgenommen, und mannichmal ganz vermifst wird. Er

dringt bis über den *Karpathen*-Sandstein vor, und
überlagert die meisten Steinsalz-Gebilde desselben,
von *Kniasdwor* angefangen bis in die *Bukowina.*

Die Sandsteine desselben sind im frischen Bruche
bläulich von Farbe und sehr quarzig, sie wechseln
mit Sand, Thon und gelblichten dünnen Mergel-
Schichten, und werden von Grobkalk bedeckt.

Die **Braunkohlen** desselben sind meistens
von Sand begleitet. Die Sandsteine enthalten, wenn
sie etwas thonig sind, sehr viele Schaalthiere, —
und auch (bei *Lemberg*) etwas Bernstein.

Vierundzwanzig Arten organischer Ueberreste.

6. **Kreide.** Die Kreide erscheint nicht überall in dem Galizischen Bassin entwickelt; den unteren Theil derselben bildet ein schmuzzig-gelblicher,
oder aschgrauer Mergel mit Blätter-Abdrücken,
welcher in *Galizien* unter dem Namen *Opoka* bekannt ist (grobe Kreide). Dieser verbunden, oder
ihm aufgelagert, sind Gyps-Massen von theils dichtem, häufiger jedoch blätterigem Gefüge; dieser Gyps
ist auch in dem Bassin der *Oder*, dem Kreidemergel verknüpft, wo er eben so, wie im Königreiche
Polen, einigen salzigen Quellen ihr Daseyn gibt,
und zu Salz-Schürfungen Anlaſs gab; er führt an
mehreren Punkten (*Sarkow*, *Sczerszecz* bei *Lemberg*, *Babin* am *Dniester*) Schwefel; seine Aehnlichkeit im Bestande, mit dem Gypse ober dem

Grobkalke, kann leicht zu Verwechselungen verleiten.

Die weifse Kreide ist von Feuerstein-Knollen
durchzogen, und erscheint blos an einigen Stellen
entwickelt, namentlich in dem Flufs-Einschnitte der
Ztota Lipa, bei *Podhorce* u. a. a. O.

Eilf Arten fossiler Muscheln.

7. Jurakalk. Der Jurakalk scheint sich dem
Kreidemergel zu verbinden, dafür sprechen dichte
weifse Kalkstein-Schichten, welche an einigen Orten (*Potok, Nisniow*) mit dem Kreidemergel wechsellagern. Felsen bildend tritt der Jurakalk blos
nördlich von der *Weichsel* bei *Krakau*, als ein,
das Polnisch-Galizische Bassin gegen W. begren-
zender, Felsenriff auf. Er ist höchst einfach in seiner Zusammensezzung, immer weifs von Farbe,
flachmuschelig im Bruche, führt Feuerstein-Knollen, und ist ziemlich reich an Versteinerungen.

Die Unterlage des Galizisch-podolischen Plateaus.

8. Rother Sandstein von *Trembowla*. Dieses Sandstein-Gebilde ist blos aus zwei Gliedern
zusammengesezt, das erste besteht aus quarzigem,
meist sehr feinkörnigem, weifslicht, grünlich, meistens aber röthlich gefärbtem Sandsteine; — das
zweite, welches mit dem ersten in Wechsel-Lage-
rung tritt, ist ein blaulichter, grünlichter, oder rother, oft glimmerreicher Schieferthon.

Organische Ueberreste sind demselben nicht fremd, obschon sie ziemlich selten sind. — Höchst sparsam erscheinen in diesem Gebilde Trümmer - Gestein - artige Schichten. Die rothe Färbung, ein, mannichmal hepatischer bituminöser Geruch, und die Verknüpfung mit dem tieferen, kalkigen Gebilde, gehören wesentlich zu der Charakteristik dieser Formazion.

Drei Arten von fossilen Resten.

9. Orthozeratiten - Kalk. Die bunten Schieferthone, welche schon in dem höheren Sandstein - Gebilde auftreten, verbinden sich nach unten, mit kalkigen Schichten; der Kalkstein derselben ist blaulich oder dunkelgrau gefärbt, und äufsert häufig einen bituminösen, hepatischen Geruch. Er wechselt beharrlich in dünnen Schichten mit den Schiefern, welchen gewöhnlich eine blaulichte oder grüne Färbung eigen ist; stellenweise erscheinen auch mergelige, gelblichte Schichten, wechsellagernd mit den Kalk- und Schieferthon - Schichten; Versteinerungen sind besonders an den Begrenzungs- Flächen der Schieferthon- und Kalkstein - Schichten ungemein zahlreich abgesezt. Besonders häufig finden sich Terebrateln.

Zehn Arten organischer Reste.

II. In den Karpathen.

10. Karpathen-Sandstein. Der *Karpathen*-Sandstein behauptet, ungeachtet der zahlrei-

chen Glieder, welche ihn zusammensezzen, beinahe
immer einen gleichen Typus. — Sandsteine von grobkörnigem, bis in ein beinahe dichtes Gefüge (Quarzfels) übergehend, — Schieferthone mit Fukus-Ab-
drücken, kalkige und thonige Mergel sind die am
meisten verbreiteten Glieder dieser Formazion. Der
Kalkstein sezt einige weit erstreckte Lager zusammen, und ist größtentheils weiſs oder roth von Farbe, dicht im Gefüge, und flachmuschelig im Bruche. Er verbindet sich besonders an den Auflage-
rungs-Stellen über den Felsarten der Zentral-Gruppen, häufig mit kalkigen Trümmer-Gesteinen; —
zu den seltenern Erscheinungen gehören chloritische
Schichten, und zu den räthselhaftesten, das Auftreten von porphyrartigen und dichten Hornblende-Ge-
steinen, in Gestalt von Lagern (?) und unförmigen
Massen (*Teschen*, *Altitschein*). Das Steinsalz gehört diesem Sandstein-Gebilde an, so wie der Schwefel; die metallischen Ablagerungen von Blei, Zink,
Kupfer und Quecksilber.

Organische Ueberreste finden sich in dem Schieferthone (Fisch-Abdrücke), in den Kalksteinen
(namentlich Madreporen, Gryphyten, Terebratuliten), und in dem Steinsalz-Gebilde (Madreporen,
Nukulen, Gryphiten, Pleurotomen, Krebs-Schee-
ren, Fisch-Zähne und Farrnkräuter).

Bei dreiſsig Arten fossiler Ueberreste.

11. Die Uebergangs-Gebilde des Zen-
tral-Systemes beschränken sich auf einen etwas

dunkeln, mannichmal Schwefel-führenden Kalkstein
und auf den Quarzfels, welcher mit gröberen Trümmer-Gesteinen zuweilen in Berührung, meist röthlich gefärbt, von feinem Korne, mit kleinen eingesprengten Feldspath-Punkten sich zeigt, mit Uebergangskalk und Grauwackenschiefer wechselt, und an
den Lagerungs-Grenzen Braun-Eisenstein-Lager
führt.

12. Die Ur-Gebilde der *Karpathen* zerfallen in zwei Hauptreihen, von denen die eine aus
Granit, mit untergeordneten Lagern von Thonschiefer, Glimmerschiefer, Gneiß und Hornblende-Ge-
steinen, zusammengesezt, das Pösinger Gold-führende
Gebirge, die *Faczkower* Kette und die *Tatra*-Grup-
pe bildet; die zweite entwickelt bedeutende, aus
der *Bukowina* bis tief nach *Siebenbürgen* hinein,
dann an der Wallachischen Grenze (in dem *Fagaras*-
Gebirge), ausgebreitete Massen von Glimmerschiefer mit untergeordneten Lagern von Thonschiefer,
Kalkstein, Syenit und Dolomit.

Der Glimmerschiefer führt an den Berührungsstellen mit dem Syenite: Idokras (Vesuvian);
der Kalkstein sowohl, als der, in der Nähe der
Trachyte, auftretende Dolomit, enthält zuweilen
Tremolit (Grammatit).

13. Die Trachyte, scheinbar sowohl das
Ur-Gebirge, als den *Karpathen*-Sandstein durchbrechend, können in die entwickelte Lagerfolge
nicht eingereiht werden; die Hauptmasse der, aus
Ungarn bis weit nach *Siebenbürgen* hinein sich er-

streckenden, Trachyt-Ketten besteht aus den porphyrartigen Varietäten desselben; granitische und syenitische Abänderungen zeigen sich an der Solfatera des *Büdós* und in dem *Vörespataker* Trachyt-Gürtel.

Die schwarzen Trachyte (Phonolithe), oft den Aphaniten ganz analog, und Dolerite (?), sezzen kegelartige Berge, in der hohen Trachyt-Gruppe des *Keliman*, zusammen, und treten dann in der nordwestlichen Hälfte der Trachyt-Kette, über *Nagybanien* und *Munkacz*; mit Hyalit, häufiger auf. Die besondern Lagerstätten des Ala unsteines, der Opale, Braunkohlen und Eisensteine gehören den mächtigen Massen der Trachyt-Konglomerate an.

Die Bimsstein-Konglomerate erscheinen auch von schwarzem Trachyte (Phonolithe) oder Dolerite (?) überlagert (*Nagy-Szöllös*).

III. In Siebenbürgen (*Aranyos*-Gruppe).

1. **Grobkalk.** — Dieses, zwischen *Illonda* und *Somkut* entwickelte, Gebilde besteht aus mergeligen, sehr versteinerungsreichen Schichten. Unter den organischen Ueberresten beobachtet man auch Nummuliten und Blätter-Abdrücke, zuweilen erscheint in diesen Mergeln Gypsspath eingemengt.

2. **Braunkohlen-Sandstein.** — Die mergeligen Schichten des Grobkalkes verbinden sich nach unten mit Sandsteinen, welche mit kalkigen Schichten und buntem Thone abwechseln, und mit

Versteinerungen, vorzüglich vielen. Austern, angefüllt sind; der Sandstein führt Braunkohlen-Schichten von geringer Mächtigkeit; die bunten Thone
dieses Gebildes enthalten Thon-Eisenstein-Flözze.

3. **Nummulitenkalk.** — Dieses, blos einen schmalen Streifen, südlich von *Illonda* zusam-
mensezzende, Gebilde besteht aus lichten, jura-
ähnlichen, Nummuliten-führenden Kalk-Schichten,
und sandigen, schwarzen Schieferthonen und Mergeln. Es verbindet sich nach oben dem Braunkohlen-Sandsteine, nach unten scheint es aber mit dem
Karpathen-Sandsteine in gewisser Verknüpfung zu
stehen. Es muſs daher die eigentliche S.elle dieses
Gebildes noch als zweifelhaft betrachtet werden.

4. **Karpathen-Sandstein.** Dieses groſse
Flöz-Gebilde der *Nord-Karpathen* bedeckt auch
beinahe ganz *Siebenbürgen*, und dringt von da,
zwischen den Trachyt- und Urgebirgs-Gruppen, in
die *Moldau* und *Wallachei* hinaus. Es behauptet,
im Ganzen genommen, denselben Typus, wie nordwärts der, dasselbe theilenden, Glimmerschiefer-
und Trachyt-Ketten. — Die, von kalkigen Trümmer-Gesteinen begleiteten, weiſsen Kalksteine sezzen in der Nähe des *Fagaraser* Glimmerschiefer-
Gebirges (*Törzburg*) über 6000 F. hohe Fels-Käm-
me zusammen; im westlichen Saume dieses Flöz-
Gebildes (*Thorda Haschadech*) erscheint dieser
Kalkstein zerspalten, bis auf die darunterliegenden
Mandelstein-Porphyre.

In der Nähe der Steinsalz-Massen treten häufig meergrüne Mergel auf, welche in *Siebenbürgen*
(*Dees*), und in der *Marmarosch* (*Rhonafsek*, *Ru-*
gatak u. s. w.), oft mit Chlorit ausgefüllte Drusen und beigemengte Quarz - und Feldspath-Krystalle zeigen, und daher eine eigene porphyrartige
Struktur annehmen.

Eine besondere Erwähnung verdienen hier noch die
schönen Berg-Krystalle, welche in der *Marmarosch*
an mehreren Punkten in den, die schwarzen Schieferthone dieses Gebildes durchsezzenden, Kalkspath-
Gängen gefunden werden. Diese Erscheinung wiederholt sich blos in dem Salz-führenden Keuper-
Sandsteine von *Schwaben*.

Das Steinsalz erscheint in *Siebenbürgen* eben so
diesem Gebilde untergeordnet, wie in den *Nord-*
Karpathen (*Galizien*), wenn es auch in viel mächtigeren Massen, in einer staunenswerthen Verbreitung, meistens ohne Wechsellagerung mit Salzthon,
Sandstein u. s. w., und beinahe ohne Gyps, abgelagert, zum Vorschein kommt. Gegen Osten sieht
man dieses Flöz-Gebilde von Trachyten durchbrechen, und an den Berührungs-Stellen, namentlich
auch das Steinsalz, von Trachyt-Konglomeraten
bedeckt.

5. Porphre und rothes Todt-Liegendes (?) von Zalathna. Dieses räthselhafte Gebilde, in der Umgebung von *Zalathna*, in Verbindung mit der Grauwacke, — bei *Thorda*, unter
dem *Karpathen*-Sandsteine, in dem *Nagybányer*
Distrikte

Distrikte aber eben so dem Sandstein-, wie dem Uebergangs-Gebiete verbunden, — ist aus mehrfachen Gliedern der Porphyr-, Schiefer- und Sandstein-Reihen zusammengesezt. Die erste entwickelt bald einen feldspathigen, bald einen hornblendcartigen oder augitischen, und endlich auch einen kieseligen Typus, in der Reihe der Feldspath-Porphyre, Aphanite, Dolerite und Hornstein-Porphyre. Die zweite zeigt schwarze, wackenartige, dichte Gesteine, und dunkle sandige Schieferthone mit Pflanzen-Abdrücken, und chloritische Gesteine. Die dritte Reihe endlich enthält die groben Trümmer-Gesteine, welche mit plastischen Thonen in Verbindung von Feldspath-Porphyren noch überlagert werden (*Zalathna*). Die Porphyre sind einem starken Zersezzungs-Prozesse unterworfen, und scheinen die Bestandtheile des plastischen Thones herzugeben. Dieses Gebilde ist in den untersten Schichten, zunächst der Grauwacke, Gold- und Tellur-führend (*Fazebay*). Stellenweise erscheinen in diesem Gebilde, in kluft- und drusenartigen Ausfüllungen, Chalzedone, Achate, Zeolithe, und Stilbite.

6. Uebergangs-Gruppe von Vöres-patak. Ausgezeichnet deutliche Grauwacken- und Uebergangs-Schiefer mit Kalkstein-Lagern treten südlich von der *Aranyos* auf. Das, innerhalb der Grauwacke, Gold-führende Gestein-Lager von *Vörespatak* mit versteinerten Baumstämmen, gleichsam wie wiederholt gerieben und zusammengesezt, mit porphyrartigen Einmengungen von Quarz- und Feld-

spath- (?) Krystallen, — und eingemengten kohlï-
gen Substanzen, das Gold sowohl in der Gesteinmasse vertheilt, als wie auf schmalen Roth - Braun-
steinerz - Gängen, mit Tellur in Verbindung, führend, — scheint mit seinem eigenthümlichen Typus
die Einwirkung der nahen Trachyte anzudeuten. —
Die Grauwackenschiefer erscheinen auch Zinnober-
führend (Dombraiva).

7. Nagybanyer Uebergangs-Gebirgs-
Gruppe. Innerhalb der Erstreckung der grossen
Trachyt-Kette, treten zwischen *Nagybanya* und
Bajutc, mitten zwischen Trachyten und Trachyt-
Konglomeraten, kieselige, Euphotid-artige, schieferige und porphyrartige, erzführende Felsarten auf.
Die kieseligen erscheinen zum Theil als Quarzfels
(*Kapnik*) in gleichförmiger Lagerung mit den Porphyren. Die schieferigen, schwarzen, Kohlenstoff-
haltigen Schiefer, enthalten Anthrazit-Lager, und
begleiten stellenweise die Erz-Lagerstätten (*Felsobanya*, *Kisbanya*). Die Porphyre nähern sich in
ihrem Bestande bald den Grünsteinen, bald den
Aphaniten, und können daher leicht mit den Porphyren des Glimmerschiefers (*Offenbanya*), oder
den Aphaniten, des rothen Todt-Liegenden (*Zalathna*) verwechselt werden. — Die Grünstein-Por-
phyre scheinen mit der Aufnahme von Hornblende-
Krystallen, in Trachyt, die schwarzen Porphyre
(Aphanite), welche sich ihnen verbinden, und in
den obersten Schichten mit Sandstein und Schieferthon wechseln, aber in Dolerit überzugehen.

8. Glimmerschiefer mit Porphyr und Kalkstein an der Aranyos. Der Glimmerschiefer geht stellenweise in Thonschiefer über. Der mit ihm wechsellagernde Porphyr ist ein feldspathiger Grünstein-Porphyr, der in der Nähe der Trachyte Hornblende-Krystalle aufnimmt. Hornblendeschiefer erscheint auch dem Glimmerschiefer untergeordnet. Der Kalk zeigt ein körnig-blätteriges Gefüge. Die Ausfüllung der Erz-Gänge im Porphyre hat Aehnlichkeit mit dem Vöröspataker Goldhaltigen Grauwacke. Die Blei-Stöcke liegen an den Lagerungs-Grenzen dieser Felsarten.

9. Granit der Aranyos-Gruppe. Im Thale Vinczi, erscheint, in dem Gebiete des Glimmerschiefers, Granit von grobem und feinem Korne. Der grobkörnige enthält schöne Turmaline.

_____

Die besondern Lagerstätten nutzbarer Mineralien in den *Karpathen*, in *Galizien*, *Siebenbürgen* und einem Theile von *Ungarn.*

I. In den Zentral-Gruppen.

a. In dem *Pösinger* Zentral-Zuge.

Gold auf Quarz-Gängen im Granite (*Pösing*).

Spiesglas auf Lagern im Glimmerschiefer (*Jahodnisko*).

Bleiglanz auf Quarz-Lagern im Granite (*Modern*).

Eisenglanz in der Masse des Glimmerschiefers verwebt (*Pösing*).

Eisenkies auf Lagern im Thonschiefer (*Pösing*).

b. In dem *Tazkower* Gebirge.

Kupferkies-Lager im Granite (*Wisniówa*, *Sireczner-Berg*).

Bleiglanz, silberhaltiger, auf Schwerspath-Gängen im Granite (*Beller-Gebirge* oder *Sillein*, *Koza Skala*).

Thon-Eisenstein im Grauwackenschiefer (*Varin* oder *Sillein*).

c. In der *Tatra*-Gruppe.

Fahlerze auf Gängen im Granite (*Koscielisko*, *Stara Robota*).

Kupferkiese auf Gängen und Lagern (an mehreren Punkten oder *Zakopana* und *Koscielisko*).

Braun-Eisensteine auf Lagern zwischen Quarzfels und Uebergangskalk (*Magura* bei *Zakopana*).

d. In dem östlichen Zentral-Gebirge, in der *Bukowina* und in *Siebenbürgen*).

Bleiglanz, silberhaltiger, mit Kupferkies und Spath-Eisenstein auf Gängen im Glimmerschiefer und Thonschiefer (*Kirlibaba*, *Tolgyes*).

Kupferkies auf Lagern im Thonschiefer und Glimmerschiefer (*Posonita*, *Stulpikany*, *Sz. Domokos*).

Braun-Eisenstein auf mehreren mächtigen Lagern, von denen zehn in dem Bezirke von *Posonita* bebaut werden, dann bei *Toplica* in *Siebenbürgen*; im Thonschiefer und Glimmerschiefer.

Magnet-Eisensteine auf Lagern im Glimmerschiefer (*Pretilla*- und *Stinischora*-Gebirge).

e. In dem *Fagaras*-Gebirge.

Bleiglanz, silberhaltiger, mit Kupferkies, Zinkblende und Spath-Eisenstein, auf einem Lager im Glimmerschiefer (*Zerniest*).

f. In der Gebirgs-Gruppe zwischen der *Aranyos* und dem *Maros*-Flusse.

α. Aeltere Reihe.

Tellur auf Gängen im Porphyre (*Offenbanya*).

Gold auf Gängen im Porphyre, Glimmerschiefer, Kalksteine, und in der Masse des Porphyres selbst (*Offenbanya*).

Bleiglanz, Silber- und Gold-haltig, mit Zinkblende, stockförmige Massen an den Berührungsstellen des Glimmerschiefers, Porphyres und Kalksteines zusammensezzend (*Offenbanya*).

β. Jüngere Folge.

Zinnober auf Lagern im Grauwackenschiefer (*Dombrowa* bei *Zalathna*).

Gold auf Roth-Braunsteinerz-Gängen, in einer eigenthümlichen Grauwacke, und in der Masse dieser Felsart selbst verwebt (*Vörespatak*).

Gold und Tellur auf Gängen in der Grauwacke, und in den aufgelösten Porphyren über der Grauwacke (*Fazebay*).

Eisenkies, Gold-haltiger; auf Quarz-Lagern in den jüngsten Schichten der Grauwacke, wechselnd mit Schieferthonen, Aphaniten und Trümmer-Gesteinen, scheinbar schon der Flöz-Periode angehörig (*Fazebay*).

γ. In der vereinzelten Urgebirgs-Gruppe von *Maczkamezö*.

Braun-Eisenstein auf Lagern im Glimmerschiefer mit Granaten.

II. In der nordöstlichen Gebirgskette der jüngeren Porphyre, Aphanite und Trachyte.

a. In den Porphyren.

Silberschwärze, Spiesglas, Rothgültigerz, Blende, Kupferkies und Gold-haltiger Eisenkies auf Chalzedon und Quarz-Gängen im Porphyre (*Nagybanyen*).

Bleiglanz, Kupferkies, Eisenkies, Fahlerz, Blende u. s. w., auf einem Lager zwischen schwarzen, Kohlenstoff-reichen Schiefern und dem Porphyre (*Felsobanya*); dann auf Roth-Braunstein-erz- oder Quarz-Gängen im Porphyre (*Kapnik Bajuz*).

Auripigment in den schwarzen Schiefern des Porphyres (*Felsobanya*).

Anthrazit, Lager-bildend in den schwarzen Schiefern des Porphyres.

β. In den Trachyten, und den Konglomeraten
   desselben.

Gold, zum Theil auf Gängen von Porzellanerde
und Bittererde-haltigen Thonerde, in den trachytischen Konglomeraten und den, über denselben gelagerten Aphaniten von *Sovar*, *Telkebanya*, *Bereghszasz*, *Keliman* - Gebirge.

Bleiglanz, silberhaltiger, angeblich in den
Trachyten des *Struniora* - Gebirges.

Eisenkiese mit angeblichem Gold - Gehalte in
den augitischen Lagern des Trachytes, auf dem *Ha-
ryete* - Berge, am *Sekayo* bei *Toplizza* u. a. a. O.

Thon - Eisenstein mit Opal - Masse in den
aufgelösten Aphaniten und Trachyt - Konglomeraten.

Braunkohlen, Lager bildend in den Trachyt-
Konglomeraten, überdeckt oft von Opal - Massen.

Alaunstein, lagerförmige Stöcke zusammensezzend in den Trachyt - Konglomeraten (*Musai*,
Bereghszasz; begleitet von Skapolith- (?) Massen
bei *Felsobanya*).

III. In dem grofsen Gebilde des Karpathen-Sand-
    steines.

Kupfer, Gediegen-, und als Oxyd, eingesprengt
in den bunten Thon - Lagern dieser Formazion
(*Sanok*).

Bleiglanz mit Gahnei und Schwefel, wechselnd
mit Gyps und Sandstein - Lagern (*Truszkawicze*).

Quecksilber, Gediegen-, im Schieferthone (*Kros-
cianko*).

Eisenoxyd-Hydrate (eisenhaltige Mergel) in dünnen Schichten sehr verbreitet.

Eisenkies, schichten- und nierenförmig in den Thonen und Trümmer-Gesteinen der Sandstein-Formazion.

· · Braunkohlen (Pechkohlen und blätterige Braunkohlen) in dünnen Schichten, zahlreich, doch nie bauwürdig.

Schwefel derb und krystallinisch, mit Gyps und faserigem Schwerspathe (*Schwoszowice*); dann mit Galmei und Bleiglanz (*Truskawicze*).

Steinsalz in zahlreichen, über einander folgenden Schichten, wechselnd mit Anhydrit, Gyps, Sandstein, thonigen Mergeln und Thonen, — und in einzelnen Trümmern im Salzthone (*Galizien*); — dann in mehr und weniger mächtigen Massen, scheinbar weit erstreckte Lager zusammensezzend (*Marmarosch* und *Siebenbürgen*).

· IV. In der groben Kreide des Galizischen Bassins.

Schwefel in dem Gypse dieses Gebildes überlagert von Grobkalk (*Sczezzecz* bei *Lemberg*, *Babin* in der *Bukowina*).

V. In dem Braunkohlen-Sandsteine des Galizischen Bassins.

Braunkohlen, Lager zusammensezzend in Sand und Sandsteine (*Miszin, Zollkiew, Brodi*).

Beschreibung

der

ntdeckung der Platina in Siberien.)

Von

Herrn N. Mamyschev.

---

der St. Petersburgschen Handels - Zeitung von 1827, No. 13 u. s. w.) *

Jahre 1822 bemerkte man beim Auswaschen des
des aus dem Sande am *Ural* ein eigenes, mit
Goldsande gemengtes, Metall in Gestalt eben
her Körner, als das Gold, allein von weifser
zender Farbe. Das Gewicht war wie das des
des, oder fast dasselbe, denn es wurde auf dem
schheerde mit dem Golde zusammen genommen,

Mitgetheilt von Hrn. Minister v. Struve.

und konnte nicht anders davon getrennt werden, als durch mechanische Absonderung. Obgleich dem äußern Anscheine nach, und noch mehr nach dem Gewichte und nach der Unauflösbarkeit in den stärksten Mineral-Säuren man diefs Metall hätte für Platina halten können; allein, da bei näherer Ansicht die Körner von verschiedener Form und verschiedenem Glanze schienen, einige von beinahe grauer, dem Roheisen und Blei ähnlicher Farbe, mit geringem Glanze, andere ähnlich dem Silber, halbglänzend, als wären sie polirt, aufserdem einige unregelmäfsig eckig, andere krystallisirt, so nannten die Siberischen Berg-Offiziere sie schlechthin weifses Metall, bis die chemische Zerlegung erwiesen haben würde, dafs diefs Metall die ächte Platina wäre. Einige von ihnen machten sich gleich an Versuche. Der Katharinenburgische Bergwerks-Befehlshaber, Berghauptmann Ossipov, beauftragte mit der Zerlegung dieses Körpers den Apotheker Helm und den Praktikanten, jezzigen Hütten-Verwalter, Warwinsky.

Die erste Entdeckung dieses neuen Metalles ward in den *Werchisetskischen* Goldwaschen des Garde-Kornets H. v. Jakowlew, und in den *Newjänskischen* der Erben Jakowlews, und in den *Birimbajevskischen* der Gräfin Stroganov gemacht. — Aber man gewann dessen so wenig, dafs es nur seiner Neuheit halber Aufmerksamkeit verdiente.

Während die Siberischen Chemiker ihre Versuche fortsezten, unterbrachen und wieder begannen,

ohne ein entscheidendes Resultat heraus zu bringen,
erklärten die Gelehrten in *St. Petersburg*, daſs dieser Körper eine rohe Platina wäre, vermischt mit
einer sehr groſsen Menge Osmium-haltigen Iridiums.
Warwinsky machte am Ende des Jahres das Resultat einiger Versuche bekannt, die er im *Kathari-*
nenburgischen Laboratorium mit einem besondern
Metallkörper angestellt hatte, der in den Gold-haltigen Sand-Lagern auf den Besizzungen des Hrn. v.
Jakowlew gefunden, und nach *Katharinenburg* an
den Berghauptmann Agte, unter dem Namen Platina, geschickt worden war. Warwinsky fand in
dem gedachten Metallkörper eine Mischung zweier
verschiedener Schmelzungen, und eine dritte, die
das Mittel zwischen beiden bildete. Aus der Beschreibung einiger physischen und chemischen Eigenschaften der beiden Hauptmischungen kann man schlieſsen, daſs eine derselben Platina enthält, die andere dem Amerikanischen Osmium-haltigen Iridium
ähnlich ist.

Uebrigens waren Warwinsky's Versuche nicht
zu Ende geführt, und er behauptete noch nichts Entscheidendes über das Wesen dieser Mischungen.

Im Jahre 1823 ward aus den Werken des Hrn.
v. Jakowlew ein geringes Quantum weiſsen Metalles nach *St. Petersburg* an den Ober-Berghaupt-
mann Kowanka geschickt. Dieser erfahrene Lieb-
haber der naturhistorischen Wissenschaften, im Besizze einer sehr schönen Mineralien-Sammlung,
konnte einerseits die Aehnlichkeit, andererseits den

Unterschied zwischen dem Siberischen und Amerikanischen Metalle nicht verkennen, von denen das eine Gediegen - Platin heifst, und das andere unter dem Namen Osmium - haltigen Iridiums bekannt ist. In der Absicht, sowohl seine eigenen Vermuthungen, als auch die Meinungen der Siberischen Mineralogen zu entscheiden, stellte er Einiges von diesem Metalle dem ehemaligen Direktor des Bergkadetten-Korps, H. v. Metschnikov, zu, mit dem Wunsche, dafs in dem Laboratorium des Korps chemische Versuche mit diesem Körper angestellt würden. Dem Oberhütten - Verwalter Lubarsky, der damals das Laboratorium dirigirte, ward der Auftrag, die Versuche mit dem neuen Metalle anzustellen. Bei der Beschäftigung mit diesem Gegenstande, in der Absicht der Gleichstellung mit der Amerikanischen rohen und gereinigten Platina, erklärte Hr. Labarsky, dafs das räthselhafte Siberische Metall — er nannte es einen Metallschlich — einer eigenen Art roher Platina angehöre, und eine bedeutende Menge Iridium und Osmium enthalte. Er konnte die gänzliche Zerlegung nicht zu Stande bringen, woraus sich ergeben haben würde, wie viel reines Platina wirklich in diesem Metalle enthalten ist, weil das ihm zum Versuche mitgetheilte Quantum gar zu gering war. Lubarsky machte im Dezember 1825 die interessanten Resultate seiner Versuche öffentlich bekannt. — In demselben Jahre 1823 erfolgte der Allerhöchste Kaiserliche Befehl, zur Gewinnung der Siberischen Platina, als eines neuen Zweiges der

Nazional - Industrie,. Allen Bergwerks - Befehlsha-
bern ward vorgeschrieben, sie vom Golde zu scheiden und nach *St. Petersburg* zu senden. Allein
es verlief ein Jahr, und man erhielt nur einige So-
lotniks Platina, unter welcher, in der von dem
Slatoustovskischen Befehlshaber, Ober-Bergmeister.
TATARINOV, gesendeten, einige Körner, als wären
sie geschmolzen, bemerkbar waren. Diefs ist
bisher noch von Niemanden erklärt worden, und
leider ohne wissenschaftliche Erforschung geblieben,
denn TATARINOV hatte berichtet, dafs die geschmolzenen Körner in dieser Form wirklich aus der Erde
gegraben worden. Im *Newjänskischen* Gold-Platin-hal-
tigen Schlich waren ziemlich grofse Stückchen Blei
in metallischer oder gediegener Gestalt bemerkt worden. Auch diefs ist ein merkwürdiges Phänomen,
um so mehr, da dergleichen Stückchen gleichfalls in
der Nähe von *Katharinenburg*, in den *Melkovski-
schen* Goldsand-Lagern, früher gefunden worden.
Vielleicht sind diese Stückchen ein Effekt irgend eines lokalen oder zufälligen Schmelzens, und sie
verdienen allerdings genauere Erforschung.

Im Anfange des Jahres 1824 ward in No. 1 des
Anzeigers der Entdeckungen in der Physik, Chemie,
u. s. w., eine Beschreibung der, in dem obgedach-
ten *Newjänskischen* Berg-Bezirke gefundenen, Platina, vom Professor der *St. Petersburgischen* Universität, SOKOLOV, bekannt gemacht. SOKOLOV erwähnt
des Geschichtlichen der Entdeckung der Platina in
Sibirien, und der von LUBARSKY mit diesem Mineral

angestellten Versuche, und beschreibt sie nach m
neralogischer Methode, in Vergleichung mit der
hen Amerikanischen Platina. In dieser Besch
bung sind zwei Arten Körner, die das Ural
Platina-Mineral bilden, unterschieden und b
ders beschrieben; ihr relatives Gewicht ist gl
falls bestimmt, im Vergleich gegen ähnliche Kör
woraus das Amerikanische Mineral besteht.
Verf. fordert die Siberischen Gelehrten auf, die
stände zu beachten, unter welchen das Ural
Platina gefunden wird, und woraus allein das
kömmen desselben in den Trümmern erklärba
— Er bedauert, daß die Mittel des Auswäsch
welche in *Siberien* beim Ausbringen der edeln
talle aus dem Schlich angewendet werden, nicht
zu geeignet sind, das Platina im abgesonderten
stände zu erhalten, und daher können sie b
nicht in der Menge gewonnen werden, die z
im Verhältnisse stünde, in welcher sie in u
Gold-haltigen Trümmer-Lagern enthalten ist.
spricht er von den Vortheilen, welche uns die
tina gewähren könnte, wenn sie in *Rußland* i
brauch käme.

Der Flügel-Adjutant Sr. Kaiserl. Majestät,
GOLIZIN, schickte nach seiner Rückkunft von
Siberischen Besizzungen der Gräfin STROGANOW,
verstorbenen Akademiker SCHERER eine solche P
thie roher Siberischer Platina (etwa $1/_4$ Pfund),
weißen Metalls, welche zur gehörigen chemisch
Zerlegung hinreichend war. Nach dem Wu

Scherer's ward diese Zerlegung von Lubarsky, unter Mitwirkung dieses unsers ausgezeichneten Chemikers bewerkstelligt, und das Resultat davon war, daß jener Metallschlich nicht im vollen Verstande die Benennung Platina verdient, sondern ein Platin- Osmium- haltiges Iridium wäre, indem nur zwei Prozent ächter Platina darin vorkämen; in den übrigen Bestandtheilen wären die obgenannten Metalle Osmium und Iridium vorherrschend, nämlich in 100 Theilen dieses Schlich's wären enthalten: Iridium bis 60, Osmium bis 30, Eisen bis 5, Platina 2, Gold ³/₄; Titan, Chromium und andere noch nicht ausgemittelte Metalle 2¹/₄. Und so hatten die Siberischen Bergwerks = Offiziere darin allerdings zum Theil recht, daß sie diese Metall - Mischung nicht rohe Platina, sondern nur weißes Metall nannten.

"Obgleich diese chemische Zerlegung den Werth der neuentdeckten Metall - Mischung sehr herabsezte, so schwächte sie doch nicht das Bestreben, das ächte Platin aufzusuchen; denn das Vorhandenseyn desselben ward durch diese Versuche nicht widerlegt, sondern vielmehr bestätigt. Um so mehr nahm auch der Eifer zur Erfüllung des Allerhöchst Kaiserlichen Befehls zu, der auf die Wichtigkeit dieser kostbaren Entdeckung hinwies; und wirklich wurden die Nachforschungen bald mit dem günstigsten Erfolge gekrönt. Es war vom Schicksal bestimmt, daß diefs im Bezirke der *Goroblagodatskischen* Werke erfolgen sollte. Ich werde es allezeit für ein großes Glück schäzzen, daß unter meiner Verwaltung dieser Werke, auf den zu denselben gehörigen Ländereien, zum erstenmale Gold gefunden ward, dessen Vorhandenseyn an diesen Stellen Niemand vermuthet hatte, und selbst meine dreijährigen Erforschungen für chimärisch gehalten wurden. Aber mein Glück stieg noch durch die Entdeckung der ächten Platina, dieses neue Geschenk des reichen *Urals*, das bisher nicht nur *Rußland*, sondern der ganzen alten Welt freund war.

Am Ende des August - Monates 1824 wurde von einem, vom Markscheider N. WOLKOV, dem Verwalter des *Baratinskischen* Werkes, zum Flusse *Oralich* oder *Uralich*, unter dem Anführer ANDREJEV — auch sein Name ist des Erwähnens werth — ausgeschickten Erforschungs-Kommando eine reiche Platina-Grube, zusammen mit Gold, entdeckt.

Am 30. August besichtigte ich diese Grube, und nach wiederholten Proben erwies sich ihre unbestreitbare Wichtigkeit. Diefs ist die erste Platina-Grube der alten Welt. Sie erhielt den Namen die *Zarewoalexandrovskische*. Sie liegt 12 Werste südwestlich von dem *Barantschinskischen* Werke unweit des Weges, der von diesem Werke zu dem *Nischneitagilskischen* führt; von dem *Kuschwinskischen* Werke 25 Werste. Sie liegt in einem Birken- und Tannenwalde, in einem nicht steilen Ravin, in welchem das obgenannte Flüfschen *Uralich* fließt, das 1½ Werste weiter in den Flufs *Barantscha* fällt. Das Mineral-Lager erstreckt sich 2 Werste weit. Der Gehalt war von 3 bis 15 Solotnik Gold.

Gold-haltiger Platina in 100 Pud. Sand, oder ungefähr 5 Solotnik im Allgemeinen. Die Lage desselben ist abschüssig, aber nicht jähe. Die Breite des metallhaltigen Lagers auf beiden Ufern des Flüschens ist 10 bis 15 Faden, die Dicke 1 bis 1¼ Arschine, die aufgeschlemmte taube Erde beträgt bis 1½ Arschine. Die erdigen Bestandtheile des Lagers sind die gewöhnlichen, gelber und Töpferthon mit Sand vermengt und angefüllt mit Bruchstükken von Serpentin, Hornblende, Grünstein, Feldspath, Porphyr verschiedener Art, und einem kleinen Theile Eisenglanz, Braun-Eisenstein und Quarz. Es ist bemerkenswerth, dafs der gelbe Thon am Uebergange zum grünen oder schwärzlichgrauen — wie es scheint durch Beimengung zersezter Hornblende — am meisten Platina in sich enthält, und dafs Quarzstücke fast immer in dergleichen Uralischen Anschwemmungen einen Reichthum an Gold anzeigen; aber hier kommt er wenig vor. Sollte diefs nicht auf die Vermuthung führen, dafs die Platina gar nicht, oder wenig dieser Umgebung eigenthümlich ist? — In der Folge wird es sich erweisen, dafs in andern Platina-Lagern, besonders in solchen, wo sehr wenig Gold vorkommt, gar kein Quarz getroffen wird, und die Stelle desselben nimmt weifser Kalkstein ein. Ist der Quarz nicht etwa der uranfängliche Erzeuger des Goldes? — Und Hornblende und Kalkstein der Platina? — Platina kommt in der Form kleiner Körner von grauer Metallfarbe vor, unter denen sich selten stark glänzende Körner fin-

den, wie es scheint, auch krystallisirte; allein der
Haupt-Begleiter derselben ist Gold, größtentheils
von nicht stark glänzender, gelber, wie gewöhnlich, sondern von brauner oder Bronzefarbe. Je
niedriger im Ravin man der Ausbeute dieser Metalle nachgrub, in desto gröberen Stücken fand man
sie; ja man traf sogar Stücke von 80 Solotnik, von
10 Solotnik und mehr; kamen deren sehr oft vor. —
Es ist noch zu bemerken, daß die Goldstücke, so
wie die Körner der Platina scharfkantig sind. Man
kann also annehmen, daß sie vom Wasser nicht
weit fortgeschlemmt worden, obgleich große Stücke
Grünstein, von 10, 20 und mehr Pud, welche in
den Lagern vorkommen, sehr stark abgerundet sind,
und mehrere vollkommene Kugeln bilden. Sollte
dieß nicht auf die Folgerung leiten, daß das Gold
und die Platina nicht weit von hier entstanden sind,
oder vielleicht auf dieser Stelle selbst aus der Zer-
trümmerung der Bergarten? —

Diese unbestreitbar beweisende Entdeckung,
daß Platina in den *Goroblagodatskischen* Werken
vorkomme, stärkte den Eifer zum ferneren Aufsuchen. Noch waren keine zwei Wochen seit der Entdeckung der *Zarewoalexandrowskischen* Grube ver-
flossen, als ein Erforschungs-Kommando, unter Leitung des Hütten-Verwalters GALAECHOV, ein neues
Gold-Platin-haltiges Lager auffand, das 50 Werste
vom ersteren, gegen NO., zwischen den *Thurinski-*
schen und *Nischneiturinskischen* Werken, nahe beim
Dorfe *Mostowa* streicht. Es ward im September

gefunden, und das *Prokowskische* genannt. Die örtliche Lage ist eine flache Erhöhung, mehr oder weniger mit tiefen Ravins durchschnitten, die zu dem Haupt-Ravin führen, wo das Flüfschen *Iswestnaja* fliefst. Einem dieser Ravins schliefst sich das gedachte Lager an. Es besteht aus einer braunen Thonmasse, angefüllt mit Bruchstücken gröfstentheils dichten Kalksteines, zum Theil durch Eisen gefärbten Porphyres, rothen thonigen Eisensteines, gewöhnlichen Quarzes verschiedener Form u. s. w. Von diesen Bruchstücken kommen die lezteren, die sich in der ersten halben Arschine der Dicke des Lagers finden, ungleich mehr in abgeriebener Form, vor, besonders der Quarz, der nicht selten abgerundet ist. Aber der Kalkstein, dieser Höhe selten eigen, fast immer tiefer, und um desto gröber und in gröfserer Menge, je tiefer er ist, hat ohne alle Beschädigung seinen frischen Bruch erhalten. Er kommt selbst bisweilen in besondern, aus dem Thierreiche entlehnten, Formen vor. Das Bette des Lagers bildet gleichfalls dieser Kalkstein. Die Stärke des bearbeiteten Lagers ist zwei, drei, vier und fünf Viertel Arschinen, am häufigsten drei und vier. Die Breite acht, neun bis zehn Faden, stellenweise mehr und weniger. Die Länge ist über hundert Faden. Die Mächtigkeit des aufliegenden Alluviums und Diluviums, zuerst Erde, sodann grauer Thon mit einem Theil der obgenannten Bruchstücke von Steinen, nimmt drei bis fünf Viertel ein. An Metall sind etwa 2 Solotnik in 100 Pud und weniger,

worunter vorzugsweise Gold nur $1/_{10}$ Platina. Aber
die Bequemlichkeit. der Gewinnung des Sandes und
des Auswaschens des Metalles aus demselben, macht
diese Grube sehr vortheilhaft. Es ist zu bemerken,
dafs das Gold derselben nicht körnig, sondern schuppig ist. Man kann noch nicht sagen, ob diefs seine
ursprüngliche Form sey, oder ob es dieselbe in der
Folge durch irgend eine Veränderung oder mechanische Wirkung erhalten hat. Uebrigens ist es ziemlich grob; es kommen Stücke von $1/_2$ bis 2 Solotnik
vor. Die Platina-Körner sind immer klein.

Nach dieser Entdeckung machte GALAECHOV noch
eine zweite, ungleich wichtigere. Im Anfange November fand er eine andere reiche Platin-Lager-
stätte jenseit der *Turinskischen* Werke, die in der
Folge den Namen der *Zarewoelisabethischen* Grube
erhielt. Sie liegt von der *Pokrowskischen* Grube 25,
und von der *Zarewoalexandrovskischen* 73 Werste
gegen NO., nahe beim Dorfe *Elkina*. Eine und eine halbe Werste von demselben, nimmt sie die Ufer
des Flusses *Melnitschina* ein, der mitten durch ein
ziemlich grofses Ravih und einen Fichtenwald fliefst.
Sie hat eine Länge von einer Werst, eine Breite von
zehn bis zwanzig Faden, streicht fast an der Oberfläche der Erde, und hat eine Mächtigkeit von fünf
bis sieben Viertel. Die Erdarten, woraus sie besteht, sind fast dieselben, wie in der *Pokrowski-*
schen Grube. Der Gehalt ist etwa 2 Solotnik in
100 Pud. Es ist bemerkenswerth, dafs hier sehr
glänzende Platin-Körner vorkamen, als wären sie

polirt, und einige davon so klein, daſs sie an den
Fingern hängen bleiben, und nur mit Mühe wieder
abgelöst werden können, wie der Eisenrahm. Auch
das Gold in diesem Lager ist fein, und daher kann
man es nicht auf mechanischem Wege ausscheiden.
Jedoch kommt es reichlich vor, von $^1/_{10}$ bis $^1/_5$ gegen Platina.

Bald darauf entdeckte GALAECHOV noch ein Platin-Lager, nahe am Flusse *Iſs*, 16 Werste im NO.
der *Zarewoelisabethischen* Grube, und im Jahre
1825 wurden noch neun dergleichen Gruben an dem
genannten Flusse aufgefunden. Sie sind alle reich
und viel versprechend. Die vorzüglichsten unter ihnen wurden dem allgemeinen Wunsche der Berg-Offiziere gemäſs, nach dem Namen des Finanz-Ministers, und nach dem Namen des Direktors des Bergbaues und des Salzwesens, die eine *Kankrinische*,
und die andere die *Karnejevsche* Grube genannt.
Die erstere lieferte stellenweise $^1/_2$ Pfund und darüber an Platina aus 100 Pud Sand, die andere ist
etwas weniger ergiebig.

Ich will diese historische Uebersicht mit der allgemeinen Bemerkung schlieſsen, daſs der südliche
Theil des *Urals* — wenigstens von den *Slatoustovskischen* Werken an — reich an Gold ist; aber der
nördliche Theil dieses Gebirges — endigend mit
der Greuze der *Nischneiturieskischen* Werke —
reich an Platin, das in der Mitte dieses Bergrückens
— in der Gegend der *Barantschinskischen* Werke —
an Gold $^1/_6$ bis $^1/_2$, in der Platina gegen das ganze

Quantum Platin vorkommt, und es ist ziemlich grobkörnig und scharfkantig. — Allein je weiter die Gruben nach N. liegen, desto weniger und desto klein-
körnigeres Gold findet sich mit dem Platin, so, daſs
es in einigen Lagern fast gar nicht gefunden wird;
und endlich, daſs jenseit des *Nischneiturieskischen*
Werkes, in der Umgegend des Flusses *Iſs*, wo viele Platin-Lager entdeckt sind, im Kalksteine sich
eingestürzte Stellen finden, wohin das Frühlings-,
Wald- und Wiesenwasser dringt. Ich faſste den Gedanken, es möchten wohl einige Gold- und Platin-
haltige Lager auf den Boden dieser Höhlen oder
eingestürzten Stellen hingeschlemmt seyn, und schrieb
daher GALAECHOV vor, einige derselben durch Bearbeitung zu erforschen. Er hat indessen diesen Auftrag noch nicht genügend erfüllen können.

Bis jezt sind an Platin vom *Ural* 23 Pud 3 Pfund
11 Solotnik 87 Theile nach *St. Petersburg* geschickt,
aber die Gruben sind noch nicht vollends ausge-
schürft, und in den *Goroblagodatskischen* Bezirke,
sind erst vier Gruben bearbeitet, und dreizehn
sind aufgefunden, mithin muſs in der Folge die
Ausbeute an diesem Metalle sich wenigstens verdrei-
fachen. Der Preis, den die *Goroblagodatskische*
Platina zu stehen kommt, ist so gering, daſs wenn
man das daraus gewonnene Gold nach dem gelten-
den Werthe desselben in Anschlag bringt, das Zu-
gutmachen der Platina nicht allein gar nichts kostet,
sondern es ergibt sich auch noch einiger Gewinn,
und auch vom Golde. Im Allgemeinen kommt das

Herausbringen derselben zur Stelle, mit dem Golde
zusammen, nicht 25 Kopek das Solotnik zu stehen.

Und so ist das Vorhandenseyn der Platina, dieser Amerikanischen Seltenheit, im *Ural* unwider-
sprechlich erwiesen. Man hat sie bereits im bedeutenden Quantum gefunden, und es ist keine Ursache
da, woher zu befürchten stünde, daß das Auffinden
aufhöre. Allein damit sie nicht blos als Seltenheit
für die Mineralien-Sammlungen vorhanden wäre,
so wünschte ich den Nuzzen zu kennen und zu beweisen, zu welchem die Siberische Platina in allgemeinen Gebrauch gebracht werden könnte. Der
Ober-Bergmeister ARCHIPOV, damals ohne Beschäftigung und in den *Kuschwinskischen* Werken anwe-
send, war mir dazu durch seine Kenntnisse, Talen-
te und Muße behülflich. Er schritt sogleich zur chemischen Zerlegung des Gold-Platin-haltigen-Schlichs.
Hierbei ergab sich einiger Aufenthalt dadurch, daß
ARCHIPOV genöthigt war, sich selbst die starken
Säuren zu bereiten, welche weder in gehöriger Menge, noch in erforderlicher Reinheit im *Kuschwinskischen* Laboratorium vorräthig waren. Obgleich
ich keine detaillirte Nachricht von dem endlichen
Resultate habe, so berichtete er mir doch vorläufig,
daß die ausgewaschene Siberische Platina nicht allein der Amerikanischen keinesweges nachstehe, sondern an Reinheit sie noch übertreffe, und daß in
dem Schliche 75 Prozent enthalten wären; der Rest
bestünde aus Osmium, Iridium, Rhodium? Palladium? Gold, Silber, Eisen.....

Man kann die Frage aufwerfen , woher sich in diesen drei Zerlegungen eine so bedeutende Verschiedenheit des Platina-Gehaltes finde? ARCHIPOV fand etwa 75 Prozent, JAKOWLEV 81 , LUBARSKY 67. Vermuthlich werden sich beim vierten und fünften Versuche noch mehrere Verschiedenheiten ergeben. JAKOWLEV antwortet darauf sehr entscheidend , daſs diefs von der ungleichartigen Mischung der metallischen Theile des Schlichs herrühren müsse. Und in der That sehen wir nicht selbst in dem, in Adern gefundenen, Golde ähnliche Verschiedenheiten in der chemischen Vermischung desselben mit Silber? Und hier findet diefs noch mehr Statt , und kann öfterer von der Verschiedenheit der mechanischen Mischung herrühren.

Allein die Berg-Verwaltung lieſs es nicht blos bei diesen Versuchen bewenden. Die Aufmerksamkeit derselben ist besonders auf den gröſstmöglichen, daraus zu ziehenden Nuzzen gerichtet, oder darauf, die Russische Platina so viel möglich in Gebrauch zu bringen.

Wir sind überzeugt, daſs diefs bald auf verschiedenen Wegen erfolgen wird ; denn diese Sache ist Leuten vertraut, die unter der Mitwirkung des, durch seine chemischen und technischen Kenntnisse bekannten, Oberhütten-Verwalters SOBOLEVSKY dazu gewählt sind.

Zu diesem Behufe sind, auf Verfügung des Finanz-Ministers, 20 Pfund roher *Goroblagodatski-**schen* Platina dem Laboratorium des Berg-Kadettenkorps abgelassen. Wir haben bereits schöne, aus

Platina, geprägte Madaillen gesehen, die den *Pariser*
Medaillen in nichts nachgeben. Wir haben Krüge
und Tiegel von Platina gesehen, die nicht durch
Schmelzen der Platina mit Arsenik verfertigt waren, sondern nach der neuesten Methode, vermittelst des Drucks glühender, schwammiger Platina.
Kurz, alles läfst uns erwarten, dafs dieser Gegenstand bald zu einem erwünschten Ende gebracht
seyn wird.

Auch die Gelehrten im Auslande beschäftigen
sich mit der Russischen Platina. Unlängst untersuchte
Laugier zwei Proben des ihm von Humboldt zuge-
stellten Platina-Erzes, welche der Leztere aus *St.*
Petersburg von Baron Schilling erhalten hatte. Eine Probe war aus den *Kuschwinskischen* Werken,
die andere aus den Sand-Lagern der *Rastorgujews-*
kischen Erben. Seinen Versuchen zu Folge, sind in
der ersteren: 0,65 Platina, 0,33 Eisenoxyd und Anzeichen von Kupfer, Osmium und Iridium. In der
andern Probe entdeckte jener Gelehrte zwei Arten
Körner, magnetische und nicht magnetische. In den
ersten fand er Eisen, Platinatomen und den *Regu-*
lus von Iridium mit Osmium; in den andern: 0,20
Platina, 0,20 *Regulus* von Iridium mit Osmium,
0,50 Eisen, und eine sehr geringe Quantität Kupfer,
Titan und Chrom.

Die Bekanntmachungen dieser Zerlegungen ste-
hen in den *Annales de Chimie et de Physique, Tome*
XXIX, Juliet 1825, *p.* 298, und in *Annales des*
Mines, Tome XII, p. 324. Da aber diese Versuche

nur mit einem sehr kleinen Quantum Platina - Er
angestellt wurden, so ist, in Erwartung genauer
Zerlegungen, ihre Zuverlässigkeit allerdings zw
felhaft.

Vor Kurzem hat der Finanz - Minister für
erachtet, auch andere auswärtige Chemiker und
lehrte Gesellschaften aufzufordern, sich mit der l
tersuchung der Siberischen Platina zu beschäfig
und sie gebeten, den Erfolg ihrer Versuche darü
der Russischen Regierung mitzutheilen. Zu d
Behufe sind an roher Siberischer Platina versan
Nach England an die Königl. Sozietät 1 Pfund, 1
an WOLLASTON ½ Pfund; nach Frankreich an
Nazional - Institut 1 Pfund, und an die Sozietät 1
Beförderung der Nazional - Industrie 1 Pfund; n
Schweden an BERZELIUS ½ Pfund.

Auszüge aus Briefen.

Marburg, den 2. Juni 1827.

Herr Gutberlet, ein ehemaliger Zuhörer von mir, hat kürzlich am *Alpstein* bei *Sontra* schöne deutliche Mesotyp-Krystalle entdeckt. Es ist die, in Ihrem Handbuche aufgeführte, erste Varietät, »die gerade rhombische Säule entrandet zur Spizzung.« Die Krystalle sind zwar kleiner, als die aus der *Auvergne* bekannten, aber doch zum Theil beträchtlich gröfser als die häufig vorkommenden nadelförmigen; die Säule hat zuweilen, jedoch selten, eine Dicke von 1‴ im Durchmesser; die Seitenflächen sind glatt und glänzend, doch nicht ohne jene Längenstreifen, die beim Auvergner Mesotyp meist stark hervortreten, während sie hier weit feiner vorhanden sind.

Der *Alpstein* ist ein Basalt-Berg. Die Mesotyp-Krystalle finden sich, grofse Drusenräume in der genannten Felsart auskleidend. Die im frischen, festen Basalte vorkommenden, sind die mehr der

Nadelform sich nähernden, während die aus dem verwitterten Basalte gröfsere Quer - Durchmesser haben.

Der in kleine, grau und schwarz gefleckte Körner von $1/_{12}$ bis $1/_4$ Zoll Durchmesser abgesonderte, meist sehr Olivin - reiche, Basalt ist am *Alpstein*, neben dem frischen und dem verwitterten gemeinen Basalte gleichfalls zu Hause.

HESSEL.

Wien, *den 9. Juni* 1827.

Es gehört wohl unter die erfreulichsten Ereignisse in unserer litterarischen Welt, dafs Hr. FRIEDRICH MOHS, dieser ausgezeichnete Gelehrte, als Professor der Mineralogie an der hiesigen Universität, angestellt worden ist. — Einem wahren, schon längst gefühlten, Bedürfnisse ist dadurch abgeholfen. Die Bildung gründlicher Mineralogen wird für unsere, an anorganischen Produkten so reiche, Monarchie von hoher Wichtigkeit seyn, und ihr wohlthätiger Einflufs für das Studium selbst und für den Bergbau, dürfte sich in wenigen Jahren deutlich aussprechen.

Zu den Vorlesungen des Professors war eine Sammlung unentbehrlich, die, in gewählten Exemplaren und in einer systematischen Aufstellung, den Zuhörern die richtigsten Begriffe der Spezies und des Systemes beizubringen, geeignet seyn mufste. Da sich die, an hiesiger Universität befindliche, un-

hend zeigte, haben Se. Majestät der Kaiser
en, daſs die Vorlesungen am Hof-Naturalien-
tte gehalten werden sullen.

. Majestät haben zugleich die, von dem Di-
der K. K. Naturalien-Kabinette Herrn Re-
gerath Doktor KARL Ritter v. SCHREIBERS,
lange so sehnlichst gewünschte neue Aufstel-
ler Mineralien-Sammlung, dem Herrn Pro-
Moss aufgetragen. Diese systematische Auf-
g ist um so nöthiger, da seit 30 Jahren alle
Acquisizionen uneingetheilt geblieben, und
mmlung selbst, während der feindlichen In-
m, dreimal in entferntere Provinzen des Rei-
eflüchtet wurde, unter welchen ungünstigen
stänten an keine neue Anordnung zu denken

ater seiner Leitung nun beginnt diese Riesen-
, an der ich, aus Liebe zur Wissenschaft,
zu nehmen, von Sr. Majestät die Erlaubniſs
, Ich glaube kaum, daſs irgend ein Staat,
England nicht ausgenommen, eine zahlreichere
ung wird aufzuweisen haben, und obgleich
Manches zu wünschen übrig bleibt, wird sie
h zu den ausgezeichnetesten und instruktiv-
racht-Sammlungen gehören, und dieſs um so
da Se. Majestät in diesem Monate den An-
ler, dem mineralogischen Publikum schon
vortheilhaft bekannten, von der NULL'schen
ung für den Preis von 18000 fl. zu bewilligen
t haben. Ich behalte mir vor, nach vollen-

deter Aufstellung, einen ausführlichen Bericht über
das Geleistete zu geben, und bemerke nur, daſs die
Anzahl der Schaustücke allein, sich wohl auf 1500
belaufen dürfte. Die Aufstellung selbst geschieht in
70 Schränken, nach dem Systeme des Herrn Professor FRIEDRICH MOHS, jeder Schrank wird mit der
Aufschrift der Klasse und Ordnung von Auſsen versehen seyn. Im Inneren reiht sich Ordnung an
Ordnung, Geschlecht an Geschlecht, jede einzelne
Spezies zeigt an ihrem Tragsteine die naturhistorische Benennung, beigefügt sind die WERNER'schen
und HAUY'schen Synonimen. Durch diese zweckmä-
ſsige Einrichtung erhält der Studirende den richtigsten Ueberblick des Systemes, und der Freund der
Natur kann sich unterrichten, ohne durch wiederholte Fragen sich und die Kustoden zu ermüden
Der Wunsch des Hrn. Professors ist, im November
dieses Jahres, die Vorlesungen beginnen zu können,
ob er wohl bis dorthin die Aufstellung wird vollenden können, wird von den Umständen und dem
Eifer der dabei verwendeten Individuen abhängen.

Diese systematische Aufstellung des Mineralien-
Kabinettes, reiht sich dann zweckgemäſs an die der
übrigen naturhistorischen Sammlungen, die während
der Direkzion des Herrn Regierungsraths v. SCHREI-
BERS eben so vollendet nach dem Erfordernisse der
Wissenschaft, als der äuſseren Ausstattung zu Stande
gekommen ist. Der Besuch unserer Museen wird
dem Naturforscher einen Ueberblick gewähren, den

er sich kaum in irgend einer Hauptstadt Europas
verschaffen kann.

J. C. v. Pittoni.

Habichtswald, den 1. Juli 1827.

Die Nachricht, dafs Sie mit einer Untersuchung,
welche Ihnen die Ansicht der, durch Basalt-Einwir-
kung umgeänderten, Braunkohle wünschenswerth
machte, beschäftigt sind, hat mich aufserordentlich
erfreut, da ich hierdurch Berichtigung oder Bestätigung einer Idee zu erlangen hoffe, die sich mir erst
ganz kürzlich, durch Erfahrungen, welche ich in
den Gruben gemacht habe, aufgedrungen hat. Sie
verstatten, dafs ich Ihnen kürzlich darüber Mittheilung mache.

Es kommt beim hiesigen Grubenbaue nicht selten vor, dafs sich die Kohlen entzünden. Wenn
dieses in der, durch den Basalt nicht veränderten,
mineralogisch unter dem Namen der gemeinen,
bekannten Braunkohle Statt findet; so ist nicht selten eine Anhäufung von Kohlenklein, bei welchen,
durch Pressung, die Entzündung noch mehr gezei-
tigt wurde, als Mittel, die durch die gebildete
Schwefelsäure, frei werdende Wärme, zur Gluth
und Flamme anzufachen, anzusehen. Nicht immer
ist jedoch angehäuftes Kohlenklein die Ursache der
Entzündung der Kohlen, oder des Grubenbrandes,
sondern eine solche findet auch wohl dann Statt,
wenn die Kohlen sehr Schwefel- oder Schwefelkies-

reich und auch stark bituminös sind, und durch
vielfache Durchörterungen die Kohlenpfeiler schwach
geworden sind, und sich in Druck gelegt haben.

Entzündungen in dieser gemeinen Braunkohle
sind für jeden Braunkohlen-Bergbau, und auch für
den hiesigen ein grofses Unglück, da der dabei sich
entwickelnde Geruch so höchst nachtheilig auf den
menschlichen Organismus wirkt, und auch die kräf-
tigsten Naturen, bei einem kurzen Verharren vor
dem Feuer, oder da man selten so weit gelangt,
nur durch das Einathmen der Kohlen-Dämpfe, zum
Erliegen kommen. Stechendes Kopfweh, Schwindel,
Erbrechen, völlige Bewustlosigkeit, sind die Anzeigen, welche sich sofort kund geben und die Mah-
nung ertheilen, die Menschen der frischen Luft aus-
zusezzen, wo sie sich denn zwar, wenn sie nicht
zu lange der Feuer-Einwirkung ausgesezt waren,
bald wieder erholen, aber wohl acht Tage lang,
noch mit anhaltendem Kopfweh belästigt bleiben. —
Schleunige Zusäzze, möglichster Abschlufs alles
Wetterzutrittes, sind in der Regel die einzigen Mittel, dieser Art von Kohlenbrand zu begegnen, wodurch dann aber freilich oft sehr ansehnliche Koh-
lenschäzze der Gewinnung auf eine Zeitlang, ja nur
zu oft für ewig verloren gehen.

Neuere, sehr unangenehme Vorfälle, in den
hiesigen Gruben, haben mir Gelegenheit gegeben,
die Einwirkungen des, im Vorhergehenden kürzlich
geschilderten, Feuers an mir selbst und an mehreren meiner Leute zu beobachten.

Auf

Auf eine höchst merkwürdige Weise anders aber wirkt das Feuer auf den menschlichen Organismus, welches in der, durch den Basalt veränderten, Braunkohle (der hiesige Trivial-Name für diese Kohle ist Rufskohle) entsteht. Eine um so erfreulichere Erfahrung, da man fast täglich damit zu schaffen hat.

Von allen seinen schädlichen Einwirkungen auf die menschlichen Organe ist hier keine Spur. Muß man sich dort begnügen, dem Feuer von weitem durch Zusätze in seinen verheerenden Wirkungen Ziele zu sezzen; so kann man hier unbeschadet für die Gesundheit vor das Feuer gehen, und ihm am gründlichsten dadurch begegnen, daß man es hier aushaut. Hier ist die enorme Hizze, welche allerdings den Körper schwächt, und Schwefel-Dämpfe, vor deren Einathmen man sich aber durch das Vorhalten von nassen Tüchern wahrt, die einzige Unannehmlichkeit. Auch hier habe ich wieder die Probe an mir selbst gemacht, und noch vor kurzem gegen fünf Stunden vor dem Feuer ausgehalten, ohne — die große Hizze abgerechnet — Unbequemlichkeiten, auch selbst nachher nicht, empfunden zu haben.

Die Frage: woher wohl diesen verschiedenen Einfluß beider Kohlen-Arten, im Gluth-Zustande auf die menschliche Gesundheit komme? ist so natürlich, daß auch ich sie mir vorgelegt habe, und meine Ansichten hierüber durch analytische Untersuchungen der Kohlen, entweder zu widerlegen

oder zu bestätigen wünschte. Allein eine solche
Analyse, wie ich sie zu meinem Vorhaben vornehmen müsste, ist — da bekanntlich schon bei vollständigen chemischen Apparaten die Untersuchungen
der Kohlen zu den schwierigsten mit gehören —
bei meinen geringfügigen Hülfsmitteln nicht möglich.

Sie können daher ermessen, wie ungemein
angenehm es mir seyn würde, wenn die Arbeit,
womit sie dermalen beschäftigt sind, eine analytische Untersuchung der, durch den Basalt veränderten, Kohlen vielleicht nothwendig machen sollte,
wozu auf Ihrer Universität reichliche Mittel vorhanden sind; ich würde dann hoffen können, die Resultate derselben mitgetheilt zu erhalten.

Die Ansicht, welche ich mir durch die, beim
Grubenbrand gemachten, Erfahrungen gebildet habe,
die indessen, wie oben bemerkt, erst einer Läuterung, durch analytische Untersuchung der Kohlen,
bedarf, ist kürzlich folgende:

Die nachtheiligen und schädlichen Einwirkungen, welche das Feuer in der gemeinen Braunkohle auf den menschlichen Organismus zuwege bringt,
schreibe ich lediglich dem grofsen Gehalte an Bitumen zu.

Bei der, durch Basalt-Durchsezzungen umgeänderten, Braunkohle dagegen, nehme ich einen
völligen Mangel des Bitumens in der Kohle da an,
wo sie zunächst mit dem Basalte in Berührung kommen; aber auch noch fern von dem Basalt-Ab-
schnitte, glaube ich, ist, wenn nicht eine völlige

Abwesenheit des Bitumens, doch nur ein sehr geringer Gehalt darin vorhanden. Und daher der Grund, warum Alles noch bis jezt in jenen sogenannten Rufskohlen ausgebrochene Feuer durchaus nicht nachtheilig auf die menschliche Gesundheit eingewirkt hat. — Wie es aber nun gekommen, dafs der, in grofser Menge in jener Kohle enthaltene, Schwefel bei jener Verzehrung des Bitumens nicht mit konsumirt wurde, liefse sich wohl durch die Verwandtschaft der, durch die Zerlegung oder theilweise Verzehrung des Bitumens, frei gewordenen Grund-Bestandtheile desselben zu den Kohlen und dem Schwefel zur Genüge erklären?? Und, in Wahrheit kommt der Schwefel-Gehalt auf sehr verschiedenartige Weise, an Basen gebunden, in jenen veränderten Kohlen vor. Theils wird er als Schwefelkies auf den Klüften der Kohlen angehäuft, oft dieselben ganz umhüllend gefunden, theils wittert er als schwefelsaures Eisen in büschelförmig zusammengehäuften Nadeln, auf der Oberfläche aus; dann bemerkt man ihn auch wieder in einer anderen salzigen Verbindung, nämlich in sternförmig gruppirten Gypsnadeln in den Klüften der Kohlen; endlich auch ist er, in keiner weiteren Verbindung mit Basen stehend, als Schwefel-Anflug sichtbar, meist aber ist diefs da der Fall, wo schon wirkliches Feuer in den Kohlen war, das noch sein Wesen treibt, mithin wäre er hier als ganz neu entstanden, oder vielmehr als aus einer andern Verbindung herausgetreten anzusehen.

Ohne die Arbeit, womit Sie gegenwärtig beschäftigt sind *, genauer zu kennen; so glaube ich doch annehmen zu dürfen, dafs es uns beiderseits auf den chemischen Ausspruch: ob Bitumen in den Kohlen enthalten sey, oder nicht, ob sie Anthrazit sind, oder nicht, ankommt. **.

(Späterer Zusaz.) Schon seit beinahe 14 Tagen war das vorstehende Schreiben fast vollendet, als ich durch sehr unangenehme Vorfälle beim hiesigen Bergbaue von dem Schlusse und der Absendung ganz abgezogen ward.

Eines unserer Reviere nämlich ist durch ein so furchtbares Feuer in der durch Basalt veränderten Braunkohle heimgesucht worden, dafs ich, nach langem Kampfe, mich genöthigt sahe, das ganze Revier einstweilen von allem Luftzutritte abzuschlie-

* Sie betrifft mehrere interessante Erscheinungen über, durch basaltische Einwirkung umgewandelte, Felsarten, und wird nächstens in den Händen meiner verehrten Leser seyn.

d. H.

** Ich erwarte nur die erbetenen Handstücke der verschiedenen Kohlenarten, um einen, mir befreundeten, Chemiker zur Beantwortung der interessanten Frage zu veranlassen.

d. H.

fsen: "Sie können sich einen Begriff von jenem Feuer machen, wenn ich Ihnen sage, daß die in Brand gerathenen Kohlen durch das Stollen - Mundloch als Zug - Oeffnung ihre Nahrung empfingen, und aus dem, 112 F. tiefen, Schachte des Schlot, der Abzug der Dämpfe und, es fehlte nicht viel, des Feuers Statt fand. Es war vielleicht der großartigste und zugleich der furchtbarste Verbrennungs-Prozeß, welchen man beim Bergbaue gehabt hat.

Strippelmann.

Stuttgardt, den 29. Juli 1827.

Vom Resultate der Beobachtungen, welche ich auf einem Ausfluge nach *Ober - Schwaben* sammelte, erlaube ich mir Ihnen nur einige kurze Bemerkungen aus meinem Tagebuche mitzutheilen. Diese Gegenden sind durch eine gehaltvolle Arbeit der Herren von Oeynhausen, Laroche und Dechen dem mineralogischen Publikum bekannt. Die ihr beigefügte Karte gewährt wohl einen schönen Ueberblick der beschriebenen Formazionen; allein rücksichtlich der richtigen und genauen Bestimmung ihrer Ausdehnungs - Grenzen, in so weit sie die Beschaffenheit der Terrain - Verhältnisse gestattet, bleibt noch viel zu wünschen übrig. So ist z. B. der Liaskalk des *Schönbuchwaldes* und der *Filder* zwischen *Stuttgardt* und *Tübingen* durchaus nicht zusammenhängend und in der Ausdehnung verbreitet, wie man sie auf der Oeynhausischen Karte angedeutet findet.

Auf ihr nimmt er fast die ganze Fläche ein, welche
von Linien, von *Waldenbuch* über *Herrenberg,*
Ehningen, Sindelfingen, Vaingen, Decherloch nach
Echterdingen, eingeschlossen ist. Fast der größte
Theil der Oberfläche dieser Gegenden besteht aus
dem obersten Sandsteine (Quarz-Sandsteine) der
Keuper. Die Lias-Formazion zeigt sich mehr in
isolirten abgerissenen Parthieen über dem obersten
Keuper-Sandsteine, stets die erhabeneren Stellen
bildend.

Daß der Lias auf den *Fildern* mit demjenigen
des *Schönbuchwaldes* offenbar nicht im Zusammenhange ist, davon überzeugt man sich, wenn man
das *Aichthal* von *Waldenbuch* über *Schöneich* nach
Holzgerlingen aufwärts, und das *Wurmthal* bis
Ehningen abwärts verfolgt. Allerwärts sieht man
hier bunte Mergel in mannichfachen Farben-Nuanzen,
zuweilen mit Kalkmergel wechselnd, und den mittleren Keuper-Sandstein (nach der Zusammenstellung der Beobachtungen der Herren von OEYNHAU-
SEN, LAROCHE und DECHEN: Geognostische Umrisse
der Rheinländer zwischen Basel und Mainz; B. II,
S. 183, habe ich die Eintheilung in unteren, mittleren und oberen Keuper-Sandstein für passend gefunden) entblößt, und dem Quarz-Sandstein als
oberstes Glied dieser Formazion. Lezteren verfolgt
man zu beiden Seiten der Thäler an mehreren Orten in weiter Erstreckung.

Im größsten Zusammenhange ist der Lias zwischen *Schöneich, Rohrau* und *Bebenhausen* ver-

tet. Hier bildet er fast das ganze Plateau, wel-
sich ostwärts gegen die Straße nach *Tübingen*,
westlich nach *Altdorf* hin erstreckt. Ausnahms-
se kommt er auch an tieferen Stellen vor. So
man deutlich ostwärts von *Schöneich* den Lias
mit seinen grauen Mergeln in einer, in der
per-Formazion befindlichen, Mulde. Er scheint
dem Keuper-Sandsteine nicht gleichförmig auf-
gert, sondern als vereinzelte Masse diese Mulde
llend. Es ist diefs ein Beweis' für das scharfe
renatseyn beider Formazionen. Auch scheint
nach vor der Bildung des Lias schon eine un-
ächtliche Thal-Aushöhlung Statt gefunden zu
en. Die Hauptthal-Bildung fällt in viel später
nach der Absezzung der Lias-Schichten, ein-
etene Perioden. Die Lias-Formazion bleibt in
Verhältnissen zwischen *Tübingen* und *Stutt*-
t im Ganzen ziemlich übereinstimmend. Sie
eht hier aus dem dunkelgrauen bituminösen,
stentheils in deutlichen horizontalen Bänken ge-
chteten, Kalksteine und den denselben, in äu-
st geringer, im Durchschnitte höchstens 10 bis
betragende, Mächtigkeit, bedeckenden grauen
gelu. An einigen Orten tritt der Kalkstein auch
e die Mergel-Bedeckung frei hervor. Auch er-
int an den meisten Orten die Keuper-Forma-
n, welche man in alten Thälern in ausgezeich-
em Wechsel bunter Mergel, von quarzigem Sand-
ue bedeckt, entblöfst sieht, in nicht beträchtli-
r Mächtigkeit zu überlagern. Ungemein reich ist

er fast überall an Versteinerungen. Doch findet
man, daß er auch hin und wieder ganz davon befreit geblieben ist. Dieß ist namentlich der Fall an
einigen Stellen des *Schönbuchwaldes* nördlich von
Bebenhausen, wo man für einen neuen Straßenbau
Steinbrüche angelegt hat. Der Kalkstein ist gewöhnlich an solchen Stellen durch eine weit hellere Farbe ausgezeichnet, und scheint weniger bituminöse
Stoffe zu enthalten. Den diesen Kalkstein so sehr
bezeichnenden *Gryphites cymbium* habe ich an wenig Stellen in großer Häufigkeit gesehen, und bei
beträchtlicher Anhäufung anderer Konchylien, fehlt
er oft ganz. Ueberhaupt scheint im Einzelnen rücksichtlich des Zusammen-Vorkommens von Konchy-
lien-Arten, wohl auch einer minderen oder stärkeren Frequenz einzelner Arten, sowohl in den verschiedenen Gliedern und einzelnen Bänken der Formation, als wie auch an verschiedenen Punkten ihrer Verbreitung nach, wenig Uebereinstimmung oder
Parallelismus Statt zu haben. Viele Konchylien befinden sich zuweilen auf den Absonderungsflächen
der Schichten, während man nur wenige im Kalksteine selbst eingehüllt sieht.

Bei *Deckerloch*, bei *Vaingen* und östlich von
Schöneich finden sich *Gryphites cymbium* und mehrere Ammoniten-Arten sehr ausgezeichnet in großer
Häufigkeit. Leztere sind oft in Kalkspath umgewandelt, und lassen in diesem Zustande ihre Form und
Charaktere sehr deutlich erkennen. Zwischen *Schöneich* und *Weil* im *Schönbuch* ist der Lias sehr reich

an Versteinerungen. Ammoniten (besonders ausgezeichnet *Ammonites arietis*), Chamiten, Terebratuliten, Ostraziten in verschiedenen Arten, sind
dort in grofser Menge vorhanden. Auf dem *Mei-*
sterfelde bei *Vaingen* Belemniten und *Ammonites*
interuptus in den Mergeln. Bei *Bebenhausen* und
Vahingen sah ich bituminöses Holz, demjenigen der
Braunkohlen am *Niederrhein* und in der *Wetterau*
sehr ähnlich im Liaskalke eingeschlossen. Es soll
darin in grofsen Ast - und Stamm-Stücken vereinzelt vorkommen.

In ihrer vollkommensten Ausbildung beobachtet
man die Lias-Formazion am nördlichen Fufse der
Schwäbischen *Alp*, wo sie stets dem Zuge des Jurakalkes folgt. Es sind hier hauptsächlich die Lias-
Mergel und Sandsteine, welche in grofser Mächtigkeit unter dem Jurakalke hervortreten, und häufig
charakteristisch zu Tag gelegt sind. Den Liaskalk
sah ich nur an wenig Stellen in, für die Beobachtungen nicht sehr günstigen, Entblöfsungen. Es senkt
sich die Keuper-Formazion, gegen die *Alp* hin, unter die sie bedeckenden jüngeren Formazionen herab, und scheint eine grofse Mulde zu bilden, aus
welcher die Lias-Schichten, und über ihnen der
Jurakalk in beträchtlicher Mächtigkeit emporsteigen.
Die unteren Schichten der Lias-Formazion, oder
der eigentliche Liaskalk treten deshalb stets, in nördlicher Entfernung gegen das Ansteigen der Keuper
hin, unter den Lias-Mergeln hervor. So sieht man
schon nordwestlich von *Weilheim* dunkelgraue, sehr

bituminöse Liasschiefer mit festen Kalk‑Mergeln
wechselnd. Man hat daselbst an einigen Stellen
Versuchbaue auf Steinkohlen getrieben, welche je‑
doch, wie man im Voraus überzeugt seyn konnte,
fehl schlugen. Etwa eine halbe Stunde von diesem
Orte entfernt, gegen *Jessingen* hin, sieht man als‑
dann den Liaskalk, ohne Bedeckung von Mergeln,
anstehend.

Für die Beobachtung der Lias‑Formazion höchst
wichtige Punkte bietet die nähere Umgebung von
Weilheim. An der *Kelisbach*, zunächst dem *ro‑
then Wasen*, treten die Lias‑Mergel unter dem
Lias‑Sandsteine deutlich hervor. Man verfolgt sie
eine grofse Strecke den Bach aufwärts. Unten hat
man schwärzlichgraue bituminöse Schiefer, welche
nach oben allmählich eine hellere Farbe annehmen,
und einen grofsen Theil ihres Bitumen‑Gehaltes
einbüfsen. Zunächst des Sandsteines verlieren sie
ihr Schiefer‑Gefüge, nehmen viel Sand auf, und
gehen hin und wieder in Sandstein über. Die Lias‑
schiefer sind sehr reich an versteinten Konchylien.
Es finden sich darin Ammoniten, Terebrateln, Be‑
lemniten u. s. w. Herr Professor SCHÜBLER in *Tü‑
bingen* zeigte mir Spuren von Ophioliten aus den
Schiefern in der Nähe des *rothen Wasens*. Unge‑
achtet aller angewandten Mühe fand ich diese selte‑
nen Versteinerungen nicht. Eine schöne Mannich‑
faltigkeit hat der Lias‑Sandstein am *rothen Wasen*
hinsichtlich seiner Gestein‑Verhältnisse, insbeson‑
dere im Wechsel der Farben aufzuweisen. Sehr ei‑

reiche Sandsteine, bald blut-, bald karmoisin-
d hellroth gefärbt, bilden die unteren Lagen
elben. Gegen die Mitte hat man gelbe und ro-
Sandsteine in mannichfachen Nuanzen. Weiſse
gelbliche Sandsteine sind oben. Die unteren
chten wechseln mit röthlich-grauen Mergeln.
ichen den mittleren und oberen Schichten sind
ne Lagen eines hellgrauen glimmerreichen Mer-
. Einige der mächtigeren Sandstein-Schichten
durch dünne glimmerreiche Sandsteinschiefer
m getrennt. Die Schichtung horizontal und sehr
lich. Die Mächtigkeit mag 200 bis 250' betra-
. Das Bindemittel ist in den unteren Schichten
thonig und scheint wenig Kalk zu enthalten;
den mittleren wird es mehr mergelartig. Fast
rrschend kalkig ist es in den oberen weiſsen
teinen. Diese sind dadurch sehr zart und zu
elfsteinen geeignet, wozu man sie auch häufig
zt. In allen Schichten sieht man bald ein mittl
, bald ein sehr feines Korn. Im Ganzen herrscht
n wenig Verschiedenheit.

Der Lias-Sandstein enthält viele Versteinerun-
aus dem Thier- und Pflanzenreiche. Die lez-
n, gröſstentheils sehr undeutlich, überziehen
Schichtungsflächen. Der obere weiſse Sandstein
Terebrateln, Echiniten, Ammoniten und Ostra-
n aufzuweisen. Dieselben nebst Bukarditen und
chiliten finden sich in den mittleren bunten Sand-
t Lagen. Ungemein reich an allen diesen Ver-

steinerungen sind die unteren eisenhaltigen Sandsteine.

— Einige Geognosten sind sehr geneigt den Sandstein der Lias-Formazion von ihr als selbstständige
Formazion zu trennen. Zieht man die nahe Berührung, in welcher dieser Sandstein mit den Liasschiefern steht, den Uebergang beider Gesteine, die U-
bereinstimmung ihrer Petrefakten und das Zusam-
men-Vorkommen beider in Erwägung, so wird der
Einreihung des Sandsteines in die Lias-Formazion
kein gewichtiger Grund entgegen stehen können.
Hierzu kommt, als entscheidend zu betrachtende
Thatsache, die Wechsellagerung des Sandsteines mit
Liaskalk an mehreren Orten. Westwärts von Ba-
lingen ist der Wechsel von Sandstein und Liaskalk
sehr deutlich zu beobachten. Ein versteinerungsreicher, bald dunkel und bald hellgrauer Kalkstein
wechselt mit blassrothen, feinkörnigen Sandstein-
Lagen.

— Ueber diesem Lias-Sandsteine liegt eine, nicht
sehr mächtige, bald helle, bald dunkelgraue Rogenstein-Lage. Verhärtete Kalkmergel-Körner, von
der Grösse eines kleinen Hühnereies bis zu derjenigen einer Erbse, liegen in einer Kalk-Masse von
erdigem, unebenem Bruche. Sie scheint viel Kie-
sel-Bestandtheile zu enthalten, und ist häufig ganz
von Eisenoxyd durchdrungen. Meistens sehr undeutliche Versteinerungen sieht man durch die ganze
Masse verbreitet; ich erkannte unter ihnen Terebrateln und Belamniten. Diese Rogenstein-Lage scheint

ich auf der einen Seite schon zum Jurakalke hin
zu neigen. Die unteren Schichten desselben. — zumal in den Gegenden von *Urach*, *Ehningen* und
Lenningen haben einige Aehnlichkeit damit.

Am Erdschliff, südlich von *Weilheim*, erhebt
sich der Jurakalk schroff und mächtig in entblöfs-
en, fast senkrechten Wänden über Lias-Sandstein
ansteigend. Die unteren Schichten zeigen bald dun-
kel-, bald mehr hellgraue Farben, die oberen sind
gelblichweifs. Von der Tiefe bis in die Höhe ist er
deutlich geschichtet. Im Einzelnen bleibt er sich
in seinen Gestein-Verhältnissen ziemlich gleich.

Was ich im Gebiete der Jurakalk-Formazion
gesehen, ist durch andere Gebirgsforscher hinlänglich bekannt. Auch hatte ich nur Gelegenheit einen kleinen Theil der Schwäbischen *Alp* zu besuchen, und überzeugte mich dadurch schon hinlänglich von der grofsen Einförmigkeit, welche die
geognostischen Verhältnisse dieser Formazion vor
andern Kalk-Gebilden auszeichnet. Angehend den
Schichtenbau des Jurakalkes, bemerke ich Ihnen
nur noch, dafs ich eben so, wie bei *Weilheim*,
in mehreren anderen Orten (*St. Johann*, *Urach*,
Vogelhaus, zwischen *Urach* und *St. Johann*, *Lenningen*) den Jurakalk bis zu den höchsten Lagen
mehr oder weniger, deutlich geschichtet fand. Einige Geognosten wollen den Jurakalk nur in den
unteren Lagen geschichtet wissen. Jedoch finden
hiervon viele Ausnahmen Statt, und mitunter scheint
diese Behauptung auch auf Täuschung zu beruhen;

denn gewöhnlich zeigt sich die Schichtung an den
Stellen, wo man sie in den oberen Lagen findet,
durch starke Zerklüftung etwas verworren. Sieht
man aus den tief eingeschnittenen Querthälern der
nordwestlichen *Alp* an ihren steilen Gehängen herauf, so wird man fast immer durch, am oberen
Theile derselben, hoch heraus springende groteske
Felsmassen überrascht. Sie beginnen zuweilen in
der Mitte der Berghöhe schon, treten alsdann
gegen die Kanten, in welche das Alpen-Plateau gegen die Abstürze und die Thal-Gehänge auslauft,
deutlicher und in gröſserem Umfange hervor, und
bekleiden die Höhen der die Thäler einschlieſsen-
den Berge öfters in langen, mauerähnlichem, oder
auch in einzelnen thurmähnlichen Massen, so j. daſs
man häufig kolossale alte Ruinen vor Augen zu haben scheint. An solchen Massen erkennt man keine
Schichtung, am wenigsten an denjenigen, welche
den höchsten Theil der Berge konstituiren; sie sind
unregelmäſsig abgetheilt, gröſstentheils aber doch
von senkrechten, oder stark geneigten Klüften durchzogen. In dergleichen unförmlichen Massen scheint
sich die, dem unteren Jurakalke eigene, deutliche
Schichtung allmählich zu verlieren, und an einigen
Orten im *Lauter-* und *Echazthale* beobachtet man
genau, wie von unten nach oben die Schichtung stets
undeutlicher wird, und in den, durch Zerklüftung
häufig isolirten, Felsmassen in ¹/, der Berghöhe
sich nur hier und da noch schwache Andeutungen
einer horizontalen Abtheilung finden. Man wird

[u]rch diese Erscheinung sehr geneigt, auch in dem
ezt nicht mehr geschichteten oberen Theile der Ju-
akalk-Masse eine ursprüngliche Schichtung zu erblicken, welche jedoch durch die Einflüsse zerstö-
end wirkender äufserer Kräfte, zumal in den oberen
Lagen, welche denselben am meisten ausgesezt zu
eyn scheinen, nach und nach vernichtet wurde.

Die OEYNHAUSische Karte, deren kleiner Mafs-
stab ohnehin keine grofse Genauigkeit bei Festsezzung der Verbreitungs-Grenzen der Formazionen
erlaubte, bedarf auch an der nordwestlichen *Alp*
noch vieler Berichtigungen. Die Lias-Formazion
und der Jurakalk sind in ihrer äufseren Begrenzung
sehr scharf abgeschnitten, und man ist im Stande
ihre Ausdehnungs-Grenzen mit weit mehr Genauigkeit festzusezzen, als bei Felsarten, welche unter
einem Niveau liegen, und welche an ihren Berüh-
rungs-Linien fast in einander zu verfliefsen scheinen. Zeit und Zweck der Reise erlaubten mir
durchaus nicht eine genauere Revision der erwähnten Karte in diesen Gegenden vorzunehmen. Auch
haben wir von Herrn Professor SCHÜBLER in *Tübingen* höchst befriedigenden Aufschlufs über die
geognostische Beschaffenheit *Ober-Schwabens* zu erwarten. Wenn dieser so thätige Geognost die Ergebnisse seiner Beobachtungen über die Verbreitungs-
Grenzen der Felsarten von *Ober-Schwaben* so zusammen tragen wird, als er es auf einer, in Genauigkeit unübertrefflichen, Karte der näheren Umgebung von *Tübingen* vollbrachte, so mufs eine sol-

che, auf eine größere Fläche ausgedehnte, Karte
merklich von derjenigen der Herren von OEYNHAU-
SEN, v. DECHEN und von LA ROCHE abweichen. Die
unbedeutenderen, mir zu Auge gekommenen, Feh-
ler derselben übergehend, erlaube ich mir, Sie nur
noch auf einige mehr auffallende Mängel aufmerksam zu machen. Auf der nordwestlichen Alpseite
befinden sich einige von der zusammenhängenden
Jurakalk-Masse getrennte Parthieen in einzelnen
isolirten, größtentheils konischen, Bergen, zumal in
der Gegend von Reutlingen, Weilheim u. s. w.
Diese sind auf der OEYNHAUSischen Karte nicht angedeutet. Dem Lias-Sandstein, welchen Herr von
OEYNHAUSEN ebenwohl als selbstständige Formazion
gelten läßt (l. c. p. 230 bis 240), ertheilt er zugleich
eine Verbreitung, welche nicht nachgewiesen werden kann. Auf seiner Karte bildet er, längs dem
nordwestlichen Abhange der Alp, einen zusammenhängenden schmalen Streifen, etwa von Neuhausen bis
Bargau. Auf der ganzen Erstreckung ist diese Felsart
jedoch, öfters unterbrochen, wie man dieses in der
Gegend von Hohenaufen und an der Teck deutlich
beobachtet. Dasselbe findet mit den Liasschiefern
Statt. Sie bilden ebenwohl, aber nur in kurzen
Distanzen, unterbrochene Züge, denjenigen des Sandsteines folgend.

Unter die vielen Berichtigungen und Einschal-
tungen, welche die OEYNHAUSische Karte in den unteren Neckar-Gegenden im Kreichgau, Bauland
und Odenwald noch erleidet, unterlasse ich es,
mich hier weiter zu verbreiten. Seit zwei Jahren
habe ich über diese Gegenden eine geognostische
Karte mit möglichster Genauigkeit angefangen zu ent-
werfen, und gedenke dieselbe in diesem Sommer
zu vollenden. Ist diese Karte in Ihren Händen, und
Sie werden sie einer Vergleichung mit der OEYNHAU-
sischen zu unterwerfen die Güte haben, so bieten
sich Ihnen gewiß auffallende Abweichungen dar.

                                   A. KLIPSTEIN.

Es

Frankfurt a. M. im Juli 1827.

Es ist von einigen Geognosten der Zusammenhang des Steinkohlen-Gebildes der Wetterau mit
dem von *Darmstadt*, in der Nähe von *Frankfurt*
und den Main durchsezzend, vermuthet worden,
ohne daſs der hierzu nöthige Beweis durch Beobachtung geliefert worden wäre; die folgenden Zeilen haben zum Zweck, diese Lücke auszufüllen
und zu zeigen, wie ein solcher Zusammenhang in
der That bestehe. Es wird ferner diesem Steinkohlen-Gebilde diesseits des Rheines der Zusammenhang
mit einem nämlichen Gebilde jenseit des Rheines
zugesprochen. Die überraschende Uebereinstimmung
der älteren und jüngeren Gebirgs-Formazionen dieses Bezirkes, erlaubt eine solche Ansicht, die nicht
wohl auf direktem Wege dargelegt werden wird,
fest zu halten. — Meine Mittheilungen über das
Steinkohlen-Gebilde bei *Frankfurt* werden sich
auf den Diorit und Diorit-Mandelstein (Mandelstein) und auf den Kohlen-Sandstein beschränken,
als diejenigen Glieder, welche ich bis jezt in unserer Nähe zu beobachten Gelegenheit gehabt habe.
Ich erlaube mir zuvor noch die Bemerkung, daſs
diese Diorite des Steinkohlen-Gebildes nicht verwechselt werden dürfen mit den Doleriten und Basalten unserer Umgegend (ich begreife hierunter gewöhnlich eine Kreisfläche, die mit dem Radius von
4 bis 5 Stunden aus dem Mittelpunkte *Frankfurt*
zu beschreiben ist), welches, wie ich finde, noch
von einigen Geognosten geschieht, woraus aber Un-

klarheit und Verwirrung in der Entwickelung der
geognostischen Konstitutions-Verhältnisse eines Landes nothwendig entstehen müssen. Der Diorit ist
unstreitig älter als der Dolerit und die basaltischen
Gebilde; jener scheint, zum wenigsten in der Erstreckung, die ich so eben für das Steinkohlen-Gebilde bezeichnet habe, unter der Abhängigkeit des
Kohlen-Sandsteines, in welchem er auftritt, und
dem er angehört zu stehen, selbst in Betreff seiner
Lagerungs-Verhältnisse. Dagegen sind die Dolerite
und Basalte gewiſs relativ jünger, wie wir denn auch
Beispiele besizzen, daſs ihre Bildung in unserer geschichtlichen Zeit sich noch ereignet hat; die geognostische Ausdehuung ihrer Massen scheint Gesezzen
zu folgen, welche mehr aus dem Eigenthümlichen
ihrer Gesteinmasse und der Art, auf welche dieselbe zum Auftreten unter den Felsarten unserer Erdrinde gelangt sind, hervorgegangen. — Je mehr ich
die Verhältnisse erwäge, unter denen insbesondere
die Basalte in unserer Gegend auftreten, um so mehr
überzeuge ich mich, daſs auch sie in naher Beziehung mit dem Trachyte stehen. Ich halte in dieser
Hinsicht die Nachweisung des Trachytes in der *Rhön*,
welche wir Ihnen zu verdanken haben, von groſser
Wichtigkeit, und sein Auftreten daselbst ganz im
Einklange mit der Mächtigkeit, welche den Phonolithen der Basalte dort eingeräumt ist; es verdienten
überhaupt die basaltischen Gebilde unserer Gegend
mit dem Trachyte näher untersucht zu werden. Nach
v. HUMBOLDT finden sich Lande mit Gruppen basal-

tischer Gebilde ohne Trachyt; so wie umgekehrt andere Lande mit Gruppen trachytischer Felsarten ohne Basalt; die geognostische Verwandtschaft beider ist aber dadurch nicht aufgehoben; der Basalt gehört unbezweifelt dem Trachyte an, wie dieß andere Gegenden, wo diese Gebilde deutlicher entwickelt sind, uns vorhalten, und das gegenseitige Verdrängen des Basaltes und des Trachytes dürfte eher ein Beweis für, als gegen die Verwandtschaft beider seyn. Ich kann mich nicht enthalten, Ihnen voreilig eine Bemerkung hier einzuschalten, die sich bei der Vergleichung der Arbeiten über unsere nähere und entferntere Gegend mir aufgedrungen hat. Es liegen unbezweifelte Thatsachen vor, daß unser Strich Landes zu den wenigen gehört, in welchem der Trachyt in seinem Zusammenhange mit dem Basalte auftritt, und dadurch seine Verwandtschaft zu erkennen gibt; und die bis jezt ausgemittelten Punkte, wo in unsern Gegenden der Basalt im Zusammenhange mit dem Trachyte auftritt, stehen gewiß in näher Beziehung zu einander. Eine Schwierigkeit, welche dieser allgemeinen Ansicht entgegen steht, sind die Abweichungen, welche die Gesteine von diesen verschiedenen Punkten unter einander besizzen. Das Hinderliche dieser Abweichungen der Gesteine wird aber gemildert, wenn man die Entfernung der einzelnen Punkte von einander bedenkt und beseitigt dadurch, daß sie sich alle auf die vorhandene Norm, auf die Trachyte des majestätischen *Siebengebirges* zurück führen lassen. — Unsere Dolerite charakte-

20 *

risiren sich ebenfalls durch eigene Verhältnisse, unter denen sie auftreten, und die ganz abweichen von den Lagerungs - Verhältnissen des Diorits. — Ich würde meinen eigentlichen Zweck verfehlen, und die mir vorgesezten Schranken übersteigen, wenn ich so fortfahren wollte, es war nur meine Absicht, aller Verwechselung des Diorits und Diorit - Mandelsteines mit dem Dolerite und den basaltischen Gebilden zu entgehen.

Vor einigen Monaten machte mich Hr. Dr. Römer auf ein mandelsteinartiges Gestein, das vom Main blofs gelegt worden, aufmerksam. Ich habe seitdem darüber folgende Untersuchungen vorgenommen. Die Stelle, an der das Gestein auftritt, ist am diesseitigen rechten Mainufer, eine kleine Stunde oberhalb *Frankfurt* gelegen. Die beiderseitigen Mainufer sind, bis dahin und noch etwas weiter oberhalb der Stadt, im Ganzen flach, das diesseitige nur ein Geringes höher als das jenseitige. Durch die Krümmung des Flusses ist insbesondere das diesseitige Ufer bei höherem Wasserstande an mehreren Stellen Veränderungen unterworfen, und diesem Umstande hat man es wohl zu verdanken, dafs gerade an der Stelle, wo der Main in einer Biegung aus SW. fliefst, von ihm dieses Steinkohlen-Gebilde blofs gelegt worden ist, indem das Wasser die Decke von Dammerde, sandigem Lehm und Gerölle mit sich fortführte. Dieses Gebilde liegt nur wenig höher als der gewöhnliche Wasserstand des Mains, es ist deshalb nicht zu jeder Zeit sichtbar, und wird meistens vom Wasser überdeckt. Die östliche Ausdehnung dieses Diorits habe ich nicht bis zu Ende verfolgen können, da er sich in das steiler werdende Ufer verlauft, welches vom Main dicht bespült, und dadurch unzugänglich wird; wenn diese Felsart noch weiter, in dieser Richtung fortsezt, so scheint sie da etwas tiefer zu gehen. In westlicher Richtung, war ich glücklicher, ich habe da nicht allein das Ende seiner Breiten-Ausdehnung gefunden, sondern auch im Verfolg des Kohlen-Sandstein; in dieser Richtung liegt das Gebilde ebenfalls etwas tiefer, und verliert sich in den Main und das bedeckte Ufer. Für die Bestimmung der Lagerungs-Verhältnisse ist das Gestein zu unvollständig aufgedeckt, es ist nur in einer unbedeutend über dem Mainspiegel liegenden, entblöfsten Fläche zu sehen; die, noch überdiefs dadurch, dafs sie immerwährend abwechselnd, dem fliefsenden Wasser und der Atmosphäre ausgesezt ist, Agenzien, wie sie nicht nachtheiliger für eine Gestein-Oberfläche zu denken sind, in einem, für genaue Beobachtungen sehr ungünstigen, Zustande sich befindet. Bis einmal ein aufsergewöhnlich niedriger Wasserstand eingetreten seyn wird, wodurch eine genauere Untersuchung möglich wird, diene zur näheren Kenntnifs folgende Mittheilung des horizontalen Durchschnittes, von der Oberfläche, wie ich sie gefunden, entnommen. Das Gebilde zieht in direkter Richtung von N. nach S., es liegt demnach in derselben Linie, wie das Steinkohlen-Gebilde der Wetterau und im Darm-

städtischen. Es ist wahrscheinlich, daſs der Diorit
dem Kohlen - Sandsteine eingelagert ist, und mit diesem Streichen und Fallen theilt. Die ganze Breite
des Gebildes, so weit dasselbe aufgeschlossen ist,
beträgt von NO. nach SW. (es war mir der Krümmung des Ufers wegen nur diese Richtung zu messen möglich) gegen 218 Meter. Ich habe dabei von
der Grenze des Sandsteines den Diorit nordöstlich
auf 200 Meter, und den Kohlen - Sandstein südwestlich auf eine Erstreckung von 18 Meter verfolgt.
Die Beschaffenheit des Ufers gestattete nicht, diesem
Gebilde weiter nachzugehen, und selbst in der bezeichneten Breite ist es zuweilen dem Auge durch
Geröll - Bedeckung entzogen. Zwischen dem Diorit
und dem Sandsteine, liegt mit einer Breite von ungefähr 20 Meter, ein rothes Gestein; zuvor aber will ich
des Diorits näher erwähnen. Dieser Diorit ist ein
dichtes, deutlicher und weniger deutlich gemengtes
Gestein von bräunlichgrauer Farbe, das nach der
Menge, in der Speckstein, in der Masse zunimmt,
grobkörniger und dabei graulichgelb, so wie nach
der Menge, in der Eisenoxyd darin vorhanden ist,
röthlicher erscheint; es wechselt sehr an Farbe und
Gröſse seiner Bestandtheile, die an einigen Stücken
mit dem bloſsen Auge, an andern nur mit der Lu-
pe erkannt werden. Speckstein ist durch die ganze
Masse verbreitet. In dem, mit Blasenräumen versehenen, eigentlichen Diorit - Mandelsteine tritt der
Speckstein weniger in der Gesteinmasse, als in ihren Blasenräumen auf. Der Speckstein findet sich

auch im dichten Gesteine ausgeschieden, als Ausfüllung einzelner Blasenräumchen; und er ist alsdann
gewöhnlich schwarzgrün, wahrscheinlich von beige-
mengter Grünerde; in solchem Gesteine habe ich
auch einzelne, ungewöhnlich grofse, Blasenräume
angetroffen, die mit einer starken Lage von schwarz-
grünem Specksteine überkleidet, und mit Kalkspath
ausgefüllt waren. Je mehr das Gestein von Speckstein durchdrungen, um so reicher ist es an Magneteisen, das in glänzenden krystallinischen Theilchen in der Masse liegt. Oft hat sich dieses Magneteisen in Eisenoxyd umgewandelt, die Masse besizt in diesem Falle ein röthliches Ansehen. Im
Diorite liegt nesterweise der Diorit-Mandelstein,
seine Blasenräume sind überkleidet von einer Speck-
stein- und Grünerde-artigen Masse, und erfüllt, entweder von einem schmuzzigweifsen Specksteine,
oder von einer Masse, die mit Speckstein unter-
mengter Kalkspath zu seyn scheint, oder mit reinem
weifsen und röthlichen Kalkspath. Die Blasen sind
gröfstentheils rund, dann auch von knolliger und
nierenartiger Form. Ich habe aufser Speckstein und
Kalkspath keines von den Mineralien in den Blasenräumen angetroffen, welche sie gewöhnlich anderwärts noch ausfüllen. Der dichte Diorit geht in den
mit Blasenräumen versehenen deutlich über; man
findet nämlich den Diorit in der Nähe des Mandelsteines feinblasig, und in seinen Räumchen dieselben Substanzen liegen, welche die gröfseren Blasenräume beherbergen. Je näher dem wirklichen

Mandelsteine, um so größer, werden die Blasen, indem ihre Zahl abnimmt. Das Diorit - Gestein ist an dieser Oberfläche, welche mir zu beobachten vergönnt war, mannichfach zerklüftet, besonders deutlich in der Richtung der Streichungs-Linie, und in einer Richtung, welche jene rechtwinkelig schneidet. Einige Klüfte sind mit Kalkspath ausgefüllt, die von den Wänden des Gesteines durch eine dünne Lage von Eisenoxyd getrennt werden. Der Mandelstein ist der Verwitterung am leichtesten unterworfen.

Dieser Diorit geht über, wie ich oben bemerkte, in ein rothes Gestein. (SCHMIDT in Siegen (NÖGGERATH, Rheinl. Westph. II, 179) sagt: „daß Gestein - Trümmer von Roth-Eisenstein, Kalkspath und Schwerspath in diesem Gesteine bei *Darmstadt* aufsezzen"). Es scheint mir dieses rothe Gestein einer näheren Bezeichnung werth, wodurch es auch aller Verwechselung entgehen wird. Seine horizontale Breiten-Erstreckung beträgt, wie gesagt, ungefähr 20 Meter. Dieses Gestein ist schwer, von braunrother Farbe, sieht aus wie rother Eisenkiesel, seine Bruchflächen sind fein und grob krystallinisch, in lezterem Falle den Bruchflächen des Spath - Eisensteines ähnlich. Es treten in dieser Masse sparsam einzelne Quarzkörner und hellere Stellen auf. Ich habe nur gefunden, daß die wesentlichen Bestandtheile dieses Gesteines in kohlensaurem Kalke und Eisenoxyde bestehen, daß es ein inniges Gemenge dieser beiden Bestandtheile ist. Dieses Gestein durchziehen Paral-

lel-Gänge von weifsem, röthlichem und gelbem
Kalkspathe, deren einer, in reinem Kalkspath bestehend, gegen 0,12 Meter mächtig ist. Ferner besizt
dieses Gestein, wie der Diorit, seine Mandelstein-
Nester, die ein porphyrisches Ansehen haben. Die
Gesteinmasse dieser Mandelsteine gleicht der des
vorhin beschriebenen Diorit-Mandelsteines, sie ist
aber röther, indem sie von dem, mit Eisenoxyd gemengten, Kalkspathe innig durchzogen wird. Von
den Blasenräumen sind einige mit Speckstein, andere mit der rothen Kalkspath-Masse, noch andere
mit einem Gemenge von beiden ausgefüllt. Eines
dieser Mandelstein-Nester fand ich durchzogen von
einer schmalen Kalkspath-Gangader, welche ohne
Störung in das rothe Gestein fortsezte. An einer
andern Stelle spricht das Gestein seinen Charakter
deutlicher aus, es besizt nämlich hier einen splitterigen Bruch, die Bruchflächen sind fein krystallinisch. In dieser rothen Masse liegen mit ihr fest
verbundene Trümmer, die ich für Diorit ansehe,
und in denen das Magnet-Eisen noch zu erkennen
ist; sodann habe ich einzelne Krystalle glasigen Feldspathes und Quarzkörner darin wahrgenommen. Ich
halte dieses schöne Gestein für einen Porphyr des
Kohlen-Sandsteines, dem er hier unmittelbar anliegt, und analog so vielen andern Porphyren, die
gerade nicht Feldstein, Hornstein oder Thon zur
Grundmasse haben müssen, um für Porphyre zu
gelten. Ich habe nicht unterlassen, nach ähnlichen
Erscheinungen zu suchen, und dabei gefunden, dafs

in Ihrem Handbuche der Oryktognosie (zweite Aufl.)
S. 55, nach HAUSMANN, eines rothen Kalk-Eisen-
steines erwähnt wird, der am Harze in beträchtlichen Lagermassen auftreten soll; und in Ihrer
Charakteristik der Felsarten S. 522, dafs der ältere,
auf Grauwacke oder Thonschiefer ruhende, Uebergangskalk, für welchen in einigen Gebirgen (so namentlich am Harz) der darin vorkommende Eisenstein besonders bezeichnend ist, mitunter den Namen Eisen-Kalkstein führt. Ob diese Eisen-Kalk-
steine mit dem, von mir so eben angeführten, porphyrischen Kalksteine Aehnlichkeit besizzen, lasse ich,
da mir die nähere Beschaffenheit ersterer unbekannt
ist, unentschieden. Jedenfalls gehören erstere Gesteine einer ganz andern geognostischen Epoche an,
sie bilden Lager in Uebergangs-Gebilden, während
der von mir aufgeführte augenscheinlich den grofsen Steinkohlen-Niederlagen der Flözzeit inne liegt.
Zwei Stellen in BURKART's geognost. Skizze der Ge-
birgs-Bildung Kreuznachs (NÖGGERATH, Rheinl.
Westph. IV.) möchten hierher gehören, und der
Vergleichung werth seyn. Indem BURKART das Steinkohlen-Gebilde an dem Eintritte des von *Treisen*
nach der *Nahe* führenden Thales schildert, sagt derselbe (a. a. O. S. 171): ,, Merkwürdig ist es, in der
Nähe des Wezschiefer-ähnlichen Gesteines den Grünstein von einer Menge Trümmer von rhomboedri-
schem Kalk-Haloid durchsezt zu sehen, welche oft
sehr schiefkantige Bruchstücke von Grünstein umschliefsen, so, dafs man leicht auf die Vermuthung

geräth, der Grünstein müsse durch irgend eine Kraft zertrümmert, und durch das Kalk‑Haloid wieder zusammen gebacken seyn." Es ist schade, dafs Burkart dieses Kalk‑Gestein nicht genauer beschrieben, da es in Manchem mit dem von mir angeführten rothen Gesteine übereinzustimmen scheint. Die andere Stelle bei Burkart soll das Auftreten der Mandelstein‑Nester, in dem porphyrischen Kalksteine und dessen Uebergang in Diorit, durch ein analoges Beispiel am Feldstein‑Porphyre, gleichfalls aus dem Steinkohlen‑Gebilde, für gesezmäfsig erklären. Es heifst nämlich bei Burkart (a. a. O. S. 198): ,,unter der *Waldböckelheimer* Mühle gewahrt man auf einmal in dem Porphyre eine ausgedehnte Mandelstein‑Masse, von denen die eine in die andere übergeht, und der Mandelstein ganz vom Porphyre umschlossen ist. Der Uebergang findet in der Art Statt, dafs der Porphyr einzelne Mandeln vom rhomboedrischen Kalk‑Haloid aufnimmt u. s. w. " — Ich wähle für das rothe Gestein den Namen Kalkstein‑Trümmer‑Porphyr, um damit einen Porphyr zu bezeichnen, dessen Grundmasse zum Hauptbestandtheile Kalkstein besizt, in dem, neben einzelnen Feldspath‑Krystallen, Gestein‑Trümmer liegen, und wenn man, wie einige Geognösten, den Porphyr des Steinkohlen‑Gebildes mit dem Ausdruck: ,,rother Porphyr" umfafst, so ist dieser Kalkstein‑Trümmer‑Porphyr, da er im Steinkohlen‑Gebilde auftritt, ebenfalls unter diesem Ausdrucke zu begreifen. Ich zweifle nicht, dafs dieser Porphyr auch in andern Gegenden, wo das Steinkohlen - Gebilde hinlänglich gliederreich auftritt, sich nachweisen lassen wird.

Der Kohlen - Sandstein, der diesem Gesteine dicht anliegt, ist rothbraun, von mittlerem Korn, und sehr reich an, weifsen und graubraunen Glimmer - Blättchen (Sandsteinschiefer). Der Feldspath ist meist zersezt, der Quarz milchweifs und grau; selten liegt ein Stückchen älterer Gebirgsart darin. 16 Meter weiter, der Stadt zu, fand ich einen weifslicheren Sandstein entblöfst, von viel gröberem Korne; der Glimmer ist darin sparsam, und von silberweifser, grüner und schwarzer Farbe vorhanden; kleine Trümmer einer sehr feinen granitischen Felsart liegen in diesem Sandsteine. Einen diesem vollkommen ähnlichen, Sandstein habe ich in *Landsberg* bei *Obermoschel* angetroffen (*Arkose* AL. BRONGN.); sie gehören beide einem Gebilde an. Ich sehe auch hierin von den grünlichen Knöllchen liegen, die dieser Varietät von Sandstein eigen sind. Noch zwei Meter weiter traf ich nochmals Sandstein entblöfst. Dieser besizt wieder ein feineres Korn als lezterer, noch weniger Glimmer und nicht aller Feldspath ist zersezt; seine Masse hält auch fester zusammen, welches vom Eisenoxyde herrühren dürfte, das häufig zwischen den einzelnen Körnchen durchzieht, und sie zämentartig zusammen hält. Selbst auf diese geringe Erstreckung verlängert der Kohlen - Sandstein seinen Charakter der Veränderlichkeit nicht, er bleibt sich nie lange gleich, und erregt durch die

vielen Abänderungen, in denen er auftritt, Staunen;
es ist in dieser Hinsicht der Kohlen-Sandstein wohl
der denkwürdigste von allen Sandsteinen, besonders
da der beständige Wechsel auch von der Natur der
Gesteinmasse gilt. · Aller dieser Sandstein scheint in
Platten horizontal geschichtet zu seyn; alle diese
Varietäten brausen mit Säure, am stärksten die zwei-
te·(*grès calcarifères* BEUD.).

· An einigen Stellen sieht man dieses Gebilde
deutlich durch den Main sezzen, der Fluſs hat es,
wie es scheint, durchbrochen, zum Wenigsten ist
sein Bett an dieser Stelle felsig. Die Grobkalk-Ber-
ge, welche zu beiden Seiten in einiger Entfernung
vom Ufer sich erheben, können dem Zusammenhange dieses Kohlen-Gebildes mit dem von *Darmstadt*
nicht hinderlich seyn, da ihre Bildung in eine Zeit
fiel·, wo dieses längst abgesezt war, und daher von
jenem nur überlagert werden konnte; wir finden
nun auch wirklich, jenseit des Grobkalk-Berges bei
Neu-Isenburg und *Langen*, das Kohlen-Gebilde wieder auftreten, und nach *Darmstadt* ziehen.

Dieser Mittheilung über das Vorkommen eines
Gebildes in unserer Nähe, womit die Reihe der
Flöz-Gebilde beginnt, füge ich einige Bemerkungen
über eine jugendlichere Felsart an, welche vielleicht
von weniger allgemeinem Interesse, aber doch für
unsere Gegend ebenfalls neu ist. Als ich das Mainufer, an dem ich die Untersuchung über das Kohlen-Gebilde anstellte, in seiner Ausdehnung bis
zur Stadt genauer betrachtete, fand ich an einigen

Stellen des, bei höherem Wasserstand bespülten, Ufers, da, wo es durch Unterspülung senkrecht abgestüzt sich zeigt, ein anderes Gestein deutlich anstehen. Gleich vor dem Obermainthore, wenn man die Gebäulichkeiten aufserhalb des Thors verlassen hat, so wie noch etwas weiter oberhalb gegen dem jenseit liegenden Mühlberge über., stellt es sich besonders deutlich dar. Das Gestein bildet ein Lager von verschiedener Mächtigkeit, aus Mangel an hinlänglicher Entblöfsung mufs ich deren genaue Angabe unterlassen. Die gröfste Mächtigkeit, die an einem dazu geeigneten Punkte mir zu messen erlaubt war, betrug fünf bis sechs Meter. An Farbe ist das Gestein nicht in' seiner ganzen Ausdehnung gleich hell, bräunlich, gelb und auch röthlich-gelbweifs; die Gesteinmasse zeigt ebenfalls Verschiedenheiten, sie ist mehr und weniger porös, und die Poren gemeiniglich von der Art, als wenn sie durch Wurzel-Gewächse, die die Masse früher eingeschlossen, aber nochmals durch Zersezzung eingebüfst hat, verursacht worden wären; an andern Stellen ist sie schwammig; auch habe ich zuweilen, wie diefs besonders am helleren Gesteine, eine horizontale unvollkommene Schiefer-Textur wahrgenommen. Die Gesteinmasse läfst sich zwischen den Fingern leicht zerreiben; man sieht dabei, dafs sie aus einzelnen Quarzkörnern und wenigen Blättchen silberweifsen Glimmers, besteht, die in einem feinerdigen Teige liegen. Salzsäure löst das Gestein unter starkem Brausen auf, und hinterläfst, aufser dem Quarzsande und den Glimmer-Blätt-

, einen geringen, feinpulverigen Rückstand von
raunlich - rother Farbe, der Thon mit etwas Ei-
:yd seyn dürfte.. Dieses Gestein ist Konchylien-
ud, besonders nach oben ; bei gröfserer Teufe
ich deren nur selten angetroffen, und an eini-
itellen habe ich sie selbst im oberen Theile nur
am gefunden, während andere reich daran sind,
dafs das Gestein dabei abweichende Verhältnis-
der Lagerung darbietet. Die organischen Re-
welche in der Gesteinmasse liegen, gehören ein-
ligen Land - und Süfswasser-Konchylien an, aus
Geschlechtern *Helix*, *Lymnaeus*, *Cyclostoma*,
lus u. s. w., und die bis jezt gefundenen Spe-
ind solche, die sich im Maine und auf unsern
ern lebend vorfinden. Diese Mollusken - Reste
vollständig erhalten, sie werden von der Ge-
nasse ganz umschlossen, d. h., sie sind mit
elben Material, worin sie liegen, mithin nicht
iner spathigen Masse, erfüllt. Es finden sich
t Deckel von *Lymnaeus* vor. Diese Konchylien
zen ein weifses, kalzinirtes Ausehen, sind da-
och ziemlich fest, und von ihrer Färbung ist
ichmal noch etwas zu erkennen. Selten findet
zerbrochene Individuen in der Masse, öfter
besizt die Muschel Sprünge, aus deren Beschaf-
it nicht zu verkennen ist, dafs die Gewalt,
he sie verursachte, innerhalb des Konchyls, auf
n Hülle in Ausübung kam, und als dasselbe
er damals noch weichen Gesteinmasse lag; näm-
durch einen Druck auf die inneren Wände des
uses, wodurch Sprünge verursacht und Stücke
trennt worden sind, die nun etwas herausgeho-
liegen. Dieses Gestein wird überlagert, und ist
ontal scharf geschieden von einem braunen,
igen Lehm, der mit Säure etwas braust, und
Dammerde zur Grundlage dient. In diesem
ne liegen eine Menge braunschwarze und nel-
raune runde Knöllchen von 0,002 bis 0,012 Me-
Durchmesser, die am besten mit Saamen oder
len von Gewächsen verglichen werden kön-

nen; auch treten in dem Lehme Geschiebe, meist von
Quarz, einzeln auf Die gröfste Mächtigkeit dieses
sandigen Lehmes habe ich an einigen Stellen gegen
1 Meter gefunden. Das Liegende des vorhin erwähnten Konchylien-führenden Gesteines ist Sand,
der zuweilen durch ein Zäment von Lehm oder Eisenoxyd als zerreiblicher Sandstein von brauner
Farbe auftritt. In diesem Glimmer-armen, und fast
nur aus Quarz-Körnchen bestehenden, Sande trifft
man, jedoch selten, einzelne Blättchen silberweifsen
Glimmers von ziemlicher Gröfse; ferner wechseln
mit ihm dünne Lagen eines Gerölles, dessen Rollsteine keine beträchtliche Gröfse besizzen und von
Sand zusammen gehalten werden. An einigen Stellen durchziehen solche dünne Geröll-Lagen auch das
vorhin angeführte Konchylien-führende Gestein in
horizontaler Richtung. Wenn man bedenkt, mit
wie viel Schwierigkeiten es oft verknüpft ist, die
genaue Bestimmung einer terziären Formazion anzunehmen, bei deren Bildung süfses Wasser mitge-
wirkt hat, und dafs die Festsezzung ihrer Stelle im
Systeme nach der relativen Altersfolge nur aus der
Kenntnifs ihrer Lagerungs-Verhältnisse zu entnehmen ist, so wird es mir erlaubt, mich so lange des
Ausspruchs über die Stelle, die diesem Gebilde anzuweisen ist, zu enthalten, bis Punkte aufzufinden
seyn werden, an denen die Lagerungs-Verhältnisse
deutlicher zu erkennen sind, als es mir bis jezt gestattet war. — Bei *Frankfurt* liegen diese terziären
Gebilde an der vorhin bezeichneten Stelle, in der
Mainthal-Ebene, welche von Grobkalk-Höhen begrenzt wird, und nur wenige Fufs über dem Main-
Spiegel. — Ich werde mich mit den braunen Knöllchen des Lehmes noch ausführlicher beschäftigen.

H. v. MEYER.

Geognostische Beobachtungen

auf

er Reise von *Irkutzk* über *ertschinsk* nach *Kiachta*,

angestellt von

Herrn Dr. HERRMANN HESS.

Hierzu eine Karte, Taf. V.

n erwarte hier keine methodische, nach der Beschaffenheit und Fels-Lagerung durchge-, geognostische Untersuchung; denn nicht zum der Geognosie, sondern in Amtsgeschäften, r fern liegen, als Begleiter eines meiner hohen sezten, bereiste ich, im Herbste 1826, Dau-

Die Beobachtungen, welche ich mittheile, en daher nur beiläufig angestellt werden, las- ich aber dennoch mit einander verknüpfen,

und liefern so die ersten Grundzüge zu dem Gemälde eines Landes, von welchem die nähere Kennt-
niſs der Geognosie, und der physischen Geographie
überhaupt, nicht unwichtig seyn kann.

Der Weg von *Irkutzk* zum *Baikal* windet sich,
längs dem rechten Ufer der *Angara*, meist in ihrem Thale fort. Viele Inseln ragen aus dem Wasser hervor, deren Zahl aber mit der Annäherung an den *Baikal* abnimmt, so, daſs dort, wo
der Strom aus dem See hervortritt, nur eine einzige Felsenspizze gesehen wird, zugleich dadurch bemerkenswerth, daſs vor Zeiten die Mongolen auf
ihr zu opfern pflegten. Die Strömung der *Angara*
ist so stark, daſs sie, auch bei heftiger Kälte, stellenweise nicht zufrieren soll; ihre Breite beträgt
etwa 2800 Fuſs, und die Breite des tief eingeschnittenen Thales, etwa anderthalb Werst. In der Nähe des *Baikal* wird dasselbe enger.

Die Gegend um *Irkutzk* besteht aus einem weichen, feinkörnigen Sandsteine, dessen Schichten
sich gegen N. neigen, also von W. nach O. streichen. Die Unterlage des Sandsteines ist, südlich
von *Irkutzk*, Konglomerat, das aus Granit-,
Quarz- und Feldspath-Gerölle besteht, durch einen feinen Sandstein zusammen gehalten, und mit
jener ersten Felsart gleichförmig gelagert. Dem Konglomerate folgt, gegen den Austritt der *Angara* aus
dem *Baikal*, und von ihr durchschnitten: Granit

in Gefüge wechselt häufig, besonders bei *Listwe-*
tschnoi, der zweiten Poststazion, 63 Werste von
Irkutzk, und fünf Werste nördlich von der *Angara*,
Baikal gelegen. Bald ist das Gestein feinkörnig,
und ohne Glimmer, bald sehr reich an diesem Gemengtheile, da dann ein G n e i s s - G r a n i t mit
Körnern von blauem Quarze, dichtem Epidot, und
Hornblende auftritt. Das Einschiessen schien nördlich. Ich machte die Bestimmung nach den Ausgehenden, die zwar nicht ganz deutlich waren, aber
nach den Formen der Berge zu schliessen, richtig
erkannt seyn mögen.

In *Listwenischnoi* schifften wir uns am Morgen
in einem kleinen zweimastigen Fahrzeuge ein, se-
gelten mit mäsigem Winde, in einiger Entfernung
von der Küste, gegen NO., bis wir am Abend auf
die Höhe von *Golustnoi* kamen, wo wir gerade
nach O. steuerten, und am Morgen des andern Tages in der Bucht des Klosters *Pasolskoi* einliefen.

Man hört in diesen Gegenden häufig von den
Gefahren der Schifffahrt auf dem *Baikal* sprechen,
und das Vourtheil, dass man diesen See Meer nennen müsse, um nicht ein Opfer seines Zorns zu
werden, scheint bei dem Volke festgewurzelt zu
seyn. Auch mag im Frühlinge und Herbste, wo
regelmäsige Winde mit Heftigkeit wehen, die
Fahrt auf dem schmalen, von Felsen eingefassten,
See oft misslich seyn; doch ohne dass Unglücksfälle
sich häufig ereigneten.

21 *

Ein zweistündiger Aufenthalt zu *Posolskoi* wurde zur Bestimmung der Höhe des *Baikal*-Sees benuzt, welche ich bei + 9° C. und heiterem, schönem Wetter 713,4 Meter fand. Leider war diese Messung die erste und lezte auf meiner Reise, da, durch die Ungeschicklichkeit des Dieners, das Instrument zerbrach, und nicht sogleich wieder ersezt werden konnte. Die Prüfung des *Baikal*-Wassers, durch Reagenzien, zeigte einen geringen Kalk-Gehalt an.

Von *Posolsk* führt der Weg, längs dem östlichen *Baikal*-Ufer, zur Mündung der *Selenga*, an deren linken (südlichen) Seite wir aufwärts fuhren.

Die *Selenga* ist ein ansehnlicher, reifsender Flufs, der eine, fünfzehn Werst breite, von Berg-Gehängen begrenzte, Ebene (die Sohle des Thales) durchschneidet. Denkt man sich diese ganz überschwemmt, so hat man das Seitenstück zum *Baikal*, und wirklich ist dieser nur ein grofser Strom, der sein Bette überschritten hat, die Thalsohle bedeckt, und bis an die, meist steilen, Thal-Gehänge reicht, welche jezt als Ufer des Sees erscheinen. Auch hat der *Baikal* eine bedeutende Strömung, welche seiner Südseite Trümmer von Felsarten und Magnet-Eisensand zuführt, die in den Bergen der nördlichen Beckenhälfte vorkommen.

In dem *Selenga*-Thale fand sich, bis zur Mündung der *Itanza*, eines von Norden in ihre Rechte sich ergiefsenden kleinen Nebenflusses, zuerst Grü-

steinmit Gränit wechselnd, dann auf der zweiten Hälfte des Weges Gränit allein. Die Verbreitung des Grünsteines konnte leider nicht ausgemittelt werden. Er schien ein untergeordnetes Lager
im Granite zu bilden, und eine genauere Untersuchung zu verdienen, da er erzhaltig seyn dürfte.
Der, mit dem Grünsteine wechselnde, Gränit hätte
ein mittleres Korn.

An der *Itanza*-Mündung wurden wir auf das
nördliche Ufer der *Selenga* übergesezt, und folgten
längs der rechten Seite der *Itanza*, dem hier erst
seit wenigen Jahren angelegten bequemen Postwege,
welcher nordöstlich zum *Baikal* führt, dort, wo
sich der *Turka*-Fluss in ihn ergiefst und sich heifse Quellen finden, die zum Baden benuzt werden.

In dem Winkel, zwischen der *Itanza*-Mündung
und *Selenga*, steht ein fester, mit Quarz innig gemengter, weifser Marmor an. Ein Stück, welches
ich später aus einem Bruche desselben Lagers erhielt, war ein vorzüglich schönes Gestein.

Die Höhen, welche das *Itanza*-Thal von dem
Baikal scheiden, und mehrere kleine Seen enthal-
ten, bestanden ganz aus Gränit, der, bei dem
Dorfe *Turutaew*, gegen NW. und NNW. sich neigte.
Die Felsart hält bis zum *Turka*-Flusse und den,
neun Werst von seiner Mündung, gelegenen heifsen
Mineralquellen an. Zwar fand ich schon auf dem
Wege hierher, hin und wieder, Gneifs, doch
noch nicht anstehend.

Die Turka, welche einen Lauf von ungefähr
hundert Werst hat, ist an ihrem Ausflusse in den
Baikal ein schöner, breiter Strom, von welchem ein
guter, aber sandiger Weg, längs dem Ufer des Sees
zu den heißen Quellen führt.

Unter den vielen Gegenständen, die sich
dem Naturforscher in diesen Gegenden darbieten,
verdienen die häufig sich findenden Mineralquellen
gewiß eine besondere Aufmerksamkeit, und sind in
diesem Lande um so wichtiger, da die meisten hier
vorkommenden Krankheiten durch ihren Gebrauch
geheilt werden können. Auch sind Mineralquellen
schon seit früheren Zeiten gegen die verschiedenartigsten Uebel vom Volke gebraucht, und die heißen
Quellen an der Turka immer besonders geschätzt
worden. Diese Quellen, mit einer Temperatur von
+ 45° R. und stark nach Schwefel-Wasserstoffgas
riechend, brechen aus Gneiß hervor, sammeln
sich zuerst in einem kleinen, nur drei bis vier Fuß
weiten, Becken, und fließen dann, durch eine 70
bis 100 Schritt breite Schlucht, von O. nach W. in
eine Bucht des Baikal-Ufers, und durch sie in den
See. Die Bucht ist sandig, hat aber in zwei Fuß
Tiefe Felsengrund. Das Bächlein, welches vom heißen Quell abfließt, nimmt von S. her ein kaltes
Mineralwasser auf, dessen Gehalt aber noch nicht
ausgemittelt ist. Schon vor einigen Jahren erschien,
in Russischer Sprache, eine, von dem Herrn Gene-
ralstab-Doktor von Rehmann verfaßte, Beschreibung der Turkieskischen heißen Quellen, woraus

sich deren grofse Heilkraft und Wichtigkeit ergibt,
und Herr Apotheker Helm zu *Katharinenburg* lieferte dazu die Analyse. Nach dieser enthalten 200
Pfund Wasser:

Sahwefelwasserstoff	?
Kohlensäure	?
schwefelsaures Natron	938 Gr.
schwefelsaure Talkerde	22
schwefelsaure Kalkerde	60
Kalkerde	26

In einem Pfunde Nürnberger Gewicht waren
also enthalten:

Schwefelwasserstoff	?
Kohlensäure	?
schwefelsaures Natron	4,69 Gr.
schwefelsaure Talkerde	0,11
schwefelsaure Kalkerde	0,30
Kalkerde	0,13
	5,23

Von meinen Versuchen, mittelst Reagenzien,
führe ich nur diejenigen an, welche irgend einen
Aufschlufs geben:

Salpetersäure blieb Anfangs ohne Wirkung,
später entwickelten sich einige Luftblasen.

Kaustisches Ammoniak blieb auch in der
Wärme ohne Wirkung.

Kalkwasser erzeugte keine sichtliche Veränderung.

Kleesaures Ammoniak erzeugte einen weisen Niederschlag, der aus kleesaurer Kalkerde bestand.

Salpetersaures Silber erzeugte einen sehr
geringen braunlichen Niederschlag.

Salzsaurer Baryt zeigte, durch einen in
Säure unauflöslichen Niederschlag, einen Gehalt von
Schwefelsäure an.

Galläpfel-Tinktur blieb ohne Wirkung.

Fernambuk-Tinktur nahm eine hochrothe
Farbe an.

Das Wasser wurde noch auf einen Gehalt an
Kali, auf die bekannte Weise mit dem Doppelsalze
des Platins und Natrons untersucht, aber ohne daß
sich eine Spur Kali entdecken ließ. Da der, durch
salpetersaures Silber erzeugte, Niederschlag sowohl
Hydrothionsäure, als auch Extraktivstoff anzeigen
konnte, so dampfte ich eine kleine Porzion Wasser
auf einem Uhrglase bis zum Trocknen ab, und erhielt deutliche Spuren von Extraktivstoff, dessen Daseyn in einem Wasser, welches unmittelbar aus Ur-
gebirge quillt, mir sehr überraschend war. Mehrere Versuche anzustellen, gestattete jezt die kurze
Zeit meines Aufenthaltes nicht; ich hoffe aber die
Analyse, sowohl dieser als auch anderer Mineralwasser *Dauriens* nächstens bekannt machen zu können.

Diese vorläufige Untersuchung beweist indessen
die Richtigkeit der, von dem Herrn Apotheker Hell

angestellten, Analyse bei welcher ihm nur der Extraktivstoff entgangen war.

. Von den Turkleskischen heifsen Quellen kehrte
ich auf dem vorhin bezeichneten Wege zur Mündung der *Itanza* zurück, und sezte dann, längs dem
linken Ufer der *Selenga*, die Reise bis zur jezzigen
Kreisstadt *Werchne - Udinsk* fort. Die lezte Hälfte
des Weges lauft in der Nähe des Flusses an der hohen felsigen Thalseite hin. Leider war die Sonne
schon untergegangen, als ich hier fuhr; kaum vermochte ich die deutliche Schichtung der Felsen, und
ihre Neigung gegen NW. und NNW. zu erkennen.
Die Gestein - Beschaffenheit konnte aber nicht näher
bestimmt werden.

: *Werchne - Udinsk* liegt an dem rechten Ufer
der *Selenga*, gleich unter ihrer Vereinigung mit der
Uda. Oberhalb derselben sah ich an dem hohen
Ufer der *Uda* Granit - Lager, zwei bis drei Fufs
mächtig, mit Granit - Konglomerat wechseln. Der
Glimmer war in dem Granite, der vorzüglich aus Quarz
und vorwaltendem Feldspathe bestand, fast unmerklich. Das Konglomerat enthielt Granit und Feldspath,
durch einen festen Sandkitt mit einander verbunden.
Das Einschiefsen war sehr bestimmt SSW., also dem
früheren entgegengesezt. Ein Fels, der jenseit der
Uda aus der Vorstadt von *Werchne - Udinsk* her-
vorragt, und durch ein Kreuz auf seinem Gipfel
kenntlich ist, zog meine Aufmerksamkeit an; ich
liefs mich hinüber sezzen, und fand in der Thal-
Ebene, auf der linken Seite der *Uda*, einen isolir-

ten mächtigen Felsen des eben beschriebenen Gesteines, das mit seinem Ausgehenden nach Norden
gerichtet, gleichfalls gegen SW. die Schichten zeigte.
Es kommt auch an der südlichen Thalseite vor, aber
mit verändertem Einschiefsen, in welches ich mich
nicht finden konnte, und dadurch, wie es bei unerwarteten und auffallenden Erscheinungen zu geschehen pflegt, zu Erklärungs-Versuchen verleitet
wurde, die freilich bei fortgesezter Beobachtung
sich eben nicht in ihrer Richtigkeit bewährten.

Von *Werchne-Udinsk* ging die Reise nach
Nertschinsk, anfänglich östlich, in dem Thale der
Uda, und längs deren rechten Seite, bis in die
Nähe ihrer Quelle; dann südwestlich zur *Ingoda*,
die dem Strom-Gebiete des *Amur* angehört. Das
Uda-Thal, welches unterhalb breit und tief eingeschnitten ist, wird oberhalb schmaler und flacher.
Wo das Flüfschen *Ona* sich in die *Uda* mündet ist
deutlich der Rand einer Hochebene erkennbar, zu
welcher man vom *Baikal* hinaufsteigt. Alle vorhin
erwähnten Gebirge gehören dennoch zu den Unebenheiten des, westlich gegen den *Baikal* gerichteten, Abfalles jener Höhe.

Zwischen den Nebenflüssen der *Uda*, der *Ona*
und *Popereschna*, gibt es noch einige Bäche, die auf
beifolgender Karte nicht verzeichnet sind, und unter denen ich den Bach *Mara* bemerke, der auf
den nördlichen Anhöhen entspringt, in einem geräu-
migen Thale zuerst nach S. lauft, dann sich ein
wenig westlich wendet. In diesem Thale steht über-

Granit an, in nicht sehr hohen, aber maleri-
en Felsen. Das frühere Streichen von O. nach
blieb sich gleich, die Richtung des Einschie-
s ist jedoch nicht bestimmbar. In dem oberen
ile dieses Thales findet sich ein sehr wirksames,
seit kurzem benüztes kaltes Mineralwasser. Es
ndelt, an zwei Stellen eines, etwa zwei Faden
ten gegrabenen, Beckens besonders stark hervor,
ist so kalt, dafs ich, obgleich der Tag, an
chem ich die Quelle besuchte, sehr rauh war,
kt ohne heftigen Schmerz, die Hand eine Minute
g hinein halten konnte. Täuscht mich mein Ge-
l nicht, so ist die Temperatur kaum + 3º. R.
ses Wasser gab folgende Reakzionen:

Kaustisches Ammoniak brachte nach eier Zeit einen starken, ins Grünliche ziehenden,
derschlag hervor.

Eisenblausaures Kali gab gleich einen
uen Niederschlag.

Kleesaures Kali bewirkte einen starken wei-
n Niederschlag.

Kaustische Kali-Lauge einen bald ins Grün-
hweifse gehenden Niederschlag.

Salpetersaures Silber blieb ohne Wirkung.
Galläpfel-Tinktur färbte das Wasser violet.
Fernambuk-Tinktur nahm eine schöne Ro-
sfarbe an.

Kalkwasser schien ohne Wirkung zu bleiben.
Salpetersäure entwickelte einige Luftblasen.

Salzsaurer Baryt bewirkte einen starken weifsen Niederschlag, nachdem das Wasser vorher mit Salpetersäure gesättigt worden war.

Andere Versuche konnten jezt nicht angestellt werden. Die starken Reaktionen, welche das Wasser gab, das Eisen, die Kohlensäure, die Schwefelsäure und andere erdige Bestandtheile, die es nach diesen vorläufigen Versuchen enthält, lassen auf die Wirksamkeit dieser Quelle schliefsen, die sich überdiefs durch vielfältige Erfahrungen dargethan hat.

Der Weg führte nun in dem, sich verengenden, Thale der Uda aufwärts; dann über den Flufs Popereschna zu der Poststazion Pogromnaya, wo, nur zwei Werst nördlich vom Wege, ein Sauerbrunnen sich findet, den PALLAS im Juni des Jahres 1772; GEORGI im Herbste desselben Jahres untersuchte, und Ersterer in: Reise durch verschiedene Provinzen des Russischen Reichs; Th. III, S. 247 bis 251 beschreibt. In einem kleinen Thale, welches von N nach S. läuft, fliefst in dieser Richtung ein Bach, der aber in der Ebene, gegen welche das Thal auslauft, sich westlich wendet. — Das Stück der Ebene, welches durch die Beugung des Baches umgrenzt wird, ist feucht und sumpfig, hat einige Quelladern von süfsem Wasser, und an manchen Stellen eine ockerige Oberfläche. Im Frühjahr schwillt der Bach an, überschwemmt jenes Stück der Ebene, und schwächt oder zerstört die dort vorkommenden, und zu dieser Zeit vorzüglich stark fliefsenden, Sauerquellen. Diese pflegen nämlich im Monat März hervorzubrechen, begleitet von folgenden auffallenden Erscheinungen: während mehrerer Tage schwillt stellenweise das Erdreich der Ebene zu einem Hügel, von wenigen Fufs Durchmesser, immer höher und höher an, bis derselbe berstet. Dann sprudelt, mit Entwickelung von vielem Gase, ein starkes Sauerwasser hervor. — Oft nimmt schon, nach wenigen Tagen, die Quelle ab, und hört dann bald zu fliefsen auf; aber unterdessen wölbt sich der Boden schon auf einer andern Stelle, und bietet dasselbe Phänomen dar. Dieses wiederholt sich, doch immer schwächer und schwächer, bis der Boden, bei eintretender wärmerer Witterung, vollkommen aufgethaut ist, da denn in der Regel sich kein Sauerwasser mehr zeigt. Ich bin noch nicht im Stande, diese sonderbare Erscheinung mit Gewifsheit zu erklären, will aber einige Umstände anführen, welche Licht darüber zu verbreiten scheinen. — Das Thal, in dem die Quellen sich befinden, besteht aus Granit; aufgeschwemmtes Land bildet den früher erwähnten morastigen Boden. — Stöfst man einen Stab in den Boden, so dringt er nicht tiefer, als zwei bis drei Fufs hinein, und man fühlt dann den Widerstand des felsigen Grundes. — Der Sauerquell, der, wahrscheinlich in der Nähe, aus dem Granite entspringt, ergiefst sich im Sommer, wo die morastige Oberfläche nicht gefroren ist, in den sumpfigen Boden, und fliefst, durch anderes Wasser geschwächt, unter dem lockeren Rasen unbemerkt in

den kleinen Bach ab. Wenn aber im Winter der
Boden, durch die strenge Kälte, die hier herrscht,
durchaus hart und fest ist, mag dieser Ausfluß der
Quelle ganz, oder doch zum Theil gehemmt werden, bis am Ende des Februars und März die Kälte
abnimmt, die Oberfläche ihre eisige Härte verliert,
ohne deshalb ganz aufgethaut zu seyn, und nun,
durch das mehr expandirte Gas der Quellen, der
Boden gewölbt und endlich durchbrochen wird.
Diese Erklärung dünkt mir die wahrscheinlichste,
ob sie aber die richtigere ist, wird sich vielleicht
nicht einmal dann bestimmen lassen, wenn eine
sorgfältige Untersuchung angestellt worden. Die
Ursachen zu den Erscheinungen sind vielleicht tief
im Gebirge zu suchen, und von ganz anderer Natur, als man jezt vermuthen darf.

Georgi's Analyse dieses Wassers enthält einige
Unrichtigkeiten, wie ich durch die Bekanntmachung
der von mir angestellten Untersuchungen darzuthun
hoffe. Vorläufig führe ich nur an, daß es in der
Zusammensezzung mit dem Karlsbader Wasser
manch Uebereinstimmendes hat.

Die Gegend, von welcher jezt die Rede war,
bildet eine, gegen den *Baikal* gerichtete, Terasse
des sogenannten *Scheide-Gebirges*, welches, bekannt auch unter dem Namen *Jablonnoi Chrebet*,
von jener Terasse, über welche es sich nicht sehr
erhebt, gegen O. und S. liegt. Wenn aber PALLAS
in seiner Reise-Beschreibung sagt, die Nebenhöhen
wären weit beträchtlicher, als der eigentliche Ge-

birgrücken, so ist das wohl nur Täuschung, die
daher rühren mag, dafs der Weg nicht über die
höheren Punkte, sondern meist in den mehr oder
minder flach eingeschnittenen Thälern fortlauft. Auch
erreicht weder das Gebirge selbst, noch eine der
Nebenhöhen die Schnee-Region, wie PALLAS an-
führt. Der Schnee, den man in manchen Schluchten und Thal-Abhängen am Anfange des Sommers
findet, verschwindet spurlos gegen die Mitte desselben. Der Rücken ist schmal; sein erster Bergzug,
wie die zuvor erwähnte Terasse, besteht aus Granit, der ziemlich feinkörnig ist, einen sehr geringen Glimmer-Gehalt hat, und weiter östlich immer
mehr abnimmt. Ich konnte deutlich, an dem allmählich sich ändernden Verhältnisse der Bestandtheile, den Uebergang des Granites in Weifsstein
beobachten. Mit dem Verschwinden des Glimmers
sah ich, hin und wieder, einzelne Hornblende-Krystalle auftreten, die ich aber in dem Weifssteine
selbst fast gar nicht bemerkte, indem dieser später
durch Grünstein vertreten wurde. Bald darauf
fand ich Bruchstücke von Gneifs, dann von Grünstein, so, dafs ich nicht zweifle, diese beiden Felsarten wechseln hier mit einander, wenn gleich keine entblöfste Stelle mir diese Lagerung deutlich
zeigte. Auf dem südlichen Abhange des *Scheide-
Gebirges* glaube ich wieder Granit gesehen zu haben; doch die Stelle war so bewachsen, und die
Fahrt so rasch, dafs ich die Beobachtung nicht ver-
bürgen kann. Wenn aber PALLAS so wenig, als ich;

an den Felsarten des Gebirges Schichtung sahen, so
darf daraus noch nicht geschlossen werden, daß sie
wirklich fehlt; sie wurde nur nicht beobachtet, weil
der Fahrweg die steilen Abhänge und tiefen Schluchten vermeidet, welche die Schichtung aufdecken,
die sich dort finden muß, wo Gneiß mit Grünstein
wechselt. Auch die Südseite des Gebirges hat eine
Stufe, schmaler und höher, als die Terasse der
Nordseite. Die *Ingoda*, in ihrer südöstlichen Wendung, bezeichnet den Abfall dieser Stufe. Das Thal
der *Ingoda* bietet dem Reisenden einen entzücken-
den Anblick, dem Geognosten vortreffliche Beobachtungen dar. Thal-Gehänge und Flußufer sind
häufig eins, indem der Fluß sich in dem schönen
und breiten Thale von einer Seite zur andern windet. Felsen ragen oft bis an das Wasser, und lassen nur so viel Raum übrig, daß man zwischen
Fluß und Felsen gehen, und das Gestein nach Will-
kür in seiner Auflagerung beobachten kann. Auch
der Fahrweg nach *Nertschinsk* folgt der Linken des
Ingoda - Flusses.

Das Gestein, anfänglich G r a n i t, änderte sich
bald durch Zurücktreten des Feldspathes, und wird
ein Gemenge von Glimmer und Quarz, also „körniges Quarz-Gestein," oder besser „Quarzschiefer." v. LEONHARD in Charakteristik der Felsarten; S. 231 und 238. Ich behielt diese Felsart
sechszehn Werste jenseit *Tschita*, auf dem Wege
nach *Krutschinsk*. Ihr folgt Gneiß; und dann wieder Grünstein, nur von sehr geringer Erstreckung.

Das

Das Gestein wurde chloritartig, später aber fand
ich ganz vollkommenen Glimmerschiefer mit Lagern
von Hornstein. An den Stellen, wo ich Glimmerschiefer und Hornstein an einander grenzen sah,
waren kleine Krystalle von Hornblende eingewachsen. Fünf Werst vor der Stazion *Krutschinsk*
zunft der Weg nahe am Wasser, längs einer steilen
und nackten Felswand hin. Glimmerschiefer und dünne Granit-Schichten wechselten hier, und neigten
sich sehr deutlich gegen NNO. — Jenseit *Krut-
chinsk* enthielt ein, gegen den Fluß vortretender
verwitterter Glimmerschiefer-Fels rundliche Nester
von Eisenkies. Kurz vor *Turinsk* findet sich im Lie-
enden der vorhin genannten Felsen: Porphyr,
der wenige Feldspath-Krystalle enthält, und von
Granit bedeckt wird. Der Weg windet sich von hier
nördlich, so, daß ich wieder in das Hangende fuhr,
und die vorigen Felsarten, aber in umgekehrter
Ordnung finden mußte, wenn nur die beschleunigte
Reise ihr Aufsuchen gestattet hätte. Vom *Beresowo*
zunft der Weg im Ganzen nach O., und zeigte Granit, der vor *Garaschauy* auf Gabbs liegt, dem
gleichfalls Glimmerschiefer zur Unterlage dient.
Alle hatten ein bestimmtes Einschießen nach NO.
Nertschinsk liegt unweit der Vereinigung der *Nert-
cha* mit der *Schilka*, an der lezteren linkem
Ufer. Die *Schilka* aber ist die Fortsezzung der *In-
oda*, die nach ihrer Vereinigung mit dem *Onon*
den neuen Namen erhält. Die Stadt *Nertschinsk*
liegt in einem weiten und sandigen, in Granit ein-

geschnittenen, Thale. Der Sand ist auf dieser südöstlichen Seite des Scheide-Gebirges häufiger, als
auf der nordwestlichen, und PALLAS spricht daher
öfter von Sandbergen, die er hier sah. Auch erwähnt derselbe, daß er hier auf den Anhöhen Muscheln gefunden habe. Schaalen der gemeinen Fluß-
Muschel fand auch ich nicht selten auf den Anhöhen zerstreut liegend; konnte aber über ihr Vorkommen nichts ausmitteln *).

Die oben erwähnte Stadt *Nertschinsk* darf nicht
mit dem Bergamte *Nertschinsk*, das als vermeint-
licher Fundort so vieler Mineralien des östlichen
Sibiriens den Mineralogen Europas wohl bekannt ist,
verwechselt werden. Das Bergamt *Nertschinsk* liegt
unweit der Chinesischen Gränze, über 210 Werst
östlich von der Stadt *Nertschinsk*. Der Weg von
hier, zu dem Bergamte, läuft über Anhöhen bis zur
Station *Biankino*, wo man auf die rechte Seite der
Schilka übersetzt. An dem linken Ufer lag Thon-
schiefer-Gerölle. Der Weg wendet sich bei *Biankino* südöstlich durch ein Nebenthal der *Schilka*,
und übersteigt die Anhöhe, durch welche die, südwestlich zum *Onon* fliessende, *Unda* von der *Schilka* getrennt wird. In dem Nebenthale ragen nackte

----

*) Unweit der Stadt *Nertschinsk*, und auf dem oben beschriebenen Wege, sollen sich mündlichen Angaben
zu Folge, eine Menge saurer Mineralquellen finden,
die theils beständig, theils periodisch fliessen.

...senkrecht hervor. Sie schienen einem Horn-Lager anzugehören. Auf der Anhöhe fand ...ranit. Genauere Beobachtungen verhinderte Dunkelheit der Nacht, in welcher, zu meinem nicht geringen Bedauern, die Reise fortgesetzt wurde. Zwischen *Kawikutschi* und *Gasimur*, ...der Weg nordöstlich läuft, gelangt man in ...wackenschiefer, mit deutlich ostnordöstli-...Einschüssen, wie ich am folgenden Morgen ... Auf ihm lagert, unweit *Gasimur*, Thon-...efer, auf diesem Granit. Denkt man sich Streichungs-Linien dieser Felsarten nordwest-...bis zur *Schilka* verlängert, so trifft der Gra-...seiner Längen-Erstreckung, die Anhöhe, wo ...ges zuvor Granit gefunden hatte; die Thon-...er-Trümmer, auf der linken Seite der *Schilka*, ...in der Streichungs-Linie des Thonschiefers *Gasimur*, und der Sand bei der Stadt *Nert-*...k, in der Richtung der Grauwacke. Dem ...te von *Gasimur* folgt Kalkstein, der bis ...Bergamte *Nertschinsk* anhält. Das Gestein ist ..., hin und wieder mit gelbem und röthlichen ...n; hat nur in der Nähe von andern geschichte-...felsarten bestimmte Schichtung, ist im Uebrigen ...ig und vielfach zerklüftet; reich an Erzen, abe-...en Bleierze, die meist in Stöcken vorkommen, unter, welchen sich das Bleikarbonat durch ...schönen Krystalle auszeichnet. — Das Ein-...ssen des Kalksteines ist gegen O, — Westlich *Nertschinsk* liegt Thonschiefer im Kalksteine, und südöstlich vom Bergamte, in dessen Nähe, steht ein Trümmer-Gestein an, dessen Lagerung jedoch nicht näher zu bestimmen war. Stellenweise sah ich Dolomity wie es schien; ich lasse es unentschieden, weil mir das Stück verloren wurde, welches ich zur genaueren Untersuchung mitgenommen hatte. Oestlich von *Nertschinsk* soll, wie man mir sagte, abermals Granit vorkommen.

Von *Nertschinsk* führte mein Weg mich anfänglich südwestlich an einer Bleiglanz-Grube vorbei, die im Kalksteine angelegt ist; dann gerade nach S. bis zur Stazion *Buldurwisk*, wo, kurz zuvor, Konglomerat ansteht, bestehend aus Hornstein-Trümmern, die ein feinkörniger Sandstein zusammenhält. Das Einschiessen ist OSO. Bald darauf fand sich ein grauer, ins Grünliche ziehender Kalkstein mit südöstlichem Einschiessen.

Der *Argun*, längs dessen linken Seite der Weg ansteigt, bildet hier die Grenze zwischen *Russland* und *China*. Er ist ein breiter, schöner Strom, der Russischer Seits ein flaches, Chinesischer Seits ein bergiges Ufer hat. Südlich von *Buldurwisk*, abermals dichter Kalkstein, der aber nicht lange anhält. Ihm folgt ein Kalk-(?)Mandelstein, jenem aufgelagert, grau, grobkörnig mit beigemengtem Sande, und voll flacher, länglich gezogener Kalkstein-Mandeln, aus konzentrischen Schaalen zusammengesezt, und im Innern einen kleinen Kalkstein-Kern einschliessend. Die Größe dieser, dicht neben einander liegenden Mandeln, steigt von einem Zoll bis anderthalb Fuß im Längen-Durchmesser. Diesem Gesteine folgt wieder ein dichter grauer Kalkstein, welcher bis *Sarachai* anhält.

In *Altaganskoi* westlich, oder im Liegenden von dem Kalksteine ist Quarzschiefer gegen OSO. geneigt, und ein wenig weiter gegen SW., der Uebergang aus dieser Felsart in einen Thon-schiefer-Mandelstein, d. i. ein Thonschiefer, der Adern von Quarz und viele Mandeln von Horn-stein enthält. Die Auflagerung des einen auf dem andern habe ich nicht beobachtet, sezze sie aber um desto gewisser voraus, da ich bei *Klutschews-koi* reinen Thonschiefer traf.

Wegen der Schnelligkeit, mit der die Reise vor sich ging, konnte ich bis *Akschinsk* nur flüchtig beobachten, gewann indessen doch die Zeit, zwei interessante Punkte zu besuchen, den Salzsee *Borsa* und den *Odontschalon*; von den Beryllen, die er enthält, hier gewöhnlich *Schörlberg* genannt. Die Beschreibung desselben findet sich auch in PALLAS Reise, Th. III, S. 227.

Zwischen dem See *Borsa* und dem *Odontscha-lon* liegt eine weite Ebene, die im N. wie im S. von schwach wellenförmigen Höhen begrenzt wird. Die Ebene ist unverkennbar ein breit und flach aus-geschnittenes Thal, worin sich mehrere Niederungen befinden, die Salzwasser enthalten, und früher zu-sammenhingen, wie ihre Beckenränder deutlich zei-gen. Die Gegend schien gröstentheils Thonschiefer zu enthalten. An dem nördlichen Rande der Ebene erhebt sich der *Odontschalon* nebst einem Paar unbedeutenden Anhöhen, und scheidet, indem er von O. nach W. sich erstreckt, jene Ebene von einem Nebenflusse des *Onon*. Das Gestein des *Odontschalon* besteht aus körnigem, innig mit Topas gemengtem Feldspathe von grünlichweißer Farbe und porphyrartigem Ansehen, welches er von rauchgrauen Quarz-Krystallen erhält, die den Feldspath durchziehen. Das Gestein läßt keine eigentliche Schichtung, sondern blos Zerreißung wahrnehmen. Die Risse sind mehr oder minder groß, stellenweise ziemlich bedeutend, und fast immer mit Steinmark und einer, dem Chlorite ähnlichen, Substanz angefüllt. In dieser Substanz kommen theils einzelne, theils lose, oder nur locker verbundene Krystalle von Topas und von Beryll vor, und häufig finden sich beide auch in mandelförmigen Höhlungen, welche stellenweise wohl einen Fuß breit, und zwei bis drei Fuß lang das Gestein durchziehen. Diese Drusen haben in der Regel keine äußere Rinde. Nur die Wurzeln der nach innen sehenden Krystalle bilden die äußere Oberfläche. Im Innern durchkreuzen sich häufig die Krystalle der oberen und unteren Schaale, wenn die Druse nur geringe Breite hat. Bei größerem Umfange pflegen Steinmark und eine weiche chloritische Masse den Kern zu bilden. Die in diesen Drusen vorkommenden Krystalle sind Topase, Rauchquarz und Berylle, meist mit einander, aber auch mit Zinnstein und Wolfram verwachsen. Der Turmalin fehlt gänzlich

Die Topase sind von mikroskopischer Kleinheit, bis
zu zwei Zoll Länge; die Krystallform ist meist einfach; HAUY's *soustractive* Fig. 38. Wenige sind
frei von Rissen, wenige gefärbt, die schönsten ganz
weifs; undurchsichtige Krystalle sind sehr selten.
Die Berylle, zuweilen 3 ½ Zoll lang, und dabei bis
anderthalb Zoll dick, findet man von sehr verschiedenen Farben, meergrün bis honiggelb. Die Frequenz der Krystalle nimmt ab, je tiefer die Schürfe
in den Berg dringen, der eine grofse Menge derselben enthält. Der See *Borsa*, südlich vom *Odont-*
schalon gelegen, ist wegen seines Reichthums an
Salz wichtig, welches seine Oberfläche mit einer
Kruste überzieht. Das Becken ist Thon, hat keinen
Ausfluſs, und kann nur durch die Verdunstung die
zum Absezzen der Krystalle nöthige Konzentrazion
erhalten. In manchem sehr trockenem Sommer, wo
die Verdunstung beträchtlich war, hat er bis 40,000
Pud Salz auf seiner Oberfläche, in Krystallen, an-
gesezt; oft aber gehen viele Jahre vorbei, ohne dafs
Salz gewonnen werden kann, weil bei einer geringen Konzentrazion sich keine, oder nur eine zu
dünne Kruste bildet. Nach einer, mit dem Wasser
angestellten, Untersuchung enthielt es ¼ an Salz-
Theilen. Sechszig Theile des Wassers enthielten an

      Kochsalz . . . . . 8,20 Theile.

      Glaubersalz . . . 3,07 —

      kohlensaures Natron . 0,73 —

                  12,00.

Auf dem Wege nach *Akschinsk* schien die Streichungs-Linie der Felsarten eine Wendung und NW. zu machen. Bei *Akschinsk* steht Hornstein, Thonschiefer und Hornstein-Grauwacke an; alle gegen SW. einschiefsend. Ich nenne Hornstein-Grauwacke ein Gestein, welches auf ähnliche Weise aus Thonschiefer und Hornstein, wie die eigentliche Grauwacke aus Thonschiefer und Quarz, zusammengesezt ist. Von *Akschinsk* ging die Reise im *Ila*-Thale, nördlich zu den Quellen des *Aga* Flusses, aufwärts; dann an der *Tura* zur *Ingoda* hinunter, wo, von der Stazion *Turinsk*, der früher beschriebene Weg mich zurück nach *Werchne-Udinsk* führte. Die Beobachtungen waren folgende: Bei der Ueberfahrt über den *Onon*, eine Felsart, die der Grauwacke ähnlich, aber aus Thonschiefer und Feldspath zusammengesezt ist, und vorläufig Feldspathwacke genannt werden mag. Das Streichen von NW. nach SO.; das Einschiefsen unbestimmt. An dem Thale der *Ila*: Thonschiefer, mit einem Streichen von NW. nach SO. und südwestlichem Einschiefsen. Zwischen den Flüssen *Aga* und *Tura* erhebt sich ein ziemlich hohes Scheidegebirge, das auf der südlichen Seite ganz aus Thonschiefer zu bestehen schien. Auf der nördlichen Abdachung fand sich bei dem Dorfe *Argali* Granit. Kalkstein sah ich auf dem ganzen Wege nicht; möglich aber, dafs auf der Reise über diesen Bergrücken manche dort vorkommende Felsart übersehen wurde, da ich bei heftigem Schnee-

gestöber, selbst das Verfehlen des Weges, den ich
zu Pferde zurücklegte, nur mit Mühe vermied.

In *Werchne-Udinsk* angelangt, war mein erster
Gang zu derjenigen Stelle im *Uda*-Thale, wo ich
das vorige Mal das Einschiefsen der Fels-Schichten
durchaus von der Neigung der übrigen dort anstehenden Felsen abweichend fand. Die frühere Beobachtung bestätigte sich auch jezt; zugleich erkannte ich aber als wahrscheinlichen Grund der Anoma-
lie, die Stürzung der stark vorragenden isolirten
Felsmasse.

Von *Werchne-Udinsk* führt der Weg, längs der
Linken des *Selenga*-Flusses, aufwärts nach *Selenginsk*, dann längs ihrer Rechten nach *Kiachta*.
25 Werste von *Werchne-Udinsk*, findet sich felu-
börniger Granit, mit nordwestlichem Einschiefsen. Dem Wege zur Seite, in Wi, eine Salzsiede-
rei. Die Salz-Quellen liegen in einem niedrigen
Thale, welches in Granit eingeschnitten zu seyn
scheint. Der Granit soll Lager von bituminösem
Mergelschiefer enthalten (?). Den bituminösen Schiefer sah ich, aber nicht das Lager desselben. Kupfererze kommen hier gleichfalls vor. —
Der Granit hält bis *Selenginsk* an, wo er grobkörnig ist, bei grofsem Wechsel in dem Verhältnisse
seiner Bestandtheile. Jenseit (also auf der südöstlichen Seite der *Selenga*), oberhalb der Mündung
des *Tschikoi*, Porphyr; ein dunkel kastanienbraunes
feinkörniges Gestein mit rundlichen Räumen, theils
von Epidot, theils von einer weifsen Masse erfüllt,

die ich noch nicht bestimmen konnte. Das Einschiefsen des Granites vor dem Porphyre war NNW,
das des Porphyrs an der *Selenga* NW., doch hier
so steil, dafs die Beobachtung unsicher wurde. Kurz
vor der Stazion *Kalinischni* wieder ein deutlich ge-
schichtetes Gestein von dunkelgrauer Farbe, durch
zahlreiche, nadelförmige Krystalle porphyrartig, und
durch vollkommen blätteriges Gefüge dem Thonschiefer ähnlich, wie es sich zuweilen bei Uebergän-
gen aus dichtem Gesteine findet. Die Gestalt der Berge zeigte keine Aenderung in ihren äufseren Umrissen. Talkhaltiger Grünsteinschiefer, deutlich nach SW. einschiefsend, folgt jezt, und diesen
Wacke mit mandelsteinartigem Gefüge.
Die Blasenräume sind mit Mesotyp, Stilbit, Chabasie ausgekleidet. Die Beschaffenheit des Gesteins
findet sich in von LEONHARD's Charakteristik der
Felsarten, Seite 548 so genau beschrieben, als sey
es nach Stücken dieser Felsen geschehen. Die Berge,
welche sie bilden, nähern sich der Pyramidenform.
In der Nähe von *Kiachta* erscheint der grobkörnige
Granit wieder. Er enthält viele schöne Granaten,
sämmtlich in Rhomben-Dodekaedern krystallisirt.

- Das sind die Beobachtungen, welche ich auf
einem Wege von mehr als 1500 Werst anzustellen Gelegenheit hatte, und die, obgleich mangelhaft,
doch so sich einander anschliefsen, dafs sie ein Ganzes bilden.

Die Fels-Lagen des durchreisten Bezirkes neigen
an der Nord-Grenze desselben nördlich unter
Horizont; an der Süd-Grenze südlich. Eben
ist das Einschiessen an der Ost-Grenze östlich,
der West-Grenze westlich. Es findet sich dem-
h hier eine grofse mantelförmige Lagerung, die
geschlossen angesehen werden dürfte, wenn ich
Streichungs-Linie der Felsarten ohne Unterbre
ng hätte verfolgen können. Granit bildet die äu
ste Umgrenzung; schieferige Felsarten, Gneifs,
nstein, Glimmerschiefer, Thonschiefer, grauwak
artige Gebilde liegen nach innen zu, und zwi
en ihnen Kalkstein; aber ihre Lagerungsfolge
rde nur an vereinzelten Punkten beobachtet; da
über sie nichts allgemein Bestimmendes ausge
t werden kann, so wenig, wie über die etwa vor-
dene Zentral-Masse, welche von dem Schichten-
tel umschlossen wird. Es scheint indessen aus
Beobachtungen sich zu ergeben, dafs nur weni-
der äufsersten Fels-Lagen, aber unter diesen be-
ders der Granit, in dem ganzen Umfange
dauern, und die übrigen sich oft in ihrer Län-
-Erstreckung, zwischen einander auskeilen, da-
r in der Lagerungsfolge eine Felsart die andere
ezzen mag.

———————

Die Rückreise von *Kiachta* nach *Irkutzk* führte
ch um das Süd-Ende des *Baikal* herum. Die hier
gestellten Beobachtungen ermangeln so ganz des

nöthigen Zusammenhanges, und genügen mir so wenig, dafs ich sie nicht mittheilen mag. Der Weg,
welcher zu Pferde zurückgelegt werden mufs, führt
durch ein überaus wildes Gebirge, an jähen Abstürzen hin. In der Tiefe arbeiten gewaltige Berg-
ströme, zwischen aufgethürmten Geröll-Lagen sich
brausend hindurch, und nackte Felswände ragen so
hoch über die engen Thäler hervor, dafs der Grund,
selbst bei dem höheren Stande der Sonne, nicht von
ihr beschienen wird. Aber welch reiches Feld der
Untersuchung dem Geognosten sich hier darbietet,
ergibt sich schon aus der blofsen Anzeige der Felsarten, die ich auf meinem Durchfluge fand; es waren aufser Granit, Syenit, Porphyr, Glimmerschiefer, auch Basalt und Lava.

Geognostische

und

neralogische Bemerkungen

über den

rd-Amerikanischen Freistaat
Nord - Karolina;

Briefen des Herrn KARL EDUARD ROTHE,

dargestellt von

Herrn Professor BREITHAUPT.

nachstehenden Bemerkungen verdanke ich
KARL EDUARD ROTHE aus Bertelsdorf bei
erg, der vor zwei Jahren einem Rufe nach
Amerika folgte. Er verliefs die Freiberger Aka-
und sein Vaterland, in der Hoffnung, jenseit
Oceans als Bergmann noch mehr nüzzen zu
m, als es hier der Wahrscheinlichkeit zu Folge
eben seyn würde. Dem Vernehmen nach hat

er auch schon viel genuzt, wie mir mein Bruder, der vor Kurzem selbst in *Salisbury* (in *Nord-Ka-rolina*) war, geschrieben hat. Allein die Nord-Amerikaner sind undankbar gegen ihren Wegweiser, und Herr ROTHE wird vielleicht bald jenen Frei-staat, für welchen er Quellen unermeſslichen Reich-thums entdeckt zu haben scheint, unbelohnt, und nur an Kenntnissen und Erfahrungen bereichert, verlassen müssen. Ich lasse nun die eigenen Worte des Genannten folgen.

A. BREITHAUPT.

Vorigen Winter machte ich mehrere geognosti-sche Reisen durch verschiedene Theile von *Nord-Karolina*, und zwar für die Universität dieses Staa-tes; und fertigte sodann, des bessern Ueberblicks wegen, eine geognostische Karte dieses merkwürdi-gen Theiles der neuen Welt. Die Bildung der darin vorkommenden verschiedenen Gebirgs-Glieder ist ungemein regelmäſsig. Der unteren Theile von *Nord-Karolina*, bis ungefähr dahin, wo sie auf der geographischen Karte *Raleigh* heiſsen, ist ein Granit eigen, ganz wie jener, von Ansehen, den ich im Schlesischen Riesen-Gebirge als Zentral-Granit kennen gelernt habe. Und an der Küste wird er, insgleichen zunächst mit dem Mee-re, von Korallen- und Austern-Riffen bedeckt. An diesem Granite nun liegt Wester im Westen, eines 30 bis 40 Englische Meilen weite oder mächtige Schie-

er - Formazion, bestehend aus Grünstein-
chiefer mit Grünstein, Tafelschiefer, Wez-
chiefer u. s. w. Das Streichen aller dieser Gebirgs-
rten ist äufserst regelmäfsig, von SW. nach NO.;
lurch den ganzen Staat hindurch; und parallel mit
ler Meereskäste. Der Grünstein und der Grünsteinschiefer nehmen den gröfsten Theil dieser Formazion ein, und ersterer fällt gewöhnlich unter 60
bis 70° gegen N. In dem südöstlichen Theile dieses
Staates ist ein rother Sandstein eingelagert, welcher
sich, nach der Grenze von *Virginien* hin, mehr
und mehr verbreitet, und sowohl dort als hier reiche Steinkohlen - Lager einschliefst. In dem südöstlichen Theile des Staates, zwischen den grofsen
Flüssen *Yadkin* und *Katawa Rivers*; kommt der
Granit sowohl in höheren als tieferen Punkten zum
Vorschein, und die Grünstein - Formazion verschwindet mehr und mehr, je näher man der Grenze von
Süd - Karolina rückt. Dieser Theil der Grünstein-
Formazion (also der vom Granit unterbrochene) ist
es hauptsächlich, in welchem sich Gold, Kupfer,
Blei u. s. w. finden, und auf welchen ich wieder
zurückkommen werde. — Der westliche Theil des
Gebirges endet mit ungemein mächtigen Lagern von
Eisenerzen, als von Glanz-Eisenerz, Braun-Eisenerz
und Roth-Eisenerz, bis an den Fufs der blauen Gebirgskette (*Blue Ridge*) hin, woselbst nach mir zu-
gekommenen, aber unsichern Nachrichten, das Glim-
mer- und Thonschiefer-Gebirge seinen Anfang nehmen soll, welches bis zur westlichen Grenze des

Staates bis Tennessee verfolgt werden kann. Ich
komme nun zu jenem Grünstein-Gebirge zurück,
was ohne Zweifel für jeden Mann unseres Faches
äußerst interessant seyn muß, da fast kein Pln
in demselben zu finden ist, der nicht auf die eine
oder andere Art merkwürdige Gegenstände zum Vorschein brächte. Dieses Gebirge muß in früheren
Zeiten einer großen Zerrüttung unterworfen gewesen seyn, und durch darauf folgende Ueberschwemmungen — welche durch den Durchbruch, der damals auf der andern Seite der *Blue Ridge* stehenden Landseen, sehr leicht erklärlich sind — in seinem ersten Oberflächen-Ansehen ungemein verändert worden seyn. Ungeheure Felsmassen von hier
und da liegenden isolirten Grünsteinen, rund ge-
waschene Blöcke vom Granit, selbst an den höhern
Punkten, sind sprechende Zeugen jener Natur-Er-
eignisse. Doch diese nicht allein. Wer kennt nicht
die berühmten Fälle des *Yadkin* und seine Einen-
gungen, die man *Nanras* nennt? Ein Fluß, der noch
wenige Meilen zuvor eine Breite von ¼ Stunde hat,
wird plözlich zwischen Felsen von Grünstein zu der
von 72 ½ Fuß eingeengt, und stürzt sich dann mit
einer unbeschreiblichen Macht hinab, und verschwindet fast in einem rund ausgewaschenen Becken, welches der Ringeltanz des Wassers, nur in Tausenden
von Jahren, ausgewaschen haben möchte.

Von den Gold-Niederlagen dieser Gegend
berichte ich Ihnen das Folgende. Schon vor der
Revoluzion, als noch Indianer dieses Land be-
saßen,

, war es bekannt, dafs an verschiedenen Plätz-
m aufgeschwemmten Lande, Gold gefunden wur-
Doch mochte dasselbe für die Indianer keinen
len Werth haben, als für die jezzigen Bewoh-
denn die Kenntnifs davon war beinahe schon
en, bis vor ungefähr zwanzig Jahren bei Nist
kung eines Brunnens, in der Tiefe von 5 bis 6
ein Stück Gediegen - Gold gefunden wurde,
es 28 3/4 Pfund wog. Dieser Plaz liegt zwi-
den früher genannten Flüssen ziemlich in der
Einige Zeit nachher waren wieder Stücke
, 4 und 3 Pfund gefunden. Doch wufste man
er Zeit nicht, ob dieses Gold blos an jenem
e, oder auch weiter noch zu finden sey. In
zzigen Zeit kann man mit einem Zirkel, wel-
zwischen 40 bis 50 Meilen im Halbmesser hat,
Bogen beschreiben, der noch nicht ganz alles
einschliefst, in welchem, mit Ausnahme weni-
lázze, wo der Granit zum Vorschein kommt;
a jedem Stück Land, gleich viel, ob erhaben
niedrig, Gold im Sande eingemengt gefunden
m kann. An höher gelegenen Stellen, als Ber-
md Hügeln, findet es sich gewöhnlich von
Oberfläche 3, 4, auch 6 Fufs tief im
e von Bächen, wo bis jezt das meiste
nden worden ist, liegt es unter ei-
Kruste aufgeschwemmten Sandes,
er zuweilen 2 bis 4 Fufs tief oder dick ist,
n kommt eine Lage von einem blauen
ne von 1 bis 12 Fufs, und in diesem hat

man noch an keiner Stelle vergebens n
Gold gesucht. Ich halte diesen blauen Thon
eine Auflösung des Grünsteines, da ich selbigen
oft habe in den Thon übergehen sehen. Das G
ist ungemein vertheilt, und von dem feinsten St
bis zu oben angeführten Stücken zu finden.

Die mehrsten Bewohner dieser Gegenden g
ben, dafs das Gold an jenen Plätzen gebildet w
den sey, und dafs es von Zeit zu Zeit wachse!
Auch kann man gegen die Meinung dieser Mens
wenig thun, um sie eines Bessern zu überzeugen,
man mufs dann befürchten, als ein Gottesläu
angesehen zu werden.

Das Gold selbst ist mehrentheils in der
stalt von Linsen, selten ganz rund, und
die gröfseren Stücke sind mehr irregulär. Fast
ist äufserst fein und nie unter 20 Karat. Ich
Gold gesehen, welches beim Schmelzen nichts v
lor, und bei einer Behandlung mit Säuren a
Gold wieder zurück gab. Zuweilen wird es
Quarz verwachsen, doch bis jezt, so viel ich w
nie krystallisirt gefunden. Hierin erkenne ich
sondere Umstände, auf die ich später wieder a
merksam machen werde.

Ungefähr ein Jahr früher, als ich diese Gege
zum erstenmal bereiste, waren mir zehn bis zw
Plätze bekannt, wo man Gold ziemlich reichhal
in jenem blauen Thone fand. Doch hat man
dahin noch nie versucht, den Ursprung jener a
geschwemmten Niederlagen aufzufinden, indem m

allgemein glaubte, dafs das Gold an jenem Orte wie
Kartoffeln wachse. Mein Haupt-Augenmerk war daher mehr auf die Gebirgs-Oberfläche gerichtet, indem ich die vorzüglichsten Erhöhungen bereiste, und
zu dem niedrigen aufgeschwemmten Goldsande über-
zing. Doch auch an jenen Hügelketten fand ich bei
Versuchen die obere Sandkruste mit feinen Gold-
Theilchen vermengt, ein Umstand, der mir zeigte,
dafs, noch ehe Hügel und Thal vom Wasser gebildet worden, schon das Gold über die Oberfläche
verbreitet war. Ein anderer Gegenstand, der meine
Aufmerksamkeit erregte, war ferner, dafs ich eine
Menge Quarz- und Eisenerz-Gänge, den Grünstein in
allen Richtungen durchschneidend, fand, und zwar,
dafs diese Quarz-Gänge mehr dem östlicheren Theile,
und die Eisenerz-Gänge mehr dem westlicheren
Theile der Gold-Region zugehörten. Ich untersuchte
diese Gänge genauer, und fand nachstehende Verhältnisse, welche ich im vorigen Jahre der General-Assem-
bly von *Nord-Karolina* schriftlich vorlegte, und wovon die Uebersezzung in Deutscher Sprache theilweise
ungefähr folgendermafsen lauten möchte.

„Die Goldminen von *Nord-Karolina* scheinen
„mit jedem Jahre sich mehr und mehr zu vergrö-
„fsern und an Reichhaltigkeit zu gewinnen, und
„es dürfte vielleicht nicht uninteressant, vielleicht
„auch nicht ohne Nuzzen seyn, hier einige Bemer-
„kungen niederzulegen, welche nicht allein neu
„sind, sondern auch die Veranlassung zu bergmän-

23 *

„nischen Unternehmungen von gröfster Bedeutenheit
„werden können." Hierauf zeigte ich, auf welche
Art die aufgeschwemmten Lager, in welchen das
Gold enthalten ist, entstanden seyn möchten, und
wie man sich ferner einen gröfseren Nuzzen von
der Bebauung jener Gänge, in welchen der ursprüngliche Siz des edeln Metalles sey, versprechen dürfe.

„Ich glaube drei verschiedene Gang-
„Formazionen annehmen zu müssen:"

1. „Eine Formazion, deren Haupt-Bestandtheil
„Quarz ist, in welchem sich eingesprengter Kupfer-
„kies, Malachit, Kupferlasur, Eisenkies und Arse-
„nikkies finden. Auch habe ich in einigen Gängen
„der Art Bleiglanz eingesprengt gefunden. Alle
„diese Erzarten sind an der Oberfläche, oder am
„Ausstreichen der Gänge zu finden. An Gold schei-
„nen sie jedoch nicht so reichhaltig, um in die-
„sem Lande mit Nuzzen bebaut werden zu kön-
„nen. Die Mächtigkeit wechselt von 3 bis 7 Zoll
„bis zu mehr als 1 Fufs. Sie verdienen jedoch
„auch eine weitere Besichtigung, um sich von ihrer
„Nuzbarkeit richtige Erfahrungen zu sammeln."

2. „Eine zweite, viel mehr versprechende
„Formazion führt Quarz, Schwerspath und ein ande-
„res, mir dem Namen nach noch nicht bekanntes,
„Mineral * als Gangarten. Die einbrechenden Erze

_____

* In einem früheren Schreiben nannte es Hr. Rothe
Tellurglanz. Es scheint jedoch, dafs es dieser
nicht sey, weil er diesen Körper gegenwärtig unbe-
nannt läfst. A. B.

„ sind Kupfer, Eisen, Arsenikkies nebst Gediegen-
„ Gold. Dieses ist theils mit jenen Kiesen verwach-
„ sen, theils liegt es im Quarze und in dem proble-
„ matischen Minerale inne. Diese Gänge sind die
„ reichhaltigsten von allen, und gewifs rühren von
„ ihnen die bis jezt gefundenen gröfseren Stücke
„ Goldes her. Die Mächtigkeit derselben ist sehr
„ verschieden, und überhaupt entbehrt man von ih-
„ nen noch viel zu sehr eine genauere Kenntnifs. "

Vor ungefähr einem Jahre wurde von einem dieser Gänge, welcher nicht mächtiger als 4 bis 5 Zoll
war, an der Oberfläche seines Ausstreichens, auf einer Distanz von 10 bis 15 Fufs, gegen 20000 Dollars
Gold gewonnen. Der Gang wurde nun zwar bis
zu mehr als 30 Fufs Tiefe verfolgt, doch lohnte er
dann bei dem hiesigen enormen Arbeitslohne nicht
mehr.

3. „Die dritte und lezte Formazion von
„ Gängen, welche in ihrem Charakter sehr von den
„ beiden vorigen abweicht, ist eine Eisenerz-For-
„ mazion, dem südwestlichen Theile der Gold-Region
„ eigen. Die hierher gehörigen Gänge sind von be-
„ deutender Mächtigkeit, im Durchschnitt zwischen
„ 5 bis 6 Fufs. Das Streichen und Fallen aller mir
„ bekannten ist ganz regelmäfsig, jenes von W. in
„ O., dieses unter einem Winkel von 75° in N.
„ Sie durchschneiden die Schichten des Grünsteines
„ unter einem Winkel von 22°. Die in diesen Gän-
„ gen einbrechenden Erzarten sind Glanz-Eisenerz,
„ Roth-Eisenerz, Braun-Eisenerz, Eisenkies, Ku-

„pferkies und Gediegen - Gold. Die oxydirten

„senerze liegen an den Saalbändern, indem die I

„se mehr im Mittel des Ganges 2 bis 3 Fufs mi

„tig anzutreffen sind, ohne mit den Eisener

„vermengt zu seyn. Es ist auf der Grenze, 1

„schen den älteren und neueren Gliedern der G

„Formazion, wo in einem, mit Eisenkies verme

„ten, braunen Mulm das Gold in feinen Körn

„bis höchstens zur Gröfse eines Stecknadelk

„vorkommt. Für die Gegenwart des Goldes in

„ser Lage, glaube ich eine entsprechende Hypo

„se gefunden zu haben. Die frischen Eisen-

„Kupferkiese sind nämlich ebenfalls sehr goldhal

„wie ich aus chemischen Untersuchungen erfab

„habe, ich mag aber noch nicht entscheiden, ob

„darin mechanisch gemengt oder gemischt enthal

„sey, wahrscheinlich ersteres. Der braune Ei

„mulm dürfte nun nichts anders seyn, als du

„Oxydazion umgewandelter Kies. Um Ihnen ei

„Begriff von der Reichhaltigkeit dieser Gänge

„geben, versichere ich Sie, an einem einzig

„einen Kubikzoll grofsen Stückchen, durch Oxy

„zion angegangenen, Kies, 40 bis 50 kleine Goldth

„chen wahrgenommen zu haben. Als ich aber

„Auge mit einem Suchglase bewaffnet hatte,

„stieg die Anzahl derselben noch um Vieles."

Diese Gänge, glaube ich, werden mit der Z

e'ner vorzüglichen Berücksichtigung werth gehalt

werden. Sie werden sich auch einem regelmäfsig

Bergbaue unterwerfen lassen, was mit den Gäng

der beiden ersten Formazionen nicht ganz so leicht seyn möchte.

Im Allgemeinen halte ich von allen diesen Gängen, daſs sie sämmtlich in ihren oberen ursprünglichen Teufen und an ihrem ehemaligen Ausstreichen viel reicher waren, als sie jezt anzunehmen sind, und daſs das jezzige Ausstreichen um einige 100 Lachter tiefer liege, als das frühere. Die ungeheure Quantität Gold, welche fast allgemein über dem benannten Theile *Nord - Karolinas* verbreitet ist, nöthigt mich zu dieser Meinung *. So ist an einem Orte, wo nun schon seit beinahe 1 ½ Jahren 50 bis 200 Arbeiter mit Goldwaschen beschäftigt sind, und wo man in dieser Zeit gegen 25000 Dollar Gold in einem engen Raume beisammen gefunden hat, noch keine Spur von einem Gange bemerkt worden, obgleich man an der zackigen Gestalt des Goldes selbst, so wie an dem beibrechenden Quarze und andern Gangarten sehr leicht einsehen kann, daſs alles dieses Gold nur einen sehr kurzen Weg von der Urstätte bis zu dem Plazze, wo es jezt gefunden wird, zurückgelegt haben könne.

Ich komme nun zu einer kurzen Beschreibung der bergmännischen Gewinnung des Goldes in dieser Gold-Region, (so nennt man nämlich hier die Gegend allgemein). Es bedarf weder eines Maschini-

---

* Aus der hervorzugehen scheint, daſs das Grünstein-Gebirge um einige hundert Lachter tief aufgelöst, oder verwittert sey.   B.

sten noch eines Zeichners, um die hiesigen Gold-
wasch - Maschinen und ihre Bearbeitung zu beschreiben.. Denken Sie sich ein, nach dem Längenschnitte
halbirtes, Faſs; dieses und etwas Wasser ist Alles,
was ein Goldwascher hier bedarf, um in einem Tage für ein bis drei und mehrere Thaler Gold aus
dem Sande oder Thone zu waschen. Ein dergleichen halbes Faſs, hier Ratter genannt, der Gestalt
eines Backtroges ganz ähnlich, ruht auf zwei liegenden Stangen, wird halb voll Thon gefüllt, worauf man Wasser gieſst. Man schwenkt nun mehr-
mals hin und her, und gieſst so lange frisches Wasser auf, als sich noch Trübung zeigt, dann schwenkt
der Arbeiter den Sand nach einer Seite zu, und
sucht das am Boden liegende Gold auf, welches er
nun mit den Händen ausklaubt. Die sehr feinen
Goldtheile, welche an mehreren Pläzzen die gröſsere Quantität des Goldes ausmachen, werden, da
sie zu klein sind, um mit den Fingern herausge-
nommen werden zu können, wieder dem Schoſse
des Mutterlandes übergeben, um sie, nach der Meinung der Leute, wieder gröſser wachsen zu lassen.

Das Waschgold geht hier im Lande dem Golde
gleich. Jeder Kaufmann hat seine Goldwaage, und
gibt für jenes, Gold oder Waare, wie es der Ver-
käufer wünscht.

Der Eigenthümer des Landes erhält die Hälfte
oder weniger des ausgewaschenen Goldes, je nachdem die Pläzze mehr oder weniger reichhaltig
sind.

Die Regierung thut nicht das geringste in dieser
Sache. Es bleibt daher Alles Privatpersonen, und
namentlich den Eigenthümern des Landes überlassen, zu unternehmen, was sie für gut und thun-
lich finden. Für Verbesserungen und genauere Untersuchungen, die dem Gebiete der Geognosie und
Mineralogie angehören, wird wenig oder nichts gethan. Alle Auslagen, welche nöthig waren, um mir
in dieser Hinsicht einige Kenntnifs über das Land
zu verschaffen, fielen auf mich zurück. Fast kein
Mensch gibt hier für ein solches Geschäft einen Thaler aus, wenn er nicht des andern Tages schon zwei
Thaler damit verdient sieht. Sie können daraus
entnehmen, dafs ich in dieses Land, um darin eine,
für meine Kenntnisse angemessene, Beschäftigung zu
finden, viel zu früh gekommen bin. Es scheint mir
die Zeit noch nicht so nahe, wo man zu einer wirklich bergmännischen Bearbeitung der Gänge vorschrei-
ten wird. Unter solchen Umständen werde ich auch
bald aufhören, mehr für einen Staat zu thun, der
für mich noch nichts gethan hat. — —

Ich theile Ihnen noch einige Fundorte von Mineralien mit. Die gewöhnlichsten Eisenerze finden
sich in *Nord - Karolina* und *Virginien* sehr häufig und in ungeheurer Menge. — Schöne Eisen-
und Kupferkiese fand ich in den Bleigruben von
Montgomery County in *Virginien*, welche herrliche Bleiglanz- und Karbon-Bleispath-Krystalle lie-

fern. Jene Gruben sind die reichsten, die ich bis
jezt in meinem Leben gesehen habe. Ich gedenke,
Ihnen zu einer andern Zeit eine Beschreibung davon aufzusezzen, da ich nochmals dorthin reisen
werde. In derselben Gegend fand ich krystallisirten
Rutil und Lasulith. Von *Nord-Karolina* verdienen
die ungeheuern Massen krystallisirten Quarzes eine
Erwähnung. Sie sind zum Theil sehr schön, und
vollkommen durchsichtig. In diesem Staate fand
ich auch in sehr grofser Menge den fälschlich, sogenannten elastischen Quarz, ganz von der Beschaffenheit des Süd-Amerikanischen. — Von Fundstätten, die ich nicht selbst besuchte, hat man mir Gediegen-Kupfer und grofse Quantitäten von Eisen-
und Arsenikkiesen, weniger von Kupferkiesen ein-
gehändigt.

Die

gemeine Ueberschwemmung,

nach

Aussagen der heil. Schrift und nach den Denkmalen der Natur,

so wie

h den Ansichten von Cuvier und Buckland

Von

Herrn John Fleming.

(*Edinb. Journ. of Sc.; XIV*, 227.)

(Beschlufs. S. Maiheft 1827, S. 448.)

5. Höhlen - Schlamm.

er Boden der berühmten Höhle von *Kirkdale*
d durch eine Schlamm-Lage bedeckt, welche
fossilen Gebeine einschliefst, und über dieser
cke findet man eine Lage von Kalk-Tropfstein.
ckland ist der Meinung, jene Knochen seyen
rch Hyänen, zum Behufe ihrer Nahrung, in die

Höhle gebracht worden, zur Zeit, als diese Raubthiere, noch vor der allgemeinen Fluth, ihre Wohnstätte in der unterirdischen Weitung hatten; den
Schlamm betrachtet er als eingeführt durch die Wasser der Fluth; die Tropfsteine, galten ihm als bestimmt postdiluvianisch *. Auf andere Weise erklärt derselbe Verfasser das Vorkommen von Schlamm
und thierischen Gebeinen in mehreren Grotten der
Kalkstein - Felsen von *Plymouth*. Statt die Knochen
durch Hyänen in die Höhle bringen zu lassen, sagt
er: die Thiere seyen, während der antediluvianischen Periode, in die offenen Spalten hineingefallen,
hier wären sie umgekommen, und hätten ihre Lage
behalten, bis die Fluthen solche der gegenwärtigen
Stelle, den tiefsten, mit den Spalten verbundenen,
Gewölben zuführten **.

₊ In solchen Fällen wendet man sich am sichersten zu analogen Phänomenen, deren Geschichte,
weniger in Dunkel gehüllt, eine Erklärung für ältere, mehr verwickelte Erscheinungen darbietet.
Und zum Glück gebricht es nicht an Beispielen der
Art. In *Wokey Hole*, in den *Mendip*-Hügeln,
findet man eine Höhle mit zahlreichen seitlichen
Verzweigungen; auch hier ist Schlamm vorhanden,
und in ihm wurden menschliche Gebeine und ein
Bruchstück einer Begräbnifs - Urne gefunden. Diese

---

* *Rel. Dil.* 48.
** *Loc. cit.* 78.

Gebeine sollen zwar » sehr alt, aber dennoch nicht antediluvianisch « seyn, Allein worin liegt der Beweis? Wie vermögen wir antediluvianische und postdiluvianische Knochen zu unterscheiden, und » der Schlamm stammt augenfällig von Flüssen ab, und ist nicht Folge der grofsen Fluth. « Aber wie läfst sich antediluvianischer und postdiluvianischer Schlamm erkennen? Nicht durch die davon umschlossenen Gegenstände; denn Knochen sind in beiden vorhanden. Nicht durch verschiedene Lagerungsweise; beide ruhen auf dem Höhlen-Boden, und sind überdeckt mit Tropfsteinen. Indessen scheint die Annahme: der Schlamm stamme von Flüssen ab, sehr glaubhaft, da die Stelle, welche dem Schlamm zur Unterlage dient, im Bereiche des höchsten Wasserstandes nachbarlicher Ströme ist. Sonach kann es als Thatsache gelten, dafs örtliche Ueberschwemmungen im Stande sind, Schlamm in die Höhlen zu bringen, und auf deren Boden abzusezzen, unter Umständen, analog denen, welche wir beim sogenannten » Diluvial-Schlamm « wahrnehmen, und dafs solcher Schlamm auf ähnliche Weise » postdiluvianische Gebeine « umhüllt, wie diefs bei dem anderen Schlamm, rücksichtlich der » antediluvianischen Gebeine, « angenommen wird. In einer anderen Höhle derselben Gegend fand man zahlreiche Knochen und Schädel von Füchsen. Ferner erzählt BUCKLAND, dafs in geringer Entfernung von dem *Cliff of Paveland* eine offene Höhle sich befindet, welche, gleich der nicht geschlossenen Spalte zu *Dunsombe*

Park, auf ihrem Boden Gerippe von Schaafen, Ha-
den, Füchsen und anderen neueren Thieren enthält, die zufällig hineingekommen, und hier
das Leben einbüßten. In Beziehung auf solche
ganz natürliches Hineinfallen und Aufgehäuftwerden
von Knochen, äußert Buckland folgende Bemerkungen: »noch heutiges Tages fallen Thiere in offene Spalten, fast vollständige Gerippe, sowohl von
Gras- als von Fleisch-fressenden Thieren sieht man
in den offenen Spalten von *Duncombe Park*, jedes
Skelett an der Stelle, wo das Thier umgekommen,
d. h. vertheilt auf den verschiedenen vorhandenen
Absätzen, von welchen Stellen, wäre eine zweite
Fluth in die Höhle gedrungen, die thierischen Reste
weiter abwärts, mit den sie begleitenden Gestein-
Trümmern, den tieferen Verzweigungen zu, würden geführt worden seyn.« Die in Höhlen befindlichen Gebeine können durch offene Spalten beim
hohen Wasserstande, bedingt durch mehr örtliche oder durch allgemeine Ursachen, eingeführt
worden seyn, und der Schlamm dürfte gleichen Ursprung haben. Aber alle solche Fälle scheinen nicht
die Annahme eines ausschließlichen Agens einer
plözlichen und vorübergehenden Fluth zu rechtfertigen, so lange noch zwar minder mächtige, allein
dennoch hinreichende Kräfte vorhanden, um solche
Wirkungen hervorzubringen.

Die Höhle von *Kirkdale* hat keine Erscheinungen aufzuweisen, aus welchen eine Erklärungsart
entnommen werden könnte, abweichend von der,

die übrigen ·postdilüvianischen Spalten ünd ·Höh-
anwendbaren.· Das abgerundete Ansehen· der
le ihres Innern gleicht, ·nach Young: »jenem,
die Gesteine der Meeresküste und der Flufsufer,
?olgen der ·Einwirkungen von Wassern, ·wahr-
nen lassen;« es ergibt sich daraus der Beweis·,
 in einer Periode, ·welche ·dem Einführen der
chen vorausging, jene ·eine ·Spalte im Kalksteine
ste, durch welche ein unterirdischer Flufs ·sei-
Lauf hatte. ·Noch ·wahrscheinlicher wird ·diese
ahme, durch zahllose ·andere ·Spalten, die ·im
lichen Bette vorhanden sind, ·und · in deren ei-
ganz in der ·Nähe befindliche,· der *Rical-Beck*
ritt und, auf· gewisse Weite,· einen unterirdi-
n ·Flufs bildet *.

Die ·Beweise, von Buckland ·aufgestellt,· dafs ·die
Kirkdaler Höhle ·darch ·Wasser weder gebildet, noch
·modifizirt worden, sind nicht haltbar. ·„Die Wände«!
·sagt er: „sind beständig rauh.“ — Waren solche
denn niemals glatt? Der Kalkstein, fossile Schaalthiere einschliefsend·, verwittert schneller, als die darin
enthaltenen Ueberreste, wenn derselbe den Einwirkungen der Witterung, namentlich jener der feuchten
Luft, ausgesezt ist;· jede Oberfläche eines sekundären
Kalksteines beweist diefs. — Eben so wenig befriedi-
gend ist der Saz: dafs die Gebeine in die befragte
Höhle nicht durch laufendes Wasser gebracht worden
seyen; nämlich: „weil es nicht denkbar, dafs zu

''' 'Es· ist· uns folglich 'ein ·Agens. geboten, welches
im Stande war, ·den Schlamm. und. die Knochen aus
vorhandenen höheren..Spalten einzuführen, und beide: so abzusezzen,· ·wie man sie jezt gelagert sieht.
·Das Vorhandenseyn solcher Spalten · aber läfst sich
nicht bezweifeln,· indem BUCKLAND ·selbst sagt: „die
erwähnte Thatsache ·vom Verschwinden des ·Rical-
·Beck und anderer ·nachbarlicher. Flüsse, welche den
Kalkstein durchschneiden ,· beweist ·hinreichend, dafs
diese Felsart 'noch gar ·manche ·Höhle, gleich der
von Kirkdale, ·aufzuweisen, habe, und dafs andere
·Ablagerungen von, Knochen in· der nämlichen Gegend · noch· späterhin: aufzufinden seyn dürften." Al-
léin ·sind nicht) gegenwärtig: noch offene Spalten in
dieser, Kalkstein-Ablagerung zu finden, als natürliche Fallgruben für neuere Thiere, und auf solche
Weise Aufschlufs bietend über die Ereignisse, welche in früherer .Zeit .in, der' Gegend, sich zutrugen!
„In Duncombe ·Park,. in .der, unmittelbaren Nachbarschaft und in demselben Kalkstein-Gebilde, is
                                             eine

---

irgend einer .Zeit) ein Flufs durch· dieselbe seinen Lauf
genommen haben .sollte." — .Allein gegenwärtig noch
trifft man einen Flufs ·in .einer Entfernung von nicht
100 F., und sein Bette ist nur. 36 F. tiefer, als die
Höhle. ·Aufserdem sind. noch ·Flüsse in der nächsten
Umgebung vorhanden, welche über das nämliche Kalk-
stein-Lager fliefsen, das die Grotte enthält, und das
Gestein ist voll: von Spalten.

gellose Kluft von 20 F. Länge und 3 bis 4 F.
, die von Buschwerk überwachsen ist, und
h dem Blicke fast entzogen wird; sie bildet
allgrube für Thiere, welche diesen Weg ein-
n. Diese Kluft zieht in schräger Richtung
s, und hat mehrere Absäzze und unregel-
seitliche Verzweigungen aufzuweisen, deren
mit eckigen Kalkstein-Bruchstücken überla-
t, welche von Wänden und Decken herab-
n sind, auch Theile von Gerippen, abstam-
von Thieren, die hinein fielen und hier um-
, findet man daselbst." *. Die erwähnten
von Gerippen gehörten: „Hunden, Rehen,
en, Ziegen und Schweinen" an. „Die Kho-
zeigten sich lose und ganz entblöset." Eine
e Ueberschwemmung, eindringend in die Spal-
würde die Gebeine den tiefsten Theilen der
ng zuführen, und sie unter denselben Um-
n da zurücklassen, wie diess hinsichtlich der
unten antedilavianischen Knochen der Fall ist.
Augenschein begünstigt. sonach, die Meinung,
die Knochen in die *Kirkdaler* Höhle, in ihrer
wärtigen Lage, aus höher gelegenen Grotten,
, die Gewalt der Wasser gebracht worden,
e gleichzeitig den, sie umhüllenden Schlamm
führt. „Die meisten Gebeine zeigen sich zer-
en und zersplittert, und einzeln zerstreut im

Schlamm" *. Das dermalige Vorhandenseyn von
Fallgruben und unterirdischen Flüssen in dem ää-
lichen Kalk - Gebilde, spricht gleichfalls sehr für
die aufgestellte Schlußfolge. ...

Die Knochen sind in der Höhle meist in Bruchstücken vorhanden, und neben den Trümmern und
kleinen Splittern finden sich noch Stücke der grösseren festen Knochen, so wie Kiefer und Zähne.
Einige dieser Splitter von Gebeinen zeigen noch ihre Kanten und Ecken; „allein manche andere tragen unverkennbare Merkmale, dafs ihre hervorragenden Theile abgerieben und geglättet worden,
Beweise, dafs die Wasser solche längere Zeit hin
und her bewegt" **. Diese Umstände bestätigen
die Vermuthung, dafs die Knochen in ihrer gegenwärtigen Lage durch Fluthen gebracht worden, besonders wenn man nicht unbeachtet läfst, dafs die
Gebeine von Thieren verschiedener Geschlechter
über grofse Räume verbreitet, neben einander getroffen worden, „und diefs selbst in den kleinsten
und entferntesten Verzweigungen der Grotten" ***
— BUCKLAND, um seine Hypothese, dafs die Knochen durch Hyänen in die Höhlen geschleppt worden, zu begründen, sieht das Abgerundete derselben als Folgen des Hin- und Hertretens der Thiere

* Loc. cit. 12.
** YOUNG, Mem. of the Wern. Soc.; IV, 266.
*** Rel. dil. p. 16.

dem Boden der Höhle an. Sein Haupt-Argument aber leitet er von den Spuren von Zähnen, welche manche Knochen tragen, und die er Benagen derselben durch die Hyänen zuschreibt, he die Gebeine zermalmten, um das Mark daraus zu essen. Angenommen selbst diese Meinung, nichts weniger als wahrscheinlich, sey begründ so würden wir dennoch dem eben Ausgesproen den Vorzug geben, indem die Benagungen h die Hyänen Statt gefunden haben konnten, als Gebeine noch in den Fallgruben (original pit) lagen, wohin jene Raubthiere leicht Zugang en konnten. In Beziehung auf die Zahnspuren der *Ulna* eines Wolfes, und auf der *Tibia* eiPferdes, nach BUCKLAND muthmaßlich herrühl vom Hundszahn eines Thieres, in der Größe s Wiesels, fügt er hinzu: „ diese Verletzungen ben Statt gehabt haben, ehe die Knochen in dem ahmae der tiefsten Höhlen-Verzweigungen eingert waren, und wahrscheinlich, als dieselben noch in einem der oberen Theile der Grotte nden." — Aus welchem Grunde sollte man nicht für die Benagungs-Spuren, durch die Zähne erer Thiere, an den Knochen der *Kirkdale*lte eine ähnliche Erklärung annehmen? Waren ber Hyänen, welche alle diese Gebeine in die le schleppten, so fragt es sich, warum trugen auch die Knochen so kleiner Thiere, wie jene Wasserratten, Wieseln, Kaninchen, Tauben, nepfen, und selbst von Lerchen, in ihre Schlupf-

24 *

winkel; — Thiere, deren Gebeine zum Thei
zart, daſs sie von der gefräſsigen Hyäne kaun
faſst werden konnten.

Buckland sucht in dem Umstande, daſs er r
liche Massen, die ihm als *album graecum* ge
und als abstammend von den früheren Bewol
der Höhle, eine Bekräftigung seiner Ansicht. Y
sagt: „er habe einige Knochenstücke in ähnli
Zustande gefunden; und sey deshalb der Mei
daſs sämmtliche Erscheinungen der Art als, d
Wasser u. s. w., zersezte Gebeine zu betra
wären." Ohne entscheiden zu wollen, erlaubt
mir zu bemerken, daſs wenn man selbst jene
stanz als *materia fecalis* von Hyänen ansähe,
selbe eben so wohl durch eine Fluth in die H
konnte gebracht worden seyn, wie das *os calcii*
ner Wasserratte, wie die Kinnlade einer l
u. s. w. — Aus diesem Allem geht hervor, daſs
Kirkdaler Höhle nicht wohl als eine antedilu
sche betrachtet werden kann.

Der Schlamm mancher Höhlen — die Ge
von *Kirkdale* hat deren einige aufzuweisen —
frei von organischen Resten. In solchen Fällen
die Fluth ohne Zweifel eine örtliche; oder sie du
strich Grotten, in denen keine Gerippe wilder l
re sich befanden.

In einigen Höhlen läſst der Schlamm kei
getheiltseyn wahrnehmen; allein in andern ist d
selbe deutlich geschichtet. Es ergibt sich dar
die Einführung desselben in verschiedenen Period

der grofsen Ausweitung von *Oreston*, woselbst
unermefsliche Diluvial-Ablagerung vorhanden ist,
man Schichtung, oder vielmehr ein Abgetheilt-
in Lagen von Sand, Erde und Thon von ver-
ener Feinheit des Kornes, welche ohne Aus-
? als Ueberreste der, durch das Diluvium zer-
n, nachbarlichen Felsarten gelten müssen. Hin
wieder werden auch Bruchstücke von Quarz
on Thonschiefer wahrnehmbar" *.

ndlich verdient das Ungleiche des Schlammes
löhlen in verschiedenen Landstrichen, was Far-
id Zusammensezzung angeht, Beachtung. Im
ial - Schlamm, abstammend von den zerstören-
Katastrophen, welche in England und Norwe-
tatt gehabt, oder vielmehr über die ganze Au-
iche des Planeten, sollte man einen gemeinsamen
ikter in allen Grotten erwarten zu müssen glau-
Allein, da jede Höhle ihren eigenthümlichen,
isam durch örtliche Merkmale, ausgezeichneten
mm aufzuweisen hat, so ergibt sich, dafs die
hen, welche bei dessen Entstehen thätig wa-
ebenfalls lokale gewesen seyn müssen.

V. Ausgestorbene Thiere. — Wäre ja
plözliche, allgemeine und ungestüme Fluth
hrer gewaltigen Thätigkeit über England hinge-
ien, so müfsten Landthiere ersäuft und weit
iführt worden seyn, oder, wie Buckland sich

Rel. dil. p. 70.

ausdrückt: „jeder Gegenstand, welcher auf
antediluvianischen Oberfläche sich befand, mü
durch die Heftigkeit der Diluvial-Wasser in gr
Ferne geführt und zerstreut worden seyn" *. —
Räumt man diese Behauptung als wahr ein, so d
te man kein einziges Geripp̃e einheimischer L
thiere in Grufs, oder in Lehm, oder in den Hö
des Inlandes vermüthen; und dennoch nimmt
an, dafs zahllose Ueberbleibsel von Landthier
welche in der Gegend lebten und starben, gewö
lich im Grufs, im Lehm und in Grotten vertheilt
kommen. Ich bin nach diesen Prämissen nicht ge
zu glauben, dafs eine Fluth jener Art Statt geh
Wären die Ueberbleibsel: „aus andern Gegende
diejenige getrieben worden, wo solche gegenwä
sich finden," so bietet sich die natürliche Fr
dar: aus welchen Gegenden? Nicht aus tropisc
Regionen; denn die Geschlechter von Hyäne, E
phant und Rhinozerofs, deren Ueberreste in den ob
flächlichen Schichten so häufig vorkommen, bewoi
ten nie die Tropen-Gegenden. Wenn diese Ueb
bleibsel: „durch die heftigen, damals sich be
genden, Strömungen wären vor- und rückwärts
trieben worden, ehe noch die Geripp̃e in Fäuh
übergingen, und die Knochen, als die Bewegu
nachliefs, einzeln und stückweise in den Gr
fielen," so sollten wir wohl erwarten, die Gebei
von Thieren aus arktischen, gemäfsigten und tr

---

* *Rel. dil. p. 39.*

hen Ländern in dem nämlichen Grufse zu
fen; mit andern Worten, alle Gesezze, die
rische Vertheilung der Thiere angehend, würden
ezt worden seyn, und unsere Grufs-Lager müfs-
sich erfüllt zeigen, von Denkmalen dieser Um-
tungen. Indessen sieht man nirgends ein solches
irre; demnach hatten mächtige Strömungen der
nie Statt.

Die interessanteste Thatsache in der Geschich-
ler fossilen Ueberreste, in den neueren Schich-
ist vielleicht das Vorkommen der Gebeine aus-
orbener Thiere, mit solchen, welche man ver-
elst der Jagd ausrottete, und mit andern, die
h gegenwärtig zu den einheimischen gehören, in
em und demselben Grufse. Diese Thatsache,
m sie den Zustand des Thierreiches sehr aufhellt,
n mit Recht, als die diluvianische Hypothese gänz-
vernichtend, angesehen werden. Die erloschenen
ere waren, nach Cuvier und Buckland, antedilu-
iisch, und verschwanden von der Erde durch
zerstörenden Wirkungen der Diluvial-Wasser-
se Wasser mufsten sonach alle Landthiere
luft haben; allein manche dieser seyn sollenden
ediluvianischen Geschöpfe leben und gedeihen
h heutiges Tages in den nämlichen Gegenden,
die Ueberreste ihrer Erzeuger begraben lie-
Ich vermag kein Anhalten zur Erläuterung
ser Thatsache zu finden, ausgenommen jenes,
sen in den *reliquiis diluvianis* (*p.* 41) Erwäh-
ng geschieht, nämlich: „dafs gewisse Geschlechter

seit der Fluth in einigen nördlichen Welt-Gegenden
sich selten wieder hergestellt hätten, und, nach
demselben Verfasser *, dafs durch andere Thiere diese
Land (England?.) seitdem wieder bevölkert worden wäre." Da die Geschichte dieser angenommenen
Wiederherstellung, oder dieser erneuten Schöpfung,
uns fremd bleibt, so vermögen wir auch nicht
den Werth der Hypothese, welcher sie als Stütze
dienen soll, zu untersuchen. Allein die Frage stellt
sich dar: woher kamen, wenn die allgemeine Fluth
jemals Statt gehabt, die neuen Thiere her, welche
das Land wieder bevölkerten? War, innerhalb des Bereiches der geographischen Vertheilung
der Thiere, eine Gegend, wohin dieselben flüchten,
und vor den Diluvial-Wassern Schuz suchen kon-
ten, so ist man berechtigt zu vermuthen, dafs unabhängig von der plözlichen und vorübergehenden Beschaffenheit der Ueberschwemmung, sich eine
Zufluchtsstätte möge gefunden haben, wohin sich die
Thiere, während der Wuth der bewegten Wasser
zurückgezogen, und von wo aus sie nach den ver-
wüsteten Landstrichen zurückkehrten, um diese von
neuem zu bevölkern. Indessen verbürgt uns die
Geschichte der Fluth keine Annahme der Art; und
wäre solches auch der Fall, so würde dennoch keineswegs jede Schwierigkeit beseitigt seyn. Es läfst
sich nicht in Abrede stellen, dafs dieselbe Zuflucht-

*) Edinb. phil. Journal; XXIV, p. 308.

Stätte.;. wohin Hirsche und Ochsen sich rotteten,
auch dem Riesen-Elonn, und dem Mammuth Schuz
-hätte gewähren müssen. Führte eine grofse Ueberschwemmung den Untergang dieser vermeintlichen
antediluvianischen Vierfüfser herbei; so mufste diese vernichtende Macht auch auf die übrigen Thier-
Geschlechter sich erstrecken, denen eine ähnliche
Verbreitung zusteht, die auf gleiche Weise auf Wiesen und in Waldungen leben. Die Vertheidiger der
diluvianischen Hypothese mögen allenfalls ihre Zuflucht
nehmen zu der Arche, als dem Orte, wo die neuen
Thier-Geschlechter einen vorübergehenden Schuz
fanden; uns bleibt stets die Frage: worauf gründet
sich das seltsame Ausschliefsungs-Gesez,
welches für das Mammuth und seine Unglücks-Ge-
fährten den Untergang bedingte? Waren diese aber
nicht ausgeschlossen, so tritt uns ein anderer Zweifel entgegen: durch welche Katastrophe nämlich wurde die Vernichtung derselben herbeigeführt, wenn
sie der allgemeinen Fluth, durch die schüzzende
Arche entgingen.

Ueberzeugt, dafs die diluvianische Hypothese
den Untergang unserer frühern Vierfüfser nicht erklären, und dafs der Gegenstand, selbst in den Händen eines Cuvier nicht genugsam erläutert worden,
strebte ich, in meiner „Philosophie der Zoologie," die Gesezze aufzustellen, welche die physische Vertheilung der Thiere regeln, als Einlei-
tung zum Studium der Umwälzung, welche in der
thierischen Schöpfung Statt gehabt.

Ich deutete die Zerstörungen an, welche die
Verfolgungen des Menschen in der Verbreitung mancher Thier-Geschlechter herbeigeführt haben mußten. Eine weitere Ausführung versuchte ich in meiner Abhandlung über die Verbreitung der Briti-
schen Thiere *. Das fortgesezte Studium, welches
ich dieser Materie vergönnte, diente nur zur Bestätigung meiner Ansicht, daß wir das Verlöschen
der früheren vierfüßigen Geschöpfe dem zerstörten
Einflusse der Jagd zuzuschreiben haben.

Allgemein bekannt ist, daß die Ueberbleibsel
verschwundener Vierfüßer, sowohl von denen, die,
wie wir wissen, durch menschliche Hand ausgerottet
worden, als von jenen, die noch lebend vorhanden
sind, über große Strecken des Englischen Bodens
vertheilt sich finden; folglich mußten die Geschöpfe,
von denen sie abstammen, alle zu der nämlichen
Zeit, in diesem und in ähnlichen Landstrichen, gelebt haben. Hieraus leite ich nachstehende Schlußfolgen ab:

1. die Ursache des Erlöschens war keine allgemeine physische; denn sie erstreckte sich nicht
mit gleichem Erfolge über die später zu Grunde
gegangenen, so wie über die neueren Geschlechter;

2. die Ursache der Ausrottung erstreckte sich
auch bis jezt nicht auf die noch lebend vorhandenen
Geschlechter.

---

* *Edinb. phil. Journal; Nro. XX.*

Beobachtete Thatsachen, geschichtliche Zeugnisse, bestätigt durch geognostische Denkmale, be-
rechtigen ferner zu nachstehenden Schlußfolgen:

1. der Mensch ist noch heutiges Tages damit
beschäftigt, manche Thier-Geschlechter auszurotten,
und in jeder früheren Zeit musste er ein ähnliches
Gewerbe getrieben haben;.

2. bei verschiedenen Geschlechtern sind die
Mittel, durch welche sie der Ausrottung entgehen
können, sehr ungleich;

3. die Einzelwesen mancher Geschlechter
wurden, auf die angedeutete Weise, sehr vermindert;

4. von einigen Geschlechtern wurden selbst
alle Individuen, innerhalb der lezten sechs bis
acht Jahrhunderte in England vernichtet;

5. hatte die Ausrottung in einem Zeitraume
weniger Jahrhunderte solche Ausdehnung, wie
mannichfach mußten nicht ihre Wirkungen innerhalb der sechs Jahrtausende gewesen seyn; während denen der Mensch die Welt beherrscht?

Miszellen.

Ueber die Geognosie des Mosel-Departements liest man einen Bericht von Simon in dem *Compte rendu des travaux de la société des sciences de Metz pendant l'année* 1825 — 1826, *p.* 34 (Férussac, *Bullet.; Janr.* 1827, *p.* 20). Die drei am häufigsten verbreiteten Formazionen, dem Flöz-Gebiete angehörig, sind: oolithischer Kalk, blauer Gryphitenkalk und Muschelkalk; sodann folgen Sandsteine, zumal solche, welche die Steinkohlen begleiten. Die übrigen Formazionen spielen eine mehr zufällige Rolle. Der Weg zum brennenden Berge von Dalveillers, dessen Entzündung in eine nicht bekannte Zeit fällt, führt durch einen schönen Wald. Am Berggipfel sieht man einige Fumarolen und Trümmer der vom Feuer bearbeiteten Gesteine; etwas weiter ein kleines Thal, scheinbar der Feuerheerd. Felsen erheben sich gleich senkrechten Mauern; auch sie haben Einwirkung der Gluth erfahren; an ihrem Fuße vernimmt man ein gewaltiges unterirdisches Getöse, und eine Rauchsäule steigt zwischen den Spalten hervor. Der Grund des Thälchens ist bedeckt mit Felsen-Trümmern und Schiefer-Bruchstücken. Stellenweise ist die

Wärme des Bodens kaum zu ertragen. Zwischen den Trümmern findet man zierliche Alaun - Krystalle, auch Schwefel wird da getroffen.

In *Sant - Jago* auf *Cuba* verspürte man am 18. September 1826 ein Erdbeben so heftig, als seit fünfzig Jahren dergleichen daselbst nicht wahrgenommen worden. Es hatten zwei Bebungen Statt, von denen jede ungefähr eine Minute dauerte. Sie wurden durch ein Getöse verkündigt, ähnlich dem Geprassel schwer beladener Wagen auf gepflasterten Strafsen, und endigten mit einer gewaltigen Explosion, der Abfeuerung zahlloser Stücke schweren Geschüzzes gleich. Die Stadt wurde zur Hälfte zerstört. (Zeitungs - Nachricht.)

Bei Untersuchungen über Diamant - Erzeugung und dessen Analogie mit vegetabilischen Stoffen — wofür auch seine optischen Eigenschaften sprechen [*] — darf folgende Stelle aus HAMILTON's Reise nach den Diamant-Gruben von *Panna* [**] nicht übersehen werden: „die Arbeiter versicherten mich, dafs die Entstehung der Diamanten stets fortschreite, und dafs sie viel mehr Hoffnung hätten, auf einen günstigen Erfolg, wenn sie Erde grüben, welche 14 bis 15 Jahre ununtersucht, als solche, welche nie vorher berührt worden sey. In Wahrheit sah ich sie auch Erde

[*] MARX, Geschichte der Krystallkunde; S. 269.
[**] *Edinb. phil. Journ.*; 1819, I, 55.

aufwühlen, welche, nach allen Kennzeichen zu urtheilen, schon einmal mußte untersucht worden seyn."

G. Ross wurde, bei Gelegenheit als er Krystalle des arseniksauren Bleies von *Johann-Georgenstadt* maß, auf die nahe Uebereinstimmung in den Winkeln mit dem Apatite aufmerksam, und vermuthete, daß das arseniksaure und phosphorsaure Blei (das *Wanth'sche* Grün- und Braun-Bleierz) mit dem Apatite isomorphisch sey. Er mußte in diesem Falle auch Salzsäure enthalten, und da er leicht in Salpetersäure auflöslich ist, so konnte man sich durch salpetersaures Silberoxyd auch bald von der Anwesenheit der Salzsäure überzeugen. Als R. mehrere Apatite von verschiedenen Fundorten auf diese Weise untersuchte, fand er, daß alle Salzsäure enthalten *; aber er fand auch, daß der Niederschlag mit salpetersaurem Silberoxyde bei ungefähr gleicher Menge Apatits bald sehr stark war, wie in den Apatiten von *Snarum* in *Norwegen* und vom *Cabo de Gates* in *Spanien*, bald nur sehr gering, wie in den Apatiten vom *Greiner* in *Tyrol* und von *Arendal*, bald fast ganz unmerklich, wie in dem Apatite vom *Gonhardt*, von *Ehrenfriedersdorf* in *Sachsen* und von *Chudley* in *Devonshire*. Je geringer aber die Menge Salzsäure eines Apatits war, je größer fand sich sein Vermögen, mit Schwefelsäure übergossen und erwärmt, das Glas zu ätzen. Die

---

* Nach *Pelletier* und *Donadei* enthält der sogenannte Phosphorit (Faser-Apatit) aus Spanien 0,5 Salzsäure.

Apatite enthielten also Flußsäure*, und es
wurde wahrscheinlich, daß Flußsäure und Salzsäure isomorph wären, und sich bei den Apatiten gegenseitig so
ersezt hätten, wie dieß bei dem Grün- und Braun-Blei-
erze mit der Arsenik- und Phosphorsäure der Fall ist,
eine Annahme, welche durch eine Reihe von chemischen
Zerlegungen vollkommen bestätigt wurde**, und als Haupt-
Resultat ergab sich, daß Apatit und Grün-Bleierz
einander isomorph sind. (Poggendorf, Ann. der
Phys.; IX, 185.)

P. A. Millet hat unter den zahlreichen fossilen Muscheln des Grobkalkes im Departement *Maine-et-Loire*,
und namentlich in jenen der Gemeinde *de Sceaux*, ein
neues Geschlecht, zu der Abtheilung der Zoophagen gehörig, nachgewiesen. Er benamt dasselbe, dem Hrn. De-
france zu Ehren, welchem die Petrefaktenkunde so zahlreiche und wichtige Forschungen verdankt, *Defrancia*. Beschrieben und abgebildet findet man dieses nun, in fünf Gattungen: *Defrancia pagoda, variabilis, hordeacea, satura-
lis* und *Milletii* zerfallende, Geschlecht in den *Ann. de
la Soc. Lin. de Paris;* Septembre, 1826! p. 437.

---

* Nur vom sogenannten Phosphorite und vom erdigen Apatite
war bis jezt ein Gehalt von Flußsäure bekannt.

** Die Resultate der, in Folge dieser interessanten Entdeckung
mit Apatiten von verschiedenen Fundörtern vorgenommenen, Analyse werden wir bei einer andern Gelegenheit mittheilen.

d. H.

Nach A. Levy (Phil. Mag. new ser.; Jan., 1827) gehört das von Mason an den Ufern des Ilmensees, westwärts Miask im Ekatharinenburgischen, aufgefundene, zuerst für Tantalit angesprochene, Fossil dem Titaneisen aus Gastein (ixotomes Eisenerz von Mohs) an.

C. von Gimbernat hat das Glaubersalz im Kanton Aargau entdeckt. (Ann. de. Chim. et de Phys.; XXXIII, 98.) Der Ort des Vorkommens ist unfern Mellingen, auf dem linken Ufer der Reufs. Man treibt hier zwei Stollen, zum Behuf der Gewinnung des Gypses. Die frisch behauenen Wände des Gesteines lassen das Glaubersalz eingesprengt und in kleinen glänzenden, krystallinischen Blättchen wahrnehmen, welche, durch Einwirkung der Luft, ihren Wasser-Gehalt einbüfsen, sich zum weifsen Pulver umwandeln. Man hatte bereits mehrere Bänke dichten, und körnigen, graulichweifsen Gypses durchbrochen, die keinen salinischen Gehalt zeigten. Zu Anfang des Jahres 1825 wurden, unterhalb der vorigen, die Glaubersalzhaltigen Gyps-Schichten aufgeschlossen. Es finden sich drei Gyps-Bänke, geschieden durch eine sehr gering mächtige Zwischen-Lagerung von blätterigem Mergel; beide Felsarten führen Glaubersalz, jedoch der Gyps bei weitem in gröfserer Menge. Die Mächtigkeit der oberen Gyps-Bank beträgt drei Fuss, die zweite mifst fünf Fufs; über die Stärke der dritten liefs sich noch nicht urtheilen. Die Bänke stehen fast senkrecht; denn ihr Fallen beträgt 70 bis 80°. Fast (in Aarau) hat, durch chemische Zerlegung, im Glaubersalze folgenden Gehalt nachgewiesen:

trockenes

trockenes. schwefelsaures Natron ... · 44,4425

hydrochlersaures Natron · · · · · · · · · · 0,1004

Krystallisations-Wasser · · · · · · · · · · 55,4571

_____

100,0000

dem enthielt das Salz noch eine unbestimmbare Spur
Eisen. — Das beschriebene Salz-führende Gebilde ge-
zum südlichen Jura-Gehänge. Es ruht auf Salz-freien
-Bänken, und diese auf einem körnigen, splitterit
kavernösen Kalke, der keine Versteinerungen führt;
dem Gypse liegt ein thoniger, blätteriger, schwarzer
kies-reicher Mergel, der mehrere Lagen Muscheln-
nden mergeligen Kalkes enthält.

_____

Kupffer theilt (Kastner's Archiv f. d. ges. Naturl.;
12) über die von Menoz in *Siberien* entdeckten, und
ihm schon als solche erkannten, Krystalle von
loliuit einige Bemerkungen mit. Als Kernform gil.
gerade rhombische Säule mit Winkeln von ungefähr
und 50°. Von abgeleiteten Flächen treten Entscharf-
lagen, Entspizeckungen und Edtrandungen auf. Vor
Löthrohre zeigt der Syberische Gadolinit ganz das
alten, wie solches von Berzelius für die eine Varietät
x Mineral-Substahz angegeben wird *.

_____

Allein mit Säuren behandelt, ein Umstand, der von Kupffer
unbeachtet geblieben, gibt der Gadolinit aus Siberien keine
Gallerte. Es fragt sich nun freilich, ob allen Gadoliniten diese

Th. Webster theilte seine Bemerkungen über die Felsschichten von Hastings ih Sussex mit (*Transact. of de geol. Soc.: Vol. II; part. 1, p. 31.)* Er beabsichtigt eine genaue Schilderung der Unter-Abtheilungen des Greensandes und Ironsandes von Hastings. Die häufigen Regellosigkeiten der Ablagerung machen die Sache schwierig. Ein grauer, fester, kalkiger Sandstein soll die obere Stelle einnehmen, auf ihn folgt weicher, gelber Sandstein, und in der Tiefe trifft man Thon, schieferigen Thon und eisenschüssigen Sandstein mit Lagern von Eisenerzen und häufigen vegetabilischen Ueberbleibseln. Die Ablagerung hat fossile Reste von Sauriern, Fischen und Vögeln aufzuweisen. Der kalkige Sandstein enthält Abdrücke einer einschaligen, den Paludinen zunächst stehenden Muschel. (Férussac, *Bullet. de Géol.; X,* 210.)

Durch Nilson erhielten wir eine Uebersicht der Schonischen Steinkohlen-Bildungen und Nachrichten über die darin gefundenen Petrifikate. (*Kongl. Vetensk. Akad. Handl. for år* 1821, *p.* 96, und Jahresber. der Schwed. Akad. der Wissensch. übers. von Müller; I, 217.) Die Steinkohlen finden sich dem Flöz-Sandsteine untergeordnet. Die Lager mir ihren Versteinerungen wurden besonders von der geologischen Gesellschaft in England, vom Grafen von Sternberg und von Rhode genau bestimmt. Der Verf. zeigt den Unter-

---

Eigenschaft zusteht, da sich bekanntlich bei ihnen auch Verschiedenheiten im Löthrohr-Verhalten zeigen.

d. H.

chied zwischen der Schönischen Steinkohlen-Bildung und
len im Auslande vorkommenden. Die Becken, in denen
ich die Kohlen absezten, scheinen Landseen oder Erweite-
ungen von Strömen gewesen zu seyn; sie liegen daher
oft in ganz ebenen parallelen Linien, zuweilen mehrere
Meilen in einer und derselben Strecke, obgleich stellenweise unterbrochen. Sie kommen sowohl im Lande, als an
len Küsten vor, und im lezten Falle scheint ihr Daseyn
nicht im Zusammenhange mit einem nahen Meere zu stehen. In den bis jezt untersuchten Steinkohlen-Becken hat
man Pflanzen-Abdrücke gefunden, die ein tropisches Klima
zu verrathen scheinen und dem süfsen Wasser, oder tiefen
sumpfigen Stellen des Landes angehören, z. B. palmarti-
gen Bäumen, baumartigen Farrnkräutern, Rohrpflanzen
u. s. w. Die Pflanzen-Abdrücke kommen in grofser Menge
in den Lagern vor, welche die Steinkohlen-Flözze nahe
umgeben, besonders im Schieferthone. Aufserdem hat man
blos Süfswasser-Schnecken, und auch diese nur sparsam,
z. B. in den Englischen Gruben gefunden. Reste von Meeres-Geschöpfen und von Wiebelthieren wurden nicht getroffen. So verhält es sich auch mit den ausländischen
Steinkohlen-Bildungen. — Die Kohlenstrecken in *Schönen*
liegen im Distrikte *Luggudde*, im nordwestlichen Theile
der Provinz und deren Urgebirgs-Kette, die mit *Kullaberg*
anfängt. Ihre Längen-Ausdehnung scheint der erwähnten
Bergkette ziemlich parallel. Bis jezt traf man sie an drei
Stellen, bei *Höganäs*, bei *Lundöm* unweit *Bosarp* und
bei *Walläkra;* indessen dürften sie in dem nämlichen Distrikte noch an mehreren Stellen vorkommen. Am meisten
untersucht ist der Steinkohlenstrich von *Höganäs.* Die

25 *

Kohlen sind hier von einem lockeren, grauen und weißlichen, mit Schieferthon wechselnden Sandsteine bedeckt; das tiefste und mächtigste Kohlen-Flöz ruht auf schwärzlichen Schieferthone. Ein senkrechter Durchschnitt von der Oberfläche bis zum tiefsten Kohlen-Flözze zeigt nachstehende Lagerungsfolge: Dammerde; mit Sand gemengter Thon, einige Lachter mächtig; Sandstein, mannichfache Verschiedenheiten zeigend, mehr und weniger frei von Thon und Glimmer, fein und locker, oder gröber und von Eisenocker gefärbt, theils mit schieferiger Textur und in der Nähe von Kohlen-Flözzen sehr von Kohlen durchdrungen; zwischen den verschiedenen Sandstein-Lagen treten Schieferthon-Schichten auf; die Kohlen-Flözze zeigen ebenfalls verschiedenartige Lagen. Nur in dem Brand- oder sogenannten Schwarzschiefer, der im tiefsten Kohlen-Flözz zwischen Schieferkohlen liegt, hat der Verf. Versteinerungen gefunden, nämlich Abdrücke von Tangarten (Fuci), Hayfischzähne, ein Fragment von der Flügeldecke eines Wasser-Insektes, und den Abdruck eines Zoophyts. Alle diese Ueberreste haben Meeres-Produkten angehört, und der Verf. glaubt, die Lage der Petrefakten in dem schwärzesten Schiefer, der sich zwischen den Kohlen selbst findet, beweise, daß sowohl das Kohlen-Flöz, als der Schiefer sich auf dem Boden eines Meeres abgesetzt haben; doch dürfe man daraus nicht schließen, daß der Sand, der jezt in der Nachbarschaft eines Lagers gefunden wird, sie abgesezt habe, weil Petrifikate von Landpflanzen und Blumenpflanzen in den obersten Sandstein-Lagen gefunden, welche den Kohlenstrich bedecken, und also jünger sind, als die Kohlen-Flözze, aber älter, als die gegen-

e organische Welt, und die dennoch tiefer herab-
als die Meeres-Oberfläche. Diese Versteinungen,
hier in der Nähe des genannten Sundes vorkom-
sind verkohlte, und haben zu Pflanzen sumpfiger
und süfser Wasser gehört, z. B. *Ophioglossen* und
arten im Sandsteine bei *Rau*, die leztere Felsart ent-
keine See-Produkte. Der Verf. zieht daraus den
s, dafs das Meer verschiedenemal denselben Ort ver-
und wieder eingenommen habe. Bei *Bosarp* kommt
Kohle, von den nämlichen Gesteinen, wie bei *Höga-*
begleitet, vor. Im Sandsteine, in der Nähe von
n-Flözzen, hat man daselbst einen, in eine kohlen-
Substanz umgewandelten, Fisch gefunden (angeblich
verwandt mit *Labrus*). Im Eisensteine kommen
hstücke von Muschelschaalen vor; allein bis jezt
man nicht ausmitteln können, ob sie dem süfsen oder
gen Wasser angehören. In dieser Grube hat man ei-
em plattgedrückte, in Braunkohle umgewandelte Baum-
me getroffen, worin man deutliche Saftringe erkannte,
Beweise, dafs sie von Dikotyledonen abstammen. Bei
lläkra, wo das dritte bekannte Steinkohlen-Lager ist,
der Verf. keine Petrifikate — Vergleicht man jene
nischen Steinkohlen-Bildungen mit den ausländischen,
zeigt es sich nach dem Verf. deutlich, dafs sie in ver-
edenen Zeiten und unter verschiedenen Verhältnissen
tanden sind. Die fossilen See-Produkte, die in ersteren
kommen, sind in lezteren, bis jezt, nicht gefunden
rden; die in den Schwedischen Kohlen getroffenen Wir-
thiere und zwei herabblätterige Pflanzen scheinen von
it spåterem Entstehen zu zeugen. Ihr relatives Alter

ist nicht leicht bestimmbar; wahrscheinlich gehören sie unter die lezten Glieder der Flöz-Formazionen, und ihre Bildungs-Periode steht der Kreide nahe. — Agardh hat in einer besondern Abhandlung die Pflanzen-Abdrücke bestimmt, welche in den Steinkohlen von Höganäs gefunden werden. Er glaubt, dafs sie zu Arten gehören, die man jezt in der lebenden Natur vermifst. Sie sind: *Sargassum septentrionale; Caulerpa septentrionalis* und *Amphibolis septentrionalis.* Alle sind Meeres-Erzeugnisse, tropischen Ursprunges, und werden in den Wassern des Nordens nicht mehr gefunden. Der Verf. glaubt, der Zoophyt, wovon man Abdrücke in der Grube entdeckte, habe zur Gattung *Corallina* Linn. gehört. (*Loc. cit.: p. 107.*)

Im lezten Hefte von Sowerby's bekanntem Werk über „die Versteinerungen " findet man ein neues sonderbares, den Bivalven zugehöriges, Geschlecht, *Pachymya,* beschrieben. Es kommt in der, Quarzkörner enthaltenden, Kreide bei *Dowlands* vor. Dieses Gestein bildet den untersten Theil der Kreide-Formazion in der Nähe von *Lyme Regis.* Die geschilderte und abgebildete Gattung hat den Namen *Pachymya gigas* erhalten. — Das Geschlecht *Orbicula* ist mit drei neueren Gattungen vermehrt worden (bis jezt waren nur zwei fossile bekannt): eine derselben findet sich im Thone von *Alum,* die andere im Thone von *Oxford,* und die dritte in den Oolithen von *Ancliff.*

---

* *Mineral Conchyology.* No. LXXXVII.

Ferner trifft man an andern Orten die Abbildungen von fünf Trigonien aus der zulezt genannten Formazion und aus dem Greensande, endlich zwei Paludinen aus dem *Weald Clay* und aus dem Hastings Sande.

MARX beschrieb versteinte Nüsse, an denen nur der Kern in kohlensauren Kalk verwandelt, die Schaale jedoch unverschrt geblieben war, und vergleicht dieselbe mit analogen Petrefakten. (SCHWEIGGER's Jahrb. d. Chem. und Phys.; Jahrg. 1827, I, 133.)

Ueber die Geognosie der Umgegend von Rio de Janeiro schrieb AL. CALDCLEUGH. (*Transact. of the geol. Soc.*; II, 1, p 69, und FÉRUSSAC, *Bullet.; Janv. 1827.*) Der Alluvial-Sand der Bucht von *Rio*, gelb oder roth von Farbe, ist Gold-haltig. Die Berge der Gegend bestehen aus Gneiss; Streichen der Schichten aus SSO. in NNW. Granit-Gänge durchbrechen die Gneiss-Massen. Der Pik von *Corcorado*, gegen *Botafogo* zu gelegen, misst 2100 F.; porphyrartiger Gneiss, ein, in diesen Gegenden sehr häufig verbreitetes, Gestein, bildet den Berggipfel. Der Gneiss, dessen Feldspath oft dem Adular sehr ähnlich wird, führt Apatit, Granat, Eisenkies, Chlorit und Hornblende. Kieselige Stalaktiten, deren Entstehen erklärbar wird durch die Gegenwart eines Wassers von 140 bis 150° F., finden sich im Raume zwischen zweien, in ungleichförmiger Lagerung einander überdeckenden, Gneiss-Schichten.

u · Wi Buckland legte der geologischen Societät zu London Bemerkungen über die, in der Höhle von Lunel unfern Montpellier aufgefundenen, Gebeine von Hyänen und andern Thieren vor. (*Phil. Mag. new ser.*; Jan., 1827, *p.* 66.) Der Verf. besuchte die Höhle im März 1826, in der Absicht eine Vergleichung derselben mit den Englischen Grotten anzustellen, die früher von ihm untersucht und geschildert worden. Das Resultat ergab eine beinahe vollkommene Uebereinstimmung. Die Höhle von *Lunel* ist in dichten Grobkalk eingeschlossen; das Gestein zeigt mitunter oolithische Struktur. Durch Steinbruchbau wurde die Grotte zufällig entblöfst, und die Französische Regierung hat das Aufräumen derselben vornehmen lassen, um die Förderung der darin, in Grüfs und Schlamm, vergrabenen Knochen möglich zu machen, so wie um die Oeffnung aufzufinden, durch welche alle diese fremdartigen Substanzen in die Höhle gebracht worden. Durch diese Arbeiten gerieth man auf einen geraden gewölbartigen Gang von ungefähr 10 Yards Länge und 10 bis 12′ Weite und Höhe. Der Boden ist belegt mit einer mächtigen Schicht von Diluvial-Schlamm und von Rollstücken; hin und wieder reicht diese Lag bis beinahe an die Decke. Sie besteht an einem Ende der Grotte fast nur aus Schlamm, während an dem entgegengesezten Ende die Rollstücke vorherrschen. Einige senkrechte Spalten, in einem andern, nur wenige Meilen entfernten, Steinbruche beobachtet, sind mit Material erfüllt, ähnlich dem in der Höhle enthaltenen, auch darin trifft man hin und wieder einige Gebeine, mitunter gebunden durch kalkige Einseilungen zu einem Trümmer-Gesteine, gleich dem von *Gibraltar*, *Cette* und *Nizza*. Das Material zeigt sich ferner identisch mit der oberflächlichen Diluvial-Lage, welche über dem Steinbruche am Tage sichtbar ist, so wie mit dem Diluvial-Detritus der nachbarlichen Gegend. Tropfstein-artige Bildungen kommen nur parsam in der Höhle von *Lunel* vor; daher sieht man weder die in ihr befindlichen Knochen, noch die Felstrümmer, zu einer Brekzie gebunden. Die Untersuchung, welche BUCKLAND mit den, von MARCEL DE SERRES und CASTOL gesammelten, Gebeinen vornahm, liefs mehrere Spuren Statt gehabter Benagungen durch Zähne von Raubthieren bemerken. Auch entdecke er in der Grotte zahllose rundliche Massen von, sehr gut erhalten, *Album graecum*. Beide Umstände, so wichtig für die Begründung der Annahme, dafs die Höhle von *Lunel*, gleich der von *Kirkdale*, durch Hyänen bewohnt gewesen, wurde durch den früheren Beschreiber derselben (MARCEL DE SERRES) übersehen. Das seltenere Vorhandenseyn stalaktitischer Bildungen, und die gröfsere Menge von *Album graecum* in dieser Höhle, verglichen zu den Englischen Grotten, ist durch die nämliche Ursache erklärbar, d. h. durch, in geringem Grade Statt gehabte, Einseihungen von Regenwasser, wie in der Höhle von *Kirkdale*; hier scheinen die rundlichen Massen von *Album graecum* auf dem Boden einer nassen und engen Höhle zertreten und zerquetscht worden zu seyn, indessen sie zu *Lunel*, wo die Grotte geräumiger und trockener war, besser erhalten wurden. MARCEL DE SERRES hat eine Angabe der, in der Höhle von *Lunel* enthaltenen, thierischen Reste geliefert. Sie bietet nur wenige Unterschiede von den Knochen, welche die *Kirkdaler* Grotte

geliefert; besonders denkwürdig sind in jener die Gebeine
von Bieber und Dachs, so wie die der Abyssinischen
Hyäne. Die angeblich als von einem Kameel abstammenden Knochen, wurden von BUCKLAND nicht als solche befunden. Hin und wieder trifft man im Diluvial-Schlamm
sparsam die Gebeine von Kaninchen und Ratten; CRISTOL
entdeckte auch den Fußknochen eines Haushahnes. Alle
diese thierischen Ueberreste sind, nach BUCKLAND's Untersuchung, späteren Ursprunges (sie hängen, wenn sie ge-
trocknet, der feuchten Lippe nicht an, wie solches bei den
antediluvianischen Gebeinen der Fall). Von den Ratten
und Kaninchen ist anzunehmen, daß dieselben die Höhle
freiwillig aufgesucht haben, und daß sie ihren Tod in den
Bauen fanden, welche sie selbst in den weichen Diluvial-
Schlamm gruben; der Fußknochen des Hahnes muß durch
einen Fuchs hinein geschleppt worden seyn, indem man
weiß, daß auf dem Boden eines alten Steinbruches, die
Füchse ihren Aufenthalt hatten. Schaalen von Land-Mu-
scheln, ähnlich denen, welche im nachbarlichen Erdreich,
oder in nahen Felsenspalten überwintern, fand man ebenfalls im Schlamme der Höhle. BUCKLAND betrachtet sie als
Ueberbleibsel von Thieren, welche, durch enge Spalten in
den Wänden der Höhlen, eingedrungen sind, und in dem
Schlamme ihren Winter-Aufenthalt nahmen; oder sie dürften schon in früherer Zeit, als die Grotte noch von Hyänen bewohnt war, hinein gekommen, und mit den Gebeinen gemengt worden seyn, ehe Schlamm und Rollstücke
eingebracht wurden; auch ist es denkbar, daß diese Schaalen durch Diluvialwasser, das den Schlamm, in dem sie
jezt liegen, in die Grotte führte, mit hinein kamen. Buck-

Land; betrachtet den Schlamm und Gruß, in Höhlen und Spalten enthalten, indem er diese Ablagerungen für einen Theil des, über die nächste Umgegend verbreitet gewesenen, allgemeinen Diluviums ansieht, als sehr wesentlich verschieden von den örtlichen Süßwasser-Bildungen, die gleichfalls in der Nähe von *Montpellier* vorkommen. Der Verf. geht hierauf zur Betrachtung der Epoche über, in welcher die Ablagerung der Gebeine von Vierfüßern Statt gehabt, die, in der Vorstadt *St. Dominique* zu *Montpellier*, eingeschlossen in einer sehr jugendlichen meerischen Formazion gefunden, und durch Marcel de Serres beschrieben worden. In den mittleren Schichten dieser Ablagerung traf man Ueberbleibsel von Elephant, Rhinozeroß, Hippopotamus, Mastodonte, Ochs, und Hirsch im Gemenge mit Resten von Cetaceen und Lamantin; sie sind mehr oder weniger abgerollt, und hin und wieder bedeckt mit Meeres-Muscheln. Wagerechte und ziemlich parallele Lagen von Austern-Schaalen (*Ostrea crassissima* Lam.) finden sich zwischen dem Meeressande und beweisen, daß der Absaz allmählich und mit Ruhe vor sich gegangen. Gleichzeitig mit dieser Perioda der Ablagerung der oberen marinischen Formazion zu *Montpellier* dürften die Gebeine von Elephanten, Rhinozeroß u. s. w., mit Meeres-Muscheln vorkommend, seyn, welche in gewissen Gegenden der Sub-Apenninischen Berge sich finden, so wie die Knochen von ähnlichen Vierfüßern und die Muscheln, die man im *Crag* von *Norfolk* und von *Suffolk* antrifft. Gleichzeitig sollen die, in der Knochen-Breccie von *Gibraltar*, *Cette*, so wie in Spalten und Grotten längs der nördlichen Küste des Mittelländischen Meeres eingeschlossenen thierischen

Reste seyn; ferner die Haufwerke der Ueberbleibsel von Bären, Hyänen u. s. w. in den Höhlen Deutschlands, Englands und Frankreichs; endlich die Knochen ähnlicher Thiere im antediluvianischen Gebilde des oberen Arno-Thales gefunden.

Stromeyer gab (in Kastner's Archiv f. d. ges. Naturl.; X, 113) vorläufige Nachricht von einem neuen brennbaren, dem Auffinder, Hrn. Oberst von Scheerer zu St. Gallen zu Ehren, Scheererit genannten, Mineral. Das Fossil kommt — unweit St. Gallen in einem Braunkohlen-Lager — in lose zusammengehäuften, weißen, schwach perlmutterglänzenden, mehr oder minder durchscheinenden, krystallinischen Körnern und Blättchen vor, welche meist nesterweise die Braunkohlen durchsetzen. Es ist etwas spezifisch schwerer, als Wasser, fühlt sich nicht fett an, ist sehr zerreiblich, besizt keinen merkbaren Geschmack, und hat auch in der Kälte, selbst beim Zerreiben, keinen Geruch. Erwärmt, verbreitet dasselbe einen schwachen, aromatisch-empyreumatischen Geruch. Es schmilzt ungemein leicht zu einem ungefärbten Liquide; schon bei 36° R. fließt es vollständig. In diesem Zustande gleicht der Scheererit einem fetten Oele, und bringt auch auf Papier, wie dieses, Fettflecken hervor, die indessen beim Erwärmen des Papiers völlig wieder verschwinden. Das geschmolzene Mineral schießt beim Erkalten in Nadeln an, die gewöhnlich sternförmig zusammengehäuft sind, und zuweilen die Gestalt vierseitiger Säulen zu haben scheinen. Es kann dasselbe im geschmolzenen Zustande oft mehrere Tage beharren, ohne zu erstarren; sobald man es aber mit

m .Platindrahte, oder mit einem Glasstäbchen berührt,
d, es augenblicklich, fest und krystallisirt, nadelförmig,
d das Fossil in einer Glasröhre, oder in einem kleinen
ben stärker erhizt, so verflüchtigt es sich, ohne zersezt
werden, und die Dämpfe verdichten sich wiederum in
oberen Theile der Röhre zu Nadeln. Zu seiner Ver-
htigung erfordert es eine Temperatur, welche über die
siedenden Wassers geht. Im Platinlöffel über einer Spi-
s-Lampe erhizt, entzündet sich das Fossil und brennt
ır Verbreitung eines schwach aromatisch-brenzlichen
ıches, ohne den geringsten Rückstand zu hinterlassen,
Wasser völlig unauflöslich; von Alkohol wird das-
ıe leicht, zumal mit Unterstützung von etwas Wär-
, aufgenommen. Salpetersäure greift es etwas an; in
ızter konzentrirter Schwefelsäure ziemlich leicht lösbar
ı, w. Sehr wahrscheinlich steht dieses Fossil der
phthaline sehr nahe, und ist, wie diese, blos eine bi-
ı Verbindung des Wasser- und Kohlenstoffes; mit
ı, vor vielen Jahren in *Finland* entdeckten, und neuer-
gs in *Schottland* wieder aufgefundenen, Bergtalge dürf-
der Scheererit, bei dem sehr ungleichen Eigengewichte
der Fossilien nicht einerlei seyn, wenn dieselben gleich,
andern Merkmalen, sehr übereinstimmend scheinen.

W. Vorzr schrieb über die Diamant-Grube des
dlichen Indiens. (*Asiatic Researches: XV*, 120:
ıussac, *Bullet.: Janv.*, 1827, 72.) Zwischen dem
und 80. Grade östlicher Breite findet sich eine Kette
ächtlicher Berge, *Nalla Malla* (blaue Berge) genannt,

deren erhabenste Spizzen zwischen *Cummum*, im Distrikt *Cuddapah*, und *Amrabad*, nordwärts der *Kistna*, getroffen werden; sie wechseln in ihrer Seehöhe zwischen 2000 und 3500 F. Die Gipfel sind im Allgemeinen platt oder gerundet, und sie nehmen nach und nach an Höhe ab, bis sie mit den Sandstein- und Thonschiefer-Bergen von *Godavery*, unfern *Palunshah*, sich verbinden. Die Breite ist wechselnd; sie überschreitet jedoch hie 50 Meilen. Die geognostische Struktur dieser Berge läßt sich nur mit großen Schwierigkeiten erklären, sowohl nach der WERNERschen, als nach der HUTTONschen Theorie; denn die verschiedenen Gesteine, jene Bergkette ausmachend, sollen dergestalt unter einander gemengt (?) erscheinen, jedes derselben soll abwechselnd (?), bald über, bald unter den andern seine Stelle einnehmen; da indessen der Thonschiefer vorherrschend auftritt, so glaubt VORSER, jene Gebilde als eine, dem WERNERschen Thonschiefer gleichzeitige, Formazion ansehen zu können. Sie besteht aus Thonschiefer, Quarzfels, Kieselschiefer, Kalk, Sandstein und aus sandigen Brekzien (*brèches arénacées*), und ist umgeben von Granit, der scheinbaren Unterlage der Formazion. Zwei Flüsse, *Kistna* und *Pennar*, durchschneiden die Kette, und verursachen häufige Zerstörungen in derselben. Das Vorkommen der Diamante ist auf die sandige Brekzie beschränkt. Die zur Gewinnung derselben vorgerichteten, von VORSER besuchten Gruben finden sich bei *Banganpally*, einem Dorfe zwei Meilen westwärts der Stadt *Nandial* gelegen. Die Brekzie nimmt ihre Stelle unterhalb eines Gesteines ein, das aus Körnern von rothem und gelbem Jaspis, von Quarz, Chalzedon und verschieden gefärbten

stein besteht; das Ganze gebunden durch kieseligen
... Die Brekzie geht in ein Konglomerat aus Rollstük-
mit kalkig-thonigem Ziment über; sie ist theilweise
sehr geringem Zusammenhalte, und gerade diese Ab-
rung liefert die meisten Diamanten. Mit Unrecht hat
dieser Felsart den Namen Mandelstein, oder Wacke
legt. Eben so wenig ist es wahr, dafs die Diamant-
en in den konischen Erhabenheiten, aus jenen Gestei-
bestehend, vorhanden wären; denn diese kegelförmigen
sind künstlich und Folgen der Gewinnungsweise der
anten. Der Berg endigt in einem Plateau, auf wel-
n sich auch nicht eine konische Erhöhung, und eben
wenig eine Vertiefung, auf eine Strecke von 20 Meilen
der Richtung von N. nach S. zeigt. Neuere Ausgrabung
hatten seit mehreren Jahren nicht Statt gehabt, darum
sich Vorart nicht von der Art überzeugen, wie
Arbeiter zur Brekzie gelangen. Gegenwärtig beschrän-
sich dieselben darauf, die alten Halden zu durchwühl-
, stets befangen von dem Gedanken, dafs die Diamanten
wüchsen, und dafs die kleinen, früher vernachlässigten
stalle mit der Zeit eine beträchtliche Gröfse erlangen
nten. Die Brekzie, welche die Diamanten führt, wird
verschiedener Tiefe getroffen. An einer Stelle beobachtete
Verf. dieselbe in 50 F. Tiefe, die obere Lage bestand
Sandstein, Thonschiefer und schieferigem Kalke. Die
chtigkeit der Brekzie betrug 2 F., und unmittelbar dar-
ter befand sich eine Trümmer-Gestein-Schicht aus Bruch-
cken von Quarz und Hornstein und aus sandigen Kör-
rn, gebunden durch thonig-kalkige Substanz. Allem
rmuthen nach war diese Schicht sehr Diamanten-reich,

und Vosser bezweifelt nicht, daß die im Bette der Kistna aufgefundenen, von hier durch die Wasser, zur Zeit großen Anwachsens, hinweggeführt worden. Im Alluvial-Boden [*] der Ebenen längs des Fußes dieser Berge, und in aufsteigender Richtung an den Ufern der *Kistna* und des *Pennar* sind die Gruben, welche die größten Diamanten der Welt geliefert haben. Zu diesen Gruben gehören unter andern die so berühmten von *Golconda*; man zählt ihrer ungefähr zwanzig, unter denen jene von *Gani-Parteala*, in ungefähr drei Meilen Entfernung vom linken *Kistna*-Ufer liegen. — Der Verf. stellt am Schlusse folgende Resultate auf: 1. das Mutter-Gestein der Diamanten in *Süd-Indien* ist eine sandige Brekzie (*sandstone breccia*), der Thonschiefer-Formation zugehörig. 2. Die Diamanten, welche man im Alluvium findet, stammen von Trümmern dieser Felsart ab, die, in einer Epoche, älter als die geschichtliche Zeit, durch irgend eine große Ueberschwemmung abgerissen und weggeführt wurden. 3. Die in dem Bau der Flüsse vorkommenden Diamanten werden durch das Hochwasser eines jeden Jahres dahin geführt.

---

[*] D. h. im ältern Alluvium, richtiger im Diluvium.

d. H.

U e b e r

die geognostischen Verhältnisse

u n d

Bergwerke zu *Angangeo*
in *Mexiko.*

Von

H e r r n J. B U R K A R T,

des Bergwesens der Englischen Bergwerks-Kompagnie von.
Tlalpujahua,

einem Briefe desselben von *Tlalpujahua,* vom 28. September
16, an Herrn Ober-Bergrath und Prof. Nöggerath in *Bonn,*,
von Lezterem mitgetheilt

Hierzu der Gebirgs-Durchschnitt auf Taf. II. *,

or wenigen Wochen habe ich meine Landsleute,
rn Schuchart und W. Stein jun., in *Angangeo*

S. den Oktoberheft.   d. H.

besucht, wo die Elberfelder Bergwerks-Kompagnie
einige Gruben bebaut; von dem Wenigen, was ich
dort gesehen habe, theile ich Ihnen Nachstehendes mit.

Das Dorf *Angangeo*, ungefähr 1900 Seelen zäh-
lend, liegt fast südlich 7 Stunden von *Tlalpujahua*,
19° 39′ 30″ nördlicher Breite, und 102° 26′ 6″
westlicher Länge von *Paris*. Seine Höhe über *Tlalpujahua* bestimmte ich mittelst eines Englischen Moun-
tain-Barometers zu 106′ F. Englisch, oder zu 860
F. Engl. über dem Meere. Es liegt in einem engen
Thale von hohen, schroffen und kahlen Bergen umschlossen, die indessen schon in geringer Entfernung mit dem schönsten Holzwuchse: Eichen, Ze-
dern, Tannen u. s. w., geziert sind. Dieses Thal,
nördlich von *Angangeo*, fast aus N. in S. streichend, erweitert sich unterhalb *Angangeo* etwas,
und wendet sich wenig mehr in W.; es ist durch
einen kleinen Bach bewässert, der ungefähr 1½
Stunde nördlich von *Angangeo* auf einem sehr hohen Gebirge entspringt, welches auf dem Wege
von *Tlalpujahua* nach lezterem Orte eine Höhe von
2072 F. Engl. über *Tlalpujahua*, oder von 10,6??
Fuſs über dem Meere erreicht. Schon nördlich von
Angangeo bei der Grube *Catingon*, vereinigt sich
dieser Bach mit einem kleineren, und gleich unterhalb des Dorfes mit zwei gröſseren Gebirgs-Wassern;
so, daſs derselbe nun eine hinlängliche Quantität
Aufschlage-Wasser, in Verbindung mit bedeuten-
dem Gefälle, für die Amalgamir-Werke (*hacienda
de beneficio*) bietet, ein Vortheil, dessen Mangel

nche hiesige Bergwerks - Distrikte drückend em-
ıden. — *Angangeo* liegt auf Feldspath - Porphyr,
hrscheinlich der Uebergangs - Periode angehörig;
ıe Lagerungs - Verhältnisse sind, wie die der meh-
ı hiesigen, sehr mächtigen Porphyr - Ablagerun-
, sehr schwierig zu bestimmen. Meine Beob-
tungen über dieselben sind folgende:

Von *Tlalpujahua* aus führt der Weg, wohl ³/₄
ınden weit über muldenförmig gelagerten Ueber-
ıgs - Thonschiefer, aus welchem, sobald man das
ısser - Gebiet des *Tlalpujahua* - Baches verlassen;
d jenes, des Baches *Sn. José*, erreicht hat, ei-
e blaulichgraue Kalkstein - Lager zu Tage waren.
ase Kalkstein - Lager, so wie der sie umschliefsen-
Thonschiefer, streichen hier *h.* 1 bis 3; und
len in W. und NW., so, dafs man der sattel-
d muldenförmigen Lagerung ungeachtet wohl schlie-
n kann, auf dem Wege von *Angangeo* hin aus
eren Thonschiefer - Schichten in neuere überzü-
ten. Kaum hat man den Berg - Abhang auf dem
ken Ufer des Baches *Sn. José* betreten, so ge-
hrt man auch hier das, in der Nähe von *Tlal-*
jahua so häufig und sehr verbreitete, Trachyt-
nglomerat. Dieses, in massigen Bänken den Thon-
ıiefer hier unmittelbar überdeckende, Konglome-
umschliefst in einer rauch - und aschgrauen; po-
en, rauh anzufühlenden Grundmasse Brocken
ı der Gröfse eines Senfkornes bis zu der eines
es, 1. von gefritteter Grauwacke, porös, nach meh-
en Richtungen gerissen, blaulich - und eisen-

schwarz von Farbe. 2. Gebrannten Thonschiefer von
graulichweifser, rauch- und röthlichgrauer Farbe.
3. Von graulichweifsem Bimssteine, und 4. Körner
von bouteillengrünem und schwarzem Obsidian, die
auf ihrer Oberfläche einen ockergelben und röthlichbraunen dünnen, erdigen Ueberzug zeigen. Dieses
Gestein zieht sich fast ¹/₂ Stunde südlich über das
Amalgamir-Werk *Sn. Rafael* hinaus. Gleich oberhalb dem genannten Amalgamir-Werke tritt ein
grauer, dünngeschichteter Porphyr h. 11 streichend,
in W. mit 45° einschiefsend, unter dem genannten
Konglomerate hervor; in einem röthlichgrauen Teige prismatischen Feldspathes, von dichtem und bisweilen körnigem Bruche, schliefst er eine Menge
kleiner Krystalle hemiprismatischen Augitspathes ein.
In oryktognostischer Hinsicht steht er den Trachyt-
Porphyren von *Tlalpujahua* so nahe, dafs ich ihn
nur zu diesen zählen kann, zumal da er mit dem
genannten Konglomerate in unmittelbarer Berührung
steht. Von *Sn. Rafael* führt der Weg weiter durch
einen sehr dichten Wald des schönsten Nadelholzes,
Stämme von mehr wie 120 F. Höhe, und oft 3 bis
4 F. Durchmesser, ziehen durch ihre Gröfse und
ihren schlanken Wuchs die Aufmerksamkeit des Wan-
derers auf sich. Mächtige Dammerde macht jede
Beobachtung über den Bestand des Bodens unmöglich, nur einzelne Gestein-Stücke lassen noch hier
und da dieselbe Felsart, wie bei *Sn. Rafael*, vermuthen. Ungefähr zwei Stunden nördlich von *Angangeo* hat sich indessen das Gestein plözlich ge-

ändert, zwar ist es noch immer Porphyr, aber von anderem Bestande. Obgleich der Teig noch stets prismatischer Feldspath ist, so unterscheidet er sich doch in Farbe und Gefüge von ersterem, er ist stets rauch- und aschgrau von Farbe, dicht und flach-muschelig im Bruche, anstatt hemiprismatischem Augitspathe enthält er nur Krystalle von prismatischem Feldspathe. Einige Bänke dieses Porphyres enthalten indessen auch wenige Krystalle von hemiprismatischem Augitspathe (Hornblende).

Dieses ist der Porphyr, in welchem die Erz-Gänge von *Angangeo* aufsezzen, er scheint mit dem Trachyt-Porphyre in unmittelbarem Verbande zu stehen, zwar älter wie derselbe zu seyn, aber unmittelbar in denselben übergehend; der Verband zwischen diesem Porphyre und dem Trachyt-Porphyre ist durch das Erscheinen von hemiprismatischem Augitspathe in einigen Schichten des ersteren um so deutlicher ausgesprochen, da dieses Mineral den Trachyt-Porphyren von *Tlalpujahua*, *St. Rafael* u. s. w. wesentlich ist. Die Beobachtungen und Schlüsse, welche ich Ihnen schon früher über die Porphyre von *Chico*, *Real del Monte*, *Pachúca* u. s. w. mittheilte, fänden sich also hier wiederholt; keine scharfe Grenze zwischen Trachyt- und Uebergangs-Porphyr, dieser auf der Uebergangs-Thonschiefer- und Grauwacken-Formazion ruhend, leztere von trachytischen Trümmer-Gesteinen (Konglomerate) Obsidian umschliefsend, bedeckt. Wer kann sich hier wohl des Gedankens erwehren, dafs

die hiesigen Trachyt - Porphyre, unverkennbare Spuren vulkanischer Einwirkungen tragend, blofse, auf
vulkanischem Wege umgeänderte ältere, Porphyre
seyen? dafs die hiesigen, unläugbar sehr alten,
Vulkane ihren Siz in Porphyr gehabt haben? Doch
ist lezteres nicht allgemein anwendbar, die vulkanischen Wirkungen dehnten sich auch auf andere
nahe liegende Gebirgs - Formazionen aus.

. Das beigeschlossene Profil wird Ihnen meine
Ansicht über den Zusammenhang dieser Gebirgs-
Formazionen, südlich von *Tlalpujahua*, besser ver-
deutlichen..

Auch südlich von *Angangeo* zeigt sich auf dem
Porphyre wieder ein Trachyt - Konglomerat, dem
oben erwähnten von *St. Rafael* ähnlich. Der Porphyr von *Angangeo* ist gewöhnlich massig, doch
findet er sich auch an einigen wenigen Punkten in
dünnen Bänken geschichtet; so z. B. gleich nördlich
des Dorfes, wo er *h.* 3 streicht, und mit ungefähr
65° in SO. fällt, weiter in N , wohl ³/₄ Stunden
von *Angangeo*, streicht er *h.* 12 und fällt in W.

Die Erz - Gänge, auf welchen in *Angangeo*
Bergbau im Umgange ist, sezzen in dem erwähnten
Uebergangs - Porphyre auf, sie befinden sich fast
allein auf dem östlichen Gehänge des mehr erwähnten Baches von *Angangeo*; erst neuerlichst sind
auch auf dem westlichen Gehänge desselben Versuch - Arbeiten auf einem daselbst aufsezzenden Gange im Betrieb gewesen. Die sämmtlichen bebauten
Gänge streichen zwischen *h.* 1 ⁴/₈ und *h.* 2, und

len mit 75 bis 80° in W. Die Mächtigkeit dieser
age wechselt von ½ *Vara* bis zu 4 *Varas* (16″ bis
8″ Rheinl.), leztere Mächtigkeit erreichen sie
essen gewöhnlich nur da, wo der Gang durch
birgskeile in zwei oder mehrere Trümmer ge-
ilt ist. Diese Gebirgskeile, so wie auch das Ne-
i-Gestein, sind fast stets mit Eisenkiesen impräg-
t und durch dieselben zersezt. Die Ausfüllungs-
sse dieser Gänge besteht aus einem ganz aufgelös-
t Porphyre, viele Trümmchen und Krystalle
raedrischen Eisenkieses umschliefsend; weniger
ufiger ist rhomboedrischer Quarz, und noch sel-
ier makrotipes Kalk-Haloid (Braunspath). In die-
i Gangarten brechen:

1. hexaedrischer Eisenkies, derb und krystalli-
-t, von messing- und speisgelber Farbe; der Ei-
nkies steht in quantitativer Hinsicht bei der Gang-
asse oben an, und ist fast durchgängig so Silber-
ich, dafs er auf Silber zugut gemacht werden
nn; in lezterem Falle ist er gewöhnlich speis-
lb, und um so mehr dem Weifsen sich nähernd,
gröfser sein Silber-Gehalt ist, der sich auf 3 bis
Mark im *Monton*, oder auf 1,6 bis 2,133 Lth. im
entner erstreckt, er ist dann feinkörnig im Bruch,
m Dichten sich nähernd, und häufige, einzelne,
örnige Stückchen von hexaedrischem Bleiglanze und
odekaedrischer Granat-Blende (brauner Blende)
mschliefsend.

2. Ganz schmale Trümmchen des lezten Mine-
als und rhomboedrischen Quarzes wechseln mit

mächtigeren Trümmchen von Eisenkies ab; diese
Trümmchen gehen parallel dem Streichen und Fallen der Gänge.

3. Der Eisenkies wechselt ebenfalls mit schmalen Trümmchen hexaedrischen Bleiglanzes, der auch
zugleich gemengt mit dodekaedrischer Granat-Blende, hexaedrischem Eisen- und pyramidalem Kupferkiese, in mehr oder weniger grofsen rundlichen Parthieen einbricht. Der Silber-Gehalt des
Bleiglanzes ist gewöhnlich geringer, wie der des
Eisenkieses. In dem erwähnten Gemenge ist oft die
Granat-Blende, oft der Eisenkies vorherrschend,
stets aber ist der Eisenkies vorherrschender, wie
der Bleiglanz, und der Kupferkies am seltensten.
Oft enthält diefs Gemenge auch rhomboedrischen
Quarz und makrotipes Kalk-Haloid in trauben- und
nierenförmigen Parthieen; der Bleiglanz und die
Granat-Blende finden sich bisweilen in erbsen- bis
eigrofsen Stücken dem rhomboedrischen Quarze ein-
gesprengt.

4. Der pyramidale Kupferkies zeigt sich häufig
in innigem Gemenge mit dem Eisenkiese; dieses Gemenge wird unter der Benennung Magistral als Be-
schickung der Erze bei der hiesigen Amalgamazion
benuzt, mit 4 bis 5 oder 6 bis $7\frac{1}{2}$ Thlr. Preufs.
Cour. per Karga = 3 Zentner. bezahlt, und an 45
bis 50 Stunden weit verschickt. — Unter den genannten Gang-Vorkommnissen zeichnet sich eine
Konglomerat-ähnliche Verbindung der erwähnten
Mineralien auf der Grube *el Carmen* vorzüglich aus.

Es finden sich hier rundliche Stücke von rhomboe-
drischem Quarze, aufgelöstem Porphyre, hexaedrischem Bleiglanze und Eisenkiese in einer dodekae-
drischen Granat-Blende, gleichsam wie durch ein
Zäment verbunden. Man kann indessen deutlich unterscheiden, daſs die rundliche Form der verbundenen Stücke, durch chemische Kräfte, nicht aber
durch mechanische, wie bei Geschieben, bedingt
sey; die Umrisse der Form sind scharf, und doch
die Masse mit dem umgebenden Zämente eben so
fest, wie unter ihren einzelnen Theilchen verbunden, so, daſs es nur Zufall ist, wenn sie sich beim
Zerschlagen in der Verbindungsfläche mit der Zä-
ment-Masse ablösen.

5. In dem genannten Gemenge ist auch bisweilen Arsenikkies enthalten, er bricht gewöhnlich derb,
seltener krystallisirt.

6. Die eigentlichen Silbererze (hexaedrisches
Silber, hexaedrischer Silberglanz, rhomboedrische
Rubin-Blende und Melanglanz) brechen selten in
groſsen, derben Parthieen, oder auf Klüften als Anflug; gewöhnlich sind sie nur in ganz feinen, dem
unbewaffneten Auge unbemerkbaren, Theilchen in
der Gangmasse enthalten; — die Verbindung der
Silbererze mit den übrigen Mineralien scheint auf
diesen Gängen äuſserst innig zu seyn; der Silber-
Gehalt der sämmtlichen Erze soll selten 3 bis 10
Mark im *Monton* übersteigen; er betrüge demnach
nur 0,8 bis 2,66 Unzen, oder 1,6 bis 5,33 Loth im
Zentner; reichere Erze sind selten. Die Quantität des,

aus den Eisenkiesen gezogenen, Silbers soll öfter
die, aus den Silbererzen erhaltene, übertreffen.

7. Auf der Grube *Sn. Pedro.*, nördlich der
Grube *el Carmen*, mit lezterer auf einem und demselben Gange bauend, fand ich prismatoidischen Antimonglanz (strahliges Grau-Spiesglaserz).

8. Auf dem Gange, der den Namen *Descu-
bridora* führt, bricht häufig prismatisches Eisenerz,
in erdiger und schwammiger, äufserer Gestalt (dichter und ockeriger Braun-Eisenstein).

Die in *Angangeo* bebauten Haupt-Gänge sind:
von O. in W. gezählt: 1. der Gang *Sn. Barbara*;
2. *la Discubridora*; 3. *Sn. Rafael*, der sich nördlich von der Grube *Sn. Pedro* in zwei Haupt-Trüm-
mer theilt, und 4. der Gang *Sn. Francisco*. Diese
Gänge liegen ungefähr 100 bis 300 Lachter von einander entfernt, und sind bereits auf eine Strecke
von mehr, wie einer Stunde bekannt. Auf diesen
Gängen bauen eine grofse Zahl Gruben, von denen
indessen nur ein Theil in Betrieb sind; der
Deutsch-Amerikanische Bergwerks-Verein besizt in
diesem Distrikte mehrere Gruben, unter andern die
Grube *el Carmen*, welches eine der besten von *Angangeo* seyn dürfte; zwar ist der Betrieb derselben,
durch die starken Gruben-Wasser, etwas erschwert,
doch wird diefs weniger fühlbar seyn, wenn durch
Ausführung der projektirten Erbauung eines Wasser-
rades die Pferdegöpel entbehrlich werden, mit denen man jezt die Wasser in ledernen Säcken (die
allgemein hier übliche Wasserhaltungs-Methode) zu
Tage zieht. Die Silber-Produkzion in *Angangeo*
soll sich jezt auf 300 bis 350 Mark wöchentlich belaufen.

Geognosie

des

Nord - Departements.

Von

Herrn Poirier Saint - Brice.

(*Annales des Mines; XIII, 287.*)

(Fortsezzung. S. Juniheft S. ~~510~~.) 451

III. Formazion der Kohlen, der Schiefer und Sandsteine.

Das Steinkohlen-Gebiet besteht aus drei scharf unterschiedenen Gesteinen, dem Kohlenschiefer, dem Sandsteine und der Steinkohle, deren Schichten wechselnd mit einander vorkommen. Es sezt diefs Gebiet eine einzige Formazion zusammen, zwischen den Formazionen des stinkenden Kalkes und des Thonschiefers. Daraus ergibt sich auch seine Grenz-Bestimmung.

Im S. eine fast gerade Linie von *Montignies* in *Belgien* über *Estreux*, *Saint Léger* und *[Arleux* ziehend. Im N. eine Linie, welche zwischen *Blaton* und dem Walde von *Condé* anfängt, und, wäre sie der ersten parallel, nach *St. Léonard - de - Roches*, zwischen *Saint - Amont* und *Orchies*, sich erstrekken würde; allein in dieser Richtung sind die Grenzen des, scheinbar weiter ausgedehnten, Kohlen-Gebildes nicht so scharf abgemarkt, sie dürften bis in die Gegend von *Séclin*, jenseit *Douai*, reichen.

Steinkohlen, Schiefer und Sandsteine gehen an keiner Stelle des Departements zu Tage aus; überall sind sie von neuen Gebilden bedeckt, deren Mächtigkeit gegen NO., in der Gegend von *Condé*, nur 30 bis 40 Meter beträgt, aber in südwestlicher Richtung, nach dem Innern des Departements, stets zunimmt. Zu *Anzin'* bei *Valenciennes*, beträgt die Mächtigkeit schon 70 bis 80 Meter, und um *Aniche* 120 Meter und darüber.

Der Kohlenschiefer, im Allgemeinen viele kleine Blättchen silberweifsen Glimmers enthaltend, ist grau und wird dunkler, je näher er den Kohlen-Lagen sich befindet. Auch der Sandstein, grau oder weifs gefärbt, zeigt ähnliche Erscheinungen. Die Kohle gehört zur Schieferkohle. Zahllose vegetabilische Ueberbleibsel finden sich in den Schiefer- und Sandstein-Schichten, und ihre Häufigkeit nimmt zu in der Nähe der Kohlen-Lagen. Meist stammen die Ueberbleibsel von Gewächsen ab, die gegenwärtig

in diesen Klimaten nicht heimisch sind. Von versteinten Muscheln zeigt sich nicht eine Spur.

Eisenkies, Kalkspath und Barytspath gehören
zu den, zufällig im Kohlen-Gebiete sich findenden,
Substanzen. Der erste ist manchen Schichten ziemlich häufig eigen. Von Kalkspath-Schnüren werden
die Kohlen-Lagen nicht selten durchzogen, der Barytspath kommt nesterweise im Schiefer vor. Endlich trifft man noch, in den Räumen mancher Rük-
ken und Wechsel, eine weiße, erdige, Steinmark-
artige Substanz.

Als untergeordnete Lager schließt die Kohlen-Formazion dichten und körnigen Thon-Eisenstein ein,
der, im Schiefer, und selbst in der Kohle, Schichten von ziemlicher Mächtigkeit ausmacht, die jedoch nicht ohne Unterbrechungen sind.

Die verschiedenen Schichten der Formazion
wechseln mit einander, wie bereits bemerkt worden, und bleiben sich stets parallel. Sandsteine und
Schiefer erscheinen am häufigsten, jedoch durchaus
ohne bestimmte Regel. Seltener sieht man die, meist
geringmächtigen, Kohlen-Lagen, welche oft auf beträchtliche Weite durch Schiefer und Sandstein getrennt werden.

Das allgemeine Streichen der ganzen Formazion
ist aus ONO. in WSW., dem des stinkenden Kalkes
genau entsprechend. Das mehr und minder bedeutende Fallen hat in der Regel gegen S. Statt, zum
Theil aber haben eingetretene Strömungen und Ver-

rückungen auch eine entgegengesezte Senkung zur
Folge gehabt.

Die ·Kohlen·Formazion liegt gleichsam eingeschlossen zwischen den beiden Formazionen des stinkenden Kalkes und des Thonschiefers. An ihrer
Nord·Grenze sieht man deutlich die Auflagerung
und das allmähliche Uebergehen. Von den alten
Schächten an bis zum ersten Steinbruche von *Blaton* zeigen sich Schiefer und Sandsteine, so wie der
stinkende Kalk in parallelen Schichten, alle gegen
S. geneigt; je weiter man nordwärts vorschreitet,
um desto häufiger erscheinen die Sandstein·Schich-
ten, gleichsam eine Formazion mit der andern ver-
bindend. Bald ändert der Sandstein seine Natur;
er büfst allmählich sein körniges Gefüge ein, und
nimmt das Ansehen eines dichten Quarzes an, von
unebenem, im Kleinen splitterigem Bruche. Allein
er ist immer noch ein Sandstein, nur ist das Bindemittel weniger sichtbar. Noch weiter braust die
Felsart mit Säuren, und dann folgt ein grauer, kieseliger, viele Enkriniten einschliefsender, Kalk.

Nach Süden hin wird die Verbindung beider
Formazionen, durch jüngere Ueberlagerungen, dem
Auge entzogen, so, dafs sich nicht mit Gewifsheit
ermitteln läfst, ob der stinkende Kalk, mit Beibe-
haltung seines südlichen Schichtenfalles, auf dem
Kohlen·Gebiete ruht, oder· ob die Schichten wirklich in entgegengesezter Richtung sich senken. Die
Aenderungen, welche im Fallen der Kalk·Schich-
ten Statt zu haben, und auf weite Strecken sich

auszudehnen scheinen, dürften für die zulezt erwähnte Hypothese sprechen. So hat namentlich
zwischen *Avesnes* und *Maubeuge* südliches Fallen
Statt, um *Avesnes* ändert sich dasselbe, die Schichten fallen nun gegen N, und behalten diese Nei
gung bis in den Kanton von *Frélon*. Auf der andern Seite von *Maubeuge* tritt eine analoge Aenderung ein, welche bis zu den Steinbrüchen von *Hon-
Hergies* bei *Bavay* sich zu erstrecken scheint; denn
die Anfangs fast wagerecht gelagerten Kalk-Bänke
fallen weiter 60 bis 70° nordwärts. Diese Stelle ist
der Süd-Grenze beider Formazionen ziemlich nahe,
so, dafs eine abermälige Aenderung des Schichtenfalles in diesem Zwischenraume wenig wahrscheinlich
wird. Es ist daher weit naturgemäfser anzunehmen,
dafs sie nicht Statt hatt, sondern vielmehr, dafs
beide gleichzeitige Formazionen stinkenden Kalkes,
da, wo sie die Kohlen begrenzen, entgegengeseztes
Fallen zeigen, und man folglich leztere als Ablagerung, in der Mitte des stinkenden Kalkes, zu betrachten hätte.

Unter den bedingenden Ursachen, welche das
Entstehen der beiden Formazionen des Kalkes und
der Steinkohlen bewirkten, finden sich mehrere gemeinsame, auf eine Annäherung derselben hinwei-
send; dahin erstlich die häufige und fast ständige
Gegenwart des Kohlenstoffes in der einen, wie in
der anderen, sodann die denkwürdige Analogie,
welche ungemein häufig zwischen den Schiefern und
den Sandsteinen der Kohlen und den nämlichen Fels-

arten der Kalk-Formazionen wahrgenommen wird.
Das einzige trennende Merkmal zwischen beiden,
ist die Anwesenheit des bituminösen Prinzips in der
Kohlen-Formazion und der gänzliche Mangel desselben im stinkenden Kalke. Das, von der Abwesenheit thierischer Reste. in der ersten Formazion
entlehnte, Kriterium kann nicht mehr als entscheidend gelten, da man seit einigen Jahren Spuren derselben an mehreren Stellen entdeckt hat. Das Nämliche gilt, in Absicht des Unterscheidungs-Kennzei-
chens, von der Gegenwart pflanzlicher Ueberbleibsel einer gewissen Art in derselben Formazion; sie
scheinen ihr nicht ausschließlich eigen, denn man
fand zu Autnois, wie später gezeigt werden wird,
thonige Schiefer im Wechsel mit dem stinkenden
Kalke, welche Abdrücke enthalten, ziemlich ähnlich
denen des Kohlenschiefers.

Diese verschiedenen Betrachtungen führen dahin, beide Formazionen einander zu nähern, und
die Kohlen-Formazion an die äußerste Grenze des
Uebergangs-Gebietes zu stellen, welches sich durch
das Nord-Departement erstreckt.

Man hat, in älterer und neuerer Zeit, an mehreren Stellen des Departements, außerhalb der bekannten Grenzen der Formazionen nach Kohlen gesucht.

Die Arbeiten beim Dörfchen *Coupelivoie*, zur
Gemeinde *Glageon*, im Arrondissement *Avesnes*,
gehörig, vor ungefähr 50 Jahren unternommen,

en auf Thonschiefer, den man, und begreiflich
Erfolg, auf eine Teufe von 100 F. durchbrach.
bei *Saint - Remy - Chaussée*, zwischen *Pontsur-*
re und *Avesnes* hatte man, vor etwa 50 bis
hren, zwei Versuch-Schichten abgeteuft und
in nicht beträchtlicher Tiefe, in blaulichgrauen
fer gekommen, der fast stets aufbrauste, und
iter selbst Enkriniten führte, Kennzeichen, wel-
das Gestein gänzlich vom Kohlenschiefer ent-
n.

Bei *Autnois - le - Berlaimont*, an den Ufern der
bre, unternahm man, in der nämlichen Zeit,
uch - Arbeiten, die auf 120 bis 130 F. abgeteuft
den. Hier soll der allgemeinen Sage zu Folge,
e gefunden worden seyn. Man ist jezt mit Wie-
ufnahme der Arbeiten beschäftigt.

Ich habe bereits die Kalke nnd die schwarzen
efer von *Autnois* beschrieben. Ich habe die
rschiede gezeigt, welche sie in gewisser Hinsicht
denen scheiden, von welchen die Kohle beglei-
vird. Indessen nähern sie sich derselben durch
häufige Vorkommen mancher pflanzlichen Ab-
ke, ähnlich denen, in den Kohlenschiefern ent.
nen. Uebrigens sind sie, wie gesagt worden,
bituminös. Im äußeren Ansehen haben diesel-
manche Analogieen mit den Alaunschiefern
große Menge, in ihnen eingesprengt enthalte-
, Eisenkieses könnte zum Glauben führen, daß
bis zu gewissem Grade, die Eigenthümlichkei-

ten derselben besizzen. — Bis jezt haben die Arbeiten zu *Autnois* noch zu geringe Teufe erreicht, um über den Erfolg, zu welchem sie führen werden, mit einiger Sicherheit aburtheilen zu können.

In neuester Zeit wurden auch südwärts von *Avesnes* bergmännische Untersuchungen nach Steinkohlen vorgenommen. Im Jahre 1824 fand man, an der Strafse nach *Estroeung*, 6 Meter tief, im glimmerreichen Thonschiefer, dessen Schichten unter 50 bis 55° nach NW. fallen, geringmächtige Anthrazit-Adern. Ueber dem Thonschiefer liegt der stinkende Kalk, und zeigt sich auch wechselnd mit demselben.

Flöz - Gebiet.

Dieses Gebiet, dessen Schichten wagerecht liegen, bedeckt die älteren, bis jezt beschriebenen Formazionen stellenweise. Es nimmt den ganzen mittleren Theil des Departements ein. Herrschendes Gestein ist die Kreide. Sie überlagert das Transizions - Gebiet nicht unmittelbar, sondern wird dann durch eine Formazion von Sand und Thon geschieden.

I. Formazion von Sand und Thon, älter als Kreide.

Ihr gehören vorzüglich zwei Felsarten an.

1. **Kalkiges Trümmer - Gestein**, oder *Tourtia* *. Ein grauer, erdiger Kalk mit zahllosen

* Name, von den Bergleuten der Felsart beigelegt.

schlossenen runden, oder mehr und weniger
rfeckigen Bruchstücken von sehr verschiedener
se, und in der Regel von kieseliger Natur. Diefs
ein scheint meist zu fehlen, wenn die Formazion
ittelbar auf dem stinkenden Kalke, oder auf Thon.
fer ruht; im Gegentheile fehlt dasselbe nie,
a sie das Steinkohlen-Gebiete bedeckt.

In der unteren Hälfte des *Tourtia* zeigen sich
eingebackenen Stücke sehr grofs; oft messen
1 bis 2 Dezimeter und darüber. Allein mehr
oben werden sie kleiner, und haben zuletzt
die Stärke eines Nadelkopfes. Die ganze Er-
inung spricht unläugbar für die allmähliche Bil-
g der Brekzie in der Mitte der Wasser.

Die meisten der erwähnten Einschlüsse beste-
aus dichtem Quarze, der dem Kieselschiefer
nahe steht. Andere Bruchstücke sind körnig
mehr Grauwacken-artig. Auch kleine rundli-
Massen von Braun- und Roth-Eisenstein, oder
er trifft man unter denselben, so wie, obwohl
höchst sparsam, Brocken von dunkel gefärbtem,
igem Kalke, scheinbar dem stinkenden Kalke
hörig. Endlich kommen, in gröfster Häufigkeit,
kleine, dunkelgrün gefärbte Körner vor, die
ritisch, oder vielmehr Eisen-Silikat sind; Er-
inungen, wie solche auch der oberen Formazion-
hen, und wodurch die Brekzie das Ansehen
a zusammengebackenen grünen Sandes erhält.

Die mittlere Mächtigkeit der *Tourtia*-Lage be-
t zwei bis drei Meter; sie wechselt nach Ver-

hältnifs der Unebenheiten der Oberfläche, oder
Biegungen des Gebietes, auf dem sie ruht. I
unter bilden diese Windungen Vertiefungen
mehreren Metern, und von ziemlich weiter Erst
kung, die man nicht selten mit quarzigem S
angefüllt sieht. Dieser Sand schliefst mehr und
niger plattgedrückte Eisenkies-Massen ein, und
kiestes Holz, zum Theil selbst in ganzen u
heuren Stammstücken. Auch der *Tourtia* en
häufig Fragmente dieses fossilen Holzes. Was
leztere Gestein jedoch vorzüglich merkwürdig ma
ist die grofse Menge der in ihm vorhandenen, a
sehr wohl erhaltenen, Meeres-Muscheln. Sie
gen sich in vierfach verschiedenem Zustande:

1. Die Schaale der Muscheln ist noch vorl
den, und das Innere erfüllt mit kohlensaurem, 1
Theil krystallisirtem Kalkspathe; dahin ein Bel
nit, zwei Pektiniten- und sechs Terebratuliten-(
tungen. Das leztere Petrefakt findet man am b
figsten in dem *Tourtia*.

2. Die Schaale ist zerstört, und nur Abdr
ke des Innern der Muscheln sind beobachtbar, 1
Steinkerne aus erdigem, graulichweifsem Kalke
stehend, der nämlichen Masse, welche das Bio
mittel des *Tourtia* abgibt; hierher: Echiniten, 1
karditen, Turbiniten, Trochiten, Nautiliten 1
Ammoniten. Die beiden lezteren Geschlech
zumal die Ammoniten, von sehr beträchtlic 1
Gröfse.

3. Die Schaale ist noch vorhanden, oder zerstört, allein in beiden Fällen finden sich Schaale und Kern aus kieseligem, braun gefärbtem Kalke bestehend; dahin: *Ampullina*, *Solarium*, *Ammonites* (kleiner, als die von Nro. 2), *Venus*, *Bucarlites*, *Arca*, zwei Gattungen *Pecten*, verschieden von Nro. 1, *Ostracites*, die Gattung *crista galli*, und *Encrinites*.

4. Die Schaale zeigt sich erhalten, aber sie ist weifs, matt, wie Kreide, ohne jedoch auch nur im geringsten mit Säuren zu brausen; der Kern besteht aus kieseligem Sande, oder aus grauem Feuersteine (*silex*), bedeckt mit kleinen Quarz - Krystallen. Die so erhaltenen Muscheln finden sich auf ganz isolirten Nestern, mitten im *Tourtia*, allein im Allgemeinen, wie es scheint, nur sparsam. Sie sind mit kieseligem, durch ihre Trümmer ganz weifs gefärbtem, Sande umgeben. Von Bivalven trifft man u. a. *Mactra*.

Selten werden im *Tourtia* Zähne von *Squalus* gefunden.

2. **Kalkiger Thon**, von den Arbeitern *Diège* genannt. Graulichblau; zu *Anzin* 15 bis 16 Meter mächtig, bei *Aniche* beinahe noch einmal so stark. Eine, für die Wasser durchaus undurchdringliche Schicht. Von Petrefakten führt sie nur eine grofse *Ostrea*. An krystallinischen Massen, so wie an zierlichen isolirten Eisenkies - Krystallen, ist dieselbe reich. Gegen die Teufe wird der Thon kalk-

reicher, und nimmt röthliche Färbung an (Di
rouge).

Mitunter findet sich der *Tourtia* von dem Th
durch eine geringmächtige Schicht grauen Kalkes
schieden, welche ungefähr die nämlichen Ver
nerungen führt.

II. Formazion. Kreide.

Sie hängt mit dem grofsen Kreide-Gebilde
nördlichen und westlichen Frankreichs zusam
Man unterscheidet: weifse Kreide, gröbere Kr
(*Craie tufau*) und chloritische Kreide (*Craie c
ritée*), und in der Folge, in welcher sie hier
nannt werden, liegen diese verschiedenen Kre
Arten von oben nach der Teufe über einander;
lein im Nord-Departement ist diese Folge nicht
mer die nämliche. Die weifse Kreide bedeckt
übrigen. Ihre obersten Bänke sind häufig grau (
gelblich, und mehr oder weniger sandig oder
nig, je nach dem Gebiete, von dem sie überla
werden; bald zeigt sich jedoch das Gestein
weifs und rein. Die ganze Mächtigkeit wech
zwischen 6 und 15 Metern. Auf diese reinere K
de folgt die chloritische; zwei Lagen, 3 bis 6
ter stark. Sodann eine dritte Lage, 2 bis 3 Me
mächtig, und noch weit reicher, als die bei
vorhergehenden an grünen Körnchen. Nun folgt
gröbere Kreide, gewöhnlich 10 bis 12 Meter st
mit vielen, ziemlich regellos vertheilten, Feuerste
Nieren und Massen.

Nach der Teufe schließt sich das Kreide-Ge-
durch eine Reihe mehr und weniger thoniger
chten, deren Zahl in der Regel bis auf sechs
ächst. Alle messen zwischen 15 und 20 Meter
htigkeit.

Terziäres-Gebiet.

rmazion des Sandes und der Sandsteine ohne Muscheln.

Sie ist die einzige aus dem Gebiete der terziä-
Zeit im nördlichen Frankreich. Bald bedeckt
selbe den stinkenden Kalk und den Thonschiefer,
d die Kreide. Sie erscheint auf beiden Forma-
nen in grofsen, isolirten, gänzlich von einander
abhängigen Ablagerungen, theils ziemlich erhabe-
Hügel zusammensezzend, theils grofse Auswei-
gen in dem älteren Gebiete füllend, so um *Cam-
ai, Douai, Valenciennes* u. s. w. Der quarzige
nd ist in der Regel sehr rein und weifs, mitun-
r aber zeigt sich derselbe auch gefärbt durch Ei-
noxyd. Der Sandstein, fast immer sehr hart, ist
rchaus quarzig und sehr feinkörnig. Zuweilen
ht man ihn, in wagerechten, ziemlich zusammen-
ngenden, Schichten mitten im Sande auftreten;
ch häufiger werden die Lagen desselben von gro-
en Sandstein-Blöcken gebildet, die, in geringer
egenseitiger Entfernnng, alle eine wagerechte Lage
aben. Von organischen Resten nicht eine Spur.

Alluvial-Gebiet.

Hierher:

1. Die stellenweise den stinkenden Kalk und den Thonschiefer bedeckenden Alluvial-Ablagerungen. Im Arrondissement von *Avesnes* vorzüglich verbreitet, jedoch nicht im Zusammenhange, indem die erhabensten Stellen und die Gehänge frei davon sind; nur in 'den hohen Ebenen von einiger Erstreckung findet man sie hin und wieder. Im Allgemeinen bestehen diese, auf die fruchttragende Erde zunächst folgende, Ablagerungen aus einer Schicht grauen, gelben oder schwarzen Thones, in der Mächtigkeit wechselnd, zwischen 2 und 4 Metern, und Rollstücke von Feuerstein und andere Geschiebe einschliefsend. Oft wird' der Thon sehr kieselig, oder selbst durch einen ziemlich grobkörnigen Sand vertreten. Das ganze Alluvial-Gebiet ist mehr und weniger reich an Rasen-Eisenstein.

2. Alluvial-Ablagerungen, hin und wieder die Kreide bedeckend. Sie erstrecken sich vorzüglich über die Arrondissements von *Cambrai*, *Valenciennes*, *Douai* und *Lille*, so wie über einen Theil von *Harzebrouck*. Ihre Mächtigkeit ist beträchtlicher, als die der vorher erwähnten Nro. 1. Was die Zusammensezzung betrifft, sind beide übrigens einander ziemlich gleich; Schichten von Thon, darunter Sand-Lagen, mehr oder weniger rein, und diesen folgen mitunter abermals thonige, zum Theil sandige Schichten. Eine, 1 Meter und darüber

mächtige, Dammerde-Schicht bildet fast stets die obere Decke dieser Ablagerung, welche gleichfalls Rasen-Eisenstein aufweist, und aufserdem auch Torf.

3. Zusammenhängende Alluvial-Ablagerung, die Kreide überdeckend. Mitunter von sehr beträchtlicher Mächtigkeit. Besteht zum grofsen Theile aus quarzigem Sande, dessen wagerechte Schichten verschieden gefärbt sind, und häufig Rollsteine einschliefsen. In der Mitte dieser Sand-Lagen sieht man hin und wieder einen braunen, eisenschüssigen Sandstein, der eine Art horizontaler Schichtung zeigt. — Das Arrondissement von *Dünkirchen* besteht ganz aus einer sehr niedrigen Ebene, die häufigen Ueberschwemmungen ausgesezt ist. — Nach der Meeresseite hin wird dieses Alluvium überall von den *Dünen* begrenzt.

Auszüge aus Briefen.

Braunschweig, den 9. Sept. 1826. *

Ich habe zur Entdeckung der optischen Eigenschaften der Mineralien, zur Bestimmung der Natur und Neigung ihrer Achsen ein neues, sehr einfaches und leicht zu behandelndes Instrument erfunden, wovon Sie, sobald ich mit einigen kleinen Verbesserungen desselben. im Reinen seyn werde, genauere Kunde erhalten sollen.

Einiges Mineralogische, was mir seitdem, daß ich Ihnen zum lezten Male geschrieben, vorgekommen, mag vielleicht als kurze Notiz für Sie nicht ohne Interesse seyn.

Das Fichtelgebirge bereiste ich auf meinem Wege von *Nürnberg* nach *Göttingen* zum dritten Male. Ich hielt mich in einem Thale, wenige Stunden von *Kulmbach*, bei einem Freunde, welcher Besizzer

---

* Durch ein Versehen, dessen Schuld ich trage, verspätet.　　　　　　d. H.

ler dortigen *goldnen Adlerhütte* (einem Vitriolwerke)
ist, mehrere Wochen auf. Die geognostische Beschaffenheit dieses Thales war mir merkwürdig. Das
ganze Thal-Gehänge besteht aus einem Hornblende-
Gesteine, das bald als Syenit, bald als Grünstein,
Grünsteinschiefer, Hornblendeschiefer, oft wie Talkschiefer, oft schuppig, wie Chloritschiefer, erscheint,
in den mannichfachsten Abänderungen körnig, dicht,
porphyr- und mandelsteinartig, zuweilen von einzelnen, grofsen Massen von Hornblende, Feldspath,
Quarz, ja Kalkspath durchzogen. Im dichten Zustande zuweilen wie Hornstein, von splitterigem
Bruche, und durchscheinend an den Kanten, im
schieferigen meist mit seidenglänzenden Ablosungen.
Das Streichen beständig NNW., das Fallen 40 bis
55°. So wie man an den Abhängen hinaufklim-
mend die Thalwände übersteigt, so erscheint oben
auf der Bergfläche gneifsartiger Glimmerschiefer, mit
überall beständigem, dem vorigen gleichen Fallen
und Streichen.

In NW. erhebt sich eine Serpentin-Kuppe, der
Paterlstein, von S. nach N., etwa eine Viertelstunde lang, wie ein Rücken sich hinziehend. Sie ist
oben öde und kahl (wie der südöstlich davon gelegene *Haidberg* bei *Celle*), mit vielen losen Blök-
ken, sehr zerklüftet, ohne entschiedenes Streichen
und Fallen. Die Farbe wechselt zwischen Schwarz
und Grün in allen Zwischenstufen. Magneteisen ist
in langen Streifen und Adern, die aus dem verwitterten Gesteine wie Blätter hervorstehen, eingelegt.

Talk-Krystalle treten oft an der Oberfläche hervor,
noch öfter der sogenannte Bronzit und ein eigenes
grünes Fossil, das mit strahlsteinartigen Krystallen
von Atlasglanz an den Ablosungen sich findet. Talk,
Hornblende, Eisenoxydul, und vielleicht auch Chrom
scheinen in mannichfaltigem Gemenge und Gemisch
hier verschiedene Fossilien zu erzeugen.

Auch den *Weifsstein*, eine Stunde ostnord-
östlich von *Gefrees*, besuchte ich. Von seinem kahlen Rücken übersieht man am Besten die ganze Kette des Fichtel-Gebirges. Er besteht aus Hornblende, die oft grün und körnig, als Omphazit hervortritt, und viele deutliche dodekaedrische Granaten enthält. Dazwischen finden sich Blöcke von
Granit, welcher den bekannten Zoisit in oft sehr
grofsen Parthieen enthält. Die Felsen fallen und
streichen wie die obigen, und haben aufserdem noch
zwei, fast rechtwinkelige Zerklüftungen, daher die
abgesonderten Blöcke meist vierseitige Säulen vorstellen, deren dreikantiges Eck oft allein aus dem
Boden hervorsieht.

Durch *Thüringen* und *Sachsen* reiste ich zu ei-
lig, als dafs ich viel der Mittheilung werthes hätte bemerken können. In *Jena*, wo ich mich gegen
vierzehn Tage aufhielt, war mir die Bekanntschaft
des Dr. NAUMANN sehr schäzzenswerth. Ich bestieg
in seiner Begleitung die dortigen, sehr interessanten
Höhen, unter denen der *Hausberg* sich auszeichnet,
dessen Sohle der bunte Sandstein ist, auf dem der
Gyps liegt, erst dünnschieferig mit Thon wechselt,

n mächtiger, doch immer von Thon - Lagern
chzogen, sich erhebt, faserig, blätterig, körnig,
t; weifs, roth, grün, blau. Oben treten erst
rgel-Lager, dann der dichte Muschelkalk auf,
cher weiter nordöstlich endlich Alles bedeckt
verbirgt. Diese Bildung habe ich seitdem an
1 gröfsten Theile der Norddeutschen Flöz-Gebirge
fig wieder angetroffen.

In *Göttingen* war praktische Chemie bei und
STROMEYER meine vornehmste Beschäftigung;
h lernte ich auch die, in geognostischer Beziehung
he, Umgegend durch HAUSMANN und durch eigene
kursionen genau kennen. Die Resultate davon
d in der Topographie von *Göttingen*, die mein
der herausgegeben, niedergelegt. Mit Hofrath
FERSTEIN durchsuchte ich auf einer Exkursion ei-
1 Theil des südwestlichen Harzrandes mit Hrn.
ONGNIART, der von seiner Reise nach *Schweden*
rch *Göttingen* kam, die Kette des *Hainberges*.
glaubte in der Lagerungsfolge, dem Gesteine und
n Versteinerungen viele Aehnlichkeit mit denen
s südlichen Frankreichs zu erkennen. — Die hie-
e Umgegend, ja die Stadt selbst bietet auch ei-
jes Bemerkenswerthe, wovon ich Ihnen später
chricht geben werde; jezt erlauben Sie mir, Ih-
n einige Kunde von einer Reise zu geben, die ich
r wenigen Wochen zurück gelegt, auf der ich
s Glück hatte, beinahe einen Monat in dem Hau-
des Ihnen wohl bekannten Ministers Hrn. von
RUVE in *Hamburg* zu verweilen. Der Hauptzweck

meiner Reise war die STRUVEN'sche Sammlung
sehen, und nach dem Wunsche des Besizzers, me
rere noch nicht gehörig untersuchte Krystallisazi
nen zu bestimmen. Es besteht dieselbe aus ei
vollständigen und wohlgeordneten oryktognostisch
Suite, aus einer Sammlung allseitig ausgebild
isolirter Krystalle, deren Anzahl sich auf 1000
laufen mag, und aus einer Reihe von Prachtstück
welche in Glasschränken aufbewahrt sind. D
Reinheit, Frische, Gröfse und instruktive Fori
beinahe aller Stücke der Sammlung, ist überaus
freulich jedem Beschauer, und mufs in ihm die U
berzeugung hervorrufen, dafs dem Besizzer nic
nur die günstigsten Mittel und Verhältnisse, sonde
auch die nöthigen Einsichten bei der Anschaffur
derselben zur Seite standen. Die Grönländische
Schwedischen und Norwegischen, Russischen (b
sonders Siberischen) und Nord-Amerikanischen Fo
silien finden sich hier in einer seltenen Schönhe
und Vollständigkeit. Ich sah hier zuerst das Ru
sische Platina, und eine grofse Oktaeder-Grupp
Uralischen Goldes, schöne Amerikanische Gold-Kry
stalle, eine zahlreiche Suite von Silber-Dodekae
dern, herrlichen Siberischen) Kupfer-Krystallen
Riesen-Exemplare von Pistaziten, Augiten, Horn
blenden, Albiten, Feldspathen, Skapolithen (eine
isolirten sehr deutlichen Krystall über einen halbe
Fufs lang), zusammenhängende Folgen von Krystallisazionen des Diamanten, Berylls, Topases, Turma-
lins; ausgezeichnete des Kalk- und Schwerspathes,

zes und Gypses; einen vollständigen Rutil-Kry-
(Dioktaeder), 1 ½ Zoll lang, ½ Zoll dick
breit; einen Cymophan, mit dem ihm eigen-
lichen Lichtspiel, regelmäßig krystallisirt (okto-
imal) ½ Zoll lang; aber ich würde nicht fer-
werden, wenn ich die Kostbarkeiten dieser
nlung alle auch nur mit einem Worte berühren
te. Da sie sonst in Ihrer Zeitschrift Notizzen
großen Sammlungen aufnahmen, so möchte die-
ch vielleicht auch zur Aufnahme eignen *, um
ehr, da der Besizzer, aus verschiedenen Beweg-
den, sie zu verkaufen gedenkt.

C. M. MARX.

Gießen, im Oktober 1827.

Sie erinnern sich wahrscheinlich noch, daß ich
etlichen Jahren, als Sie eine Reise nach *Münzen-*
in der Wetterau beabsichtigten, Ihrer Aufmerk-
keit zuerst ganz besonders eine jüngere (terziäre),
Molasse in Ober - Deutschland und der Schweiz
ig parallele, Sandstein - Formazion zu empfehlen
erlaubte, welche von *Vilbel* aus bis *Münzen-*
und tiefer nach Hessen sich fort erstreckt, und
r häufig von dem ihr sich anschließenden Grob-

Eine frühere Nachricht über die treffliche Sammlung
des Hrn. Ministers v. STRUVE findet man im Taschenb.
für Min., XV, 384.   d. H.

kalk begleitet wird. Nachdem ich dieselbe seitde**r**
fortdauernd weiter untersucht und verfolgt hab**e**
finde ich nicht blos dieses Gebilde sehr allgeme**i**
verbreitet (besonders auch im Rheingau und i**m**
Rheinthale), als auch in allen Formen auftrete**n**
die den verschiedenen Gliedern der Ober - D**eut**
schen u. s. w. Nagelfluen und Molassen eigent**hüm**
lich zu seyn pflegen; mit dem Unterschiede n**ur**
dafs in den festen Gesteinen lezterer viele Kalkste**in**
Trümmer und Mergel - Gesteine vorkommen, wäh
rend die ersteren vorzugsweise aus kieselig - thoni
gen Massen - Theilchen zusammengesezt ist, folglich
unter denselben Kiesel-Brekzien, Thon - und Quarz
Sandsteine u. s. w. vorherrschend sind. Aufserdem
stimmen diese Ober - und Mittel - Deutschen Formazionen, hinsichtlich einer grofsen Anzahl anderer,
ihnen angehöriger, Glieder und untergeordneter Lager von Thonstein, Thon und Lehm, Triebsand,
Hornstein, Eisenkiesel, Mergel, Eisenerz - Lager,
färbendem, terziärem Gypse, Braunkohlen - Lager
und dergleichen, eben so nahe überein, wie hinsichtlich ihrer Versteinerungen und Abdrücke organischer Wesen. Unter den lezteren ist (abgesehen
von den nun sehr bekannten Baumblätter - Abdrük-
ken von *Münzenberg* u. s. w.) besonders der Holzstein, oder versteinertes Holz von unbezweifelten
Dikotyledonen, sehr bezeichnend; namentlich für
den Sandstein von *Vilbel*, der bald für bunten
Sandstein, neuerdings aber gewöhnlich für rothes
Todt - Liegendes, angesprochen worden, jedoch in
meh-

hreren Gegenden von Kur-Hessen ganz augenschein-
oben auf sehr mächtigen und weit verbreite-
Lagerungen des bunten Sandsteines abgesezt ist.
In der lezten Haupt-Versammlung unserer Wet-
uischen Gesellschaft habe ich über diese, aus-
mend vieles Merkwürdige enthaltende, Forma-
bereits einen kurzen Vortrag gehalten, und zu,
ch die Absicht ausgesprochen, das Ganze dieser
bachtungen nun deshalb allernächst in einer be-
deren, ausführlicheren Abhandlung zu veröffent-
en, weil die zahlreichen Glieder und Lager je-
terziären Sandstein-Formazion, und theilweise
ar der ihr sich anschließende Grobkalk, unge-
tet ihres sehr allgemeinen Vorkommens, entwe-
gänzlich übersehen, oder mit andern Sandstei-
a verwechselt worden sind. Ohne hierüber diefs-
l schon hier weitläufig werden zu wollen, be-
rke ich nur noch einiges vorläufig so weit, als
theils zu einigen Berichtigungen dienen, theils
r weiteren Verfolgung des Gegenstandes durch an-
re Beobachter führen, könnte.

Jener, bald rothe und röthliche, bald graue
d weiße, dem bunten Sandsteine oft sehr ähnli-
e, terziäre Sandstein sezt nämlich immer
e untersten Lager dieser Formazion zusammen,
gt also — sobald leztere vollständig hergestellt ist,
stets tiefer, als die Brekzien, Quarze (Trapp-
uarz), Thon- (Letten-) und Lehm-Lager, der
riebsand u. s. w. — Oft fehlt er jedoch ganz, und
diesem Falle findet man denn blos die lezteren

obersten Glieder sämmtlich, oder auch nur theilweise, vor. Sehr vollständig und charakteristisch
kommt jener Sandstein bei *Vilbel* vor, erscheint
wieder, bei *Büdesheim* (ebenfalls in der Wetterau
unterhalb der dortigen interessanten Wacke und unter dem Erdreiche des Ackerlandes versteckt; ferner
sezt er von dieser Seite über *Heldenberge*
nach der *Naumburg* und bis *Eichen* (abermals wieder häufig von Holzstein u. s. w. begleitet) fort.
Ein höchst merkwürdiges Vorkommen desselben hat
schon vor einiger Zeit der sehr thätige Naturforscher, Herr Dr. RÖMER-BÜCHNER zu *Frankfurt*
zunächst den, bei dieser Stadt liegenden *Röderhö-
fen*, entdeckt, und mir vor etlichen Wochen vorzu-
zeigen die Güte gehabt. Es geht daselbst im Main-
Bette eine, nur bei niedrigem Wasser frei liegende,
Bank jenes terziären, dem *Vilbeler* völlig ähnlichen
Sandsteines zu Tage aus, und wird zugleich durch
einen mächtigen, vertikal aus der Tiefe aufsteigenden, Gang von Wacke durchsezt; welche mit der
Büdesheimer in allen Theilen ganz übereinstimmt.
also auch durch denselben erheblichen Kalk-Gehalt
sich auszeichnet, und nicht blos Kalkspath mandel-
förmig einschliefst, sondern durch ganze Kalkspath-
Gänge durchsezt, und durch eine braunrothe, sehr
eisenhaltige, kalkig-thonige Masse, — vom Sandsteine (wie durch ein Saalband) abgegrenzt wird.
Hierdurch wird sie dem Mandelsteine von *Bessunge*
(bei *Darmstadt*) sehr ähnlich und völlig überein-

mend mit der Wacke bei *Ufhofen* (in der östli-
Umgegend von *Mainz*).

Ein eben so interessantes Vorkommen dieses
steines wurde mir, durch die sehr gütige Füh-
des Herrn Geheimeraths v. NAU (dermalen in
uz) nicht blos bei *Odernheim*, unfern *Alzey*,
unt, sondern auch die ganze Sandstein- und
eferthon-Lagerung, welche von *Nierenstein* über
enheim, *Laubenheim*, am linken Rheinufer bis
in *Weifsenau* fortzieht, und die man bisher für
den-Sandstein angesprochen haben soll *, gehört
' wahrscheinlich derselben Formazion an, indem
nicht blos im Zusammenhange damit steht, son-
a auch andere ihrer bezeichnenden Glieder, z. B.
uz-Brekzien und Rollsteine, grauer Thon, Trieb-
l u. s. w., öfterer in dem bezeichneten Gebiete
ischen *Mainz, Oppenheim* und *Alzey* vorkom-
a, und den daselbst sehr verbreiteten Grobkalk
nittelbar begrenzen und unterteufen. Hierüber,
l über andere interessante Punkte, bei einer an-
n Gelegenheit mehr!

Ferner erscheinen die mittleren und obersten
eder dieser Formazion, nämlich Quarz-Brekzien,
ipp-Sandsteine, Lehm mit den gewöhnlichen

---

* OEYNHAUSEN u. s. w., geogn. Umrisse der Rheinl. II,
S. 13, erwähnt dieser Formazion ebenfalls, ohne sie
jedoch für terziäres Gebilde anzusprechen.

Thon-Eisenstein-Lagern, Thon und Triebsand, läng
dem Rande und Fuße der Freigerichter Berge un
des Spessarts zwischen *Aschaffenburg* bis *Alzena*
und gegen den *Main* hin, namentlich *Klein-O*
heim, wo in der *Main*-Ebene unter andern e
Steinbruch auf sehr schönem Phonolithe neu ang
'worden ist.

Eine weitere Verbreitung besizt dieser Sandst
von *Altenhaßlau* bei *Gelnhausen* an, über *Rotha*
bergen, *Abtshecke* *, gegen und über die *Ronne*
burg tief in die Wetterau hinein, und bis in die Ge
gend *Münzenberg*, wahrscheinlich, indem auf diese
Linie bald der Sandstein selbst, gewöhnlicher abe
die obersten Glieder der Formazion, vorkommen,
und die zahlreichen Braunkohlen-Lager der Wetterau einschließen.

Aus der Gegend von *Gießen* verbreitet sich
dieselbe Formazion, anfangs jedoch blos mittelst de
mittleren und obersten Gliedern, nördlich bis *Trey*-
sa an der *Lumbde*, wo sie zuerst recht deutlich
hervortritt und über den bunten Sandstein
sich herlagert, und dieses Lagerungs-Verhältniß
nun, über *Marburg* hin durch ganz Ober- und Nie-
der-Hessen, beibehält; wo sie denn namentlich
wieder in dem untersten Theile des Edder- und

---

* Bisher von Hrn. Dr. CASEBEER zu *Gelnhausen* ebenwohl für Kohlen-Sandstein angesprochen und
als solcher beschrieben.

Schwalmgrundes *, so wie in der Umgegend von
Kassel u. s. w. sehr grofse Verbreitung gewinnt.
n den lezt bezeichneten Gebieten also, wo über
lem Muschelkalke die Formazionen des Gryphyten-
ınd Jurakalkes, der Kreide, und die diesen ange-
ıörigen Sandsteine (Sandstein von *Königstein* und
Greensand nach A. v. HUMBOLDT) folgerecht fehlen,
läfst sich erst bestimmt über die Stelle, welche jenem Sandsteine in der Gebirgs-Reihe zukommt, bestimmt entscheiden, und daher leite denn auch ich
meine genauere Kenntnifs zuerst her. In Folge dieser früheren, und in neuester Zeit weiter ausgedehnten, Bekanntschaft mit diesen Gegenden und
Formazionen, habe ich dieselbe denn auch nicht
blos in der Main-, Lahn- und Rheingegend sehr
bald wieder erkannt, sondern vermuthe auch auf
den Grund der vorhandenen, genauen Beschreibungen, dafs die besondern Gattungen von Sandsteinen, die z. B. OEYNHAUSEN u. s. w. in seiner bekannten Schrift II, S. 23 und 17 aus der Gegend
Freiburg im Breisgau und *Wiesbaden* beschreibt,
blos terziäre Sandsteine sind. Nicht weniger scheint
lezterer, nach Handstücken und den Beschreibungen des Herrn Geheimeraths v. NAU (Zeitschr. für
Min.; 1826, I, S. 75), und des Herrn Dr. BATT
(Zeitschr. für Min.; 1825, II, S. 81), — an der

---

* Ersterer mit seinem Wasch-Golde und andern Merkwürdigkeiten.

Hardt zunächst *Neustadt*, *Dürkheim* u. s. w. in
Rheinbaiern, sehr verbreitet; und ich bin sogar
überzeugt, dafs die sehr beachtenswerthe For
mazion, welche A. v. Humboldt in den *Llanos de*
Calabozo beobachtete, und in Ihrer Zeitschr. für
Min.; 1826, II, S. 113 ebenfalls beschreibt, und
die hiernach ganz mit den oben angeführten For
mazionen, in der Wetterau u. s. w., übereinkommt
wirklich nur jenem terziären Sandsteine angehört
Endlich kommen damit auch noch einige G
Lagerungen in der Nähe von *Wien*, so wie
ders in Ungarn, überein, wie ich diefs nach Handstücken und Beschreibungen abzunehmen im Stand
war. Zulezt habe ich mich denn auch an Ort und
Stelle überzeugt, dafs die Sandstein- und Kalk-Ge
bilde, welche Herr Prof. Hessel in *Marburg* in Ihrer Zeitschr. f. Min.; 1825, II, S. 340 u. s. w
aus dem *Ebsdörfer* Grunde beschreibt, nichts anders
als terziärer Sandstein und Grobkalk sind, und dafs
lezterer daselbst, und von hier aus nördlicher durch
Hessen hin, jederzeit ebenso in sehr unerheblichen
Massen stellenweise blos so angedeutet ist, als
wie in einem grofsen Theile von Ober-Deutschland
und der Schweiz, von woher ich auch Vorkommen
und Handstücke zu vergleichen Gelegenheit hatte.

Hoffentlich reichen diese wenigen Andeutungen
hin, um die Aufmerksamkeit Mehrerer, auf die bezeichneten Gebilde und Punkte ihres Vorkommens,
hinzulenken, und sorgfältige Beobachtungen darüber
zu veranlassen; wozu ich zum Theil schon an Ort

nd Stelle mündlich aufzumuntern nicht versäumte. Ieine beabsichtigte ausführlichere Abhandlung über ie sehr mannichfaltigen Glieder dieser Sandstein-'ormazion und ihr Lagerungs - Gesez, hoffe ich ber allernächst schon mittheilen zu können.

Noch glaube ich — in Beziehung auf eine Mit-theilung des Herrn KLIPSTEIN's in Ihrer Zeitschrift 'ür' Min.; 1827, B. I, S. 78, bemerken zu sollen, lafs das Kalk - Gestein, was derselbe hier, aus der Gegend von *Angerbach* und *Maar*, für 'Dolomit inspricht und beschreibt, — mir sowohl aus diesem Punkte, als aus allen zahlreichen Muschelkalk - La-gerungen von Kur - Hessen u s. w., sehr wohl be-kannt, in Folge vorgenommener Zerlegungen aber ohne merklichen Bittererde-Gehalt, also auch kein Dolomit — ist; sondern ein Muschelkalk, der in seiner Struktur und Ansehen Vieles mit der dolo-mitischen Rauchwacke gemein hat, stets die unter-sten Schichten des Muschelkalkes bildet, und nur zufällig, etwa aus dem gewöhnlich unter ihm liegen-den mergeligen Schieferthone der bunten Sandstein-Lagerung, zufällig einmal einigen Bittererde - Ge-halt angenommen haben könnte. Es ist dasselbe Fossil, dessen Analyse in den naturwissenschaftli-chen Abhandlungen, herausgeg. v. e. Gesellsch. Württemberger; Tübingen, 1827, S. 325, Nro. 2. und besonders S. 328, Nro. 6 von mir aufgeführt und weiter beschrieben worden ist. — Uebrigens machte ich schon bei der ersten, von beiden hier

aufgeführten — Analysen aufmerksam, wie leic
man sich im Ansprechen der Kalksteine auf Dolo
zu irren im Stande ist.

Schade übrigens! daſs uns Herr KLIPSTEIN
dahin mit noch weiter keinem Resultate, sei
seit drei Jahren im Auftrage der Regierung v
nommenen, geognostischen Untersuch
der Groſsherzoglich Hessischen Länder
beschenkt hat. Namentlich darf man erwarten, d
ihm die Formazionen, wovon oben die Rede wa
äuſserst vollständig bekannt seyn müssen, und er i
Stande seyn würde, dem Publikum sehr viel Inter
essantes darüber mitzutheilen.

HUNDESHAGEN.

Miszellen.

Dr. Fitton schilderte in der Sizzung der geologischen Sozietät zu *London* am 1. Dezember vorigen Jahres (*Phil. Mag.; new ser.; Jan.,* 1827, *p.* 69) die Folge der Schichten in der Nachbarschaft von Folkstone, über deren Beziehungen man bis jezt noch zweifelhaft gewesen. Der *Folkstone marl* (*Gault*) ist von den untersten Kreide - Lagen durch eine Greensand - Schicht geschieden, und darüber erscheinen sandige Bildungen, gleichfalls durch eingemengte grünliche Theilchen ausgezeichnet. Nachstehendes ist die Aufeinanderfolge der Lagen: 1. weiſse Kreide; 2. graue Kreide; 3. Sand mit grünen Theilchen und undeutlichen, organischen Ueberbleibseln; unreiner, weiſser Mergel, mit Sand gemengt und dichte, rundliche Massen enthaltend; 4. blauer Mergel von *Folkstone* (*Gault*) mit *Hamites, Inoceramus, Ammonites* und kleinen *Belemnites;* 5. mächtige Lagen von Sand und Sandstein, voller grünlichen Theilchen, aber frei von organischen Resten.

HAUSMANN hielt in der Versammlung der Soz. d. Wi
sensch. zu *Göttingen* am 25. Aug. 1827 eine Vorlesu
über den Ursprung der, in den sandigen Gege
den Nord-Deutschlands zerstreuten, Fels-Blö
ke. — Die Ablagerung zahlloser Gebirgs-Trümmer is
Norddeutschen Sand-Ebenen, gehört unstreitig zu den
würdigsten geologischen Erscheinungen. Die Mannichf
keit in ihrer Zusammensezzung fesselt das Auge des Be
achters nicht minder, als die bedeutende Gröfse Ein
ner, in Verwunderung sezt; und wenn die Erfahrung leh
dafs ihre Verbreitung sich nicht auf die Süd-Baltisch
Ebenen beschränkt, sondern durch ganz Dänemark fortsez
und gegen O. wie gegen W. weit zu verfolgen ist; da
die südliche Grenze der Norddeutschen grofsen Sand-Fo
mazion nicht überall zugleich die Verbreitung jener Ge
schiebe abschneidet, sondern dafs sie an manchen Stellen bi
an den Rand der Norddeutschen Berge, und weit in einig
Flufsthäler und ihre Verzweigungen vordringen — so wir
es einleuchtend, dafs nur durch eine gewaltige Katastroph
welche die nordische Erde in der lezten Periode ihre
allgemeineren Veränderungen traf, jene Gebirgs-Trümmer
Ablagerung bewirkt seyn konnte. Zu dem grofsen geolo
gischen Interesse, welche diese Erscheinung gewährt, ge
sellen sich noch mehrere andere Rücksichten, welche ein
genauere Beleuchtung derselben wichtig machen. Die Ge
schiebe-Massen unserer Sand-Ebenen stellen dem Acker
baue oft eben so grofse Hindernisse entgegen, als sie den
Wegebaue in jenen Gegenden förderlich sind; und der Al
terthumsforscher findet unter ihnen merkwürdige, zum
Theil kolossale Denkmäler aus einer dunkeln Vorzeit, deren

ommen genau an die Verbreitung jener Steinmassen ge-
it ist. Die erste Frage, welche sich bei ihrer Be-
tung aufdringt, ist, unstreitig: „woher stammen
Gebirgs-Trümmer?" Gelingt ihre Beantwor-
, so ist ohne Zweifel viel für die Bahnung des We-
ewonnen, der zur künftigen Auffindung einer genügen-
Erklärung jenes geologischen Phänomens führen kann.
Die verschiedensten Meinungen sind über den Ursprung
in den Norddeutschen Sand-Ebenen zerstreuten, Gebe geäußert; sie lassen sich indessen auf folgende zuführen. 1. Die Gebirgs-Trümmer sind da, wo sie
finden, entstanden; sie sind Reste vormaliger, zusam-
hängender Gebirgs-Lager. 2. Die Gebirgs-Trümmer
aus der Tiefe der Erde an die Oberfläche gekommen;
sind Auswürflinge. 3. Sie sind Abkömmlinge anderer
tkörper, und als solche auf die Erde niedergefallen.
ie stammen von näheren oder entfernteren Gebirgsmas-
ab. Die erste dieser Meinungen, welche schon von
OLDINGEN, und neuerlich MUNCKE geäußert hat, scheint
Verbreitung der Stein-Blöcke in den Sand-Ebenen
ach zu erklären, wird aber durch die Art ihres Vor-
imens widerlegt. Die verschiedenartigsten Gebirgs-
immer, von älteren und neueren Formazionen, kommen
e Ordnung durch einander vor, die Grandmassen ge-
niglich tiefer, wie die größeren Blöcke; nicht blos
d, sondern auch Thon- und Mergel-Lager hüllen sie
; nirgends zeigen sich unter ihnen, oder in ihrer Nähe
tehende Gesteine, von welchen man die Trümmer älte-
Gebirgsmassen ableiten könnte; wohl aber ruhen sie,
ils mit dem Sand-Gebilde, welches sie einschließt, theils

unabhängig von demselben, auf verschiedenen Gliedern des
jüngeren Flöz-Gebirges. Sehr gewöhnlich sieht man e
jenen Trümmern an, daß sie durch eine lange Einwirkung
von Wasser, Abrundung und Ebenung der Oberfläche e-
litten haben. — Die Meinung, nach welcher die Geschiebe der Norddeutschen Sand-Ebenen Auswürflinge seyn
sollen, wurde vor langer Zeit von SILBERSCHLAG und dem
älteren DE LUC ausgesprochen, und neuerlich durch den
jüngeren DE LUC wiederholt vertheidigt. Auch diese Annahme wird leicht widerlegt, wenn man die Art des Vorkommens und der Verbreitung jener Trümmer mit einiger
Aufmerksamkeit verfolgt. Die dritte, von CHABRIER neulich aufgestellte Hypothese, über die Abkunft der in un-
ren Haiden ausgesäeten Gebirgs-Trümmer, erinnert an die
Fabel des AESCHYLUS vom Herkulischen Steinfelde im südlichen Frankreich, und bedarf wohl keiner besonderen Wi-
derlegung. Was die vierte Annahme betrifft, nach welcher
jene Trümmer Abkömmlinge von näheren oder entfernteren
Gebirgsmassen sind, so ist sie, abgesehen von der verschiedenen Art, wie man sich die Geschiebe und Blöcke fortgeführt denkt, darin abweichend, daß man dieselben entweder von südlichen, oder von nördlichen Gebirgen ablei-
tet. Ersterer Meinung sind MERROTTO und WREDE in ihren Schriften über die Bildung der Südbalt-Länder zugethan, und auch Herr Bergkommissär JASCHE hegt sie hinsichtlich der am nördlichen Harzrande sich findenden, fremden Geschiebe. Unter diesen kommen aber viele vor, die
den am Harze anstehenden Gebirgsarten völlig unähnlich
sind. Dasselbe zeigt sich, wenn man die Geschiebe der
Westphälischen Ebenen mit den Gesteinen der benachbarten

ge, oder wenn man die, in den flachen Elb - und
- Gegenden zerstreuten, Blöcke mit den Sächsischen
schlesischen Gebirgsarten vergleicht. Der Nord - Abfall
Norddeutschen Gebirge und höheren Flöz - Rücken, sezt
erbreitung der fremden Geschiebe gegen S. im Allge-
n eine Grenze, und wo diese hin und wieder in
- Thälern von ihnen überschritten wird, da sind sie
auch nur bis zu gewissen Punkten vorgedrungen;
ds aber lassen sie sich bis zum Ursprunge der Flüsse
lgen. — Vor langer Zeit ist von dem Hauptmann von
IWALD die Meinung geäufsert, dafs die, in Pommern
Mecklenburg sich findenden Orthozeratiten, Trilobiten
andere Petrefakten enthaltenden, losen Stücke von Kalk -
und Mergel von *Gottland* abstammen möchten, und
ländische Naturforscher haben schon längst die, in ei-
. Gegenden der Niederlande zerstreuten, Granit - Blöcke
Norwegen und Schweden abgeleitet. Dr. JORDAN lenk-
erst die Aufmerksamkeit darauf, dafs viele, in der *Lü-*
rger Haide zerstreute, Geschiebe Aehnlichkeit mit nor-
en Gebirgsarten zeigen. Seitdem haben mehrere andere
zeichnete Naturforscher sich dafür erklärt, dafs der grö-
Theil der, in den Norddeutschen Sand - Ebenen und in
mark abgelagerten Gebirgs - Trümmer, nordischen Ur-
ngs sey. Dieselbe Meinung ist, in Ansehung der im
ischen einzeln zerstreuten Granit - Blöcke, von dem Ar-
rath CLOSTERMEYER geltend gemacht. Schon im Jahre
5 äufserte der Verf. obiger Abhandlung in einer, der Kö-
. Sozietät vorgelegten, geognostischen Skizze von Nie-
achsen die Vermuthung, dafs ein grofser Theil von den,
en Norddeutschen Ebenen zerstreuten, Geschieben aus

'dem Norden abstammen dürfte. Die im folgenden Jahr von ihm unternommene Reise durch Skandinavien verschaffte ihm die beste Gelegenheit, jenen geologischen Gegenstand weiter zu verfolgen, und was ihm früher nur wahrscheinlich zu seyn schien, wurde ihm nun zur Gewißheit. In späterer Zeit widmete er besondere Aufmerksamkeit der merkwürdigen Verbreitung der nordischen Geschiebe im Fluß - Gebiete der *Weser*, wodurch sich ihm neue Aufschlüsse über die Verhältnisse jener Ablagerung von Gebirgs - Trümmern zu anderen, mit der Erd - Oberfläche vorgegangenen, Veränderungen darboten. Die Resultate dieser Untersuchungen enthält der zweite Haupttheil obiger Abhandlung.

Die Gebirgs - Trümmer, deren nordischer Ursprung nachgewiesen werden soll, müssen sorgfältig von solchen unterschieden werden, die einen andern Ursprung haben. Bei diesen nimmt man, hinsichtlich ihrer Ablagerung, folgende Haupt - Verschiedenheiten wahr:

1. Bruchstücke, welche keine bedeutende Ortsveränderung erlitten, die daher gemeiniglich von derselben Beschaffenheit sind, wie die Gebirgsmassen, die unter denselben, oder in ihrer Nähe im Zusammenhange anstehen, wie sie fast überall im Untergrunde, und auch häufig in der Acker-Krume angetroffen werden, welche Berge und Hügel deckt. Hin und wieder kommen einzelne, größere Fels - Blöcke vor, die sich von höher anstehenden Wänden ablösten, herabstürzten und nun am Fuße, oder an Einhängen von Bergen liegen. Diese Bruchstücke sind nach der verschiedenen Beschaffenheit der Gesteine gemeiniglich mehr und weniger scharfkantig. Ihr Ursprung ist fast immer leicht nachzu-

isen, und ihre Unterscheidung von fremden Geschieben,
zuweilen, z. B. am nördlichen Fuße des Harzes, damit
mengt vorkommen, nicht schwierig.

2. Geschiebe und Gerölle, welche man in den Betten
: Flüsse antrifft, und die durch die jezzige Strömung derben bald mehr, bald weniger weit fortgetrieben werden.
iese pflegen seitwärts sich nicht viel weiter zu erstrecken,
; die Breite der jezzigen Fluth-Betten bei höchstem Was-
rstande ist. Sie sind abweichend nach der Verschiedenheit
r Gebirgsmassen, welche die Flüsse durchströmen. Ob-
eich fremdartige Geschiebe in einige der Norddeutschen
lußthäler vordringen, so finden sie sich doch nur selten in
:n Betten der Flüsse mit den diesen eigenthümlichen Ge-
)llen vermengt.

3. Bruchstücke, Geschiebe und Gerölle, die durch
ühere, höhere Strömungen, welche die Grenzen der jezzigen
luth-Betten oft sehr weit überschritten und bedeutende
löhen erreichten, fortgetrieben, zum Theil in großer Aus-
reitung abgelagert, oder in Hügelmassen angehäuft wurden.
ast überall am Fuße des Harzes findet man im Untergrunde
nsgedehnte Ablagerungen von Geschieben, die aus Harz-
iebirgsarten bestehen; an einzelnen Stellen, zumal am Nord-
ande, bedeutende Anhäufungen derselben. Im Weser-
Thale, wie im Leine-Thale und den kleineren Seitenthälern,
ieht man an vielen Stellen ähnliche Anhäufungen. Auch
inden sich vor dem Austritte der Flüsse aus den Bergen, und
iin und wieder noch in beträchtlicher Entfernung von den-
elben, Ablagerungen von Fluß-Grand. In diesen Geröll-
\nhäufungen kommen nicht selten auch fremdartige Geschie-

be vor, deren Unterscheidung zuweilen Aufmerksamkeit erfordert.

Kommt man in die Region der Norddeutschen grossen Sand-Formazion, so sieht man anfangs noch wohl hier und da einzelne Geschiebe von Gesteinen der südlichen Berge, so wie man aber weiter darin vordringt, so erscheint fast Alles, was von kleineren und gröfseren Geschieben und Blöcken wahrgenommen wird, fremdartig.

Unter den Gesteinen der Norddeutschen Sand-Ebene fällt ein Haupt-Unterschied sogleich auf, der auch offenbar mit einer verschiedenen Abkunft im Zusammenhange steht, es finden sich nämlich:

1. Feuersteine in aufserordentlicher Menge und fast überall verbreitet. Oft sind sie noch in ihrer ursprünglichen Knollen-Form; oft noch mit einer Kreide-Rinde überzogen. Nicht selten finden sich in ihnen Versteinerungen, und zwar dieselben, welche man in der Kreide-Formazion antrifft. Ihre Abstammung aus Kreide-Flözzen leidet daher wohl keinen Zweifel. Mit Recht könnte aber die Frage aufgeworfen werden: ob diese Feuersteine nicht von südlich verbreiteten Flözzen herrühren, da durch neuere Untersuchungen das Vorkommen der Kreide-Formazion in Nieder-Sachsen und Westphalen nachgewiesen ist. Eben diese Nachforschungen haben aber ergeben, dafs die zum Kreide-Gebilde gehörenden Gebirgsarten jener Gegenden, nur an wenigen Orten Feuersteine enthalten; wogegen die Kreide, welche bei *Lüneburg*, auf *Rügen*, *Wollin*, in *Dänemark*, im südlichen *Schweden* vorkommt, Feuersteine auf ähnliche Weise führt, wie die Kreide von England. Wenn nun zu erweisen ist, dafs die übrigen Geschiebe,

welche

e mit dem Feuersteine in den Sand-Ebenen vermengt
aus nördlicheren Gegenden abstammen, so scheint die
von mehreren Geologen ausgesprochene, Meinung viel
ch zu haben, dafs jene Feuersteine von zerstörten
Flözzen herrühren, die vormals in der Nähe der
n Ostsee vorhanden waren. — Es kommen
!. Geschiebe von mannichfaltigen gemengten und ein-
Gesteinen vor, aus primärem und älterem sekund-
Jebirge. Bei weitem die Mehrzahl besteht aus kry-
isch-körnigen, krystallinisch-schieferigen, porphyr-
n Gebirgsarten und Konglomeraten. Selten kommen
und mergelartige und einige andere Gesteine vor;
se Arten sind sehr allgemein verbreitet, wogegen an-
sich mehr auf einzelne Gegenden beschränken. Zu
ehr allgemein verbreiteten gehören mannichfaltige Ab-
ungen von Gneifs, Granit, Syenit, Grün-
n, Porphyr — zumal Hornstein-, Kiesel-,
efer-, Feldstein-, Grünstein-Porphyr —
sel-Konglomerat, Quarzfels und Quarz-
dstein. Zu den auf gewisse Gegenden mehr beschränk-
sind unter andern die Kalk- und Mergel-Gestei-
mit Orthoceratiten, Trilobiten und anderen
fakten zu zählen; welche in *Mecklenburg* und Pom-
sich finden. Dafs diese Geschiebe nordischen,
namentlich Schwedischen Ursprunges sind, wird durch
nde Wahrnehmungen bewiesen.

1. Die Gesteine, woraus die erwähnten Geschiebe
then, stimmen so genau mit Schwedischen Gebirgsarten
ein, dafs sich von Manchen sogar die Gegenden ange-
lassen, wo die Massen anstehen, von denen sie ver-

muthlich abgerissen wurden. Dieselben Arten von Gr
und Gneifs, welche dort sich finden, kommen auch
unsern Haiden vor. Kiesel-Konglomerat, Qu
fels und Quarz-Sandstein, die in grofser Ve
tung und in hohen Bergmassen im Grenz-Gebirge
Schweden und Norwegen, auf den sogenannten Ki
anstehen, finden sich genau in denselben Abänderunge
ter jenen Geschieben. Der Trapp der Westgothi
Berge, der dichte Grünstein, welcher so oft (
im Schwedischen Gneifse bildet, werden in unseren
Ebenen wahrgenommen. Die schönen. Elfdalischen
phyre werden eben so bestimmt erkannt, als der a
zeichnete Syenit von Bjursås in Dalekarlien, un
Orthozeratiten und Trilobiten führende Kalk
der Inseln Gottland und Oeland. In den Gesteinen
Geschiebe zeigen sich nicht selten einfache Fossilien,
che Skandinavischen Gebirgsarten und Lagermassen vor
weise eigen sind, z. B. Granat, Thallit, Skapol
Malakolith, Magnet- und Titan-Eisenst
Auch verdient besondere Beachtung, dafs die Gebirgsar
welche in Schweden in gröfster Verbreitung vorkom
auch gerade diejenigen sind, welche am häufigsten im
Sand-Haiden zerstreut liegen. Granitartiger Ga
ist in den mehrsten Theilen von Schweden vorherrsch
Gebirgsart, und gerade aus diesem besteht in den mehr
Gegenden der Norddeutschen Ebenen, die gröfsere An
der Geschiebe.

2. Die fremden Geschiebe nehmen im Allgemein
an Frequenz und Gröfse zu, so wie man von den No
deutschen Bergen nordwärts sich entfernt, und in den Sa

fortschreitet; welches sich umgekehrt verhalten
wenn jene Geschiebe dieselbe Abkunft hätten, wie
alle der Flüsse, die in jenen Bergen entspringen;
Ausnahmen von dieser Regel kommen vor, indem
Striche der Norddeutschen, wie die der Dänischen
beven, fast ganz leer von Geschieben sind, und de-
deutende Anhäufungen derselben an einzelnen Stel-
nördlichen Harz-Randes, so wie an einigen Punk-
Weser-Thäler, angetroffen werden, wo auch, wie
Flecken Egge im Lippischen, hin und wieder ein-
löcke von bedeutender Gröfse sich finden. Aber in
wird man jene Behauptung bestätigt finden, wenn
e Lüneburgischen, Bremischen, Ostfriesischen Ebe-
ler die Mark *Brandenburg*, *Pommern*, *Mecklenburg*,
n, und weiter die übrigen Provinzen von *Dänemark*

Der Verbreitung der fremden Geschiebe sind gegen
Allgemeinen bestimmte Grenzen gesezt, durch den
hen Abfall von Gebirgen und Berg-Ketten. Beschrän-
r uns hier nur auf die näheren, in dieser Beziehung
r untersuchten Gegenden, so finden wir am nördli-
larz-Rande jene Grenze in einer, von *Blankenburg*
Werningerode, *Ilsenburg*, *Harzburg* bis nach *Goslar*,
fenden Linie. Hier macht sie einen einspringenden
l, und zieht sich dann weiter in einer Haupt-Rich-
gegen NW., den nordöstlichen Abfällen der Flöz-
a folgend, welche an der rechten Seite der Innerste,
neren Gegenden des Braunschweigischen und Hildes-
chen begrenzen. Von *Hildesheim* zieht sich die Li-
ziemlich gleichbleibender Richtung durch das Kalen-

bergische. Bei *Nenndorf* wendet sie sich plözlich gegen
W., dem nördlichen Abhange des *Bückeberges* folgend,
und sezt dann über *Minden, Lübbecke, Essen* weiter fort,
längs des nördlichen Fußes der Bergkette, die sich bis
die Gegend von *Osnabrück* zieht. Einen weit einspringenden Winkel macht die · südliche Grenze der fremden Geschiebe, indem sie aus der Gegend, südlich von *Osnabrück*
dem südwestlichen Fuße der Bergkette folgt, die in einer
Haupt-Richtung, von NW. gegen SO., die Ebene von
Münster und *Paderborn* nordöstlich begrenzt. Bei *Lipp-*
spring wendet sie sich auf eine kurze Strecke gegen S.
und nimmt bei *Paderborn* wieder die Haupt-Richtung von
O. nach W. an, dem nördlichen Saume der Gebirge des
Herzogthums Westphalen, · der Grafschaft Mark und des
Herzogthums Berg gegen den Rhein folgend. ·

4. Wo die erwähnten Bergketten, welche die südliche Grenzlinie der fremden Geschiebe bilden, durch Einschnitte unterbrochen sind, wo Flüsse sich ihren Weg
durch · dieselben gebahnt haben, und sogar über die Rücken
der Berge, wo diese eine geringere Höhe haben, dringen
die Geschiebe vor, · und verbreiten sich in mannichfaltigen
Verzweigungen, oft weit über die bezeichnete · Grenzlinie
gegen S. Die bergigen · Gegenden des Fluß-Gebietes der
Weser bieten die merkwürdigsten Beispiele in großer Menge
dar, von denen die sichersten Beweise zu entlehnen, daß
die Verbreitung jener Geschiebe in der Haupt-Richtung von
N. nach S. Statt fand. · In das *Innerste* - Thal und dessen
Seitenthäler sind fremde Geschiebe eingedrungen. Im *Leine*-
Thale verbreiten sie sich · bis oberhalb *Wispenstein* ; in ei-
nem Seitenthale sind sie durch die enge Schlucht bei *Brüg-*

msen bis zum Reuberge vorgedrungen. Im Weser-Thale
sen sie sich bis in die Gegend von Holzminden verfolgen;
ieht neben der Porta Westphalica liegt eine große An-
mmlung mannichfaltiger fremder Geschiebe oberhalb Haus-
rge, wo sie bis zu einer Höhe von etwa 150 F. über
m Spiegel der Weser, mit Weser-Grand und sandigem
hme vermengt, sich zeigen. In dem Hauptthale finden
ch in der angegebenen Erstreckung nicht selten einzelne
eschiebe, und van mehreren Stellen, besonders in gegen
O. gerichteten Thal-Buchten, z. B. oberhalb Fischbeck,
deutende Anhäufungen, und mitunter Blöcke von be-
ächtlicher Größe. Sie dringen in die mehrsten Seiten-
äler ein, zumal in diejenigen, welche in nördlicher, oder
einer davon nicht sehr abweichenden Haupt-Richtung
sm Hauptthale zulaufen. Sie erreichen hier nicht selten
sdeutende Höhen, und finden sich besonders in engen
ründen angehäuft. Vorzüglich hoch sind sie oberhalb
Jetho, Vahrenhols, Rinteln hinangetrieben. Im Thale
er Emmer dringen sie bis Pyrmont; an der rechten Seite
er Weser, bis gegen Koppenbrügge, und in einem andern
hale bis zum Dorfe Haien vor. Ueber dem Flöz-Rücken,
er von Minden bis in die Gegend von Osnabrück mit ab-
ehmender Höhe sich erstreckt, sind die fremden Geschiebe
a vielen Stellen, gegen S. fortgetrieben. Besonders merk-
rürdig ist ihre Verbreitung über den Sattel bei Lübbecke
a das Thal der Werra, und aus diesem in das der Bega;
a jenem dringen sie bis oberhalb Detmold vor, und ver-
reiten sich gegen den Fuß des Bergrückens, der die Wer-
a-Niederung von der Senne scheidet. Im Thale der Bega
ssen sie sich bis oberhalb Lemgo verfolgen, wo besonders

viele Blöcke am Abhange der *Lemgoer Mark* zerstreut liegen. In ähnlichen, von N. nach S. sich erstreckenden,
Zügen finden sie sich in der Gegend zwischen *Melle* und
Osnabrück, worüber HAUSMANN lehrreiche Mittheilungen
von dem Pastor PACKSTECHER, zu *Huntsburg* erhalten hat.
— Noch weiter gegen S., als im Fluß-Gebiete der *Weser*, dringen die fremden Geschiebe in dem der *Elbe* vor,
indem sie sich bis gegen *Leipzig* verbreitet zeigen. Auch
in der Oder-Niederung scheinen sie sehr weit vorzugehen,
worüber aber noch genaue Beobachtungen fehlen.

Wenn man die Verbreitung der fremden Geschiebe in
den Norddeutschen Ebenen verfolgt, so bemerkt man, daß
sie nicht überall gleichmäßig vertheilt sind, sondern in einer Haupt-Richtung von N. nach S., zuweilen mit einer
Abweichung gegen O., Züge bilden, in denen sie besonders
häufig sich finden. Oft lassen sich diese auf große Erstre-
kungen, bald mehr im Zusammenhange, bald mit Unterbrechungen verfolgen, wodurch man eben so, wie durch
die Vergleichung der Gesteine, nach *Schweden* hinüber geführt wird. Daß die Haupt-Richtung der Fortbewegung
der Geschiebe nicht genau von N. nach S., sondern mehr
von NNO. nach SSW. Statt fand, scheint dadurch bewiesen zu werden, daß Elfdalische Porphyre und andere Gesteine, die in *Dalekarlien* und in dem benachbarten Grenz-
Gebirge anstehen, in den Gegenden von *Braunschweig*,
Hannover, im *Weser*-Thale u. s. w. vorkommen, so wie
durch die Ablagerung von Gottländischen und Oeländischen
Gesteinen in *Mecklenburg* und *Pommern*.

5. Die Verbreitung nordischer Gesteine läßt sich nicht
allein durch ganz *Dänemark* verfolgen, sondern sogar bis

m. Ursprunge, bis tief in Schweden hinein. In den
n Ebenen *Schonens* liegen Geschiebe zerstreut, die
ördlicher anstehenden Felsmassen abstammen. In
d finden sich ungeheure Anhäufungen loser, gerunde-
öcke, die größtentheils eine nicht bedeutende Orts-
erung erlitten zu haben scheinen, unter denen aber
d wieder andere aus weiter Ferne, z. B. Elfdalische
rte, angetroffen werden. An den Westgothischen Bergen einzelne Granit-Geschiebe auf dem dortigen Kalk-
und bedeutende Rücken von Grüs und Stein-Blök-
unter denen auch viele aus *Elfdalen* abstammende
yr-Stücke sich finden, ziehen sich auf den Ebenen in
ähe des *Mälar*- und *Hjelmar*-Sees, von N. nach
i bedeutenden Erstreckungen fort.

Es ist beachtungswerth, daß der Haupt-Richtung die
ortführung von Gebirgs-Trümmern, von N. nach S.,
laupt-Richtung der Wasserzüge, der Seen, und der
rerbindenden Ströme in den südlichen Theilen von
dinavien, so wie die Haupt-Ausdehnung der großen
dinavischen Meerebusen, des Bothnischen, und des Mee-
usens von *Christiania* entspricht; womit ferner auch das
streichen der Schichtung der primären Gebirgs-Mas-
in *Schweden* übereinstimmt.

Um die Lage der Ebene annähernd auszumitteln, in
cher die nordischen Gebirgs-Trümmer unseren Gegen-
zugeführt wurden, war eine Vergleichung der höch-
i Punkte, an denen sie in Nord-Deutschland angetrof-
werden, mit den Höhen der Gebirgs-Massen, von de-
i jene muthmaßlich abstammen, erforderlich. Diese
gt, daß die Fortführung zum Theil in einer bedeuten-

den Höhe über dem jezzigen Meeres-Niveau geschah. Es
folgt daraus zugleich, daß die allgemeine Ablagerung des
nordischen Grandes und der nordischen Blöcke in den Norddeutschen Sand-Ebenen, um mehrere hundert Fuß tiefer
liegt, als die Ebene ihrer Fortführung. Auch wird es dadurch wahrscheinlich, daß die Kreide-Flözze in den Ost-
see-Gegenden vor ihrer Zerstörung eine bedeutendere Höhe
hatten, als die davon übrig gebliebenen Reste, welche
vielleicht zum Theil auch von manchen primären Gebirgs-
Massen in Schweden gelten dürfte, deren jezzige Höhe
kaum der höchsten Lage nordischer Geschiebe in Nord-
Deutschland gleich kommt. Endlich scheint daraus hervorzugehen, daß die, aus den höheren Gegenden von De-
lekarlien und den Kölen abstammenden, Gebirgs-Trümmer,
nicht unmittelbar nach Nord-Deutschland verpflanzt, sondern zuförderst niedrigeren Gegenden in Schweden zugeführt,
und von diesen zugleich mit anderen Gebirgs-Trümmer
weiter gefördert worden.

Die Art und Weise, wie die nordischen Geschiebe in
der großen Sand-Ablagerung und in den derselben untergeordneten Thon- und Mergel-Lagern vorkommen, beweist, daß ihre Translokazion mit der Bildung dieser Erd-
rinden-Lage im genauesten Zusammenhange steht, daß sie
in Hinsicht der Zeit damit zusammenfällt. Wenn nun alle Verhältnisse, in denen das, mit nordischen Geschiebe
erfüllte, Sand-Gebilde in Nord-Deutschland, und nach den
von FORCHHAMMER angestellten, Untersuchungen auch in
Dänemark sich zeigt, dafür reden, daß dasselbe zur ältesten terziären Formazion gehört, die von französischen Geologen mit dem Namen der Formazion des plastischen

u es belegt worden, so wird ein bestimmtes Anhalten
nnen, für die Unterscheidung jener grofsen Gebirgs-
mer-Ablagerung von späteren und beschränkteren Ge-
-Verbreitungen. Die Fortführung der nordischen
iebe scheint zum Theil noch in die Bildung der Grob-
-Formazion einzugreifen, wofür, wenigstens das, an ei-
Punkten beobachtete, Vorkommen nordischer Geschie-
Massen, die zu jenem Gebilde gehören, redet.

Die Art und Weise, wie die nordischen Geschiebe in
Thäler Nord-Deutschland eindringen, zeigt auf das
nmteste, dafs die Zeit ihrer Fortführung einer Periode
ört, in welcher unsere Fluss-Thäler, so wie manche
huitze in den Norddeutschen Flözrücken, noch nicht
jezzige Tiefe erlangt hatten. Die Ablagerung der nor-
en Geschiebe beobachtet in den Fluss-Thälern ein ge-
es Niveau über dem jezzigen, höchsten Wasserstande;
len tiefsten Stellen der Thäler und der tieferen Durch-
he pflegen sie nicht vorzukommen.

Einige Geologen haben die Meinung ausgesprochen,
die Katastrophe, bei welcher die Verpflanzung zahllo-
Gebirgs-Trümmer aus dem Norden in südlichere Ge-
den erfolgte, auch die Vernichtung der Elephanten und
erer grofser Vierfüfser, von denen sich Reste in den
ersten Lagen der Erdrinde finden, bewirkt habe. Ist
ber durch Cuvier's Untersuchungen für erwiesen anzu-
en, dafs diese Reste nur in terziären Massen vorkom-
n, welche jünger als die Formazion des Grobkalkes sind;
l darf man annehmen, dafs die Fortführung der nordi-
en Gebirgs-Trümmer mit der Bildung der ältesten ter-
ren Formazion zusammenfällt; so wird jene Meinung

widerlegt. Daſs an einigen Stellen, z. B. bei Ti[...]
dische Geschiebe mit den Ueberresten jener Thiere [...]
gefunden worden, läſst sich eben so leicht durch [...]
tere Wirkung parzieller Fluthen erklären, als die [...]
ten sich zeigende Vermengung von Flaſsgrand [...]
nordischen Fremdlingen.

Das hier geschilderte geologische Phänomen [...]
Erstaunen, wenn man dabei nur die Ausdehnung [...]
über *Dänemark* und die Norddeutschen Ebenen vo[...]
hat. Aber wie sehr wächst noch die Bewunder[...]
Gröſse und das Interesse, welches seine Betrach[...]
währt, wenn weitere Forschungen ergeben, daſs [...]
wahrscheinlich über den gröſseren Theil der nörd[...]
de, und überall unter sehr ähnlichen Verhältnissen [...]
Von Deutschland läſst sich die Verbreitung aus de[...]
den fortgeführter Gebirgs-Trümmer durch Polen [...]
in Ruſsland hinein, bis gegen *Twer* verfolgen, w[...]
der siebenundfunfzigste Breitegrad ihre südliche [...]
zu seyn scheint. Westlich geht die Ablagerung [...]
Geschiebe durch die Niederlande, wo ihre südliche [...]
ungefähr mit dem einundfunfzigsten Breitengrade [...]
Auch im östlichen England finden sich fremde Blöck[...]
darf man sie, wie es BUCKLAND sehr wahrscheinlich [...]
macht hat, aus *Norwegen* ableiten, so ergibt sich [...]
die Richtung ihrer Fortführung von NO. oder NNO. [...]
SW. oder SSW. In sehr groſser Ausdehnung stell[...]
dasselbe Phänomen in *Nord-Amerika* dar, und nach [...]
von HAYDEN darüber angestellten Untersuchungen ist [...]
dort die Richtung, in welcher die Fortführung der [...]
schiebe erfolgte, von NO. gegen SW.

Ablagerung großer Fels - Blöcke an den Vorgebir-
Alpen , am Jura, auf den Hügeln von Ober - Ita-
scheint große Analogie mit der Fortführung der nor-
Gebirgs - Trümmer zu haben. Wenn aber diese
in als ein über einen großen Theil des Nordens der
erbreitetes erscheint, so stellt sich dagegen jenes,
ungleich beschränkteres dar. Wenn die Alpen-
nach sehr verschiedenen Richtungen, auf geringe
ungen, aber in beträchtlichen Höhen fortgeführt und
ert erscheinen, so stellen sich dagegen die nordischen
be nur in einer Haupt - Richtung, aber auf sehr gro-
sernungen fortgetrieben, und in weit geringeren Hö-
gesezt dar. Bei der nordischen Katastrophe erlitten
rschiedenartigsten Fels - Massen Zerstörung und Fort-
g, und im Fortschreiten vermehrte sich die Man-
kigkeit der Trümmer; wogegen jene Alpen - Blöcke
us älteren, krystallinischen Gebirgsarten bestehen.
endlich die Zeit der Fortführung betrifft, so wurden
lpen - Trümmer später, als die aus dem Norden ab-
henden, in ihre jezzige Lage versezt; welches daraus
lehmen, daß jene an vielen Stellen auf den jüngsten
ern der Nagelflue - Formazion liegen, und sich durch-
unabhängig von derselben zeigen.
Die hier mitgetheilten Resultate der Untersuchungen
t die Abkunft der, in den Norddeutschen Sand - Ebenen
hagerten, Gebirgs - Trümmer, ergeben sich unmittelbar
den Beobachtungen über ihre Natur und die Art ihrer
breitung. Gewagt dürfte es erscheinen, schon jezt die
ache jenes großen geologischen Phänomens ergründen zu
llen. Obgleich Alles darauf hinzuweisen scheint, daß

durch mächtige Strömungen jene Blöcke und Gerölle ihren jetzigen Lagerstätten zugeführt worden, so möchten doch die bis jetzt gesammelten Erfahrungen nicht für zureichend gehalten werden können, um mit einiger Sicherheit Aufschlüsse darüber zu geben, wodurch den Strömungen das Vermögen ertheilt worden, Massen von solchem Umfange in so bedeutende Entfernungen fortzutreiben. Obgleich die von einigen Geologen aufgestellte Hypothese, daß die Fortführung der Blöcke durch Eisschollen bewirkt worden, sehr ansprechend ist, so sind doch auch mehrere dagegen vorgebrachte erhebliche Einwendungen nicht zu übersehen. Weit größere Schwierigkeiten dürften sich aber der Annahme von Wurf- oder Stoßkräften, die man zur Erklärung jenes Phänomens in Anspruch genommen, entgegen stellen. Weiteren Forschungen möge es vorbehalten bleiben, helleres Licht darüber zu verbreiten. Der Zweck der hier mitgetheilten Untersuchungen ist völlig erreicht, wenn sie dazu beitragen, den Weg zu einer künftig aufzustellenden, genügenden Theorie zu bahnen.

Als Anhang zu diesen Untersuchungen verdient erwähnt zu werden, daß die zuvor angegebene südliche Grenze der Verbreitung nordischer Blöcke, zugleich die Gegenden näher bezeichnet, in denen eine gewisse Art von Denkmälern aus einer dunkeln Vorzeit, die unter den Benennungen der Hünengräber, Riesenbetten, Steinhäuser, bekannt sind, vorkommt. (Gött. gel. Anz.; 1827, 151. u. 152. St.)

Glocker gab Nachricht über das Kieselschiefer-Gebirge beim Dorfe Steine, unweit Jordans-

hle in Nieder-Schlesien, und über die in
nselben vorkommenden Fossilien, nament-
h über die Gegenwart des Kalaites. (Beitr.
min. Kenntn. der Sudeten-Länder; 1. Heft, S. 45 ff.)
Haupt-Masse der vom Dorfe *Jäschwitz* bis *Steins* sich
eckenden Anhöhen besteht aus Kieselschiefer, der nur
einer geringmächtigen Dammerde-Schicht überlagert
d, und dessen geognostische Beziehungen zu dem nach-
ichen Serpentin-Gebirge eben so wenig, als seine Ver-
tnüg, ausgemittelt werden konnten. In den Klüften der
art trifft man Quarz, Asbest, Talk u. s. w., und an-
andern auch, was besondere Beachtung verdient, Kalait.
a. O. S. 58 findet man eine ausführliche Beschreibung
es Minerals, nebst den Resultaten einer von JOHN an-
ellten Analyse). Der Kalait füllt theils diese schmalen
lte ganz, theils bekleidet er die Wände derselben nur
dünner kleintraubiger Ueberzug, ferner kommt derselbe
Quarz, der geringmächtige Gänge im Kieselschiefer bil-
, eingesprengt und eingewachsen vor; endlich trifft man
auf sekundären Lagerstätten in traubigen und stalaktiti-
en Stücken, in einer Eisenwacke-artigen Erde, zwischen
Dammerde und dem anstehenden Kieselschiefer, zugleich
sogenanntem Wiesenerz.

———————

Bei *Zell* am See, ferner um *Tarenbach* u. a. a. O. im
burgischen, fiel am 7. Junius 1827, nach einem vorgegangenen heißen Tage, Schnee, der den Thalboden
r einen Fuß, die Berglehnen aber 2 bis 3′ tief bedeck-
(Zeitungs-Nachricht.)

12 Häuser durch das Einsinken unterirdischer Höhlungen
eingestürzt, die, indem sie sich auftbaten, fürchterliche
Abgründe blicken liefsen. Wiesen, grofse mit Weinstöcken,
mit Maulbeer- und andern Bäumen bepflanzte Felder haben
sich, ohne Erschütterung von aufsen, gesenkt. Das Einsinken dauert noch immer fort; das Dorf, welches beträchtlich ist, steht in Gefahr ganz verschlungen zu werden. Da die Erschütterung langsam, und ohne heftige
Stöfse vor sich geht, haben die Bewohner der bereits eingestürzten Häuser Zeit gehabt, sich zu retten. (Zeitungs-
Nachricht.)

Dwight erwähnt, in seinen *Travels*, *Vol. II*, *p.* 203,
bei Gelegenheit der Beschreibung von *Stafford* in *Connecti-
kut*, eines eigenthümlichen vulkanischen Ausbruches, der in jener Stadt sich ereignet haben soll. Die
Stelle ist ein erhabener Fels, den westlichen Rand des
Thales von *Willimantic* bildend. Aehnliche Erscheinungen
hatten angeblich Statt in dem *Soapstone mountain* in der
Grafschaft *Somers*. Nach Aussage der Einwohner hörte
man, in Folge eines anhaltenden Regens, heftiges Getöse,
stärker als das von Musquetenfeuer, im Innern des Berges,
das Phänomen wiederholte sich häufiger. Als der Fels bald
darauf untersucht wurde, zeigte sich eine kleine Weitung
von ungefähr 1 $1/_2$ Zoll Durchmesser, die auf beträchtliche
Tiefe, bis zu einem Eisenkies-Lager sich erstreckte. Die
Mündung derselben erweiterte sich in Gestalt eines Trich-
ters, und war erfüllt mit einem Gemenge aus Blättern,
Erde und Eisen-Vitriol. — Auch in der Grafschaft Mon-

soll, vor einigen Jahren eine ähnliche Erupzion an
Stelle. Statt gehabt haben, wo sich viel Eisenkies fand.

Aus den Göttingischen gel. Anz., Jahrg. 1827, 153.
theilen wir Stromeyer's chemische Analyse einer
neuen Abänderung des Magnesits mit,
die von ihm mit dem Namen Magnesitspath
wird. Dieselbe kommt theils in scharf ausgebildeten
Rhomboedern, theils in rhomboedrisch-körnigen Massen
und besteht, außer einigen Prozenten kohlensaurem
oxydul und kohlensaurem Manganoxyd, nur aus kohlensaurer Talkerde, ohne die geringste Beimischung von
kohlensaurem Kalke.

Bekanntlich hat man bisher den Magnesit blos amor-
ph getroffen, und nur in den Bitterspathen ist die kohlensaure Talkerde, in Verbindung mit kohlensaurem Kalke,
krystallinisch gefunden worden. In krystallogischer Beziehung, zumal hinsichtlich der Untersuchungen über Isomor-
phie der Körper, ist daher die Auffindung einer vollkommen
krystallisirten kohlensauren Talkerde ohne allen Kalk-Gehalt von nicht geringem Interesse. Uebrigens ist den Mi-
nerologen dieses Fossil schon länger bekannt gewesen, aber
denselben bisher für Bitterspath gehalten worden. Nur
Haus ist dessen wesentliche Verschiedenheit vom Bitterspath
nicht entgangen, und dasselbe ist auch bereits von ihm
seiner Mineralogie als eigene Spezies des Kalk-Haloids,
unter der Benennung brachytypes Kalk-Haloid,
geführt worden, weil, seinen Untersuchungen zu Folge,
dasselbe nicht nur durch eine etwas größere Härte und

50

ein etwas gröfseres spezifisches Gewicht, sondern auch
ein spizziges Rhomboeder von dem eigentlichen Bittern
seinem makrotypen Kalk - Haloid, unterscheidet. Eine w
sentliche Verschiedenheit in der Struktur und den |
schen Eigenschaften liefs daber Moss nicht ohne Grund
muthen, dafs sich dieses Fossil ebenfalls in seiner Mi
vom Bitterspathe unterscheide, und wahrscheinlich der
lensauren Kalk, und die kohlensaure Talkerde in einer
deren Verhältnisse mit einander verbunden enthalte, als
woria dieselben im Bitterspathe vorkommen. Hi
indessen volle Gewifsheit zu erlangen, sandte dersel
Stromeyer sehr reine, charakteristische Bruchstücke |
brachytypen Kalk - Haloide aus Salzburg, um dieses F
einer genauen chemischen Untersuchung zu unterwe
Durch diese ist nun nicht allein die Vermuthung des
rühmten *Wiener* Mineralogen, dafs sich dieses Fossil
in seiner Mischung von dem Bitterspathe unterscheide, r
kommen bestätigt worden, sondern es hat sich auch aus d
selben ergeben, dafs dessen Mischung, von der des Bitt
spathes, gänzlich verschieden ist, und insbesondere dadur
von demselben abweicht, dafs es gar keinen kohlensaur
Kalk enthält. Demnach kann es auch fernerhin nicht m
zum Kalk - Haloida gezählt werden, und möchte dab
wohl am passendsten seine Stelle im Systeme als späthige
Magnesit, oder Magnesitspath beim Magnesite erhalten
Dieses, in der That höchst unerwartete, Resultat veranlaßt
hierauf Stromeyern auch eine Untersuchung der, unter
dem Namen Bitterspath, Dolomit, Miemit, Braunspath,
Bitterkalk, Gurhofian u. s. w. bekannten, Fossilien vorzunehmen, deren Mittheilung er sich vorbehält. Indessen

affte ihm diese Untersuchung doch Gelegenheit das
iche Fossil noch von drei andern Orten zu erhalten,
ladurch das Resultat der ersten Analyse vollkommen
gen zu können.

lie vier zerlegten Varietäten des Magnesispathes fan-
th folgendermafsen zusammengesezt:

. Magnesitspath, in weingelb gefärbten Rhomboe-
vom *rothen Kopf* im *Salzburgischen Zillerthale*, und
Mohs als brachytypes Kalk - Haloid erhalten, bestand

Talkerde	41,06
Eisenoxydul	8,57
Manganoxyd	0,43
Kohlensäure	48,94
	99,00

2. Magnesitspath, in blafs gelblichbraun gefärbten
rhoedern, in Chloritschiefer eingewachsen, aus dem
rthale, hielt:

Talkerde	40,19
Eisenoxydul	10,53
Manganoxyd	0,49
Kohlensäure	48,48
	99,69

3. Magnesitspath, in erbsengelb gefärbten rhomboe-
ch - körnigen Massen mit Bitterspath und blätterigem
te, vom *St. Gotthard*, gab:

30 *

Talkerde	.	.	.	42,40
Eisenoxydul	.	.	.	6,47
Manganoxyd	.	.	.	0,62
Kohlensäure	.	.	.	49,67
				99,16

4. Magnesitspath, in schwarz gefärbten rhombodrisch-körnigen Massen, von *Hall* in *Tyrol*, enthielt:

Talkerde	.	.	.	43,44
Eisenoxydul	.	.	.	4,98
Manganoxyd	.	.	.	1,52
Kohlensäure	.	.	.	49,93
Kohle	.	.	.	0,11
				99,98

Die in diesem Magnesitspathe enthaltene Kohle ist, wie beim Anthrakonite, Ursache der schwarzen Farbe desselben und man könnte daher denselben auch als eine besondere Varietät des Magnesitspathes, vielleicht unter der Benennung von Anthrako-Magnesitspath, betrachten. Die Kohle kommt übrigens in demselben ebenfalls nur mechanisch eingemengt vor.

Da alle vier untersuchten Magnesitspathe neben der kohlensauren Talkerde auch zugleich kohlensaures Eisenoxydul und kohlensaures Manganoxyd enthalten, so läßt sich zwar vor der Hand nicht mit völliger Bestimmtheit entscheiden, ob diese kohlensauren Salze auch wesentlich zur Mischung dieses Fossils gehören, und mit der kohlensauren Talkerde als Doppelsalz vereinigt darin vorkommen, oder ob sie sich darin vielmehr nur zufällig und blos in der kohlensauren Talkerde aufgelöst befinden. Die geringe

ge derselben in Vergleich zu der kohlensauren Talkerde,
noch mehr ihr veränderlicher Gehalt machen es indessen um
ss wahrscheinlicher, daſs sie nur als zufällige Bestand-
e in diesem Fossile enthalten sind, und deshalb hat
MEYER auch kein Bedenken getragen, dasselbe zum
nesit zu zählen *.

Den Beschluſs dieser Abhandlung machten noch einige Bemerkungen über die, bei dieser Analyse befolgte, Methode, und
ein dabei eingeschlagenes neues Verfahren zur Scheidung des
Mangans von der Talkerde, welches auch mit gleich günstigem
Erfolge zur Trennung dieses Metalloxydes vom Kalke benuzt
werden kann.

· Die, bisher von den Chemikern zur Scheidung des Mangans von der Talkerde und dem Kalke in Anwendung gebrachten, Methoden sind zum Theil sehr umständlich, zum
Theil gewähren sie auch keine vollständige Abscheidung dieses Oxydes von den genannten Basen.

Durch die Fällung aller drei Basen in der Wärme durch
basische, fixe, kohlensaure Alkalien, Glühung des Nieder-
schlages und Behandlung desselben mit diluirter Salpetersäure
bewirkt man nur selten eine, einigermaſsen genügende, Trennung des Mangans. Besser gelingt dagegen dieselbe, wenn
man den, durch die fixen, kohlensauren Alkalien erhaltenen,
Niederschlag gleich in Salpetersäure auflöst, die Auflösung zur
Trockenheit verraucht, und die trockene Salzmasse vorsichtig
glüht, bis alles salpetersaure Mangan zersezt worden ist, wo
dann das gebildete Mangan-Hyperoxydul durch Wasser leicht
getrennt werden kann. Diese Methode erfordert indessen gro.
ſse Behutsamkeit und öftere Prüfungen, damit durch nicht zu
starkes Glühen auch etwas von dem salpetersauren Kalk-
oder Talkerde-Salze zersezt wird, oder sich, bei zu gelin-
dem Glühen, ein Theil des salpetersauren Mangans der Umänderung in Mangan-Hyperoxydul entzieht, welches besonders da leicht der Fall ist, wo gröſsere Mengen von Kalk-
und Talkerde mit kleinen Mengen von Mangan vorkommen. Die Fällung des Mangans durch schwefelwasserstoff-
saure Salze, welche von BERZELIUS öfters benuzt worden ist,

Zu *Jassy* verspürte man, nach mehrtägiger außerordentlicher Wärme, welche am 14. Oktober Mittags bis

---

führt gleichfalls zu keiner vollständigen Scheidung dieses Metalloxydes, selbst wenn die Auflösungen möglichst neutral sind. Auch hat nachgehends die Fortschaffung des überflüssig angewandten schwefelwasserstoffsauren Salzes große Unbequemlichkeiten, und außerdem muß das dadurch gefällte Mangan von Neuem wieder aufgelöst, und durch kohlensaure Alkalien niedergeschlagen werden, wenn man die Menge desselben mit Genauigkeit bestimmen will.

Diese Umstände machten es STROMEYERN schon lang wünschenswerth, einen leichteren und sichereren Weg zur Abscheidung des Mangans zu erhalten. Diesen schmeichelt er sich jezt durch folgendes, bei dieser Analyse angewandte, Verfahren wirklich erlangt zu haben. Aus der salzsauren, durch Salpetersäure zuvörderst gehörig oxydirten, Auflösung des Fossils wurde zuerst das Eisen in der Kälte, und bei angemessener Verdünnung durch neutrale, fixe, kohlensaure Alkalien niedergeschlagen; eine Methode, welche zur Fällung des Eisens, und Abscheidung desselben vom Mangan, Kalk- und Talkerde allen übrigen an Genauigkeit vorzuziehen ist, sobald sie mit der gehörigen Umsicht ausgeführt wird. Nachdem das Eisen auf diese Weise fortgeschafft worden war, wurde durch die rückständige, zuvor wieder angesäuerte und etwas in die Enge gebrachte, Auflösung ein Strom Chlorine hindurch geleitet, bis dieselbe, in Verhältniß ihres Mangan - Gehaltes, hinreichend damit gesättigt war, worauf dieselbe nun aufs Neue wieder mit neutralen, kohlensauren Alkalien bis zum leichten Ueberschuß versezt wurde. Hierdurch wird das Mangan auf das Vollständigste im Zustande des Hyperoxyduls ausgeschieden. Da das Mangan indessen nicht momentan niederfällt, sondern allmählich, so thut man gut das kohlensaure Alkali, zumal da, wo viel Mangan vorkommt, und auch zugleich Kalk vorhanden ist, ebenfalls nur nach und nach hinzuzufügen, bis die Flüssigkeit sich völlig entfärbt, und kein Mangan sich weiter ausscheidet, weil man sonst leicht Gefahr läuft, daß bei einer Uebersättigung mit kohlensaurem Alkali durch längeres Stehen der Flüssigkeit an der Luft, etwas Kalk und auch wohl Talkerde mit niedergeschlagen wird. In

R. im Schatten stieg, am Abende dieses Tages um
hr 35 Minuten in dem Zwischenraume weniger Stun-
zwei ziemlich heftige Erdbeben. (Zeit. Nachr.)

ERBREICH lieferte eine geognostische Beschrei-
ıg der Antimonglanz-Lagerstätte bei Brück.
Regierungs-Bezirke Koblenz. (KARSTEN,
ıv für Bergb.; XVI, 44.) Wir entlehnen Nachste-
les, daraus. Das Gebirge erhebt sich bei *Brück* nicht
400. F. über den Spiegel des *Ahr*-Flusses, bildet sanft
ndete Rücken, die hin und wieder rundliche Kuppen
en. Die Glieder des Grauwacken-Gebirges, welche

sehr geringem Mangan-Gehalte bedarf es keiner Hindurchlei-
tung eines Stromes Chloringas, sondern man reicht auch schon
mit Chlorinwasser aus.

Nach Entfernung des Mangans ist die Talkerde durch phosphorsaures Natron und ätzendes Ammoniak gefällt worden.
Dabei ist aber die Vorsicht gebraucht, die Auflösung zuvörderst wieder mit Salzsäure zu übersättigen, und zu kochen,
um alle Kohlensäure fortzujagen, und dann derselben erst nach
dem Erkalten, zuerst phosphorsaures Natron, und nachgehends
ätzendes Ammoniak hinzuzufügen. Ohne diese Cautel gewährt
diese Methode keine Sicherheit. Den gehörig ausgesüßten und
hierauf geglühten Niederschlag berechnet STROMEYER, zu
Folge eigener darüber angestellten Versuche, auf 100 zu 57
Talkerde. Derselbe bedarf nur bis zum anfangenden Rothglü-
hen erhizt zu werden. Das, vom verstorbenen MURRAY zu
Edinburgh empfohlne, starke und anhaltende Glühen desselben ist ganz überflüssig. Bei der Anwendung des kohlensauren Ammoniaks, so wie auch bei einem Rückhalte von kohlensaurem Alkali, wird viel phosphorsaure Talkerde in den
Auflösungen zurückgehalten, woher auch wohl die Abweichungen in den Angaben des Talkerde-Gehaltes dieses Salzes
liegen mögen.

die Martinsknipp, die Stelle, wo das Antimonglanz-Werk
befindlich, zusammensezzen, sind Grauwackenschiefer und
schieferige Grauwacke, welche in steter Abwechielnng mit
einander vorkommen, und gegenseitig in einander übergehen. Untergeordnete fremdartige Lager scheinen diesem
Gebirge fremd. Dagegen zeichnen sich einzelne Schichten
durch einen grofsen Quarz-Gehalt aus, andere schliefsen
Ellipsoiden und Kugeln von Eisenkies, auch Krystalle dieser Erzart ein. In einzelnen Schichten fand man, nahe bei
den Antimonglanz-Lagerstätten, Grauwacken-Kugeln von
gröfserer Festigkeit, als das sie einschliefsende Gestein, und
ringsum mit hervorstehender Nath, die stets in der Schich-
tungs-Ebene liegt *. Von Versteinerungen finden sich nur
einzelne Abdrücke von Monokotyledonen. Das Hauptstreichen der Schichten, im ganzen Rheinisch-Westphälischen
Transizions-Gebiete bekanntlich, aus O. in W., mit südlichem Verflächen, weicht an der Martinsknipp ab; im
westlichen Grubenfelde schwenkt es zwischen St. 8. und 9,
und wendet sich, im östlichen Felde, bis in St. 1 und 2.
Das Einfallen ist dabei südwestlich und westlich. Die
Neigung übersteigt nicht 45°. Zu Tage ist das Gebirge
sehr zerstört, besonders da, wo man in ihm die Antimon-
erze gewinnt. Diese Erze, meist Antimonglanz — körnig,
blätterig, auch innig gemengt mit Thonschiefer, oder in
zarten Blättchen, gleichsam durch Sublimazion in die Schieferung des Gesteines gedrungen — seltener Antimonocker,

---

* Gleich den grofsen Sphäroiden der Grauwacke des *Ehrenbreit-
steins*, und den Chalzedon-Kugeln des Mandelsteines von
Zwickau.

·den von ·Eisenkies, Quarz und etwas Braunspath beglei-
Die· Erze scheinen nur· einem, ungefähr 12 bis 16
hter breiten Streifen des Gebirges, der von SW.
NO., folglich in einem Winkel· gegen die Gestein-
chtung sich ausdehnt, anzugehören; sie kommen auf
: geringmächtigen, nicht über 6 Zoll starken, Gän-
, zwischen der Schieferung und in den sonstigen Klüften
Gesteines vor. Der Streifen wurde als Erze führend
r 80 Lachter aufgeschlossen. Seine Grenzen lassen sich
ht scharf angeben; an der Nordseite verlieren sich die
-Spuren allmählich, an der Südseite scheint die Erz-
rung im Hangenden eines, in St. 5, 4 streichenden, in
sich verflächenden, Ganges aufzuhören. An den Anti-
merze führenden Gebirgs-Streifen, nimmt man, aufser
er stärkeren Zerklüftung und einem mitunter geringen
arz-Gehalt, keine Veränderung wahr. — Als Resultat
ser Angaben ergibt sich Folgendes. In einem, durch
mnichfache Absonderungsweise sehr aufgelockerten, Ge-
rgs-Striche sezt in einer, von dem Streichen und Fallen
r Felsart abweichenden, Richtung ein Gang-Zug auf,
ssen einzelne Glieder so nahe neben einander fortstreichen,
fs die Spalten-Bildung zugleich ein Lüften der Gebirgs-
hichten verursachte, so, dafs ein Theil der Ausfüllungs-
asse der Gänge zwischen die Schichten und die sonstigen
bsonderungs-Flächen des Gesteines eindrang. Versezt man
un die Entstehung der Gang-Spalten in die Periode der
rstarrung des Gebirges, so ist es leicht erklärbar, wie bei
rhöhter Temperatur die flüchtige Erzart sich so innig mit
em Schiefer einigen konnte. Dafs der Erz-Gehalt des Ge-
teines von den Gängen herrühre, läfst sich dennoch wohl

nicht bezweifeln, zumal, wenn man bedenkt, daß nur
der Nähe der Gänge die Schichten Erze führend sind,
außerhalb des Gang-Zuges keine Spur von Antimonen
gen, daß bei weitem die meisten und derbsten Erze sich
den Gängen vorfinden, und daß das außerhalb derselb
brechende, eine geringere Eigenschwere hat, und bl
nur den Gestein-Klüften angeflogen, oder mit Schiefer
mengt, ist.

Ueber FORCHHAMMER's Schrift: *Om de geognostis*
Forhold i en Deel, af Sjelland og Naboeöerne: 1825,
theilen die Göttingischen Anzeigen (1827, 114. Stück)
nachstehende Weise. Diese Schrift enthält nicht alle
schätzbare Beiträge zur geognostischen Kunde von Dänemark
sondern bietet zugleich eine überraschende Erweiterung de
Kenntnisse von den terziären Formazionen im Allgemeine
dar. Daß Dänemark an mehreren Stellen im Besitze der
Kreide-Formazion ist, war längst bekannt. Der verstor-
bene ABILGAARD, ferner STEFFEN's, Graf v. VARGAS BEDE-
MAR u. A. haben Nachrichten darüber mitgetheilt. Aber
die Kreide von *Stevens-Klint* auf *Seeland* wurde für gleichzeitig mit der von *Möen* gehalten; so wie man ja überall
bisher nur eine Kreide-Formazion kannte. Das wahre
Verhältniß der Lager, welche die Kreide von *Stevens-*
Klint decken, war eben so wenig ausgemittelt, als die
Stelle, welche dem Kalksteine von *Faxöe* in der Formazionen-Folge anzuweisen seyn dürfte. — Die vorliegende Arbeit berücksichtigt vornämlich die geognostischen Verhältnisse an den angegebenen Punkten. Ihre Vergleichung und
genauere Erörterung hat zu Resultaten geführt, welche

neue Aufschlüsse über die Formazionen, aus denen die flachen Baltischen Länder bestehen, zu geben versprechen.

Die unterste Masse der Felsen von *Stevens-Klint* besteht aus K r e i d e , die in ihren Eigenschaften mit der Kreide-Formazion anderer Länder übereinstimmt. In Dänemark ruht die eigentliche Kreide, wie in England, auf grünem Sande und Kreide-Mergel. Feuerstein. in untergeordneten Lagen und einzelnen, knollenförmigen Stücken, findet sich häufig darin; so wie sie auch viele für die Formazion charakteristische Versteinerungen, zumal Alzyonien enthält. Unmittelbar auf der Kreide liegt ein schmales Lager s c h i e - f e r i g e n T h o n e s , welches höchstens 4 Zoll mächtig, zuweilen aber nur eine Linie stark ist, und an einigen Stellen ganz zu fehlen scheint. Die Schichten-Folge der Kreide mit den abwechselnden Feuerstein-Lagen ist völlig regelmäßig; nicht ganz gleichförmig mit dieser gelagert, stellt sich dagegen die Thon-Masse dar. Grüne Punkte finden sich darin eingesprengt, und von Petrefakten führt sie u. a. Haifischzähne. Diese Thon-Lage wird gedeckt von einem K a l k s t e i n e , dessen Mächtigkeit von 2 oder 3 Fuß bis zu wenigen Zollen abwechselt. Das Gestein zeigt sich an verschiedenen Stellen abweichend. Bald bemerkt man eine feste, klingende, gelbgraue Abänderung; bald nähert es sich der Kreide, bald dem darüber liegenden Kalksteine. Wie in der Thon-Lage kommen in ihm grüne Partikeln vor. Auch findet sich nicht selten Schwefelkies darin. Das Gestein enthält mannichfaltige Petrefakten, Konchyliolithen mit wohlerhaltener Schaale, darunter besonders auch C e r i t h i e n ; daher der Verf. dasselbe durch den Namen C e r i t - K a l k s t e i n bezeichnet. — Es folgt

nun eine Kalksteinart, die einige Aehnlichkeit mit Kreide
hat, aber doch in mancher Hinsicht bedeutend davon abweicht. Die erste Lage derselben ist eine Masse von 3 bis
4 Fuſs Mächtigkeit, welche aus Bruchstücken von Korallen, Echiniten und zweischaaligen Konchylien besteht, die
durch ein kalkiges und eisenschüssiges Bindemittel verkittet
sind. Es ruht darauf eine unregelmäſsige, 6 bis 10 Zoll
mächtige, Lage von Feuerstein, und darüber wechseln Feuerstein - Lagen mit 3 bis 4 Fuſs mächtigen Kalkstein - Blättern
ab. Die gröſste Mächtigkeit dieser ganzen Masse kann etwa 80 Fuſs betragen. Die Struktur derselben ist sehr abweichend von der der Kreide, indem ihr ellipsoidische
Schichtungs-Absonderungen eigen sind, so, daſs eine Menge
von Ellipsoiden, deren jedes ein abgeschlossenes Ganzes bildet, neben und über einander liegen. Unter den auſseror-
dentlich vielen Versteinerungen, die sowohl im Kalke, als
auch im Feuersteine sich finden, zeichnen sich besonders
Echiniten, von den Gattungen *Ananchytes* und *Spatan-*
gus aus. Der Verf. belegt dieſs Gebilde mit dem Namen
Korallit-Kalkstein. Vertiefungen der oberen Begrenzung dieser Masse, welche der ellipsoidischen Schichtung
entsprechen, erfüllt ein ungeschichtetes Kalkstein-Kon-
glomerat, in welchem scharfkantige Stücke durch Kalk-
sinter verkittet sind.

Ein paar Meilen südlich von *Herfölge* erhebt sich der
Hügel, auf welchem *Faxöe* liegt. An der nordöstlichen
Seite desselben befinden sich in bedeutender Erstreckung
Kalkstein'-Brüche. Das Gestein derselben hat verschiedene
Abänderungen. Besonders wechseln Lagen eines dichten,
splitterigen Kalksteines von gräulichweiſser in das Lichte-

;elbe sich ziehender Farbe. mit andern ab, die gröſsten-
heils aus Trümmern von Korallen bestehen. Vorzüglich
ı lezteren findet sich eine Menge von Resten ein- und
zweischaaliger Konchylien. Der Verf. führt u. a. an:
Nautilites danicus SCHLOTH., Trochylites niloticiformis
CHLOTH., Cypraeacites bullarius SCHLOTH., Cypraeaci-
es spiratus SCHLOTH. Auch Brachiurites rugosus SCHLOTH.
;ommt vor. Faxöes Gestein · hat mit dem Cerit-Kalke
ron Stevens-Klint eine konische Turbinolie, eine Art
Favosites, Trochus niloticiformis SCHLOTH., und Hai-
ischzähne gemein. Wenn alle Verhältnisse berücksichtigt
werden, so scheint es nach dem Verf. keinem Zweifel un-
erworfen zu seyn, daſs der Kalkstein von Faxöe als ein
Repräsentant des Cerit-Kalksteines von Stevens-Klint be-
rachtet werden darf.

Möen hat seine gröſste Höhe an der Ostseite, in der
Nähe der Küste. Hier erhebt sich Aborrebjerget zu einer
Höhe von 476 Pariser Fuſs, nach der Messung des Hrn.
Prof. SCHOUW. Lothrechte Kreide-Felsen, von mehreren
hundert Fuſs Höhe, bilden Möens-Klint. Die Kreide ist
mergelartig, nicht schreibend, nur abfärbend. Sie wechselt
ın starken Lagen mit Feuerstein, der gemeiniglich knollen-
förmige Stücke bildet, die, ohne im Zusammenhange zu
stehen, doch lagenweise geordnet erscheinen. Die Kreide
hat ellipsoidische Schichtung, und ist nicht reich an Versteinerungen, unter denen FORCHHAMMER Pektiniten, Terebratuliten, Ostrea vesicularis, eine Gryphaea, Echiniten
(Ananchytes ovata, pustulosa, Cidarites variolaris), Belemnites mucronatus, verschiedene Flustra-Arten, Turbino-
lien bemerkte. Es ruht die Kreide auf abwechselnden La-

gen von rauchgrauem Thone, von braunem und gelbem, thonigem Sande. Der gelbe, thonhaltige Sand stimmt genu
mit der Hauptmasse des in Dänemark verbreiteten Bodens
überein. Es liegen darin Geschiebe von Granit, Gneis,
Hornblende-Gestein, Quarz-Sandstein, zugleich mit einer
Menge von Feuerstein-Stücken. An einer Stelle auf Möen
führt die Thon- und Sandmasse auch Braunkohlen.
Die erwähnten Lagen bedecken auch die Kreide, und zuweilen erscheinen sie sogar als untergeordnete Lagen in der
Kreide. Möens Kreide bildet daher eine Einlagerung in
der grofsen Baltischen Sand- und Geschiebe-Formazion.
Sie ist aber nicht die einzige Einlagerung dieser Art, denn
die Massen von weifsem, kreideartigem Mergel, die so häufig in Dänemark vorkommen, sind von der nämlichen Natur. Vergleicht man nun Möens Kreide mit dem Koralli-
Kalksteine von *Stevens-Klint*, so zeigt sich nicht allein eine Uebereinstimmung in Ansehung der ellipsoidischen Schichtung, sondern auch hinsichtlich der Versteinerungen. Beiden sind gemein: *Ananchyt. ovata*, *Ostrea vesicularis*,
eine *Gryphaea*, *Belemnites mucronatus*, zwei Flustra-Arten. Mit *Faxöes* Kalkstein theilt Möens Kreide eine Art
der Gattung *Catillus*, und mit jenem und dem Cerit-Kalk-
steine von *Stevens-Klint* eine Turbinolie.

   Wenn nun die hier mitgetheilten Wahrnehmungen genau erwogen werden, so gewinnt nach dem Verf. die Ansicht höchste Wahrscheinlichkeit: dafs nur die untere Lage
von *Stevens-Klint* der Kreide-Formazion angehört; dafs
der darauf liegende Thon zur grofsen Thon-, Sand- und
Geschiebe-Formazion der Baltischen Länder zu zählen ist;
die mit dem plastischen Thone (*Argile plastique*)

r Französischen Geognosten übereinstimmt, daß dieser
ormazion *Möens* Kreide und der, in Dänemark viel ver-
reitete, Mergel untergeordnet sind; daß der Cerit-Kalk-
ein von *Stevens-Klint* dem Grobkalke (*Calcaire
ossier*) analog ist, und daß mithin auch *Faxöer* Kalk-
ein, so wie der Cerit-Kalkstein von *Stevens-Klint*, zu
n tertiären Formazionen gehören.

Diese zum Theil unerwarteten Resultate fordern ge-
riß zur genauen Untersuchung der übrigen Baltischen Küs-
en-Länder recht dringend auf. Das Vorkommen des
l ergel's in *Holstein*, in *Mecklenburg*, ist mit dem auf
en Dänischen Inseln völlig übereinstimmend. Das an den
mannichfaltigsten Petrefakten reiche Gebilde von *Sternberg*
n Mecklenburgischen, ist längst schon, als dem Grob-
al ke angehörig, erkannt. Es fragt sich nun aber, wohin
ie Kreide von *Lüneburg*, wohin die von *Rügen* gehört?
ben so muß es gegenwärtig besonders wichtig erscheinen,
ie Untersuchungen über den Gyps bei *Lüneburg* und *Se-*
ebbrg von neuem aufzunehmen. Referent, dem es früher
icht unwahrscheinlich vorkam, daß dieß, in mehrfacher
linsicht merkwürdige, Gebilde dem älteren Flöz-Gyp-
e angehöre (Skandinavische Reise I, 17), in welcher An-
cht ihm mehrere schäzbare Beobachter gefolgt sind, muß
zt aufrichtig bekennen, daß er durch die Bemerkungen
ORCHHAMMER's in seinem Glauben schwankend geworden,
nd daß ihm die Meinung des Hrn. Prof. STEFFENS, der
ne Gyps-Massen für jüngere Gebilde ansprach (geogno-
isch-geologische Aufsäzze, 126), mehr Gewicht er-
lten zu haben scheint. Die Beobachtungen von STEFFEN,
er das Verhältniß der Kreide zum Gypse bei *Lüneburg,*

verdienen dabei, eben so sehr berücksichtigt zu werden, als die durch PFAFF gemachte Entdeckung von Bernstein im *Segeberger* Gypse (SCHWEIGGER's Journal, VIII, 131). Sollte es sich zeigen, daß die Kreide von *Lüneburg* mit der von *Möen* zur nämlichen Formazion gehört, so würde es sich vielleicht auch ergeben können, daß der Bosniten-Gyps eine Einlagerungsmasse der großen Baltischen Sand- und Geschiebe-Formazion ist, und zugleich dürfte dadurch die Bahn zu weiteren Aufschlüssen über das Vorkommen eines bedeutenden, der Formazion des plastischen Thones angehörigen Steinsalz-Gebildes eröffnet werden, dessen Verhältnisse durch einige Beobachtungen bis jezt nur sehr unvollkommen angedeutet worden.

H. DRUMMOND gab Nachricht über die, im Distrikt von *Monteith*, in der Nähe des Kirchspieles *Kincardin*, und eine Meile von *Forth* aufgefundene, Wallfish-Gebeine. (*Mem. of the Werner. Soc.; V*, 2, p. 440. FÉRUSSAC, Bullet.; Jan. 1827, p. 51.) Sie liegen in Torf unterhalb eines 4 F. mächtigen, *coarse clay* genannten, Thones. Mit diesen Ueberresten kommen, wie zu *Airthrey*, Hirsch-Geweihe vor, auch Theile von Wasserpflanzen. Die Schicht mißt 6' Stärke und ruht auf bläulichem Sande.

J. W. ROBBERDS jun. lieferte interessante geognostische und geschichtliche Beobachtungen über die östlichen Thäler in Norfolk. (*Phil. Mag.; new ser.; March, 1827; p. 223.*) Der Verf.

-le, durch Untersuchung · des befragten Landstriches,
ılaſst, die Meinung von Cuvier, de Luc und · A.,
der Wasserstand des Ozeans seit mehréren Menschen-
-n keine Aenderung erlitten, zu bestreiten. Gegen die
-rkung, daſs, wenn ein Sinken des Niveaus des Meeres
ı gehabt, man an den Küsten unzweideutige Denkmale
ıer eingetretenen Aenderung wahrnehmen müsse, wäh-
gerade das Gegentheil beobachtet wird — wendet Roɪ-
ɪ's ein: daſs die östlichen Thäler von *Norfolk*, in ih-
ganzen Erstreckung, die deutlichsten Spuren der frühe-
Anwesenheit des Meeres darbieten, und daſs der allmäh-
; Rückzug der Wasser in dem vorliegenden Falle sich
weifelhaft geschichtlich nachweisen lasse. Um das-
ıun, daſs jene Thäler vormals Verzweigungen eines
ı erstreckten, durch das Meer eingenommenen, *Aestua-
ns* gewesen, wählt der Verf. physikalische und geschicht-
ıe Beweise. Zu den ersteren gehören namentlich die
ıten einer ehemaligen Bucht, bestehend aus neueren Mu-
eln und losem Sande, stets zu dem nämlichen Niveau
ı ungefähr 40 F. über dem Flusse sich erhebend, dem
ufe der Thäler gemäſs erstreckt, und die Oberfläche der
rge nicht überschreitend. Als historische Beweise wählt
ɪɪɪʀᴅ's: Tradizionen, Denkmale aus alter Zeit, Ety-
ʌlogieen von Dörfer-Benennungen u. s. w., und positive
.chichtliche Notizzen. Verschiedene Römische Befestigun-
ı, welche, obwohl dieselben gegenwärtig etwas landein-
irts liegen, in früherer Zeit ohne Zweifel zum Schuzze
r Küsten gedient hatten; der Einfall des Sweyn mit sei-
r Flotte nach *Norwich*, im Jahre 1004; die, in Lager-
ıhern aufgezählten, Salinen, in mehreren Dörfern be-

findlich, welche acht Meilen von der jezzigen Küste entfernt liegen; Nachrichten, welche darthan, daſs *Yarmouth* im Jahre 1347 noch eine Insel gewesen; gerichtliche Verhandlungen aus dem Jahre 1327, erweisend, daſs bis zu jener Zeit Schiffe, mit Waaren beladen, nach *Norwich* kamen u. s. w. Alle diese Thatsachen beweisen, nach dem Verf., daſs die östlichen Thäler von *Norfolk* einst Verzweigungen eines weit erstreckten *Aestuariums* gewesen, und daſs ihre gegenwärtigen Flüsse und Seen nur Ueberbleibsel der groſsen Wassermasse sind, welche die Oberfläche dieses Landstriches einst, und selten in verhältniſsmäſsig neuerer Zeit, überdeckten; die Folge dieser Aenderung war eine Senkung des Deutschen Oceans.

Ueber das **Frankensteiner Gebirge in Schlesien** und über das **Vorkommen des Chrysopraſes** in demselben schrieb GLOCKER, Beitr. zur min. Kenntn. der Sudetenländer; 1. Heft, S. 1 ff. Das *Frankensteiner Gebirge*, dessen Haupt-Richtung zuerst aus N. nach S., dann nach SW. geht, gehört zu den niedrigeren, wenig steilen Gebirgen *Nieder-Schlesiens*. Man kann dasselbe in eine nördliche und südliche Hälfte, in das *Kosemizzer* und *Grochauer* Gebirge theilen. Seiner Hauptmasse nach ist es ein Serpentin- und Gabbro-Gebirge; die Unterlage besteht aus Granit, zum Theil auch aus Gneiſs, seltener zeigt sich Glimmerschiefer. Der Serpentin ist mit Klüften und Gang-Trümmern durchzogen, welche das Gebirge ohne Regelmäſsigkeit durchkreuzen. Häufig sieht man die Klüfte mit Quarz, Chalzedon, Chrysopras, Hornstein, gemeinem und

opal, Kascholong, Magnesit, Pimelit, Asbest, Talk,
lith, Eisenocker u. s. w. erfüllt. Diese Fossilien kom-
theils einzeln, theils in Verbindung mit einander vor
re Gänge finden sich im Serpentin-Gebirge, so weit es
ext aufgeschlossen ist, selten. Das denkwürdigste
iel iss ein, 3′ mächtiger, Chromeisenstein-Gang. —
Gabbro ist nicht geschichtet; er liegt bald über dem
ntine, bald wechsellagert er mit ihm, oder liegt un-
emselben. — Charakteristik des Chrysoprases und sei-
Varietäten. — Das Vorkommen des Chrysoprases hat
der auf Gängen und Adern im Serpentine Statt, oder
cheint in mehr und weniger isolirten Stücken in einer
ch- oder röthlichbraunen, thonigen Erde.

Die Formazionen zu beiden Seiten der gro-
See-Bucht von Monte-Video sind nach
CLEUOH * äusserst interessant, denn leztere scheint die Ur-
azion von den neuesten Gebilden eines sekundären Lan-
u scheiden. An der Nordseite des Flusses, wo Mon-
ideo liegt, finden sich Granit, Gneiss, Thonschiefer
Ur-Trapp (Grünstein), an der Südseite ein sehr
r sinteriger Kalkstein von braunlichweisser Farbe,
uf zähem Thone lagert, dieser Thon erstreckt sich
weit nach Patagonien.

Zu den interessanteren Beispielen vom Vorhandenseyn
stallisirten Kupferoxyduls auf antiken Arbei-

Süd-Amerikanische Reisen; Weimarische Uebersezzung. S. 101.

31 *

ten von Kupfer oder Bronze gehört jenes, dessen J. Davy
gedenkt. (*Ann. of Phil.; Dec.*, 1825, p. 465.) Ein
alterthümlicher Helm, auf dem Boden des Meeres unter
Corfu gefunden, zeigte sich mit Muscheln und einer Scha-
le kohlensauren Kalkes bedeckt. Unter dieser Bedeckung
war eine aus Grün, Roth und Weifs gemengte Rinde wahr
nehmbar. Das Grüne ergab sich als ein Gemenge aus kohlensaurem und basisch salzsaurem Kupfer, das Rothe als
Kupferoxydul in regelmäfsigen oktaedrischen Krystallen, gemengt mit ebenso geformten Krystallen metallischen Kupfers,
das Weifse endlich war Zinnoxyd.

———————

Nilson schilderte (*K. Vet. Acad. Handl.*; 1825, und
Berzelius, Jahresber.; VI, 306) die Erd-Bildung im
südöstlichen *Schonen*, so wie die obersten Lager von Sand
und Torf, und zeigte, dafs die unterste Schicht der Sand-
Bildung auf der Kreide-Formazion ruhe; aber diese unterste Sand-Bildung, besonders ausgezeichnet bei *Käseberga*,
woselbst sie 200 F. hohe Hügel zusammensezt, gehört
nicht dem Diluvium, sondern, wie Nilson glaubt, der
Kreide-Formazion an. Er fand in jenem Gebilde zwei
Braunkohlen-Lager von 1 bis 2 Zoll Mächtigkeit, und
angeblich soll, der Aussage der Arbeiter zu Folge, in gröfserer Tiefe ein noch stärkeres Lager vorhanden seyn.

———————

Bouis d. Aeltere hat Versuche über die Gegenwart des
Ammoniaks in thonigen Mineralien angestellt. Er wies

dieselbe im Thon-reichen Gypse nach, ferner in mehreren
Thonen u. s. w. (*Journ. de Pharm.*; 1827, *Juin*, 282.)

W. Phillips theilt Beobachtungen über die Krystallform des Sillimanits mit [*]. (*Phil. Mag. n. Ser.*; I,
Nro. 6, *p.* 401.) Dieses Mineral, zuerst beschrieben von
Bowen in dem *Americ. Journ. of Sc.*; *May*, 1824, sollte
in schiefen rhomboidischen Säulen, von ungefähr 106°
30′ und 73° 30′ vorkommen, die Neigung der *P*-Fläche
zur Achse des Prismas aber 113° betrage. Der Durchgang
wurde, als der größeren Diagonale, parallel angegeben. —
Man trifft, wie es scheint, die Substanz stets eingewachsen
in Quarz. Ihre Krystalle, häufig etwas gebogen, mitunter
sogar gewunden, ließen keine genaue Messung zu. Einige
aus dem Mutter-Gesteine abgelösten kleinen, jedoch nichts
weniger als glänzenden, Krystalle, zeigten indessen, bei
wiederholten Messungen, Winkel von ungefähr 88° und
92°. Diese dünnen Krystalle, zum Theil mehrfache Ent-
seitungen habend, sind fast durchsichtig und wasserhell,
oder es steht denselben höchstens ein kleiner Stich ins Gelbe zu. Ihre Härte stimmt mit jener des früher bekannt
gewordenen Sillimanits überein. Der deutlichste Durchgang entsprach jedoch der kürzesten Diagonale des Prismas; mit der von Bowen angenommenen Endfläche so wenig, als in irgend einer andern, die Achse schneidenden,

---

[*] Nach dem früher bekannt Gewordenen, hatten wir (Oryktognosie; 2. Aufl. S. 409) dieser Mineral-Substanz vorläufig
ihre Stelle Anhangsweise beim Disthen eingeräumt.

Richtung, ließ sich eine Spaltung bewirken. Mit dem
Disthen dürfte der Sillimanit nicht zu vereinigen seyn.

Unfern *Bordeaux*, an den Ufern der *Garonne*, hat man
unlängst eine Knochen-Höhle entdeckt. Gebeine von
Tiegern und Hyänen werden darin gefunden.

Zu *Calanzaro* in *Calabrien* verspürte man, in der
Nacht vom 16. Oktober 1826, einen heftigen Erdstoß
(Zeitungs-Nachricht.)

Dubreuil und Marcel de Serres schrieben über das
Vorkommen von Schildkröten-Resten im Süßwasserkalke bei *Flacq*, auf dem Eilande *Maurice*, oder
Ile-de-France, in der Mitte des Indischen Meeres. (*Ann.
des Sc. nat.*; IX, 394.) Beim Brunnen-Graben traf man,
in der Mitte eines großen Waldes, in einer Tiefe von einem
Meter, zahlreiche Schildkröten-Ueberbleibsel im Süßwasserkalke, dessen Mächtigkeit nicht über 1 Meter betragen
dürfte.*. Cuvier ** gedenkt bereits des Vorkommens fossiler Schildkröten auf *Ile-de-France* in vulkanischen Gebilden eingeschlossen. Der Süßwasserkalk, von welchem

---

* Nach Guet findet sich, in geringer Entfernung, derselbe Kalk
unmittelbar über Bruchstücken primitiver, auf der Oberfläche
des Bodens liegender, Gesteine. Nichts spricht dafür, daß der
befragte Kalk je vom Meere bedeckt worden sey; er zeigt sich
frei von jeder Spur meerischer Geschöpfe.
** *Recherches sur les ossemens fossiles*; *V*, 248.

Rede, ist porös, mit vielen Blasen-ähnlichen Räumen
durchzogen von kleinen regellosen Höhlungen, deren
dungen mit weißem, thonigem, sehr weichem Kalke
idet sind. Die Grundmasse des Kalksteines, graulich-
a von Farbe, ist sehr fest, klingend, und verbreitet, beim
:hlagen, einen eigenthümlichen Geruch. Die Schildkrö-
iebeine liegen meist zerbrochen und durchaus regellos zer-
t in denselben. Sind fast alle schwärzlich, oder dunkel-
u gefärbt. Mitunter zeigen sie sich dem Kalke innig
unden, so, daß sie allmählich in demselben ver-
en, und nur durch etwas dunkle Färbung, durch die
en Räume ihres schwammigen Gefüges davon un-
heidbar sind. Auch nicht eine Spur von Land-
Meeres-Muscheln hat der Kalk aufzuweisen, und
über seine Lagerungsweise keine zureichenden Auf-
isse gegeben sind, so ist es nicht leicht, über die For-
ons-Epoche desselben mit einiger Sicherheit abzuurthei-
Muthmaßlich gehört er, zu Folge der darin eingeschlos-
n Schildkröten-Gebeine — welche in zu beträchtlicher
ge vorhanden sind, um für zufällige Erscheinungen
n zu können — der unteren Süßwasser-Formazion an,
. jener, welche den Grobkalk überdeckt. Die Land-
ldkröten-Reste von *Ile-de-France* stehen im Ganzen
heutiges Tages in *Indien* noch lebend vorhandenen näher,
den Gattungen *Europas*.

Das Land um Buenos-Ayres ist nach CALD-
UOH * außerordentlich flach, so, daß von vielen Flüssen,

* Süd-Amerikanische Reise; Weimar. Uebersezz., S. 122 ff.

welche westlich von den *Kordilleren* herkommen, kein einziger das Meer erreicht; sie bilden entweder Landseen, da ihr Wasser verdunstet durch die Hizze. Die Dammerde ist von mergelartiger Beschaffenheit, und liegt auf zähem Thone. — Bei *Fontezuelas* findet man zuerst wieder einen porösen, braunen, sinterigen Kalk.

BREITHAUPT hat den, aus theoretischen Ansichten vermutheten, Stronzianerde-Gehalt des Schaumkalkes auf experimentellem Wege dargethan. (SCHWEIGG, Jahrb. d. Chemie für 1827, B. I, Heft 2, S. 148.)

GLOCKER beschreibt einige seltene Braun-Eisenstein-Arten Schlesiens, namentlich einen strahligen und einen haarförmigen Braun-Eisenstein, jener kommt im Mandelstein-Gebirge bei *Landeshut* am Fuße des *Riesen*-Gebirges und am *Finkenhübel* bei *Dürrkunzendorf* in der Grafschaft *Glaz* vor, dieser, der sogenannte Haar-Amethyst von *Finkenhübel*, erscheint unter ähnlichem Verhältnisse, eingewachsen in Amethyst. Endlich geschieht noch eines haarförmigen Braun-Eisensteines Erwähnung, der bei *Tarnowitz* getroffen wird. Er scheint für den dichten Braun-Eisenstein dasselbe zu seyn, was der Holzstein für den Hornstein ist. (Beitr. zur Kenntn. der Sudeten-Länder u. s. w. 1. Heft, S. 80 ff.

NOEGGERATH gab Nachricht über das Vorkommen von Gediegen-Gold im *Preußischen* Mosel ebiete. (SCHWEIGGER, Jahrb. d. Chemie, n. R.; XX, 57.) Dieses Gold dürfte aus sehr reichen Gold-führenden Quarz-Gängen herrühren, welche im *Hundsrücker*-Gebirge afsezzen müssen, eine Vermuthung, welche durch einen, m **Nov. v. J.** geschehenen, Fund fast zur Gewifsheit geteigert wird. Ein Knabe fand nämlich im sogenannten Grosbach, der bei *Enkirch*, im Kreise *Zell*, Regierungs-Bezirk *Koblenz*, in die *Mosel* fliefst, ein Stück Gediegen-Gold von 4 Loth Gewicht. Es ist 1″ 8‴ lang, und 9‴ dick; im Aeufseren Geschiebe-artig abgeschliffen; von unvollkommen knolliger Gestalt, mit verschiedenen Vertiefungen und ausgefressenen Löchern versehen, und mit kleinen Quarz-Bröckchen verwachsen.

BREITHAUPT schrieb über den Kalk-Schwerspath oder krummschaaligen Schwerspath, der nach ihm als neue, vom Schwerspathe verschiedene, Spezies zu betrachten ist, deren Eigenschaften folgende sind: auf den vollkommensten Spaltungs-Flächen Perlmutter-, übrigens Glasglanz; die Farben vorherrschend weifse, doch auch rothe, graue und braune; die Durchscheinenheit geringer, als beim eigentlichen Schwerspathe; Primärform, wie beim Schwerspathe, eine makroaxe Rhomben-Pyramide, deren Dimensionen nicht vollständig bekannt; die Krystalle sind undeutlich und stets gruppirt, namentlich nierenförmig und kugelig. Aus einer Reihenfolge mit Schwerspath, Strontspath (d. h. schwefelsaurem Stronzian) und Kalk-Schwerspath angestellten Versuchen ergeben sich, hinsichtlich der Eigenschwere folgende Grenzen: Strontspath = 3,93 bis 3,96,

Kalk - Schwerspath = 4,02 bis 4,29, Schwerspath 4,30
bis 4,58. Es scheint, dafs nicht aller geradschaaliger Schwerspath eigentlicher Schwerspath, und dafs kein krummschaa-
liger eigentlicher Schwerspath ist. Der Kern des leztern
ist zuweilen Kalk-Schwerspath. Da im *Freiberger* Revier
wirklicher Strontspath höchst ausgezeichnet vorkommt, da
in eigentlichen Schwerspathen Spuren von Stronzianerde
enthalten sind, so liefs sich wohl mit Recht vermuthen,
dafs der krummschaalige Schwerspath, wenn er eine eigene
Spezies ist, wahrscheinlich aus schwefelsaurer Schwererde
und schwefelsaurer Stronzianerde zusammengesezt sey. Allein bei näherer Untersuchung mehrerer Varietäten ergab
sich eine Zusammensezzung aus schwefelsaurer Schwererde
und schwefelsaurer Kalkerde, zum Theil ohne Spur von
Stronzian. Diefs unerwartete Ereignifs steht jedoch in guter Uebereinstimmung mit gewissen Eigenschaften des sogenannten krummschaaligen Schwerspathes; denn derselbe
hat in seinem Glanze, und in seiner Struktur Aehnlichkeit
mit Anhydrit. Noch auffallender aber ist sein Verhalten im
Vergleich zum eigentlichen Schwerspathe, indem er viel
leichter verwittert, als dieser u. s. w.

A. BALBI sagt im I. Bande seines *Essai statistique sur*
le royaume de Portugal ect.: „Die Hochgebirge dieses Landes, aus Granit bestehend, hängen mit den Spanischen zusammen, und legen die Schneedecke auf ihren Gipfeln nicht
ab, die ungefähre Höhe der *Serra do Suazo* dürfte 7400
Fufs, jene der *Serra da Estrella* 7200 F. betragen. Ungeheure Kalkberge durchziehen das Land, welches nur zwei

ien an der Süd-Seite des *Tago*, und an der Mündung
Vouga hat. Die Küste ist mit Vorgebirgen besezt, auch
-Strecken, Klippen u. s. w. finden sich hier. Heiſse
len sind in Menge vorhanden, und Erdbeben nicht
wöhnliche Erscheinungen. In den Thälern ist die
e gröſser, als in *Brasilien*, und auf den Höhen kaum
Wärme von Deutschland. Im Winter, von Ende No-
ber bis Februar, treten die Flüsse aus; mit Ausnahme
Gebirge, friert es selten. (Göttingische gel. Anz.;
:7, 92. St.)

W. H. Fitton theilte Bemerkungen mit, die einan-
r gegenüber liegenden Küsten Frankreichs
d Englands betreffend, und fügte einige Nachrichten
r das untere *Boulonais* bei. Er beschreibt die Schich-
, welche in der Umgegend von *Folkstone* auf die Krei-
folgen, und schildert sodann die geognostische Beschaf-
heit des zulezt genannten Landstriches.

nennungen, vor-zlich von Eng-hen Fundorten, entlehnt:	Vorkommen	
	in *England*.	im unteren *Bolonais*.
side . . .	Felsen zwischen *Do*ver und *Folkstone-Hill* — *Beachyhead* unfern *Brighton* — Insel *Wight* — Insel *Purbeck*, *Dorsetshire* u. s. w.	Küste von *Sangatte* nach *Blancnez* — und von da auf der Grenze des unteren *Boulonais* nach *Mont St. Frieux* u. s. W.

Benennungen, vorzüglich von Englischen Fundorten entlehnt:	Vorkommen	
	in *England.*	im unteren Boulonais.
Merstham Stone (Greensand — Feuerstein — oberer Greensand — *Tufau.*	*Merstham, Reygate* u. *Godstone* (Feuerstein - Grube daselbst) — westliches *Sussex* (*Malen Rock*) — Insel *Wight* — *Swanage Bay* — Insel *Purbeck* u. s. w.	Küste zwisch. *Blanz nez* und *Wissant.*
Gault (*Folkstone*-Mergel — *Dieve* der Franzosen).	*Copt - Point*, Norden von *Folkstone* — Thal unter der Kreide in *Kent*, *Surrey* und *Sussex*.	Küste nordwärts *Wissant* — Nachbarschaft von *Herdinghen* — *Lottinghen* — Nachbarschaft von *Samer*.
Shanklin Sands (unterer Greensand — *Tourtia* der Franzosen).	Ufer zwischen *Folkstone* und *Hythe* — Nähe von *Maidstone*, *Kent* — westliches *Sussex* — *Shanklin* und *Blackgang* — Eiland *Wight*.	Küste im Norden von *Wissant* und Gegend um *Wissant*, — waldige Berge parallel der Kreide von *Desvres* und *Samer* u. s. w.
Weald clay.	*Wealds* (mit niederem Holze bewachsene Gegenden) von *Kent* und *Sussex* — *Cowleaze-chine*, Insel *Wight*, Norden der *Swanage*-Bucht, Insel *Purbeck*.	In *Boulonais* nicht mit Sicherheit nachgewiesen.

ennungen, vor- iglich von Engli- schen Fundorten, entlehnt:	Vorkommen	
	in *England*.	im unteren *Boulo-nais*.
Iastings Sands	*Hastings*, *Sussex* — südliche Küste auf *Wight* — *Swana-ga*-Bucht.	In *Boulonais* nicht mit Sicherheit nach-gewiesen.
Purbeck Stone.	Eiland *Purbeck* — Höchster Punkt der Insel *Portland*.	Einige Spuren in den erhabensten Klippen zwischen *Gris-nez* und *Equihen*.
Portland Sto-ne.	*Stotover Hill* und *Garsington*, *Ox-fordshire* — *Brill-hill*, *Bucks*.	Oberer Theil der Fel-sen zwischen *Gris-nez* und *Equihen* — Steinbrüche von *Mont Lambert*.
Kimmeridge u. Weymouth-beds.	Küste bei *Weymouth* — Steinbrüche un-fern *Hedington*, *Oxfordshire*.	Küste zwischen *Gris-nez* und *Equihen* — Steinbrüche bei *Mont Lambert* — Nachbarschaft von *Desvres*, von *Sa-mer* u. s. w.
Pisolite und Coral-rag.	Küste bei *Wey-mouth*.	*Basinghen*, *Hauten-bert*, *Alinctun* — *Hesdin*, *l'Abbé* u. s. w. — Nähe von *Samer*.
Oxford clay.	Küste bei *Weymouth* — Gegend um *Ox-ford*.	Nähe von *Wast* — *Houlfort* — zwi-schen *Basinghen* und *Marquise*.

Benennungen, vor-züglich von Engli-schen Fundorten entlehnt:	Vorkommen	
	in England.	im unteren Boul-nais.
Bath-oolite.	Gegend um Bath.	Bei Marquise Steinbrüche bei bringhen — Ar tun — Rety u. s.
Steinkohle (Co-al-Formation).		Nähe von Hardi hen — Steinbrü von Leubring — Ardentun — ty u. s. w.
Bergkalk (moun-tain - limestone).	Derbyshire — De vonshire — Gegend um Bristol — Du blin.	Leulinghen — Stei brüche von Ferque Haut - banc u. s. w

Im NO. von *Folkstone* folgt auf die Kreide das Aequivalen des *Mersthant Firestone* (oder *Greensand*); di Mächtigkeit beträgt nur 15 bis 16 F. Dann tritt unmittel bar der Gault auf. Der *Shanklin Sands* (unterer *Greensand*), die nächste Schicht besteht aus drei Gruppen, welche auch im Innern des Landes sich nachweisen lassen. *Weald clay* und *Hastings Sands* sind auf den Küsten von *Sussex* und *Kent* nicht so entwickelt, dafs sie besonders gut zu beobachten wären. — Das untere *Boulonais* gleicht einem sehr flach gedrückten, ungleich gekrümmten Damme, nach drei Seiten umgrenzt von Kreide - Bergen. Die unte ren Schichten haben da, wo sie unter der Kreide hervor treten, ein sehr geringes Fallen, aus dem Meere heraus steigen dieselben weit beträchtlicher vor. Von der Kreide

ım *Shanklin Sands* (unterer Greensand) zeigen
ıe Schichten der entgegen gesezten Küsten von *Calais*
olkstone durchaus korrespondirend. Der Gault zumal
sgezeichnet deutlich entwickelt in der Nähe von *Har-*
rn, wo auf ihn der *Bath oolite* und die Koh-
Formazion folgen. Die zunächst an der Englischen
auftretenden Lagen, *Weald clay* und *Hastings*
I s — welche im Innern des Reiches bis jezt nicht
funden worden, — dürften im *Boulonais* nicht vor-
ıen, oder doch nur einen sehr beschränkten Raum ein-
ımen. So sind einige Spuren der untersten Glieder
: Gruppen, denen die befragten zwei Schichten ange-
ı, auf den Höhen zwischen *Equihen* und *Gris-nez* zu
ıchten, und denkwürdig wegen der Ueberbleibsel von
ıvasser-Muscheln, die sie einschliefsen; es zeigt sich
ein gering mächtiges Lager etwas bituminösen Thones,
häufig verkieseltes Holz, mit kleinen, von Quarz-Kry-
ın ausgekleideten, Höhlungen enthält. Es entspricht
ɪlbe genau der, auf dem höchsten Punkte der Insel
land vorkommenden, unter dem Namen *Dirt* bekann-
, Ablagerung. Auf der Französischen Küste sieht man
ıergesellschaftet mit Kalkstein-Lagen, reich an Mu-
ın, scheinbar zu *Cyclas* und *Ampullaria* gehörig.
nächste Schicht in *Boulonais* ist das Aequivalent des
rtland limestone, welcher zu *Garsington* und
ɪtover Hill in *Oxfordshire* vorkommt, ferner zu *Brill*
ı. ı. O., um *Aylesbury* in *Buckinghamshire*. Manche
ɪeifel, hinsichtlich seiner Lagerung, sind indessen noch
ht gelöst; die Versteinerungen zeigen sich mit den auf der
el *Portland* vorhandenen, theils übereinstimmend, theils

abweichend. Die Formazion in *Boulonais* besteht, wie *Oxfordshire*, aus gröberen kalkigen Konkrezionen, reich organischen Ueberbleibseln, und eingelagert in gelblich etwas eisenschüssigem Sande. An diese Formazion reiht sich mehrere Schichten, den Lagen zwischen dem *Portland limestone* und dem *Coral-rag* entsprechend und genau mit denen der Küste von *Weymouth* übereinstimmend. Sie bestehen aus wechselnden Lagen von Sand, Kalkstein und Thon, theils bituminös und viele Fossilien einschliefsend. Man trifft dieselben an den höhern Stellen der Hügel zwischen *Gris-nez* und *Equihen*. *Oolite* und *Coral rag* wurden an der Küste nicht getroffen, allein in einiger Entfernung, landeinwärts, treten sie auf, so bei *Basinghen* u. s. w. Gegen N. zeigen sich dieselben begrenzt durch Thon, Versteinerungen einschliefsend, ähnlich denen des *Oxford clay;* in ihren untern Theilen enthalten sie Lagen von Sand und von kalkigem Grufs. Bei *Marquise* tritt sodann ein Aequivalent des *Bath oolite* auf (die oberen Glieder der oolithischen Reihe, *Cornbrash* und *Forest marble*, fehlen, oder sind nur sehr undeutlich vorhanden); der unmittelbar dem *Gault*, oder dem unterliegenden Sande zu folgen scheint. — Der *Mountain limestone*, die tiefste Formazion von *Boulonais*, erscheint stellenweise unmittelbar nach dem unteren *Greensande*, oder nach dem *Gault*, ohne dafs selbst der Oolith dazwischen sichtbar wäre; bei *Landrethun* ist die Kreide von dem Kalke nur eine viertel Meile entfernt. Die Lagen vom *Mountain limestone* wechseln hin und wieder mit Dolomit, dem in ähnlichen Lagerungs-Verhältnissen bei *Dublin* vorkommenden, durchaus ähnlich.

Der

Versteinerungen dieser Formazion in *Boulonais* stimmen
mit den von *Derbyshire*, *Gloucestershire* und *Dublin*
:in.

Ueber die Gold-Waschereien des Kolonel
tUALDO unfern Congonhas do Campo und
r die Topas-Grube von Capao d'Olanda
man in der Süd-Amerikanischen Reise von A. CALD-
ou * S. 534 ff. Nachstehendes. Das Gold bricht in
n sehr mürben Quarz-Gesteine, welches gangartig den
isteinschiefer durchsezt. Diese Gänge sind porös, und
hren Höhlungen kann man das 22 karatige Gold, mit
:waffnetem Auge, eingesprengt erblicken. Körner einer
varzen, glänzenden Substanz, welche ROMUALDO für
alt ansprach (dürften nichts als Eisenoxyd seyn), beglei-
a das Gold, welches nicht krystallisirt vokommt, son-
1 aus scharfen, eckigen Theilchen zu bestehen scheint.
beiden Seiten der Gänge lagen grofse Massen Grünstein-
iefer im Zustande der Zersezzung, und von einem Aus-
en, wie Walkererde. Nachdem wir mehrere Stunden
der Gold-Wascherei zugebracht hatten, schlug ich vor,
Grube zu besuchen, welche die schönen Exemplare des
romsauren Bleies enthält, aber es wurde mir versichert,
3 sie geschlossen sey, und man unmöglich Exemplare
alten könne. Ich kehrte hierauf nach dem Orte zurück,
d sezte meinen Weg über einen sehr hohen Berg und
i einem äufserst rauhen Pfade nach einer merkwürdig ge-

---

* Weimarische Uebersezz.; 1826.

stalteten *Sierra* fort. Ich ließ diese zur rechten Ha
verfolgte das Ufer des Flusses, und erreichte den Me
Hier verloren wir den Weg, und die Nacht brach
Glücklicherweise begegnete uns ein Neger, welcher
nach *Capo d'Olanda* führte. Ich bekam die unangen
Nachricht, daß der Eigenthümer der Topas-Grube
send sey, und daß ich deshalb darauf Verzicht le
müsse, seinen Vorrath von Topasen zu untersuchen; a
der Bruder des erwähnten Mannes gab mir einen gro
Quarz-Krystall zur Untersuchung. Er enthielt zwei
drei Topase von weingelber und Fleischfarbe, nebst e
gen eingeschichteten Blättchen von Eisenglanz. Ich ba
dieses Exemplar nebst einem andern, und begab mich
der, eine halbe Englische Meile entfernten, Grube. D
große Masse des Berges besteht aus glimmerhaltigem
senerze. Sein Schichtenfallen unter 51°; es streid
nach NO. In dieser großen Masse gibt es ausgebreite
Lager von beträchtlich zerseztem Talkschiefer mit Quarz
Gängen. Am Fuße des Berges fließt ein beträchtlich
Fluß, in welchem die ersten Topase gefunden wurden
Ob dieser Fluß und die Aushöhlungen seines Bettes a
Hinabsinken des Talkschiefers bewirkten, kann ich sich
angeben, aber ein beträchtliches Hinabsinken fand Statt,
und da man nun eine größere Menge Topase fand, so be
schloß der Grund-Eigenthümer Wasser von einem hö
heren Berge oben auf das Talk-Gestein zu leiten. Die
wurde ausgeführt, und eine Strecke von fast drei Engl
sche Akern glitt aus ihrer ursprünglichen Lage, und w
jezt auf das sorgfältigste auf Topase durchsucht. Die
Edelsteine findet man in den schon erwähnten Quarz-Gä

in welchen sie in der Regel ganz locker liegen,
aus dem zersezten Talkschiefer, welcher von rother
e und so weich ist, dafs der Fufs bis zum Knie darin
nkt, ausgewaschen werden. Die Bergleute nennen die-
Talk *pisada*. Die Quarz-Gänge enthalten einen fein-
igen, weifsen Talk, welcher oft den Quarz in langen,
en Prismen durchdringt. Sezt man ihn der Feuchtig-
ans, so verändert er seine Farbe und wird erdiger.
weifsen Talk hält man für eine sichere Anzeige von
sen. Zu den Seiten dieser Gänge findet man gewöhn-
grofse Massen gelben, erdigen Steinmarkes und weifsen
ärteten, dichten Talk. Der Quarz ist in der Regel durch-
ig, und hat, obgleich er nicht krystallisirt ist, wenig-
eine Neigung zur Krystallisazion. Topase sind häufig
emselben eingeschlossen, eben so auch Talk-Prismen
sechsseitige Tafeln von grünem Talke. Eisenglan-
In finden sich sehr häufig. Die Mächtigkeit der Gänge ist
abwechselnd, sie beträgt nämlich 2'' bis 2', und we-
des fortgerutschten Talk-Lagers hat sich die ursprüng-
Lage der Gänge sehr verändert. Diesem Umstande ist
uch zuzuschreiben, dafs die Topase, welche so leicht
echten Winkeln zu ihrer Achse brechen, zerbrochen
locker gefunden werden; ferner, dafs wenige Quarz-
mplare mit unzerbrochen hervorragenden Topasen an-
offen werden. Sehr selten trifft man Topas-Krystalle,
welchen beide Enden vollkommen deutlich vorhanden
Ich habe viele Säcke voll Topase untersucht, und
en einzigen von dieser Vollkommenheit darunter gefun-
, und sollte ja einer vorkommen, so ist das eine Ende
er ganz glatt, und das andere feingekörnt, oder zacken-

artig. Ich vermuthe, daſs wenn an einer anderen St
ein Gang angebrochen werden würde, die Topase am Q
ze befestigt seyen, und auch die Gänge alsdann frei
erdigem Talke, mit welchem sie jezt angefüllt sind,
troffen werden würden. Dieses groſse Werk ist sei
lezten zwölf Jahren im Betriebe, und hat binnen
Zeit einen Rein-Ertrag von 40,000 *Crusaden* gegeben
der trockenen Jahreszeit wird sehr wenig Aufmerksam
darauf verwendet, aber sobald die Regenzeit beginnt,
sen die Neger des Besizzers ihre landwirthschaftlichen
beiten verlassen, und bekommen kleine eiserne Spiz
mer, um Topase zu suchen. Schöne Steine kosteten
Octava (72 Gran) 2,400 *reis*, ein sehr hoher Preis.
Euklas, welcher noch immer äufserst selten gefunden wir
kommt in der Nähe dieser Topas-Grube in den Flüss
vor, und wiewohl er bis jezt noch nicht mit Quarz v
bunden, oder in demselben eingeschlossen getroffen wo
den, so scheint doch kein Grund vorhanden, um einen a
dern, als einen gemeinschaftlichen Ursprung anzunehme
Ja seine zerbrechliche Natur erklärt auf das Genügendst
wie das Herabsinken des Ganges, wodurch die Topase a
brochen worden sind, auch zugleich den andern Stein völ
lig zerstört hat. Viele Jahre lang verachteten die Einwob
ner den Euklas als einen werthlosen Stein, aber seit nach
demselben durch Reisende Nachfrage entstanden ist, verlan
gen sie den nämlichen Preis, wie für Topas. In dieser
Topas-Grube hat man noch keinen Euklas entdeckt.

In dem 103. und 104. Stück der Göttingischen g
lehrten Anzeigen von 1827, findet sich eine ausführlich

teilung des klassischen Werkes von Cuvier und Brong-
: *Description géologique des environs de Paris* *,
er wir, da der Rezensent mehrere interessante Beob-
tgen , Ergebnisse seiner lezten Reise, eingeschaltet,
gern hier eine Stelle einräumen.

›Das Werk,, dessen zweite, sehr vermehrte Ausgabe
nzeigen, ist für das geologische Studium von grofser
tigkeit, indem dadurch die Aufmerksamkeit auf eine
merkwürdiger Gebilde gelenkt worden, die früher
ihren wahren Verhältnissen, beinahe ganz unbekannt
2. Fortgesezte Beobachtungen haben erwiesen; dafs,
'ariser Formazionen nicht etwa, — wie man Anfangs
tauben geneigt war — nur als lokale Gebilde angespro-
werden dürfen, sondern vielmehr zur Reihenfolge der,
meinen Erdrinde-Lagen gehören. Jene meisterhafte Arbeit
aber nicht allein auf solche Weise zur Erweiterung der
de des Gezimmers der Erde ein Grofses beigetragen, son-
t auch, durch die glückliche Anwendung eines genauen
efakten-Studiums auf die Methode in der Geognosie,
n bedeutenden Einflufs gehabt, und durch Untersuchun-
über den merkwürdigen Wechsel von Meeres- und Süfs-
sser-Produkzionen ein neues Licht auf die, mit unse-
1 Erdkörper vorgegangenen, Veränderungen geworfen.
: Verf. hatten die Genugthuung, dafs, obgleich seit dem
scheinen des *Essai sur la Géographie minéralogique des
virons de Paris*, die Kunde der terziären Formazionen
t raschen Schritten sich erweiterte und vervollständigte,
nnoch die, in jenem Werke zuerst anfgestellte, Ordnung

---

* Paris; 1822.

derselben im Wesentlichen unverändert beibehalten werden
konnte. Die gröfsere Vollkommenheit der neuen Ausgabe
besteht hauptsächlich in einer ungleich vollständigeren Charakterisirung der verschiedenen Formazionen; in einer bedeutenden Vermehrung der Listen von den in ihnen sich
findenden Resten und Spuren organisirter Wesen, so wie
in einer genaueren Bestimmung derselben; in einer vervoll-
ständigten Nachweisung des Vorkommens in verschiedenen
Gegenden, und besonders in einer weit umfassenderen Vergleichung der *Pariser* Formazionen mit ihren Aequivalenten
in anderen Theilen der Erde. Um diese vergleichende
Kunde der terziären Gebilde hat sich vorzüglich Brongniart der Vater Verdienste erworben, sowohl durch die
Mittheilung eigener, auf verschiedenen Reisen angestellter,
Beobachtungen, als auch durch Benuzzung der Untersuchungen anderer, zumal französischer Naturforscher. Brongniart
der Sohn hat durch die angehängte Beschreibung vege-
tabilischer Ueberreste, aus den terziären Formazionen, zur Erhöhung des Werthes dieser neuen Ausgabe beigetragen.«

»Das Werk besteht aus drei Haupt-Abschnitten. Der
erste Abschnitt liefert eine Uebersicht und Charakteristik
der verschiedenen Formazionen, die den Boden der Umgegend von *Paris* konstituiren; in dem zweiten ist das Vorkommen und die Verbreitung dieser Formazionen an den
verschiedenen Orten, in der Gegend von *Paris*, im Besonderen nachgewiesen; und bei jeder Formazion sind Bemerkungen über ihr Vorkommen in andern Gegenden angebracht.
Der dritte Abschnitt enthält das Nivellement der Gegend
von *Paris* und die geognostischen Durchschnitte, nebst
allgemeinen Betrachtungen über die gegenseitigen Verhält-

iisse unter den verschiedenen Lagen und über ihre Bil-
lung. «

» Die Verfasser unterscheiden in der Reihenfolge der
Gebirgs - Formazionen: I. *Terrains anciens ou primordiaux,*
welche das primäre oder sogenannte Uebergangs - Gebirge
begreifen. II. *Terrains de sédimens,* bei denen von ihnen
unterschieden werden 1. *Terrains de sédiment inférieur,*
oder die Formazionen vom jüngsten Uebergangs - Gebirge bis
zum *Calcaire à Gryphites* einschlüssig, worunter hier aber
ein Theil des älteren Flözkalkes, und nicht die Formazion
verstanden zu seyn scheint, welche die Deutschen Geognosten Gryphiten - Kalk zu nennen pflegen. 2. *Terrains
de sédiment moyen,* oder die Formazionen von jenem
kalke bis zur Kreide einschlüssig. 3. *Terrains de sédiment
supérieur.* Diese letzte Abtheilung zerfällt nach der, jetzt
von den Verfassern angenommenen, Klassifikazion in folgende, in der Gegend von *Paris* verbreitete, Formazionen: 1.
Premier terrain d'eau douce, wozu der sogenannte plasti-
sche Thon, nebst den Braunkohlen, und dem ersten terziären Sandsteine gehören. 2. *Premier terrain marin:* Grobkalk, und Sandstein, der zuweilen mit ihm vorkommt, oder
ihn vertritt. 3. *Deuxième terrain d'eau douce:* kieseliger
Kalk, Knochen-Gyps, Süfswasser-Mergel. 4. *Deuxième terrain marin:* Mergel mit Gyps, Sandstein mit Sand, Kalkstein und Mergel. 5. *Troisième et dernier terrain d'eau
douce.* Die sogenannten *Meulières* der Gegend von *Paris*
und der obere Süfswasser - Mergel. 6. *Terrain de trans-
port:* Geschiebe und Konglomerat, Thonmergel, Torf. «

» Die Folge der, in der Gegend von *Paris* befindlichen,
Formazionen beginnt mit der Kreide. Die Verfasser un-

terscheiden in dieser Formazion drei Abtheilungen, die s
nicht allein oreographisch, sondern auch petrographisch v
schieden zu zeigen pflegen, und die sie durch die Nam
Craie blanche, Craie tufau und *Craie chloritée* oder *Gl
conie crayeuse* bezeichnen. In der *Pariser* Gegend stellt
allein die reinere, weiße Kreide in einfachen Verhält
dar. Sie ist ärmer an Petrefakten, wie die beiden an
tieferen Abtheilungen, von denen die *Craie tufau* von gr
licher Farbe und sandig zu seyn, und statt des Feuerstei
Hornstein zu enthalten pflegt, wogegen die *Craie chlorit
durch den Gehalt grüner, chlortähnlicher Körner, un
grünlicher oder röthlicher Knoten sich auszeichnet, dere
Mischung nach BERTHIER hauptsächlich aus phosphorsaure
Kalke besteht. In anderen Gegenden von Frankreich kom
men diese tieferen Lagen der Kreide-Formazion, theils fü
sich, theils in Verbindung mit der reineren Kreide vo
Ueberhaupt zeigt diefs Gebilde sehr verschiedene Beschaffen
heiten in verschiedenen Gegenden, welches ja aber auch
von vielen andern sekundären und terziären Gebirgs-For
mazionen gilt; daher, wie die Verfasser sehr richtig be
merken, der Charakter einer ganzen Formazion und ihrer
einzelnen Glieder, weder in den Beschaffenheiten der Ge
steine, noch in den Struktur-Verhältnissen, noch in dem
Vorkommen gewisser Ueberreste organisirter Wesen allein
gesucht werden darf, sondern aus der Auffassung und Ver
gleichung sämmtlicher Eigenschaften sich ergibt, und, wie
noch hinzuzufügen seyn dürfte, stets unter die Kontrolle
der Bestimmung ihrer Verhältnisse zu andern Formazionen
gestellt werden muß. Uebrigens erweist sich immer mehr,
daß die Untersuchung der Petrefakten ganz vorzüglich ge

ist, zur sicheren Unterscheidung der Formazionen zu.
2. Das, von den Verfassern dabei beobachtete, Verfah-
ann allgemein zum Muster dienen. Ihnen gebührt
erdienst zuerst, darauf aufmerksam gemacht zu haben,
sich die Kreide Formazion, durch ihre Petrefakten, von
ibrigen Flöz - Gebilden und den terziären Formazionen
ntlich unterscheidet. Dadurch ist es zuerst möglich
rden, gewisse Gebirgsmassen, die entweder wegen ih-
abweichenden petrographischen Beschaffenheiten, oder
en der Art ihres Vorkommens früher nicht der Kreide-
nazion zugezählt wurden, als Glieder derselben zu er-
ren. In England stellt sich das Kreide - Gebilde, wie in
ikreich, in den drei bemerkten Haupt - Abtheilungen
; aber die unterste Abtheilung ist dort gemeiniglich
it reicher an Sand-Theilen, als sie es hier zu seyn pflegt,
lches Veranlassung gegeben hat, sie mit dem Namen
eensand zu belegen. Die unreine Kreide pflegt von
r reineren durch eine Lage von Thonmergel gesondert zu
ja, in welcher einige Petrefakten vorkommen, die in den
dern Gliedern nicht angetroffen worden. — Am Peters-
rge bei Mastricht stellt sich die Kreide-Formazion vor-
hmlich als Sangkalk dar, worin statt des Feuersteines,
lornstein vorzukommen pflegt, und dessen lockere, körni-
e Beschaffenheit früher verleitete, das Gestein für Sand-
tein anzusprechen. — Dänemark besizt die Kreide-Forma-
ion, und zwar am Stevens - Klint die reinere Kreide mit
Feuerstein; aber die neueren Untersuchungen Forchhammer's
machen es sehr wahrscheinlich, daß weder die Kalkmassen,
welche am Stevens - Klint die Kreide decken, noch die
Kreide von Möen, mit jener unteren Lage zur nämlichen

Formazion gehören, sondern vielmehr als terziäre Gebilde angesprochen werden müssen. Refer. behält sich vor, bei einer andern Gelegenheit darauf zurück zu kommen, und bemerkt hier nur, daß FORCHHAMMER's Untersuchungen eine genaue Revision der, in der Umgebung der Ostsee an einzelnen Stellen sich findenden, Kreide-Lager sehr wünschenswerth machen. — Nach den neueren Untersuchungen von NILSSON (*Ko'ngl. Vetensk. Acad. Handl.* 1824 u. 1825), besitzt das südliche *Schweden* die drei oben bezeichneten Haupt-Abtheilungen der Kreide-Formazion; die reine Kreide jedoch nur in geringer Verbreitung. Eben so ist in *Deutschland* das Vorkommen der reinen Kreide von geringem Belange, im Verhältniß zu andern Gliedern dieser Formazion. Die unterste Abtheilung stellt sich im nördlichen, östlichen und mittleren *Deutschland* gemeiniglich als Quader-Sandstein dar, der, so sehr er auch im Allgemeinen von den übrigen Gliedern der Kreide-Formazion abweicht, doch bald dem Greensande, bald dem Ironsande der Engländer ähnlich ist, und zum Theil mit jenem gleiche Petrefakten enthält, worauf Ref. zuerst durch v. SCHLOTHEIM aufmerksam gemacht worden. Wo der Quader-Sandstein dem Ironsande der Engländer zu vergleichen seyn dürfte, schliessen sich ihm nicht selten Lager genau an, die mit der *Craie chloritée* übereinstimmen. Darüber kommt bald ein dichter, grauer, splitteriger Kalkstein, ein Analogon der *Craie tufau*, bald ein dichter, weißer Kieselkalk vor, in welchem die Kieselerde nur selten als Feuerstein ausgeschieden, sondern gemeiniglich mit der ganzen Masse chemisch verbunden erscheint. Theils mit diesem Stellvertreter der Kreide, theils unabhängig von ihm, erscheinen ver-

lene Mergelarten, in denen das Verhältnifs des Kalkes
Thone, und zuweilen auch des Sandes, abändert. —
ganz besonderem Interesse ist das Vorkommen der
chlorite's in der Gegend der *Porte du Rhone* bei *Bel-
de*, von welchem BRONGNIART eine genaue Beschrei-
gibt. Hier ruht diefs Glied der Kreide-Formazion,
lt von mannichfaltigen Petrefakten, deren genaue Un-
chung die Uebereinstimmung desselben mit dem Green-
e aufser Zweifel setzt, beinahe unmittelbar auf dem
a-Kalksteine, indem nur eine Lage von Thonmer-
beide Gebilde von einander sondert. Hierdurch ist das
re, früher beinahe ganz verkannte, Verhältnifs zwischen
eigentlichen Jurakalke und der Kreide-Formazion zu-
aufgeklärt worden. Es ist dem Ref., nach der Heraus-
e seiner Uebersicht der jüngeren Flözze im Flufs-Gebiete
Weser gelungen, dasselbe Lagerungs-Verhältnifs auch
der Gegend von *Goslar* und *Hildesheim* zu beobachten,
l dadurch, so wie durch die Unterscheidung des jün-
ren, dem Gryphiten-Kalke sich anschliefsenden, Koh-
n-Sandsteines vom eigentlichen Quader-Sand-
eine, welche beide durch den Jurakalk getrennt wer-
n, einige, in jener Schrift enthaltene, Irrthümer, in Ue-
reinstimmung mit den Beobachtungen von KEFERSTEIN
d HOFFMANN, zu berichtigen. Dasselbe Verhältnifs hat
ch dem Ref. auch auf einer Reise durch die See-Alpen un-
weideutig dargestellt. Auf dem Jurakalke ruht am südli-
en Abfalle des *Braus*, gegen *Scarena*, ein scharf begrenz-
s, sandig-kalkiges, von erdigem Chlorit ganz durchdrun-
enes, dem Greensande analoges, Lager, welches in seinen
nteren Schichten mergelartig ist. Darauf liegt eine mäch-

tige Masse von abwechselnden Lagen lockeren Mergels und
dichten, thonigen Kalksteines, und diese wird wieder von
Lagermassen gedeckt, die nach den darin enthaltenen Petrefakten, als Glieder der Grobkalk - Formazion angesprochen
werden müssen; daher jene Mergel - und Kalkstein-Masse als
ein Aequivalent der Kreide erscheint, wenn gleich das Ansehen derselben, von den gewöhnlichen petrographischen Beschaffenheiten der Kreide sehr abweicht. Aehnliche Mergel-
und Kalkstein - Lagen ruhen auch, in der Gegend von Nizza
auf dem Jurakalke und hier, zumal an der Straſse, die nach
Vintimiglia führt, werden einzelne Lager der Kreide ähnlicher, und liefern auch, durch die darin enthaltenen Petrefakten, Belege für die Richtigkeit jener Bestimmung."

»Ist das Auge an solche Abweichungen, in dem Ansehn
der Glieder einer Formazion in verschiedenen Gegenden, ge-
wöhnt, so wird man um so leichter sich entschlieſsen, den
Gründen Brongniart's Gehör zu geben, die denselben bewegen, gewisse, in sehr bedeutenden Höhen der Alpes, namentlich in der Kette des *Buet* in *Savoyen* vorkommende,
Versteinerungen führende Lager eines schwärzlichen Kalksteines, der Kreide - Formazion zuzuzählen. Es war dieser
ein kühner Gedanke, der schon vor Brongniart von Buckland geäuſsert worden, für welchen aber die genaue Uebereinstimmung der Petrefakten mit solchen, die sich in
unbezweifelten, an niederen Punkten vorkommenden Gliedern der Kreide - Formazion finden, redet. Wenn man bedenkt, wie das Auſserordentliche der Höhe, in welcher jene Petrefakten - führenden Lager auf den Bergen des *Fiz,*
de Sales u. s. w. vorkommen, nur von dem, von unserer Kleinheit entlehnten, Maſsstabe abhängt, so wird man

e Annahme um so weniger paradox finden, und dersel-
um so eher die Zustimmung geben, selbst wenn man
t geneigt seyn sollte, dabei an eine unerweisliche, ge-
same Emporhebung zu denken. Merkwürdig ist dabei
dings die Erscheinung der dunkeln, durch köhlige Sub-
z bewirkten, Färbung jener hoch gelegenen Kalk-Bänke,
lurch das Gestein ein, von den gewöhnlichen Modifika-
en der Kreide sehr abweichendes, Ansehen erhält. Da
e Erscheinung bei verschiedenen, selbst noch jüngeren
ilden und in verschiedenen Gegenden sich wiederholt,
scheint dieselbe einen allgemeineren Grund zu haben, der
lleicht in dem geringeren Luftdrucke und der anhalten-
en Schnee-Bedeckung der höheren Lagermassen gesucht
rden darf, indem es nicht unwahrscheinlich ist, daß
nche der, in geringerer Höhe vorkommenden, lichteren
lkmassen, früher auch durch kohlige, oder kohlig-bitu-
nöse Theile dunkler gefärbt waren, die aber unter einem
rkeren Luftdrucke, und einer freieren Berührung der At-
osphäre, schneller eine Ausscheidung erlitten, als die fär-
nden Theile höherer Lager. «

» Die Kreide ist in der Gegend von *Paris* fast durch-
hends von einer Thon-Lage bedeckt, welche die Verf.
it dem Namen *Argile plastique* belegen. Oft lassen sich
rei verschiedene Lagen unterscheiden, von denen die un-
re reinere, zur Fabrikazion der Fajançe und anderer Tö-
erwaare taugliche, Thonarten enthält; wogegen die obere,
t durch eine Sand-Lage von jener geschiedene, von san-
ger Beschaffenheit und dunkler Farbe zu seyn pflegt. Die
ntere Lage ist gemeiniglich leer von Resten organisirter
lesen; wogegen für die obere das Vorkommen von Braun-

kohlen und .von zahlreichen Konchylien charakteristisch ist,
die theils dem Meere, theils süfsem Wasser angehören.
Nach den Untersuchungen der Verf. sind diesem Thon-
Gebilde durchaus keine von den Resten organisirter Wesen
eigen, die in der Kreide vorkommen, und es findet kein
wahrer Uebergang zwischen der Kreide und dem Thon-
Gebilde Statt; .daher man berechtigt ist, dasselbe als ein
wesentlich verschiedene Formazion zu betrachten, mit welcher die terziären Erdrinde-Lagen beginnen. Diese Formazion hat nicht allein in verschiedenen Gegenden von
Frankreich, sondern auch in andern Ländern eine grofse
Ausbreitung. Die bedeutendsten Ablagerungen der Braunkohle scheinen ihr anzugehören. England besitzt diese Gebilde, und namentlich in der Umgegend von London hat
es die gröfste Analogie mit dem Vorkommen in der Pariser
Gegend. In Dänemark ist die Formazion des plastischen
Thones zuerst von Forchhammer nachgewiesen. Sie zeigt
hier besondere Eigenthümlichkeiten, worüber Referent bei
einer späteren Gelegenheit zu berichten sich vorbehält.
Deutschland ist ganz besonders zum Studium der, diesem
Gebilde untergeordneten, Braunkohlen-Lager gemacht, die
von Sand- und Thon-Lagern begleitet, oft von Basalt
und damit verwandten Gesteinen bedeckt sind, und ihr
durch wahrscheinlich an manchen Orten gegen Zerstörung
durch Fluthen geschützt wurden. Brongniart theilt Einiges über das bekannte Vorkommen am Meifsner und im
Habichtswalde bei Kassel .mit. Beachtungswerth ist die
Bemerkung, welche Referent bis jezt durchaus bestätigt gefunden, dafs unter den mannichfaltigen Abdrücken von Blättern und andern Pflanzen-Theilen, welche in und bei der

raunkohlen-Lagern sich finden, niemals Spuren von wah-
en Farrnkräutern angetroffen werden. Diese Abdrücke
ie u. a. in gröfster Mannichfaltigkeit in der Wetterau vor-
ommen, bieten noch ein weites Feld für genauere Unter-
uchungen dar. Bei grofser Aehnlichkeit mit Pflanzen der
ezzigen Schöpfung, z. B. aus den Gattungen *Acer*, *Salix*,
Iuglans, *Pinus*, scheint die Vergleichung doch keine vollkommene Identität zu ergeben, wobei es besonders merkwürdig ist, dafs sich mitunter Aehnlichkeit mit Gewächsen sehr entfernter Gegenden zeigt. Daneben finden sich
aber auch einige vegetabilische Reste, an·denen noch keine bestimmte Analogie, mit Formen der jezzigen Schöpfung, hat aufgefunden werden können. Bernstein
und Retinasphalt gehören zu den Begleitern dieser
Braunkohlen-Formazion, und BRONGNIART hält es für
wahrscheinlich, dafs das berühmte Vorkommen des Bern-
steines an der Ostsee, ebenfalls hierher zu zählen seyn
dürfte, wofür allerdings manche Wahrnehmungen sehr zu
reden scheinen. Dagegen ist BRONGNIART geneigt, die Braunkohlen-Ablagerungen in der grofsen Sandstein- und Na-
gelflue-Formazion der *Schweiz* für jünger, als die im
plastischen Thone zu halten.

Zu den wichtigsten Erweiterungen, welche die Geognosie, durch vorliegendes Werk, erlangt·hat, gehört unstreitig die Unterscheidung und genaue Charakterisirung der
Formazion des *Calcaire grossier*, des *Calcaire de Paris*
von HUMBOLDT; die nach neueren, in den verschiedensten
Theilen der Erde angestellten, Beobachtungen, als eine
ungemein ausgebreitete, aber freilich in manchen Gegenden
als eine sehr zerrissene erscheint, für deren Bestimmung die

genaue Untersuchung' der Petrefakten von ganz besonder
Werthe ist. Die Grobkalk - Formazion ist in der Gege
von *Paris* von dem plastischen Thone oft durch eine Sa
Lage getrennt. Sie besteht dort aus abwechselnden La
eines- mehr und weniger festen Kalksteines von Thon -
Kalkmergel. Die untersten Lagen sind sehr sandig, j
enthalten oft mehr Sand - als Kalk - Theile. Fast be
dig ist pulverförmige oder körnige Grünerde wahrzuneh
wodurch sie oft Aehnlichkeit mit dem Grünsande der K
de - Formazion erlangen. Das Vorkommen von Nummu
ten, mit denen Madreporiten und einige Konchyliolit
vergesellschaftet sind, ist für jene untersten Lagen be
ders charakteristisch. Die mittleren sind reich an K
chylien - Resten, und in einer Bank kommen auch veget
bilische Abdrücke vor. Die oberen Lager enthalten wenig
Konchylien, als die beiden andern Gruppen. Die letzte
Lagen werden durch einen festen Kalkmergel gedeckt, de
mit lockerem Kalkmergel, mit Thonmergel und kalkigen
Sande abwechselt, und zuweilen horizontale Zonen vo
Hornstein einschliefst. In diesem vierten Systeme sind d
wenigsten Konchylien - Reste enthalten. In der zweiten un
dritten Gruppe kommen an einigen Orten Bänke von Sandstein, oder Massen von Hornstein vor, die von Meeres - Konchylien erfüllt sind, und zuweilen den Kalkstein ganz verdrängen. Die dieser Formazion angehörigen Reste organisirter Wesen sind von denen der Kreide gänzlich verschieden, und vorzüglich charakteristisch ist für sie der Reichthum an Cerithien, so wie der gänzliche Mangel an
Belemniten, Orthozeratiten, Ammoniten, Bakuliten. Brongniart theilt eine Menge interessanter
Notizen

izzen über das Vorkommen der Grobkalk-Formazion in
ern Theilen von *Frankreich*, in *Spanien*, *England*, der
weiz, *Italien* und in den nördlichen und östlichen
ilen von *Europa*, so wie in andern Welttheilen mit.
hat zuerst es auszusprechen gewagt, dafs die Lager des
fels der Diablerets in der Gebirgskette, welche die
end von *Bex* vom *Wallis* trennt, in denen unter ver-
iedenen Petrefakten auch Cerithien vorkommen, zur För-
Son des Grobkalkes gehören dürften, wiewohl er dar-
r nicht völlig entscheiden wollte, indem, abgesehen von
r abweichenden Petrefakten, ihre Aehnlichkeit mit den
a bemerkten, der Kreide-Formazion zugezählten Lagern
Buet-Kette auffallen mufs. Referent erlaubt sich bei
er Gelegenheit zu bemerken, dafs von ihm in den See-
en, auf dem Gipfel des *Braus*, der freilich nur unge-
r 3000 Par. F. über dem Meere liegt, wogegen der Gi-
l der Diablerets nahe an 10,000 F. sich erhebt, ein
eutendes Lager eines rauchgrauen, mit Nummuliten er-
lten Kalksteines beobachtet worden, welches nach seinen
gerungs-Verhältnissen, wie nach jenen Petrefakten, den
eren Gliedern der Grobkalk-Formazion zugezählt wer-
n mufs, wenn gleich das Ansehen des Gesteines von den
wöhnlichen Beschaffenheiten der Glieder der Grobkalk-
rmazion sehr abweicht. Ein ähnliches, mit mehreren
leren, der Grobkalk-Formazion eigenen, Petrefakten er-
lltes, Lager zeigt sich bei *Scarena*, am Fufse des *Braus*,
gen *Nizza*, in einer Meereshöhe von ungefähr 1070 Par.
ifs, und an der Halbinsel von *St. Hospice* wird ein, der
obkalk-Formazion angehöriges, von Nummuliten erfülltes,
n Brongniart erwähntes, und auch von dem Referenten
tersuchtes, Lager von den Wellen bespült. In den Schwei-
r-Alpen fand Refer. an mehreren Stellen, z. B. am Lo-
erzer-See, einen dunkeln Nummuliten-Kalk, der auch
ur Grobkalk-Formazion gehören dürfte. — Brongniart
rwähnt S. 182, bei den Bemerkungen über die Verbrei-
ung der Grobkalk-Formazion in *Frankreich*, einen kalki-
en Sandstein, der verschiedene Arten von Meeres-Konchy-
en und Glossopetern führt, und zwischen *Avignon* und
)range vorkommt. Er entscheidet nicht über das Alter
esselben, hält es aber für wahrscheinlich, dafs er den ter-

33

-zären Formazionen angehöre, und jünger sey, als der Knochen-Gyps der Gegend von *Aix*. Referent hat Gelegenheit
gehabt, sich von der Richtigkeit dieser Vermuthung z
überzeugen, indem er bei *Vaucluse* das Außiegen jenes Gesteines auf dem dortigen Süßwasserkalke beobachtete, de
mit dem im *Velay* und in der Gegend von *Aix*, in de
Provence, im Wesentlichen übereinstimmt. — BRONGNIART
erwähnt die *Mainzer* Kalk-Formazion, die dem Pariser
Grobkalke sehr ähnlich ist, bei welcher er es aber be-
noch unentschieden läßt, ob man sie dieser Formazion
oder einer späteren zuzählen müsse. Besonders merkwürdig ist für sie das gemeinschaftliche Vorkommen von Mee-
res- und Süßwasser-Konchylien, von denen indessen de
ersteren bei Weitem vorherrschen. In *Nord-Deutschland*
ist in neuerer Zeit die Grobkalk-Formazion an mehreren
Orten aufgefunden, aber an keinem in großer, zusammen-
hängender Verbreitung. Vorzüglich ausgezeichnet ist ih
Vorkommen an mehreren Stellen bei *Kassel*, wo die Auflagerung auf die Braunkohlen-Formazion deutlich wahrgenommen werden kann; bei *Güntharsen* unweit *Dransfeld*
bei *Wendlinghausen* im Lippischen, bei *Dickholzen* und a
mehreren andern Stellen im Hildesheimischen; bei *Sternberg* im Mecklenburgischen. Die Hauptmasse besteht a
diesen und mehreren andern Orten aus einem kalkigen
durch Eisenocker gefärbten Sand, der hin und wieder Grün-
erde-Theile enthält, und von, zum Theil wohl erhaltenen, Resten von Meeres-Geschöpfen erfüllt ist, von denen
manche mit denen im Pariser Grobkalke übereinstimmen,
neben welchen andere angetroffen werden, die jenem frem
sind. Kalksteine kommen ungleich seltener, in *Nord-Deutschland*, in dieser Formazion vor. — Nach FORCHHAMMER
findet sich in *Dänemark* über der Kreide ein wesentlich
davon verschiedenes Kalk-Gebilde, welches ein Analogon
des Grobkalkes zu seyn scheint.

In der Reihenfolge der terziären Gebilde folgt, in der
Gegend von *Paris*, auf den Grobkalk der kieselige
Kalk (*Calcaire siliceux*), der bald lockerer, bald fester,
von sehr feinem Korne und von Kiesel Substanz überall
und in allen Richtungen durchdrungen ist. Sein Vorkommen scheint mit dem des Grobkalkes in einem umgekehrten

ältnisse zu stehen, indem, wo jener mächtig, dieser
rach ist und umgekehrt. Er steht in jeder Hinsicht
der Grenze des Meereswasser- und des darauf folgen
Süſswasser-Gebildes, indem in seinen unteren Lagen
es- und Süſswasser-Kon hylien gemengt erscheinen, woge-
in den oberen nur Süſswasser-Konchylien vorkommen.
Es folgt nun ein Gyps- und Mergel-Gebilde,
das in seinen unteren Lagen als eine Süſswasser-For-
on, in seinen oberen dagegen, als eine Meereswasser-
nazion erscheint. Für die unteren Gyps-Lagen ist das
kommen von Knochen vieler unbekannter Vierfülser be-
ers merkwürdig, um deren Untersuchung sich bekannt-
CUVIER so groſse Verdienste erworben. Aufserdem
a. sich darin Reste von Vögeln, Krokodilen, von Mee-
und Süſswasser-Schildkröten. Lagen von Thon- und
mergel bedecken den Gyps, worin versteinte Palm-
me und Süſswasser-Konchylien vorkommen. Darüber
ein anderes System von Mergel-Massen, welche Mee-
Konchylien und Spuren von Fischen enthalten. Die
ste Decke pflegt eine Lage von thonigem Sande zu bil-
— Jene merkwürdige Süſswasser-Formazion ist nicht
die Gegend von Paris beschränkt; sie kommt auf ver-
:dene Weise modifizirt, auch in andern Gegenden, na-
tlich von Frankreich, in groſser Ausdehnung vor, z. B.
Auvergne, in Velay, in der Gegend von Aix in
Provence, in der Gegend von Vaucluse. Refer. hat
Gelegenheit die, von BRONONIART darüber mit gelten, Beobachtungen in den genannten Gegenden zu
derholen. Die Kalk- und Mergel-Lager, worin zum
il Kiesel-Substanz, als Horn- oder Feuerstein ausge-
lert ist, erscheinen als das Konstante; der Gyps kommt
:gen nicht überall darin vor; er fehlt z B. in Auvergne,
ler Gegend von Vaucluse. Es bestätigt sich daher bei
em Gebilde, was sich in allen übrigen Formazionen
,t, in denen Gyps vorhanden, daſs diese Gebirgsart nie
ein allgemeines, stets als ein besonderes und unterge-
netes Formazions-Glied erscheint. Mannichfaltige Süſs-
ser-Konchylien, z. B. Lymneen, Planorben, Cyklostomen,
adinen, Potamiden, Cycladen kommen überall vor; wo-
en Abdrücke von Fischen — die bei Aix in der Pro-

33 *

vence sehr ausgezeichnet sich finden — Knochen-Reste
Quadrupeden, Palmaziten und andere Spuren von Pflanz
ein beschränkteres Vorkommen haben. Die Grundlage
ser Formazion ist eben so abweichend, wie ihre De
Sie ruht z. B. in *Auvergne* und im *Velay* entweder
mittelbar auf Granit, oder auf einem, an Quarz reich
Granit-Konglomerate; in der Gegend von *Aix* und
fluse auf Jurakalk. Bei *Aix* ist die Süfswasser-Form
von keinem Meereswasser-Gebilde bedeckt; welches
gen, wie oben bereits bemerkt worden, bei *Vauclase*
Fall ist. In *Auvergne* und im *Velay* ruhen an vi
Stellen, und zum Theil in grofser Ausdehnung, Ma
von Basalt-Konglomerat und Basalt, im *Va*
aufserdem auch von Klingstein darauf. Diefs Verh
nifs gibt jener Formazion noch ein besonderes Interesse,
dem es zugleich über das relative Alter der basaltischen
bilde in den erwähnten Gegenden Licht verbreitet.

Auf die Meeres-Konchylien enthaltenden Mergel-L
ger der Gegend von *Paris*, welche das Süfswasser-Gebi
decken, pflegt eine, zuweilen sehr mächtige und weit ve
breitete, Masse von Sand und Sandstein zu folge
deren untere Lagen leer von Ueberresten von Meeres-G
schöpfen, mit Ausnahme einiger, die aus früheren G
bilden zufällig in jene Lagen gelangten, und daher gew
niglich zertrümmert sind; wogegen in den oberen, a
Sand- oder Kalkstein bestehenden, Lagern Gehäuse v
Meeres-Konchylien angetroffen werden, unter denen ma
che auch den zuvor erwähnten Mergel-Lagern, ein
selbst dem Grobkalke eigen sind, wozu u. a. *Pectaria*
palvinatus LAM. gehört.

Diesem Mergel-Gebilde folgt eine dritte Süfswa
ser-Formazion nach, die an verschiedenen Orten
der Gegend von Paris, auf verschiedene Weise, zusamm
gesezt erscheint. Die Gesteine derselben sind: Kalkmer
Arten, reinerer, dichter Kalkstein, oft innig verbund
mit Feuerstein, Hornstein, Jaspis, oder diese Kiesel-Art
auch für sich; sodann die sogenannten *Meulières*, e
zellige, durch Eisenocker-Beschlag gefärbte Kiesel-Mass
deren Räume oft mit Thonmergel, oder mit thonigem Sa
de erfüllt sind. Es kommen in diesem oberen Süfswasse

le mancherlei Konchylien, z. B. Potamiden, Planor-
.rten, Lymneen und auch verschiedene Reste von Ve-
lien u. a. von *Chara*, *Nymphaea* vor. — Bronc-
theilt Notizzen über das Vorkommen von Süßwas-
iebilden in andern Ländern mit, von denen die über
erhältnisse des Süßwasser-Kalkes in *Italien*, wo der
zum Theil selbst Beobachtungen darüber anstellte,
besonderem Interesse sind. Referent, der Gelegenheit
, an den mehrsten Orten völlig übereinstimmende
achtungen zu machen, kann die Angaben des Verfs.
i die Bemerkung vervollständigen, daß in der Gegend
Pästum ein bituminöser, Süßwasser-Schnecken ent-
oder, Travertin vorkommt, woraus sowohl die dorti-
Tempel, als auch die Mauern der Stadt erbauet sind.
ioniart unterscheidet überhaupt zwei Arten von Süß-
er-Gebilden, die einen verschiedenen Ursprung verra-
: die eine Art ist ein mehr und weniger krystallinischer
z aus Wassern, welche die aufgelösten Theile aus dem
rn zu Tage förderten; die andere Art erscheint dage-
als ein mehr mechanischer Absaz auf dem Grunde ste-
ler Gewässer, denen die abgeschwemmten Theile zu-
ihrt wurden. Zur ersteren Art rechnet der Verf. den
vertin von *Italien*, die Süßwasser-Gebilde der Gegend von
is, von *Locle* im *Jura*; zur lezteren, welche ungleich
niger verbreitet ist, die *Oeninger* Formazion. Zur ersten
, würde denn auch das, in *Deutschland* so sehr ver-
itete, und zuweilen dem Italienischen Travertine ähnli-
:, Kalktuff-Gebilde gehören, welches in Thal-Niede-
gen vorzukommen pflegt; oft, wie in *Thüringen*, auf
n *Eichsfelde*, im *Leine*-Thale, in dem Thale von *Pyr-*
mt, eine Torf-Lage deckt, und außer vielen Spuren
n Vegetabilien, besonders Süßwasser- und Land-Schnek-
n, und hin und wieder auch Knochen von Vierfüßern
thält.»

„Den Beschluß der, in der Gegend von *Paris* ver-
eiteten, Formazionen machen die Geschiebe, und das ei-
ntlich sogenannte aufgeschwemmte Land."

Ueber einige geognostische Punkte bei Meissen und Hohenstein liest man überaus wichtige Bemerkungen von Weiss in Karsten's Archiv für Bergb.
XVI, 3 ff. Wir entlehnen Nachstehendes daraus. — »De
im S. zunächst vorliegende Zug anstehenden, älteren Gebirges, welcher sich am rechten Elb-Ufer von *Meissen* stromaufwärts zieht, und im *Ober-Lausizzer* Gebirgs-Rücken
fortsezt, zeigt an seinem, gegen das *Elb-Thal* gekehrten,
Rande, von *Meissen* bis zur Grenze von *Böhmen*, eine
Reihe von Punkten, die ein überaus merkwürdiges Gegen-
stück bilden zu den berühmten Phänomenen von *Predazz.*
die kürzlich in der Geognosie nicht allein so grosses Ansehen erregten, sondern durch die Darstellungen L. v. Buch's
im Zusammenhange mit seinen lichtvollen Entwickelungen
der wichtigsten Verhältnisse in den südlichen Alpen überhaupt, eine wahre, bleibende Epoche in der Gebirgskunde
hervorgerufen haben, und unter seinen Händen der Schlüssel zum Verständniss der Alpen, zu den Erhebungen unserer Gebirge überhaupt geworden sind. Vor Kurzem würde es nur noch Erstaunen und Befremden haben erregen
können, was der genannte Gebirgsstrich in unserer Nähe
von ganz ähnlichen Verhältnissen in sich schliesst. Seit den
Arbeiten des genannten berühmten Geognosten können sie
das nicht mehr; es kann nur erfreuen, in unserer Nähe
selbst so sprechende Zeugen der allgemeinen Wahrheit de-
neuen, durch ihn begründeten Ansichten über die Durchbrechung der älteren Gebirgsmassen durch die geborstenen
jüngeren, und über die Neuheit dieses grossen Ereignisses
von welchem die jezzigen Oberflächen-Verhältnisse unsere
Gebirge abhängen, so klar und unabweislich vor uns zu
haben. Wären die natürlichen Entblössungen in dem angegebenen Bergstriche häufiger, und in einem grösseren
Maßsstabe, und hierin den Alpen vergleichbar, was würde
der, gegen das *Elb*-Thal gekehrte, Rand unseres Gebirges dem
erstaunten Auge zeigen! was würde die ganze Linie im Zusammenhange erblicken lassen, deren Punkte wir jezt noch
sparsam und vereinzelt auffinden und sammeln lernen!
Denn nur zufällige, und oft in der einzelnen Stelle selbst
unvollständige Entblössungen waren es, welche die bis jezt
aufgefundenen Thatsachen erkennen liessen, Thatsachen, wel-

ie Schule des verewigten WERNER, seit sie von ihrer
nz erfuhr, nur für Spiele des Zufalls nehmen konn-
der für unglaubwürdig erklären mußte, so lange die-
noch irgend zweifelhaft, oder zu unvollständig beob-
r vorlagen. Der erste, bei weitem schönste, Punkt
ie Steinbrüche von *Weinböhla*, 1 1/2 Stunde östlich
Meissen. Sie liegen 1/4 Stunde östlich vom Dorfe,
ise des aufsteigenden Syenit-Gebirges. Hier sind die
ßungen jezt so schön, daß das Unglaubliche selbst
inzer Evidenz da liegt. Man bricht dort Plänerkalk.
ichlich vorkommenden, gestreiften Chamiten *, ja noch
die ebenfalls darin vorkommenden Spatangen, lassen
die Neuheit dieses Flözkalkes keinen Zweifel, und
i zur Bestätigung seiner Identität mit der Kreide.
)er Kalkstein liegt im Allgemeinen ziemlich horizon-
Gegen die Grenze mit dem älteren Gebirge senkt er
iit mehr und mehr zunehmendem Einschießen unter,
, und man sieht den Syenit-Granit, der nun von
in *Continuum* mit dem ganzen breiten und weit er-
ten älteren Gebirgszuge bildet, ganz einfach, ohne
irrede, auf dem Plänerkalke aufliegend. Wer keine an-
Vorstellungen über Lagerungs-Verhältnisse mit bringt
i, welche die Basis der WERNER'schen Geognosie aus-
n, wird unbedenklich, und wenn es auch noch so
ört geklungen haben möchte, auszusprechen gezwun-
yn: man sieht ihn im Steinbruche durchaus nicht an-
als sogar gleichförmig aufgelagert. Man gehe aus,
velchen Vorstellungen man wolle, es läßt sich hier
r anstehenden Gebirgswand das ausgesprochene Vor-
fs, wie es ist, nicht in Abrede stellen.

Sie werden von SCHLOTHEIM und andern Versteinerungs-For-
schern für identisch gehalten mit *Plagiostoma spinosum Sow.*,
wie es von BRONGNIART (CUVIER, *Recherches ect.* T. II,
2. *partie*, *pl. IV*, *Fig.* 2.) als Versteinerung der Kreide abgebildet, und als wahrscheinlich zum Genus *Podopsis* zu
rechnen, dargestellt ist. Die vorhandenen Exemplare sind
nicht vollständig genug, um über dieselben entscheidend abzu-
urtheilen.

Zwei Umstände fallen zunächst auf. Fürs erste: ein Thon- und Mergel-Schicht, mit dem Kalksteine gleichförmig gelagert, zum Theil bituminös, deckt den Kalkstein zunächst, und liegt also zwischen ihm und dem Syenit-Granite. Und dann: dieser leztere ist, so hoch er in der Wand des Steinbruches hinaufragt, durch und durch im Zerbröckeln. Es ist nicht ein Stück von Faustgröfse frisch und fest zu erhalten; alles, bis ins Kleinste, zerbröckelt sich in der Hand, und doch ist die Masse anstehend, im wahren Sinne nichts weniger, als Konglomerat; ja man unterscheidet bei vielen schieferig oder gneisartig werdenden Stellen das regelmäfsige, und dann den benachbarten Stücken entsprechenden schieferige Gefüge, wiederum im Allgemeinen einer gleichförmigen Auflagerung auf dem Kalkstein konform. Aber die Zerbröcklichkeit ist so grofs und durchgehens, dafs die anstehenden Wände nur mit Vorsicht betreten werden können. Sie stürzen herab bei der ersten Veranlassung *; Bedeutende Spalten ziehen sich von den jezzigen Wänden, in die darüber liegenden Weinberge hinein, erweitern sich allmählich, und leicht mögen schon seit meiner Anwesenheit, im Oktober vorigen Jahres, wieder gröfsere Stücke zu Bruche gegangen seyn.

Woher diese Gebrechlichkeit? Sollte man darin nicht die Wirkung der Frikzion, bei dem Heraufdringen der Gebirgsmasse durch die durchbrochene Decke hindurch, erkennen dürfen? Und sollten jene trennenden, erdigen Zwischen-Schichten, jene Thon- und Mergel-Lager zwischen Kalk und Syenit, nicht ebenfalls dieser Frikzion ihr Daseyn verdanken? Sollte es nicht der zerriebene Kalkstein selbst, mit etwas auf der unmittelbaren Grenze zerriebenenem Urgebirge, seyn, vielmehr als wahre, früher an der Oberfläche schon

---

* Im Frühjahre vorigen Jahres war eine grofse Wand auf solche Art in einem Schutthaufen herabgebrochen. Glücklicherweise für den Geognosten, säumten die Landleute nicht, diesen Schutt bald wieder wegzuschaffen, und in der sumpfigen Ebene, die Weinböhla von Meifsen und vom Spaar-Gebirge trennt, ihn zum Wegebau zu verwenden.

anden gewesene, den Kalkstein deckende Thon- und
gel-Schichten im eigentlichen Sinne des Wortes? Eben
wie bei *Waldenburg*, so evident in der Berührung des
hbrechenden Porphyrs mit dem durchbrochenen Kohlen-
steine, sich die den bunten Mergeln so ähnelnden, höchst
n Frikzions-Schichten gebildet haben, die gewiſs nicht,
Schichten im engeren Sinne des Wortes, an der Ober-
e, eine die andere deckend, gebildet worden sind.«

»Aber allerdings gar keine Spuren von einem erhizten,
gar flüssigem Zustande, in welchem das ältere Gebirge
jüngere durchbrochen hat, zeigen sich hier. Auch die,
h die Frikzion erzeugte, Hizze wurde sichtlich gemäſsi-
und schnell absorbirt durch das zudringende Ozean-Ge-
ser, in welchem die Erupzion geschah, und welches
Brei und Schlamm, von den Grenzen zwischen dem
rchbrechenden und Durchbrochenen, entstehen lieſs.
en so wenig würde auf die Verhältnisse von *Weinböhla*,
Bild der anderwärts sehr treffend bezeichneten Verhältnis-
zwischen Granit und durchbrochenem Kalksteine, passen,
ob jener sich in diesem, wie durch flüssige Injekzion ra-
ſizirte; er kann vielmehr nur im erstarrten, festen Zustan-
durch diese neue Gebirgsrinde durchgedrängt worden seyn:
es ist es, wofür alle Erscheinungen sprechen; keine Ver-
schungen mit dem durchbrochenen Gesteine, keine Ramifi-
zionen des Granites von der Haupt-Lagerstätte aus in klei-
en Gängen, Continuum mit der groſsen Masse bildend, ins
eben-Gestein sezzend, wie etwa die Granit-Gänge, in dem
r- oder Uebergangsschiefer auf der Grenze der beiderlei
aupt-Lagerstätten, zu thun pflegen. Eben so wenig Ver-
asungen, Sinterungen, oder andere begleitende Phänomene
nes, in seiner Bildung selbst die Decke durchbrechenden, vol-
anischen Gebirges oder dergleichen.«

»Was zu thun ist, um in den Kalk-Brüchen von *Weinböhla* weiter das zu entblöſsen, was der Geognost noch eben
o vor Augen liegend zu sehen wünschen muſs, als das,
was bereits vorliegt, nämlich die Durchbrechung des Kalk-
teines, von der die jezzige anscheinende Auflagerung nur die
Folge und ein Neben-Umstand, welche Durchbrechungs-Stelle

zu wählen, darüber kann man gar nicht in Zweifel
seyn *.«

. »In welcher näheren Beziehung aber die Bildung des
Elb - Thales mit den Erscheinungen von *Weinböhla* steht,
das kann nicht verkannt werden. Gerade hier ist wieder
eine der Sonderbarkeiten des Terains, Sonderbarkeiten, wenn
wir von den früher herrschenden Vorstellungen über Thal-
Bildung ausgehen, die dagegen aufhören es zu seyn, seit die,
der mit den Erupzionen verbundenen, Berstungen der
klare, den natürlichen Verhältnissen so ganz ungezwungen
sich anpassende, Schlüssel der Thal - Bildung im Großen geworden sind. «

»Von *Weinböhla* bis dicht vor *Meißen*, und insbesondere bis zu dem Dorfe *Cölln*, am rechten Elb - Ufer,
Meißen fast gegenüber, zieht sich ein breites, ebenes, sum-
pfiges, völlig bassinähnliches Thal ; es ist die Fortsetzung
des Elb - Thales selbst, von *Dresden* oder *Kötschenbroda*
abwärts. In ihm fließt aber die *Elbe* nicht. Statt ihm zu
folgen, entzieht sie sich ihm, und nimmt ihren Lauf jenseit des prallig und felsig aufsteigenden kleinen *Spargebir-
ges*, auch einem Stück des Syenit - und Feldspath - Porphyr-
Gebirges (welches auch einige Reste des Pläner - Kalksteins
in einzelnen abgerissenen Lappen auf sich trägt) der engeren, tieferen Spalte folgend, die von der Haupt - Spalte
seitwärts und westlicher ablief. So steht jezt diese kleine
Spargebirge als völlig losgezogene Rippe und Insel im weiteren Elb - Thale, vom Flusse und dem Wiesenlande umge-

---

* Niedergehen im Kalk-Bruche an einer Stelle, nur so weit von
  der Grenze beider Gesteine entfernt, um den Verschüttungen
  des hereinbrechenden Schuttes nicht ausgesetzt zu seyn; entweder niedergehen bis auf die Grenze, und dann auf ihr fort,
  oder, wenn sie so schnell nicht erreicht würde, querschlägig;
  herüber auf dieselbe, und dann ihr folgend, wo möglich
  von da ein Profil bis an das Tageslicht hinauf öffnen, wie zu
  einem tiefen Graben, mit abschüssigen Rändern; das, dünkt
  mich, wäre jezt die unabweisliche Forderung; gerade die
  Gänge des Königl. Steinbruches mit dem anstoßenden des Erb-
  EXERT von *Großenhayn*, hat mir die allervorzüglichste Seite
  dazu geschienen.

welches lézte nur Zufall nicht selbst znm Lauf des
es werden liefs; eben so, wie der *Bürgenstock* am Lu-
r See steht, von den Wiesen *Unterwaldens* fast im Ni-
des Sees, nnd von dem See selbst auf der andern Seite
hlossen, oder wie der *Montorfano*, unweit *Baveno*, im
Toccia.

» In der Mitte, zwischen *Dresden* und *Meifsen*, befindet
in, durch das Spizhaus bezeichneter, Vorsprung des Sye-
les rechten Elb-Ufers, von welchem abwärts die Bucht
Weinböhla hin, und über *Zscheilau* gegen *Meifsen*,
irts eine andere sanftere bis zum *Borsberge* bei Pill-
zieht. In dieser lezteren Bucht ist kein ähnlicher Punkt
Weinböhla bekannt, und der Pläner-Kalkstein kommt
auf dem linken Elb-Ufer, dort aber um so häufiger vor.
Merkwürdigkeit eigener Art; könnte indefs in dieser
n das unerwartete Vorkommen körnigen Kalksteines ia
yenit-Parthie, unweit *Zscnitzschewig* seyn; doch ist
üs jezt nichts bekannt, wodarch diefs in deutliche Ver-
ing mit dem Phänomen von *Weinböhla* zu sezzen

» Erst oberhalb *Pillnitz* und des *Borsberges*, da, wo
die Bucht wieder öffnet, und sich erweitert, dafs sie
ganze *Pirnaer-Sandstein-Gebirge* in sich aufnimmt, wäh-
der Granit fortführt die nördliche Grenze zu machen,
n auch Punkte wieder, *Weinböhla* vergleichbar und
teresse ihm kaum nachstehend. Aber die Entblöfsun-
sind so sparsam, so unvollständig, kein einziger
bruch so glücklich angelegt, und für den Beobachter
lücklich geführt, als es namentlich jezt die Kalkstein-
he von *Weinböhla* sind. «

» Der wichtigste ist der Kalk-Bruch bei *Hohenstein*.
nstein selbst liegt auf der Grenze des Granit- und Qua-
Sandstein-Gebirges. Die *Polenz* tritt hier in dem tief
schichteten Thale aus dem ersteren Gebiete in das zwei-
n. Vielleicht, dafs bei näherer Untersuchung sich hier
mancher lehrreicher Punkt auffinden läfst. Der Kalk-
h liegt, wie das Städtchen selbst, ganz auf der
e, auf dem linken Ufer des Berges, und noch höher
das Städtchen, von demselben, gegen S., in der
itung gegen den tiefen Grund. Der Kalk-Bruch wird

aber hier unterirdisch betrieben, wie der von *Weinböhla*,
und so sind die Entblößungen weit geringerer, die Beobachtung, so weit sie nur im Bruche geschehen kann, von dem
eben vorgefundenen Zustande der nur schwach betriebenen
Arbeiten abhängig. «

»Die Verhältnisse beruhen hauptsächlich auf den Angaben des Steigers, sind aber, nach allem was man noch
jezt sieht, völlig glaubhaft. Und so ist es klar, daß auch
hier das Ur-Gebirge auf die unteren, dasselbe einschlie-
ßenden Flöz-Schichten aufgelagert erscheint. Auch hier schie-
ßen die oberen Flöz-Schichten, je näher dem Granite, desto
steiler ein; ganz klar ist hier, daß die oberen sich nur kei-
len, und nur die unterste unter den bekannten, auf der
Scheide des Granites, immerfort ihn unterteufend, fortsetzt.
Der Kalkstein, der hier gebrochen wird, scheint nicht Plänerkalk, sondern ein älterer zu seyn. Er bildet keine zusammenhängende Bänke, sondern liegt nur in runden Klum-
pen oder Buzzen, in weichen Mergel-Lagen. Er füh-
große Ammoniten, und zwar, wie es scheint, nach Verhältniß nicht selten; ferner Modiolen, Terebratuliten, theils
die häufige *Biplicata*, oder eine ganz verwandte, theils andere sehr flache Pektiniten ähnliche; die oben angeführten,
herrschenden Versteinerungen des Pläner-Kalksteines habe ich
in ihm nicht gesehen. Dabei ist er meist von sehr dunkler, rauchgrauer Farbe. Er ruht auf Sandstein-Lagen,
die man im dortigen Bruche die Sandwand nennt, und der
keineswegs der Quader-Sandstein seyn dürfte, sondern ganz
einem Kohlen-Sandsteine gleichen, auch wirklich Steinkoh-
len-Stückchen eingesprengt enthalten *. «

»Die den Kalkstein führenden Mergel-Lagen, so wie
die sie bedeckenden, schneiden zwischen Tage und dem
Punkte, wo die Sandwand das Urgebirge berührt, gänzlich
ab.«

---

* Diese und ähnliche Spuren veranlaßten den Steiger nach Steinkohlen weiter zu graben. Er verfolgte die Sandwand auf der
  Scheide mit dem Granite, diesen im Hangenden, jene im Liegenden, auf eine Strecke von 200 Ellen, fand aber seine Hoffnung nicht erfüllt, und die Strecke ist wieder verfallen.

»Ein schwarzer, bituminöser Thon deckt die Kalk
enden Lager zunächst, darauf folgt ein meist rother
n, auch sonst bunt, und zwischen ihm und dem Urge-
auch wohl noch schwache, aber absetzende, dünne
stein - Lagen.«

»Nach allen diesen Umständen möchte man wohl ge-
seyn, den dortigen Kalk zu keiner andern Formazion,
der des Gryphitenkalkes zu rechnen.«

»Vorausgesezt ferner, dafs die Sandwand des Bruches
fs nicht dem Quader-Sandsteine, sondern einem ältern
hört, so kann man doch, nach den allgemeinen Ver-
 nissen der Gegend, kaum in Zweifel seyn, dafs sie den-
westlich vom Kalk-Bruche, auf dem Quader-Sand-
e aufliegen, oder auflehnen müsse, gerade so wie das
birge auf der beschriebenen Reihe der Flöz-Schichten.«

»Es scheint mir also, dafs hier das Urgebirge, bei sei-
Hervordringen aus der Tiefe, untere Flözgebirg-Schich-
(wohl auch wiederum im Heraufdringen zermalmt)
sich gebracht, und zwischen sich und dem Quader-
steine eingeklemmt habe, auf welchem zuletzt die ganze
e gewaltsam sich auflegt. Und wo wäre auch sonst
und breit herum eine Spur des hier gebrochenen Kalkes, als wiederum unter ganz den nämlichen Verhältnis-
wie zu *Hohenstein*, auf der Grenzlinie des Urgebirges
des Sandsteines.«

»Für bergmännische Weiter-Verfolgung, zum Zwecke
geognostischen Aufklärung der Lagerungs-Verhältnisse,
e der Kalk-Bruch von *Hohenstein* abermals ein höchst
tiger Punkt.«

»Die ganze Scheide zwischen Granit und Quader-
stein, in der Gegend von *Hohenstein*, ist äufserst jäh,
es freilich dem Verhältnisse einer Durchbrechung des
ren, nicht aber einer Anlagerung des leztern, am un-
egten Fufse des Granites, entspricht. Der *Waizdorfer*
hat mir in diesem Betrachte sehr bemerkenswerth ge-
ehen. Er ist der höchste Granit-Punkt an dem, gegen
Elb-Thal und den Quader-Sandstein hin gekehrten,
de des Urgebirges. Er erreicht vollkommen, oder übei-
t an Höhe den *Lilienstein*, bekanntlich den höchsten
der-Sandstein-Punkt der Gegend, mit Ausnahme der

Zschirensteins und des *Schneeberges*, die beide auf der
linken Elb-Ufer und weiter stromaufwärts liegen. A[...]
südlichen Abhange des *Waisdorfer* Berges liegt das D[...]
noch auf der völligen Höhe des allgemeineren, dortige[...]
Urgebirgs-Rückens, mit allen Eigenheiten dieser Lage. [...]
dem schneidendsten Kontraste ändert sich urplözlich die [...]
ne, und dem, der vom *Waisdorfer* Berge herab[...]
wenn er von Norden kommt, höchst befremdend, bei [...]
lezten Häusern des Dörfchens. Ungeahnte festere Schl[...]
stürzen sich mit einem Male, von Kiefer-Waldung [...]
deckt, hinab in eine Wildniss, wo sie die senkrecht [...]
schnittenen Sandstein-Wände so grotesk bilden in dem t[...]
fen Grunde. Die Höhe vom *Waisdorfer* Berge ber[...]
bis zur Thalsohle des tiefen Grundes, beträgt wohl 12 [...]
13 und 1400 F., und man befindet sich hier unten, von [...]
nahen Granite so hoch überragt, dennoch durchweg [...]
schen horizontal gelagerten Quader-Sandstein-Bänken. W[...]
de man nicht, wenn man lediglich aus dieser konsta[...]
Lage der mächtigen Quader-Sandstein-Schichten auf [...]
nächsten Umgebungen weiter folgern wollte, sagen m[...]
der Granit des *Waisdorfer* Berges scheine eine, auf [...]
Quader-Sandstein aufgesezte, Kuppe zu bilden? ge[...]
wie man sonst über die Lagerungs-Verhältnisse des B[...]
tes gegen den Quader-Sandstein, und Granit, und eben [...]
den dortigen Umgebungen unmittelbar, urtheilen zu dür[...]
wähnte. «

. »Noch lassen für den, der die *Hohensteiner* Gegend [...]
Musse durchsuchen wird, die übrigen tief eingeschnitten[...]
Thäler, die, denen der *Polenz* gleich, aus dem Granit-G[...]
biete ins Sandstein-Gebiet übertreten, insbesondere das Th[...]
des *Sebniz*-, in der Gegend des sich mit ihm vereinig[...]
den *Schwarzenbaches*, desgleichen zwischen *Hohenstein* [...]
dem *Borsberge*, und das Thal der *Wesniz* unweit *Lohmen* [...]
Hoffnung, einen und den anderen lehrreichen Punkt an der G[...]
birgsscheide noch aufzufinden. Im *Körnitzsch*-Grunde ober[...]
Schandau ist zwar das Hereintreten einer Granit-Masse [...]
die Region des Quader-Sandsteines, in welchem dieses Th[...]
liegt, bekannt, doch auch hier ist noch kein besonders leh[...]
reicher Punkt aufgefunden worden. Das Eintreten des K[...]

ich-Baches aber, aus dem Granite in den Sandstein,
bereits nach *Böhmen* «

»Bei *Hinterhermsdorf*, dem lezten Sächsischen Dorfe
Körnitzsch-Bache aufwärts, wo auch die Scheidelinie
ichen Granit- und Sandstein-Terrain durch das Dorf
, gibt es einen ähnlichen, unterirdischen Kalkstein-Bruch,
der von *Hohenstein*. Die starke Vorstürzung der Thon-
chten gegen den, im Hangenden liegenden, Granit hin,
m Tage entblöfst; die Grenze des Granites aber nicht so
ittelbar am Kalk-Bruche selbst, wie zu *Hohenstein*,
gens die Beschaffenheit der bunten Thone und des Kal-
to, dafs hier an eine Wiederholung der Verhältnisse von
nsteiner Kalk-Bruch nicht zu zweifeln ist. «

,,So würde jeder, noch auf dieser Grenzlinie betrie-
, Kalk-Bruch gleiche Aufmerksamkeit verdienen, und
Meinung der Arbeiter im *Hohensteiner* Kalk-Bruche
die Scheidung zwischen Granit und Sandstein führt
etwas Kalk bei sich."

,,Ist es erlaubt, noch einen flüchtigen Blick auf die
gengesezte Grenzlinie des Granites, nämlich auf dem,
er Niederung zugekehrtem, Rande desselben Granit-
s, zu werfen, so sey hier nur kürzlich dessen ge-
, dafs auf dieser Seite die Verhältnisse des Granites
i Grauwacke und Grauwackenschiefer mit diesen aber,
cht sich, verwachsen, nicht, wie von *Weinböhla* bis
rhermsdorf, lose an dem Flöz-Gebirge an- und auf.
nd, in Menge angetroffen worden. Der eigentliche
rung der Ober-Lausizzer Berge in NW. gegen die
rung, die Berge bei *Camenz* sind voll dieser Verhält-
; der Austritt der *Elster* aus ihrem Thale, am Fuße
i Bergstädtchens, ist in dieser Region. Im Dorfe *Rei-
ach*, am Fuße des *Keulenberges* gegen N., sah ich
Gebirgsarten anstehend, in einer Entfernung von we-
Schritten, neben einander. Am *schwarzen Kollmen*
ogarswerde, einem der lezteren isolirten Vorsprünge,
oben auf dem Berge Steinbrüche, der eine in Granit,
ndere in Grauwacke, so dicht neben einander, dafs
der Zufall noch nicht gewollt hat, dafs man auf der
e beider Gesteine arbeitete; und hier möchte einer der
msten Punkte seyn, durch geringe, eigens darauf ge-

richtete, Arbeit zu entblöfsen, was die Grenze zwisch
Grauwacke und Granit gewifs auch hier, wie am Har;
und wir dürfen glauben, überall lehrreich für die Nich
Auflagerung der Grauwacke auf den Granit u. s. w. zeig
würde. Mit einem Worte: an dem Nordrande des Ob
Lausizzer Granit.-Zuges sind die Verhältnisse zwischen Gr
nit und Grauwacke, von der Grenze Schlesiens bis z
Verschwinden des Zuges an der *Elbe* hin, dieselben."

Eine so eben erschienene kleine Schrift von J. C. L
Schmidt, dem mit den Verhältnissen der Gänge so wol
Vertrauten: Beiträge zu der Lehre von den Gän
gen *, ein Versuch zur systematischen Erforschung de
Naturgeschichte dieser Lagerstätten, verdient in jeder Hin
sicht, die Beachtung des mineralogischen Publikums. Wi
werden, in einem der nächsten Hefte, einen gedrängten Ab
rifs der scharfsinnigen Ansichten des Verf. zu geben be
müht seyn.

* Siegen, bei Borlaender; 1827.

Verzeichnifs

der

ei dem *Heidelberger Mineralien-*
Comptoir verkäuflichen Konchylien-,
Pflanzenthier- und andern Ver-
steinerungen *.

......

e mit A bezeichneten Arten stammen aus der Subapenninen-
Formazion der Gegend von *Castell'arquato* im *Pia-
centinischen*.

— B   eben so, vom *Andona* - Thal bei *Asti* in
Piemont.

— C   desgleichen von *Castell'gomberto* bei *Vicenza*.

— D   vom träppischen Grobkalke von *Recoaro* und
Vall' Roncà bei *Verona*.

— E   sind aus dem Grobkalke bei *Mastricht*.

— F   kommen aus der Kreide des *Petersberges* bei
Mastricht (auf Stücken der Felsart aufliegend).

— G   sind aus dem Süfswasser - Mergel im *Arno*-
Thal bei *Figline* oberhalb *Florenz*.

— H   aus der Lias - Formazion bei *Ulm*.

— I   aus der Muschelkalk - Formazion.

— K   aus dem Uebergangs - Kalke bei *Mastricht*,
der *Eifel* und des *Bensberges* bei *Köln*.

———

. *Mosasaurus*, Knochenstücke. F.

. *Chelonia*, Knochenstücke. F.

. ? *Squalus*, Zähne. F.

.   —   *cornubicus* (Linn.) Blainv., Zähne. F.

———

* Sämmtliche Bestimmungen sind von Hrn. Professor H. BRONN, doch
hat die Synonymie von SOWZABY noch nicht ganz mit aufgenommen werden können.

5. *Squalus auriculatus* Blainv., Zähne. F.
6. — *pristodontus* Blainv., Zähne. F.
7. *Belemnites mucronatus* Breyn., v. Schloth. Brongn. F.
8. *Nummulites scabra* Lam. D.
9. — *nummiformis* Defr., Al. Brongn. *Phacites fossilis* Blumenb. D.
10. *Robulina cultrata* D'Orb. *Nautilus calcar* Linn. A.
11. *Cristellaria laevis* Lam. *Cr. cassis var.* δ. D'Orb. *Nautilus cassis* δ. Ficht., M. *Linthuris cassidatus* Montf. A.
12. *Orthocera raphanistrum* Lam. A. (*Nodosaria* D'Orb.
13. — ? *acicula* Lam. A. (*Nodosaria* D'Orb.
14. — *obliqua* Lam. A. (*Nodosaria* D'Orb.
15. *Conus deperditus* Lam., Brongn. *non* Brocch. *C. virginalis* Brocch. ? *Conilites cingulatus* v. Schloth. A.
16. — *antediluvianus* Brugu., Brocch. A.
17. — *Brocchii* nob. *C. deperditus* Brocch. *non* Brugu. A.
18. — *striatulus* Brocch. A.
19. — *pelagicus* Brocch. A.
20. — *ponderosus* Brocch. A.
21. *Cypraea sphaericulata* Lam. *C. pediculus major* Brocch. AB.
22. — *coccinella* Lam. *C. pediculus minor* Brocch. AB.
23. — *elongata* Brocch. *C. rufa* Lam. AB.
24. — *physis* Brocch. *C. pyrula* Lam. A.
25. — *utriculata* Lam. *C. inflata* Brocch. *non* Lam. A.
26. *Ovula passerinalis* Lam. *Bulla birostris* Brocch. *non* Linn. A.
27. — *spelta* Lam. *Bulla spelta* Brocch. A.
28. *Marginella cypraeola* nob. *Voluta cypraeola* Brocch. A.

9. *Marginella* auriculata Ménard., Férussi. 1...
    Voluta buccinata Rènieri.
    Voluta buccinea Brocch.
    Auricula ringens Lam., Bast. ;
    Auricula turgida Sow. AB.

D. *Mitra* cupressina nob.
    Voluta cupressina Brocch. A. —

1. — *pyramidella* nob.
    Voluta pyramidella Brocch. A.

2. — *plicatula* nob.
    Voluta plicatula Brocch. A.

3. — *fusiformis* nob.
    Voluta fusiformis Brocch. AB.

4. — *scrobiculata* nob.
    Voluta scrobiculata Brocch. AB.

5. *Terebra fuscata* nob.
    Buccinum fuscatum Brocch.
    Terebra plicaria Basterot. AB.

6. — *pertusa var. β.* Bast.
    Buccinum strigilatum Brocch.
    (non *Terebra strigilata* Lam.). AB.

7. — *duplicata* Bast.
    Buccinum duplicatum Brocch. AB.

38. *Buccinum clathratum* Linn., Brocch., Lam., Bast. AB.

39. — *conus* nob.
    B. pupa. var. spira plicata Brocch. A.

40. — *corrugatum* Brocch. A.

41. — *costulatum* Ren., Brocch. A.

42. — *conglobatum* Brocch. A.

43. — *musivum* Brocch. A.

44. — *mutabile* Brocch., Lam AB.

45. — — *var. sulcata.*
    B. obliquatum Brocch. AB.

46. — *polygonum* Brocch. A.

47. — *prismaticum* Brocch. AB.

48. — *pupa* Brocch. AB.

49. — *reticulatum,* Linn., Brocch., Lam. AB.

50. — *semistriatum* Brocch. (antea *B. corniculum*) AB.

51. — *serraticosta* nob. A.

52. — *serratum* Brocch. A.

54 *

53. *Dolium pomiforme* nob.

Buccinum pomum Broceh. non Linn.

α. junior: Buccinum orbiculatum Brocch. L

54. *Monoceros monacanthos* nob.

Buccinum monacanthos Brocch. L

55. *Cassis texta* nob. α. adulta laevis evaricosa. AB.

56. — — β. — — varicosa.

(Buccinum areola Brocch

non Linn.). AB.

57. — — γ. junior cingulata.

(Buccinum saburon Brocch.

non Linn.). AB.

58. — plicata nob.

Buccinum plicatum (Linn.) Brocch. L

59. — intermedia nob.

Buccinum intermedium Brocch. L.

60. *Morio tyrrhenus var.* nob.

Buccinum tyrrhenum (Linn.) var. Brocch. L

61. — echinophorus Montf.

Buccinum echinophorum Linn., Brocch.

Cassidaria echinophora Lam. A.

α. junior. Buccinum diadema Brocch. L

62. *Rostellaria pes pelecani* Lam.

Strombus pes pelecani Lam., Brocch.

et (Pterocera) Bors.

Rostellaria pes carbonis Brongn. AB

α. Murex gracilis Brocch., Bors.

63. — pes graculi nob.

Strombus pes pelecani Brocch. non

Linn.

Rostellaria pes pelecani Brongn.

non Lam. AB.

64. *Tritonium corrugatum* nob.

Triton corrugatum Lam.

Mur. pileare (Linn.) Brocch., Bors.

(non Triton pileare Lam.). AB.

α. junior evaricosus, M. intermedius

Brocch.

65. — cruciatum nob.

Murex reticularis var. Brocch. L.

5. *Tritonium distortum nob.*
        Murex distortus Brocch., Bors. AB.
7. — *doliare nob.*
        Murex doliaris Brocch., Brongn.
        Bors. A.
3. — *lampas nob.*
        Murex lampas (Linn.) Brocch.
        ?? *Triton lampas* Lam. A.
9. — *nodiferum nob.*
        Triton nodiferum Lam.
        Murex tritonis Brocch.
        α. junior *M. gyrinoides* Brocch. A.
0. — *tuberculiferum nob.*
        Murex rana var. Brocch. A.
1. *Ranella gigantea* Lam.
        Murex reticularis Brocch., Bors. A.
2. — *marginata* Sow. Brongn., Bast.
        Buccinum marginatum Gmel. Brocch.
        Ranella laevigata Lam. AB.
        α. *Ranella Brocchii nob.* AB.

73. *Murex brandaris* Linn. var. α. Brocch., Bors. AB.
74. — — var. γ. Brocch. A.
75. — *spinicosta nob.* (cum praeced. Brocch).
        ? *Murex tribulus* (Linn.) Bors. A.
76. — *trunculus* Linn., Brocch., Bors. AB.
77. — *erinaceus* Linn., Lam.
        M. decussatus Gmel., Brocch., Bors. AB.
78. — *fistulosus* Brocch.
        M. tubifer (Linn.) Bors. A.
79. — *polymorphus* Brocch., Bors. AB.
80. — *inflatus* Brocch., Bors. (non Lam.). A.
81. — *angulosus* Brocch. A.
82. — *imbricatus* Brocch. Bors. A.
83. — *craticulatus* Brocch. A.
84. — *scalaris* Brocch. AB.
85. — *saxatilis* Brocch., Bors. (?Linn., ?Lam.). A.
86. — *bifidus nob.*
        M. craticulatus var. Brocch. app. AB.
87. — *plicatus* (?Gmel.) Brocch. AB.

88. *Murex flexicauda* nob.

          M. plicatus var. Brocch. AB.

89. — *rotifer* nob. **A.**

90. *Pyrula undulata* nob.

         Bulla ficoides Brocch.

         (*non Pyrula ficoides* Lam.). **A.**

91. — *reticulata* Lam.

         Bulla ficus var. 1 Brocch., Bors. L

92. — *ficus* Lam.

         Bulla ficus var. 2 Brocch. **A.**

93. — *cingulifera* nob.

         ? *Triton cynocephalum* Lam. var. **A.**

94. *Fasciolaria fimbriata* nob.

         M. fimbriatus Brocch., Bors. AB

95. *Fusus rostratus* nob.

         Murex rostratus Oliv., Brocch., Bors. L

96. — *longiroster* nob.

         Murex longiroster Brocch., Bors. **A.**

97. — *lignarius* Lam.

         Murex corneus Gmel., Brocch., Bors.

         (*non Murex lignarius* Brocch. AB.

98. — *mitraeformis* nob.

         Murex mitraeformis Brocch., Bors. **A.**

99. — *politus* nob.

         Murex politus Ren.

         Murex subulatus Brocch., Bors. (nec

         Fusus subulatus Bors. nec Lam.). **A.**

100. — *contrarius* Lam.

         Murex contrarius Linn., Blumenb., Esp.

101. — *thiara* nob.

         Murex thiara Brocch. **A.**

102. — *vulpeculus* nob.

         Murex vulpeculus Ren., Brocch., Bors. A

103. *Cancellaria senticosa* Lam.

         Murex senticosus Linn.

         Murex cristatus Brocch., Bors. A.

104. — *cancellata* Lam., Bast.

         Voluta cancellata Gmel., Brocch.

         AB.

Cancellaria varicosa nob.

    Voluta varicosa Brocch. AB.

— *lyrata* nob.

    Voluta lyrata Brocch.

    Cancellaria turricula Lam. AB.

— *hirta* nob.

    Voluta hirta Brocch.

    . *Cancellaria clathrata* Lam. AB.

— . *umbilicaris* nob.

    Voluta umbilicaris Brocch. AB.

Pleurotoma bracteata nob.

    Murex bracteatus Brocch. A.

— *sigmoidea* nob.

    Murex harpula var. Brocch. A.

— *capillaris* nob.

    Murex oblongus var. Brocch. p.
    430. AB.

— *cataphracta* nob.

    M. cataphractus Brocch., Bors. A.

— *interrupta* nob.

    Murex interruptus Brocch., Bors.

    Pleurotoma turris Lam. A.

— *dimidiata* nob.

    Murex dimidiatus Brocch., Bors. A.

— *rotata* nob.

    Murex rotatus Brocch., Bors. A.

— *monile* nob.

    Murex monile Brocch. A.

— *turricula* nob.

    Murex turricula Brocch.

    α. *M. contiguus* Brocch., Bors. A.

— *oblonga* nob.

    Murex oblongus Brocch., Bors. A.

— *intorta* nob.

    Murex intortus Brocch., Bors. A.

    α. *junior ? M. reticulatus* Brocch.
     Bors.

— *costulifera* nob. A.

Cerithium varicosum nob.

    Murex varicosus Brocch., Bors. A.

122. *Turitella acutangula* nob. A.
  Turbo acutangulus var. Brocch., Bors
  α. Turbo subangulatus Brocch.
    Bors. A.

123. — . tricarinata nob.
  Turbo tricarinatus Brocch., Bors
  Turritella turris Bast. A.

124. — vermicularis nob.
  Turbo vermicularis Brocch.
  ? Turritella quadriplicata Bast. J

125. — tornata König.
  Turbo tornatus Brocch., Bors. J

126. *Turbo rugosus* Linn., Brocch. AB.

127. *Cirrus Dionysii* nob.
  α. Helicites priscus v. Schloth. K.
  β. Helicites ellipticus v. Schloth. L.
    Straparolus Dionysii Montf.
  γ. Helicites trochylinus v. Schloth. I

128. *Trochus infundibulum* Brocch., Bors. A.
129. — cumulans Brongn.
  T. agglutinans Brocch., Bors. as
    Lam. AB.
  T. crispus König.
130. — patulus Brocch., Bast., Bors. A.
131. — magus Linn., Brocch., Lam. A.
132. — cingulatus Brocch. A.
133. — punctatus Ren.
  T. crenulatus Brocch. non Lam. A
134. — turgidulus Brocch., Bors. A.
135. — lucasianus Al. Brongn. C.

136. *Solarium pseudo perspectivum* nob.
  < Trochus pseudoperspectivus Brocch.
    Bors. A.

137. — millegranum Lam.
  Trochus pseudo - perspectivus var.
    Brocch. AB.
138. — laevigatum nob.
  < Trochus pseudo perspectivus Brocch. A

?*Delphinula costata* nob.

Nerita (*Stomatia*) costata Brocch., Bors. AB.

Purpura costata Sow., Bast. AB.

Pyramidella terebellata Fér., Sow., Bast., Desh.

Auricula terebellata Lam., Defr.

Turbo terebellatus Brocch. A.

Tornatella semistriata Bast.

Voluta tornatilis (? Linn.) Brocch., Bors. AB.

Sigaretus haliotoideus Lam.

Helix haliotoidea Linn., Brocch. Bors. AB.

Natica millepunctata Lam.

Natica stercus muscarum Encycl.

Nerita canrena Brocch. Bors. AB.

— glaucina Lam., Bast.

Nerita glauc. Linn., Brocch., Bors. AB.

— ? epiglottina Lam. var.

Nerita fulminea Brocch. non Linn. AB.

α; destructa: Ner. helicina Brocch., Bors.

Paludina ampullacea nob. G.

— impura Brard.

Cyclostoma impurum Drap.

Helix tentaculata Linn., Brocch. G.

Valvata piscinalis Lam. var. major. nob.

Helix fascicularis Linn., Brocch.

Cyclostoma obtusum Drap.

Valvata obtusa Brard. G.

Melania fasciata nob.

Turbo fasciatus Ren.

Helix subulata Brocch.

Melania subulata Bast. non Lam. A.

— distorta Desh., Bast.

Turbo auriscalpium Ren. non Linn.

? Turbo politus Mortagu.

< Melania nitida Lam.

Helix nitida Brocch. A.

— ovata nob. G.

— oblonga nob. G.

153. *Achatina Priamus* Lam.
    Bulla helicoides Brocch.
    Helix Priamus Fér. A.

154. *Bulimus terebellatus* Lam., Bast.
    Helix terebellata Brocch. AB.

155. *Bulla lignaria* Linn., Brocch., Lam., Desh.
    Bulla Fortisii Brongn. A.

156. *Crepidula unguiformis* Lam., Bast.
    Patella crepidula Linn., Brocch.
    Crepidula italica Defr. AB.

157. *Calyptraea squamulata* nob.
    Patella squamulata Ren.
    Patella muricata Brocch.
    Calyptraea muricata Bast. AB.

158.   —   *laevigata* Lam.
    Patella sinensis (Linn.) Brocch. AB.

159. *Fissurella costaria* Desh. var. 20 - radiata nob.
    Patella graeca (Linn.) Brocch.
    Linn., Lam. Bast., AB.
    Fiss. graecula König + *F. squamosa*
    König, non Desh.

160. *Capulus hungaricus* Montf.
    Patella hungarica Linn. Brocch.
    Pileopsis hungarica Lam. AB

161. *Brocchia sinuosa* nob.
    Patella sinuosa Brocch. A.
    Pileopsis sinuosa König

162. *Dentalium elephantinum* Linn., Brocch., Lam. AB.
    α. ? *D. aprinum* Lam.
    β. junior. *D. sexanguum* (Linn.)
    Brocch.
    D. sexangulare Lam.

163.   —   *dentalis* (Linn.) Brocch. A.
164.   —   *incurvum* Ren.
    D. coarctatum Brocch.
    (*D. subulatum* an *D. strangulatum*
    Desh.) A.

165.   —   *bulbosum* nob. A.

Dentalium ventricosum nob.

　　　　　(? *D. coarctatum* Lam., Desh. *non* Brocch. A.

Teredo. F.

Solen strigilatus Lam., Bast., Desh. *var.*

　　　　Solen candidus Ren. Brocch. A.

— . *coarctatus* Linn., Brocch., Lam. AB.

Panopaea Faujasii Ménard.

　　　　Panop. Aldrovandi var. Lam.

　　　　Mya glycimeris Gmel.

　　　　Mya Panopaea Brocch. A.

Lutraria solenoides Lam.

　　　　Mactra oblonga Brocch.

　　　　Mya oblonga Linn. A.

Mactra triangula Brocch AB.

Corbula rugosa Lam., Desh. (excl. syn. Brocch.)

　　　　Tellina gibba Oliv., Brocch. AB.

Tellina serrata Ren., Brocch. AB. —

— *subcarinata* Brocch. A.

Lucina ? pensylvanica Lam.

　　　　· *Venus pensylvanica* (Linn.) Brocch. B.

Astarte incrassata de la Jonk.

　　　　Venus (Capsa) incrassata Brocch. *non* Sow. A.

Cyprina gigas Lam.

　　　　< *Venus islandica* Brocch. AB.

— *angulata* nob.

　　　　Venus angulata Sow.

　　　　Cyprina umbonaria Lam. A.

— *islandicoides* Lam.

　　　　< *Venus islandica* (Linn.) Brocch. *non* Linn. A.

　　　　Venus aequalis Sow. A.

— *islandicoides var. inflata* Brocch. A.

— *affinis* nob.

　　　　< *Venus pectunculus* Brocch. *non* Linn. A.

Cytherea cycladiformis nob.

　　　　< *Venus pectunculus* Brocch. *non* Linn. A.

184. *Cytherea chione* L a m.
          Venus chione L i n n., B r o c c h. A

185.   —   *rugosa nob.*
          Venus rugosa L i n n., B r o c c h., L a m. A

186.   —   *lincta* L a m., B a s t.
          ? Venus prostrata (L i n n.) B r o c c h.

187. *Venus rotundata* L i n n., B r o c c h. A.
188.   —   *plicata* L i n n., B r o c c h. AB.
189.   —. *senilis* B r o c c h.
          Venus casina R e n. *non* L a m.
         .. *Venus casinoides* L a m., B a s t.
          Astarte senilis d e l a J o n k. A.

190.   — '*dysera* L i n n. *var. minor* B r o c c h.
          Venus paphia R e n. *non* L i n n.
          Astarte dysera d e l a J o n k. AB.

191.   — *radiata* B r o c c h.
          Venus spadicea R e n. *non* L i n n. AB.

192.   — *lupinus* B r o c c h.
          (*neque Venus, neque Lucina.*) AB.

193. *Venericardia intermedia* B a s t.
          Chama intermedia B r o c c h.
          Cardita intermedia L a m. AB.

194.   —   *rhomboidea nob.*
195.   —   *Veneric. imbricata var. test.* L a m.
          Chama rhomboidea B r o c c h. AB.
         α. *Chama pectinata* (*antea Chama*
          imbricata) B r o c c h.

196.   —   *Laurae* A l. B r o n g n. D.
197. *Cardium multicostatum* B r o c c h. A.
198.   —   *oblongum* C h e m n., B r o c c h.
          Card. sulcatum L a m. A.

199.   —   *laevigatum* L i n n., L a m.
          Card. fragile B r o c c h. AB.

200.   — *edule* (? L i n n.) B r o c c h. *non* L a m. A.
201.   — *incertum nob.*
          (*? Card. edule* L a m. *non* B r o c c h.). A.

202.   — *echinatum* L i n n., B r o c c h. *var. b. pag.* 17.
          L a m. A.

203.   — *tuberculatum* L i n n., B r o c c h., L a m. AB.
204.   —   —   α. *minticum.* AB.

Cardium ciliare Linn., Brocch. *var,* a Lam. AB.
— *dubium nob. var. α.* A.
(< *Cardium ciliare* Brocch.)
(? *Cardium ciliare b.* Lam.)
— *dubium var. b. nob.* A.
Isocardia cor. Lam.
Chama cor. Linn., Brocch. A.
Arca diluvii Lam.
A. antiquata (Linn.) Brocch. *non* Lam. AB.
— *Noae* Linn., Brocch., Lam. AB.
— *mytiloides* Brocch., A.
Pectunculus polyodonta nob.
Pectunc. pulvinatus var. 3. Lam. AB.
α. *Arca polyodonta* Brocch.
β. *Arca pilosa* Brocch.
γ. ? *Arca undata* Brocch.
— *auritus nob.*
Arca aurita Brocch. A.
— *romuleus nob.*
Arca romulea Brocch. A.
— *inflatus nob.*
Arca inflata Brocch. A.
α. junior *A. nummaria* Brocch.
non Linn.
— *variabilis* Sow. *England.*
— *pulvinatus var.* Lam. E.
— *transversus* Lam.
(? *sub A. insubrica* Brocch.) A.
). *Nucula placentina* Lam.
< *Arca nucleus* Brocch.
? *Nucula pectinata* Sow. AB.
). — *emarginata* Lam., Bast.
Arca pella Brocch. *non* Linn. AB.
1. — *minuta nob.*
Arca minuta (Linn.) Brocch. AB.
2. *Chama gryphina* Lam.
Chama sinistrorsa (Brugu., Brocch. B.
? *Ostracites chamaeformis* v. Schloth.
3. — *unicornaria* Lam.
Chama lazzarus Linn., Brocch. A.

224. *Chama echinulata* L a m.

         Ch. gryphoides (L i n n.) B r o c c h., B a s t.

225. — *inversa nob.* A.

226. *Modiola subcarinata* L a m. S o w.

         < *Mytilus modiola* B r o c c h. A.

227. *Avicula triptera nob.* F.

228. *Méleagrina approximata nob.*

         Ostracites approximatus v. S c h l o t h.

229. *Plagiostoma ?*

         Chamites striatus v. S c h l o t h.

230. *Pecten regularis nob.*

         Pectinites regularis v. S c h l o t h. F.

231. — *flabellum nob.* E.

232. — *jacobaeus* L a m.

         Ostrea jacobaea L i n n. B r o c c h. A.

233. — *maximus* L a m.

         Ostrea maxima L i n. B r o c c h. A.

234. — *varius* L a m.

         Ostrea varia L i n n. B r o c c h. AB.

235. — *? opercularis* L a m.

         Ostrea plebeja B r o c c h.

         ? Pectinites hispidus v. S c h l o t h. A.

236. — *scabrellus* L a m., B a s t.

         Ostrea dubia G m e l., B r o c c h. A.

         α. Ostrea tranquebarica L i n n., B r o c c h.

237. — *polymorphus nob.* AB.

         α. Pecten striatulus L a m.

         β. Ostrea striata B r o c c h. *P. inae-*

         costalis L a m.

         γ. Ostrea discors B r o c c h. *non Pecten*

         discors L a m.

         δ. Ostrea coarctata (B o r n.) B r o c c h.

238. — *cristatus nob.*

         Ostrea pleuronectes B r o c c h. *non* L i n n. A.

239. — *flabelliformis nob.*

         Ostrea flabelliformis B r o c c h. AB.

240. *Spondylus crassicosta* L a m.

         Spondylus gaederopus var. β. L.

         B r o c c h.

241. — *cisalpinus* B r o n g n. C.

2. *Gryphaea cymbium nob.* (*non* Lam.)
. *Gryphites cymbium* v. Schloth.
Gryphaea arcuata Lam.
Gryphaea incurva Sow.

3. — *navicularis nob.* .
Ostrea navicularis Brocch.
Podopsis gryphoides Lam. A. .

4. *Ostrea crispa* Brocch. AB.

5. — *cornucopiae* Linn., Brocch., Lam. A.

6. — — *var. Ostrea Forskåhlii* Brocch.
AB.

7. — *edulis* Linn. Brocch.
Ostrea edulina Lam. .
Ostracites eduliformis v. Schloth. . AB.

8. — . *angustivalvis* König = *Ostracites crista urogalli* v. Schloth. ? *O. larva* Lam. F.

9. *Anomia ephippium* Linn., Brocch., Lam. A.

50. — *costata nob.* AB. .
α. *A. costata* Brocch.
. β. *A. sulcata* Brocch.
. : γ. *A. radiata* Brocch.

51. — *squama* Brocch. AB.

52. *Terebratula ampulla* Lam.
Anomia ampulla Brocch. AB.

53. — *communis* Bosc.
Terebrat. vulgaris v. Schloth. I.

54. *Spirifer laevigatus nob.*
Terebratulites laevigatus v. Schloth. K.
Spir. glaber et ? oblatus Sow.

55. — *aperturatus nob.*
Terebratulites aperturatus v. Schloth. K.
Spir. bisulcatus Sow.
Trigonotreta Stokesii König.

256. — *speciosus nob.* .
Terebratulites speciosus v. Schloth. K.
Trigonotreta speciosa König.

257. *Productus aculeatus nob.*
. *Gryphites aculeatus* v. Schloth. Hessen.
. *Prod. horridus* Sow.
— ? *scoticus* Sow.

544

258. *Produetus thecarius* nob.

Anomites thecarius v. Schloth. I

259. *Produetus dubius* nob. K.

260. *Balanus miser* Lam. AB.

261. — *sulcatus* Lam.

< *Lepas balanus* (Linn.) Brocc‖ non Poli. AB.

Lepadites plicatus v. Schloth.

262. — *concavus* nob. B.

263. *Siliquaria anguina* Lam.

Serpula anguina Broech. A.

α. *junior S. ammonoides* Brocch

264. *Serpula lumbricalis* β. Linn., Brocch. A.

265. — *dentifera* c. Lam.

Serpula polythalamia Linn., Brocch. ‖

266. *Spirulaea nammularia* nob.

Serpulites nammularias v.Schloth.

267. *Pagurus Faujasii* Desm. F.

268. *Spatangus radiato-striatus* Leske.

Sp. striatus Lam.

Echinites striatus v. Schloth. I.

269. *Cyathocrinites rugosus* Mill. (*Articuli colamnares*). H.

270. *Turbinolia cuneata* Goldf.

α. *T. appendiculata* Bronga.

β. *var. anceps* nob. A.

γ. *angusta* nob. A.

δ. *junior, basi lata affixa.*

271. — *duodecim-costata* Goldf. A.

272. *Caryophyllia caespitosa* Lam.

Madrepora caespitosa Linn. l

273. — *clavigera* nob. (?) A.

274. ?? *Spongia globularis* nob. A.

275. — ? — ? — A.

Namen-Register.

'r e v e l y a n, *W. C.*, beobachtete Kryställe von Schwefel
in Bleiglanz. I, 350.

'*u r n e r*, E, Iodine in der Mineral-Quelle von *Bonning.*
ton unfern *Leith.* I, 530.

V arley, Löthrohr mit zwei Schnäbel. I, 266.

. *Veltheim*, Beobachtungen über den Granit des *Harzes*
zu s.w. I, 93.

— gangartiges Vorkommen schlackenartiger Massen im älteren Porphyre. I, 247.

— über den Porphyr von *Torgau.* I, 245.

Vernon, W., Schilderung der Schichten im N. des *Hum-*
ber unfern *Cave.* I, 251.

La Via, G. B., mineralogische Beobachtungen in dem
Gebiete von *Sommatino.* I, 268.

Victor-Frère-Jean, geognostische Skizze vom Eilande
Anglesea. I, 367.

Voysey, H. W., über die fossilén Muscheln in der Kette
der *Gawylghur*-Berge. I, 342.

— — über die Diamant-Gruben des südlichen *Indiens.*
II, 397.

Walchner, Chrom-Gehalt vieler Mineralien. I, 239.

— Vorkommen von Grobkalk am westlichen Rande des
Schwarzwaldes. II, 241.

Weaver, Th., über das Vorkommen der fossilen Reste
von Riesen-Elenn in *Irland.* I, 153.

Webster, Th., Bemerkungen über die Felsschichten von
Hastings. II, 386.

Weifs, über einige geognostische Punkte bei *Meifsen* und
Hohenstein. II, 518.

Sachen-Register.

Orts - Register.

Inhalt des zweiten Bandes.

II. Auszüge aus Briefen.

III. Miszellen.

Seite

ben vorkommenden Fossilien u. s. w. Schnee
zu *Zell* am See den 8. Juni 1827 gefallen.
Schwefel zu *Ems* im *Nassauischen*, gefunden.
Mineralogie der Gegend um *Issoire*. Skizze des
Fichtelgebirgs-Passes von *Baireuth* bis *Eger*.
Verwüstung des Kantons *Vans* durch Austreten
der Flüsse und Bäche. Vulkanischer Ausbruch
bei *Stafford*. Chemische Analyse einer neuen
Abänderung des Magnesits. Erdbeben zu *Jassy*.
Geognostische Beschreibung der Antimonglanz-
Lagerstätte bei *Brück* im Regierungs-Bezir-
ke *Koblenz*. Geognostische Beschreibung von
Stevens-Klint und *Möen*. Wallfisch-Gebeine
im Distrikte von *Monteith*. Geognostische und
geschichtliche Beobachtungen über die östlichen
Thäler in *Norfolk*. Vorkommen des Chrysoprases im *Frankensteiner* Gebirge in *Schlesien*.
Formazionen zu beiden Seiten der grofsen See-
Bucht von *Monte-Video*. Krystallisirtes Kupferoxydul auf antiken Arbeiten. Erd-Bildung
im südöstlichen *Schonen*. Gegenwart des Ammoniaks in thonigen Mineralien. Sillimanit.
Knochen-Höhle unfern *Bordeaux*. Erdbeben zu
Calanzaro. Vorkommen von Schildkröten-Resten im Süfswasserkalke bei *Flacq*. Land um
Buenos Ayres. Stronzianerde-Gehalt des Schaumkalkes. Vorkommen von Gediegen-Gold im
Preufsischen *Mosel*-Gebiete. Kalk-Schwerspath. Bemerkungen über *Portugal*. Bemerkungen über die einander gegenüber liegenden
Küsten *Frankreichs* und *Englands*. Gold-Waschereien unfern *Congonhas do Campo* und über
die Topas-Grube von *Capao d'Olanda*. Geologische Beschreibung der Umgegend von *Paris*. Geognostische Punkte bei *Meifsen* und *Hohenstein*. Beiträge zu der Lehre von den Gängen
. . . . 441 — 528.

Berichtigungen

___

Im August - Hefte:

S. 140. Z. 7. Moffart zu lesen Moffat.

— 150. — 10. Dotio z. l. Dotis.

— 152. — 27. Erdbere z. l. Erdbere?.

— 166. — 6. fällt das Wort Czarkow weg.

— 176. — 7. Presset z. l. Presset.

— 182. — 8. Safsel z. l. Sefsel.

— 192. — 13. Stillenehould z. l. St. Menehould.

— 196. — 20. Marmonde z. l. Marmande.

— 198. — 11. Gardonne z. l. Gardanne.

— 201. — 13. Morostico z. l. Marostico.

— 214. — 31. Guateloup z. l. Grateloup.

— 223. — 16. Corvoy z. l. Corvey.

— 225. — 17. Otrento z. l. Otranto.

Im September - Hefte.

S. 319. Z. 20. Lymnaeus z. l. Cyclostoma.

Berichtigungen.